LES BOURREAUX VOLONTAIRES DE HITLER

DANIEL JONAH GOLDHAGEN

LES BOURREAUX VOLONTAIRES DE HITLER

Les Allemands ordinaires et l'Holocauste

TRADUIT DE L'AMÉRICAIN
PAR PIERRE MARTIN

ÉDITIONS DU SEUIL
27, rue Jacob, Paris VIe

Titre original : *Hitler's Willing Executioners.*
Ordinary Germans and the Holocaust
Éditeur original : Alfred A. Knopf

ISBN original : 0-679-44695-8

ISBN : 2-02-028982-2

A Erich Goldhagen,
mon père et professeur

On ne lutte point avec avantage contre l'esprit de son siècle et de son pays ; et un homme, quelque puissant qu'on le suppose, fait difficilement partager à ses contemporains des sentiments et des idées que l'ensemble de leurs désirs et de leurs sentiments repoussent.

Tocqueville,
De la démocratie en Amérique

INTRODUCTION

Repenser les aspects centraux de l'Holocauste

Le capitaine Wolfgang Hoffmann avait toujours tué les Juifs avec zèle. A la tête d'une des trois compagnies du 101e bataillon de police (une unité composée d'Allemands ordinaires et non de SS), il avait participé à de nombreuses opérations menées en Pologne contre des dizaines de milliers de Juifs, hommes, femmes et enfants, tantôt déportés vers des camps d'extermination, tantôt massacrés sur place dans des conditions atroces. Et pourtant, c'était le même homme qui, au milieu de ses activités d'agent d'un génocide, prenait sur lui de désobéir à un ordre de ses supérieurs qu'il estimait moralement inacceptable.

L'ordre en question demandait aux membres de sa compagnie de signer une déclaration qui leur avait été envoyée. Hoffmann commençait sa lettre de refus en disant qu'il avait d'abord pensé que tout cela était une erreur « parce qu'il me semblait impertinent de demander à un honnête soldat allemand de signer une déclaration par laquelle il s'engageait à ne pas voler, à ne pas piller, et à ne jamais acheter sans payer... ». Il expliquait ensuite à quel point une telle demande était peu fondée, puisque ses hommes, gens de saines convictions idéologiques, savaient parfaitement que de tels actes étaient punissables. Il faisait également connaître à ses supérieurs le jugement qu'il portait sur le caractère de ses hommes et leurs actes, lesquels incluaient probablement le massacre des Juifs : l'adhésion de ses subordonnés aux règles allemandes de moralité et de conduite émanait « de leur libre arbitre et non pas d'un désir de récompense ou de la crainte du châtiment ». Il terminait sur cette fière déclaration : « En tant qu'officier, cependant, je regrette d'être obligé de faire prévaloir mes conceptions sur celles du commandant du bataillon, et je ne suis pas en mesure d'exécuter cet ordre, car je me sens blessé dans mon sens de l'honneur. Je refuse donc de signer cette déclaration[1]. »

La lettre d'Hoffmann est étonnante, et instructive, à plus d'un titre. Voilà un officier qui a déjà mené ses hommes au massacre de dizaines de milliers de Juifs, et qui considère comme une insolence que quiconque puisse soupçonner ses soldats et lui-même de voler de la nourriture aux

Polonais ! L'honneur du tueur était blessé, et doublement blessé, en tant que soldat, en tant qu'Allemand. Les obligations qu'il estimait devoir être celles des Allemands à l'égard des « sous-hommes » polonais étaient donc incomparablement plus fortes que celles qui étaient dues aux Juifs. Aux yeux de cet homme, l'institution dont il était membre devait être bien tolérante, puisqu'il refusait d'exécuter un ordre direct, et consignait même cette insubordination par écrit. Son jugement sur ses hommes, fondé sans nul doute sur une prise en compte complète de leurs actions, y compris le génocide, était qu'ils n'agissaient pas par crainte du châtiment, mais de leur plein gré : ils agissaient selon leurs convictions, au nom de leurs croyances intimes.

Ce refus écrit du capitaine Hoffmann met en relief un aspect important, et négligé, de l'Holocauste : le laxisme régnant dans bien des institutions chargées de tuer, la capacité des auteurs du génocide de refuser des ordres (même des ordres de tuer), et, ce qui n'est pas le moins important, leur autonomie morale. Il nous permet de pénétrer l'état d'esprit ordinaire des assassins, leur motivation à tuer. Il nous oblige à poser des questions longtemps négligées sur le type de conception du monde et de contexte institutionnel qui a pu produire une telle lettre, laquelle, malgré son objet marginal et apparemment bizarre, révèle beaucoup de choses sur la façon dont l'Holocauste a été perpétré par les Allemands. Comprendre les actes et l'état d'esprit de dizaines de milliers d'Allemands ordinaires qui, comme le capitaine Hoffmann, ont participé au génocide, tel est l'objet du présent livre.

Avec l'Holocauste, les Allemands ont exterminé six millions de Juifs, et, si l'Allemagne n'avait pas été vaincue, ils en auraient tué des millions d'autres. L'Holocauste est ce qui définit avant tout la politique et la culture politique allemandes sous le nazisme, l'événement le plus bouleversant du XXe siècle, le plus difficile à comprendre de toute l'histoire allemande. Si la persécution des Juifs, culminant dans l'Holocauste, est la dimension principale de l'Allemagne nazie, ce n'est pas parce que nous sommes rétrospectivement bouleversés par l'événement le plus bouleversant du siècle, mais à cause de ce qu'il signifiait pour les Allemands, à l'époque où tant d'entre eux y ont prêté la main : il marquait leur séparation de la communauté des « peuples civilisés [2] », et cette séparation demande à être expliquée.

Expliquer l'Holocauste est la question intellectuelle centrale pour la compréhension de l'Allemagne nazie. Tous les autres problèmes réunis sont comparativement plus simples. L'arrivée au pouvoir des nazis, l'anéantissement de la gauche, la restauration de l'économie du pays, la structure et le fonctionnement de l'État hitlérien, la façon dont les nazis ont conduit et fait la guerre, autant d'événements plus ou moins ordinaires, « normaux », relativement faciles à comprendre. Mais l'Holocauste, et le changement qu'il implique dans les sensibilités, « défient » l'explication. Il n'y a aucun événement comparable au XXe siècle, ni même dans toute l'histoire de l'Europe moderne. Quels que soient les débats qui subsistent à leur propos, tous les autres événements de l'histoire allemande aux XIXe et XXe siècles sont, comparés à l'Holocauste, d'une genèse transparente. En revanche, expliquer la façon dont l'Holocauste a pu se produire est une tâche très difficile, tant du point de vue empirique que théorique, si bien que certains ont pu dire, à tort, qu'il était « inexplicable ». La difficulté théorique vient de sa nature entièrement nouvelle, de l'incapacité de la théorie sociale antérieure (ou du sens commun) à laisser entrevoir non seulement qu'il se produirait mais même qu'il était possible. Quant aux théorisations rétrospectives, elles n'ont pas fait beaucoup mieux, et n'ont pu que jeter une faible lumière sur tant d'obscurité.

L'objectif d'ensemble de ce livre est d'expliquer pourquoi l'Holocauste a eu lieu, et comment il a pu avoir lieu. Le succès de l'entreprise passe par la remise à plat de trois sujets : les agents de l'Holocauste, l'antisémitisme allemand, la nature de la société allemande à l'époque nazie.

Le plus important de ces trois sujets est celui des agents de l'Holocauste. Rares sont sans doute les lecteurs de ce livre qui ne se sont pas posé la question de savoir ce qui poussait les auteurs des massacres à tuer. Et rares sont ceux qui ne se sont pas forgé une opinion, laquelle ne vient pas nécessairement de quelque connaissance approfondie des coupables et de leurs actes, mais d'abord des conceptions de chacun sur la nature humaine et la société. Mais rares sont probablement ceux qui contesteraient que ces agents du génocide méritent d'être étudiés de près.

Et pourtant, à ce jour, les agents de l'Holocauste, le groupe le plus important de tous ceux qui sont responsables de l'extermination des Juifs d'Europe, après les dirigeants nazis eux-mêmes, ont reçu bien peu d'attention dans les ouvrages qui reconstituent les événements et se proposent de les expliquer. Étrangement, dans la vaste littérature sur l'Holocauste, il est très peu question de ses exécutants. On sait peu de chose sur eux, sur le détail et les circonstances de leurs actes, sans parler des motivations qui les animaient. On n'a jamais tenté de faire une estimation raisonnable du nombre de ceux qui ont participé au génocide. Certains des organismes impliqués dans le massacre collectif, et ceux qui les peuplaient, ont été à peine étudiés ou pas du tout. Conséquence de ces lacunes du savoir historique, les malentendus et les mythes abondent à propos de ces criminels, et ils retentissent sur la façon dont sont compris l'Holocauste et l'Allemagne nazie.

Il est donc nécessaire de procéder à une nouvelle focalisation de l'attention et de l'énergie intellectuelle, par trop consacrées à d'autres sujets, sur ces agents du génocide, c'est-à-dire sur les hommes et les femmes qui ont contribué en pleine connaissance de cause au massacre des Juifs[3]. Leurs actes doivent être étudiés dans les détails, et expliqués. Il ne suffit pas de traiter les institutions de mise à mort, collectivement ou séparément, comme des instruments relativement simples de la volonté des dirigeants nazis, des machines bien huilées que le régime n'avait qu'à mettre en marche, sur simple pression d'un bouton, pour qu'elles exécutent ses ordres, quels qu'ils pussent être. L'étude des hommes et des femmes qui ont collectivement donné vie à des formes institutionnelles sans eux inertes, qui ont peuplé ces institutions criminelles, doit être au centre des recherches sur l'Holocauste, et occuper dans l'historiographie du génocide une place aussi centrale que dans son exécution.

Avant tout, ces agents du génocide étaient des Allemands. Sans doute des membres d'autres groupes nationaux ont-ils pu aider les Allemands à exterminer les Juifs, mais l'Holocauste était avant tout une affaire d'Allemands. Les non-Allemands n'étaient pas essentiels à la perpétration du génocide, et ce ne sont pas eux qui ont donné l'impulsion nécessaire à son élaboration et à son organisation. Il est vrai que, si les Allemands n'avaient pas su trouver des complices en Europe (surtout à l'Est), l'Holocauste se serait déroulé d'une façon un peu différente, et les Allemands n'auraient pas réussi à tuer tant de Juifs. Mais c'était avant tout une entreprise allemande : les décisions, les plans, l'organisation, la majorité des exécutants étaient allemands. La compréhension de l'Holocauste demande donc une explication de ce qui a poussé les *Allemands* à tuer les Juifs. Comme ce qui peut être dit des Allemands ne peut être dit ni d'un autre peuple ni des autres peuples réunis (sans Allemands, pas d'Holocauste), il est normal de faire porter la recherche sur les coupables allemands.

Pour replacer les auteurs du génocide au centre de la compréhension de l'Holocauste, la première tâche de l'historien est de leur rendre leur identité grammaticale, c'est-à-dire de ne plus utiliser le passif mais la voix active, pour que les criminels ne soient plus absents de leurs crimes (comme lorsqu'on écrit « cinq cents Juifs furent tués à tel endroit à telle date [4] ») ; de ne plus recourir à ces étiquettes commodes mais souvent inappropriées et trompeuses de « nazis » ou de « SS », pour les appeler par leur nom : les « Allemands ». Le terme le plus approprié, le seul approprié même, pour désigner les Allemands qui ont perpétré l'Holocauste est celui d'« Allemands » [5]. Ils étaient des Allemands, agissant au nom de l'Allemagne et de son chef révéré, Hitler. Certains étaient effectivement nazis, qu'ils fussent membres du parti de ce nom ou par simple adhésion idéologique, et certains ne l'étaient pas. Certains appartenaient à la SS, d'autres pas. Ces exécutants tuaient, ou effectuaient d'autres tâches relevant du génocide, sous les auspices de nombreuses institutions autres que la SS. Le principal dénominateur commun de ces agents de l'Holocauste est qu'ils étaient allemands, poursuivant des objectifs politiques allemands – dans le cas qui nous occupe, le génocide des Juifs [6]. Sans doute est-il parfois approprié d'utiliser des noms d'institution, ou de métier, ou des termes génériques comme « exécutants » ou « tueurs » pour les désigner, mais il ne faut le faire que si le contexte indique clairement que ces hommes et ces femmes étaient d'abord des Allemands, et seulement ensuite des SS, des policiers ou des gardiens de camp.

Seconde tâche, liée à la première, celle d'éclairer les origines de ces agents de l'Holocauste, d'évoquer leur vie, et même leur qualité de vie d'agents d'un génocide, de mettre au jour leur *Lebenswelt*. Que faisaient-ils *exactement* quand ils tuaient ? Que faisaient-ils pendant tout le temps où, membres de ces institutions vouées à l'extermination des Juifs, ils n'étaient pas occupés à tuer ? Tant que nous ne connaîtrons pas le détail de leurs actes et de leur vie quotidienne, ni leurs crimes ni eux-mêmes ne pourront être l'objet d'une vraie compréhension. Découvrir la vie de ces agents du génocide, décrire leurs actes dans leur épaisseur, et non abstraitement, autant d'exercices nécessaires et importants en eux-mêmes, qui sont à la base de la tâche que ce livre s'assigne : expliquer leurs actes [7].

Je considère qu'une telle analyse est impossible si elle n'est pas étayée par une compréhension de la société allemande avant et pendant le nazisme, et notamment de la culture politique qui a produit ces agents de l'Holocauste et leurs actes. Le plus souvent, les historiens ont ignoré cette dimension quand ils entendaient rendre compte des actes de ces Allemands, et ils se sont bornés à évoquer des explications par les circonstances, centrées presque exclusivement sur le jeu des institutions ou sur les pressions socio-psychologiques, souvent conçues comme irrésistibles. Les hommes et les femmes qui sont devenus les agents de l'Holocauste opéraient dans un cadre social et historique particulier, dans lequel ils avaient également été formés. Ils portaient en eux des conceptions du monde élaborées antérieurement, qui étaient communes à leur société, et qu'il est nécessaire d'examiner pour expliquer leurs actes. Cela demande, plus fondamentalement encore, un réexamen du caractère et de l'histoire de l'antisémitisme en Allemagne, avant le nazisme et pendant, lequel à son tour demande une nouvelle approche théorique de l'antisémitisme lui-même.

Les études sur l'Holocauste souffrent d'une mauvaise compréhension et d'une sous-théorisation de l'antisémitisme. « Antisémitisme » est un terme vaste et imprécis, recouvrant une grande variété de phénomènes. C'est là un obstacle majeur à toute explication de l'Holocauste, car celle-ci a pour tâche centrale de penser le rôle de l'antisémitisme dans sa perpétration. Selon moi, notre conception de l'antisémitisme, et de la relation entre l'antisémitisme et le sort infligé aux Juifs, est défectueuse. Il faut remettre les choses à plat, et élaborer un appareillage de concepts qui soient tout à la fois descriptivement puissants et analytiquement utiles pour traiter des causes d'actes sociaux qui ont leur source dans des croyances. Le premier chapitre de ce livre est consacré à cette refonte théorique.

L'étude des auteurs de l'Holocauste demande aussi une nouvelle analyse de la nature de la société allemande à l'époque nazie et antérieurement. L'Holocauste est ce qui définit le nazisme, mais pas seulement lui : il est aussi ce qui définit la société allemande pendant la période nazie.

Aucun aspect important de la société allemande n'est resté à l'abri de la politique antisémite, que ce soit l'économie, la vie sociale, la culture, les éleveurs de bétail, les commerçants, les petites municipalités, les avocats, les médecins, les physiciens, les professeurs. Aucune étude de la société allemande, aucune analyse de ce qui la caractérisait, ne saurait être menée à bien sans assigner la place centrale à la persécution et à l'extermination des Juifs. La première partie du programme, c'est-à-dire l'exclusion systématique des Juifs de la vie économique et sociale de l'Allemagne, a été réalisée au grand jour, sous des yeux approbateurs, et avec la complicité de presque tous les secteurs de la société allemande, professions juridiques, médicales et enseignantes, Églises catholique et protestantes, et toute la gamme des groupements économiques, sociaux, culturels [8]. Des centaines de milliers d'Allemands ont contribué au génocide et au fonctionnement du système de réduction en esclavage, encore plus vaste, qu'était le monde des camps Et malgré les efforts maussades des dirigeants pour que le génocide s'accomplisse hors de la vue de la plupart des Allemands, des millions d'entre eux étaient au courant du massacre collectif [9]. Hitler avait annoncé à plusieurs reprises, et de la manière la plus sonore, que la guerre entraînerait l'extermination des Juifs [10]. Le génocide a été connu de presque tout le monde, sinon approuvé. Aucune autre politique (ou toute autre de même ambition) n'a été conduite avec autant de persévérance et de zèle, et avec moins de difficultés que le génocide, sauf peut-être la guerre elle-même. L'Holocauste définit non seulement l'histoire des Juifs au milieu du XXe siècle, mais aussi celle des Allemands. Si l'Holocauste a changé les Juifs et le judaïsme d'une façon irrévocable, je prétends qu'il n'a pu être mis en œuvre que parce que les Allemands avaient *déjà* changé. Le destin des Juifs a probablement été la conséquence directe (ce qui ne veut pas dire inéluctable) d'une conception du monde partagée par la grande majorité du peuple allemand.

Chacune de ces remises à plat (qui portent sur les agents du génocide, l'antisémitisme, la société allemande pendant la période nazie) est complexe, exigeant un considérable travail théorique et la maîtrise de très nombreuses sources. Chacun des trois sujets mériterait peut-être un livre distinct. Mais si chacun de ces livres mérite d'être entrepris au nom de sa propre visée théorique et empirique, je considère qu'ils s'épaulent les uns les autres, car ce sont des entreprises corrélées. A elles trois, elles montrent que nous devons repenser en profondeur des aspects importants de l'histoire allemande, de la nature de l'Allemagne à l'époque nazie, et de la perpétration de l'Holocauste. L'entreprise demande, sur plusieurs points, de remettre en cause le savoir traditionnellement accepté, d'adopter une vue nouvelle et substantiellement différente des aspects essentiels de la période, aspects considérés jusqu'ici comme connus. Expliquer l'Holocauste demande une révision radicale de ce qui a été écrit à ce jour. Le présent livre opère cette révision.

Cette révision exige que nous reconnaissions cette vérité si longtemps niée ou estompée, tant dans les milieux universitaires qu'ailleurs : les convictions antisémites des Allemands ont été la cause centrale de l'Holocauste, l'origine non seulement de la décision de Hitler d'exterminer les Juifs d'Europe (acceptée par beaucoup) mais aussi de la bonne volonté mise par les exécutants à faire violence aux Juifs et à les assassiner. La conclusion de ce livre est que c'est l'antisémitisme qui a conduit des milliers d'Allemands « ordinaires » à massacrer les Juifs, et qu'il en aurait motivé des milliers d'autres, s'ils avaient été mis en position de le faire. Ce ne sont pas les difficultés économiques, ni les moyens de coercition d'un État totalitaire, ni la pression socio-psychologique, ni une inclination irrépressible de la nature humaine, mais des idées sur les Juifs répandues dans toute l'Allemagne, depuis des décennies, qui ont amené des Allemands ordinaires à tuer des Juifs sans armes, sans défense, hommes, femmes et enfants, par centaines de milliers, systématiquement, et sans la moindre pitié.

Quels événements une explication complète de l'Holocauste devrait-elle prendre en compte ? Pour que l'extermination des Juifs ait lieu, quatre conditions devaient être remplies :

1. Les nazis, c'est-à-dire les dirigeants, et d'abord Hitler, devaient prendre la décision de procéder à l'extermination [11].
2. Il leur fallait pour cela s'assurer le contrôle des Juifs, c'est-à-dire des territoires où ils résidaient [12].
3. Il fallait organiser cette extermination, et lui consacrer des moyens suffisants [13].
4. Il fallait amener un assez grand nombre de gens à exécuter les tueries.

L'abondante littérature sur le nazisme et l'Holocauste a traité en profondeur les trois premiers points, ainsi que d'autres, tels les origines et le caractère des convictions racistes de Hitler et l'accession des nazis au pouvoir [14]. Pourtant, comme je l'ai déjà dit, le quatrième point, celui qui fait l'objet de ce livre, a été traité sommairement, et surtout avec un recours constant aux hypothèses. Il est donc important d'exposer ici quelques-uns des problèmes d'analyse et d'interprétation essentiels à l'étude des agents de l'Holocauste.

Étant donné la négligence dont ils ont été l'objet, il n'est pas surprenant que les interprétations existantes reposent le plus souvent sur une absence presque complète d'étude des sources. Jusqu'à une date récente, presque aucune recherche n'avait été menée sur les auteurs de l'Holocauste autres que les dirigeants nazis. Ces dernières années, quelques publications sont apparues, qui traitent de tel ou tel groupe, mais l'état du savoir sur les exécutants reste très insuffisant [15]. Nous savons peu de chose sur beaucoup des organismes impliqués, peu de chose sur bien des aspects des massacres eux-mêmes, et encore moins sur leurs auteurs. Conséquence de tout cela, mythes et idées fausses abondent, tant dans l'opinion que chez les chercheurs. En voici un échantillon. On dit généralement que l'essentiel de l'extermination des Juifs par les Allemands a été effectué dans les chambres à gaz [16], et que, sans ces chambres à gaz, sans les moyens de transport modernes, sans une bureaucratie efficace, les Allemands n'auraient pas été en mesure de tuer les Juifs par millions. Selon une idée reçue, seule la technologie moderne aurait, d'une certaine manière, rendu possible une horreur de cette envergure [17] : « massacre industriel à la chaîne » est l'une des phrases les plus communes de tout discours sur le sujet. On écrit un peu partout que les chambres à gaz, en raison de leur efficacité (largement surestimée), ont été l'instrument indispensable du génocide, et que, si les Allemands ont décidé de les construire, c'est parce qu'ils avaient besoin d'une technologie efficace pour tuer les Juifs [18]. Jusqu'à une date très récente, les chercheurs ont longtemps cru, et l'opinion avec eux, que les exécutants étaient avant tout des SS, les plus violents et les plus fanatiques des nazis [19]. De même, jusqu'à une date récente, on tenait pour une vérité indiscutable l'idée que, si un Allemand avait refusé de participer au massacre, il aurait lui-même été tué, ou envoyé dans un camp de concentration, ou à tout le moins très sévèrement puni [20]. Toutes ces idées, qui façonnent la conception que l'opinion a de l'Holocauste, ont été considérées comme allant de soi. C'étaient des articles de foi (issus de sources autres que l'enquête historiographique) venant remplacer le savoir, et autant de biais pour la compréhension de la période.

L'absence d'attention dévolue aux agents du génocide est surprenante pour d'innombrables raisons, dont l'une est l'existence d'un débat, vieux maintenant de plus de dix ans, sur le *lancement* de l'Holocauste, connu sous le nom égarant de débat « intentionnaliste-fonctionnaliste » [21]. Pour le meilleur comme pour le pire, ce débat est au centre des travaux sur l'Holocauste. Bien qu'il ait amélioré notre connaissance de la chronologie précise de la persécution et du massacre des Juifs, les termes dans lesquels il a été posé ont eu aussi pour conséquence de brouiller l'analyse des causes de la politique allemande d'extermination (voir chapitre 4), et il n'a presque rien apporté sur la question des exécutants. De tous les historiens, ceux qui ont lancé le débat et lui ont apporté les premières contributions décisives, un seul a compris qu'il fallait poser la question suivante : pourquoi, une fois le massacre lancé (quelle que soit la manière dont il l'a été), ceux qui ont reçu l'ordre de tuer l'ont-ils exécuté [22] ? Pour une raison inconnue, il semble que tous les intervenants dans le débat aient fait comme si l'exécution de tels ordres ne posait aucun problème aux exécutants, ni aux historiens ou sociologues. Le caractère limité de notre savoir, et donc de notre compréhension de la période, se mesure au simple fait suivant : quelle que soit la définition donnée de la catégorie « agents du génocide », nous n'avons aucune idée du nombre de personnes qu'elle recouvrait. Aucune estimation satisfaisante (en fait, aucune estimation d'aucune sorte) n'existe sur le nombre de ceux qui ont participé au génocide en connaissance de cause. Inexplicablement, les historiens ne tentent jamais une telle estimation, et ils ne signalent pas davantage qu'il y a là une lacune importante dans notre connaissance des faits[23]. S'il y a eu 10 000 Allemands impliqués, alors la perpétration de l'Holocauste, et peut-être l'Holocauste lui-même, est un phénomène d'un certain type, peut-être né de l'action d'un groupe défini et non représentatif. Mais si 500 000 ou 1 million d'Allemands y ont participé, alors il s'agit d'un autre type de phénomène, et la meilleure manière de le définir sera peut-être de dire qu'il s'agissait d'un projet national allemand. Selon le nombre et l'identité des Allemands qui ont contribué au génocide, différentes sont les questions, les enquêtes et les élaborations théoriques appropriées ou nécessaires pour l'expliquer.

Ces lacunes dans nos connaissances, non seulement à propos des exécutants mais aussi sur le fonctionnement des institutions qui les abritaient, n'ont pas empêché certains historiens d'affirmer bien des choses au sujet de ces agents (même si le fait le plus frappant reste le petit nombre de chercheurs qui ont abordé le sujet). De toute la littérature sur l'Holocauste, certaines explications peuvent être extraites, même si elles ne sont pas toujours claires ni très élaborées (en fait, différents systèmes interprétatifs se mêlent sans grande cohérence). Certains se sont proposé d'expliquer globalement le comportement du peuple allemand, et leurs conclusions s'appliquent donc, *ipso facto*, aux agents du génocide. Plutôt que d'entrer dans le détail de ce que chacun a dit, nous proposerons ici un compte rendu analytique des principaux arguments, que l'on peut regrouper en cinq catégories d'explication.

Une première explication est celle qui recourt à la coercition venue de l'extérieur : les agents du génocide ont été contraints par la force. Devant la menace d'une punition, ils n'avaient pas d'autre choix que d'obéir aux ordres. Après tout, ils faisaient partie d'institutions de type militaire ou policier, fortement hiérarchisées, exigeant des subordonnés l'obéissance aux ordres, et capables de punir sévèrement l'insubordination, peut-être même de la mort. Mettez un pistolet sur la tempe de quelqu'un et il tirera sur les autres pour se sauver lui-même : tel est le fond de l'argument en question[24].

Une deuxième explication voit dans les agents de l'Holocauste de simples exécutants passifs, obéissant aveuglément aux ordres. Plusieurs pistes ont été proposées pour rendre compte de cette prétendue propension à l'obéissance : le charisme de Hitler (les exécutants auraient été envoûtés par un « magicien »[25]), la propension humaine à obéir à l'autorité[26], une révérence proprement allemande pour l'obéissance, et même une inclination particulière à obéir[27], enfin la capacité d'un système totalitaire à effacer tout sens moral individuel et à contraindre les esprits à accepter toute tâche définie comme nécessaire[28]. Le postulat commun de tous ces argumentaires est que les gens obéissent aux ordres, les différences ne tenant qu'aux explications du phénomène. A l'évidence, cette idée que l'autorité, et particulièrement celle de l'État, tend à provoquer un réflexe d'obéissance mérite considération.

Troisième explication, celle qui veut que les exécutants aient été l'objet d'une terrifiante pression socio-psychologique, une pression que chacun exerçait sur son collègue, et/ou une pression résultant des attentes propres au rôle que chaque individu occupe au sein d'une institution. Il serait donc extrêmement difficile à un individu de résister à de telles exigences de conformisme, et ce sont ces pressions qui conduiraient à commettre des actes qu'on n'accomplirait pas seul, et même dont on aurait horreur. Toutes sortes de mécanismes psychologiques sont disponibles pour aider les individus en question à rationaliser leurs actes[29].

La quatrième explication voit dans les agents du génocide de petits bureaucrates (ou de froids technocrates) à la poursuite de leur intérêt personnel ou d'objectifs technocratiques, sans aucun état d'âme à l'égard de leurs victimes. L'argument est mis en avant aussi bien dans le cas des administrateurs basés à Berlin que dans celui du personnel des camps : tous avaient une carrière à faire, et en raison de la propension psychologique bien connue de ceux qui ne sont que les rouages d'une machine à rejeter la responsabilité de la politique d'ensemble sur d'autres, ils étaient en mesure de poursuivre sans état d'âme leurs objectifs de carrière, leurs intérêts institutionnels ou matériels[30]. Que les institutions aient pour effet d'atténuer les sentiments individuels de responsabilité, d'une part, et, d'autre part, que les individus soient souvent enclins à faire passer leurs intérêts avant ceux des autres n'a guère besoin d'être longuement développé.

Enfin, une cinquième explication assure que les tâches étaient à ce point fragmentées, que les exécutants ne pouvaient connaître la véritable portée de leurs actes, qu'ils n'étaient pas en mesure de s'apercevoir que leurs petites tâches faisaient partie d'un programme global d'extermination. Les tenants de cette explication ajoutent que la fragmentation des tâches aidait les agents à nier l'importance de leur contribution et à en rejeter la responsabilité sur d'autres[31]. Tout le monde sait que lorsqu'on est engagé dans une tâche déplaisante ou moralement douteuse la tendance est d'en rejeter le blâme sur autrui.

En somme, ces cinq explications tournent autour des capacités de volition des intervenants : la première (celle de la coercition) dit que les tueurs ne pouvaient pas dire non ; la deuxième (celle de l'obéissance) et la troisième (celle des pressions externes) assurent que les Allemands étaient psychologiquement incapables de dire non. La quatrième (celle des intérêts individuels) soutient que les Allemands avaient suffisamment d'incitations personnelles pour participer au massacre, et donc pour ne pas avoir à dire non. La cinquième (celle de la myopie bureaucratique) dit qu'aucun d'entre eux n'a jamais été en mesure de comprendre qu'il était partie prenante d'une action qui aurait exigé de dire non.

Chacune de ces explications conventionnelles peut paraître plausible, et certaines contiennent à l'évidence une part de vérité. Alors, qu'est-ce qui ne va pas ? Si chacune souffre d'un défaut particulier, comme nous le verrons longuement au chapitre 15, toutes ont *en commun* des prémisses douteuses qu'il vaut la peine de souligner dès maintenant.

Ces explications traditionnelles *supposent* toutes une attitude neutre, ou désapprobatrice, des agents du génocide à l'égard de leurs actes. Leur interprétation part donc de la prémisse suivante : ce qui serait à expliquer, c'est la façon dont des gens peuvent être amenés à commettre des actes qu'ils n'approuveraient pas intérieurement, et dont ils ne reconnaîtraient pas le caractère juste ou nécessaire. Ces explications ignorent, dénient ou minimisent à l'extrême l'importance de l'idéologie, des valeurs morales, de la façon dont nazis et bourreaux se représentaient leurs victimes, et leur rôle dans le déclenchement de la volonté de tuer chez les agents de l'Holocauste. Certaines de ces explications conventionnelles proposent aussi une vision caricaturale des auteurs du génocide et des Allemands en général : elles les traitent comme s'ils avaient été totalement dépourvus de sens moral, de toute capacité à prendre une décision, à adopter une position. Elles refusent de voir en eux des actants humains, dotés d'une volonté, pour en faire les simples jouets de forces extérieures, ou de propensions psychologiques transhistoriques et invariantes, comme la soumission servile à l'intérêt individuel le plus étroit. A cela s'ajoutent deux autres défauts conceptuels majeurs. Ces explications ne reconnaissent pas suffisamment la dimension extraordinaire de ce qui a été fait : le massacre d'un peuple entier. Elles *supposent* et disent implicitement qu'il n'y a pas de différence fondamentale entre induire des gens à tuer des êtres humains et leur affecter d'autres tâches non désirées ou déplaisantes. De la même manière, aucune de ces explications n'a l'air de considérer que *l'identité* des victimes ait quelque chose à voir dans le crime : elles disent implicitement que les exécutants auraient traité exactement de la même façon tout autre groupe de victimes désignées. Le fait que ces victimes aient été des Juifs, si l'on en croit la logique de ces analyses, ne serait pas pertinent.

Je soutiens pour ma part que toute explication qui ne reconnaîtrait pas la capacité des intervenants à savoir et à juger (c'est-à-dire à comprendre et apprécier le sens et la moralité de leurs actes), qui ne considérerait pas comme un facteur central les croyances et les valeurs des actants, qui ne soulignerait pas la puissance de motivation autonome venue de l'idéologie nazie, et notamment de sa composante centrale qu'est l'antisémitisme, toute explication de ce type ne saurait nous en dire très long sur les raisons pour lesquelles les auteurs du génocide ont fait ce qu'ils ont fait. Toute explication qui ignore la nature particulière des actes commis – les violences et le massacre collectif infligés à tout un peuple – ou qui néglige l'identité des victimes est insuffisante, et ce pour d'innombrables raisons. Toutes les analyses qui adoptent ces positions ont le double défaut (spéculaire) de ne pas reconnaître l'aspect humain de l'Holocauste : d'une part, le caractère humain des agents du génocide, je veux dire leur capacité à juger et à choisir une action inhumaine; d'autre part, le caractère humain des victimes : ce que les exécutants ont fait, ils l'ont fait à des êtres qui avaient une identité spécifique, et non à des animaux ou à des objets.

Ma propre explication, qui est neuve dans la littérature consacrée aux auteurs de l'Holocauste [32], est que les « Allemands ordinaires » qui l'ont perpétré étaient animés par l'antisémitisme, par un *type* particulier d'antisémitisme qui les amenait à conclure que les Juifs *méritaient de mourir* [33]. Les croyances de ces agents du génocide, notamment leur forme particulière d'antisémitisme, même si elles ne sont pas, à l'évidence, la seule origine de leur comportement, auront été, je le maintiens, la source la plus importante, la plus indispensable de leurs actes, et elles doivent donc être au centre de toute explication. Je résumerai ma position ainsi : les agents de l'Holocauste, après avoir consulté leurs convictions et leur morale intimes, et avoir jugé que l'extermination des Juifs était juste, ne *voulaient* pas dire non.

Parce que l'étude de la façon dont l'Holocauste a été perpétré pose de grands problèmes de méthode et d'interprétation, il est indispensable d'aborder de front certains d'entre eux. Je vais donc exposer ici les principaux aspects de mon approche, et préciser le plus clairement possible la gamme des actes commis par les auteurs du génocide qui demandent explication. La discussion sera poursuivie dans l'annexe 1 où j'aborde quelques problèmes corrélés qui n'intéressent peut-être pas le non-spécialiste, à savoir les raisons qui ont dicté le choix des sujets et des cas étudiés dans ce livre, et certains autres problèmes d'interprétation et de méthode.

Ceux qui cherchent à comprendre cette époque commettent une grave erreur lorsqu'ils refusent de croire que l'on peut massacrer des populations entières sans aucune conviction intime, et notamment des populations que personne ne peut objectivement considérer comme menaçantes. Pourquoi persister dans la croyance que des gens « ordinaires » seraient absolument incapables d'approuver le massacre de toute une collectivité humaine, et encore moins d'y participer? De l'Antiquité jusqu'à nos jours, l'Histoire démontre avec quelle facilité un peuple peut en détruire un autre, et même y trouver de la joie [34].

Il n'y a aucune raison de croire que l'homme moderne, occidental, et même chrétien, est incapable de manier des notions qui dévaluent la vie humaine, qui appellent à son extinction, notions semblables à celles qu'ont maniées tout au long de l'Histoire de nombreux peuples, différents par leur religion, leur culture et leur système politique, ne serait-ce que dans l'Europe des croisés et l'Espagne de l'Inquisition, pour ne donner que deux exemples pertinents pour l'Europe chrétienne [35]. Qui a le moindre doute sur le fait qu'en Argentine ou au Chili, il n'y a pas si longtemps, ceux qui massacraient les opposants aux régimes autoritaires pensaient que leurs victimes méritaient bel et bien la mort ? Qui doute que les Tutsis qui ont massacré les Hutus au Burundi, ou les Hutus qui ont massacré les Tutsis au Rwanda, que les milices libanaises, chrétienne et musulmane, qui ont chacune massacré les civils de l'autre camp, que les Serbes qui ont tué des Croates ou des Bosniaques, l'ont fait sans être convaincus d'agir justement ? Pourquoi ne pas penser la même chose des agents allemands de l'Holocauste ?

Pour qui écrit sur l'Holocauste, le principal problème est celui du choix des hypothèses prises pour l'étude de l'Allemagne. Ce sujet sera traité longuement au chapitre 1. Le plus important est peut-être de décider si l'on suppose, comme c'est la règle chez la plupart des historiens de la période, que l'Allemagne était une société plus ou moins « normale », opérant selon les règles d'un « sens commun » semblable au nôtre. A partir du moment où cette prémisse est retenue, le raisonnement est le suivant : pour que des gens *veuillent* en tuer d'autres, il faut qu'ils soient mus par un appétit cynique de richesses ou de pouvoir, ou qu'ils soient prisonniers d'une idéologie puissante, laquelle est si évidemment fausse que seuls quelques individus dérangés peuvent réellement succomber à ses poisons (en dehors de ceux qui l'exploitent cyniquement à des fins de pouvoir). Dans une société moderne, le gros de la population, composé de gens simples et honnêtes, peut sans doute être opprimé par cette poignée d'individus, mais non vaincu.

Il existe pourtant une autre approche, celle qui adopte l'œil critique d'un anthropologue débarquant sur un rivage inconnu, prêt à entrer en contact avec une culture radicalement différente, et conscient du fait qu'il aura peut-être besoin d'élaborer des explications qui iront à l'encontre de son propre sens commun, pour rendre compte des fondements de cette culture, de ses pratiques spécifiques, de ses projets et produits collectifs. Cela demande d'admettre la possibilité qu'une part importante de cette population, les Allemands dans le cas qui nous occupe, a pu tuer ou avoir eu le désir de tuer d'autres gens, les Juifs, avec une complète bonne conscience. A la différence de presque toutes les études antérieures, une telle approche a l'avantage de ne pas présupposer que sa tâche est d'expliquer ce qui a bien pu forcer des gens à agir contre leur volonté (ou indépendamment de toute volonté, tels des automates). En revanche, elle se donne pour objectif de comprendre comment les Allemands ont pu devenir des tueurs consentants en puissance, et comment le régime nazi a déclenché cette calamiteuse potentialité. Cette approche, qui rejette la notion de « sens commun » universel[36], comme primitive du point de vue de l'anthropologie et des sciences sociales, est celle qui guide la présente enquête[37].

On jettera donc par-dessus bord toutes les hypothèses non explicitées qui ont guidé jusqu'ici presque toutes les recherches sur l'Holocauste et ses auteurs, car elles sont insoutenables, théoriquement et empiriquement. A la différence des principaux ouvrages antérieurs, ce livre prend au sérieux les idées et les valeurs des agents de l'Holocauste, et cherche à comprendre leurs actes meurtriers en terme de choix. Une telle approche ne peut manquer de soulever tout un ensemble de questions théoriques qui doivent, même brièvement, être abordées dès maintenant.

Les agents du génocide opéraient au sein d'institutions qui leur prescrivaient des attributions et leur assignaient des tâches spécifiques, même si, individuellement et collectivement, ils avaient des possibilités de choix. Adopter une perspective qui reconnaisse ce fait demande que leurs choix, et surtout la structure de leurs choix, soient analysés et incorporés dans une explication ou interprétation d'ensemble. Dans l'idéal, il faudrait pouvoir répondre, documents à l'appui, aux questions suivantes :

Qu'ont fait réellement les agents de l'Holocauste ?
Qu'ont-ils fait en plus de ce qui était « nécessaire » ?
Qu'ont-ils refusé de faire ?
Qu'auraient-ils pu refuser de faire ?
Qu'est-ce qu'ils n'auraient jamais accepté de faire ? [38]
De quelle manière accomplissaient-ils leurs tâches ?
Dans quelle mesure l'ensemble du processus fonctionnait-il sans heurt ?

Quand on entend examiner la structure des actes commis par les auteurs du génocide à la lumière des exigences de leur rôle institutionnel et des procédures d'incitation, deux directions s'ouvrent à l'enquête, au-delà de l'acte de tuer. La première est que, face aux Juifs (et à d'autres victimes), les Allemands recouraient à d'autres types de violences que le coup fatal. Il est important de bien voir toute la *gamme* de leurs violences envers les Juifs, si l'on veut expliquer le génocide, et on le fera ici de façon détaillée. Ensuite, il faut regarder du côté du comportement des bourreaux *quand ils n'étaient pas engagés* dans des activités de génocide, car ce comportement jette lui aussi une lumière sur le meurtre collectif : les vues que l'analyse de leurs activités non meurtrières offre de leurs caractères et de leur disposition à l'action, comme du milieu social et psychologique où ils vivaient, peuvent jouer un rôle crucial dans la compréhension de la structure de leur participation au génocide.

Tous ces points sont subsumés par une question centrale : dans la gamme des actes commis par les agents de l'Holocauste, quels sont ceux qui doivent être expliqués ? Typiquement, les interprétations se sont jusqu'ici concentrées sur un seul des actes des Allemands, le massacre collectif. Cette perspective en forme de tunnel demande à être élargie. Imaginons que les Allemands n'aient pas entrepris d'exterminer les Juifs, mais leur aient quand même infligé tous les autres traitements, le camp de concentration, le ghetto, l'esclavage. Imaginons, dans notre société actuelle, que des gens commettent contre des Juifs ou des chrétiens, des Blancs ou des Noirs, quelque chose qui approche du centième de la violence et de la cruauté dont les Allemands, indépendamment du meurtre, ont fait preuve à l'endroit des Juifs : tout le monde reconnaîtrait que ce comportement demande explication. Même si les Allemands n'avaient pas perpétré un génocide, leur cruauté envers les Juifs se serait quand même désignée d'elle-même à l'attention universelle, et elle aurait été interprétée comme un scandale historique, une aberration, une perversion, demandant explication. Et pourtant ces mêmes actes de cruauté ont été engloutis dans l'ombre du massacre collectif, et négligés par toutes les tentatives antérieures d'expliquer la signification de l'Holocauste [39].

Cette fixation de l'analyse sur le massacre collectif à l'exclusion de toute autre action corrélée des tueurs a conduit à une erreur fondamentale d'orientation dans le travail d'explication. Sans doute le meurtre collectif doit-il être, pour des raisons évidentes, au centre de l'attention des historiens. Mais les autres traitements infligés aux Juifs par les Allemands demandent eux aussi un examen et une explication systématiques. Il faut expliquer non seulement les tueries mais aussi la *façon* dont les Allemands ont tué. Bien souvent, le « comment » répand une grande lumière sur le « pourquoi ». Un tueur peut s'efforcer de rendre la mort de ses victimes (qu'il croie le meurtre justifié ou non) plus ou moins douloureuse, tant sur le plan physique que psychique. La façon dont les Allemands, collectivement et individuellement, ont pu rechercher dans leurs actes, ou simplement envisager, le moyen d'alléger ou au contraire d'intensifier les souffrances de leurs victimes doit être prise en compte dans toute explication. Une explication de cette mise à mort des Juifs par les Allemands qui ne dirait rien sur la façon dont ils s'y sont pris serait une explication défectueuse.

Si l'on prétend atteindre à la clarté de l'analyse, il faut préciser clairement quels actes sont à expliquer. Ceux-ci peuvent être regroupés dans un schéma à deux dimensions précisant quatre types d'action. L'une des dimensions indique si, oui ou non, *tel acte* commis par un Allemand était la conséquence d'un ordre ou était effectué de sa propre initiative. L'autre dimension indique si un Allemand a commis un acte de cruauté [40].

Des actes commis par obéissance à des ordres, comme les rafles, la déportation et le meurtre de Juifs, s'ils étaient exempts de cruauté « excédentaire », sont des actes qui, dans le contexte allemand de l'époque, étaient utilitaires dans leur intention. Ce sont les actes que le « bon Allemand » (mythique) qui se contentait d'obéir passivement aux ordres est supposé avoir commis. « Actes d'initiative » et « excès » sont en réalité tous deux des actes d'initiative, qui ne sont pas la conséquence d'ordres venus d'en haut. Ce qui est crucial, c'est que, dans les deux cas, il y a acte volontaire de la part de l'actant. Ils ne diffèrent que par la dimension de la cruauté, les « actes d'initiative » étant le fait d'un exécutant froid, les « excès » étant le fait d'un Allemand dont on peut présumer qu'il a pris du plaisir aux souffrances de ses victimes. Dernière catégorie d'actes, ceux que les Allemands ont accomplis sur ordre et dont le seul but était d'infliger des souffrances à des Juifs. De tels actes sont intéressants, et certains seront étudiés ultérieurement, car ils jettent un doute sur les rationalisa-

LES ACTES DES AGENTS DE L'HOLOCAUSTE

		ordonnés par une autorité	
		oui	non
cruauté	oui	cruauté organisée et « structurée »	« excès » telle la torture
	non	tueries et meurtres individuels	« actes d'initiative » tels les meurtres décidés à titre individuel

tions avancées par les agents du génocide après la guerre. Bien que les simulacres de justification qui étaient ordinairement offerts aux hommes de ce temps (et qui seront repris par eux après la guerre) pour exterminer les Juifs (par exemple qu'ils étaient une menace pour l'Allemagne, qu'ils étaient des « partisans », ou qu'ils répandaient des maladies) puissent peut-être avoir été crus par des esprits nazifiés en quête de quelque raison utilitaire pour justifier le génocide, en revanche, les ordres de torturer les victimes auraient dû jeter un doute sur la « légalité » et le « caractère raisonné » des rationalisations apportées au traitement des Juifs dans leur ensemble.

Le traitement infligé aux Juifs par les Allemands, y compris le meurtre, était composé de différentes actions, ou variables, dont chacune demande explication. Toute explication générale de la contribution des Allemands au génocide doit les prendre toutes en compte. Elles sont nombreuses, et comprennent aussi bien celles qui ont été accomplies sur ordre ou non, et celles qui étaient cruelles ou non :

1. Tous les actes accomplis en obéissant à des ordres sans cruauté excédentaire, les plus importants étant ceux qui ont abouti au génocide.
2. Les cruautés commises sous la contrainte d'une autorité supérieure. Les cruautés institutionnelles, structurées, sont plus importantes que celles accomplies pour des raison *ad hoc* par des individus ou des petits groupes.
3. Les actes qui demandent une initiative dépassant ce qui était à proprement parler l'ordre venu des supérieurs, mais sans être marqués par une cruauté excédentaire.
4. Les actes de cruauté résultant d'une initiative individuelle.

Une telle caractérisation objective des actes commis, si utile qu'elle soit, reste insuffisante, tant pour une bonne description que pour une bonne classification, ou comme base complète d'une explication. A moins d'être enrichi, ce cadre analytique, tout comme les interprétations antérieures, laisse entendre que « l'obéissance aux ordres » est une catégorie qui ne pose aucun problème. Pourtant, il faut bien admettre que d'autres actions, comme une désobéissance individuelle à des ordres, alors qu'on exécute ceux qui sont meurtriers, peut apporter un certain éclairage sur le sens à donner à « l'obéissance aux ordres » dans ce contexte spécifique. En d'autres termes, si les Allemands faisaient le tri entre les ordres qu'ils acceptaient de suivre, ou choisissaient la manière de les exécuter, alors le simple fait d'obéir aux ordres, ainsi que la manière de les exécuter, doivent être l'objet d'une enquête et d'une explication. Cette tentative de classification ignore aussi les occasions qu'avaient les exécutants de s'arracher eux-mêmes à des situations ou à des institutions où ils pouvaient s'attendre à recevoir l'ordre d'accomplir des tâches qu'ils récusaient[41]. En bref, ces définitions naïves, « obéir aux ordres » ou « agir sur ordre », coupent les actes de leur contexte social, politique et institutionnel. Il est indispensable de retrouver ce contexte si l'on veut que devienne intelligible la volonté des acteurs d'obéir aux ordres.

Sur tous ces points, il faut considérer le fait suivant : la première catégorie d'action, ou variable, « obéir aux ordres », ne va pas de soi. Les exécutants allemands avaient des possibilités de choix : ils pouvaient chercher à se faire dispenser des opérations de tuerie ou à atténuer la souffrance des victimes. Pourquoi ont-ils exercé ces choix comme ils l'ont fait, ni plus ni moins ? La connaissance du deuxième type d'action, les « cruautés sur ordre », nous oblige à poser la question de savoir pourquoi, au milieu du XXe siècle, de grandes institutions en vinrent à être organisées dans le seul but d'infliger d'immenses misères à ceux qu'elles abritaient. Toutes ces institutions, par leur nature et par leur fonctionnement, dépendaient de leur personnel. Le troisième type d'action, « initiative ou acte de volonté », dans la mesure où il a caractérisé des comportements d'Allemands, demande évidemment à être expliqué, car on pourrait supposer que ceux qui étaient opposés au meurtre collectif n'auraient fait que le minimum exigé d'eux. Le quatrième type d'action, la « cruauté individuelle », doit lui aussi, cela va sans dire, être expliqué[42].

Deux autres aspects des actes des agents de l'Holocauste demandent en outre à être éclairés. Le premier est la manière dont ils ont exécuté les ordres, soit à contrecœur, soit avec zèle. Même pour les actes exécutés sur ordre, il faut évaluer le degré de zèle mis dans leur exécution. Un travail peut être accompli selon toutes sortes de degrés dans le sérieux, le perfectionnisme, la réussite. Quand des Allemands fouillaient les maisons à la recherche de Juifs cachés, ils pouvaient soit faire tout leur possible pour les découvrir, soit mener leur recherche mollement, à contrecœur. Le zèle mis par les Allemands à exécuter les ordres jette une lumière sur leurs motivations et demande lui aussi à être étudié. Autre trait de leur action qui demande explication, tout ce qui est lié à l'horreur : comment se fait-il que le caractère violent et souvent abominable des opérations de meurtre n'ait pas arrêté la main des bourreaux, ou ne les ait pas profondément abattus ? La nature horrible des opérations ne constituait pas, bien entendu, un type d'action spécifique des exécutants, mais seulement une des conditions de leurs actions : cependant, elle était si révoltante que le fait qu'elle ne les ait pas affectés d'une façon significative demande à soi seul explication [43].

Même ainsi complétée, cette approche doit encore être élargie au-delà de la caractérisation objective, pour inclure une enquête sur les motivations de ces Allemands dans l'accomplissement des actes d'extermination d'une catégorie donnée, et notamment dans le cas de ceux qui « obéissaient aux ordres ». Peu importe dans quelle catégorie d'action l'acte d'un individu sera convenablement placé : l'attitude de l'individu à l'égard de son acte et ses motivations à l'entreprendre sont aussi importantes, car ce sont elles qui font de l'acte telle chose ou telle autre [44]. Cette caractérisation « objective » demande à être complétée par une catégorisation subjective de la motivation. De nombreuses motivations différentes sont compatibles avec l'obéissance aux ordres, avec le fait de prendre une initiative, de commettre des « excès », de faire bien ou mal son travail. La plus importante question est celle de savoir si les agents de l'Holocauste croyaient que le traitement qu'ils infligeaient aux Juifs était juste, et si oui, pourquoi [45] ?

La question de la motivation est cruciale pour expliquer le jeu du libre arbitre chez les exécutants, et elle est à bien des égards le produit de la construction sociale du savoir [46]. Le type d'action qu'un individu accepte d'accomplir, qu'il s'agisse là encore de celles qui sont ordonnées, de celles qui sont décidées par lui, de celles qui constituent un excès ou de celles qui sont le résultat du zèle, a son origine dans les motivations individuelles ; mais les actions de l'individu ne correspondent pas nécessairement à ses motivations, car ses actions sont influencées par les circonstances et le choix que la situation lui offre. De toute évidence, sans occasion offerte par les circonstances, les motivations d'un individu à tuer ou à torturer ne peuvent devenir des actes. Mais l'occasion à elle seule ne fait pas le tueur ou le sadique.

Dire que chaque acte (socialement significatif) est le résultat d'une motivation ne veut pas dire que tous les actes ne sont que le résultat des croyances antérieures de l'actant quant au caractère juste ou désirable de son action. Cela veut simplement dire qu'un individu doit décider d'entreprendre une action, et que quelque calcul intime (même s'il ne le conçoit pas en ces termes) le conduit à décider de ne pas s'abstenir d'entreprendre l'action. Dans ce calcul intime, il peut y avoir le désir d'obtenir une promotion, de ne pas être ridicule aux yeux de ses camarades, de ne pas être fusillé pour désobéissance. Un individu peut en tuer un autre sans croire au caractère juste de ce meurtre, si, malgré sa conscience de l'injustice de son acte, il est suffisamment motivé par d'autres considérations, son propre bien-être par exemple. Vouloir protéger sa propre existence est une motivation. Mais, en tant que telles, les structures, les injonctions, les sanctions, officielles ou non, ne peuvent jamais être des motivations : elles n'apportent que des incitations à agir ou à ne pas agir, que l'actant peut considérer quand il prend sa décision[47]. Bien entendu, certaines situations font que l'immense majorité des gens agiront de la même manière, apparemment sans considération de leurs croyances ou intentions antérieures. Les exemples de ce type de situation ont conduit plus d'un historien à conclure, à tort, que les « structures » sont la cause des actes[48]. Pourtant, les structures sont toujours l'objet d'une interprétation de la part des actants, lesquels, s'ils partagent les mêmes connaissances et valeurs (protéger sa propre vie est une valeur, tout comme désirer vivre dans une société « racialement pure », ou réussir sa carrière, ou chercher un profit financier, ou vouloir être comme tout le monde à tout prix), leur apporteront tous la même réponse. Tous ne placeront pas leur propre bien-être au-dessus de leurs principes, tous ne seront pas prêts à transgresser leurs règles morales parce que les camarades ne les partagent pas. Quand les gens le font, alors les valeurs (qui ne sont pas des valeurs universelles, ni certainement des dispositions socio-psychologiques universelles) qui motivent leur décision ont une place cruciale dans l'explication. Certains risqueront leur vie pour d'autres, renonceront à une promotion, se distingueront de leurs camarades par leurs propos et leurs actes. Les objets inanimés ne produisent pas de façon indépendante des idées et des valeurs ; toute nouvelle idée et toute nouvelle valeur dépendent d'un cadre préexistant d'idées et de valeurs qui donnent du sens aux conditions matérielles de la vie de chacun. Et ce sont les idées et les valeurs, et seulement elles, qui, en dernière instance, motivent une personne à lever volontairement sa main pour en frapper une autre.

Quelles que soient les structures des idées et des valeurs des individus, la modification des structures d'incitation dans lesquelles ils opèrent peut les conduire (et souvent à coup sûr) à modifier leurs actes, en calculant le cours qu'ils souhaitent donner à l'action en fonction de leurs représentations et de leurs croyances, et de la possibilité de les réaliser selon des combinaisons différentes. Cela, il faut le souligner, ne veut pas dire que les structures d'incitation elles-mêmes sont la cause des actes, mais que c'est seulement *en conjonction avec les structures des idées et des valeurs* qu'elles produisent l'action.

Expliquer les actes des agents de l'Holocauste demande donc que la réalité phénoménologique de leurs actes soit prise au sérieux. Il faut se lancer dans l'entreprise difficile de nous imaginer à leur place, accomplissant les actes qu'ils ont accomplis, voyant ce qu'ils voyaient[49]. Pour ce faire, nous devons toujours garder à l'esprit ce qui est la substance de leur action : ils tuaient des personnes sans défense, hommes, femmes, enfants, des gens qui, à l'évidence, ne les menaçaient pas d'une arme, des gens au visage émacié et au corps affaibli, accablés d'évidentes souffrances physiques et psychiques, et qui, souvent, les suppliaient de les épargner ou d'épargner leurs enfants. De trop nombreux historiens de cette période, surtout quand ils se lancent dans la psychologie, exposent les actes des Allemands comme s'il s'agissait d'actes de la vie quotidienne, comme s'il s'agissait d'à peine un peu plus qu'un vol à la sauvette commis à l'occasion par un individu habituellement honnête[50]. Ils perdent complètement de vue le caractère fondamentalement différent, extraordinaire, et terriblement éprouvant de ces actes. Dans de nombreuses sociétés, et notamment occidentales, puissant est l'interdit qui frappe le meurtre de personnes sans défense, le meurtre d'enfants. Les mécanismes psychologiques qui permettent à de « braves gens » de commettre des transgressions morales mineures, ou de fermer les yeux devant des transgressions majeures commises par d'autres, surtout s'ils sont loin, ne sauraient être appliqués à la perpétration du génocide, aux tueries de centaines d'êtres humains sous les yeux des exécutants, sans que l'on examine avec le plus grand soin si le recours à ces mécanismes psychologiques est vraiment approprié pour rendre compte de telles actions.

Expliquer l'Holocauste demande donc de garder toujours deux idées en tête. Quand nous lisons les comptes rendus d'opérations de meurtres, ou quand nous les reproduisons par écrit, rien de plus facile que de devenir insensible aux chiffres imprimés sur la page : 10 000 morts ici, 400 là, 15 là-bas. Chacun d'entre nous devrait alors faire une pause, et se dire que 10 000 morts, cela veut dire que des Allemands ont tué 10 000 individus, des hommes sans armes, des femmes et des enfants, des vieux, des jeunes, des gens en bonne santé, des malades, se dire que ces Allemands ont supprimé une vie humaine 10 000 fois. Chacun d'entre nous doit se demander ce que signifiait pour ces Allemands cette participation au massacre collectif. C'est en considérant nos propres angoisses, répulsions ou horreurs, notre propre indignation morale devant le meurtre d'une personne, ou devant un « assassinat collectif » contemporain de 20 personnes (commis par un tueur en série ou un sociopathe tirant à l'arme automatique sur les clients d'un bar), que nous pourrons acquérir une certaine vision de la réalité à laquelle ces Allemands ont été confrontés. Les victimes juives n'ont pas été ces « statistiques » qui figurent sur la page imprimée. Pour les tueurs, les victimes qu'ils avaient devant eux, les Juifs, étaient des gens qu'ils voyaient respirer, puis, un instant plus tard, s'effondrer sans vie. Et rien de tout cela ne s'accomplissait dans le feu du combat.

Le second point que nous devons toujours avoir à l'esprit, c'est l'horreur de ce que les Allemands faisaient. Toute personne tirant sur un Juif ou voyant un camarade le faire était confrontée à une horreur indicible. Se contenter d'une froide description clinique des opérations est une faute contre la phénoménologie du massacre, car cela supprime la composante affective des actes et empêche de les comprendre. La juste description des événements que nous traitons, la reconstitution de la réalité phénoménologique des tueurs sont capitales pour l'explication. C'est pour cette raison que j'évite l'approche clinique et tente de reproduire l'horreur, le caractère abominable des événements *pour les bourreaux* (ce qui ne veut pas dire pour autant qu'ils étaient toujours saisis d'horreur). Du sang, des fragments d'os et de cerveau volaient en tous sens, atterrissant souvent sur les tueurs, souillant les visages et les vêtements. Les cris et les gémissements de ceux qui attendaient leur mort imminente ou qui se débattaient dans les affres de l'agonie résonnaient aux oreilles des Allemands. De telles scènes, et non les descriptions aseptisées des massacres qu'on nous présente le plus souvent, étaient la réalité de bien des agents du génocide. Pour comprendre leur monde phénoménologique, il nous faut former en nous-mêmes toutes les abominables images qu'ils avaient sous les yeux, reconstituer tous les cris d'angoisse et de douleur qui frappaient leurs oreilles [51].

L'exposé de toute tuerie, voire d'une unique agonie, devrait être chargé de tous ces éléments descriptifs. Bien entendu, l'objectif n'est pas réalisable, parce que cela donnerait à toute étude de l'Holocauste une longueur excessive, et rares seraient les lecteurs capables de poursuivre la lecture de ces comptes rendus épouvantables : cette incapacité même de continuer à lire en dit déjà long sur l'extraordinaire phénoménologie de l'existence des agents de l'Holocauste, et sur les puissantes motivations qui doivent avoir poussé ces Allemands à taire leurs émotions, pour pouvoir tuer et torturer les Juifs, y compris les enfants, comme ils l'ont fait.

Comprendre les croyances et les valeurs communes à la culture allemande, et notamment celles qui conditionnaient l'attitude des Allemands à l'égard des Juifs, est la tâche essentielle pour qui veut expliquer l'Holocauste, et ce sera l'objet de la première partie de ce livre. Les trois premiers chapitres proposent un cadre pour l'analyse de l'antisémitisme. Ils sont suivis par deux chapitres consacrés à un exposé sur l'antisémitisme allemand au XIXe et au XXe siècle. On y verra que, bien avant l'arrivée des nazis au pouvoir, il s'était développé en Allemagne une version « éliminationniste » de l'antisémitisme, particulièrement virulente, qui réclamait l'élimination de la société allemande de toute influence juive, voire des Juifs eux-mêmes. Quand les nazis sont arrivés au pouvoir, ils se sont trouvés à la tête d'une société déjà complètement pénétrée par un antisémitisme prêt à être mobilisé pour servir la forme d'« élimination » la plus extrême qui se pût imaginer.

La deuxième partie présente une vue d'ensemble des mesures qui ont engendré les souffrances et la mort des Juifs, et des institutions qui ont été chargées d'exécuter les décisions prises. Les deux premiers chapitres de cette partie avancent une nouvelle interprétation de la façon dont l'assaut allemand contre les Juifs s'est développé, et démontre que, quels qu'aient été les tours et les détours de la politique suivie, ou quels qu'ils semblent avoir été, elle était conforme aux préceptes de l'éliminationnisme allemand. Le second chapitre présente à grands traits les institutions chargées des tueries, les différents types d'agents du génocide, et traite de l'institution allemande emblématique du massacre, le « camp ». A eux deux, ces chapitres présentent le contexte à l'intérieur duquel se situent l'enquête et l'essai d'explication des deux sujets centraux de ce livre, les institutions de mise à mort et les bourreaux des Juifs.

Les troisième, quatrième et cinquième parties sont des études de cas sur chacune des trois institutions de massacre collectif : les bataillons de police, les camps de « travail », les « marches de la mort ». A travers chaque cas se découvrent de l'intérieur les actes des auteurs du génocide, le cadre institutionnel dans lequel ils évoluaient, les structures de l'incitation, toutes choses dont dépend la validité d'une analyse et d'une interprétation de l'Holocauste.

La sixième partie contient deux chapitres. Le premier est consacré à une analyse systématique des actes commis par les Allemands et démontre l'inadéquation théorique et conceptuelle des explications traditionnellement données aux découvertes des études empiriques. Il montre que c'est l'antisémitisme éliminationniste des agents du génocide qui explique leur action, et que cette explication permet aussi de trouver un sens à leurs actes selon plusieurs perspectives comparatistes. Le second chapitre de cette sixième partie explore plus avant la capacité de cet antisémitisme éliminationniste à faire que les dirigeants nazis, les agents de l'Holocauste et le peuple allemand consentent et contribuent, chacun à sa manière, au programme éliminationniste. Le livre se conclut sur un bref épilogue qui tire les leçons de cette étude des agents de l'Holocauste : il propose que la nature de la société allemande à l'époque du nazisme soit reconsidérée, et avance les grandes lignes de cette conception révisée.

Le présent livre concentre ses efforts sur les agents de l'Holocauste. Pour expliquer leurs actions, il intègre des micro-analyses, méso-analyses et macro-analyses, des analyses des individus, des institutions, de la société. Les travaux antérieurs, et presque toutes les explications avancées jusqu'ici des actes des criminels, ont été des résultats de laboratoire, déduits de quelque système philosophique ou théorique, ou se sont contentés de transférer des conclusions (elles-mêmes souvent erronées) du niveau social ou institutionnel au niveau individuel. C'est ce qui explique que ces ouvrages négligent les sources de l'action des actants, et n'expliquent pas, ni même ne précisent, la variété et les variations de ces actions [52]. Ce défaut est particulièrement net dans les explications « structurelles » non cognitives. Bien peu d'interprétations se sont préoccupées de la microphysique de la perpétration de l'Holocauste, et c'est pourtant par là que l'analyse doit commencer [53]. Ce livre a l'ambition de mettre à nu les actes commis, et de les expliquer dans leur contexte institutionnel et social, et à la lumière de leur cadre socio-psychologique et idéologique.

Pour tuer un autre homme, il faut être motivé, car autrement on ne le ferait pas. Quelles sont, dans cette période de l'histoire allemande, les idées et les valeurs qui ont rendu plausibles les motivations du génocide ? Quelle était la structure des croyances et des valeurs qui rendait un massacre général des Juifs intelligible et justifiable aux yeux des Allemands ordinaires qui en ont été les agents ? Étant donné que notre explication doit rendre compte des actes de dizaines de milliers d'Allemands opérant dans différents types d'institutions, et qu'elle doit aussi rendre compte d'une vaste gamme d'actes (et non pas seulement du seul acte de tuer), une structure commune doit être trouvée pour expliquer l'ensemble de ces actes. Cette structure d'idées et de valeurs était dans la culture allemande, elle en faisait intrinsèquement partie. Sa nature et son histoire sont le sujet des trois chapitres qui suivent.

PREMIÈRE PARTIE

Comprendre l'antisémitisme allemand : la pensée éliminationniste

Face à l'horrible destin des Juifs, la communauté chrétienne ne peut éprouver que l'humilité, la compassion, une terreur sacrée [...] Un chrétien ne saurait donc adopter une attitude d'indifférence à ce sujet [l'antisémitisme].

Walter Höchstädter, pasteur allemand,
dans un appel désespéré aux soldats allemands
distribué clandestinement en juin et juillet 1944

Comment est-il possible que nos oreilles, des oreilles de chrétiens, ne tintent pas face aux [...] malheurs et aux injustices [subis par les Juifs] ?

Karl Barth,
conférence de décembre 1938,
Wipkingen (Suisse)

En règle générale, nous n'aimons pas les Juifs, et c'est pour cela qu'il ne nous est pas facile de les inclure dans l'amour général du genre humain...

Karl Barth,
conférence de juillet 1944,
Zurich

1

L'antisémitisme repensé : un cadre pour l'analyse

La plupart du temps, quand on évoque l'antisémitisme allemand, on a tendance à poser des hypothèses massives et non avouées sur les Allemands d'avant et pendant le nazisme, hypothèses qui demandent à être examinées et révisées. Ces hypothèses de départ, que personne n'adopterait, par exemple, pour l'étude d'une population asiatique d'avant l'écriture, ni pour les Allemands du XIVe siècle, sont néanmoins utilisées pour l'Allemagne des XIXe et XXe siècles. On peut les résumer ainsi : les Allemands étaient plus ou moins des gens comme nous, ou, plus exactement, semblables à l'idée que nous avons de nous-mêmes : des enfants des Lumières, rationnels, mesurés, qui n'étaient pas gouvernés par la « pensée magique », mais en prise sur la « réalité objective ». Comme nous, ils étaient des « êtres économiques », dont on reconnaît qu'ils peuvent parfois être mus par des motivations irrationnelles, par des haines, produits de la frustration économique ou de certains défauts humains permanents, tel l'appétit du pouvoir ou l'orgueil. Mais tous ces défauts se laissent appréhender : sources ordinaires de l'irrationalité, ils semblent relever du sens commun.

Il y a bien des raisons de douter de la validité de ces hypothèses. En 1941, un enseignant américain, qui avait pu observer de près le système scolaire nazi et la jeunesse allemande de l'époque, lançait cet avertissement : le système d'enseignement nazi, disait-il, « a produit une génération d'êtres humains si différents de la jeunesse américaine que la simple comparaison semble vaine, et que toute évaluation du système d'enseignement nazi est extrêmement difficile [1] ». Dans ces conditions, comment justifier les hypothèses dominantes sur une prétendue similitude entre les Allemands de la période nazie et nous-mêmes ? Ne devrions-nous pas regarder tout cela d'un œil neuf et examiner si, oui ou non, les idées que nous avons sur nous-mêmes valent aussi pour les Allemands de 1890, 1925, 1941 ? Puisque nous sommes prêts à accepter que des populations primitives aient cru que les arbres étaient animés par des esprits, bons ou mauvais, capables de transformer le monde matériel, que les Aztèques aient été convaincus que les sacrifices humains étaient nécessaires pour que le soleil se lève chaque jour, et que l'Europe du Moyen Age ait vu dans les Juifs les instruments du Malin[2], pourquoi ne pas considérer que de nombreux Allemands du XXe siècle adhéraient à des croyances qui nous paraissent absurdes, et que les Allemands étaient, eux aussi, au moins dans un domaine, enclins à la « pensée magique » ?

Pourquoi ne pas approcher l'Allemagne à la façon d'un anthropologue confronté à une population peu connue ? Après tout, c'est bien la société allemande qui a produit un cataclysme, l'Holocauste, que personne n'avait prédit, ni même imaginé qu'il fût possible, à de rares exceptions près. L'Holocauste représente une rupture radicale avec toute l'histoire humaine antérieure, avec toute forme antérieure de la pratique politique humaine. Il constitue un ensemble d'actions, et une orientation de l'imagination, complètement étrangers aussi bien aux fondements intellectuels de la civilisation occidentale moderne, celle des Lumières, qu'aux règles éthiques et sociales, chrétiennes ou laïques, qui avaient gouverné jusque-là les sociétés occidentales. Dès lors, il y a tout lieu de penser que l'étude de la société qui a produit cet événement non imaginé, et inimaginable, exige la mise en question de ces hypothèses d'une ressemblance entre cette société et la nôtre. Il faut réexaminer la croyance selon laquelle cette société partageait les orientations économiques rationnelles qui sont à la base des conceptions tant savantes que populaires sur la nature de nos sociétés. Ce nouvel examen révèle alors que si, effectivement, une grande partie de la société allemande en question était bien un reflet exact de la nôtre, il existait en son sein des zones importantes de différence absolue. Ainsi, le corpus de la littérature antisémite allemande des XIXe et XXe siècles, avec ses textes sauvages et hallucinés sur la nature des Juifs, sur leur puissance virtuellement sans limites, leur responsabilité dans presque tous les maux qui frappent le monde, est à ce point éloigné de toute réalité que le lecteur est obligé de conclure que c'est tout simplement le produit d'un collectif de scribes dans un asile d'aliénés. Dans toute l'histoire allemande, la question de l'antisémitisme des Allemands est certainement celle qui a le plus besoin d'une telle réévaluation anthropologique.

Nous n'ignorons pas l'existence de nombreuses sociétés où certaines croyances cosmologiques et ontologiques étaient presque universellement admises, de sociétés où tout le monde croyait en un dieu, en l'existence des sorcières, au surnaturel, où tout le monde était convaincu que les étrangers n'étaient pas humains, que la race d'un individu déterminait ses qualités intellectuelles et morales, que les hommes étaient supérieurs aux femmes, que les Noirs étaient des êtres inférieurs, ou que les Juifs étaient maléfiques. La liste pourrait être longue. Mais deux points doivent être soulignés. Le premier, c'est que, si beaucoup de ces croyances sont aujourd'hui considérées comme absurdes, elles ont été jadis autant d'articles de foi. Elles constituaient pour les individus une sorte de carte routière, guide infaillible pour vivre dans la société, et qui était utilisée pour appréhender les contours du paysage, pour le parcourir, et, si nécessaire, comme source d'inspiration pour le remodeler. Ensuite, et ce n'est pas moins important, ces croyances, qu'elles fussent raisonnables ou absurdes, emportaient l'adhésion d'une majorité de personnes, voire de toute la société. Ces croyances semblaient à ce point relever de l'évidence qu'elles étaient aux yeux de tous le « monde naturel », « l'ordre naturel » des choses. Dans la société médiévale chrétienne, par exemple, de féroces débats pouvaient surgir sur des points de théologie ou de doctrine chrétienne, entraînant parfois de violents conflits entre voisins ; mais la croyance centrale en Dieu et en la divinité de Jésus, qui faisait de tous les Européens des chrétiens, restait, elle, incontestée, excepté par quelques individus situés aux marges mentales et psychologiques de la société. Les croyances en l'existence de Dieu, en l'infériorité des Noirs, en la supériorité fondamentale du sexe masculin, dans les qualités intrinsèques d'une race ou dans la malfaisance des Juifs ont été tenues pour autant d'axiomes dans différentes sociétés. En tant qu'axiomes, c'est-à-dire normes non soumises à discussion, elles étaient le tissu même de l'ordre moral de ces sociétés, et ne supportaient pas plus le doute que la notion fondamentale qui est à la base des sociétés contemporaines, à savoir que la « liberté » est un bien[3].

Bien que de nombreuses sociétés à travers l'Histoire aient été gouvernées par des croyances irrationnelles situées au centre de leurs conceptions cosmologiques et ontologiques de la vie (croyances qui, je le répète, étaient autant d'axiomes pour leurs membres), la plupart des études sur l'Allemagne nazie ont d'emblée exclu qu'il puisse en être de même dans son cas. Plus précisément, ces études posent comme point de départ deux *hypothèses* : selon la première, il est impossible que la plupart des Allemands aient partagé l'opinion de Hitler sur les Juifs, exposée dans *Mein Kampf* et ailleurs, qui voyait en eux une « race » diaboliquement rusée, parasite, maléfique, coupable d'avoir infligé bien des maux au peuple allemand ; selon la seconde hypothèse, la plupart des Allemands ne pouvaient pas avoir été antisémites au point d'approuver l'extermination des Juifs. Une fois posées ces hypothèses de départ, on rejetait la charge de la preuve sur ceux qui auraient pensé le contraire. Mais pourquoi ?

Puisqu'il est possible, voire même plus que probable, que l'antisémitisme ait été un axiome de la société allemande de la période nazie, l'interprétation dominante de cet antisémitisme allemand doit être rejetée pour deux raisons. La première, c'est que l'Allemagne nazie était un pays où la politique du gouvernement, d'autres types d'actes publics et les propos émis en public étaient profondément et presque obsessionnellement antisémites. Même un simple survol de cette société découvre à l'observateur sans grand bagage livresque, à quiconque se fie aux preuves apportées par ses sens, que la société regorgeait d'antisémitisme. Le point essentiel, c'est que, dans l'Allemagne nazie, l'antisémitisme se criait sur les toits : « Les Juifs font notre malheur », il faut nous en débarrasser.

Quand on veut comprendre cette société, il faut tenir compte du permanent tir de barrage de propos antisémites engourdissants, non seulement ceux qui venaient du sommet, dans ce qui était un régime dictatorial, mais aussi ceux qui venaient de la base. Il faut également prendre en compte la politique de discrimination et de violence pratiquée à l'encontre des Juifs : ce sont autant d'indications des croyances de la société. Une société qui déclare son antisémitisme à pleins poumons, apparemment de tout son cœur, de toute son âme, doit être effectivement antisémite.

La seconde raison d'adopter une perspective différente de la conception dominante à l'égard de l'antisémitisme allemand vient de l'histoire de la société et de la culture allemandes. Au Moyen Age et au début de l'âge moderne, à coup sûr jusqu'aux Lumières, la société allemande aura été profondément antisémite[4]. Que les Juifs fussent fondamentalement différents et maléfiques (thème qu'on étudiera au chapitre suivant) était à l'époque un axiome de la culture allemande et de la plupart des nations chrétiennes. Cette vision des Juifs était à la fois celle des élites, et, ce qui est le plus important, des gens ordinaires. Pourquoi ne pas supposer que puissent persister des croyances culturelles si profondément ancrées, des guides aussi fondamentaux pour s'orienter à l'intérieur de l'ordre social et moral, sauf à prouver qu'ils avaient changé, voire disparu ?

Quand on manque de données décisives sur la nature d'un système de croyances, les historiens et les sociologues qui souhaitent établir sa prédominance et son étiologie ne devraient pas projeter sur lui, rétrospectivement, les traits de leur propre société, comme l'ont trop souvent fait, à mon sens, ceux qui ont étudié l'antisémitisme allemand. Il faut au contraire choisir un point de départ judicieux et travailler dans le sens de la durée historique, pour découvrir ce qui s'est réellement passé. Si l'on adoptait cette méthode, en commençant au Moyen Age, pour tenter de découvrir si, où, quand et comment les Allemands avaient vraiment abandonné un antisémitisme jusque-là si omniprésent, toute la vision du problème changerait. On serait alors forcé d'abandonner l'*hypothèse* qui veut que, globalement, les Allemands des XIXe et XXe siècles n'aient pas été antisémites, et donc contraint de *démontrer*, inversement, comment ils se sont libérés de leur antisémitisme si profondément enraciné, à supposer qu'ils l'aient effectivement fait.

Si, au lieu de se laisser guider par l'hypothèse généralement admise que les Allemands étaient des gens comme nous, nous commençons notre analyse par l'idée opposée, plus judicieuse, que les Allemands de la période nazie étaient généralement dominés par un credo antisémite partout infiltré, alors il serait pratiquement impossible de contester ce point de départ. Car il n'existe aucune preuve documentée qui contredise le fait que ces propos antisémites intenses, publics et omniprésents, n'étaient pas le miroir des croyances intimes des Allemands. Avant d'accepter de renoncer à cette conception, nous demanderions, bien en vain, que l'on produise des textes allemands exprimant un refus de ce credo, nous demanderions que l'on exhume des lettres et des journaux intimes attestant d'une conception différente à l'endroit des Juifs. Nous exigerions des témoignages irrécusables montrant que les Allemands considéraient effectivement les Juifs vivant sur leur sol comme des membres à part entière de la communauté allemande et humaine. Nous réclamerions des preuves que les Allemands ont rejeté et abhorré les innombrables règlements, lois et actes de persécution contre les Juifs. Nous exigerions qu'on nous prouve qu'ils considéraient comme un grand crime d'incarcérer les Juifs dans des camps de concentration, de les arracher à leurs foyers et à leur communauté, de les déporter pour un destin horrible loin du seul pays qu'ils aient connu. Des exemples isolés de désapprobation individuelle ne sauraient suffire : nous exigerions des exemples en grand nombre, justiciables d'une généralisation à des sections ou groupes importants de la société allemande, avant d'accepter de reconnaître la fausseté de notre position. Or les documents dont nous disposons ne permettent même pas d'approcher ce niveau de preuves.

Quel est donc le bon point de départ ? Celui qui s'oppose fortement à tout ce que l'on a comme preuves documentées du cri public et des actes publics ? Ou celui qui en tient compte ? Celui qui suppose qu'une très ancienne orientation de la culture n'existait plus, ou celui qui demande que la question soit soumise à examen, et que, avant de déclarer que l'antisémitisme s'était dissipé, le processus de cette prétendue dissipation soit démontré et expliqué. Pourquoi la charge de la preuve n'est-elle pas exigée de ceux qui soutiennent que la société allemande s'était transformée et avait jeté par-dessus bord son antisémitisme ? Avec l'hypothèse d'une conformité des Allemands à l'image idéale que nous avons de nous-mêmes, avec la supposition de la « normalité » du peuple allemand, la charge de la preuve a été rejetée sur ceux qui mettent en avant le terrifiant antisémitisme de l'Allemagne nazie. Méthodologiquement, cette approche est défectueuse, et intenable. Elle doit être abandonnée.

Ma position est la suivante : si nous n'avions à notre disposition que le débat public et la politique gouvernementale en Allemagne à l'époque nazie, et l'histoire politique et culturelle antérieure de l'Allemagne, et si nous étions forcés de donner des conclusions sur la force de l'antisémitisme allemand dans les années 30, il serait judicieux de dire seulement qu'il était largement répandu dans la société et était d'une « qualité nazie ». Heureusement, nous ne sommes pas obligés de nous arrêter là, et nous ne sommes pas entièrement dépendants des hypothèses judicieuses que nous pouvons apporter à l'étude de l'Allemagne nazie. La conclusion que l'antisémitisme nazi était partie intégrante des croyances des Allemands ordinaires (conclusion déjà raisonnable si on la déduisait seulement d'une analyse historique globale couplée avec une analyse des documents publics allemands de la période nazie) est confortée par d'autres preuves de première ampleur, aussi bien empiriques que théoriques.

Aussi, la conviction qu'il y a eu un antisémitisme allemand ancien qui s'est prolongé jusqu'au XXe siècle (conviction établie en partie par l'incapacité de quiconque à démontrer qu'une diminution ou un abandon de cet antisémitisme a eu effectivement lieu) a un autre fondement. Comme on le verra dans les deux chapitres suivants, de nombreuses preuves *positives* montrent que l'antisémitisme, même si c'est un antisémitisme dont le contenu a changé avec le temps, continuait d'être un axiome de la culture allemande au XIXe et au XXe siècle, et que sa version dominante dans l'Allemagne nazie n'était qu'une forme accentuée, plus intense et plus élaborée, d'un modèle culturel de base déjà largement accepté.

Quand on cherche à découvrir les axiomes culturels et les orientations cognitives d'une société qui n'est plus ou qui s'est transformée, on se trouve toujours confronté au problème suivant : ces axiomes et ces orientations n'ont pas toujours été exprimés aussi clairement, aussi fréquemment et d'une façon aussi sonore que leur importance dans la vie d'une société donnée ou de ses membres ne le laisserait penser. Comme l'a dit un historien, « être antisémite dans l'Allemagne nazie était tellement banal qu'on ne le remarquait même plus [5] ». Des notions fondamentales pour les conceptions dominantes et le fonctionnement d'une société, précisément parce qu'elles sont considérées comme allant de soi, ne sont pas toujours exprimées d'une manière adaptée à leur rôle dominant, ou, lorsqu'elles le sont, ne sont pas toujours jugées dignes d'être consignées et archivées [6].

Il n'est que de regarder notre propre société. Une de ses normes qui ne souffre pas de discussion est que la démocratie (quel que soit le sens qu'on donne à ce terme) est une bonne chose, qu'elle constitue le meilleur des régimes politiques. L'idée va tellement de soi, et est si peu contestée dans le discours et la pratique politiques ordinaires, que si nous devions, pour apprécier la force du credo démocratique en Amérique, recourir à l'approche habituelle des historiens de l'antisémitisme allemand, nous devrions conclure que la plupart des Américains n'y souscrivent pas. Nous aurions beau fouiller à travers les discours, tant publics que privés, les lettres et les journaux intimes des Américains, nous trouverions peu de témoignages de leur tempérament démocratique (mis à part les recherches des sciences sociales sur le sujet). Pourquoi ? Précisément parce que ces conceptions sont incontestées, parce qu'elles font partie du « sens commun » de la société. A l'évidence, nous découvririons que les Américains participent aux institutions de la démocratie de la même manière que nous découvririons que les Allemands ont apporté un soutien massif et enthousiaste, sous de multiples formes, aux institutions, législations et politiques antisémites de leur pays. Le parti national-socialiste, une institution profondément antisémite, comptait à son apogée plus de *huit* millions de membres [7]. Nous trouverions chez les hommes politiques et les fonctionnaires américains des professions de foi démocratique, tout comme nous pouvons trouver d'incessantes proclamations (et même en plus grand nombre encore) du credo antisémite chez leurs homologues allemands pendant la période nazie et avant. Nous trouverions des expressions du credo démocratique américain dans les livres, les journaux, les magazines et les revues, mais elles ne seraient pas tout à fait aussi nombreuses que les déclarations antisémites dans la presse allemande de l'époque. La comparaison pourrait continuer. Ce qu'il faut en retenir, c'est que, si nous considérions la qualité et la quantité des propos tenus par des individus à l'égard de la démocratie, alors même que notre hypothèse de départ serait que les Américains accordent peu d'importance aux institutions et aux idées démocratiques, nous serions l'objet de rudes pressions pour reconnaître notre erreur. Et c'est précisément parce que le credo démocratique n'est pas contesté – de même que, on le verra, le credo antisémite n'était l'objet d'aucune discussion en Allemagne – que remontent à la surface beaucoup moins de « preuves » de l'existence et de la nature des croyances de chaque individu. Étant donné qu'il est difficile de déterrer des axiomes culturels perdus (car la nature du phénomène implique qu'il demeure relativement dissimulé à la vue), il faut veiller à ne pas nier pour autant leur existence, et à ne pas supposer que nos axiomes culturels ont été partagés par d'autres. Commettre cette erreur par trop commune ne peut que conduire à une erreur fondamentale d'appréciation sur la société étudiée [8].

Un des moyens les plus efficaces de se faire une idée des aspects cognitifs, culturels, et en partie politiques, de la vie d'une société est la conversation [9]. Tout ce que nous savons de la réalité sociale est emprunté au courant continu des propos échangés qui la constitue. Comment pourrait-il en être autrement, puisque les gens n'entendent jamais rien d'autre, n'apprennent jamais rien d'autre ? A l'exception d'un petit nombre de personnalités que leur originalité distingue d'une façon frappante, les individus ne voient le monde qu'à travers les conversations de la société où ils vivent.

Bien des traits axiomatiques des conversations d'une société ne sont pas immédiatement détectables, même à une oreille avertie. On y rencontre presque tous les modèles cognitifs culturellement partagés par tous. Les modèles cognitifs (croyances, représentations, valeurs), qu'ils soient explicitement exprimés ou non, structurent toutes les conversations échangées dans la vie sociale. Les modèles cognitifs qui « sont faits d'un petit nombre d'objets conceptuels et de leurs relations entre eux [10] » conditionnent la compréhension par chacun de presque tous les aspects de sa vie, ainsi que ses pratiques. Qu'il s'agisse de comprendre ses émotions [11], d'accomplir des actes de la vie quotidienne comme d'effectuer un achat dans un magasin [12], de négocier des relations de face-à-face avec autrui [13], de conduire les relations sociales les plus intimes [14], de dessiner la carte du paysage social et politique [15], de faire des choix intérieurs, y compris sur des questions de vie ou de mort [16], tout le monde, à la fois dans l'acte de comprendre et dans celui d'agir, est guidé par des modèles cognitifs culturellement partagés, dont nous ne sommes souvent qu'obscurément conscients, voire pas du tout. Parmi ces modèles, il y a celui de l'autonomie personnelle, propre à notre culture, qui nous conduit à adopter un degré d'autonomie individuelle inimaginable dans des cultures qui ont des conceptions différentes de l'être humain et de la vie en société[17].

Quand une conversation est monolithique, ou proche de l'être sur certains points (et cela inclut les modèles cognitifs implicites, sous-jacents), alors les membres d'une société intègrent aussitôt ses traits dans leur organisation mentale, dans les axiomes fondamentaux qu'ils utilisent (consciemment ou inconsciemment) pour percevoir, comprendre, analyser les phénomènes sociaux et leur apporter une réponse. Ainsi les articles de foi de la conversation en société, c'est-à-dire les cheminements fondamentaux par lesquels une culture conçoit l'ordre du monde et les formes de l'existence en société, se retrouvent-ils peu à peu dans l'esprit de chacun au fur et à mesure qu'il mûrit, car c'est tout ce que l'individu a à sa disposition pour développer ses capacités intellectuelles, comme c'est déjà le cas pour l'acquisition du langage. Dans l'Allemagne nazie, et même bien avant, la plupart des Allemands ne pouvaient pas plus disposer de modèles cognitifs étrangers à leur société (ceux par exemple de certains aborigènes) qu'ils ne pouvaient parler couramment le roumain, par exemple, faute d'avoir baigné dans cette langue.

L'antisémitisme, qui a souvent le statut, et donc les propriétés, d'un modèle cognitif culturel, a toujours été imparfaitement compris. Notre compréhension de ce qu'il est, de la définition qu'il faut en donner, de ce qui l'engendre, de la façon dont il faut l'analyser, de son mode de fonctionnement, reste sous-développée, malgré tous les livres consacrés au sujet. Dans une large mesure, c'est une conséquence de la difficulté qu'il y a à étudier le domaine où il réside, l'esprit. L'accès aux données y est remarquablement difficile, et le résultat, même dans les conditions les meilleures, est connu pour être sujet à caution[18]. Néanmoins, on peut tenter d'améliorer la connaissance de ce phénomène multiforme, et c'est ce que nous nous efforçons de faire dans les pages qui suivent.

L'antisémitisme, c'est-à-dire l'adoption d'idées et de sentiments négatifs à l'endroit des Juifs en tant que Juifs, a toujours été traité sans grandes nuances : on est antisémite ou on ne l'est pas. Et quand on propose une vue plus nuancée de l'antisémitisme, elle est le plus souvent peu utile à l'analyse, voire trompeuse. Ainsi un antisémitisme « abstrait » est-il souvent distingué d'un antisémitisme présumé « réel »[19], le premier étant supposé s'adresser à une idée des Juifs comme entité organisée, mais non aux Juifs en chair et en os, ce qui est l'apanage du second. Mais cette distinction est spécieuse, comme toute analyse de différentes sortes d'antisémitisme[20].

Tout antisémitisme est fondamentalement « abstrait », c'est-à-dire qu'il n'est pas déduit de la réalité des Juifs, mais il est en même temps réel et concret dans ses effets. Que pourrait vouloir dire un antisémitisme « abstrait » qui ne serait pas concret dans ses conséquences ? Que l'antisémitisme est purement « verbal » ou qu'il vise tel Juif en particulier et non pas tout le groupe ? Pour que cette distinction soit juste, il faudrait que fussent remplies les conditions suivantes : chaque fois qu'un antisémite « abstrait » rencontrerait un Juif, il évaluerait ses qualités personnelles et son caractère moral, avec la même ouverture d'esprit, la même absence de préjugés qu'il aurait pour juger un non-Juif. Cela est bien évidemment faux. L'antisémitisme « abstrait » est dans la pratique *concret* parce qu'il guide la perception, l'évaluation et la volonté d'agir. Il est appliqué à des Juifs réels, et notamment à des Juifs qui ne sont pas connus par l'antisémite en question. Il finit par définir aux yeux de l'antisémite la nature des Juifs réels. L'antisémitisme est toujours *abstrait* dans sa conceptualisation (étant élaboré sans recours aux Juifs réels) et toujours concret et *réel* dans ses effets. Parce que les conséquences de l'antisémitisme sont déterminantes pour évaluer sa nature et son importance, tous les antisémitismes sont « réels »[21].

A partir du moment où le sens de cette distinction est soumis à l'examen, il apparaît clairement qu'elle ne peut dessiner le monde social et psychologique que d'une façon grossière. Des catégories composites, telle que « haine dynamique et passionnée des Juifs[22] », bien qu'on puisse croire qu'elles décrivent la nature apparente de certains types antisémites existants, ne peuvent être la base d'une analyse. Il existe souvent une contradiction entre perception et catégorisation d'un côté, qui sont souvent de nature idéale-typique, et, de l'autre, les besoins de l'analyse, qui sont dimensionnels. L'analyse dimensionnelle (faire apparaître les composantes d'un phénomène complexe) est nécessaire non seulement au besoin de clarté mais aussi pour élucider différents aspects de l'antisémitisme, y compris ses flux et ses reflux, et les relations de ses différents avatars avec les actes des antisémites. Ce qui introduit beaucoup de confusion dans les débats sur l'antisémitisme, dont celui sur l'antisémitisme allemand, c'est de ne pas spécifier, et de maintenir analytiquement séparées, ses différentes dimensions, qui sont au nombre de trois[23].

La première dimension concerne le type d'antisémitisme, c'est-à-dire ce que pense l'antisémite des *sources* de la nature maléfique des Juifs, quelle qu'elle soit. D'où vient, selon lui, le caractère inadaptable ou pernicieux du Juif ? Est-ce de sa race, de sa religion, de sa culture, ou de ce qu'on prétend être des difformités de caractère dues à ses conditions de vie particulières ? Ces différentes appréciations sur les sources de la nature indésirable des Juifs retentissent sur la façon dont l'antisémite analyse la « question juive », et aussi sur la façon dont son opinion sur les Juifs peut évoluer en fonction d'autres développements sociaux et culturels. Une des raisons à cela est que chaque source identifiée est insérée dans une vaste structure métaphorique qui étend automatiquement le domaine des phénomènes, situations et usages linguistiques relevant de la visée antisémite d'une manière parallèle à la structure métaphorique elle-même. La pensée analogique qui accompagne différentes structures métaphoriques gouverne la définition des situations, le diagnostic des problèmes et la prescription d'actions adaptées. La métaphore biologique qui était au cœur de l'antisémitisme nazi, par exemple (elle situait le maléfice juif dans le sang et recourait pour décrire les Juifs aux termes de « vermine » ou de « bacilles », pour ne donner que deux des principales images utilisées), est riche de suggestions [24].

La deuxième dimension est une dimension *manifeste-latente* qui se contente de mesurer à quel point un antisémite est préoccupé par les Juifs. Si ses conceptions antisémites n'occupent ses pensées ou ne gouvernent son action que rarement, il est un antisémite latent (autre formulation : son antisémitisme est à l'état latent). Si, en revanche, les Juifs occupent une place centrale dans ses pensées quotidiennes (et peut-être dans ses actions elles-mêmes), alors son antisémitisme est au stade manifeste. L'antisémitisme se déploie sur toute l'étendue d'un spectre, allant de l'antisémite qui ne pense que rarement aux Juifs jusqu'à celui pour qui c'est une obsession. La dimension manifeste-latente représente la quantité de temps consacrée à penser aux Juifs, et le genre de circonstances qui font surgir les préjugés hostiles. Elle renvoie à la centralité ou non des Juifs dans la conscience d'une personne.

La troisième dimension, qui est celle du niveau ou de l'intensité de l'antisémitisme, constitue également un spectre continu sur lequel est représenté le *caractère pernicieux* putatif des Juifs. L'antisémite reproche-t-il simplement aux Juifs d'avoir trop l'esprit de clan et d'être cupides, ou d'être un groupe de conspirateurs, à la recherche d'une domination politique et économique ? Comme le savent même ceux qui ne se sont qu'occasionnellement penchés sur la question de l'antisémitisme, les défauts que les antisémites ont attribués aux Juifs, et qui constituent l'ensemble de leur caractère « pernicieux », ont beaucoup varié. Les accusations vociférées contre les Juifs à travers les âges ont été aussi nombreuses que variées, et vont du terre à terre au fantastique pur. Mais il n'est nul besoin de les exposer en détail ici : ce qu'il faut bien comprendre, c'est que chaque antisémite a une certaine idée du péril juif. Si les convictions d'un antisémite pouvaient être mesurées et quantifiées avec précision, alors on pourrait élaborer une sorte d'index du caractère pernicieux attribué aux Juifs [25]. Bien que différentes accusations portées contre les Juifs puissent entraîner différentes réponses antisémites sur des problèmes particuliers, c'est l'appréciation globale de la menace juive par l'antisémite (et non ses accusations contre tel ou tel individu) qui est la plus importante pour comprendre comment ses croyances informent ses actes.

Des antisémites qui occupent telle ou telle position sur le spectre du

« caractère pernicieux » peuvent se trouver à des places différentes sur le spectre du manifeste-latent. Deux antisémites peuvent vociférer sans cesse contre les Juifs et rejeter sur eux la responsabilité de bien des maux dont ils souffrent, alors que l'un considère que les Juifs ont trop l'esprit de clan et donnent toujours, à l'embauche, la préférence à un candidat juif, tandis que le second considère que les Juifs ne cherchent qu'à dominer et détruire la société. Ces deux antisémitismes, dans leurs différentes variétés, sont manifestes, et même centraux chez ceux qui les professent. De la même manière, chacune de ces deux croyances sur les intentions et les actions des Juifs peut être professée non seulement par des antisémites manifestes mais aussi par des antisémites latents, qui ne sont peut-être tels que parce qu'ils ont peu de contacts avec des Juifs. Dans le premier cas, un individu peut croire que les Juifs ont trop l'esprit de clan et pratiquent volontiers des discriminations, sans pour autant y accorder beaucoup d'attention (ce sera le cas par exemple en période de croissance économique, où tout le monde, y compris l'antisémite, s'en sort bien). Il peut même croire que les Juifs ne songent qu'à détruire la société, mais si ses affaires quotidiennes occupent l'essentiel de ses pensées, et si, en plus, il n'a pas la tête très politique, de telles croyances peuvent rester profondément enfouies au fond de sa conscience dans la vie quotidienne. Si l'on passe à la dimension de ces sources putatives de la malfaisance des Juifs, les deux attitudes, qu'elles soient manifestes ou latentes, peuvent être fondées sur des idées différentes des Juifs. Un antisémite peut considérer que les Juifs n'agissent comme ils le font que parce que leur « race », au sens biologique, les a programmés ainsi, ou parce que les articles de foi de leur religion, dont le rejet de Jésus, les ont ainsi conditionnés.

Toute étude de l'antisémitisme doit spécifier où il se situe sur chacune de ces dimensions. Il faut résister à la tentation de penser comme des dichotomies, relevant d'un « et/ou », les deux spectres continus du *manifeste-latent* et du *caractère pernicieux*. Bien entendu, des combinaisons des différentes composantes de l'antisémitisme se présentent de façon récurrente, mais leur utilité « idéale-typique » vient de l'analyse dimensionnelle, porteuse d'une plus grande clarté analytique.

Si l'analyse dimensionnelle est très utile pour caractériser les différentes variétés d'antisémitisme, elles peuvent toutes être classées selon une dissimilitude essentielle, qu'il peut être utile de considérer comme dichotomique (même si, à strictement parler, ce n'est pas le cas) et qui est la suivante : certains antisémitismes sont tissés dans la texture même de l'ordre moral d'une société, d'autres non. De nombreuses aversions envers les Juifs (qu'il s'agisse des stéréotypes simples qui caractérisent de nombreux conflits entre groupes, ou de l'idée d'une véritable conspiration juive à travers le contrôle juif de la presse dans tel pays) sont des aversions qui, si intenses qu'elles puissent être, ne sont pas dans le tissu même des conceptions de l'ordre moral de la société ou du monde. Un Américain peut affirmer que les Juifs sont nuisibles au pays, de la même façon qu'il peut le dire des Noirs, des Polonais ou de tout autre groupe, en considérant les Juifs comme un groupe qui, comme tant d'autres, a des défauts déplaisants ou nuisibles. On est alors devant un cas classique d'antipathie entre communautés. Dans de tels cas, l'idée que l'on se fait de la nature des Juifs ne va pas jusqu'à dire qu'ils violent l'ordre moral de la société. Le préjugé si répandu en Amérique (« Je suis italien, irlandais ou polonais, et il est juif, et je ne l'aime pas ») est l'affirmation d'une différence et d'un dégoût, mais sans que l'on attribue à l'autre une violation de l'ordre moral. Parfois, les Juifs ne sont qu'un groupe « ethnique » parmi tous les autres qui constituent la société.

Au contraire, la chrétienté médiévale, avec sa conception intolérante des bases morales de la société, accusait les Juifs de violer l'ordre moral du monde. En rejetant Jésus, qu'ils étaient accusés d'avoir mis à mort, les Juifs défiaient la conception universellement acceptée de Dieu et de l'Homme, et leur existence même était une offense au sacré, une profanation. Les Juifs en sont alors venus à représenter, symboliquement et par déduction, une grande partie des maux du monde. Aux yeux des chrétiens, ils en sont même devenus les synonymes, les agents volontaires du mal[26].

Les conséquences de cet antisémitisme conçu en termes d'ordre moral du monde vont loin. Identifier les Juifs au mal, les définir comme violant le sacré, comme opposés au souverain bien que chacun doit s'efforcer d'atteindre, c'est les diaboliser, c'est produire une intégration linguistique, métaphorique et symbolique des Juifs dans la vie des antisémites. On ne se contente pas de *juger* les Juifs en fonction des principes et des normes d'une morale, on en fait des *constituants* de l'ordre lui-même, de l'édifice cognitif qui dessine la carte des domaines moraux et sociaux, lesquels en viennent à dépendre, pour leur cohérence, de cette conception des Juifs. La vision des Juifs, en étant intégrée par les non-Juifs dans leur ordre moral et donc dans la structure symbolique et cognitive sous-jacente de leur société, prend alors des sens de plus en plus étendus, ce qui accroît encore sa cohérence. Une bonne partie de ce qui est le bien en vient à être défini en opposition aux Juifs, et il importe donc, pour en maintenir la définition, de maintenir la conception que l'on a d'eux. Il devient alors difficile pour les non-Juifs de modifier leur conception des Juifs sans modifier toute la structure symbolique, y compris d'importants modèles cognitifs, sur laquelle repose la compréhension qu'ils ont de la société et de la moralité. Il devient difficile de voir les actes des Juifs, voire leur existence même, autrement que comme une profanation et une souillure.

Pour certains antisémites, les Juifs ne sont pas seulement des gens qui violent, et gravement, les normes morales (tous les antisémites leur attribuent ce genre de transgression), mais encore des êtres dont l'existence même constitue une violation du tissu moral de la société. La nature fondamentale de cet antisémitisme-là diffère de celle des catégories d'antisémitisme qui n'ont pas cette coloration[27]. Il est plus tenace, enflamme davantage les passions, provoque ordinairement une plus grande variété d'accusations incendiaires contre les Juifs, et abrite de plus grandes potentialités de violences et d'actions meurtrières. Les conceptions qui érigent les Juifs en destructeurs de l'ordre moral, et qui les diabolisent, reposent sur des idées différentes des causes du caractère prétendument pernicieux des Juifs, les unes religieuses, les autres raciales. Le premier cas était celui de la chrétienté médiévale, le second celui de l'Allemagne nazie.

En complément de l'*approche analytique* présentée ici, trois propositions *empiriques* de première importance sur la nature de l'antisémitisme sous-tendent mon analyse de l'antisémitisme allemand.

1. L'existence de l'antisémitisme et le contenu des accusations antisémites contre les Juifs doivent être compris comme une expression de la culture non juive, et ne sont *en aucune façon* une réponse à une quelconque évaluation objective des actions des Juifs, même si de réelles caractéristiques des Juifs et des aspects de conflits bien réels sont incorporés à la litanie antisémite.
2. L'antisémitisme a été un trait permanent de la civilisation chrétienne (à coup sûr à partir des croisades), même au XXe siècle.
3. Les grandes différences dans l'expression de l'antisémitisme à différentes époques d'une période historique délimitée (disons, de vingt à cinquante ans), dans une société donnée, ne vient pas du fait que l'antisémitisme apparaît et disparaît, que le nombre de ceux qui deviennent antisémites augmente ou décroît, mais du fait qu'un antisémitisme permanent se fait plus ou moins manifeste, la raison première étant à chercher du côté des changements politiques et sociaux qui encouragent ou non les gens à exprimer leur antisémitisme.

Chacune de ces propositions pourrait être développée longuement, mais ne peut être ici traitée que brièvement. Les deux premières ont été démontrées par l'ensemble de la littérature sur l'antisémitisme. La troisième est neuve et particulière à la présente étude.

L'antisémitisme ne nous dit rien des Juifs, mais beaucoup sur les antisémites et la culture qui les nourrit. Même un survol rapide des traits distinctifs et des pouvoirs que les antisémites ont attribués aux Juifs à travers les âges (pouvoirs surnaturels, complots internationaux, capacité à ruiner des économies entières ; utilisation du sang d'enfants chrétiens dans leurs rituels, voire assassinats d'enfants chrétiens pour recueillir leur sang ; alliance avec le diable ; contrôle simultané des leviers du capitalisme international et du bolchevisme) indique que l'antisémitisme provient de sources culturelles qui sont *indépendantes* de la nature et des actions des Juifs, et que les Juifs eux-mêmes en viennent à être définis par les représentations culturelles que les antisémites projettent sur eux. Le mécanisme qui sous-tend l'antisémitisme est celui de tout préjugé, bien que les hauteurs d'imagination véritablement impressionnantes atteintes couramment par les antisémites se rencontrent rarement ailleurs dans les longues annales du préjugé. Un préjugé n'est pas la conséquence des actions ou attributs de son objet. Il n'est pas quelque dégoût objectif de la nature réelle de l'objet. Peu importe ce que l'objet fait, que ce soit « X » ou « pas X », le fanatique le diffamera pour cela. La source du préjugé est chez celui qui a la croyance, elle est dans ses modèles cognitifs, dans sa culture. Le préjugé est une manifestation de la quête (individuelle et collective) du *sens*[28]. Il n'est guère judicieux d'exposer la nature réelle de l'objet du fanatisme, dans le cas présent les Juifs, quand on cherche à comprendre la genèse et la persistance de croyances anciennes. Le faire serait certainement obscurcir la compréhension du préjugé, ici de l'antisémitisme.

Parce que l'antisémitisme jaillit du cœur de la culture de l'antisémite et non du caractère des actions des Juifs, il n'est pas surprenant que la nature de l'antisémitisme dans une société donnée tende à s'harmoniser avec les modèles culturels qui guident au même moment la compréhension du monde social. Ainsi, aux époques théologiques, l'antisémitisme partage les présupposés religieux dominants ; dans des époques dominées par les idées darwiniennes, l'antisémitisme s'accorde à la théorie de l'hérédité (puisque les traits caractéristiques des Juifs sont considérés comme innés) et à l'idée que les nations sont engagées dans des conflits où chacune gagne ce que l'autre perd (car le monde n'est que lutte pour la survie). C'est précisément parce que les mêmes modèles cognitifs sous-tendent à la fois la vision du monde d'une société et le caractère de l'antisémitisme, que l'antisémitisme mime le modèle culturel dominant. De plus, là où l'antisémitisme est au centre de la vision du monde d'une société, ce qui a souvent été le cas (notamment dans le monde chrétien), il est encore plus probable qu'il vienne se fondre dans le modèle dominant : s'ils étaient en conflit, la cohérence psychique et affective de la conception que chaque individu a du monde serait bouleversée, ce qui créerait de graves dissonances cognitives.

Leurs haines profondément ancrées, les antisémites les reformulent toujours dans le langage dominant d'une époque, en incorporant à leur litanie certaines caractéristiques culturelles des Juifs ou de la communauté juive. Rien d'inattendu à cela. Le contraire même serait surprenant. Ceux qui étudient l'antisémitisme devraient donc résister à la tentation de s'accrocher aux quelques rares incantations de la litanie antisémite qui semblent, même faiblement, avoir un lien avec la réalité, et éviter de voir dans le comportement des Juifs une cause possible de l'antisémitisme : c'est confondre le symptôme avec la cause. Une erreur commune est d'attribuer l'existence de l'antisémitisme à la jalousie provoquée par les réussites économiques des Juifs, au lieu de reconnaître que cette jalousie économique est la conséquence d'une antipathie préexistante à l'endroit des Juifs. De toutes les insuffisances de la théorie économique de l'antisémitisme, il en est deux qui doivent être mentionnées ici, l'une conceptuelle, l'autre empirique. Une hostilité économique de cette sorte a comme prédicat nécessaire la désignation des Juifs comme différents, le fait de les définir non pas par les nombreux autres traits (plus pertinents) de leurs identités d'individus, mais comme Juifs, et donc d'utiliser l'étiquette comme une définition, au lieu de voir les Juifs comme les antisémites voient les autres membres de leur société, c'est-à-dire comme des concitoyens [29]. Sans cette conception préexistante des Juifs, sans ce préjugé à leur endroit, personne ne considérerait le fait d'être juif comme une catégorie économique pertinente. Le second défaut de la théorie économique de l'antisémitisme, c'est que, historiquement, d'autres groupes minoritaires ont occupé dans de nombreux pays des positions d'intermédiaires économiques (les Chinois en Asie et les Indiens en Afrique), et que, même s'ils ont été victimes de préjugés, d'une jalousie économique et d'une hostilité, de tels préjugés n'ont pas invariablement produit, et n'ont même presque jamais produit, les accusations hallucinées adressées communément aux Juifs en Occident [30]. Par conséquent, un conflit économique ne peut absolument pas être la principale source de l'antisémitisme puisque l'Histoire montre qu'en son cœur, il y a toujours eu ces accusations hallucinées.

La preuve sans doute la plus parlante du fait que l'antisémitisme n'a fondamentalement rien à voir avec les actions des Juifs, et donc absolument rien à voir avec ce que l'antisémite sait de la nature réelle des Juifs, est à chercher dans les cas, anciens ou contemporains, d'une apparition de l'antisémitisme, et même sous sa forme la plus virulente, là où il n'y a pas de Juifs, ou chez des peuples qui n'en ont jamais vu. Ce phénomène récurrent est lui aussi difficile à expliquer si l'on a recours à une sociologie du savoir et du préjugé différente de celle qui est adoptée ici, et que l'on peut résumer ainsi : dans l'antisémitisme, tout est le résultat d'une construction sociale; il relève de la culture, et des modèles cognitifs constitutifs de cette culture qui se transmettent de génération en génération. Des gens qui n'avaient jamais vu de Juifs ont cru que les Juifs étaient des agents du diable, ennemis de tout ce qui était le Bien, responsables de la plupart des maux du monde, et bien décidés à dominer et détruire leur société. L'Angleterre de 1290 à 1656 est un exemple frappant, mais nullement isolé, de ce phénomène. Pendant toute cette période, l'Angleterre était pratiquement « purgée de ses Juifs », *judenrein*, les Anglais les ayant expulsés au moment culminant de la campagne antijuive qui avait commencé au milieu du XIIe siècle. Et pourtant, la culture de l'Angleterre demeurait profondément antisémite : « Pendant près de quatre siècles, les Anglais n'ont eu que très rarement l'occasion, si même ils l'ont jamais eue, de voir des Juifs en chair et en os. Et pourtant, ils ont considéré les Juifs comme un groupe de maudits usuriers, qui, alliés du diable, étaient coupables de tous les crimes que peut concevoir l'imagination populaire [31]. » Cette persistance pendant près de quatre siècles de l'antisémitisme dans la culture populaire d'une Angleterre vidée de ses Juifs est remarquable, et, à première vue, on peut la trouver surprenante. Pourtant, si l'on veut bien comprendre la relation de l'antisémitisme avec le christianisme, couplée avec une juste compréhension de la transmission sociale des modèles cognitifs et des systèmes de croyances, c'est le contraire qui aurait été surprenant : que l'antisémitisme ait disparu. Partie intégrante du système moral de la société anglaise, l'antisémitisme était partie intégrante du christianisme, même s'il n'y avait plus aucun Juif en Angleterre, même si les Anglais n'avaient jamais vu aucun Juif de leurs propres yeux [32].

L'antisémitisme sans Juifs était la règle générale au Moyen Age et dans les débuts de l'Europe moderne [33]. Même quand les Juifs étaient autorisés à vivre parmi les chrétiens, peu de chrétiens connaissaient des Juifs ou avaient l'occasion d'en observer de près. Les chrétiens isolaient les Juifs dans les ghettos, et limitaient leurs activités par toute une série de réglementations et de coutumes oppressives. Les Juifs étaient séparés physiquement et socialement des chrétiens. L'antisémitisme des chrétiens ne reposait sur aucun contact familier avec les Juifs. Cela aurait été impossible. De la même manière, certains des antisémites les plus virulents de l'Allemagne de Weimar et de la période nazie n'avaient probablement eu que peu de relations, voire aucune, avec des Juifs. Des régions entières de l'Allemagne étaient « vides de tout Juif », puisqu'ils formaient moins de 1 % de la population et que 70 % d'entre eux vivaient dans les grandes agglomérations urbaines [34]. Les croyances et les affects antijuifs de ces antisémites-là ne pouvaient absolument pas être fondés sur une évaluation objective des Juifs, et ils ne reposaient que sur ce qu'ils avaient entendu dire des Juifs [35], en écoutant les conversations, en y prenant part. Ajoutons que ces conversations avaient elles aussi une manière bien désinvolte de représenter les Juifs, car elles avaient elles-mêmes une genèse, une vie et une forme indépendantes de la communauté juive qu'elles assuraient décrire.

Une seconde notion majeure, qui importe beaucoup à la présente étude, est que l'antisémitisme a toujours été plus ou moins un trait *permanent* du monde occidental. Il n'y a pas lieu d'en douter : c'est la forme éternelle du préjugé et de la haine dans les pays chrétiens. Il y a toutes sortes de raisons à cela, qui seront présentées dans le chapitre suivant. Disons ici brièvement que, jusqu'à l'âge laïque moderne (et, dans une certaine mesure, pendant), les croyances à l'endroit des Juifs faisaient partie intégrante de l'ordre moral des sociétés chrétiennes. Pour une part, les chrétiens se définissaient eux-mêmes en se distinguant des Juifs, voire en s'opposant directement à eux ; les croyances à l'égard des Juifs faisaient partie du tissu moral même du monde chrétien, lequel, dans une société chrétienne, sous-tend l'ordre moral global, et domine l'histoire de l'Occident. Les préjugés à l'endroit des Juifs ont donc été aussi lents à se modifier que les préceptes chrétiens eux-mêmes, qui ont toujours aidé les individus à définir le monde social et à y négocier leur présence. D'une certaine manière, même, l'antisémitisme s'est révélé plus durable. Pendant de nombreux siècles de l'histoire occidentale, il était pratiquement impossible d'être chrétien sans être antisémite, sans penser le plus grand mal d'un peuple qui avait rejeté Jésus, et continuait à le rejeter, ainsi que l'ordre moral issu de son enseignement, de sa révélation. Et cela d'autant plus que les chrétiens tenaient les Juifs pour responsables de la mort de Jésus.

Qu'une profonde antipathie pour les Juifs soit partie intégrante de l'ordre moral des sociétés chrétiennes explique non seulement pourquoi l'antisémitisme a persisté si longuement et avec une aussi forte charge affective, mais aussi pourquoi il a su si bien s'adapter et prendre des formes successives. Le besoin sous-jacent de penser du mal des Juifs, de les haïr, de déduire un sens de cet état affectif, besoin inscrit dans le tissu même du christianisme et associé à l'idée que les Juifs s'opposent à l'ordre moral du monde chrétien, crée une ouverture, une disponibilité, presque une disposition à croire que les Juifs sont capables de toutes les abominations possibles. Toutes les accusations contre les Juifs deviennent alors plausibles[36]. De quoi ne seraient-ils pas capables, eux qui ont tué Jésus, et rejeté avec constance son enseignement ? Quelles émotions, quelles peurs, quelles anxiétés, quelles frustrations, quels fantasmes ne pouvaient pas être projetés sur eux ? L'antipathie envers les Juifs ayant toujours été historiquement liée à la définition de l'ordre moral, quand les formes culturelles sociales, économiques et politiques se sont modifiées, privant de leur résonance certaines des accusations traditionnelles contre les Juifs, de nouvelles accusations sont venues sans difficulté remplacer les anciennes. C'est ce qui est arrivé, par exemple, en Europe de l'Ouest au XIXe siècle, quand l'antisémitisme s'est dépouillé de la plupart de ses vêtements médiévaux, religieux, pour en adopter de nouveaux, laïques cette fois. L'antisémitisme a toujours eu des capacités d'adaptation inhabituelles, un talent particulier pour se moderniser, se mettre au goût du jour. Aussi quand l'existence du diable sous une forme corporelle tangible a cessé d'être une source de peur pour le plus grand nombre, le Juif comme agent du Malin a été facilement remplacé par un Juif tout aussi dangereux et maléfique, mais cette fois en tenue laïque.

Sans aucun doute, la définition de l'ordre moral comme chrétien, avec les Juifs dans le rôle d'ennemis jurés, a été la cause la plus déterminante de l'apparition d'un antisémitisme endémique dans le monde chrétien, au moins jusqu'à une date récente. Le phénomène a été renforcé par deux autres causalités permanentes que l'on ne fera ici que mentionner. D'abord, les fonctions psychologiques et sociales que la haine des Juifs, une fois bien installée, en vient à jouer dans l'économie mentale des individus, ne peut que renforcer l'antisémitisme : abandonner cet antisémitisme demanderait de reconceptualiser l'ordre social, tâche pénible. Ensuite, politiquement et socialement, les Juifs ont toujours été dans l'Histoire des cibles sans danger pour l'antisémite, qui pouvait déverser sa haine, les agresser verbalement et physiquement à moindre coût que d'autres groupes ou institutions de la société[37]. Ces deux causes sont venues épauler l'origine chrétienne de l'antisémitisme, engendrant une haine profonde et bien ancrée, sans aucune proportion avec aucun conflit social ou matériel objectif, et qui n'a aucun équivalent dans toute l'histoire de la haine en Occident.

Une troisième notion majeure à propos de l'antisémitisme gouverne la présente étude. Elle est distincte de la deuxième, mais peut être considérée comme son corollaire. Sur une période donnée, et dans une société donnée, il est faux de croire que l'*antisémitisme*, composé d'un ensemble de croyances et de modèles cognitifs comportant une source stable de métaphores et d'idées sur le caractère prétendument pernicieux des Juifs, apparaisse et disparaisse, pour reparaître ensuite. Il est toujours présent, mais seulement plus ou moins manifeste. Ce qui croît et décroît, ce sont sa vigueur cognitive, son intensité affective et son expression[38]. Les modifications des conditions sociales et politiques sont les premières causes de ce va-et-vient. L'histoire allemande et européenne a connu des vagues d'expressions de l'antisémitisme. Elles ont toujours été décrites comme la conséquence d'une croissance de l'antisémitisme (des gens jusque-là non touchés devenant antisémites), pour une raison ou pour une autre. Et quand la vague se retire, la diminution du cri antisémite semble devoir être attribuée à une décroissance, ou à une disparition des croyances et sentiments antisémites. Cette vision est fausse. Ce n'est pas l'*antisémitisme* lui-même qui va et vient, ce sont ses expressions observées[39]. Ainsi, toute manifestation importante d'antisémitisme *à n'importe quelle époque* dans une situation historique donnée doit être comprise comme la preuve de son existence latente permanente.

Aucune bonne explication théorique ne peut être donnée de ces explosions périodiques de l'expression antisémite si l'on considère que l'antisémitisme apparaît et disparaît. Quelle preuve y a-t-il que les croyances sous-jacentes aux expressions et aux actions se sont évanouies ? Prenons le cas de l'action d'un individu : il peut cesser d'agir d'une certaine manière pour de nombreuses raisons autres que celles de la disparition des croyances qui motivaient son action initiale. Un homme qui continue à croire en Dieu peut cesser d'aller à l'office pour toutes sortes de raisons indépendantes d'un changement de croyance. Il peut ne pas aimer le nouveau desservant, il peut s'être comporté d'une manière qui l'incite à ne pas se montrer devant la communauté, il peut avoir besoin d'utiliser ce temps à d'autres activités (par exemple, à la suite de déboires économiques), etc. Supposer tout simplement, comme dans le cas de l'antisémitisme, qu'action et croyance sont synonymes, que la fin de la première signifie la disparition de la seconde, est injustifié.

Si les croyances antisémites avaient vraiment disparu, d'où pourraient-elles bien renaître ? De l'air ? Les expressions antisémites qui réapparaissent réutilisent toujours les images, croyances et accusations qui étaient au centre des explosions d'antisémitisme antérieures [40]. Comment auraient-elles pu avoir disparu ? Et surtout, quand les croyances contiennent des éléments qui relèvent de l'hallucination (prétendant, par exemple, que les Juifs ont des pouvoirs magiques et maléfiques invisibles à l'œil nu), comme c'est si souvent le cas, comment pourraient-elles se rematérialiser sous des formes identiques aux précédentes si elles avaient disparu ? Dans les mois ou les années qui séparent deux périodes d'explosion de haine, les anciens antisémites se seraient-ils mis à penser que les Juifs sont de bons voisins, de bons citoyens, de braves gens ? Se sont-ils mis à avoir des sentiments positifs à leur endroit ? Se sont-ils mis à regarder les Juifs comme des concitoyens ? Ont-ils même seulement adopté une attitude de stricte neutralité envers eux, envers leur « judéité », dont ils persistent à dire qu'elle est le trait définissant le Juif ? Et même à supposer que les anciens antisémites parviennent à changer de position, ce sont les mêmes qui, au bout d'un certain temps, se seraient rendu compte que leur attitude positive à l'égard des Juifs était erronée, et que c'était leur haine initiale qui était justifiée ? Il n'existe aucune preuve que ces oscillations soient possibles, ni pour les individus ni pour les collectivités.

Ainsi, ceux qui prétendent que c'est la crise économique qui engendre l'antisémitisme, théorie la plus fréquente de sa genèse, se trompent. C'est l'explication de l'antisémitisme par le juif « bouc émissaire ». Au nombre de ses multiples erreurs théoriques et empiriques, il y a celle de considérer qu'une population peut être mobilisée indifféremment contre tel ou tel groupe. Ce n'est pas un hasard si, quelle que soit la réalité de leur situation économique ou de leurs actes, et même quand l'immense majorité des Juifs d'un pays vit dans la pauvreté, les Juifs ont toujours été les victimes des frustrations et des agressions en période de difficultés économiques. La vérité, c'est que pour bien des gens, l'antisémitisme existe déjà dans leur conception du monde avant la crise, mais à l'état latent. Les crises économiques rendent l'antisémitisme plus manifeste et l'activent jusqu'à lui donner une expression ouverte. Ce sont les croyances antérieures des gens qui dirigent leurs souffrances, leurs frustrations et leurs angoisses vers ceux qu'ils haïssent déjà : les Juifs.

La remarquable malléabilité de l'antisémitisme, déjà soulignée, est à elle seule la preuve de sa permanence. Le fait qu'il aille et vienne, trouvant différentes expressions, réémergeant au moment même où l'on pourrait croire qu'il a disparu d'une société, montre à l'évidence qu'il est toujours là, attendant de réapparaître, de se découvrir. Le fait qu'il soit plus manifeste en tel point, et moins en tel autre, ne devrait pas être pris comme une preuve du va-et-vient de l'antisémitisme lui-même : comme pour bien d'autres croyances centrales, c'est sa *centralité* pour les individus et leur désir de lui donner *expression* qui varient selon les conditions sociales et politiques.

Recourons brièvement à une comparaison. Il existe une autre idéologie (elle aussi portée par des affects) qui semble apparaître et disparaître sans cesse : c'est le nationalisme. Il serait faux de croire que le nationalisme, c'est-à-dire les puissants affects et les puissantes croyances associées à la conception de la nation comme catégorie politique suprême et comme objet de la loyauté civique, apparaît et disparaît : comme dans le cas de l'antisémitisme, ce qui va et vient, c'est sa centralité idéologique et les expressions qui vont avec. Les croyances nationalistes et les émotions associées sont toujours dormantes, et, comme celles de l'antisémitisme, elles peuvent être activées rapidement, facilement, et souvent avec des conséquences désastreuses, quand les conditions économiques et sociales y poussent. Les rapides réactivations du sentiment nationaliste [41], périodiques dans l'histoire allemande et européenne [42], et notamment dans la période nazie, doivent être présentes à l'esprit, et non pas seulement dans la perspective d'une comparaison avec l'antisémitisme. Historiquement, l'expression du nationalisme, notamment en Allemagne, a toujours marché la main dans la main avec celle de l'antisémitisme, puisque la nation se définissait en partie par opposition aux Juifs. En Allemagne et ailleurs, le nationalisme et l'antisémitisme étaient des idéologies étroitement liées l'une à l'autre, faites l'une pour l'autre [43].

Conclusion

L'étude des Allemands et de leur antisémitisme avant et pendant le nazisme est comme celle d'un anthropologue confronté à une peuplade primitive qu'il n'a jamais vue, et à ses croyances, en laissant derrière soi le présupposé que les Allemands correspondaient aux notions idéales que nous avons de nous-mêmes. La première tâche est alors de mettre au jour les modèles cognitifs qui sous-tendaient et informaient les conceptions que les Allemands avaient du monde social et politique, notamment à propos des Juifs.

De tels modèles sont avant tout les produits d'une élaboration sociale, naissant des conversations au sein de la société, linguistiquement et symboliquement. Les conversations d'une société définissent et forment une grande part des idées que les individus se font du monde. Quand les croyances et les images sont incontestées, ou sont simplement dominantes dans une société donnée, alors les individus les acceptent comme des vérités évidentes. De même que tout le monde accepte aujourd'hui l'idée que la Terre tourne autour du Soleil, alors que tout le monde pensait jadis le contraire, de même de nombreux individus ont accepté des représentations des Juifs qui se rencontraient partout dans la culture. Ce qui affaiblit encore plus la capacité d'un individu à s'écarter d'un modèle cognitif dominant, c'est que les modèles cognitifs sont les fondations de l'entendement, et qu'ils sont incorporés aux structures de l'esprit aussi naturellement que la grammaire dans la langue. Tout individu apprend ceux de sa culture aussi sûrement et avec aussi peu d'efforts que la grammaire. Hormis le cas où un individu cherche à remodeler quelque peu ces modèles, ils guident la compréhension et la production de formes qui dépendent d'eux, contribuant à générer la perception du monde social et les croyances exprimées à son sujet de la même manière que la grammaire engendre les phrases et le sens.

A l'intérieur d'une société, les conversations sont avant tout véhiculées par les institutions, et surtout par la famille. C'est dans les institutions en général, et notamment dans celles qui ont la tâche de socialiser les enfants et les adolescents, que les systèmes de croyances et les modèles cognitifs, y compris ceux qui concernent les Juifs, sont inculqués aux individus. Sans un tel soutien institutionnel, il est extraordinairement difficile à un individu d'adopter des notions contraires à celles qui prévalent dans la société, et de les maintenir face à une désapprobation sociale, symbolique et linguistique très répandue, voire proche de l'unanimité.

Étant donné que l'inertie d'une société reproduit ses axiomes et ses modèles cognitifs de base[44], on présupposera ici que l'absence de preuves quant à un changement des modèles cognitifs au sujet des Juifs en Allemagne oblige à conclure que ces modèles, et les croyances élaborées qui en dépendent, se reproduisaient et continuaient à exister; cette perspective se distingue de la supposition courante selon laquelle, si on ne trouve pas de preuves (difficiles à obtenir) de la présence continue d'un modèle cognitif jadis dominant, c'est que ce modèle cognitif, en l'occurrence celui qui traite des Juifs, a été abandonné. Les modèles cognitifs à l'endroit des Juifs seront considérés ici comme ayant eu un rôle fondamental dans la genèse des « solutions » que les Allemands envisageaient pour la « question juive » et des types d'action qu'ils ont effectivement réalisées.

Une sociologie du savoir, un cadre analytique pour étudier l'antisémitisme (spécifiant ses trois dimensions : origine, caractère pernicieux et caractère manifeste) et certaines notions fondatrices sur le caractère de l'antisémitisme ont été présentées ici parce que ces éléments, qu'ils soient exposés ou non, sont ceux qui animent les conclusions de toute étude sur l'antisémitisme. Si leur importance est encore supérieure dans l'approche utilisée pour la présente étude de l'antisémitisme, c'est parce que les données sur lesquelles reposent les conclusions sont bien moins nombreuses qu'on ne le souhaiterait. Aussi les conclusions doivent-elles être défendues non seulement à partir des données elles-mêmes, et de l'usage qui en est fait, mais aussi à partir de l'approche globale utilisée pour comprendre les croyances, les modèles cognitifs, et l'antisémitisme.

Soulignons ici que les analyses qui vont suivre ne sauraient être définitives. Les bonnes données n'existent tout simplement pas. Cette déficience particulière des données tient au fait qu'il ne s'agit pas seulement de suivre à la trace l'antisémitisme dans les seules élites politiques et culturelles, mais de jauger sa nature et son étendue dans de plus vastes couches de la société allemande. Même de rustiques sondages d'opinion, malgré tous leurs défauts, seraient un riche et lumineux complément aux sources existantes. Nos analyses ne pourront que délimiter certains aspects de l'antisémitisme, et indiquer sa probable diffusion sociale. Elles s'occuperont surtout des tendances centrales de l'antisémitisme allemand, non pas seulement parce que les données manquent, mais aussi parce que, à l'évidence, ce qu'il faut amener au jour, c'est le fil cognitif dominant qui tisse la tapisserie complexe, mais parfaitement composée, des actions entreprises contre les Juifs. Ne s'attacher qu'aux exceptions à la règle, qui n'étaient globalement que des aspects secondaires ou tertiaires des conceptions allemandes à l'égard des Juifs, serait ici de mauvaise méthode, car cela détournerait l'attention des tendances centrales de l'antisémitisme allemand. Précisons aussi que nos analyses s'attacheront moins que les autres à l'étude du contenu de l'antisémitisme allemand, parce que cela a déjà été fait, et qu'il vaut mieux utiliser ces pages à délimiter les dimensions de l'antisémitisme allemand, son envergure et sa capacité à gouverner des actes.

Les deux chapitres qui suivent cherchent à dessiner une nouvelle conception de l'antisémitisme allemand moderne en appliquant les règles théoriques et méthodologiques énoncées ci-dessus, dont celle du cadre dimensionnel, à une analyse plus spécifique de l'histoire de l'antisémitisme avant la période nazie, puis à une analyse de l'antisémitisme dans l'Allemagne nazie. Une telle démarche historique est indispensable pour répondre à la question de savoir pourquoi le peuple allemand a si facilement accepté les articles du credo antisémite nazi et approuvé ses politiques antijuives. Étant donné le caractère problématique des données, la discussion reposera, entre autres, sur l'étude de cas « cruciaux », ceux d'individus ou de groupes dont (selon d'autres critères) on aurait pu penser qu'ils se conformeraient moins que les autres aux interprétations et explications proposées ici : si l'on peut démontrer que même les « amis » des Juifs étaient d'accord avec les antisémites allemands sur des aspects essentiels de leur vision des Juifs, parce que leur pensée était issue des mêmes modèles cognitifs, alors il sera difficile de croire que l'antisémitisme n'était pas endémique dans la culture et la société allemandes. Quand l'analyse de la nature et de l'étendue de l'antisémitisme allemand aura été achevée, alors l'analyse dimensionnelle sera élargie, et elle démontrera les liens entre l'antisémitisme et les actions entreprises contre les Juifs. L'exposé se terminera sur l'étude plus spécifique des relations entre l'antisémitisme allemand de la période nazie et les mesures prises par les Allemands contre les Juifs.

La conclusion de ces chapitres est que, dans l'Allemagne nazie, il existait une conception des Juifs presque universellement admise qui constituait ce que l'on peut appeler une idéologie « éliminationniste » : la croyance que l'influence des Juifs, par nature destructrice, devait être éliminée irrévocablement de la société. Dans la période nazie, toutes les initiatives politiques des Allemands, et particulièrement toutes les mesures prises contre les Juifs, si différentes de nature et de degré qu'elles semblent avoir été, étaient en pratique au service d'un désir des Allemands (et des expressions symboliquement équivalentes de ce désir) de réussir une entreprise éliminationniste jugée nécessaire.

2

L'évolution de l'antisémitisme éliminationniste dans l'Allemagne moderne

L'antisémitisme européen est un corollaire du christianisme. Dès l'époque où la religion chrétienne consolidait son emprise sur l'Empire romain, ses prêtres prêchaient contre les Juifs, prononçant des condamnations explicites, en termes puissants et affectivement très forts. Le besoin psychologique et théologique des chrétiens de se distinguer des tenants d'une religion avec laquelle ils avaient rompu renaissait à chaque génération, car, aussi longtemps que les Juifs rejetaient la révélation de Jésus, ils défiaient sans le vouloir les certitudes chrétiennes, fondées sur cette révélation. Si les Juifs, le peuple de Dieu, récusaient le Messie que Dieu leur avait promis, alors c'est que quelque chose n'allait pas. Ou bien le Messie n'en était pas un, ou bien le peuple juif était profondément égaré, peut-être soumis à la tentation du diable lui-même. Comme les chrétiens ne pouvaient accepter la première hypothèse, ils se donnaient de toute leur âme à la seconde : les Juifs étaient religieusement des rebelles, dans un monde où religion et ordre moral étaient coextensifs, et où toute déviation était une grave transgression[1].

La logique psychologique de cet antagonisme était renforcée par une seconde logique, parallèle et corrélée. Aux yeux des chrétiens, leur religion était un dépassement du judaïsme. Les Juifs en tant que tels devaient donc disparaître de la terre, ils devaient devenir chrétiens. Mais les Juifs s'y refusaient fermement, ce qui signifiait que chrétiens et Juifs partageaient un même héritage, dont la partie la plus importante était la Bible juive et sa parole inspirée par Dieu, sur lequel ils avaient des interprétations divergentes. Cet antagonisme sans fin sur le sens de cet héritage commun, sur l'interprétation de la Bible et de la parole divine, et même sur la plupart des textes sacrés du christianisme, était une incitation supplémentaire à dénigrer les Juifs, à rejeter leur interprétation du domaine sacré contesté. Si les Juifs avaient raison, c'est que les chrétiens avaient tort ; la conception même de l'ordre sacré et de ses symboles, et de l'ordre moral qu'on en déduisait, dépendait de la certitude des chrétiens quant à l'erreur des Juifs. Un historien de l'attitude des chrétiens à l'égard des

Juifs, Bernard Glassman, écrit : « Aux yeux des clercs, si le christianisme était la vraie foi et si ses fidèles étaient le nouvel Israël, alors le judaïsme devait être discrédité aux yeux des fidèles. Dans les sermons médiévaux, dans les mystères, dans la littérature religieuse, les Juifs étaient souvent dépeints comme les adversaires de l'Église, menaçant les bons chrétiens depuis le jour de la Crucifixion[2]. » Ainsi les Juifs en vinrent-ils à représenter une grande part de ce qui était l'antithèse de l'ordre moral du monde chrétien[3].

Troisième source de l'hostilité permanente des chrétiens à l'égard des Juifs, et de leur réflexe de rejet, la conviction axiomatique que les Juifs étaient « déicides ». Les responsables de la mort de Jésus étaient non seulement les Juifs de son temps, mais les Juifs de tous les temps. Une prédication constante et passionnée affirmait aux chrétiens que les Juifs qui vivaient parmi eux continuaient à rejeter le Christ comme Messie et fils de Dieu, fidèles aux convictions de leurs ancêtres qui l'avaient mis à mort. Tous les Juifs, par leur attitude de rejet, se rendaient eux-mêmes responsables du crime qui avait été la conséquence originelle du déni de la divinité de Jésus professé par leurs ancêtres. Les Juifs devinrent symboliquement les assassins du Christ, des gens qui avaient approuvé le crime et qui, si l'occasion se représentait, étaient capables de recommencer. Le rejet continu, quotidien, de Jésus par les Juifs était considéré comme un défi sacrilège, comme un gant jeté avec mépris au visage des chrétiens[4].

Cette conception des Juifs, qui restera au centre de la théologie et de l'enseignement chrétien jusqu'à l'époque moderne, était déjà complètement exprimée au IVe siècle, quand l'Église établissait sa suzeraineté sur le monde romain. Jean Chrysostome, un père de l'Église dont la théologie et l'enseignement auront une importance capitale et durable, prêchait contre les Juifs en des termes qui deviendront le fonds de commerce de l'enseignement et de la rhétorique chrétiens à cet égard et condamneront les Juifs à vivre dans une Europe chrétienne qui les méprisera et les redoutera tout à la fois : « Là où se réunissent les assassins du Christ, la Croix est l'objet de risées, le Père méconnu, le Fils insulté, la grâce du Saint-Esprit rejetée... Si les rites juifs sont saints et vénérables, alors c'est notre manière de vivre qui est mauvaise. Mais si elle est bonne, comme elle l'est en vérité, la leur est une imposture. Je ne parle pas des Écritures. Loin de là ! Car elles mènent au Christ. Je parle de leur actuelle impiété, de leur folie[5]. » Cette diatribe de Jean Chrysostome exprime parfaitement l'opposition aux Juifs qui était inscrite au cœur même de la théologie et de la psychologie chrétiennes. Dans ce passage, il affirme l'antagonisme essentiel, implacable, entre les doctrines chrétienne et juive, entre les chrétiens et les Juifs : « Si les rites juifs sont saints et vénérables, alors c'est notre manière de vivre qui est mauvaise. » Le malaise, la souffrance qu'un chrétien s'infligerait à lui-même en considérant la possibilité que les Juifs puissent avoir raison sont évidents dans cette affirmation par Jean

Chrysostome d'une alternative logique ; le besoin psychologique de mépriser les Juifs est présent dans ce passage, dans l'idée que Jean Chrysostome et l'Église se font de la relation entre christianisme et judaïsme. Et ce n'est pas la seule source de l'antagonisme. La réunion des Juifs, « assassins du Christ », pour la prière et l'office, était comprise comme un acte de rejet du Christ, une risée, un blasphème. A l'évidence, caractériser ainsi le rassemblement des Juifs, c'est rejeter la judéité et les Juifs (car le fait de se réunir est un aspect constitutif du fait d'être juif) et considérer leur existence même comme une insulte insupportable. Jean Chrysostome fait aussi référence au besoin chrétien d'affirmer l'interprétation chrétienne de l'Ancien Testament et de dénigrer celle qu'en donnaient les Juifs. Pour qui savait le lire, le texte sacré ne trompait pas. Ce qui voulait dire que les Juifs ne savaient pas le lire. L'impiété des Juifs, comme celle d'autres non-chrétiens, était comprise par Jean Chrysostome et ceux qui pensaient comme lui non seulement comme le résultat de l'ignorance et de l'incapacité à reconnaître le vrai chemin, mais comme une sorte de folie.

Jean Chrysostome n'est que l'un des premiers théologiens à avoir exposé cette conception des Juifs, centrale dans le monde chrétien, qui persistera jusqu'à une époque avancée des Temps modernes. On ne saurait trop insister sur le fait que cette hostilité à l'égard des Juifs n'était pas du type que nous connaissons si bien, celui qui relève des stéréotypes et des préjugés hostiles d'un groupe envers un autre (qui peuvent être eux aussi très puissants), et qui renforce l'estime de soi chez le porteur du préjugé. La conception chrétienne des Juifs était au cœur de l'ordre moral du monde et de la société chrétiens. Les Juifs étaient, par définition, des ennemis de cet ordre, ils le souillaient. Être chrétien impliquait, par définition, une hostilité profonde, viscérale, envers les Juifs [6], tout comme envers le Mal, tout comme envers le diable. Rien de surprenant donc si les chrétiens du Moyen Age voyaient dans les Juifs des agents de l'un et de l'autre.

Depuis l'époque de Jean Chrysostome jusqu'aux Temps modernes, les attitudes à l'égard des Juifs et le traitement qui leur a été réservé dans le monde chrétien ont connu de fréquents ajustements, tout comme la doctrine et la pratique chrétiennes [7]. Mais quels qu'aient pu être les changements dans la théologie et la pratique, la croyance fondamentale en la divinité de Jésus n'a jamais été ébranlée. Et l'antisémitisme non plus. Alors qu'évoluaient les conceptions chrétiennes à l'égard des Juifs et le traitement qui leur était réservé, la définition première des Juifs comme assassins du Christ et blasphémateurs ne changeait pas et se transmettait de génération en génération. La conception chrétienne des relations entre christianisme et judaïsme, entre chrétiens et Juifs, était toujours fondée sur l'antagonisme moral exprimé par Jean Chrysostome. L'idée que les Juifs violaient l'ordre moral du monde était un axiome des cultures chrétiennes. Un historien de l'antisémitisme, James Parkes, exprime très précisément cette idée : « Il n'y a aucune rupture dans la ligne qui part du rejet initial du judaïsme à l'époque où la religion chrétienne s'est constituée, de l'exclusion des Juifs de l'égalité civique au moment des premiers triomphes de l'Église au IVe siècle, et qui se poursuit jusqu'aux horreurs du Moyen Age [...] [8]. » Les Juifs étaient inscrits dans les modèles cognitifs qui soustendaient la pensée chrétienne. Quelles qu'aient été les variations de la doctrine et de la pratique chrétiennes à l'égard des Juifs (et il y en a eu de notables), l'attitude du monde chrétien à l'égard des Juifs demeurera fondée sur les modèles cognitifs qui étaient à la base des assertions de Jean Chrysostome [9].

Ce qu'on va lire maintenant de l'antisémitisme du Moyen Age et des débuts de l'époque moderne sera bref (il ne peut en être autrement) et se limitera aux aspects les plus importants pour l'analyse des métamorphoses de l'antisémitisme et à l'examen des relations entre les conceptions chrétiennes des Juifs et les traitements qui leur étaient infligés.

Le monde médiéval établissait une opposition binaire entre judaïsme et christianisme. L'Église, assurée de sa domination théologique et pratique sur l'Europe, n'en était pas moins totalitaire dans ses aspirations. Face au défi symbolique à sa loi qu'elle reprochait aux Juifs, elle entendait répondre avec une férocité que les circonstances venaient soit tempérer soit enflammer. La haine permanente du clergé et des populations avait son origine dans le statut spécial des Juifs comme peuple qui avait rejeté la révélation de Jésus et qui l'avait « tué », alors qu'ils auraient dû, de tous les peuples, savoir reconnaître le Messie. L'intensité de la haine de l'Église était donc double. D'un côté, c'était une lutte sectaire : les Juifs étaient des ennemis apparentés, cherchant à ruiner l'interprétation juste d'une tradition commune. De l'autre, c'était une sorte de guerre apocalyptique, dont l'enjeu était le destin du monde, le destin des âmes. L'Église, représentant Jésus sur la terre, portait son étendard au combat. Bien que les Juifs eux-mêmes, avilis, humiliés, en nombre insignifiant, et ne cherchant pas à convertir, ne fussent pas une menace physique, ils devinrent le symbole physique de celui qui lançait le vrai défi à l'hégémonie chrétienne sur les vies et les âmes : le diable.

Cette logique des Pères de l'Église et de l'antisémitisme se développe au XIIIe siècle au point de faire des Juifs l'autre nom du diable [10]. Disposant d'un contrôle totalitaire sur la conception du monde et la culture morale de l'Europe, l'Église chargeait ses évêques, et surtout ses curés, de répandre sa conception des Juifs, instillant à toute l'Europe une vision relativement uniforme des Juifs comme créatures de Satan, à peine humains, voire n'appartenant pas à l'humanité. Pierre le Vénérable, abbé de Cluny, écrivait : « Je doute vraiment qu'un Juif puisse être humain, car il ne se pliera jamais à un raisonnement humain, ni ne trouvera de satisfaction dans les expressions de l'autorité, divine et juive tout aussi bien [11]. »

La haine de l'Europe médiévale pour les Juifs était si intense et si coupée de la réalité que toutes les calamités frappant la société pouvaient être attribuées aux maléfices du peuple juif. Il était responsable de tout ce qui n'allait pas ; devant tous les maux, naturels et sociaux, le premier réflexe était de leur envisager une origine juive. L'antisémitisme de Martin Luther sera lui aussi féroce, et de beaucoup d'influence, ce qui lui vaut une place au panthéon de l'antisémitisme. Cela n'avait aucune importance aux yeux de l'Église romaine qu'il combattait, car elle les dénonçait, lui et ses partisans, comme autant d'hérétiques et de Juifs [12]. La logique des croyances des Européens à l'endroit des Juifs était si fantasmagorique que Jeremy Cohen conclut : « Il était presque inévitable que les Juifs fussent accusés de la peste noire et que plusieurs de leurs communautés en Allemagne eussent été complètement et définitivement exterminées [13]. » Les attaques physiques contre les Juifs et les expulsions abondent dans l'histoire médiévale, et, vers le milieu du XVe siècle, la plus grande partie de l'Europe de l'Ouest avait été vidée de ses Juifs par les chrétiens [14].

En ce qui concerne les Juifs, ce que le Moyen Age léguait au monde moderne, était, pour reprendre les termes de Joshua Trachtenberg, « une haine si abyssale, si intense, qu'elle nous laisse le souffle coupé, incapables de comprendre [15] ». Néanmoins, les Juifs furent laissés en vie, parce que l'Église, en reconnaissance de l'héritage commun au judaïsme et au christianisme, accordait aux Juifs le droit de vivre et de pratiquer leur religion, même s'ils étaient condamnés à vivre dans l'avilissement, punition de leur rejet de Jésus [16]. L'Église ne voulait pas tuer les Juifs, mais les convertir, car ils étaient réputés capables de se racheter. Leur conversion réaffirmerait la suprématie du christianisme. Telle était la *logique* de l'antisémitisme chrétien prémoderne.

L'histoire de l'antisémitisme dans l'Allemagne du XIXe siècle est d'une très grande complexité. Dans son caractère comme dans son contenu, il a connu un flux continuel pendant trois quarts de siècle, période qui voit la métamorphose de son incarnation médiévale, religieuse, en son incarnation moderne, raciste. L'histoire de cette transformation, avec toutes ses étapes intermédiaires, est une histoire *exemplaire* de la continuité et du changement. Alors que son contenu cognitif adoptait de nouvelles formes destinées à le « moderniser », à l'harmoniser avec le nouveau paysage social et politique de l'Allemagne, les modèles cognitifs culturels antérieurs à l'endroit des Juifs se révélaient une base remarquablement constante de toutes les élaborations culturelles et idéologiques nouvelles. Le modèle culturel, préservé ou différemment conçu, continuait à exprimer les affects venus des conceptions médiévales, et partagés par la grande majorité des Allemands. En termes « fonctionnels », le changement du contenu manifeste de l'antisémitisme peut être conçu comme une simple fonction subalterne d'une animosité antijuive partout répandue, qui donnait aux gens le sentiment d'une certaine cohérence dans un monde moderne dont les nombreuses mutations bouleversaient de façon vertigineuse les conceptions antérieures de l'existence et les notions culturelles. Pendant des siècles, l'antisémitisme avait apporté cohérence et valeur à l'image que le monde chrétien se faisait de lui-même ; au XIXe siècle, alors que bien des anciennes certitudes étaient attaquées, la centralité de l'antisémitisme comme modèle de cohérence culturelle, et finalement comme idéologie politique, avec toutes ses vertus apaisantes dans une société qui perdait ses amarres, faisait de terrifiants progrès [17].

Les transformations linguistiques et cognitives de l'image des Juifs, et de sa métaphore centrale, étaient déjà intervenues au début du XIXe siècle. On peut mesurer ces changements en comparant la définition des Juifs donnée dans deux ouvrages antisémites de grande influence, deux ouvrages fondateurs : *Entdecktes Judentum* (« Le judaïsme démasqué ») par Johann Andreas Eisenmenger, publié au début du XVIIIe siècle, et *Über die Gefährdung des Wohlstandes und des Charakters der Deutschen durch die Juden* (« Du danger que les Juifs font peser sur la prospérité et le caractère des Allemands ») de Jakob Friedrich Fries, publié au début du XIXe siècle. Eisenmenger, qui écrit avant les Lumières, conçoit encore les Juifs en termes théologiques traditionnels, comme des hérétiques ; leur perfidie vient de leur religion, et leur nature dérive des effets corrosifs que cette religion a sur eux. Un siècle plus tard, Fries a déjà adopté le vocabulaire laïc de l'antisémitisme moderne, qui substitue aux notions venues de la théologie une vision sociale et politique qui souligne l'avilissement moral des Juifs. Aux yeux de Fries, les Juifs sont un groupe d'« asociaux » fondamentalement immoraux, qui travaillent à ruiner l'ordre de la société et à arracher la maîtrise de l'Allemagne aux Allemands. Il ne voit plus dans les Juifs un groupe religieux (bien qu'il reconnaisse cette dimension de leur identité) mais une « nation » et un groupement politique [18].

Une grande partie du débat sur les Juifs en Allemagne dans les trois premiers quarts du siècle sera consacrée, bien que sans intention consciente, à l'élaboration d'une conception de l'identité juive commune à tous. La définition religieuse perdait peu à peu de son emprise, tout en ayant toujours ses résonances, et la sympathie de la population. L'idée que les Juifs constituaient une « nation », ou à tout le moins un groupement politique organisé, allait et venait dans toute la littérature antisémite. La définition des Juifs qui finit par apparaître dans la seconde moitié du siècle, à travers toutes sortes de conceptions confuses, à savoir que les Juifs étaient une « race », avait déjà été exprimée dans la première moitié du siècle [19]. La façon dont les Allemands concevaient les Juifs avait de grands enjeux, car c'est d'elle que dépendait le choix du traitement potentiel à réserver aux Juifs. Néanmoins, même si dans tout l'éventail des définitions proposées et des polémiques il y avait un évident manque de consensus sur ce qui faisait des Juifs ce qu'ils étaient, sur ce qui les dotait de qualités aussi nuisibles, tout le monde tombait d'accord sur un point fondamental : ils étaient nuisibles [20]. Pratiquement tous les participants aux volumineuses et interminables discussions sur les Juifs et la place qu'il fallait leur consentir dans la société allemande (y compris ceux qui demandaient leur émancipation et la reconnaissance de leur droit à vivre en Allemagne) tombaient d'accord pour dire que judéité et germanité (quelles qu'en fussent les définitions) étaient incompatibles ; plus précisément, la judéité était hostile à tout ce qui était allemand, prête à l'anéantir, et même à s'en prendre à la vie des Allemands [21]. Un « ami » libéral des Juifs écrivait : « Le Juif apparaît [...] comme une distorsion, une ombre, la face obscure de la nature humaine [22]. »

Le modèle culturel sous-jacent du Juif *(der Jude)* était constitué par trois idées : les Juifs étaient différents des Allemands ; ils s'opposaient point par point aux Allemands ; et ils n'étaient pas seulement porteurs d'une différence bénigne, ils étaient maléfiques et destructeurs. Qu'on les conçût en termes de religion, de nation ou groupe politique, ou encore de race, les Juifs étaient toujours un *Fremdkörper*, un « corps étranger » au sein de l'Allemagne [23]. Cette conception des Juifs était si puissante, si centrale, qu'aux yeux des antisémites, tout ce qui n'allait pas dans la société, de son organisation sociale à ses mouvements politiques et à ses difficultés économiques, était lié aux Juifs, quand ils n'en étaient pas la cause directe. L'idée finit par prévaloir qu'il y avait une relation d'identité entre Juifs et dysfonctionnements sociaux. En résumé, la conception symbolique des Juifs affirmait qu'ils étaient à l'origine de tout ce qui allait mal, et cela intentionnellement [24]. On soulignera que ce n'était pas seulement là la conception des antisémites militants, mais celle qui prévalait dans toute la société allemande.

Étant donné la haine générale et profonde à l'endroit des Juifs des ghettos, venue du Moyen Age et des débuts de l'époque moderne, cette nouvelle conception de la nature dangereuse des Juifs était presque une réaction naturelle aux propositions d'émancipation des Juifs, qui apparaissent pour la première fois à la fin du XVIIIe siècle, et qui débouchent, tout au long du siècle suivant, sur l'octroi progressif de droits, accompagné par toutes sortes de débats dans toute la société sur le caractère judicieux d'une telle émancipation progressive. Quand le statut antérieur commence à être mis en cause, puis modifié, les adversaires de l'intégration civique des Juifs dans la société allemande rassemblent leurs énergies, leurs capacités intellectuelles et leurs grands talents de polémistes pour inciter leurs concitoyens à résister à cette menace délétère pesant sur l'identité sociale et culturelle de l'Allemagne. D'où la dissémination d'une conversation sociale de plus en plus chargée d'affects, qui s'attachait encore plus qu'auparavant à la définition et à l'évaluation des Juifs, toujours en termes de relations avec les Allemands, lesquels, selon l'hypothèse inscrite au cœur de cette conversation, étaient différents des Juifs, voire incompatibles avec eux [25]. Aucun groupe minoritaire ne parviendrait à sauver son image dans une discussion posée en ces termes et dans ce climat, quand le groupe est défini comme différent d'une majorité par ailleurs homogène et chargé de tant d'affects négatifs. Dans le cas des Juifs, ces propos étaient particulièrement nocifs parce que le modèle culturel ancien, hérité du Moyen Age, était le substrat de tous les débats. La discussion sera toujours très vive – depuis les premières mesures d'émancipation, prises en 1807, jusqu'à l'octroi d'une égalité civique complète entre 1869 et 1871 à l'ensemble des Juifs allemands – en raison de la grande mobilisation politique du sentiment antisémite lors des batailles parlementaires sur les droits civiques des Juifs dans tous les États allemands. Que ce fût à Berlin, Baden, Francfort ou Munich, toutes les tentatives faites pour accorder aux Juifs les mêmes droits qu'aux Allemands donnaient lieu à d'âpres conflits[27]. L'objet du débat n'était naturellement pas la seule égalité des Juifs, mais l'identité des Allemands, le caractère de la nation allemande, et la forme politique qui lui donnerait vie. L'antisémitisme et le nationalisme allemands étaient désormais inextricablement mêlés, et cela durera jusqu'en 1945[28].

Ces luttes sur la question de savoir s'il fallait accepter que les Juifs fussent déclarés allemands ne cessaient d'exaspérer et de politiser la vieille image meurtrière des Juifs qui était un axiome de la culture allemande. Personne ne peut contester que les conservateurs et nationalistes *völkisch*, qui formaient la grande majorité de la population allemande, ont été dès le début du XIXe siècle des antisémites farouches. On en a d'innombrables témoignages dans les textes de l'époque[29]. Cependant, la meilleure preuve de cette omniprésence de l'antisémitisme au XIXe siècle, c'est qu'il était partagé par les « amis » des Juifs, les « libéraux », les philosémites de la couche la plus « progressiste » de l'Allemagne. Le plus important des ouvrages réclamant l'émancipation des Juifs, et de tous ceux écrits en Allemagne pour prendre leur défense, est celui de Christian Wilhelm von Dohm, *De l'amélioration de la situation civique des Juifs*, publié en 1781[30], qui considérait que les Juifs devaient retrouver non seulement une citoyenneté mais aussi une moralité. Pour Dohm, l'émancipation devait être un échange : les Juifs recevraient l'égalité politique en échange d'une bonne volonté à se réformer, et notamment à amender leurs conceptions morales et leurs pratiques économiques douteuses. Il pensait que les Juifs, une fois libérés du cocon dégradant de leur isolement social et juridique, accepteraient tout naturellement l'offre : « Si c'est l'oppression que [le Juif] a vécue depuis des siècles qui l'a corrompu moralement, on peut penser qu'un traitement plus conforme à la justice lui rendra sa dignité[31]. » Dohm, le plus grand « ami » des Juifs, était d'accord avec leurs plus grands ennemis pour considérer que les Juifs étaient moralement corrompus, qu'en tant que « Juifs » ils n'étaient pas dignes d'être citoyens, de prendre place au sein de la société allemande. Il se séparait des antisémites purs et durs par sa croyance dans les potentialités universelles de l'éducation *(Bildung)*, qui faisaient des Juifs des êtres éducables. Cette croyance s'expliquait en partie par ses idées sur l'origine du caractère prétendument pernicieux des Juifs, une sorte de conception écologique de la nature des Juifs qui l'amenait à conclure que la « solution » à la « question juive » était de modifier leur environnement.

Cette défense bien intentionnée des Juifs (« le Juif est un être humain avant d'être un Juif[32] ») trahit l'adhésion de Dohm au modèle cognitif allemand : la « judéité » était posée comme contraire aux qualités désirables, « humaines », et pour qu'un Juif pût être loué, il fallait que sa judéité fût niée. L'idée que la judéité devait être éradiquée reste au cœur de la pensée libérale qui succède à l'œuvre de Dohm, et on la trouve inscrite dans les termes de l'émancipation elle-même. L'édit d'émancipation pris à Baden en 1809, par exemple, comportait des phrases menaçantes pour ces gens à qui l'on accordait l'égalité : « Cette égalité juridique ne pourra être pleinement effective que lorsque vous [les Juifs] aurez fait les efforts nécessaires pour la faire entrer dans votre formation politique et morale. Pour que nous puissions nous assurer de ces efforts, et qu'en même temps votre égalité ne s'obtienne pas au détriment des autres citoyens, nous édictons les mesures suivantes[33]... » Les Juifs étaient mis à l'épreuve, et pas seulement dans l'État de Bade, ni parce que leurs ennemis l'exigeaient, mais dans toute l'Allemagne, et en des termes qui reflétaient les convictions de leurs défenseurs les plus dévoués quant à leur nature et à leur capacité de réhabilitation[34]. On les soumettait à un examen probatoire qui ne cesserait jamais, même aux yeux de leurs « amis », et qu'ils finiraient par être obligés de récuser, sauf à renoncer complètement à leur judéité.

Les « libéraux », ces « amis » des Juifs, acceptaient l'essentiel de la représentation des Juifs véhiculée par le credo antisémite. Même quand ils défendaient l'émancipation des Juifs, puis leur complète égalité civique, ils étaient eux aussi convaincus, et le disaient bien haut, que les Juifs étaient différents des Allemands, qu'ils étaient leurs ennemis, et que, fondamentalement, ils devaient disparaître. Ils ne se distinguaient des antisémites au sens plein que parce qu'ils croyaient que la différence des Juifs avait une origine amendable, que les Juifs pouvaient être réformés, et qu'eux, les libéraux, seraient en mesure de convaincre des Juifs émancipés, tentés par la perspective d'une intégration complète à l'Allemagne, de renoncer à leur judéité, d'effacer leurs origines et leur identité pour devenir des Allemands. Comme l'écrit David Sorkin : « Sous-jacente aux débats sur l'émancipation, il y avait l'image d'un peuple juif corrompu et dégradé. C'est à cause de cette image que l'émancipation était liée à l'idée d'une régénération morale des Juifs. Le débat sur l'émancipation tournait avant tout autour de la question de savoir si une telle régénération était possible, qui en serait responsable, quand et à quelles conditions elle interviendrait[35]. » La principale différence entre la position des partisans libéraux de l'émancipation et celle de leurs adversaires s'expliquait par l'adhésion des « amis des Juifs » à la théorie sociale rationaliste des Lumières qui leur disait que les Juifs pouvaient être éduqués, réformés, régénérés, et donc devenir des êtres humains moraux. Ils s'en distinguaient aussi, et c'est implicite dans leur position, par le degré de nocivité qu'ils attribuaient aux Juifs : leur vision de leurs maléfices était moins effrayante, leur aversion morale envers les Juifs moins profonde. Aussi pouvaient-ils envisager une période de transition au cours de laquelle les Juifs s'arracheraient progressivement à leur judéité. Les libéraux, quelle que fût l'idée qu'ils avaient d'eux-mêmes, étaient des antisémites déguisés en agneaux. Vers la fin du siècle, ils se débarrasseraient pour l'essentiel de leur déguisement encombrant pour se révéler bien peu différents de leurs anciens adversaires, les antisémites conservateurs déclarés [36].

Dans la première moitié du XIXe siècle, les libéraux continuaient à défendre les Juifs en s'appuyant sur cette idée, lourde de menaces, qu'ils étaient capables de régénération morale et sociale. Leur conception d'une nature pernicieuse du Juif en tant que Juif était largement semblable à celle des antisémites [37]. Leur espoir était d'humaniser les Juifs, de réformer de fond en comble la nature juive. Leur appui aux Juifs et à l'octroi de l'égalité civique était donc empreint de mauvaise foi : « Nous vous défendrons aussi longtemps que vous cesserez d'être vous-mêmes » était le fond de leur message. Et la seule manière pour les Juifs de renoncer à leur judéité était de renoncer au judaïsme, car même ceux des Allemands qui étaient partisans de la laïcité pensaient que le mal juif venait pour l'essentiel des articles moraux du judaïsme, religion que le jugement culturel allemand considérait comme privée d'amour et d'humanité. Les Juifs devaient « cesser d'être Juifs » et se convertir à une « religion de la raison » *(Vernunftreligion)*. Ils ne seraient admis dans la nation allemande que lorsqu'ils vivraient selon les critères chrétiens, quand leurs actes s'accorderaient aux « vertus chrétiennes », et quand ils renonceraient à leur « conception orgueilleuse et égoïste de Dieu » [38].

A la fin du XIXe siècle, les plus grands amis des Juifs, les libéraux, les avaient presque tous abandonnés. Leur théorie sociale promettant la « régénération » des Juifs (ainsi résumée en 1831 par un homme d'Église qui voyait loin : « On n'acceptera d'être juste à l'égard des Juifs que lorsqu'il n'y en aura plus [39] ») s'était révélée fausse [40]. C'était cette théorie sociale qui avait distingué les libéraux des antisémites, c'était elle qui les avait menés à concevoir une vision de l'avenir du peuple juif différente de celle de la majorité des Allemands, avec lesquels ils partageaient pourtant le modèle culturel qui voyait dans les Juifs un peuple étranger, rongeant l'Allemagne. Ils avaient cru que les Juifs étaient des êtres rationnels, qui, une fois libérés de leurs conditions de vie dégradantes, c'est-à-dire des restrictions juridiques et sociales qui pesaient sur eux, se réformeraient spontanément et, entre autres, renonceraient à ce qui était la seconde source de leur caractère asocial putatif, leur religion. Uriel Tal, un historien des relations entre chrétiens et Juifs en Allemagne, écrit : « L'insistance de la collectivité juive allemande à conserver son identité était contraire à la conception libérale du progrès matériel, de l'enrichissement spirituel, et des objectifs du destin national ; les libéraux en sont donc venus à regarder les Juifs, prototypes du particularisme, comme l'obstacle essentiel à l'unité nationale et spirituelle[41]. » Les Juifs, devenus modernes à tous les autres titres, remplissaient de stupeur les libéraux par leur refus de répondre à leur nouvelle condition juridique, à rebours de ce que la théorie avait promis. Voyant leurs espoirs bafoués, les libéraux n'avaient plus dans leurs bagages que le modèle culturel du Juif comme étranger, et ils étaient de plus en plus enclins à adopter l'unique explication convaincante du caractère pernicieux des Juifs, désormais considéré comme immuable : les Juifs constituaient une race[42]. Ainsi s'opérait, chez les libéraux, le passage d'un philosémitisme aux visées éliminationnistes « bénignes » à un antisémitisme visant à des solutions éliminationnistes qui l'étaient bien moins. Ce grand changement était le passage à une autre vision des *sources* de la nature juive.

Si la petite élite intellectuelle et politique que formaient les libéraux – ceux qui, de tous les Allemands, avaient les attitudes les plus « positives » à l'endroit des Juifs – peut être correctement appelée « antisémite philosémite » (philosémite aussi longtemps qu'elle continuait à croire à sa théorie de la rédemption sociale), si les meilleurs amis des Juifs les tenaient désormais pour un corps étranger à la société allemande, c'est déjà là une preuve puissante de l'existence d'un modèle culturel allemand antisémite. Et ce n'est pas, loin de là, la seule preuve que la société allemande, aussi bien dans la première moitié du XIXe siècle que dans la seconde, était axiomatiquement antisémite.

L'éventail des institutions et des groupes pénétrés d'antisémitisme, et qui même le prêchaient, couvre pratiquement l'ensemble de la société allemande du XIXe siècle. Les classes inférieures, dans les campagnes comme dans les villes, continuaient à souscrire au modèle cognitif traditionnel. La confiance aveugle dans les capacités du peuple allemand exprimée en 1845 par un journal progressiste et démocrate, le *Mannheimer Abendzeitung*, était d'une naïveté touchante. Le journal s'aventurait à écrire que « l'opinion commune dans le peuple » n'était pas « la vraie voix du peuple » ; s'il était éclairé, le peuple renoncerait à sa haine des Juifs, si ancrée, et à sa croyance que les Juifs sont la source de tous les maux. Débarrassé de son optimisme, ce jugement nous éclaire sur l'attitude de l'époque à l'égard des Juifs. De même, en 1849, le président du district de Basse-Bavière estimait que « l'hostilité à l'égalité civique des israélites » était « largement répandue ». Dans les villes, grandes ou petites, l'agitation antisémite était un trait constant de la vie sociale et institutionnelle.

Que ce fût dans les fraternités universitaires (ces incubateurs de l'élite allemande, professions libérales et fonctionnaires), dans leurs équivalents pour adultes, les sociétés patriotiques, les associations de petits patrons et d'artisans, dans les lieux de la rencontre sociale, auberges et tavernes, l'antisémitisme faisait partie du cadre de la perception et de l'expression sociales, et même davantage, car il était activement prêché et répandu. Ces prêches étaient un écho de ceux qui émanaient des chaires, notamment dans les campagnes, et qui étaient si virulents vers le milieu du siècle que les autorités gouvernementales, et naturellement les communautés juives, dans toute l'Allemagne, de la Prusse à la Rhénanie et à la Bavière, s'inquiétaient de cette agitation. Les élus souhaitaient contenir l'agitation antisémite au niveau des paroles, par souci de l'ordre public. Mais cela n'empêchait pas bon nombre d'entre eux de se lancer personnellement dans cette campagne. Dans le monde rural, l'antisémitisme était surtout vif chez les artisans et les membres des corporations [43].

Que devaient donc penser les Allemands ordinaires ? Ils avaient été abreuvés dès le berceau de cette culture antisémite, toujours si étroitement dépendante de la conception chrétienne des Juifs. Était venu ensuite s'y ajouter tout un ensemble d'accusations nouvelles : les Juifs, identifiés aux Français, depuis que la conquête napoléonienne de l'Allemagne avait, dans certaines régions, contribué directement ou indirectement à leur émancipation [44], travaillaient à ruiner les objectifs nationaux de l'Allemagne, à défaire son ordre social, à disloquer son économie, et nous arrêterons ici le catalogue. Et toutes les institutions de la société continuaient à prêcher la litanie antisémite. Les Églises, qui étaient toujours un formidable instrument d'autorité et de direction des consciences, renforçaient cette animosité contre les Juifs [45]. Les organisations professionnelles et économiques étaient institutionnellement antisémites [46]. Les principaux lieux de récréation et de discussion politique, les clubs, les ligues et les tavernes, étaient autant de serres chaudes pour les propos et les passions antisémites [47]. Et face à ce tir de barrage général, qui prenait la défense des Juifs ? Quelques journaux libéraux, lesquels, tout en défendant leur droit à l'égalité civique, reproduisaient souvent les sentiments antisémites qui étaient au cœur de cette haine culturelle. Comment, et à partir de quoi, les populations allemandes, qui, dans leur grande majorité, n'avaient jamais vu de Juif, ou qui n'avaient que peu de contacts intimes avec les Juifs qu'elles pouvaient connaître, auraient-elles pu élaborer une autre conception des Juifs ? Certainement pas en s'appuyant sur les Allemands éduqués : l'élite intellectuelle et culturelle de l'Allemagne était dans son ensemble aussi peu éclairée à l'égard des Juifs que les Allemands « sans lumières » [48]. La pression exercée sur les Juifs pour qu'ils renoncent à leur judaïsme, pression qui montait de toute l'Allemagne, était si forte, que, vers le milieu du XIXe siècle, selon certaines estimations, les deux tiers des Juifs les plus éminents du monde culturel s'étaient convertis au christianisme [49]. Leur judéité apparaissait à ces Juifs comme un obstacle majeur à leur acceptation sociale et professionnelle par leurs pairs et par le public cultivé. Telle était l'inhospitalité de l'Allemagne même envers les Juifs les plus cultivés, les plus européanisés, les plus accomplis, les plus admirables, les plus « allemands ».

L'essentiel de ce bref survol était consacré à l'état de la société allemande dans la première moitié du XIXe siècle. Si on le compare aux débordements d'antisémitisme des deux dernières décennies du siècle, cet antisémitisme de la première période, si prononcé qu'il fût déjà, n'était le plus souvent qu'une haine à feu doux, une norme culturelle devenue expression sociale routinière : il n'était pas encore la force politique organisée, puissante, qu'il allait devenir par la suite. Au demeurant, pendant les quelque vingt années qui suivent la révolution de 1848, cet antisémitisme perd même un peu de sa vigueur, ses explosions se font plus rares, et il n'est plus au premier plan de la vie publique de la société allemande. Aussi la violence de son éruption dans les années 1870 sera-t-elle une surprise pour beaucoup, et d'abord pour les Juifs [50].

L'un des nombreux fils qui tissent l'histoire politique et sociale de l'antisémitisme allemand du XIXe siècle est la vague de pétitions contre l'émancipation des Juifs. Le 14 décembre 1849, la chambre basse du parlement bavarois votait une loi accordant aux Juifs du royaume une pleine égalité de droits. Aussitôt, par toute la Bavière, la presse et l'opinion entrent en ébullition, et une campagne de pétitions commence, « spontanée, reposant sur une large base populaire ». Bien que l'hiver fût très dur cette année-là, il ne fallut que trois mois (« exploit politique remarquable ») pour réunir dans 1 700 communes de Bavière (c'est-à-dire près d'un quart du total) les signatures de 10 à 20 % de tous les citoyens de sexe masculin (estimation due aux conservateurs) [51]. En face, l'émancipation des Juifs ne rencontrait pratiquement aucun soutien populaire. Dans toute la Bavière, il n'y eut que trois communes pour envoyer des pétitions favorables à l'émancipation, et seules deux d'entre elles comptaient une population juive de quelque importance [52]. Dans son étude sur cette campagne de pétitions, John Harris conclut que, dans une région de la Bavière, il y avait cinq ou six fois plus d'adversaires que de partisans de l'émancipation des Juifs [53]. Ce débordement d'hostilité envers les Juifs, cette indignation à l'idée que les Juifs ne devaient pas être traités comme de dangereux étrangers mais comme de vrais Allemands, prenaient place à un moment du siècle où l'expression de l'antisémitisme était relativement faible si on la compare à d'autres périodes, et notamment aux décennies suivantes. Harris écrit que « de nombreux chrétiens de Bavière redoutaient les Juifs. Ils détestaient la religion juive, étaient impressionnés par les talents des Juifs et leur réussite, et les regardaient comme irrémédiablement différents ». Recourant à la gamme complète des accusations traditionnelles contre les Juifs, beaucoup de ces pétitions assuraient que les Juifs étaient des prédateurs, parce qu'ils étaient pleins de talents, qu'ils constituaient un grave danger pour le bien-être des Allemands, et qu'ils étaient inassimilables. De nombreuses pétitions affirmaient le caractère irrémédiablement étranger des Juifs, et recouraient souvent à la formule : « Les Juifs restent des Juifs. » Partout régnait l'idée que toute loi favorable aux Juifs ne pourrait qu'être dommageable aux chrétiens, idée reprise du modèle manichéen qui était à la base de la pensée allemande à l'égard des Juifs [54]. Les pétitionnaires n'hésitaient pas à formuler ce que seraient les conséquences tragiques du fléau juif si on le déchaînait :

> Quelques-unes des pétitions se contentaient d'exprimer des doutes quant aux effets bénéfiques de l'émancipation des Juifs. Mais dans la plupart d'entre elles, la vision de l'avenir était des plus pessimistes. Une pétition de Souabe disait que les temps étaient durs, et qu'avec l'émancipation des Juifs ils le seraient davantage encore. Plusieurs textes affirmaient que si les Juifs étaient émancipés, la Bavière serait leur esclave ; émancipés, les Juifs « nous tiendront à la gorge » ; émancipés, ils feront de nous leurs esclaves ; émancipés, ces esprits « raffinés » obtiendront tous les postes ; émancipés, ils seront les maîtres. Pour d'autres, le problème n'était pas l'avenir : ce qu'il fallait c'était une émancipation immédiate des chrétiens bavarois soumis aux Juifs, et non l'inverse. La domination des Juifs sur les chrétiens, et pas seulement économique, était un thème récurrent [55].

Pour résumer tout ce qu'il y avait d'insensé à ses yeux dans cette loi d'émancipation, une des pétitions affirmait qu'accorder l'égalité complète aux Juifs, c'était introduire le renard dans le poulailler [56].

Trente ans plus tard, un peu partout en Allemagne, l'opinion considérait que cette tentative bavaroise des années 1850 de s'opposer à l'émancipation des Juifs avait été avisée et pleine de prescience. En 1880, à l'échelle de tout le pays, une campagne de pétitions demandant qu'on revînt sur l'émancipation des Juifs menée dans une Allemagne désormais unifiée recueillit 265 000 signatures, ce qui contraignit le Reichstag à débattre de la question pendant deux jours. Et cette pétition n'émanait pas des classes inférieures, grossières et « peu éclairées », mais de propriétaires terriens, de prêtres, d'enseignants et de fonctionnaires [57].

Que les Allemands fussent fondamentalement antisémites, quand on sait combien les représentations sont une construction sociale, est moins étonnant que la place culturellement et politiquement centrale occupée par les Juifs dans leur esprit et leurs affects. L'aspect probablement le plus frappant du débat sur la place des Juifs en Allemagne était l'attention obsessionnelle accordée à la question, le déluge de mots qu'on lui consacrait, la passion qu'on y mettait : pourtant, dans la période de plus forte vocifération antisémite, les Juifs représentaient environ 1 % de la population allemande, et des régions entières n'en contenaient presque aucun [58]. Pourquoi donc tant de bruit ?

L'écrivain Ludwig Börne, un Juif baptisé, mais toujours considéré comme Juif par les autres comme par lui-même, évoquait dans une lettre de 1832 cette obsession allemande à l'endroit des Juifs : « C'est stupéfiant ! J'en ai fait l'expérience des milliers de fois, et elle m'est toujours neuve. Certains me reprochent d'être juif ; d'autres me le pardonnent, un troisième même m'en louera ; mais tous y pensent. C'est comme si l'on était prisonnier de quelque magique cercle juif, dont on ne peut sortir [59]. »

Aucun Allemand n'était en mesure de s'arracher à l'ensorcellement qui rivait son attention sur les Juifs. L'incapacité où se trouvait Börne de donner une explication satisfaisante à cette obsession allemande renforçait à l'évidence son sentiment de stupeur. Son témoignage ne reflète pas seulement son expérience particulière : le débat sur les Juifs ne se déroulait pas seulement autour de sa personne, mais dans toute l'Allemagne. Tout au long du XIXe siècle, des groupes jouissant d'un soutien populaire ont constamment cherché à remettre en cause tout ce que les Juifs devaient à l'émancipation. Aucun autre pays d'Europe de l'Ouest n'a connu de telles tentatives, ce qui, à soi seul, prouve la singularité et la profondeur des sources culturelles de l'antisémitisme allemand. La *Judenfrage*, la « question juive », était une préoccupation centrale pour les théologiens et hommes politiques allemands du XIXe siècle, qui lui accordaient une importance si démesurée que, lors des débats du parlement de Rhénanie sur l'émancipation des Juifs (pour nous limiter à cet exemple), on entendrait quelqu'un affirmer avec le plus grand sérieux que la « question juive » concernait « le monde tout entier » [60].

Les Juifs représentaient pour les Allemands une telle rupture du tissu culturel national (rupture devenue effective en raison même de cette conception et des traitements subis) que les tabous eux-mêmes vacillaient quand on évoquait la « question juive ». Les appels à l'anéantissement des Juifs au XIXe siècle (que l'on étudiera ci-dessous) en sont un exemple évident, et pourtant pas toujours reconnu comme tel. Tout aussi frappante est la récurrence des thèmes sexuels, associant les Juifs à la prostitution et à toutes les formes de la dépravation érotique, notamment quand on les accusait de déshonorer des vierges allemandes sans méfiance [61]. Les accusations de meurtres rituels, ce vieux bobard de l'antisémitisme médiéval, et les menaces d'action en justice pour de tels crimes continuaient de hanter les communautés juives : en Allemagne et dans l'empire d'Autriche, il y aura encore douze procès sur ce thème entre 1867 et 1914 [62]. Même les journaux libéraux se faisaient un devoir de reproduire toutes les accusations et rumeurs contre les Juifs, y compris celles de meurtres rituels, comme s'il s'agissait de faits établis [63].

Tout aussi parlant que le contenu de cet antisémitisme allemand est la simple quantité d'encre noircie au service de la « question juive ». Dans sa remarquable étude sur l'antisémitisme allemand de la première moitié du XIXe siècle, Eleonore Sterling écrit : « Cette doctrine haineuse était diffusée dans la population par d'innombrables brochures, affiches et articles de journaux. Dans les rues et les tavernes, des "agitateurs de la canaille" se livraient à des discours pleins de haine et distribuaient des pétitions incendiaires [...] l'agitation n'était pas seulement due aux orateurs des rues et des tavernes, mais aussi à des gens qui se considéraient comme "très chrétiens" [64]. » Le tir de barrage contre les Juifs devient encore plus redoutable dans le dernier quart du siècle, quand la « question juive » est l'objet, en Allemagne, d'une littérature plus abondante et plus passionnée que toute autre question politique. Selon une estimation, les trente dernières années du siècle ont vu paraître 1 200 publications consacrées à la « question juive », dont l'immense majorité se rangeait dans le camp de l'antisémitisme. Pendant la même période, le nombre des publications consacrées aux relations entre la nation et ses minorités (au nombre desquelles les Juifs occupaient une place de choix) dépasse, selon un autre calcul, le chiffre des « publications polémico-politiques » consacrées *à tous les autres sujets réunis*[65]. A en juger simplement par le volume et le caractère de la production verbale et littéraire de la société, on serait obligé de conclure que la société allemande se focalisait sur une menace mortelle de première grandeur : tel était le caractère central de ce problème, pourtant insignifiant du point de vue des faits, dans le débat public en Allemagne.

Mais bien que l'animosité affective et cognitive envers les Juifs fût axiomatique, le *contenu* précis de l'antisémitisme allemand du XIXe siècle était en continuelle évolution. Dans chaque période, la litanie antisémite comportait toute une gamme d'accusations, pas toujours accordées entre elles, mais où l'on peut distinguer des traits centraux. L'image dominante des Juifs était celle de gens malveillants, puissants et dangereux. Ils étaient des parasites, n'apportant rien à la société (une des idées les plus obsessionnelles était que les Juifs se dérobaient au travail, à tout ce qui était productif), tout en vivant de cette société, tout en se nourrissant de la substance de leurs hôtes. A ce mal juif, une autre dimension encore : plus que des parasites, qui, si nocifs qu'ils puissent être, se contentent de prendre sans rien donner, ils étaient des destructeurs, qui, volontairement, cherchaient à saper l'ordre moral de la société, à corrompre ses mœurs et sa cohésion, à introduire le désordre dans une totalité par ailleurs satisfaisante. C'étaient des nuisibles : partout où l'influence juive se répandait, la dépravation suivait[66].

Et en plus, ils étaient organisés. Pour les Allemands, les Juifs n'étaient pas seulement une réunion d'individus facteurs de décomposition, c'était un groupe structuré, agissant de concert, animé d'une unique volonté. S'ils représentaient un danger colossal et possédaient une formidable capacité de nuire, c'était surtout, pensait-on, parce que leur talent particulier pour l'infiltration économique finirait par leur donner la domination de l'économie tout entière. A en croire un libéral « ami » des Juifs du début du siècle, tout cela constituait une menace redoutable, et il utilisait la métaphore naturaliste qu'aimaient tant les antisémites de tout poil : les Juifs « étaient une plante parasite à croissance rapide, qui s'enroule autour de l'arbre encore sain pour en pomper la sève, jusqu'à ce que le tronc, rongé de l'intérieur, s'effondre[67] ». Concevoir les Juifs en des termes si organiques, chacun faisant partie d'un corps étranger occupé à envahir l'Allemagne, empêchait les Allemands de voir en chaque Juif un individu, capable de remplir avec succès les conditions requises (quelles qu'elles fussent) pour une pleine intégration dans la société allemande. Plus les Allemands voyaient dans les Juifs un groupe organisé et moins ils étaient prêts à accepter que des Juifs, pris à titre individuel, se fondent dans le moule allemand, et notamment dans le christianisme, pour prouver leur allégeance à l'Allemagne et leur appartenance à la nation allemande.

Plus on avançait dans le siècle, et plus l'antisémitisme allemand se modifiait [68]. La métaphore naturaliste se répandait de plus en plus, et le diagnostic des antisémites évoluait : à la croyance initiale d'une invasion de l'Allemagne par les Juifs succédait l'idée qu'ils avaient désormais le pays à leur merci ; au « Laissez-les dehors ! », si répandu avant l'émancipation, succédait un « Expulsez-les ! » [69] ; les Juifs étaient désormais considérés plus comme une nation que comme une collectivité religieuse [70] ; et cette vision allait de pair avec la fusion de la germanité et du christianisme, qui plaçait la dimension chrétienne au cœur de la définition de l'« Allemand » [71]. Cette double vision des Juifs comme nation et de l'Allemagne comme pays chrétien avait pour résultat de créer une barrière cognitive pratiquement insurmontable devant tout Juif qui aurait souhaité se faire accepter comme Allemand. Et comme si cet obstacle cognitif n'était pas suffisant, l'antisémitisme allemand de la fin du siècle se dotait d'un autre concept, celui de race. C'était la race, qualité immuable, qui empêchait les Juifs de devenir allemands [72].

Le concept de race donnait une cohérence aux différents courants antisémites qui étaient en compétition pour dessiner la carte de la place des Juifs dans le paysage social et politique de l'Allemagne, alors en pleine évolution. On peut y voir aussi l'apogée d'un des arguments que les antisémites avaient opposés à l'émancipation des Juifs : pour ruiner l'idée libérale selon laquelle les Juifs pouvaient s'amender, les antisémites avaient déjà déclaré que la nature des Juifs était immuable. A la confiance dans la *Bildung*, qui avait sa puissance, ils pouvaient maintenant opposer une réplique de même force. Même si l'on reconnaissait que les idées des Lumières, rationalistes, humanistes et universalistes, avaient leur valeur, la nature des Juifs empêchait qu'on pût les leur appliquer [73]. Avant l'émancipation, déjà, en réponse au livre de Dohm qui défendait les Juifs, on avait recouru à l'argument du caractère « inné » des Juifs [74], et les tenants d'une conception essentialiste avaient commencé à adopter le vocabulaire de la race, et son concept central, dès les années 1840 [75].

L'idéologie *völkisch*, utilisée comme un ciment, pauvre mais efficace, de l'unité nationale, ne cessait de gagner des positions à la fin du siècle. Avec la « découverte » des « races » germanique et juive au milieu du siècle, la conception du *Volk* comme unité linguistique et nationale prenait une nouvelle forme en adoptant le principe essentialiste, et apparemment scientifique, de race. En 1847, l'un des antisémites *völkisch* les plus influents faisait sienne cette métamorphose, expliquant que le « sentiment de force » et « l'amour de la patrie » avaient leur base dans « l'esprit chrétien germanique » et dans l'« unité raciale germanique » *(germanische Blutseinheit)*. Les Juifs, eux, à s'en tenir à cette image du sang qui était l'élixir de la pensée raciste allemande, étaient « éternellement des étrangers pur sang » [76].

Le concept de race donnait une cohérence encore inconnue à l'antisémitisme allemand moderne. Jusque-là, la « question juive » n'était devenue un thème politique central que par réaction au mouvement d'émancipation, et l'animosité contre les Juifs avait dû recourir à une grande variété d'accusations antisémites, à toutes sortes d'idées sur le caractère pernicieux des Juifs. Désormais, avec la race, on avait un concept unificateur, facile à comprendre, métaphoriquement puissant, capable d'intégrer des idées variées et sans grande consistance dans une explication complète de la judéité et de sa relation avec l'Allemagne [77]. Le modèle cognitif qui sous-tend l'idée de race avait plusieurs propriétés qui convenaient particulièrement bien aux antisémites (mais étaient très dangereuses pour les Juifs), et qu'il était facile de greffer sur le vieux fond antisémite [78]. En opposant germanité et judéité, le modèle cognitif sous-jacent à l'idée de race retrouvait l'opposition binaire absolue que l'antisémitisme traditionnel établissait entre christianisme et judaïsme. Comme l'antisémitisme chrétien du Moyen Age, cette nouvelle division manichéenne transformait un peuple, les Juifs, en un symbole culturel central de tout ce qui n'allait pas dans le monde. Dans les deux conceptions, les Juifs n'étaient cependant pas de simples symboles inanimés, mais des agents actifs, qui menaçaient volontairement l'ordre naturel et sacré du monde. L'image allemande du mal juif était suffisamment puissante pour faire du Juif le diable d'un monde désormais laïc, avec autant d'efficacité, même si cela était moins clairement exprimé, que la conception chrétienne médiévale lorsqu'elle identifiait les Juifs au Malin, à la sorcellerie. L'antisémitisme fondé sur la race reproduisait la forme du modèle cognitif de l'antisémitisme chrétien, tout en lui injectant un nouveau contenu. Et c'est ce qui explique que la transformation ait été acceptée avec tant de facilité par l'immense population antisémite de l'Allemagne. Le nouvel antisémitisme était un successeur moderne « naturel » de la vieille haine des temps anciens, toujours vivace, et dont la dimension cognitive chrétienne avait toujours ses résonances, même affaiblies, au seuil des temps nouveaux, plus laïcs. Cet âge nouveau, et politiquement différent, demandait une analyse moderne du changement social pour que la haine des Juifs pût rester centrale [79]. Le modèle cognitif devait être recomposé d'une manière ou d'une autre, pour ne pas entrer en conflit avec d'autres conceptions régnant dans la société. Cette nouvelle formulation de la vieille haine servait aussi à la transformer. Ce nouveau contenu de l'antisémitisme, et notamment la nouvelle vision allemande des sources du caractère pernicieux des Juifs et de leur incapacité à s'intégrer, s'accompagnait d'une nouvelle vision de la « question juive », laquelle, à son tour, impliquait différentes solutions possibles [80].

Par le vocabulaire employé et les accusations portées, l'antisémitisme raciste disait clairement que les Juifs étaient à l'origine de tout ce qui n'allait pas dans la société. Comme au Moyen Age, la litanie antisémite passait en revue pratiquement tous les maux sociaux, politiques et économiques de l'Allemagne[81]. Mais cet antisémitisme allemand moderne attribuait à la question juive une centralité encore plus marquée. Sans doute, au Moyen Age, les Juifs étaient-ils considérés comme responsables de bien des maux, mais ils n'en demeuraient pas moins périphériques, situés qu'ils étaient aux franges spatiales et théologiques du monde chrétien, et ils n'expliquaient pas tous les malheurs du monde. En revanche, comme les antisémites allemands modernes voyaient en eux la source principale du désordre et du dépérissement, ils étaient en mesure d'affirmer que, tant que les Juifs seraient vainqueurs, le monde ne connaîtrait pas la paix. Les chrétiens du Moyen Age ne pouvaient pas, eux, dire de même, car, même si les Juifs disparaissaient, le diable, source première du mal, demeurerait. Comme les antisémites modernes avaient fait des Juifs, jusque-là agents du diable, le diable lui-même, les descriptions haineuses des Juifs et du mal qu'ils étaient censés infliger à l'Allemagne étaient lourdes de menaces : à les entendre les décrire comme autant d'agents de décomposition, il était difficile de se souvenir qu'il s'agissait d'êtres humains. Tout revenait à dire que les Juifs étaient un poison. Et, comme on l'a déjà dit, ces accusations étaient vociférées partout dans la société allemande, d'une façon obsessionnelle, et elles commençaient à être tenues pour vraies même par ceux qui avaient été auparavant les défenseurs des Juifs.

Dans la seconde moitié du XIXe siècle, il était devenu impossible de parler du *Volk* allemand sans recourir aux notions de race, et donc au thème de l'exclusion des Juifs. Les concepts de « *Volk* » et de « race » se recoupaient et s'emmêlaient, si bien qu'on a du mal à distinguer, dans l'usage de l'époque, entre les deux termes. Qui plus est, la fusion opérée entre germanité et christianisme avait aussi pour conséquence de supprimer du vieux répertoire de l'antisémitisme chrétien la ressource du baptême, le moyen concédé aux Juifs pour se laver de leurs péchés et renoncer à leur nature maléfique. L'animosité chrétienne envers les Juifs perdurait, ainsi que la capacité des vieilles rumeurs à mobiliser la haine contre eux, mais la nouvelle conception allemande des sources du mal juif, jadis attribué au déicide, interdisait désormais aux Juifs toute possibilité de rachat. La puissance symbolique et les implications métaphoriques du nouveau concept dominant de race donnaient à l'antisémitisme une charge explosive nouvelle.

La capacité de diffusion et la puissance de cette nouvelle conception raciale de la germanité étaient telles qu'elles parvenaient à saper un principe fondamental du christianisme, incapable de survivre à cette nouvelle hégémonie conceptuelle. Le modèle cognitif ontologique à la base de la conception raciale et *völkisch* allait à l'encontre d'un modèle chrétien qui avait tenu bon pendant des siècles. Les antisémites racistes récusaient la vieille conception chrétienne selon laquelle toutes les âmes pouvaient être sauvées par le baptême, et l'idée que la conversion suffisait à effacer toute différence entre Juifs allemands et chrétiens allemands. Pour Johannes Nordmann, un pamphlétaire antisémite de beaucoup d'influence, écrivant en 1881, année d'explosion antisémite, la différence entre Juifs et Allemands était d'ordre physiologique : la conversion au christianisme ne pouvait pas plus transformer des Juifs en Allemands que la peau des Noirs ne pouvait devenir blanche [82]. Aux yeux de bien des Allemands, la conversion de certains Juifs au christianisme n'était qu'une manœuvre de leur part, un leurre. Étant donné ce qu'étaient les Juifs, il ne pouvait en être autrement. Aussi, dès lors qu'il s'agissait de désigner le Juif, ou de peser ses mérites, la conversion n'entrait pas en ligne de compte. Et certains théologiens chrétiens en venaient à oublier la conception chrétienne du baptême pour affirmer qu'une « conscience *völkisch* » *(völkisches Bewusstsein)* était indispensable pour être Allemand, et que les Juifs n'y avaient pas accès [83].

Le caractère inéluctable du conflit entre Juifs et Allemands, les efforts permanents des Juifs pour dominer l'Allemagne et la détruire, étaient au cœur de cette conception raciste *völkisch* des Juifs en cours de formation dans les dernières décennies du siècle. Il n'y avait pas d'autre choix que celui de défaire les Juifs, comme on le voit bien dans un texte archétypal de 1877 : les Allemands devaient reconnaître que « même le Juif le plus honnête, incapable d'échapper à ce que lui dicte son sang, porteur de sa moralité sémite *(Semitenmoral)*, qui est entièrement contraire à la vôtre [moralité allemande], ne peut partout chercher que la subversion et la destruction de la nature allemande, de la moralité allemande, de la civilisation allemande [84] ». L'idée centrale de cette déclaration rencontrait l'accord de tous les antisémites de la fin du XIXe siècle, et, sur ce point, des antisémites du XXe siècle, qu'ils fussent explicitement des antisémites *völkisch*, des antisémites chrétiens (à quelques exceptions près) ou (comme l'immense majorité des Allemands) de simples ennemis des Juifs dont la haine n'était fondée sur aucune théorie mais sur la simple conviction que les Juifs faisaient précisément tout ce que la déclaration citée affirmait. Le péril juif était clair pour tous. Mais comment l'affronter, voilà qui l'était moins.

L'intention éliminationniste présente chez tous ceux qui parlaient de « question juive » depuis la fin du XVIIIe siècle était une autre constante de la pensée allemande à l'égard des Juifs [85]. Pour que l'Allemagne devînt un pays où régneraient l'ordre et l'harmonie, et, pour beaucoup, un pays sauvé de la destruction, tout ce qui était juif devait être éliminé de la société allemande. Ce qu'il fallait entendre par élimination, c'est-à-dire la façon dont il faudrait procéder, était cependant vague ou obscur aux yeux de beaucoup, et il n'y avait aucun consensus là-dessus en ces temps fondateurs de l'antisémitisme moderne [86]. Mais qu'il fallût absolument éliminer la judéité était évident à tous, puisque les Juifs étaient des étrangers tentant d'envahir le corps social. Quand deux peuples sont ainsi pris dans une opposition binaire, avec toutes les qualités d'un côté et tous les défauts de l'autre, il ne peut qu'être impératif, et urgent, de chasser les puissances du Mal de l'espace social et temporel qu'elles partagent avec le Bien, quel qu'en soit le moyen. « Le peuple allemand », disait un antisémite d'avant 1850, « n'a besoin que de détruire les Juifs » pour devenir « uni et libre »[87].

Les réponses que l'antisémitisme a élaborées face à cette menace putative des Juifs sont intéressantes à plus d'un titre. Étant donné que les antisémites croyaient que la « question juive » était le problème le plus grave et le plus urgent de l'Allemagne, il n'est pas surprenant qu'ils aient souvent mis beaucoup de vigueur dans leurs exhortations à agir. Ce qui surprend, cependant, c'est qu'une très forte proportion d'antisémites, si convaincus qu'ils fussent que les Juifs étaient leurs ennemis les plus acharnés, ne proposaient aucune action concrète. Près de la moitié des brochures et des discours de la seconde moitié du siècle ne disaient rien de la façon dont la « question juive » devait être résolue[88]. Dans les dernières décennies du siècle, où les Juifs étaient parvenus à s'intégrer à la vie économique de l'Allemagne, certains – tel Wilhelm Marr, l'inventeur du terme « antisémite » et l'un des écrivains antisémites les plus en vue – étaient convaincus que la cause de la purification était d'ores et déjà perdue : « Nous autres Allemands, depuis l'an 1848, nous avons officiellement abdiqué en faveur du judaïsme [...] La guerre de Trente Ans que les Juifs ont menée contre nous depuis 1848 [...] ne nous laisse même pas espérer une sorte de paix pourrie comme celle des traités de Westphalie[89]. » Les Juifs occupaient l'Allemagne et les Allemands ne réussiraient jamais à les en déloger. Les Juifs avaient gagné, et, pour beaucoup, il n'y avait plus lieu de proposer une « solution ». D'autres, pourtant, en ces temps antérieurs à l'Holocauste, n'osaient pas encore dire tout haut ce qu'ils pensaient être l'unique « solution » à la « question juive ». Puisque les demi-mesures ne suffiraient pas, pourquoi proposer quoi que ce soit ? Les propositions parfois tempérées de ceux qui se hasardaient à en faire étaient si peu proportionnées au mortel péril attribué aux Juifs que l'on doit en tirer deux conclusions : certains antisémites, si enragés qu'ils fussent contre les Juifs, n'étaient pas capables de faire le saut imaginaire et moral qui menait à l'idée de violence collective, ils étaient toujours soumis à des inhibitions éthiques en ces temps où toutes les barrières de l'imaginaire n'étaient pas encore détruites ; ou alors, face à la contrainte que les lois de l'Empire allemand faisaient peser sur toute action, ils s'en remettaient au pragmatisme (comme Hitler le ferait dans ses premières années au pouvoir), ne proposant que des solutions bien moins radicales que celles qu'ils désiraient en réalité.

La gamme des « solutions » que les antisémites proposaient à la fin du XIXe siècle était particulièrement étendue : vieil espoir libéral de voir le peuple juif se dissoudre dans l'assimilation, création de nouvelles interdictions juridiques à son endroit (avec remise en cause de l'émancipation), expulsion par la force, et enfin anéantissement total. Toutes ces « solutions » ne sont que des variantes de la pensée éliminationniste, même si elles diffèrent très fortement. Aux yeux des antisémites, mais non à ceux des Juifs, elles étaient autant d'équivalents fonctionnels. Elles naissaient toutes de la croyance partagée que la société allemande devait être « nettoyée de ses Juifs » *(judenrein)* d'une manière ou d'une autre. La pensée éliminationniste était le résultat logique de cette croyance. La solution avancée dépendait de la variante particulière d'antisémitisme propre à chaque individu soucieux de restructurer la société, et des théories sociales et éthiques qui le guidaient. Au fur et à mesure que l'antisémitisme se persuadait que les Juifs étaient une race, et qu'ils représentaient un danger mortel, les écrivains antisémites les plus importants de la seconde moitié du siècle acceptaient de plus en plus facilement la logique de ces convictions, et réclamaient l'extermination des Juifs :

> Ceux qui, à partir d'un verdict totalement négatif à l'encontre des Juifs, réclamaient persécution et anéantissement étaient de loin majoritaires, et ce type d'appel ne cessait de croître de décennie en décennie. A leurs yeux, les Juifs étaient des parasites, une vermine à exterminer. L'or qu'ils avaient amassé par le vol et la ruse devait leur être arraché, et eux-mêmes devaient être transportés dans quelque coin éloigné du globe, la Guinée par exemple. Certains étaient partisans de la solution la plus simple, tuer les Juifs, puisque le devoir de défendre [...] « la morale, l'humanité et la culture » demandait une lutte sans pitié contre le Mal [...] L'anéantissement des Juifs était pour la plupart des antisémites le salut de l'Allemagne. Ils étaient apparemment convaincus que l'élimination d'une minorité mettrait fin à toutes les misères, et rendrait au peuple allemand la maîtrise de son propre foyer [90].

Klemens Felden, l'auteur de ce texte, a analysé le contenu de 51 publications antisémites parues en Allemagne entre 1861 et 1895. Ce qu'il a découvert est stupéfiant [91]. 28 d'entre elles proposaient une solution à la « question juive », parmi lesquelles 18 demandaient *une extermination physique des Juifs*. Dans cette Europe d'avant l'Holocauste (quand on ignorait encore tout des massacres collectifs des deux guerres mondiales), les deux tiers de ces antisémites de premier plan tiraient les conséquences extrêmes de leur raisonnement, et proposaient, en fait réclamaient, un génocide. Sur les 40 textes qui se lançaient dans une explication de ce qui faisait l'unité des Juifs, 1 seul les considérait comme une simple collectivité religieuse, et il n'y en avait que 6 autres pour mentionner la religion entre autres constituants de la judéité. Mais il y en avait 32 pour déclarer la nature des Juifs *incapable de changement*, parmi lesquelles 23 définissaient le peuple juif comme une race. Il ne fait aucun doute qu'il y a une affinité élective entre l'idée d'une nature juive incapable de se modifier, conceptualisée avant tout en termes explicitement racistes, et l'affirmation que la « solution » à la « question juive » ne peut être que l'extermination. *La pensée éliminationniste tendait à l'exterminationnisme*[92], et cela dès le XIXe siècle, avant la naissance politique de Hitler (et même, dès la fin du XVIIIe siècle, Dohm reconnaissait que la représentation du Juif élaborée par l'antisémitisme impliquait logiquement qu'on dût « balayer les Juifs de la surface de la terre »[93]). Seuls deux des textes appelant à l'extermination des Juifs (et qui analysaient leur nature) ne parlaient pas dans leur cas de race, mais de nation. Felden fait donc observer que les antisémites racistes étaient d'ores et déjà persuadés que l'extermination des Juifs était le salut de l'Allemagne, et qu'il n'est pas surprenant que ce genre d'appel se soit fait plus fréquent et plus intense dans les dernières décennies du siècle. En 1899, le programme politique de la section hambourgeoise des partis antisémites unis disait en termes prophétiques : « Grâce au développement des moyens modernes de communication, la question juive deviendra au cours du XXe siècle un problème global, et, comme tel, il sera résolu avec décision et en commun par les autres nations, par la ségrégation complète et (si la légitime défense l'exige) par l'anéantissement du peuple juif[94]. » Dans les solutions « rédemptrices » qu'ils proposaient, les antisémites racistes du XIXe siècle et du début du XXe étaient fidèles à ce qu'impliquait leur vision des Juifs.

A la fin du XIXe siècle, l'idée que les Juifs représentaient un danger extrême pour l'Allemagne, que l'origine de leur caractère pernicieux était de celles qui ne se peuvent changer, c'est-à-dire raciale, et que les Juifs devaient donc être éliminés d'Allemagne, était extrêmement répandue dans la société allemande. La tendance à envisager et proposer la forme d'élimination la plus radicale, l'extermination, était déjà forte, et avait déjà de sonores porte-parole. La société allemande ne cessait d'être profondément antisémite, comme au début du siècle, mais la modernisation de l'antisémitisme en racisme poussait à adopter des « solutions » plus radicales, voire meurtrières, à ce qu'on pensait être la « question juive ». Au tournant du siècle, les graines de l'antisémitisme nazi et de la politique antijuive des nazis avaient été largement semées, bien des bourgeons étaient sortis, et quelques fleurs s'étaient même épanouies. L'antisémitisme s'exprimait dans la conversation quotidienne, dans les actes individuels de discrimination, mais aussi dans une intense activité politique. Pourtant, aussi puissant et aussi potentiellement violent qu'il fût, cet antisémitisme n'explosait pas en violence concertée, parce que les conditions propres à le transformer en programme d'agression physique n'étaient pas réunies : l'État ne pouvait tolérer qu'il devînt la base d'une action collective de cette sorte, l'Allemagne de Guillaume II ne pouvait admettre une violence organisée du type de celle que souhaitaient les antisémites[95]. En l'absence d'une mobilisation politique, l'antisémitisme demeurait pour les Juifs un trait extrêmement déplaisant de la culture et de la politique allemandes, débouchant sur de continuelles agressions verbales, sur la discrimination sociale, sur d'incessantes blessures psychologiques, mais il ne menaçait pas leur sécurité physique.

Tout au long du siècle, et notamment dans sa seconde moitié, aucune image non antisémite des Juifs ne trouvait de soutien institutionnel en Allemagne (à l'exception parfois de celui du parti social-démocrate). Cela était vrai non seulement des institutions politiques, mais aussi de l'infrastructure « tocquevillienne » de la société, ces associations où se faisaient l'éducation et l'activité politiques. Un historien de l'antisémitisme allemand, Werner Jochmann, écrit : « Il y a surabondance d'exemples qui montrent que, dans les années 1890, l'antisémitisme s'était infiltré dans *absolument toutes* les associations de citoyens, pénétrant les clubs folkloriques et les sociétés culturelles » (c'est moi qui souligne). Il était devenu l'idéologie dominante de la plupart des organisations recrutant dans les classes moyennes, et notamment des organisations vouées à la défense d'intérêts économiques. L'antisémitisme était si puissant en 1893 qu'à la première assemblée générale de la Deutschnationaler Handlungsgehilfenverband – une association d'employés qui se disait elle-même « née de l'antisémitisme » – le bureau déclarait : « Nous ne pouvons échapper à cette vague [antisémite], et nous serions avisés de nous laisser porter par elle[96]. » Comme bien d'autres associations, économiques ou non, celle-ci se déclarait *judenrein*, excluant les adhésions de Juifs quand bien même leur qualité d'employé leur eût permis d'y prétendre[97]. L'antisémitisme était si répandu, et il était une telle source d'énergie, qu'il était utilisé par toutes sortes de groupements pour mobiliser leurs adhérents. Dans les années 1890, quand l'association des agriculteurs cherchait à organiser les intérêts dispersés du monde agricole, grands propriétaires, petits cultivateurs, artisans dépendant des paysans, « l'antisémitisme apparaissait comme étant presque le seul moyen de recruter et de mobiliser ». Les catholiques, en pleine bataille contre un gouvernement hostile, l'accusaient d'être prussianisé et judaïsé[98]. Déclarer que les Juifs étaient les ennemis, ou que son ennemi était soutenu par les Juifs, était un moyen si efficace de gagner des adhérents qu'il était devenu un thème courant du répertoire politique et social de l'Allemagne de cette fin de siècle.

Le modèle cognitif des Allemands à l'endroit des Juifs était déjà empreint d'une profonde animosité souterraine quand ils se lancèrent dans la révolution industrielle et dans le processus politique d'unification de l'Allemagne (qui avait à sa base le concept de *Volk*, porteur d'exclusion). Chaque fois que le sujet était abordé publiquement, les écrivains ou orateurs allemands dépeignaient toujours les Juifs sous les couleurs les plus sombres, voire démoniaques, en recourant à l'idiome raciste et déshumanisant de l'époque. Pour Ludwig Bamberger, chef des libéraux nationaux, en 1882, « les organes vitaux de la nation, armée, écoles, universités, sont pleins à ras bord d'antisémitisme... », si bien qu'il « était devenu une obsession à laquelle personne n'échappait »[99]. Malgré l'« émancipation », les Juifs étaient toujours frappés de toutes sortes d'incapacités, qui montraient à tous les Allemands que les Juifs n'étaient pas vraiment allemands, qu'on ne pouvait leur faire confiance comme membres de la société à part entière. Les Juifs continuaient à être exclus de l'institution la plus identifiée au patriotisme allemand, le corps des officiers, et des institutions chargées d'encadrer le peuple, la fonction publique, et notamment les organes judiciaires (même si, officiellement, un Juif pouvait prétendre y servir)[100], et c'était là pour les Allemands un message continu, parfaitement clair, signifiant que les Juifs n'étaient pas vraiment des Allemands, mais des étrangers, qui ne pouvaient participer à l'exercice collectif du pouvoir. Ces incapacités, si nombreuses et si humiliantes, faisaient l'objet d'une attention si sourcilleuse de la part des fonctionnaires, des juges et des enseignants, qu'un important juriste parlait de « l'abrogation de la Constitution par l'administration » pour désigner ce qui était effectivement une annulation partielle de l'émancipation[101].

L'antisémitisme omniprésent de 1800 et 1850 devenait de plus en plus intense, et à coup sûr de plus en plus menaçant, au fur et à mesure que le siècle avançait, que l'Allemagne devenait un pays à la pointe du développement économique et technologique. Antisémitisme et modernité étaient parfaitement compatibles en Allemagne, parce que le concept fondateur de la communauté allemande moderne était le *Volk*, et que cette conception trouvait un appui pseudo-scientifique dans les théories raciales et darwiniennes qui étaient la monnaie commune d'une bonne partie de la culture européenne de cette fin de siècle[102]. Comme on l'a déjà montré, ceux qui avaient été les meilleurs amis des Juifs au début du siècle, les libéraux, avaient dans l'ensemble renoncé à leur philosémitisme, à leur variante assimilationniste de la pensée éliminationniste, pour adopter le langage et les conceptions de l'antisémitisme allemand moderne, avec ses propositions éliminationnistes moins bénignes. Seul semblait résister un petit noyau dur de libéraux de gauche, toujours moins nombreux, qui restaient fidèles aux principes des Lumières ; mais leur refus persistant de l'antisémitisme signifiait qu'ils étaient en train de sortir du vrai terrain politique dans un pays aussi profondément antisémite, et ils ne cessaient de perdre des électeurs. Dans certaines régions de l'Allemagne, les électeurs des classes moyennes rejoignaient majoritairement les partis antisémites[103]. La droite allemande (à distinguer des partis qui se définissaient presque exclusivement par leur antisémitisme) avait toujours été antisémite. Lors de la campagne électorale de 1884, le parti conservateur proclamait qu'il y avait une opposition irréductible entre Juifs et Allemands. Les Juifs ne faisaient allégeance qu'à « des puissances internationales, non allemandes », ce qui « devait finir par convaincre tout bon Allemand » que les Juifs « n'accorderaient jamais la primauté aux intérêts de la patrie allemande »[104]. L'antisémitisme raciste était la règle dans les milieux protestants et avait déjà fait de belles avancées chez les catholiques[105]. Le seul groupe de quelque importance qui avait officiellement abjuré l'antisémitisme dominant, et en était relativement protégé, était le noyau dur du mouvement socialiste, ses intellectuels et ses dirigeants, ainsi que la petite élite libérale de gauche, politiquement insignifiante.

Ces petits groupes se définissaient par une idéologie contraire aux autres, qui récusait les prémisses mêmes de l'antisémitisme [106].

Il est donc incontestable que les fondements de l'antisémitisme nazi étaient déjà bien ancrés en Allemagne, qu'ils étaient au cœur du modèle culturel cognitif de la société et de la culture politique allemandes. Il est incontestable que l'antisémitisme raciste était la forme dominante de l'antisémitisme allemand, et qu'il entrait largement dans les conversations de la société allemande. Il est incontestable qu'il bénéficiait d'un puissant soutien institutionnel et politique en Allemagne (comme le montrent les scrutins électoraux, les pétitions et la vie associative) [107]. Il est incontestable que cet antisémitisme raciste qui voyait dans les Juifs une menace mortelle pour l'Allemagne était gros de massacres potentiels. Le seul point sur lequel on ne puisse avancer de certitudes est celui du nombre précis d'Allemands qui adhéraient à ces conceptions antisémites en 1900, 1920, 1933 ou 1941.

Depuis la fin du XVIIIe siècle, la « question juive » avait toujours été un problème politique en Allemagne, et l'agitation en faveur de telle ou telle « solution » était finalement dirigée vers l'autorité politique responsable des décisions juridiques finales. Si, aux yeux des antisémites, la « question juive » se posait aussi en termes économiques et sociaux, elle était d'abord un problème politique, appelant une réponse politique. Que celle-ci dût être l'abrogation officielle de l'émancipation, l'expulsion des Juifs ou leur extermination, il appartenait à l'État d'être l'acteur principal du changement. Étant donné la mobilisation politique massive qui marque le développement du parlementarisme dans l'Allemagne de Guillaume II, il n'est pas surprenant que l'antisémitisme ait joué un rôle si central dans la politique électorale et parlementaire.

La montée en puissance, puis le déclin (qu'on étudiera ci-dessous) des partis politiques antisémites en Allemagne et en Autriche confirment deux idées. Dans les premières décennies du siècle, l'antisémitisme était constitutif de la culture politique des deux pays, une force politique puissante, décisive pour le succès des partis et des régimes. Dans les années 1880, des partis antisémites furent créés, qui entendaient entrer dans la compétition électorale. Ces partis n'étaient pas seulement favorables à l'antisémitisme, ils en faisaient explicitement leur raison d'être [108]. Plus importante encore que leur création et leurs premiers succès électoraux sera, en décembre 1892, le programme de Tivoli du parti conservateur, principal soutien de Bismarck et du Reich wilhelminien, déclarant officiellement son antisémitisme : « Nous combattons l'influence juive, partout nuisible, et destructrice de la vie du peuple. Nous demandons un gouvernement chrétien pour le peuple chrétien et des enseignants chrétiens pour les enfants chrétiens [109]. » Le parti conservateur était depuis longtemps antisémite et reconnu comme tel, et le *Preussische Jahrbücher* écrivait : « Les conservateurs ont toujours été fondamentalement antisémites… En devenant officiellement antisémite, le parti conservateur n'a rien introduit de neuf dans son programme, mais il est devenu démagogue[110]. » Ce sont les succès électoraux des partis antisémites, ceux qui faisaient de l'antisémitisme leur raison d'être, qui avaient fini par contraindre le parti conservateur à adopter officiellement une identité et un programme antisémites, de peur de perdre encore des voix. Aux élections de 1893, les partis ouvertement antisémites obtenaient la majorité au Reichstag, une très grande partie des électeurs ayant voté conservateur. En Saxe, où la population juive était infinitésimale (0,25 %), conservateurs et antisémites obtenaient 42,6 % de suffrages (dont 19,6 % pour les partis antisémites)[111].

Les partis antisémites autres que le parti conservateur enregistrèrent un recul électoral dans la première décennie du XXe siècle. Deux causes à cela : le fait que le parti conservateur avait repris leur programme, et l'orientation temporaire de l'attention publique sur les questions de politique étrangère. L'antisémitisme était à ce point devenu la figure de proue des partis non socialistes que les partis antisémites avaient été dépossédés de leur drapeau, et comme ils n'avaient rien d'autre à offrir dans leur programme, ils s'effaçaient. En outre, comme la politique étrangère querelleuse de l'Allemagne mobilisait toutes les attentions, l'antisémitisme quittait le devant de la scène et était moins indispensable à la mobilisation politique[112].

La montée des partis antisémites et la conversion des partis de gouvernement à l'antisémitisme déclaré ou à son acceptation tacite montrent à quel point l'antisémitisme était devenu une force puissante dans la société allemande. Le déclin des partis antisémites ne signifie donc pas qu'il y avait déclin de l'antisémitisme, mais que ces partis avaient d'ores et déjà accompli leur mission historique, celle d'arracher l'antisémitisme à la rue et aux tavernes *stammtisch* pour l'introduire dans les isoloirs et au Parlement[113]. Les partis antisémites étaient désormais superflus, ils pouvaient tranquillement disparaître, abandonnant le terrain politique à des successeurs plus puissants, prêts pour la prochaine explosion d'antisémitisme verbal et actif. Le déclin de ces partis coïncidait aussi avec un recul cognitif et politique de l'antisémitisme (recul temporaire), puisque les questions de politique extérieure occupaient le devant de la scène. Redisons-le : cela ne signifiait pas que l'antisémitisme se dissipait, mais simplement qu'il s'exprimait moins et devenait donc moins visible. Mais quelques années plus tard, il réapparaîtrait dans toute sa violence.

Cette brève histoire de l'antisémitisme et de ses formes n'entend évidemment pas être définitive, au sens où elle n'étaye pas par des preuves chacune de ses assertions et n'apporte pas les nuances et analyses fines qu'un traitement complet de la question demanderait. Le peu d'espace dont nous disposons dans un tel livre pour traiter un aussi vaste sujet explique qu'il ne puisse en être autrement. Notre objectif a été de redessiner le développement de l'antisémitisme moderne en Allemagne en étudiant conjointement différentes périodes qui ont été le plus souvent traitées séparément, et en le reconceptualisant à la lumière du nouveau cadre analytique et interprétatif exposé dans le chapitre précédent. Cette approche permet une nouvelle compréhension de l'antisémitisme, soulignant sa continuité et son omniprésence dans la société allemande moderne mieux qu'on ne l'avait fait jusque-là.

De plus, ce bref survol historique a cherché à définir la présence, l'extension et le contenu de l'antisémitisme allemand (car c'est cela qui importe à nos analyses à venir), et non pas à apporter une analyse socio-historique complète du phénomène à la lumière des différentes évolutions de l'Allemagne, politiques, sociales et économiques. Et si nous n'avons pas envisagé non plus une histoire *comparative* de l'antisémitisme dans différents pays, c'est parce que cela n'importait pas à notre sujet [114]. Notre objet a été de concentrer l'attention sur les *traits centraux* de l'antisémitisme dans l'Allemagne du XIXe siècle (laissant de côté tout ce qui, à titre exceptionnel, s'écarterait de la norme), parce que ces traits centraux sont ceux que l'on retrouve à l'œuvre dans l'Allemagne du XXe siècle :

1. Depuis le début du XIXe siècle, l'antisémitisme se rencontrait partout en Allemagne. C'était son « sens commun ».
2. Il y avait quelque chose d'obsessionnel dans l'inquiétude éprouvée à l'endroit des Juifs.
3. Les Juifs finirent par être identifiés à tout ce qui était considéré comme allant de travers dans la société allemande.
4. L'image dominante du Juif faisait de lui un être malveillant, puissant; principale source, voire seule source, des maux qui assiégeaient l'Allemagne, et donc dangereux pour les Allemands. Cette conception était différente de la conception chrétienne médiévale, qui voyait dans les Juifs le Mal et la source de bien des périls, mais où les Juifs n'occupaient qu'une position périphérique. Les antisémites allemands modernes, à la différence de leurs prédécesseurs médiévaux, pouvaient affirmer qu'il n'y aurait pas de paix sur la terre tant que les Juifs ne seraient pas anéantis.
5. Ce modèle culturel de la seconde moitié du XIXe siècle se constituait autour du concept de « race ».
6. Cette variété d'antisémitisme recourait à des métaphores d'une violence nouvelle, et elle tendait à la violence.
7. Sa logique était de demander l'« élimination » des Juifs par tous les moyens nécessaires et possibles, dans le cadre des règles éthiques existantes.

Plus généralement, l'objectif est ici de démontrer les deux points suivants : que le modèle cognitif de l'antisémitisme nazi était constitué bien avant que les nazis n'accèdent au pouvoir, et que ce modèle, au XIXe siècle et au début du XXe, était extrêmement répandu dans toutes les classes de la société allemande, car il était profondément inscrit dans la culture allemande, dans les conversations quotidiennes, et il avait sa place dans la structure morale de la société [115]. Le concept fondateur de la pensée politique allemande, celui de *Volk*, était conceptuellement lié à une définition des Juifs comme antithèse du *Volk*, et il était partiellement dépendant d'elle. A l'intérieur même de la notion de *Volk*, il y avait le rejet des Juifs, incarnation de tous les défauts et idéaux négatifs qui étaient absents du *Volk*, y compris les défauts moraux. Ainsi le caractère pernicieux des Juifs était-il partie intégrante des fondements conceptuels et moraux de l'Allemagne comme corps politique, ce qui donnait toute sa force et toutes ses potentialités politiques au modèle cognitif des antisémites.

Il est désormais possible de préciser l'argument exposé dans le chapitre précédent selon lequel l'antisémitisme, tout en ayant subi d'importants changements au cours du XIXe siècle et tout en ayant toujours été très présent dans la société allemande, s'est fait plus ou moins *manifeste*, en fonction des différentes évolutions de la société allemande, notamment économiques [116]. A la lumière de cette histoire (laquelle, malgré des cycles d'agitation antisémite, de retombée et de reprise, était caractérisée par une continuité de vision et d'accusation à l'endroit des Juifs), il serait faux de croire que les variations de degré dans l'expression de l'antisémitisme allemand signifient que les Allemands étaient devenus antisémites, puis avaient rejeté l'antisémitisme, pour y revenir à nouveau, et ainsi de suite. De plus, l'existence d'un débat public très fortement antisémite, n'offrant au peuple allemand que des images négatives du Juif – mauvais, vénéneux, éternellement étranger, infiltré dans le pays à des fins subversives, destructeur, satanique dans ses buts comme dans sa puissance – (débat auquel le peuple allemand participait activement), signifie à coup sûr que les idées et les émotions dominantes à l'endroit des Juifs n'avaient aucune raison de s'évaporer au cours du siècle. Étant donné que la grande majorité des Allemands n'avaient que peu ou pas de contact avec des Juifs, et, en tout état de cause, ne les connaissaient pas bien, les seuls qu'ils rencontraient dans les faits étaient ceux des discours antisémites, des pamphlets, des caricatures et des conversations. Contes folkloriques, littérature, presse populaire, brochures et dessins politiques, tous porteurs de puissantes images antisémites, fournissaient la *Bildung* empoisonnée qui était au cœur de la culture allemande [117].

Ceux qui se battaient pour l'émancipation des Juifs au début du XIXe siècle ne parlaient pas au nom de la majorité des Allemands, et ils n'ont gagné la bataille que de peu [118]. Mais dans les fondements de l'émancipation elle-même (une émancipation qui reposait sur un modèle culturel des Juifs issu d'un christianisme hostile), il y avait la conviction que les Juifs disparaîtraient. Et comme les Juifs s'y refusaient, les fausses promesses de l'émancipation créaient en fait une garantie structurelle que l'antisémitisme retrouverait une nouvelle virulence (les Juifs envahissant les foyers allemands, pour reprendre le langage de l'époque, et devenant objets d'envie pour leur extrême promptitude à quitter l'état de parias) et qu'il opérerait une métamorphose cognitive pour tenir compte de l'évolution de la société allemande et de la situation des Juifs en son sein; et puisque des difficultés économiques et des ruptures sociales devaient inévitablement survenir, il ne pourrait que s'intensifier et devenir politiquement actif. Tel était le legs antisémite du XIXe siècle qui allait façonner la société et la politique allemandes du XXe siècle.

Rien d'étonnant donc si, devant ces preuves, personne n'a jamais été capable de *démontrer* que la grande majorité des Allemands, voire des minorités notables (à l'exception de quelques groupes au sein de l'élite), aient renoncé à un moment quelconque à leur héritage culturel antisémite et se soient libérés du modèle cognitif dominant à l'endroit des Juifs. Il ne suffit pas de le supposer et de l'affirmer, ou d'aller chercher les écrits de quelques intellectuels libéraux, comme l'ont fait d'autres interprètes de l'antisémitisme allemand. Comme je l'ai dit, apporter des *preuves* que l'échelle et l'intensité de l'antisémitisme avaient diminué est à la charge de qui veut évaluer le degré d'antisémitisme des Allemands. A ce jour, elles n'ont pas été apportées. La vérité, c'est que dans les années 20, alors que les nazis se rapprochaient du pouvoir, le peuple allemand avait à l'égard des Juifs des idées plus dangereuses qu'à aucun autre moment de son histoire depuis l'aube des Temps modernes.

3

L'antisémitisme éliminationniste, « sens commun » de la société allemande pendant la période nazie

A la veille de la Première Guerre mondiale, il existait, depuis plus de trente ans, à l'endroit des Juifs ce que nous appellerons un discours, c'est-à-dire un débat structuré par un cadre stable de références, d'images et de définitions explicites. La consolidation de ce discours, l'élaboration d'un ensemble commun de suppositions et de croyances à l'égard des Juifs, la transformation des Juifs en symbole culturel et politique, celui de la putréfaction, de la malfaisance, de l'intention de nuire, faisaient qu'il était absolument impossible de parler des Juifs en dehors de ce cadre de références. Dans les publications antisémites de la fin du XIXe siècle, chaque fois qu'apparaissait quelque nouvelle accusation, quelque nouvel argument contre les Juifs, il était aussitôt incorporé aux nouvelles éditions des ouvrages qui avaient précédé cette dernière contribution au corpus de la pensée antisémite[1]. Ce discours allemand avait pour fondement l'idée, partout répandue et pratiquement axiomatique, qu'il existait une *Judenfrage*, une « question juive »[2]. Dans cette *Judenfrage*, plusieurs idées s'entrelaçaient : les Juifs allemands étaient différents par essence des autres Allemands ; leur présence posait à l'Allemagne un problème grave ; la responsabilité en incombait aux Juifs, pas aux Allemands. Conséquence de ces « faits », il était indispensable et urgent qu'un changement intervînt soit dans la nature des Juifs, soit dans leur situation en Allemagne. Tous ceux qui reconnaissaient l'existence d'une « question juive » souscrivaient à ces idées, même lorsqu'ils n'étaient pas férocement hostiles aux Juifs, car elles étaient constitutives du modèle cognitif du concept. Chaque fois que le mot *Judenfrage* (ou toute autre formulation voisine) était prononcé, entendu ou lu, les participants à la conversation sociale activaient le modèle cognitif qui lui donnait son sens[3].

Il fallait donc qu'un changement intervînt. Mais la nature des Juifs était tenue par les Allemands pour immuable, puisque la conception dominante des Juifs voyait en eux une « race », inexorablement étrangère à la race germanique. De plus, le « témoignage » de leurs sens disait aux Allemands que la majorité des Juifs s'étaient assimilés : ils avaient pris les manières, le vêtement et la langue de l'Allemagne moderne, ce qui voulait dire qu'on leur avait donné toutes les chances de devenir de bons Allemands et qu'ils avaient échoué [4]. Cette croyance axiomatique en l'existence d'une « question juive » impliquait une croyance axiomatique dans la nécessité d'« éliminer » la judéité de l'Allemagne, seule « solution » au problème.

Ces décennies d'antisémitisme verbal, littéraire, institutionnel et politique avaient fini par user ceux-là mêmes qui, fidèles aux principes des Lumières, avaient jusque-là résisté à la diabolisation des Juifs. La pensée éliminationniste était à ce point dominante que le fondateur de la Ligue pangermanique, Friedrich Lange, un antisémite invétéré, pouvait à juste titre déclarer que l'existence d'une question juive ne faisait de doute aux yeux de personne, et affirmer, avec une égale justesse, que ce qui faisait encore problème, c'étaient les moyens de la « solution » et non l'existence de la « question » : « J'affirme que l'attitude des Allemands instruits à l'égard du judaïsme est aujourd'hui totalement différente de ce qu'elle était encore il y a quelques années. La question juive n'est plus aujourd'hui de "savoir si" mais de "savoir comment" [5]. » L'axiome selon lequel les Juifs étaient nuisibles et devaient être éliminés d'Allemagne allait trouver une expression nouvelle, et particulièrement intense, dans le contexte de la guerre et du péril national, où d'ordinaire, pourtant, la solidarité nationale se renforce, et où les conflits sociaux se trouvent atténués et différés.

Au cours de la Première Guerre mondiale, les Allemands se mirent à accuser les Juifs de ne pas servir dans l'armée, de ne pas défendre la patrie : on disait que les Juifs, au lieu de se battre, restaient à l'abri chez eux et profitaient du temps de guerre pour exploiter et appauvrir les Allemands grâce au marché noir. L'indignation contre les Juifs était si forte que, en 1916, les autorités prussiennes procédèrent à un recensement des Juifs servant dans l'armée pour prouver la participation des Juifs à la guerre, examen humiliant qui montrait à quel point la position sociale des Juifs était précaire et combien la « question juive » restait au centre des préoccupations allemandes [6]. C'est précisément parce que les Juifs étaient considérés depuis longtemps comme des étrangers dangereux que, au moment où les Allemands serraient les rangs de la solidarité sociale, il n'y avait pas diminution de l'animosité envers eux, mais, au contraire, explosion d'un antisémitisme agressif. Selon la logique antisémite, plus l'époque était périlleuse, plus dangereux et destructeurs devaient être les Juifs. L'attitude des Allemands envers les Juifs, que ces derniers étaient impuissants à modifier, quelle que fût leur ferveur à participer au combat, était ainsi résumée par Franz Oppenheimer : « Ne vous faites pas d'illusions, vous êtes et resterez les parias de l'Allemagne [7]. » Les antisémites allemands avaient toujours fait preuve d'un certain autisme dans leur vision des Juifs, et cet autisme allait encore empirer.

La république de Weimar fut fondée en 1919, dans la foulée de la défaite militaire, de l'abdication de Guillaume II et de l'effondrement du Deuxième Reich. A l'exception de quelques figures de premier plan, les Juifs n'avaient pas de rôle central dans la fondation et le gouvernement de la république, mais, comme toujours en Allemagne quand il s'agit de haïr, bien des ennemis de Weimar, soucieux d'ôter toute légitimité à la démocratie, identifiaient le nouveau régime aux Juifs.

Les difficultés économiques des premiers temps de la république, ravitaillement et inflation, étaient énormes. Les Allemands, à leur habitude, se mirent à rejeter sur les Juifs la responsabilité de leurs souffrances individuelles et collectives. Cela est attesté par un très grand nombre de rapports administratifs provenant des différents États allemands, qui évoquent tous une haine virulente des Juifs, que les autorités elles-mêmes estimaient explosive. Le président du district de Souabe, par exemple, écrivait en mars 1920 : « Il me faut signaler, en y insistant à nouveau, l'extraordinaire agitation qui s'est emparée de la population des grandes villes et des campagnes avec la hausse constante des prix... On entend dire partout que “notre gouvernement nous livre aux Juifs”. » A Munich, selon un rapport du 19 octobre sur le climat politique, l'animosité populaire contre les Juifs était si forte que des pogroms étaient jugés « tout à fait possibles ». Deux ans plus tard, en août 1922, une synthèse de rapports de police décrivait une opinion publique encore plus menaçante : « On rapporte de tous côtés que l'idée de pogrom se répand systématiquement *dans toutes* les régions[8] » (c'est moi qui souligne).

L'étude de la vie politique et sociale de la république de Weimar montre que l'antisémitisme régnait pratiquement dans toutes les grandes institutions ou groupements politiques d'Allemagne : écoles, universités, armée, fonction publique, justice, associations professionnelles, Églises et partis politiques. Beaucoup allaient jusqu'à se déclarer ouvertement et fièrement antisémites. Quand on observe le secteur peut-être le plus révélateur, l'enseignement, on voit que les adolescents et les jeunes adultes de l'Allemagne de Weimar étaient autant de futurs cadres, volontaires, pour le système nazi à venir. Le vocabulaire et les symboles de l'antisémitisme pénétraient à ce point le monde scolaire, aussi bien chez les professeurs que chez les élèves, que, entre 1919 et 1922, les ministres de la Culture de plusieurs États allemands interdirent la propagation de la littérature antisémite et le port de la swastika ou autres symboles antisémites dans les établissements d'enseignement. Ce qui n'empêcherait pas de nombreux enseignants de continuer à prêcher certains des articles de la litanie antisémite, dont l'idée fondamentale était qu'il existait une « question juive » en Allemagne, avec tous les avertissements implicites et explicites sur le grave danger que représentaient les Juifs[9].

Cette vague d'antisémitisme qui s'engouffrait dans la société allemande était encore plus forte dans les universités. Du temps de Weimar, les étudiants et leurs organisations faisaient preuve d'un antisémitisme virulent. Dès les premières années de la république, les associations d'étudiants en place dans chaque université devinrent l'une après l'autre la proie des forces nationalistes, *völkisch* et antisémites, qui réunissaient souvent les deux tiers ou les trois quarts des votes. Nombre d'entre elles, sans rencontrer beaucoup d'opposition, adoptèrent alors des « paragraphes aryens », clauses réclamant l'exclusion des Juifs des associations d'étudiants et des universités, ou à tout le moins un sévère *numerus clausus*. En 1920, par exemple, les deux tiers de l'assemblée des étudiants de l'université technique de Hanovre adoptaient un appel tendant à exclure de l'Association des étudiants allemands les étudiants « d'ascendance juive ». L'hostilité aux Juifs, tant chez les étudiants que chez les professeurs, et les nombreuses actions de discrimination qui allaient de pair étaient un sujet d'alarme pour le ministre des Sciences, des Arts et de l'Éducation populaire de Prusse, en 1920, qui parlait d'un « gonflement massif des tendances antisémites dans nos universités ». Quelques mois plus tôt, Max Weber évoquait dans une lettre une « atmosphère universitaire devenue extrêmement réactionnaire, et, en plus, farouchement antisémite »[10]. Tout cela ne ferait qu'empirer dix ans plus tard, quand beaucoup de ces organisations accepteraient, le cœur joyeux, d'être dirigées par des étudiants nazis, et quand la majorité des étudiants d'Allemagne et d'Autriche adhéreraient à la Ligue des étudiants nationaux-socialistes allemands. Quant aux professeurs, dont on aurait tort de croire qu'ils fussent immunisés contre le modèle antisémite dominant, ils étaient peu nombreux à critiquer l'antisémitisme raciste qui était la norme dans les universités. Même le grand historien Friedrich Meinecke, démocrate et libéral, était antisémite[11].

L'antisémitisme était si endémique dans l'Allemagne de Weimar que presque tous les groupements politiques du pays rejetaient les Juifs. Malgré la férocité des attaques dont ils faisaient l'objet, ils ne trouvaient presque personne pour les défendre. La conversation publique sur les Juifs était presque entièrement négative. Albert Einstein était si convaincu que la situation des Juifs en Allemagne était sans espoir (lui qui, avant son arrivée en Allemagne, quelques années plus tôt, n'avait jamais été particulièrement conscient de sa judéité ni sensible à l'antisémitisme), que, dès 1921, il prédisait « qu'ils seraient contraints de quitter l'Allemagne dans les dix ans[12] ». Un rapport de police d'octobre 1922 annonçait un brillant avenir au parti nazi car sa thèse centrale du péril juif était largement acceptée en Allemagne, et pas seulement par quelques groupes restreints : « On ne saurait nier que les idées antisémites ont pénétré les couches les plus larges des classes moyennes, et même assez avant dans la classe ouvrière[13]. » Au terme de son étude des années 1914-1924, Werner Jochmann conclut que, « dès les premières années de la république, le flot antisémite avait renversé toutes les digues de la légalité. Plus graves encore étaient ses ravages dans le domaine spirituel. Même les partis démocratiques et les gouvernements de la république étaient convaincus qu'ils ne pouvaient résister aux pressions exercées sur eux qu'en se déclarant favorables à une limitation de la présence juive dans la vie politique et sociale, et à l'expulsion ou à l'internement des Juifs venus de l'Est[14] ». Telle était la situation dans les premiers temps de Weimar, et elle devait encore s'aggraver avec les années. Ajoutons que ce n'étaient pas seulement des mots, mais aussi des émeutes qui frappaient les Juifs, et ce dès 1918 à Berlin et Munich, où des foules enragées s'en prirent aux Juifs lors des épisodes révolutionnaires. Une autre vague d'émeutes dans les années 1923-1924 fit quelques victimes juives[15]. Étant donné l'omniprésence et la violence de la haine contre les Juifs dans toute l'Allemagne – haine qui serait ensuite réactivée par les nazis et canalisée en agressions meurtrières –, seule la légalité imposée par le gouvernement de la république a pu empêcher les constantes attaques verbales contre les Juifs de passer plus fréquemment au stade supérieur de l'agression physique.

Dans une société qui, constamment, et de la manière la plus sonore, affirmait l'existence d'une opposition bipolaire entre Allemands et Juifs, qui faisait du statut des Juifs au sein de la société allemande une question *politique* centrale (et non pas simplement une affaire relevant de la « société civile »), il était pratiquement impossible de ne pas prendre parti, de ne pas avoir son opinion sur la « solution » de la « question juive », et, ce faisant, de ne pas adopter le langage manichéen dominant. Comme les chefs des partis politiques savaient que l'antisémitisme régnait dans leur électorat, y compris dans la classe ouvrière, les partis politiques des dernières années de Weimar ne trouvaient rien à redire à l'antisémitisme de Hitler alors qu'ils l'attaquaient sur bien d'autres terrains[16]. Le rapport des forces à la fin de la république a pu être ainsi décrit : « Au nom de l'antisémitisme, des centaines de milliers de gens étaient prêts à monter sur des barricades, à en venir aux mains en public, à manifester dans les rues ; contre l'antisémitisme, seules quelques voix s'élevaient. Les rares slogans hostiles à Hitler l'attaquaient toujours sur d'autres points, sans jamais exprimer une répulsion face à son antisémitisme[17]. » Les groupes qui auraient pu adopter une idée favorable des Juifs, ou au moins différente, ne le firent pas, ou se sentirent contraints de garder le silence face à l'antisémitisme de la société, des institutions, de la vie politique. Les Juifs étaient donc seuls, abandonnés de tous, au moment où l'Allemagne de 1933 était sur le point de démontrer ouvertement ce qui était vrai depuis un certain temps, à savoir, pour reprendre les mots de Max Warburg, le grand banquier juif, « qu'elle perdait son rang parmi les peuples civilisés *[Kulturvölker]* pour prendre place parmi les pays de pogroms *[Pogromländer]*[18] ».

Le parti nazi est le parti politique le plus extrémiste à être jamais arrivé au gouvernement dans toute l'histoire européenne. Et, malgré son programme ouvertement et radicalement meurtrier, il y est parvenu par la voie électorale, ce qui est lourd de sens. Le parti ouvrier allemand national-socialiste, son nom officiel, avait été créé sous le nom de « parti ouvrier allemand » à Munich le 5 janvier 1919, en cette période agitée, marquée par des épisodes révolutionnaires, qui suivit la défaite de l'Allemagne. Adolf Hitler, âgé de 29 ans, et qui avait fait la guerre comme caporal, vivait alors à Munich, et il devient en septembre son septième adhérent. On lui confie rapidement la propagande du parti, et, en 1921, il devient son chef, non seulement politique, mais intellectuel et idéologique. Hitler, de par ses grands talents d'orateur, était le plus efficace de tous les dirigeants du parti dans un meeting.

Comme Hitler, le parti s'était voué dès sa création au renversement de la démocratie de Weimar, à la révision du traité de Versailles, à la revanche, à l'antibolchevisme, au militarisme, et, tout particulièrement, et sans ménager ses efforts, à l'antisémitisme. Hitler et les nazis répétaient jusqu'à l'obsession que les Juifs étaient la cause de tous les malheurs de l'Allemagne : défaite militaire, perte de sa puissance par la faute d'une démocratie imposée, menace bolchevique, ruptures de la modernité, complète désorientation, etc. Le programme en vingt-cinq points publié en février 1920 (et jamais modifié) comprenait en plusieurs endroits des attaques contre les Juifs, des appels à leur exclusion de la collectivité allemande, pour mettre fin à leur influence sur la société et les institutions. L'article 4 disait : « Seuls les membres de la nation peuvent être citoyens de l'État. Seuls ceux qui sont de sang allemand, quelle que soit leur confession, peuvent être membres de la nation. En conséquence, aucun Juif ne peut être membre de la nation. » Le programme, rédigé par Hitler et Anton Drexler, le fondateur du parti, était explicitement raciste dans sa conception du Juif. Il vouait le parti au combat contre « l'esprit judéo-matérialiste », et son projet était éliminationniste[19]. Le parti nazi devint le parti de Hitler, un antisémite obsessionnel, qui usait d'une rhétorique apocalyptique contre ses ennemis. La place centrale de l'antisémitisme dans la vision du monde du parti, dans son programme, dans sa rhétorique, reflétait les sentiments qui étaient au cœur de la culture allemande, même s'ils s'y trouvaient sous une forme moins élaborée et moins ouvertement violente. La montée en puissance du parti nazi à la fin des années 20 allait être extrêmement rapide.

Dans ses premières années, le parti nazi était une organisation modeste et isolée. Pendant ses années de formation, sa principale apparition sur la scène politique nationale fut le putsch tenté par Hitler les 8 et 9 novembre 1923 à Munich, avec deux ou trois mille partisans, pour renverser la république, tentative immédiatement étouffée. Dans son triomphe ultérieur, le nazisme évoquera bien peu cette révolution donquichottesque, presque risible, mais le procès qu'elle valut à Hitler renforçait son image nationale (un tribunal peu hostile le laissant transformer le box des accusés en tribune), et il mit à profit ses neuf mois de prison pour écrire ses « Mémoires », systématiser ses vues sur la politique, l'Allemagne et les

Juifs, qu'il avait déjà si fréquemment proclamées dans d'innombrables discours. *Mein Kampf* annonçait point par point ses futures entreprises en tant que dirigeant de l'Allemagne. Dans un langage de terreur et de meurtre, Hitler s'y révélait un chef possédé d'une vision, offrant aux Allemands l'avenir d'une société racialement harmonieuse, purgée de ses conflits de classes, et purgée de ses Juifs. L'antisémitisme était ouvertement présenté comme le premier de ses principes. Dans l'extrait qu'on va lire, des plus caractéristiques, il expliquait pourquoi, selon sa vision de l'Histoire et du monde contemporain, le salut de la nation passait par une entreprise meurtrière :

> De nos jours, ce ne sont plus les princes et leurs maîtresses qui font trafic des frontières nationales ; c'est le Juif inexorable qui lutte pour dominer les nations. Aucune nation ne peut repousser cette main de sa gorge sans recourir à l'épée. Seule la puissance rassemblée et concentrée d'une passion nationale dressée de toutes ses forces peut résister à cet asservissement international des peuples. Cela ne peut se faire que par le sang [20].

Revenant sur le rôle des Juifs allemands pendant la guerre, il recourait à un langage meurtrier typique de tout l'ouvrage : « Si, au début de la guerre et pendant la guerre, douze ou quinze mille de ces Hébreux corrupteurs du peuple avaient été exposés aux gaz », alors des millions de « vrais Allemands » auraient échappé à la mort [21]. Dans ses écrits, ses discours, sa conversation, Hitler était toujours direct et clair. Les ennemis de l'Allemagne, à l'extérieur comme à l'intérieur, devaient être détruits ou mis hors d'état de nuire. Ce message constamment claironné ne pouvait échapper à aucun de ceux qui lisaient ou écoutaient Hitler.

Quand Hitler sort de prison, il ressuscite le parti nazi : celui-ci devient en quelques années le plus important d'Allemagne. Dès 1925, il avait connu quelques succès électoraux, encore modestes, aux élections régionales et nationales ; aux élections nationales du 14 septembre 1930, il devenait une force électorale de premier plan, avec 6,4 millions des voix (18,3 %) et 107 des 577 sièges au Reichstag : les nazis étaient soudain le deuxième parti politique de l'Allemagne. La république de Weimar, dont la légitimité avait toujours été récusée par de très nombreux Allemands, se trouvait désormais attaquée de toutes parts, en raison d'une crise économique qui portait à 30,8 % le pourcentage des chômeurs en 1932. Hitler, personnage charismatique, avec son message anti-Weimar, anti-bolchevique, anti-international et antisémite, séduisait chaque jour davantage, en ces temps difficiles. Aux élections du 31 juillet 1932, *près de 14 millions d'Allemands*, 37,4 % des votants, déposèrent un bulletin en faveur du parti nazi, qui devient alors le plus important du pays, avec 230 sièges au Reichstag. Aux élections de novembre de la même année, le pourcentage des nazis fléchit de 4 %, ce qui n'empêcha pas le président de la République, Paul von Hindenburg, au début de 1933, de nommer Hitler chancelier, chargé de former un gouvernement.

L'arrivée au pouvoir des nazis était due à plusieurs facteurs solidaires : crise économique, aspiration des populations à la fin des désordres et des violences urbaines organisées qui avaient été la plaie des dernières années, haine de la démocratie républicaine, crainte d'un coup d'État communiste, idéologie visionnaire des nazis, et enfin personnalité de Hitler, dont les haines incandescentes, constamment exhibées, avaient un effet d'attraction presque irrésistible sur de nombreux Allemands. Le caractère catastrophique de la situation politique et économique aura été sans nul doute la cause la plus immédiate de la victoire nazie : de nombreux Allemands apportaient leurs voix à un parti qui semblait la seule force politique capable de restaurer l'ordre et la paix sociale, de vaincre les ennemis de l'Allemagne à l'intérieur et de restaurer son statut de grande puissance sur la scène internationale[22].

Nommé chancelier, Hitler fait procéder à une dernière consultation électorale le 5 mars 1933. Ces élections n'étaient guère démocratiques (le parti communiste avait été mis hors la loi et les opposants avaient subi bien des mesures d'intimidation), et pourtant, malgré ces manœuvres, et la violence que les nazis avaient d'ores et déjà déchaînée contre les Juifs et la gauche, les électeurs votèrent encore plus nombreux pour le nazisme, qui obtint 17 millions de voix (43,9 %)[23]. Hitler était désormais en mesure de supprimer les libertés civiles en Allemagne, le régime républicain, et tout mécanisme politique pouvant entraîner sa chute, sauf à recourir à la violence. Les nazis pouvaient commencer à appliquer le programme révolutionnaire de Hitler, dont les Allemands récusaient certains points mais dont ils acceptaient l'essentiel.

Le jour fatal de l'accession de Hitler aux fonctions de chancelier, le 31 janvier 1933, les nazis comprirent que, sur un point central au moins, et le plus important à leurs yeux, la conception de la nature des Juifs, ils n'auraient pas à remodeler les Allemands. Quoi que les Allemands pussent penser par ailleurs de Hitler et du nazisme, quand bien même ils pouvaient détester certains de ses aspects, la grande majorité d'entre eux partageaient avec les nazis une même conception des Juifs, et l'on peut dire que, sur ce point, ils étaient déjà nazifiés (ce que les nazis avaient compris). Le moins que l'on puisse dire, c'est qu'il n'est pas étonnant que la grande majorité des Allemands soient restés antisémites sous le régime nazi, que leur antisémitisme n'ait cessé d'être virulent et raciste, et que la « solution à la question juive » la plus communément envisagée ait été celle de l'élimination. *Rien*, dans l'Allemagne nazie, n'est venu éroder le modèle cognitif définissant les Juifs qui, depuis des décennies, dictait aux Allemands leurs attitudes et leurs émotions face à cette minorité méprisée. Au contraire, tout ce qui était fait et dit publiquement venait renforcer ce modèle[24].

Dans l'Allemagne nazie, l'idée d'une menace juive était comme l'air qu'on respirait. Les Juifs étaient à l'origine de tous les maux qui frappaient l'Allemagne, de toutes les menaces pesant sur son destin. Le Juif, *der Jude*, était une menace à la fois métaphysique et existentielle, aussi réelle aux yeux des Allemands que s'il s'était agi d'un peuple ennemi puissant, massé sur leurs frontières, prêt à attaquer. Le caractère, l'omniprésence, la logique pratique de l'antisémitisme allemand de la période nazie ont été remarquablement compris par Melita Maschmann, dans une confession écrite après la guerre et dédiée à un ami d'enfance juif, disparu. Melita Maschmann, membre ardent de la section féminine des Jeunesses hitlériennes, n'était pas née dans un foyer rustique perdu au fond de la campagne : son père avait une formation universitaire et sa mère était la fille d'un homme d'affaires important. Elle commence par évoquer la vision des Juifs qu'elle avait dans sa jeunesse, en faisant observer que la conception dominante à l'endroit des Juifs n'avait aucune base empirique :

> Ces Juifs étaient et demeuraient une sorte de menace mystérieuse et anonyme. Ils n'étaient pas la somme des individus juifs... Ils étaient un pouvoir maléfique, avec quelque chose des attributs d'un spectre : on ne pouvait pas le voir, mais il était là, force démoniaque en action.
> Enfants, on nous avait raconté des contes de fées qui nous avaient fait croire aux sorciers et aux magiciens. Désormais, nous étions trop grands pour prendre de telles histoires au sérieux, mais nous n'en continuions pas moins à croire aux « méchants Juifs ». Ils ne nous étaient jamais apparus sous une forme corporelle, mais chaque jour nous confirmait que les adultes y croyaient. Après tout, nous ne pouvions pas non plus vérifier si la terre était ronde ou plate, ou, plus exactement, nous ne pensions pas que ce fût une idée à vérifier. Les grandes personnes « savaient » que les Juifs étaient méchants. Leur méchanceté était dirigée contre la prospérité, l'unité et le prestige de la nation allemande, qu'on nous avait appris à aimer dès l'âge le plus tendre. L'antisémitisme de mes parents était une de leurs idées que nous tenions pour allant de soi...
> Aussi loin que nous puissions nous souvenir, les adultes avaient toujours vécu cette contradiction sans s'en soucier : on était amical avec les quelques Juifs que l'on pouvait connaître, exactement de la même manière que, protestant, on était amical envers des catholiques. Mais alors qu'il ne venait à l'esprit de personne d'être idéologiquement hostile *aux catholiques* dans leur ensemble, on l'était, ouvertement, envers *les Juifs* dans leur ensemble. Et personne ne semblait se soucier du fait qu'on ne savait pas exactement ce qu'il fallait entendre par « les Juifs » : on trouvait sous ce nom des gens baptisés et des croyants orthodoxes, des colporteurs parlant yiddish et des professeurs de littérature allemande, des agents communistes et des officiers décorés pour bravoure pendant la guerre, des partisans du sionisme et des nationalistes allemands parfaitement chauvins [...] L'exemple de mes parents me montrait que l'on pouvait avoir des opinions antisémites sans que cela interfère le moins du monde dans la relation personnelle qu'on avait avec tel Juif pris individuellement. On pourrait croire qu'il y avait une sorte de tolérance dans cette attitude, mais c'est précisément cette confusion

> que je rends responsable de mon engagement ultérieur, corps et âme, au service d'un système politique inhumain, sans éprouver le moindre doute sur ma moralité individuelle. En répétant sans cesse que toutes les misères du monde venaient des Juifs, que l'esprit juif était séditieux, le sang juif corrupteur, on ne m'obligeait pas à penser à toi, ou au vieux M. Levy, ou à Rosel Cohen : je ne pensais qu'à cet épouvantail, « les Juifs ». Et quand j'entendais dire que les Juifs étaient chassés de leurs emplois et de leurs foyers, enfermés dans des ghettos, une sorte de débranchement se faisait automatiquement dans ma tête, m'empêchant de penser qu'un tel destin pouvait t'échoir à toi aussi ou au vieux Levy. C'étaient seulement *les* Juifs qui étaient persécutés et « mis hors d'état de nuire »[25].

Mieux qu'aucune analyse savante que je connaisse, le texte de Melita Maschmann rend compte des traits essentiels de l'antisémitisme allemand : son image hallucinée des Juifs ; ce spectre démoniaque que les Allemands croyaient voir planer au-dessus de l'Allemagne ; la haine virulente des Allemands ; le caractère « abstrait » de la croyance qui conditionnait le traitement réservé aux Juifs *réels* par ceux qui la partageaient ; l'impossibilité de mettre en doute cette croyance ; et la logique éliminationniste qui conduisait les Allemands à approuver la persécution, l'enfermement dans des ghettos, l'extermination des Juifs (sens évident de l'euphémisme « mis hors d'état de nuire »). Melita Maschmann montre, sans qu'aucun doute soit possible, que l'antisémitisme était pour beaucoup d'Allemands une sorte de lait maternel, qu'il faisait partie de ce que Durkheim appelle la conscience collective ; selon la formulation si pénétrante de cette Allemande, c'était « une de leurs idées que nous tenions pour allant de soi ». Les conséquences de ces conceptions, de cette carte idéologique, se verront dans les succès brutaux de la persécution antisémite éliminationniste qui commença dès l'arrivée des nazis au pouvoir.

Pendant la période nazie, l'antisémitisme allemand prit le tour qu'on pouvait attendre. Arrimées désormais à un État dont les dirigeants étaient les antisémites les plus virulents et les plus décidés jamais parvenus au pouvoir dans une nation moderne[26], les haines et les ardeurs antisémites jusque-là confinées à la société civile par l'État, qui s'était toujours refusé à transformer ces sentiments incandescents en persécution systématique, devinrent les principes directeurs de la politique de l'État, avec des conséquences prévisibles :

1. La mise en œuvre d'importantes et sévères restrictions à l'existence des Juifs en Allemagne.
2. Des agressions physiques et des agressions verbales encore plus fortes qu'auparavant contre les Juifs, les unes spontanées, venant d'Allemands ordinaires, d'autres orchestrées par les institutions gouvernementales et nazies.
3. Une recrudescence de l'antisémitisme dans la société.

4. La transformation des Juifs en êtres « socialement morts »[27].
5. Un consensus à l'échelle de toute la société sur le besoin d'éliminer l'influence juive de l'Allemagne.

Tous ces points caractérisaient non seulement les dirigeants nazis mais la grande majorité des Allemands, qui savaient ce que leur gouvernement et leur concitoyens faisaient aux Juifs, approuvaient ces mesures, et, quand l'occasion s'en présentait, y apportaient leur soutien actif.

La liste des mesures juridiques discriminatoires commence par des agressions physiques, sporadiques mais presque instantanées, contre des Juifs, contre leurs biens, contre leurs cimetières, leurs lieux de prière, et par la création de camps de concentration « sauvages » pour eux et les opposants de gauche[28]. Mis à part de furieuses attaques verbales venant du gouvernement et du public, le premier assaut lancé à grande échelle et avec une grande force symbolique contre la communauté juive allemande intervient deux mois seulement après l'accession de Hitler au pouvoir : la journée nationale de boycott des commerçants juifs, le 1er avril 1933, était un signal, annonçant à toute l'Allemagne la résolution des nazis[29]. Les Juifs seraient traités selon la conception sans cesse répétée qu'on avait d'eux : des étrangers au corps social allemand, ennemis du bien collectif. La rhétorique allait donc devenir action. Comment les Allemands réagirent-ils à ce boycott ? Un Juif rapporte que quelques Allemands osèrent se solidariser avec les Juifs attaqués de toutes parts, mais « de telles protestations étaient rares. L'attitude générale des gens se reflète bien dans un incident qui eut lieu dans une pharmacie. Une dame, accompagnée de deux nazis en uniforme, entre dans la pharmacie, avec des produits qu'elle y avait achetés peu de jours auparavant, et exige de se les faire rembourser : "Je ne savais pas que vous étiez juif, déclare-t-elle au pharmacien, je ne veux rien acheter chez les Juifs"[30] ». Tel était le *Volk* allemand, organisé par l'État allemand, boycottant collectivement un groupe entier de citoyens allemands, parce que ce groupe était accusé de vouloir nuire à l'Allemagne, en intelligence avec ses frères de race vivant à l'étranger[31]. Les nazis envoyaient à de fréquentes reprises ce signal clair : le boycott n'était qu'un début, le temps des Juifs en Allemagne touchait à sa fin.

Peu de temps après le boycott et ses effets ravageurs sur la situation des Juifs, considérés désormais officiellement comme des parias et traités comme tels, arrive une série de mesures juridiques antijuives – début de ce qui allait devenir l'élimination systématique des Juifs de la vie économique, sociale et culturelle, de toute existence sociale et publique en Allemagne[32]. Quelques jours seulement après la journée de boycott, les nazis firent voter une loi sur la restauration de la fonction publique, qui entraînait le renvoi immédiat de tous les fonctionnaires juifs, car la « race » était désormais un critère de recrutement pour les emplois publics[33]. Ici encore, l'intention symbolique était claire. Cette loi, l'une des toutes premières promulguées par les nazis, avait pour objectif de « purifier » l'État, d'éliminer les Juifs de l'institution la plus identifiée au bien collectif, au service de la collectivité. Par définition, les Juifs ne pouvaient pas servir le peuple allemand puisque servir implique une aide. Même si certains Allemands s'élevaient contre cette violence déclarée à l'endroit des Juifs et contre le boycott, disant que tout cela nuisait à l'image du pays à l'étranger, et déplorant les brutalités qui l'accompagnaient, leurs critiques ne s'écartaient pourtant pas de la conception des Juifs qui conditionnait ces mesures, elles n'allaient pas non plus jusqu'à la solidarité avec les victimes [34]. Cette loi excluant les Juifs de la fonction publique, accompagnée de manifestations de brutalité, était, ce n'est pas une surprise, extrêmement appréciée en Allemagne [35]. Elle l'était surtout chez les collègues des fonctionnaires juifs : travailler avec des Juifs depuis si longtemps n'avait engendré chez ces Allemands aucun des sentiments de camaraderie auxquels on aurait pu s'attendre [36]. Et Thomas Mann, depuis longtemps opposant déclaré au nazisme, trouvait néanmoins une sorte de terrain d'entente avec les nazis quand il s'agissait d'éliminer l'influence juive de l'Allemagne : « ... après tout, ce n'est pas un grand malheur [...] si l'on a mis un terme à la présence des Juifs dans le système judiciaire [37]. » Le modèle cognitif dominant à l'endroit des Juifs et la pensée éliminationniste qu'il impliquait régnaient dans toute l'Allemagne.

Au cours des deux années suivantes, citoyens et dirigeants allemands réussirent à rendre la vie absolument insupportable aux Juifs allemands, accablés de toutes sortes de discriminations légales et d'attaques contre leur gagne-pain, leur position sociale et leur personne [38]. Pendant cette période, l'assaut de la société contre les Juifs se faisait sans coordination : certaines persécutions étaient décidées au sommet, d'autres étaient l'initiative de la base (de nazis déclarés, la plupart du temps, mais pas toujours). Les principaux initiateurs, mais pas les seuls, étaient ici les hommes de la SA, les troupes de choc en chemise brune du régime. Au milieu de 1933, ils déclenchèrent dans tout le pays des agressions physiques et symboliques contre les Juifs, agressions dont la gamme allait devenir le répertoire ordinaire de l'Allemagne. Les agressions verbales étaient si banales qu'elles devenaient des actes « normaux » ne méritant pas d'être relevés. Le statut de parias des Juifs était proclamé officiellement par des panneaux publics sans équivoque. Ainsi, dans toute la Franconie, à l'entrée de nombreux villages, restaurants et hôtels, les Allemands affichaient des panneaux proclamant : « Juifs indésirables ici » ou « Entrée interdite aux Juifs » [39]. Dès mai 1933, Munich se vantait d'avoir dans sa banlieue des panneaux indiquant « Juifs indésirables » [40].

Dans les années 30, par toute l'Allemagne, des municipalités interdisaient l'accès de la ville aux Juifs, et ces panneaux étaient désormais un trait presque général du paysage allemand. Un historien, vivant à l'époque en Allemagne, raconte :

> Là où il n'y avait pas eu d'arrêté municipal [interdisant la ville aux Juifs], des panneaux sur les routes y suppléaient : « Les Juifs n'entrent ici qu'à leurs risques et périls », « Juifs strictement interdits de séjour dans cette ville », « Attention aux pickpockets et aux Juifs » étaient les plus utilisés. Les poètes étaient invités à rédiger des annonces de ce genre en utilisant les rimes « truie », « ail » et « puanteur ». Des artistes s'étaient vus confier la tâche de peindre sur ces affiches ce qui attendait les Juifs assez imprudents pour passer outre. On en voyait partout en Hesse, Prusse-Orientale, Poméranie, Mecklembourg, et dans presque une ville sur deux ailleurs (mais on n'en trouvait aucune dans les villes touristiques comme Baden-Baden, Kissingen ou Nauheim). Les gares, les bâtiments administratifs et toutes les grandes routes reprenaient le refrain. Aux alentours de Ludwigshaven, à l'entrée d'un virage dangereux, on pouvait lire cet avis aux conducteurs : « Prudence, virage dangereux – Juifs, cent à l'heure »[41].

De telles « injures publiques[42] » et de telles humiliations étaient des expressions de la visée éliminationniste des Allemands.

En complément des agressions verbales venaient les agressions physiques au contenu symbolique effrayant, qui commencèrent dans les premiers mois de la période nazie et continueront jusqu'à la fin. Parmi elles, celle qui consistait, pour des Allemands, à couper de force la barbe et les cheveux de Juifs.

Un réfugié juif se souvenait d'avoir vu dans un hôpital de Berlin, au début de 1933, un vieux Juif affligé de blessures inhabituelles au visage : « C'était un pauvre rabbin de Galicie, qui avait été arrêté dans la rue par deux hommes en uniforme. L'un d'eux l'avait attrapé par l'épaule, tandis que l'autre s'emparait de sa longue barbe, tirait un couteau de sa poche et commençait à la couper. Pour l'enlever entièrement, il avait dû emporter la peau en plusieurs endroits. » Interrogé par le médecin sur ce qu'avait dit ou non l'auteur du forfait, l'homme répondit : « Je ne sais pas. Il me criait "Mort aux Juifs !"[43]. » Les attaques contre des magasins juifs, des cimetières juifs, des synagogues étaient dues aussi bien à des individus isolés qu'à des groupes organisés. Ainsi, à Munich, en 1934, un homme qui n'était pas membre du parti nazi excita la foule allemande à manifester contre les commerçant juifs, et la manifestation déboucha sur des violences. Les coups, les mutilations, voire le meurtre de Juifs faisaient désormais partie de la vie quotidienne, « normale », de l'Allemagne[44], comme le montre le récit fait par la fille d'un marchand de bétail d'une petite ville de Prusse-Orientale, réveillée au milieu de la nuit, en mars 1934, par cinq SA armés jusqu'aux dents. « Les SA commencèrent par battre mon père, puis ma mère, et finalement moi-même, avec une matraque en cuir. Ma mère fut gravement blessée à la tête, et mon front saignait... Dehors, devant la porte, tous les concurrents de mon père s'étaient rassemblés, et ils faisaient des choses si indécentes qu'une jeune fille ne peut pas les raconter[45]... » Ces agressions contre des Juifs ne se limitaient nullement aux grandes villes. Les Juifs des campagnes et des petites villes d'Allemagne étaient à ce point persécutés par leurs voisins et victimes de tant de violences dans les premières années du régime que la plupart s'enfuirent vers l'anonymat des grandes villes ou à l'étranger [46]. Ces agressions, venant de voisins, de gens qui avaient vécu, travaillé, mis au monde des enfants, enterré des parents les uns à côté des autres, étaient très nombreuses. Et ce que l'on va lire maintenant à propos de deux petites villes voisines de Hesse n'était nullement exceptionnel [47].

L'une de ces bourgades, Gerden, comptait quarante familles juives avant l'arrivée des nazis au pouvoir. Moins de deux mois après, dans la nuit du 12 mars 1933, des Allemands firent irruption chez ces familles juives et les brutalisèrent. Un Juif fut à ce point roué de coups qu'il dut rester un an à l'hôpital. Là-dessus, au moment des uniques élections qui eurent lieu sous le nazisme, on découvrit sur un pont des graffiti appelant à voter communiste, parti désormais interdit : des Allemands de la ville obligèrent alors des Juifs, encadrés martialement par leurs soins, à aller nettoyer ces inscriptions. Puis ils les rouèrent de coups. Vers la même époque, un enfant juif fut attaqué dans la rue et perdit un œil dans cette agression. Un peu plus tard, les Allemands obligèrent deux Juifs à défiler par toute la ville, en les frappant avec des fouets prêtés par un paysan prospère. Enfin, ils rendirent public leur désir d'être débarrassés des Juifs en commettant un acte symbolique parfaitement clair, et commun à toute l'Allemagne de l'époque, le saccage de tombes juives au cimetière. Tous les Juifs de la ville s'étaient enfuis bien avant la Nuit de cristal, le dernier départ ayant lieu le 17 avril 1937 : au moment de partir, l'homme, apparemment privé de tout, se vit refuser de la nourriture par ses voisins [48].

La ville voisine de Bindsachen avait également connu très tôt une agression antijuive, le 17 mars 1933 au soir, quand une grande partie de la ville s'était réunie pour assister au spectacle de deux SA rouant de coups un Juif, victime désignée, que tout le monde connaissait. Dans sa joie de voir ainsi souffrir un voisin, la foule applaudissait les SA pour les exciter davantage [49].

La chronique de toutes les agressions perpétrées par des Allemands contre des Juifs pendant cette période (sans initiative venue du gouvernement ou du parti) remplirait plusieurs volumes. Les cas que l'on vient d'évoquer n'avaient rien d'atypique. Ce genre d'agression faisait partie de la « normalité » allemande dès lors que le nazisme était assez fort pour déclencher les passions antisémites jusque-là contenues [50]. Les hommes du rang de la SA, avides de donner une expression régulière à leur haine des Juifs, prirent sur eux de déclencher plus d'une de ces violences. L'État avait implicitement fait savoir que « la chasse était ouverte » contre les Juifs, qu'il fallait éliminer de la société allemande, au besoin par la violence.

On a souvent décrit la SA comme un ramassis de canailles en uniforme, une organisation rassemblant des brutes venues des marges de la société, des hommes bouillant de ressentiment et toujours prompts à laisser éclater leur violence[51]. Dans une large mesure, cette description est juste. On soulignera néanmoins que la SA comptait près de *deux millions* de membres, soit approximativement 10 % des Allemands de sexe masculin dans les tranches d'âge où la SA recrutait[52]. Comme ce chiffre l'indique, la SA représentait un pourcentage non négligeable de la population allemande. De plus, comme toujours dans le cas d'une organisation extrémiste et paramilitaire de cette sorte, on pouvait être sûr que de nombreux Allemands extérieurs à l'organisation étaient prêts à accorder leur sympathie aux brutes antisémites de la SA dès lors qu'elles s'attaquaient aux Juifs. On a un bon exemple de ce phénomène si commun dans le cas du Juif de Bindsachen qui a été sauvagement battu et torturé : c'étaient bien des hommes de la SA qui en avaient pris l'initiative, mais des gens de la ville, qui n'étaient probablement pas de la SA, les avaient encouragés de la voix.

Les attaques contre les Juifs, dans ces premières années du gouvernement nazi, étaient si répandues, et elles rencontraient une si large adhésion, que ce serait une erreur de les attribuer aux seuls durs de la SA, comme si le reste de l'Allemagne n'avait aucune influence sur ces violences et n'y avait jamais participé. Un rapport de la Gestapo d'Osnabrück, en août 1935, va à l'encontre de cette idée d'un public allemand innocent. Écoutons Robert Gellately :

> Dans cette ville et dans ses environs, il y avait des « manifestations de masse » contre des magasins juifs, publiquement désignés à la vindicte et cernés par la foule ; ceux qui continuaient à aller chez les commerçants juifs étaient photographiés et les photos distribuées au public. Les rues étaient sans cesse animées de défilés, de parades [...] Le point culminant de la lutte contre les Juifs fut une réunion publique le 20 août, rassemblant 25 000 personnes venues entendre le Kreisleiter Münzer sur le thème « Osnabrück et la question juive ». On était si près de l'explosion que la Gestapo et d'autres officiels durent demander à Münzer de mettre un terme aux « actions individuelles », et il s'exécuta en publiant un avertissement dans tous les journaux locaux ; le 27 août, de telles actions étaient officiellement interdites[53].

Ces attaques contre les Juifs, ces tentatives de hâter leur élimination n'étaient pas le seul fait de la « canaille », des 10 % d'Allemands situés tout au bas de l'échelle socio-économique, que trop d'historiens écartent d'un trait de plume comme étant des gens immoraux ou amoraux, dont on ne pouvait rien attendre d'autre. Les initiatives pour éliminer les Juifs de tout contact social avec les Allemands furent aussi le fait de municipalités et de groupes hétérogènes d'Allemands appartenant à toutes les classes, et cela bien avant que l'État ne se mît à l'exiger : dès 1933, c'est d'elles-mêmes que les villes, grandes et petites, commencèrent à interdire aux Juifs la fréquentation des piscines et des bains publics[54]. Quant aux petits patrons, ils étaient à l'origine de tant d'attaques et de mesures discriminatoires à l'endroit des Juifs, en ces débuts du nazisme, que la majorité des persécutions émanant de particuliers semblent devoir leur être imputées[55]. Des initiatives pour éliminer l'influence juive de la société étaient également prises par des membres des professions libérales, gens qui comptaient parmi les plus instruits et les plus honorés du pays. Dans les institutions et associations du monde médical, par exemple, on se mit à expulser les collègues juifs bien avant que le gouvernement n'en eût décidé le principe[56]. Et par toute l'Allemagne, administrateurs d'université, corps professoral et étudiants joignaient leurs applaudissements et chassaient eux aussi leurs collègues juifs[57].

Les juges et autres membres des professions juridiques étaient si impatients de purger leurs institutions et leur pays de toute influence juive que, dès les premiers mois du régime nazi, ils allaient souvent plus loin que ce que la nouvelle législation demandait. En octobre 1933, un tribunal de Berlin confirmait le licenciement d'un administrateur de biens juif avec l'attendu suivant : étant donné la haine générale à l'endroit des Juifs, « il semblait peu judicieux de maintenir un Juif dans ces fonctions, même en l'absence d'une loi sur la question ». En juillet de la même année, un autre tribunal de Berlin avait déjà trouvé une justification encore plus souveraine à ces initiatives prises par des juges dans la lutte contre les Juifs : selon *Die Juristische Wochenschrift*, le plus important périodique juridique du pays, qui approuvait, ce tribunal avait stipulé qu'« une législature révolutionnaire [les nazis n'étaient au pouvoir que depuis six mois] ne peut avoir encore tout prévu, et c'est le devoir du tribunal d'y suppléer en appliquant les principes de la *Weltanschauung* [conception du monde] nationale-socialiste[58] ». Le corps judiciaire allemand, dont la plupart des membres avaient été nommés du temps de la république de Weimar et n'étaient donc pas, au moins officiellement, des « juges nazis », était composé d'antisémites si ardents que les dirigeants nazis (convaincus que le programme éliminationniste devait être mis en œuvre légalement) se sentirent obligés de réprimander ces juges que leur ardeur éliminationniste emportait au-delà de la légalité. Wilhelm Frick, ministre de l'Intérieur, essayait lui aussi d'empêcher son administration (dont bien des fonctionnaires avaient servi le régime de Weimar) d'étendre les mesures éliminationnistes au-delà de ce que la loi prévoyait[59]. L'importance de la contribution du système judiciaire allemand à la persécution des Juifs sous le nazisme montre que ses membres étaient des exécutants zélés de l'éliminationnisme, quand ils n'en prenaient pas l'initiative. Il est évident que ce corps judiciaire avait été très antisémite du temps de Weimar, et qu'avec l'accession de Hitler au pouvoir il se sentait libre d'agir en conséquence[60]. En quoi les juges, malgré leur éducation et leur formation juridique, ne se comportaient pas autrement que bien d'autres groupes en Allemagne. Mais, dans leur cas, le passage à l'action est encore plus flagrant.

Pourtant, bien des Allemands étaient mal à l'aise devant l'imprécision des dispositions juridiques prises à l'encontre des Juifs dans les premières années du nazisme, et devant les agressions non coordonnées ou spontanées contre des Juifs, lesquelles, selon les rapports officiels, eurent lieu dans tous les districts et dans presque toutes les localités [61]. Certains critiquaient ces violences sauvages, et, au sein même du gouvernement et du parti, beaucoup doutaient que de telles actions contre les Juifs pussent être tolérées. Les lois de Nuremberg de septembre 1935, et d'autres mesures qui suivirent, allaient mettre de l'ordre dans tout cela, définir avec précision qui devait être considéré comme juif ou comme partiellement juif, et instituer toute une gamme d'interdictions qui introduisaient une certaine cohérence dans le programme éliminationniste. Surtout, les lois de Nuremberg prévoyaient explicitement, et même codifiaient, l'élimination des Juifs de toute forme d'existence civile ou sociale en Allemagne, et contribuaient fortement à la création d'une barrière insurmontable entre Juifs et membres du *Volk*. Ses deux principales séries de mesures – la loi sur la citoyenneté du Reich et la loi sur la protection du sang allemand et de l'honneur allemand – dépouillaient les Juifs de leur statut de citoyen et interdisaient tout nouveau mariage et toutes relations sexuelles entre Juifs et Allemands [62]. Ces lois furent très bien accueillies par le peuple allemand, qui appréciait la cohérence qu'elles introduisaient dans des questions si pressantes, et plus encore le contenu de cette législation. Un rapport de la Gestapo de Magdebourg avait bien saisi l'état de l'opinion : « La population regarde la réglementation sur les parentés juives comme un acte d'émancipation, qui clarifie et renforce la protection des intérêts raciaux du peuple allemand [63]. » Le programme éliminationniste venait de recevoir son affirmation la plus claire et son élan le plus décisif. Les lois de Nuremberg annonçaient la réalisation de ce qui, pendant des décennies, n'avait pu être que l'objet de discussions et de revendications, *ad nauseam*. Avec cette codification de la « religion » de l'Allemagne nazie, le régime inscrivait sur ses tables le programme éliminationniste pour que tous les Allemands pussent le lire, et c'était une langue que tous connaissaient. Beaucoup souhaitaient que l'application du programme fût accélérée, comme le montre un rapport de la Gestapo de Hildesheim pour février 1936, postérieur de quelques mois à la promulgation des lois de Nuremberg : « Nombreux sont ceux qui disent que les Juifs sont encore traités trop humainement en Allemagne [64]. »

Après la promulgation des lois de Nuremberg, les agressions commises par des Allemands contre des Juifs diminuèrent, et elles restèrent assez limitées en 1937. Les agressions verbales et physiques n'en continuaient pas moins, et l'exclusion juridique, économique, sociale et professionnelle des Juifs allait bon train, mais la quantité absolue de violence régressait. Cette tranquillité toute relative n'allait pas durer : en 1938, les attaques de toutes sortes contre les Juifs redoublèrent, l'État et le parti s'attelant à la tâche de « résoudre » la « question juive ». Donnons un exemple de l'intensité de cette activité antisémite : sur une période de quinze jours, dans le cadre d'une campagne décidée par le parti ayant pour slogan « Le *Volk* brise ses chaînes », 1 350 réunions publiques antisémites ont lieu dans la seule Saxe [65]. L'année 1938 fut marquée par une croissance des agressions contre les Juifs et contre leurs biens, des humiliations publiques, des arrestations et des enfermements en camps de concentration. L'hostilité des Allemands ordinaires était si forte que, en dehors des grandes villes où l'on pouvait trouver un certain anonymat, la vie des Juifs était absolument intenable. Un rapport de synthèse du parti social-démocrate de juillet 1938 disait : « Conséquence d'une constante propagande antisémite, les Juifs allemands ne peuvent plus vivre dans les petites villes de province. De plus en plus, ces localités se disent *judenrein* ("nettoyées de leurs Juifs") [66]... » Non seulement le monde rural était désormais presque vide de tout Juif, mais l'émigration des Juifs hors d'Allemagne ne cessait d'augmenter, conséquence attendue de la vie intolérable que le régime et les Allemands ordinaires faisaient aux Juifs. Globalement, la population avait approuvé les objectifs et les mesures éliminationnistes, même s'il y avait eu des manifestations notables de désapprobation devant des brutalités considérées comme relevant de la licence. Hors les cas de Juifs connus d'eux, les Allemands montraient peu de commisération pour les malheurs des Juifs [67].

Ce renouveau de violence de l'année 1938 disait à tous que la paix relative des deux années précédentes n'avait été que momentanée, aberrante ; et tous ceux qui avaient persisté à croire que les Juifs pourraient encore avoir leur place en Allemagne durent y renoncer devant les violences, à l'échelle nationale, de la Nuit de cristal, sans précédent dans l'histoire moderne de l'Allemagne. Quand on sait l'étendue des persécutions et des violences qui avaient eu lieu en Allemagne, et notamment dans les campagnes, la *Kristallnacht* n'était, en un sens, que le couronnement du terrorisme sauvage exercé par les Allemands contre les Juifs. Le ministre de la Propagande, Joseph Goebbels, était l'orchestrateur de cet assaut, présenté comme un acte de représailles à l'assassinat (à Paris) d'un diplomate allemand par un Juif dont les parents avaient été expulsés en Pologne au début de l'année (en même temps que 15 000 autres Juifs polonais), et à qui la douleur avait fait perdre la tête [68]. Dans la nuit du 9 au 10 novembre 1938, par tout le pays, dans les grandes et petites villes, les villages, les Allemands furent réveillés par des bruits de verre brisé, les lueurs des synagogues en feu, l'odeur de la fumée, et les cris de souffrance des Juifs que leurs compatriotes battaient jusqu'au sang. L'amplitude de ces violences et de ces destructions, de ce passage du Rubicon (selon les critères encore embryonnaires de l'époque) se lit dans les statistiques. Les exécutants, des SA pour la plupart, avaient tué à peu près 100 Juifs et en avaient jeté 30 000 autres dans des camps de concentration. Ils avaient brûlé ou démoli des centaines de synagogues, presque toutes celles que leurs compatriotes n'avaient pas encore détruites. Et ils avaient brisé les vitrines d'environ 7 500 magasins appartenant à des Juifs, d'où ce nom de Nuit de cristal [69].

Comment le peuple allemand réagit-il ? Dans les petites villes, les SA avaient été accueillis par bien des volontaires locaux désireux de se joindre à l'assaut. « L'idée que, ce jour-là, “la chasse était ouverte” contre les Juifs était claire pour tous les habitants, qui n'appartenaient pourtant pas aux “troupes opérationnelles” *[Einsatztrupps]* et qui n'étaient pas non plus membres du parti [...] En conséquence [...] certains se sentirent autorisés à suivre le mouvement, et à rouer de coups les Juifs pourchassés et sans défense [70]. » Spontanément, sans y avoir été provoqués ni incités, des Allemands ordinaires participèrent à ces violences. On vit même des adolescents et des enfants se joindre à l'assaut, souvent, sans nul doute, avec la bénédiction de leurs parents. Et des centaines de milliers d'autres vinrent assister au spectacle cette nuit-là, comme le lendemain, quand les SA encadrèrent martialement le défilé des Juifs envoyés en camps de concentration [71].

Les SA, avec ou sans le concours de volontaires, avaient fait preuve d'une terrifiante brutalité, mortelle pour les Juifs, et dérangeante pour de nombreux Allemands. Dans toutes les couches de la société allemande et même dans le parti, il y eut de très nombreuses critiques contre ces violences sauvages, déchaînées par le pouvoir. Bien entendu, certains Allemands éprouvaient de la commisération pour ces victimes rouées de coups et terrorisées. Mais les documents dont on dispose montrent que les critiques, dans leur grande majorité, ne venaient pas d'une désapprobation de principe pour les souffrances infligées aux Juifs, ni de la conviction qu'ils étaient traités injustement.

Dans l'ensemble, les critiques, voire l'intense indignation que les Allemands exprimaient après la Nuit de cristal, étaient de trois ordres. Beaucoup abhorraient cette violence désordonnée au sein de la société. La vue de ces SA ou autres individus portant sauvagement la destruction et la mort dans les rues, au sein même de leur communauté, était si perturbante que, pour la première fois, certains Allemands qui n'étaient ni juifs ni de gauche commencèrent à se demander si ce mouvement extrémiste n'allait pas aussi s'en prendre à eux [72]. Par ailleurs, de nombreux Allemands interprétaient l'événement selon leur vision hallucinée de la toute-puissance des Juifs, et ils s'angoissaient à l'idée que les Juifs finiraient par se venger de l'Allemagne [73]. Un Allemand a écrit dans ses Mémoires que sa tante, le lendemain de la Nuit de cristal, l'accueillit avec ces « paroles solennelles » : « Nous autres Allemands, nous paierons cher ce qui a été fait aux Juifs la nuit dernière. Nos églises, nos maisons et nos magasins seront détruits, tu peux en être sûr [74]. » Enfin, les Allemands étaient horrifiés de voir ainsi détruits des biens matériels [75]. Même si les Allemands pensaient que les Juifs récoltaient ce qu'ils avaient semé, il n'était pas nécessaire de détruire tant de biens [76]. Les dégâts étaient estimés à des centaines de millions de Reichsmarks [77]. L'attention du pays était tellement tournée vers ces destructions matérielles délibérées, même dans la classe ouvrière (dont les membres, sans grandes preuves, sont en général *supposés* avoir été le groupe le moins antisémite d'Allemagne), que, au lendemain de la Nuit de cristal, la propagande communiste clandestine parlait surtout des coûts matériels de l'opération. Dans leurs appels, les communistes cherchaient à dissocier le « peuple allemand » de ces forfaits, affirmant que les violences et les destructions n'étaient nullement dues « à la rage du peuple allemand ». Comment les communistes pouvaient-ils en être si sûrs ? Non parce qu'ils croyaient que le peuple éprouvait de la sympathie et de la solidarité pour ses concitoyens juifs, mais parce que « les ouvriers calculent le nombre d'heures supplémentaires qu'il leur faudra accomplir pour réparer les dégâts faits au bien national de l'Allemagne. Les épouses des travailleurs... voient avec beaucoup d'amertume tout ce gâchis... [78] ».

Les critiques de la *Kristallnacht* et de sa violence incontrôlée et destructrice que l'on pouvait entendre un peu partout en Allemagne doivent être comprises comme la désapprobation partielle d'un cheminement éliminationniste que l'immense majorité des Allemands considéraient comme fondamentalement justifié, mais qui, dans ce cas précis, avait pris un tour momentanément dangereux. Face à ces critiques limitées, il y avait l'enthousiasme des Allemands pour l'entreprise éliminationniste, que la Nuit de cristal n'entamait pas, et l'immense satisfaction avec laquelle tant d'Allemands avaient accueilli l'événement. A Nuremberg, par exemple, le lendemain de la *Kristallnacht*, se tint une réunion publique à laquelle assistèrent 100 000 personnes, venues volontairement écouter les invectives antijuives de Julius Streicher, le directeur du journal *Der Stürmer*, connu pour être l'antisémite le plus enragé du pays. Les photographies de la réunion montrent relativement peu d'hommes en uniforme. On y voit surtout des visages d'Allemands ordinaires (le visage collectif de Nuremberg et de l'Allemagne), exprimant leur ardent soutien à leur gouvernement et au programme d'élimination. Un commentateur d'après-guerre a fait remarquer que « l'immense majorité des hommes et des femmes de Nuremberg auraient pu s'abstenir de venir à ce meeting sans crainte de représailles ; au contraire, ils étaient venus acclamer les criminels qui les gouvernaient [79] ».

L'Allemagne n'était pas le seul témoin de la Nuit de cristal : le reste du monde, scandalisé, exprima sa répulsion morale. Les Allemands n'exprimèrent ni sentiment de scandale ni répulsion (pas plus qu'un rejet des principes antisémites qui étaient la cause de cette nuit de destruction), alors que tout cela avait été fait en leur nom, en leur sein, à des gens sans défense, à *leurs compatriotes*. Il était désormais évident pour tous les Allemands que leur gouvernement n'hésiterait pas à recourir aux moyens les plus radicaux pour éliminer les Juifs et l'influence juive. Comme l'écrit Alfons Heck, un ancien des Jeunesses hitlériennes : « Après la Nuit de cristal, aucun Allemand en âge de marcher ne pouvait plaider son ignorance de la persécution des Juifs, et aucun Juif ne pouvait nourrir la moindre illusion sur la volonté de Hitler de rendre l'Allemagne *judenrein*, "nettoyée de ses Juifs"[80]. » Critiquer la Nuit de cristal était parfaitement possible, et les Allemands ont exprimé publiquement et abondamment leur peu de goût pour les gâchis et la brutalité délibérée de cet assaut à l'échelon national. Il est donc lourd de sens que les Allemands n'aient rien dit devant l'énormité de cette injustice, qui ne semble pas les avoir émus. En Bavière, les professeurs de religion furent effectivement scandalisés, mais non de ce que leurs compatriotes avaient fait aux Juifs, qu'à l'évidence ils approuvaient : 84 % des professeurs de religion protestante et 75 % de leurs collègues catholiques de Moyenne et Haute-Franconie firent grève pour protester contre l'assassinat du diplomate allemand (et non pas contre les immenses souffrances des Juifs innocents)[81].

Ce jour, peut-être le plus révélateur de toute la période nazie, où une occasion se présentait au peuple allemand de manifester sa solidarité avec ses concitoyens, fut celui où les Allemands scellèrent le sort des Juifs en faisant savoir aux autorités qu'ils étaient d'accord avec le déroulement de l'entreprise éliminationniste, quand bien même ils avaient des objections à faire, parfois furibondes, contre telle ou telle mesure. Ici encore, Melita Maschmann nous fait comprendre la pensée qui gouvernait les Allemands au moment où il leur fallait trouver un sens aux horreurs qui avaient réveillé toute l'Allemagne cette nuit-là :

> L'espace d'une seconde, j'ai clairement compris que quelque chose de terrible était arrivé. Quelque chose d'une brutalité terrifiante. Mais presque aussitôt, j'étais passée à l'acceptation de ce qui venait d'arriver, évitant toute réflexion critique. Je me disais à moi-même : les Juifs sont les ennemis de la nouvelle Allemagne. La nuit dernière, ils ont eu un avant-goût de ce que cela signifie. Espérons que la juiverie internationale, si résolue à empêcher l'Allemagne d'effectuer ses « nouveaux pas vers la grandeur », comprendra l'avertissement. Si les Juifs sèment la haine contre nous à travers le monde, qu'ils sachent que nous détenons des otages[82].

Quand bien même les Allemands pouvaient condamner la nature de la sentence et les moyens employés, ils étaient, à de rares exceptions près, d'accord sur l'idée que les Juifs étaient collectivement coupables.

L'exclusion progressive des Juifs de la société allemande, commencée avec l'arrivée des nazis au pouvoir, trouvait un grand élan supplémentaire dans la *Kristallnacht*. Désormais, les Allemands avaient transformé ceux des Juifs qui ne s'étaient pas encore enfuis d'Allemagne en une « communauté de lépreux[83] », honnie, dont il fallait s'écarter. Tout contact avec les Juifs, déjà réduit au minimum par presque tous les Allemands, était considéré par l'idéologie officielle comme polluant, dangereux pour le bien collectif du pays, et chaque individu agissait en conséquence. Sinon, pourquoi avoir une « loi sur la protection du sang et de l'honneur allemands », une loi promulguée à la demande de nombreux Allemands, une loi très populaire en Allemagne, et pas seulement parce qu'elle venait enfin codifier les quelques relations qui restaient permises avec les Juifs ? Les accusations de « profanation de la race » *(Rassenschande)*, c'est-à-dire de relations extraconjugales entre Juifs et Allemands, explicitement interdites, étaient, on ne s'en étonnera pas, fréquemment portées par des Allemands ordinaires contre des Juifs [84].

L'histoire d'Emma Becker, racontée par David Bankier, illustre particulièrement bien l'implacable hostilité des Allemands envers les Juifs. Étant donné la situation particulière d'Emma Becker au regard des lois antijuives, elle aurait pu attendre de la part de ses concitoyens un traitement bien plus décent : mariée à un catholique, elle s'était convertie, renonçant par là à son identité juive et à ses liens officiels avec le judaïsme. Néanmoins, en 1940, ses voisins lui firent clairement comprendre qu'ils ne souhaitaient pas sa présence à leurs côtés : pour ces racistes, elle était évidemment toujours juive. La seule personne qui lui rendait encore visite était son curé, au nom de son devoir de prêtre, ce qui lui valut aussi les injures des voisins. Emma Becker raconte d'autres épisodes où la haine s'était manifestée directement à son endroit, et son ostracisme complet par la communauté « chrétienne », au point qu'à l'église elle était traitée en lépreuse : on lui interdisait de s'asseoir dans le chœur, car ses « coreligionnaires » ne voulaient pas chanter les louanges de Dieu à côté de cette « Juive », s'agenouiller à côté d'elle ni recevoir la communion à ses côtés. Les prêtres eux-mêmes l'évitaient, ces hommes de Dieu qui prétendaient croire au pouvoir du baptême. Ces Allemands ordinaires, et il y avait parmi eux des fonctionnaires d'un bon niveau culturel, allaient bien au-delà de ce que le régime ordonnait : comme convertie mariée à un catholique, Emma Becker était légalement protégée de la persécution [85]. La loi l'autorisait à vivre où elle vivait, à avoir des relations sociales normales, et, évidemment, à aller aux offices. Ces Allemands exprimaient en termes on ne peut plus clairs leur haine des Juifs, une haine ancrée dans une conception raciste qui voyait dans tel individu un Juif, quelle que fût sa religion, sa conscience de soi, sa renonciation à tout lien avec ce qui était juif. De plus, les catholiques étaient les seuls en Allemagne à baigner encore dans l'ancienne conception qui voyait dans la malfaisance juive l'effet de leur religion, et ils auraient dû résister davantage au modèle cognitif racial. Et pourtant, nombreux étaient les catholiques d'origine juive à être ainsi persécutés par leurs coreligionnaires, ce qui montre qu'eux aussi acceptaient le credo raciste [86]. Le cas d'Emma Becker n'était nullement isolé : par toute l'Allemagne, les Églises protestantes et catholique cherchaient le moyen de séparer les convertis des autres, en réponse aux objections exprimées par des Allemands ordinaires qui ne souhaitaient pas prier Dieu ni recevoir la communion à côté de « Juifs » [87]. Le peuple allemand s'était à ce point écarté des préceptes chrétiens que l'Église confessante* de Breslau, par des brochures distribuées dans toute l'Allemagne, adjurait les Allemands de ne pas se détourner des Juifs convertis et proposait des mesures pour empêcher les fidèles d'attaquer les convertis en pleine église[88]. Cela montre à quel point la hiérarchie ecclésiastique, ou du moins ceux qui, en son sein, restaient fidèles à la doctrine chrétienne du baptême salvateur, était consciente de l'antisémitisme éliminationniste qui régnait chez ses ouailles.

La mise en place de la « solution finale » contre les Juifs allemands débute par les déportations de Juifs vers la Pologne en octobre 1941 et se prolonge jusqu'au début de 1943[89]. Les déportations constituaient la mesure éliminationniste la plus claire prise en Allemagne même, et elles étaient, à de rares exceptions près, très bien vues des populations. C'est en cette période où les Allemands déportaient la majorité des Juifs allemands et en tuaient des millions d'autres par toute l'Europe qu'eut lieu un épisode raconté dans son journal intime par une Allemande non juive. C'était à Stuttgart en octobre 1942 : « J'étais dans le tram, il était bondé. Une vieille dame monte, ses pieds tout gonflés dépassaient de sa chaussure. Elle portait l'étoile jaune. Je me suis levée et lui ai offert ma place, déclenchant aussitôt (comment aurait-il pu en être autrement !) l'habituelle "fureur populaire". Quelqu'un a hurlé "Dehors !", et tout un chœur lui a fait écho : "Dehors !" Au milieu du vacarme, je pouvais distinguer la voix d'une personne scandalisée : "Une esclave des Juifs ! Elle n'a aucune dignité !" Le tram s'est arrêté entre deux stations et le conducteur a ordonné "Dehors toutes les deux !"[90]. » Telle était la haine spontanément exprimée pour un membre d'un peuple abandonné de tous qu'on était en train de massacrer. La profondeur de la passion antisémite des Allemands ordinaires était si grande que des manifestations d'enthousiasme eurent lieu à Berlin au spectacle des Juifs rassemblés pour être déportés, à l'idée de ce qui les attendait. Une Allemande témoigne : « Hélas, il me faut également rapporter que de nombreuses personnes se tenaient sur le pas de leur porte, et, face à cette misérable procession, donnaient libre cours à leur joie. "Voyez-moi ces Juifs impudents ! hurlait l'un, ils rient encore, mais leur dernière heure a sonné !"[91]. »

Comme on l'avait déjà vu après la Nuit de cristal et d'autres moments de violence gratuite dans les rues, quelques Allemands trouvaient à redire à la brutalité, si évidemment gratuite, de ceux de leurs compatriotes qui encadraient les déportés. Le rédacteur en chef du *Schwarze Korps*, journal officiel de la SS, un homme qui n'était pas l'ami des Juifs, écrivait à

* « Église confessante » *(Bekennende Kirche)* est le nom que s'est donné, en 1934, un groupe de défense regroupant à peu près un tiers des pasteurs allemands, soucieux de s'opposer aux manifestations jugées les plus extrêmes du nazisme, et en particulier d'empêcher la subordination des Églises à l'État. Cette Église confessante instituera une direction ecclésiastique évangélique parallèle [NdT].

Himmler, chef des SS, pour déplorer que, malgré le bien-fondé de l'entreprise et de ses objectifs, des brutalités eussent été perpétrées sous les yeux de civils, de femmes, voire d'étrangers : « Après tout, nous ne devons pas donner l'image de sadiques déchaînés [92]. » Tout au long de la déportation des Juifs allemands, bien peu de leurs concitoyens pouvaient encore nourrir des illusions sur le sort qui les attendait, puisqu'on avait déjà beaucoup entendu parler des massacres collectifs qui avaient lieu à l'Est. Le 15 décembre 1941, un instituteur écrivait dans son journal : « Il est clair comme le jour que tout cela signifie leur mort. Ils seront emmenés dans des régions dévastées et inhabitées de Russie, où on les laissera mourir de faim et de froid. Celui qui est mort ne parle plus [93]. » Une femme de Berlin qui avait sauvé des Juifs écrivait le 2 décembre 1942 dans son journal : « Les Juifs disparaissent en masse. D'affreuses rumeurs circulent sur le sort des évacués : on les fusillerait en masse, on les laisserait mourir de faim, on les torturerait, on les gazerait [94]. » Tout le monde savait bien qu'un sort affreux attendait ces Juifs, hommes et femmes, jeunes et vieux, que le gouvernement, en pleine guerre, envoyait de force vers l'Est et souvent dans des conditions de brutalité visibles par tous. L'enthousiasme que les Allemands manifestaient, leur évident manque de commisération pour tous ces malheureux qui avaient naguère vécu parmi eux, l'absence de désapprobation massive et d'opposition aux déportations, tout cela montre que les Allemands approuvaient ces mesures destinées à « nettoyer » l'Allemagne de ses Juifs, même si cela signifiait que ces Juifs seraient très probablement massacrés [95].

A partir de janvier 1933, aucune institution n'existait en Allemagne pour défendre une conception des Juifs autre que celle qui primait depuis si longtemps et trouvait dans l'obsession nazie sa formulation la plus extrême. Chaque institution nationale ou forum d'expression de quelque importance propageait l'idée que les Juifs étaient immuablement hostiles à l'Allemagne et constituaient un danger. L'idée que les Juifs formaient une race à part, une interprétation entièrement raciste des différences humaines et de l'Histoire étaient le lieu commun de la culture politique, à l'exception, parfois, de l'Église catholique. Mais même au sein de l'Église catholique, en dépit d'une puissante et cohérente vision du monde totalement étrangère au racisme nazi, bien des gens succombaient aux idées racistes et à l'idiome du jour, comme le prouve le fait qu'ils ont abandonné, voire persécuté les Juifs convertis [96]. On peut même dire que le modèle raciste était si puissant en Allemagne que l'Église catholique allemande, prise globalement, l'acceptait et l'intégrait à son enseignement. Dans une circulaire sur l'enseignement religieux émise par l'épiscopat en février 1936, on pouvait lire : « La race, le sol, le sang et le peuple sont de précieuses valeurs naturelles que le Seigneur Notre Dieu a créées, et dont il a confié le soin aux Allemands [97]. » L'antisémitisme raciste obsessionnel du régime venait couronner un antisémitisme qui gouvernait déjà plus ou moins la société allemande avant le nazisme, s'assurant une hégémonie idéologique à laquelle bien peu échappaient.

On le démontre très aisément en regardant du côté des groupes sociaux qui, *a priori*, auraient dû être les moins enclins à partager cette vision des Juifs. Comme on l'a déjà signalé, pratiquement tous les groupes professionnels à statut élevé (ceux qui rassemblaient les gens les plus instruits, c'est-à-dire habitués à une pensée indépendante et entraînés à débusquer la sottise) se sont révélés antisémites. Les ouvriers, dont beaucoup professaient le marxisme, ce qui en faisait les adversaires idéologiques du nazisme, étaient en accord avec les nazis au sujet des Juifs, et bien des agents de renseignement du parti social-démocrate clandestin (pourtant peu enclins à identifier des signes annonçant que leur cause était perdue) le reconnaissaient avec désespoir. En Saxe, région connue pour son antisémitisme, un rapport de janvier 1936 concluait :

> L'antisémitisme a sans nul doute pris racine dans de larges couches de la population. Quand on continue à acheter chez les Juifs, ce n'est pas pour les aider mais pour embêter les nazis. La psychose antisémite affecte même des gens réfléchis, des camarades. Tout le monde se déclare hostile à la violence, mais on souhaite pourtant en finir une fois pour toutes avec la suprématie des Juifs, et limiter leurs aires d'activité. Streicher [le directeur de *Der Stürmer*] est rejeté par tous, mais, au fond, tout le monde est globalement d'accord avec Hitler. Les ouvriers disent : « Du temps de Weimar et dans le parti [social-démocrate], les Juifs avaient trop de poids [98]. »

Même quand ces rapports des agents de renseignement du parti social-démocrate clandestin peignaient un tableau moins sombre de l'attitude des ouvriers à l'égard des Juifs, ceux qui en faisaient la synthèse écrivaient que « tout le monde est d'accord sur l'existence d'une "question juive" [99] ». Le caractère presque universel de cette croyance, et donc l'acceptation du modèle cognitif sous-jacent, ne sauraient être mis en doute [100].

A l'égard des Juifs, la faillite morale des Églises allemandes, protestantes et catholique, aura été si marquée et si abjecte qu'elle mérite bien plus d'attention que celle qui peut lui être consacrée ici. Déjà, du temps de Weimar, un antisémitisme lourd de menaces régnait dans les Églises en tant qu'institutions, chez leur haut et bas clergé, chez leurs fidèles. Dans les années 20, 70 à 80 % des pasteurs protestants avaient rallié le parti national du peuple allemand, ouvertement antisémite, et l'antisémitisme régnait dans la presse protestante bien avant que les élections ne portent les nazis au pouvoir [101]. La presse protestante, qui avait des millions de lecteurs, disposait d'une grande influence, et sa lecture nous permet de découvrir l'attitude de la hiérarchie protestante et la nourriture dont elle régalait ses ouailles. Dans les années 20, on assiste à une extraordinaire croissance de l'agitation antisémite d'origine protestante, parallèlement à la prolifération et à l'accentuation de l'antisémitisme dans l'atmosphère politique tourmentée de l'époque. Les plus influents véhicules de la diffusion de sentiments antijuifs dans le monde protestant étaient les *Sonntagsblätter*, (les journaux du dimanche), 1,8 million d'exemplaires à eux tous, et dont le lectorat était estimé à trois fois ce chiffre[102]. En raison de leur gros volume, ils jouaient un rôle très important dans le conditionnement de l'opinion protestante (63 % de la population allemande en 1933)[103]. Une étude portant sur 68 de ces journaux du dimanche, parus entre 1918 et 1933, montre que les Juifs y représentaient « un sujet majeur », invariablement traité dans un langage hostile. Ces hebdomadaires religieux, censés se consacrer à l'édification de leurs lecteurs et à la piété chrétienne, déclaraient sur le ton du prêche que « les Juifs étaient les ennemis naturels de la tradition chrétienne-nationale », qu'ils étaient la cause de « l'effondrement de l'ordre chrétien et monarchique », et qu'ils étaient responsables de quantité d'autres maux. Ino Arndt, l'auteur de cette étude, conclut que l'incessante diffamation des Juifs dans ces journaux du dimanche protestants ne pouvait qu'effacer, chez des millions de lecteurs, « les sentiments humains et finalement les sentiments chrétiens » envers les Juifs[104]. Rien d'étonnant donc si ces lecteurs chrétiens ont par la suite, sous le nazisme, refusé la moindre pitié à ces Juifs persécutés, dégradés et réduits à l'état de lépreux sociaux.

De la fin de 1930 à l'arrivée au pouvoir des nazis, et au-delà, la thématique antijuive de « presque tous les *Sonntagsblätter* » est devenue encore plus âpre. Enhardis et stimulés par une atmosphère de plus en plus antisémite, ces journaux rivalisaient en vitupérations et en violence avec la rhétorique antisémite du parti nazi, dont la victoire semblait proche. En arrivant au pouvoir, les nazis allaient chercher à « synchroniser » les croyances et la conduite de tous les Allemands avec les édits de la nouvelle foi. Or, les Églises et institutions chrétiennes ne s'exécuteraient pas avec l'obéissance du soldat : au contraire, on les verrait résister à cette « synchronisation » sur tous les points importants où leurs valeurs s'opposaient à celles des nazis. Mais quand on en venait aux croyances fondamentales à l'égard des Juifs, nazis et presse protestante marchaient du même pas, parents par l'esprit. Dans ce domaine, la « synchronisation » se ferait sans heurt. Même avant l'accession de Hitler au pouvoir, au moment où son ascension paraissait de plus en plus probable, les rédacteurs en chef de ces pieux hebdomadaires portaient leur virulence antisémite au même niveau que celle des nazis. Et ils le faisaient de leur propre chef, avec une passion et une ardeur évidentes.

Il est non moins patent que la presse protestante n'aurait pas pu dispenser au peuple allemand une nourriture antisémite aussi pleine de vociférations, de style nazi, si les autorités religieuses ne l'avaient pas approuvée. Bien avant 1933, les autorités protestantes voyaient dans les Juifs les grands ennemis du christianisme et de l'Allemagne[105]. L'un des guides moraux de la nation, le surintendant général du diocèse de Kurmark de l'Église évangélique de Prusse (luthérienne), l'évêque Otto Dibelius, écrivait dans une lettre peu de temps après le boycott d'avril 1933 qu'il « avait toujours été antisémite ». « Impossible de ne pas voir, poursuivait-il, que dans presque toutes les manifestations corrosives de la civilisation moderne les Juifs ont un rôle de premier plan[106]. » En 1928, cinq ans avant l'arrivée de Hitler à la chancellerie, Dibelius exprimait la logique éliminationniste dominante quand il proposait la solution que voici à la « question juive » : « Toute immigration juive en provenance de l'Europe de l'Est devrait être interdite. Dès que l'interdiction entrerait en vigueur, le déclin des Juifs s'amorcerait [...] Les familles juives ont peu d'enfants. Leur disparition peut s'effectuer d'une manière étonnamment rapide[107]. » A la différence de Hitler, qui voulait tuer les Juifs, l'évêque luthérien souhaitait les faire disparaître pacifiquement, sans verser le sang. Wolfgang Gerlach, un pasteur luthérien, historien des Églises chrétiennes sous le nazisme, fait observer que les sentiments antisémites de l'évêque Dibelius étaient « parfaitement représentatifs du monde chrétien allemand *[deutsche Christenheit]* au début de 1933[108] ». Ce jugement rétrospectif est confirmé par l'éminent théologien protestant Dietrich Bonhoeffer, que désespérait le flot montant de l'antisémitisme chez ses collègues. Peu de temps après l'accession de Hitler au pouvoir, Bonhoeffer écrivait à un ami théologien qu'à l'égard des Juifs « les gens les plus raisonnables ont oublié le bon sens et toute leur Bible[109] ».

La haute hiérarchie catholique avait beau exprimer en privé son désaccord sur certains points de la doctrine antisémite nazie et sur le caractère sanglant de l'entreprise éliminationniste (reflet d'un conflit plus global avec un régime qui tentait de briser son pouvoir), l'Église catholique, en tant qu'institution, restait profondément et publiquement antisémite. Le cardinal Michael Faulhaber, archevêque de Munich, l'exprimait parfaitement dans un de ses sermons de l'Avent en décembre 1933, et on peut le considérer comme le porte-parole de tous les catholiques. Mgr Faulhaber avait beau défendre la religion juive et les Juifs antérieurs à Jésus, il disait clairement que ces Juifs-là devaient être distingués de ceux qui étaient venus après Jésus, groupe qui incluait naturellement les Juifs de son temps. L'année suivante, des étrangers ayant rapporté qu'il avait pris la défense des Juifs allemands, le cardinal démentait avec emphase[110]. Avant la période nazie, et tout au long, les publications catholiques, qu'elles fussent rédigées à l'intention des laïcs, des clercs ou des théologiens, propageaient la litanie antisémite dans un langage souvent semblable à celui des nazis, et elles apportaient des justifications au désir d'éliminer d'Allemagne ces « corps étrangers » *[Fremdkörper]* qu'étaient les Juifs. Entreprendre des actions contre les Juifs, disaient ces publications, était « un acte justifié de légitime défense contre les caractéristiques et l'influence malfaisantes de la race juive[111] ». En mars 1941, à un moment où les Allemands avaient déjà infligé d'énormes dommages aux Juifs d'Allemagne et d'Europe, l'archevêque Konrad Gröber publiait une lettre pastorale débordante d'antisémitisme, rejetant sur les Juifs la responsabilité de la mort de Jésus, par où il justifiait implicitement ce que les Allemands infligeaient aux Juifs : « La malédiction que les Juifs ont jetée sur eux-mêmes – "Que son sang retombe sur nous et nos enfants" – s'est vérifiée d'une façon terrible jusqu'à notre époque, jusqu'à aujourd'hui [112]. » L'archevêque Gröber n'était nullement une figure isolée au sein de l'Église. La même haute hiérarchie qui condamnait publiquement de nombreux aspects de la politique nazie ne prononçait aucune condamnation officielle de la persécution éliminationniste, ni des événements qui annonçaient le début de l'exécution du programme. Elle n'avait protesté ni contre le boycott officiel d'avril 1933, ni contre les lois de Nuremberg, ni contre les destructions de la *Kristallnacht*, ni même contre les déportations de Juifs allemands vers une mort certaine [113].

On ne s'étonnera donc pas que les évêques catholiques, même s'ils se sont parfois élevés publiquement contre les mauvais traitements ou la mise à mort d'étrangers, ne se soient jamais explicitement opposés à l'extermination des Juifs (sur laquelle ils étaient parfaitement renseignés), se contentant de vagues formulations qui pouvaient s'appliquer à bien des gens (tels les chrétiens du monde slave) dans une Europe ravagée par la guerre et soumise à la barbarie allemande. Quant à la hiérarchie protestante, elle se fera encore plus attendre [114]. Jamais un seul évêque allemand, catholique ou protestant, n'a pris publiquement la parole pour la défense des Juifs comme le fit l'archevêque de Toulouse, Jules-Gérard Saliège : « Les Juifs sont des hommes, les Juives sont des femmes. Les étrangers sont des hommes. Les étrangères sont des femmes. Tout n'est pas permis contre ces hommes, contre ces femmes, contre ces pères et ces mères de famille. Ils font partie du genre humain ; ils sont nos frères comme tant d'autres. Un chrétien ne peut l'oublier [115]. » Bien que les Églises allemandes aient donné de la voix contre le régime sur de nombreuses questions, elles ont complètement abandonné les Juifs, ce qui signifie que les dirigeants ecclésiastiques étaient des Allemands avant d'être des hommes de Dieu, et qu'ils ne pouvaient se résoudre à reconnaître que les Juifs faisaient « partie de la race humaine » et à dire à leurs fidèles que les lois morales n'étaient pas suspendues dès qu'il s'agissait d'eux.

Possédés par leur antisémitisme, ces hommes de Dieu allemands non seulement ne prirent pas la défense de ces Juifs qu'ils voyaient pourchassés, battus, expulsés de leurs maisons et de leur patrie, pour être enfin assassinés par leurs propres paroissiens, mais ils apportèrent aussi leur aide active à l'entreprise. Je ne pense pas seulement ici aux sermons antisémites par lesquels ces guides moraux de la nation allemande excitaient la haine des Allemands ordinaires : pour mettre en place les lois de Nuremberg, le régime devait être en mesure de repérer les ancêtres juifs d'une personne donnée, et l'application de la loi dépendait donc des registres des églises locales. Günther Lewy, historien de l'Église catholique, écrit :

> La question même de savoir si l'Église [catholique] devait prêter son concours à l'État nazi en désignant d'elle-même les personnes d'ascendance juive n'a jamais été l'objet d'un débat. Bien au contraire : « Nous avons toujours travaillé pour le peuple sans égoïsme, sans penser à la gratitude ou à l'ingratitude », écrivait un prêtre dans le *Klerusblatt* en septembre 1934. « Nous ferons aussi de notre mieux pour aider le peuple sur ce point. » La coopération de l'Église en cette matière fut constante pendant toute la guerre, quand le fait d'être juif n'entraînait plus seulement l'expulsion de la fonction publique ou la perte de son gagne-pain, mais la déportation et la destruction physique pure et simple [116].

Les Églises allemandes coopérèrent spontanément à ces mesures ouvertement éliminationnistes, et souvent porteuses de mort. Si les phares moraux et les consciences de l'Allemagne étaient volontaires pour servir la politique antisémite, pouvait-on attendre moins de leurs fidèles ? Ces mêmes chefs religieux s'élevaient ouvertement et ardemment contre les programmes d'« euthanasie » et autres mesures gouvernementales comme la tolérance du duel ou l'incinération des morts (mais non contre les crématoires d'Auschwitz, dont ils connaissaient l'existence) [117]. Alors que dans toute l'Europe occupée, Danemark, Pays-Bas, Norvège, France de Vichy, France occupée, les autorités religieuses condamnaient ouvertement les persécutions et le massacre des Juifs et adjuraient leurs compatriotes (parfois en vain) de ne pas y prêter la main [118], les autorités religieuses allemandes abandonnaient les Juifs à leur sort (sauf, parfois, dans le cas des convertis) et contribuaient même à la persécution éliminationniste [119].

Quand l'évêque Dibelius, en 1928, rêvait d'une extinction non sanglante des Juifs, c'était le prélude à l'adhésion ouverte d'un nombre importants de dignitaires religieux allemands aux mesures éliminationnistes radicales prises par le régime nazi. Peu de temps après la Nuit de cristal et sa débauche de violences antijuives, un dignitaire protestant, Martin Sasse, évêque de Thuringe, réunissait dans un volume tous les textes au vitriol de Luther contre les Juifs. Dans la préface, il applaudissait à l'incendie des synagogues et à la coïncidence des dates : « Le 10 novembre 1938, jour anniversaire de la naissance de Luther, les synagogues allemandes sont en feu. » Le peuple allemand devait tenir compte des paroles du « plus grand antisémite de son temps, des avertissements lancés à son peuple contre les Juifs » [120]. Quand on voit à quel point l'antisémitisme régnait dans les Églises protestantes, il n'est pas surprenant que même de hauts dignitaires aient abdiqué toute morale devant des mesures antijuives qui étaient encore plus radicales que celles de la *Kristallnacht*.

L'extermination systématique des Juifs d'Europe par les Allemands commence en 1941 en Union soviétique. A la fin de cette année-là, le massacre avait trouvé son rythme, et il était bien connu des millions d'Allemands qui vivaient à l'Est, soldats ou colons, ainsi que des Allemands restés chez eux, comme l'atteste le pasteur de l'église américaine de Berlin, Stewart Herman, resté en Allemagne jusqu'à décembre 1941 : « Tout le monde savait désormais, par le canal des soldats revenant du front, que dans la Russie occupée, et notamment à Kiev [ville près de laquelle avait eu lieu, à la fin septembre, le massacre de Babi Yar, où périrent 33 000 Juifs], les civils juifs, hommes, femmes et bébés, étaient, par milliers, fusillés à la mitrailleuse[121]. » La connaissance de ces massacres se répandait, et surtout chez les dignitaires religieux, comme le montre clairement la lettre de l'évêque protestant Theophil Wurm adressée en décembre 1941 au ministre des Cultes du Reich, Hanns Kerrl, où il parle de « rumeurs sur des massacres collectifs à l'Est » qui ont atteint le peuple[122]. Mais savoir tout cela n'atténuait guère l'hostilité des Églises à l'égard des Juifs, ni leur soutien au régime. Le même mois, le 17 décembre 1941, les chefs de l'Église évangélique du Mecklembourg, de Thuringe, de Saxe, de Hesse-Nassau, du Schleswig-Holstein, d'Anhalt et de Lubeck publiaient un texte collectif déclarant les Juifs incapables d'être sauvés par le baptême, en raison de leur race, ajoutant qu'ils étaient responsables de la guerre, qu'ils étaient « les ennemis-nés du monde et du Reich » *(geborene Welt-und Reichsfeinde)*. Ils demandaient donc que « les mesures les plus sévères fussent prises contre les Juifs, et qu'ils fussent bannis des pays allemands »[123]. L'usage du superlatif, « mesures les plus sévères », implique logiquement que toute peine, y compris la peine de mort, pouvait leur être appliquée. Dans le contexte du moment, guerre apocalyptique avec l'URSS et extermination en cours des Juifs soviétiques, il ne pouvait avoir qu'une seule signification. Par ces paroles, les chefs des Églises luthériennes d'une bonne partie de l'Allemagne, collectivement, et revêtus de toute l'autorité de leur charge, acceptaient implicitement, de leur propre initiative, l'extermination des Juifs[124].

Les hommes d'Église qui résistaient et cherchaient à lutter contre le régime pouvaient eux aussi nourrir à l'endroit des Juifs les mêmes idées que les nazis. Rien de plus frappant à cet égard que les propos antisémites que voici : « Nous parlons du "Juif éternel", de cet errant sans repos qui n'a pas de foyer et ne trouve jamais la paix. Nous voyons un peuple très doué, qui produit sans cesse des idées au bénéfice du monde, mais tout ce qu'il touche devient empoisonné, et tout ce qu'il récolte, c'est le mépris et la haine, parce que, toujours et en tout lieu, le monde découvre la tromperie et se venge à sa manière[125]. » Ces propos ne viennent pas d'un idéologue nazi, mais d'un des plus grands et des plus illustres opposants au nazisme, le pasteur protestant Martin Niemöller. Il les a prononcés devant ses ouailles dans les premières années du nazisme. Comme beaucoup d'autres opposants au régime, et malgré sa haine du nazisme, il était d'accord avec la vision du monde des nazis sur un point fondamental : les Juifs étaient éternellement mauvais[126].

Le pasteur Heinrich Grüber, figure très justement admirée et révérée pour sa compassion et sa charité, était le chef d'un bureau créé par l'Église protestante pour aider les Juifs convertis, et il sera emprisonné en 1940 pour avoir protesté contre les déportations : or, même cet Allemand héroïque avait une vision des Juifs voisine de celle des nazis. Dans un entretien avec un journaliste venu de Hollande, le 1er février 1939, il reprochait aux Hollandais de refuser de souscrire à l'idée de « Juifs sans racines », que « tout le monde accepte bien volontiers dans l'Allemagne nationale-socialiste ». Grüber se disait « convaincu » que « la plupart des Juifs qui vivaient en Allemagne étaient sans racines. Ils ne font aucun travail productif, mais seulement des "affaires" [par où il entendait toutes sortes de commerces peu honorables] ». Leur caractère pernicieux était plus grave encore que cette absence de racines : « C'étaient ces Juifs qui, de 1919 à 1932, avaient dirigé l'Allemagne financièrement, économiquement, politiquement, culturellement et journalistiquement. Il y avait eu une prédominance effective des Juifs. » Grüber avait beau se dire convaincu qu'il « y avait de nombreux israélites meilleurs, qui demeuraient fidèles à la loi de Moïse », les Hollandais devaient reconnaître qu'il y avait une « question juive » à l'échelle du monde, et cesser de critiquer l'Allemagne qui avait donné « un exemple » de la façon de traiter le problème. « Ceux qui veulent contribuer à la solution [de la "question juive"] ne devraient pas se laisser gouverner par des sentiments de sympathie ou d'antipathie » mais collaborer avec d'autres personnes de bonne volonté pour faciliter l'émigration des Juifs vers des pays « où l'on a besoin d'eux »[127]. Grüber était typiquement allemand, en ce qu'il partageait la culture et les convictions antisémites de ses compatriotes, mais c'était un Allemand rare, parce qu'il professait une authentique éthique chrétienne et se consacrait au soulagement du malheur des Juifs, convaincu pourtant qu'ils avaient fait énormément de mal à l'Allemagne. L'antisémitisme relevait à ce point du sens commun en Allemagne que ce grand Allemand qui se sacrifiait pour aider les Juifs avait les mêmes idées que les nazis à leur endroit.

Karl Barth, grand théologien, chef de l'Église confessante, et opposant farouche au nazisme, était lui aussi un antisémite. S'il prit la défense des Juifs, dans les années 30, ce fut pour des raisons théologiques, et ce en dépit de son profond antisémitisme, lequel, dans un sermon de l'Avent en 1933, lui faisait dénoncer chez les Juifs un « peuple obstiné et mauvais[128] ».

Comme le montrent tant de déclarations émanant des autorités religieuses ou d'autres, ce n'étaient donc pas les antisémites qui étaient l'exception au sein de la hiérarchie religieuse allemande, mais ceux qui n'étaient pas touchés par l'antisémitisme. Les très rares personnes, au sein des Églises, qui prirent parti pour les Juifs ne trouvèrent que peu de gens pour les soutenir. Grüber, qui aidait effectivement les Juifs, raconte que « dans quelques réunions de l'Église confessante, on appela à des protestations. Mais les protestations furent le fait de bien peu de fidèles, en comparaison des millions d'autres qui coopérèrent ou restèrent silencieux, ou qui, au mieux, faisaient l'autruche ou serraient les poings dans leur poche[129] ». A l'égard des Juifs, il y avait bien peu de différence entre le courant dominant dans les Églises protestantes et le mouvement sécessionniste des « chrétiens allemands », ouvertement antisémite et raciste, qui cherchait à fusionner théologie chrétienne et principes nazis. Dans les nombreuses lettres que les pasteurs protestants rédigèrent pour expliquer leur rejet du mouvement chrétien-allemand, tous mettaient en avant l'inadmissible mélange de politique et de religion qui le caractérisait, mais aucun ne s'en prenait à la persécution en cours contre les Juifs, qui occupait une place centrale dans la théologie et la politique des chrétiens-allemands[130]. Un historien a pu écrire : « Les déclarations et actions audacieuses [en faveur des Juifs] de certains individus ne doivent pas dissimuler le fait que l'Église apporta un concours complaisant à la politique antijuive des nazis[131]. » Après la guerre, Martin Niemöller, qui avait compris à quel point l'antisémitisme allemand était le mal, émettrait un jugement tout aussi sévère. Dans une conférence prononcée à Zurich en mars 1946, il s'écriait : « Le christianisme allemand est plus lourdement responsable devant Dieu que les nationaux-socialistes, la SS et la Gestapo. Nous aurions dû reconnaître Jésus notre Seigneur dans le frère qui souffrait la persécution même s'il était communiste ou juif [...] Nous chrétiens, ne sommes-nous pas plus à blâmer, et ne suis-je pas plus coupable, que beaucoup de ceux qui ont les mains couvertes de sang ? » Hyperbole mise à part, Niemöller disait la cruelle vérité : le « christianisme allemand » n'avait pas su voir dans la persécution éliminationniste une transgression morale. A la racine, le problème était clairement d'ordre cognitif, c'était celui de l'impuissance dans laquelle s'étaient trouvés les hommes d'Église, et les Allemands en général, à reconnaître que les Juifs n'étaient pas, par nature, une tribu vouée au Mal[132].

Les membres de la résistance à Hitler, et notamment ceux qui montèrent le célèbre complot contre lui, dont les objections envers le nazisme étaient véhémentes, auraient dû être, de tous les Allemands, ceux qui rejetaient le modèle cognitif à l'endroit des Juifs et le programme éliminationniste. Et pourtant, comme Niemöller et Barth, ils partageaient eux aussi la conception commune à l'égard des Juifs. Les mesures annonciatrices du génocide prises dans les années 30, la suppression des droits civiques des Juifs, les violences perpétrées contre eux, les incarcérations en camps de concentration, la « chasse ouverte » qui obligeait tant de Juifs à fuir l'Allemagne, rien de tout cela n'a suscité l'opposition de ceux qui formèrent plus tard les principaux groupes de résistants. Le plus grand expert de la question, Christof Dipper, nous dit que le rapport de la Gestapo sur les vingt conspirateurs arrêtés le 20 juillet 1944 (fondé sur leurs interrogatoires) montre qu'ils partageaient les conceptions du régime à l'égard des Juifs, même s'ils n'étaient pas d'accord sur les moyens : « Les conspirateurs, tout en acceptant les principes de l'antisémitisme, rejetaient les méthodes utilisées. Ils mettaient en avant d'une part des motivations humanitaires : les mesures prises n'étaient pas assez humaines, et inadaptées au caractère allemand ; d'autre part, ils mettaient en doute l'opportunité de ces mesures, soulignant qu'une politique à court terme d'élimination des Juifs pouvait peser sur les relations avec le reste du monde[133]. »

Dans l'ensemble, ceux qui résistaient aux nazis ne le faisaient pas au nom d'une désapprobation de principe face à l'élimination des Juifs de la société allemande. Le frère de Claus von Stauffenberg, l'homme qui avait placé la bombe lors de l'attentat contre Hitler, en témoigne : « En ce qui concerne la politique intérieure, nous avions accepté l'essentiel du credo national-socialiste... Le concept de race nous paraissait juste et très prometteur. » Leur seule objection était que « l'application en était excessive, qu'elle allait trop loin[134] ». Parlant au nom de la majorité des membres de la résistance non communiste et non socialiste, le comte Uxküll, oncle de Stauffenberg, résumait ainsi les intentions du groupe le plus important, en taille et en influence, de tous ceux qui avaient résisté à Hitler, celui des hommes de droite et des militaires réunis autour de Stauffenberg et de Carl Goerdeler : « Nous devions, autant que faire se peut, tenir bon sur le concept de race[135]. » Dans l'Allemagne nazie, affirmer que la « race » était le principe d'organisation de la vie politique et sociale revenait à accepter le modèle cognitif culturel à l'endroit des Juifs puisque l'un n'allait pas sans l'autre. L'un des principaux documents de la résistance à Hitler (élaboré au début de 1943, à l'initiative de Dietrich Bonhoeffer, par le cercle de Fribourg, réunissant des théologiens protestants et des professeurs d'université, avec l'assentiment de Goerdeler) contenait une annexe intitulée « Propositions pour une solution de la question juive en Allemagne » : on y affirmait que l'État qui succéderait aux nazis serait fondé à prendre des mesures « pour écarter la calamiteuse influence d'une race sur la communauté nationale *[Volksgemeinschaft]* ». Le texte avait beau condamner explicitement le génocide, sa dette envers la pensée éliminationniste ne fait aucun doute. Les Juifs étaient déclarés nuisibles à toutes les nations qui les hébergeaient. Le document reconnaissait l'existence d'une « question juive », et la nécessité d'une « solution » pour empêcher que de nouveaux maux ne fussent infligés à l'Allemagne. Il se hasardait à dire que, peut-être, dans le futur, il serait possible d'accepter un retour des Juifs en Allemagne. Pourquoi ? Parce que les nazis en avaient tué beaucoup : « Le nombre des Juifs ayant survécu et revenant en Allemagne sera trop faible pour qu'ils puissent être regardés comme un danger pour la nation allemande[136]. » Les déclarations et programmes de la résistance, souvent antisémites, envisageaient une Allemagne future sans Juifs, ou bien avec une communauté juive privée des droits civiques[137]. Leur désapprobation face aux pratiques meurtrières du régime nazi relevait d'inhibitions éthiques et de considérations pratiques, et non d'une vision différente, bienveillante, des Juifs. La persécution éliminationniste et, globalement, l'extermination même des Juifs ne jouaient aucun rôle dans la mobilisation contre Hitler dans certains milieux conservateurs et religieux, pas plus que chez les résistants appartenant à la classe ouvrière[138].

Ce curieux phénomène, à savoir que les plus grands crimes nazis n'aient pas suffi à mobiliser ceux-là mêmes qui étaient les plus prédisposés à s'opposer au nazisme, est beaucoup moins étrange si l'on connaît l'histoire de l'antisémitisme allemand, partout présent dans la société. Que des opposants au nazisme aient pu applaudir et participer à l'élimination, voire à l'extermination, des Juifs est une preuve convaincante que les deux domaines n'étaient en aucun cas liés[139]. Si l'on ne pouvait trouver aucune attitude favorable, voire neutre, à l'endroit des Juifs chez les guides chrétiens de l'Allemagne ou chez les ennemis mortels de Hitler (dont la haine qu'ils lui portaient et les habitudes d'indépendance auraient dû faire les ennemis de son credo antisémite), où la trouverait-on en Allemagne ? Le modèle cognitif antisémite était le bien commun aux nazis et aux non-nazis.

L'éblouissante absence de toute protestation de quelque importance ou de désaccord exprimé en privé (notamment de désaccord fondé sur des principes, face au traitement infligé aux Juifs et à l'extermination qui suivit) ne doit être considérée ni comme le résultat d'un « lavage de cerveau » opéré par les nazis sur les Allemands, ni comme un effet de l'impuissance des Allemands à exprimer leur rejet du régime et de sa politique, car les documents dont nous disposons sur cette période ne permettent en rien de le soutenir. Dans bien des sphères, et sur bien des problèmes, les nazis ne réussirent pas à « endoctriner » le peuple allemand (ou, si l'on préfère, ne réussirent pas à le convaincre du bien-fondé ou de l'équité de leurs positions), et des Allemands firent connaître leur opposition à bien des aspects de leur politique. Les réponses discordantes apportées par les Allemands (acceptation, voire soutien du programme éliminationniste, d'une part, désaccord, voire opposition ouverte à d'autres aspects de la politique nazie, d'autre part) montrent d'une manière non équivoque que les Allemands ne doivent pas être considérés comme des pions passifs ou des victimes terrorisées de leur propre gouvernement. Comme le montrent les actes des Allemands face à d'autres aspects du nazisme, ils agissaient de leur propre chef, faisant des choix conscients en accord avec leurs valeurs et croyances préexistantes, même si elles avaient évolué. Bien entendu, ils agissaient dans le cadre des contraintes que le régime leur imposait, mais, sur d'autres questions, les mêmes contraintes n'ont pas influencé le comportement des Allemands de la même manière.

Le plus révélateur à cet égard est le traitement réservé par les Allemands aux étrangers non juifs soumis à leur domination : des peuples que les nazis et la plupart des Allemands considéraient comme inférieurs, voire comme des « sous-hommes », tels que les Polonais, furent traités par eux beaucoup mieux que les Juifs[140]. Le traitement comparativement bien meilleur réservé par les exécutants du génocide aux non-Juifs, dans les camps ou ailleurs, reflète, ce qui n'est pas surprenant, le comportement des populations civiles allemandes, et il sera étudié longuement dans les chapitres suivants. A l'intérieur de la société allemande, l'application des lois et règlements « raciaux » dépendait beaucoup des informations fournies volontairement à la Gestapo, laquelle, contrairement à la légende, était très pauvre en hommes et incapable à elle seule d'encadrer policièrement toute la société allemande. L'aide sélective que les Allemands apportaient à la Gestapo dans ses persécutions contre différents groupes de victimes révèle à quel point les actes des Allemands dépendaient de leur volonté, et de jugements bien différents sur les différents groupes persécutés. Les Allemands aidaient la Gestapo à pourchasser les Juifs, qui résidaient en Allemagne depuis bien longtemps, avec plus de zèle et d'ardeur qu'ils ne le faisaient dans le cas des étrangers, y compris celui des « sous-hommes » slaves [141]. Le peuple allemand, qui avait apporté un si grand concours aux mesures éliminationnistes contre les Juifs, était dans l'ensemble récalcitrant quand il s'agissait d'aider les autorités contre les « sous-hommes » polonais [142]. Non seulement les Allemands choisissaient des manières différentes de collaborer aux différentes politiques, mais eux-mêmes traitaient les Juifs et les non-Juifs de façon différente, allant jusqu'à violer la loi en traitant décemment des étrangers non juifs. Le régime avait interdit toute relation sexuelle avec les millions d'étrangers, en majorité slaves, employés à des travaux forcés en Allemagne, interdiction aussi rigoureuse que celle qui visait les relations sexuelles avec les Juifs depuis 1935. Et pourtant, alors que les Allemands tenaient les Juifs à distance comme autant de lépreux, ils donnaient beaucoup de fil à retordre à la Gestapo dès lors qu'il s'agissait de relations avec les travailleurs étrangers. Ainsi, de mai à août 1942, la Gestapo eut-elle à traiter 4 960 cas de relations sexuelles entre citoyens allemands et travailleurs étrangers. L'année suivante, de juillet à septembre, la Gestapo procéda à l'arrestation de 4 637 citoyens allemands accusés d'avoir eu des relations avec des étrangers [143]. Ces chiffres, absolument inimaginables concernant des relations entre Allemands et Juifs, ne reflètent que les cas dont la Gestapo a eu connaissance, et dont on peut supposer qu'ils ne représentent qu'une fraction de l'ensemble.

Des Allemands apportaient à des Polonais un secours qu'ils n'accordaient pas à des Juifs. Des prêtres prenaient souvent leur défense, qui ne l'avaient pas fait dans le cas des Juifs [144]. Sans doute ces Polonais étaient-ils catholiques, mais la situation et le destin des Juifs, bien pires que ceux des Polonais, auraient dû leur valoir bien plus encore cette assistance. Les autorités judiciaires de Bamberg, à la fin de 1944, trouvaient tellement vain d'être obligées de contraindre les Allemands à respecter la loi interdisant tous les « mélanges de sang » avec des étrangers qu'elles y renoncèrent. Dressant du comportement des Allemands un portrait qu'aucun Juif n'aurait imaginé possible dans son cas, elles écrivaient : « Dans bien des cas, ces individus racialement étrangers vivent sous le même toit que leurs camarades allemands, notamment à la campagne ; le camarade allemand ne voit pas en eux les membres d'un État étranger ou ennemi mais des compagnons de travail précieux en ces temps où la main-d'œuvre est rare. Pitié et charité sont les résultats de ce point de vue erroné et du sentimentalisme allemand[145]. » Quand des Polonais étaient punis de pendaison, on entendait souvent dire : « Ce sont aussi des hommes ! », et cette critique faite au régime montrait que, pour les Allemands, ils ne méritaient pas une punition aussi grave[146]. En revanche, à l'endroit des Juifs, si rares étaient l'affirmation de leur humanité ou toute autre expression d'une véritable compassion dans une Allemagne qui s'était donnée au nazisme qu'on peut les compter sur les doigts de la main. En exprimant ouvertement leur pensée en de nombreuses occasions, les Allemands montraient qu'ils n'étaient pas victimes d'un « lavage de cerveau », qu'ils pouvaient ne pas être d'accord avec le régime, et qu'ils étaient prêts à le faire savoir. On ne s'étonnera donc pas de lire, dans la conclusion d'un rapport de décembre 1939 du Gauleiter nazi de Wurtzbourg sur le traitement des prisonniers et travailleurs polonais : « L'attitude de la population laisse beaucoup à désirer[147]. » L'antisémitisme allemand n'était pas seulement un préjugé contre un groupe minoritaire vilipendé : si les Allemands avaient été si dociles et si prêts à avaler sans discrimination tout ce que le menu idéologique du régime offrait, ils auraient adopté à l'égard des Polonais la même attitude d'intransigeance. Aucune explication simpliste par la psychologie sociale, qui laisserait de côté la vision, élaborée, hallucinée, que les Allemands avaient des Juifs depuis si longtemps, ne saurait rendre compte de l'attitude et des actes des Allemands.

Les preuves de la capacité où étaient les Allemands de s'opposer à des politiques qui n'avaient pas leur accord se rencontrent dans bien d'autres domaines de la vie sociale et politique. Les attaques des nazis contre le christianisme, par exemple, engendraient beaucoup d'irritation, surtout dans les régions catholiques. En Bavière, les tentatives locales des autorités nazies pour limiter la pratique religieuse et retirer les crucifix des écoles suscitèrent un tel scandale, un tel cri public, que les ordres furent généralement rapportés[148]. On soulignera que ces tentatives intervenaient au moment même où des agressions contre les Juifs avaient lieu dans toute la région, sans que les Bavarois y trouvent à redire, encore moins à protester. Dès 1934, les efforts du parti pour obliger la population à participer à des réunions de masse et à des défilés rencontrèrent bien des oppositions. Même s'ils approuvaient les lignes générales du nazisme, les Allemands savaient donner de la voix pour refuser les exhortations du régime à participer davantage, comme l'atteste un rapport du Gauleiter de Coblence en 1934 : « Les agriculteurs proclament qu'aussi longtemps que de vrais changements n'auront pas lieu, malgré ce que dit le parti des constantes améliorations de la situation, il n'y a aucune raison d'assister aux réunions publiques[149]. » Ce rejet de la politique et de la propagande du régime n'était nullement le fait des seules populations rurales. Les ouvriers de l'industrie disaient tout leur mécontentement de voir les nazis essayer de les endoctriner, et s'en prenaient tout particulièrement à la politique économique du régime[150]. Et souvent ce mécontentement se traduisait par des grèves. De février 1936 à juillet 1937, par exemple, selon un calcul officiel au demeurant incomplet, il y eut 192 grèves en Allemagne[151]. Elles étaient autant de protestations publiques contre la politique du régime, que les ouvriers tenaient pour injuste, et le régime céda souvent à leurs revendications. Enfin, d'une façon plus générale, on soulignera que les Allemands n'ont jamais cessé d'écouter les bulletins d'information des radios étrangères, ce qui traduit une certaine réserve, voire une méfiance à l'égard du régime[152].

Le fait que le régime ait disposé des milliers d'agents par tout le pays pour observer l'état de l'opinion (et non pour procéder à des arrestations) montre clairement que les nazis savaient parfaitement que leur politique était l'objet de contestations partielles et que les Allemands étaient prêts à manifester. Il suffit de lire ces rapports de police pour voir que les soupçons du régime étaient fondés[153] : Ian Kershaw constate avec étonnement le nombre de gens « qui étaient prêts à exprimer leurs critiques malgré le climat d'intimidation, et de la fidélité avec laquelle, bien souvent, ces rapports faisaient état de ces critiques[154] ».

Le cas le plus connu est celui de la protestation qui s'élève un peu partout en Allemagne quand on apprend l'existence du programme gouvernemental dit Euthanasie (appelé aussi T4, car le quartier général de ses exécutants était situé au 4 de la Tiergarten Strasse à Berlin), au titre duquel des médecins allemands avaient déjà supprimé plus de 70 000 personnes dont la vie « ne méritait pas d'être vécue » en raison d'une infirmité mentale ou d'un handicap congénital. La protestation, née chez les parents des victimes, se répandit par tout le pays et trouva ses porte-parole chez les évêques et les prêtres. Les Allemands 1) considéraient ce massacre comme injuste, 2) le faisaient savoir, 3) exigeaient publiquement la fin de ces pratiques, 4) n'étaient nullement punis pour avoir ainsi exprimé leur opinion et exigé l'arrêt du programme, 5) et réussissaient à obtenir son interruption officielle, sauvant ainsi des vies allemandes[155]. Il y avait là un modèle de réponse (mis en pratique par les mêmes Allemands qui laisseraient se dérouler le programme d'extermination sans intervenir) à la persécution et au génocide des Juifs : jugement moral, expression publique, protestation, et, peut-être, réussite. Toutes ces étapes, dont on observe le déroulement parfaitement clair quand il s'est agi du massacre des malades mentaux ou des infirmes congénitaux, auraient été aussi aisées à parcourir en faveur des Juifs, voire plus aisées encore si l'on tient compte de l'échelle et de la durée de l'Holocauste. Et pourtant, à de rares exceptions près, rien de tel ne s'est produit[156]. En une seule occasion, il y eut une manifestation notable d'Allemands en faveur de Juifs, quand des femmes se rassemblèrent à Berlin pour protester publiquement contre l'incarcération de leurs époux juifs. Quelle fut la réaction du régime face à cette opposition montant du peuple ? Il fit marche arrière, les 6000 époux juifs furent libérés, et leurs femmes ne furent pas inquiétées[157]. Il est clair que, si les Allemands s'étaient souciés des Juifs allemands, d'abord nous le saurions, et les nazis auraient eu beaucoup plus de mal à poursuivre dans la voie de l'extermination[158].

La longue et impressionnante liste des désaccords exprimés par les Allemands à l'égard de mesures *particulières* prises par les nazis ne s'est à aucun moment traduite en opposition *générale* au régime[159], au système nazi, et à son objectif premier d'une Allemagne racialement pure, remilitarisée, et retrouvant sa place en Europe. Dès les premières années, le régime était très populaire, et il sera soutenu avec plus d'enthousiasme encore quand Hitler remportera ses premiers succès diplomatiques puis militaires[160]. Comme le fait remarquer Ian Kershaw, même les catholiques de Bavière, qui en voulaient au régime pour ses attaques contre l'Église, étaient d'ardents partisans des objectifs principaux du nazisme : « Cette même région [la Bavière], où l'opposition populaire à la politique religieuse des nazis était si forte, n'en était pas moins la serre chaude d'un antisémitisme populaire particulièrement haineux, où tout le monde approuvait les objectifs nationalistes agressifs du régime en matière de politique étrangère, un bastion de l'hitlérisme. Ceux qui s'opposaient à la politique religieuse nazie ne s'en prenaient pas au régime lui-même : pour eux, il ne s'agissait que d'un aspect déplaisant de sa politique, dont on ne voyait pas la nécessité[161]. » Même les sujets d'âpres conflits, entraînant une protestation populaire durable et déterminée, n'ont jamais substantiellement entamé le solide soutien dont bénéficiait le nazisme en Allemagne, et notamment son programme éliminationniste.

De la même façon, les désaccords momentanés avec certains aspects de l'assaut général lancé contre les Juifs ne doivent pas être pris pour un rejet général de l'idéal et du programme éliminationniste. Rien d'étonnant à ce que, face à une politique éliminationniste sans précédent, certains expriment leur désaccord et leur malaise dans l'Allemagne des années 30, mais sans jamais s'en prendre aux fondements idéologiques de l'entreprise. Bien des historiens de la période mettent en avant ces critiques pour prouver qu'une fraction notable du peuple allemand n'était pas antisémite, ou que de nombreux Allemands professaient une hostilité de principe à la persécution des Juifs. Ce point de vue est erroné[162]. Les preuves du contraire sont mille fois plus nombreuses (on n'a pu en présenter ici que quelques-unes) que celles, numériquement dérisoires, des expressions d'une désapprobation, lesquelles, examinées de près, ne portaient que sur des *aspects particuliers* du programme éliminationniste, et non pas sur les principes qui l'animaient. Quand on examine le contenu de ces critiques exprimées, on voit qu'elles ne reposaient jamais sur un rejet de l'antisémitisme, sur un rejet de la croyance que les Juifs avaient toujours cherché à nuire à l'Allemagne, et que les Allemands ne pourraient trouver qu'un énorme avantage à l'élimination des Juifs et de leur influence sur le pays. Les sentiments d'insatisfaction que des Allemands pouvaient exprimer avaient presque toujours d'autres raisons.

L'une des causes de ce mécontentement était la crainte des conséquences financières d'une rupture de liens économiques cruciaux avec les Juifs : on le mesure à l'insuccès rencontré par les appels du régime au boycott des entreprises juives, dont beaucoup pratiquaient des prix intéressants, et surtout dans les campagnes où les paysans allemands dépendaient souvent d'intermédiaires juifs pour leurs relations commerciales[163]. Autre raison à ces désaccords exprimés, les brutalités de type pogrom dans les rues mêmes de leurs villes, que de nombreux Allemands tenaient instinctivement pour autant d'illégalités, au demeurant non indispensables, et d'une sauvagerie primitive, indigne d'une société civilisée. Dans un rapport de la Gestapo de Hanovre d'août 1935 on peut lire que, « ces dernières semaines, l'antisémitisme a fait des progrès considérables dans les masses. Si l'on excepte les réactions de quelques esprits réfractaires, le rejet drastique des empiétements juifs est partout très bien vu. La plus grande partie de la population, cependant, ne comprend pas ces actes individuels insensés de violence et de terreur qui ont été observés récemment [contre des Juifs], et malheureusement surtout à Hanovre[164] ». Le rapport raconte ensuite comment, pour mettre fin à ces violences, la police a dû intervenir au nom de l'ordre public, et son rédacteur exprime sa crainte que l'autorité de l'État n'ait à souffrir du fait que les témoins de ces agressions aient entendu leurs auteurs traiter les policiers d'« esclaves des Juifs » *(Judenhöriger)* et d'« amis des Juifs » *(judenfreund)*. Ce rapport ne nous donne qu'un exemple de la façon dont des « actes de terreur insensés » pouvaient être condamnés par des antisémites, mais l'attitude de son rédacteur de la Gestapo montre parfaitement qu'il était possible de ne pas y voir de contradiction : lui-même était à ce point antisémite, et savait combien la population l'était, qu'il redoutait que la seule idée que la police pût aider les Juifs ne sapât son autorité. Et pourtant, comme la population qu'il décrivait, il désapprouvait clairement lui-même ces « actes de terreur insensés »[165].

Dans leur hébétement antisémite, les Allemands s'angoissaient à l'idée de la vengeance que, selon leur vision fantasmagorique, les Juifs ne manqueraient pas d'exercer contre eux, et leur anxiété était aussi la source de certaines attitudes ambivalentes face à la persécution des Juifs. Cette inquiétude était fréquemment exprimée dans les années 30, puis ensuite, pendant la guerre, quand les Alliés commencèrent à bombarder l'Allemagne. En novembre 1943, le président de la Cour suprême de Brunswick écrivait dans un rapport que de nombreux Allemands rejetaient sur le parti nazi et le traitement infligé aux Juifs la responsabilité de ces terrifiants bombardements[166]. Dès les années 30, la crainte des représailles qu'exerceraient des Juifs tout-puissants, et l'idée que la destruction de l'Allemagne était au bout de cette guerre voulue par les Juifs, étaient suffisamment fortes pour que des antisémites convaincus reconsidèrent le bien-fondé du programme éliminationniste. Le simple fait de rendre les Juifs, si objectivement impuissants, responsables des bombardements qui rasaient les villes allemandes est une preuve irréfutable de l'adhésion des Allemands aux conceptions nazies[167].

Une autre raison pour certains Allemands de critiquer partiellement le programme éliminationniste était leur souci d'en voir exempter des Juifs qu'ils connaissaient personnellement. C'est là un phénomène propre au préjugé, et dont la coexistence avec une haine profonde pour l'ensemble du groupe, telle qu'on a pu la voir en Allemagne, est bien connue. Un rapport émanant d'un district de la Saxe, en 1938, illustre bien cette attitude et montre aussi à quel point de telles objections n'avaient aucune incidence sur l'acceptation quasi axiomatique par les Allemands du programme éliminationniste et de ses principes directeurs : « Dans notre district, il n'y a que peu de Juifs. Quand les gens apprennent par les journaux les mesures prises contre les Juifs dans les grandes villes, ils les approuvent. Mais quand elles touchent un Juif qui leur est proche, ces mêmes gens gémissent sur la terreur que fait régner le régime, et la compassion renaît en eux[168]. » Ce qui est fondamental ici, c'est l'attitude de ces Allemands à l'égard des Juifs des grandes villes, à l'égard des Juifs en général : ils applaudissaient aux mesures éliminationnistes. Les faits qu'évoque le rapport ne prouvent pas que les Allemands s'opposaient au principe gouvernant les idées et pratiques nazies, mais au contraire qu'ils y adhéraient.

Dernière raison d'un désaccord exprimé par certains Allemands, et dans ce cas, à l'endroit des aspects les plus radicaux du programme éliminationniste, les objections éthiques ou pragmatiques à l'application d'une peine de mort globale, à un génocide décidé par l'État. Comme on l'a déjà montré, les objections de type pragmatique étaient celles des opposants de droite. Les objections d'ordre éthique, elles, venaient de certaines figures éminentes de la haute hiérarchie ecclésiastique[169]. En juillet 1943, date à laquelle les Allemands avaient déjà massacré la plupart de leurs victimes juives, l'évêque Wurm se décidait enfin à écrire à Hitler une lettre privée protestant contre l'extermination, mais sans mentionner explicitement les Juifs. Mais le même Wurm montrait clairement, dans d'autres déclarations, qu'il partageait pour l'essentiel la vision des nazis. Ses objections n'allaient pas aux objectifs de la politique suivie, mais à la manière inhumaine dont le régime la mettait en pratique. Trois mois plus tôt, il expliquait au ministre de l'Intérieur, Frick, que ses critiques et celles d'autres chrétiens n'étaient pas, bien entendu, « le fruit d'une partialité envers les Juifs, dont les chrétiens ont été presque les seuls à reconnaître, naguère [sous Weimar], que l'influence disproportionnée qu'ils avaient sur la vie politique, culturelle et économique était désastreuse[170] ». Le même Wurm, dans une lettre de la fin 1943 à Hans Lammers, le chef des services de la Chancellerie, disait explicitement que ses objections éthiques au génocide ne devaient pas être comprises par Lammers (ni par nous) comme un rejet de l'idée que les Juifs étaient des démons, laquelle, précisait-il, était partagée par tous les chrétiens. Wurm déclarait que ni lui ni aucun chrétien n'était mu par « des inclinations philosémites, mais simplement par des sentiments religieux et éthiques [171] ».

Les différents malaises ressentis, si tant est qu'il y en ait eu beaucoup, n'étaient que des réactions bien peu surprenantes devant certains aspects d'un programme éliminationniste aussi radical. On verra même des responsables directs de l'Holocauste émettre certaines réserves d'ordre pratique. Le 12 novembre 1938, lors d'une réunion de travail consécutive à la Nuit de cristal, Hermann Göring, chargé par Hitler de coordonner la mise en œuvre du programme éliminationniste, reprochait à certains des participants l'importance des destructions matérielles auxquelles ils avaient contribué, mais certainement pas les agressions physiques contre des Juifs : « J'aurais préféré que vous ayez tué 200 Juifs plutôt que de détruire tant de biens [172] ! » De tels reproches chez ceux qui persécutaient ou tuaient les Juifs ne signifiaient évidemment pas qu'ils n'étaient pas antisémites ni qu'ils s'opposaient à l'Holocauste. Ceux qui adhèrent aux principes directeurs de programmes politiques même non radicaux, et cela n'est pas propre à l'Allemagne nazie, ont souvent des critiques à faire sur la manière dont ils sont exécutés. On peut donc dire que le plus important pour le sort des Juifs, et pour notre compréhension de l'attitude des Allemands à l'égard des Juifs, c'est que les doutes devant certaines mesures éliminationnistes qu'ont pu effectivement exprimer des Allemands ne doivent pas, dans l'ensemble, être interprétés comme un rejet des principes du projet éliminationniste et des croyances qui le gouvernaient [173]. La principale exception est celle des Allemands, qui, pour différentes raisons, ont aidé les quelque 10 000 Juifs qui ont échappé à la déportation en se cachant. Mais l'isolement de ces Allemands, et de ceux qui prirent la défense d'un conjoint juif, montre à quel point ils faisaient exception [174]. On peut même dire que, hormis ces Allemands-là, toutes les critiques émises en Allemagne contre les persécutions (critiques d'ailleurs limitées à certains aspects seulement de la persécution) n'étaient qu'un épiphénomène : comme ces exemples paradigmatiques le prouvent, ces critiques n'émanaient jamais d'un rejet allemand des deux idées fondamentales pour le destin des Juifs : l'antisémitisme éliminationniste et le programme destiné à éliminer d'Allemagne toute influence juive. Les doutes que ces Allemands exprimaient trahissaient chez leurs auteurs une acceptation de la vision nazie. Si de nombreux Allemands avaient été en désaccord avec le modèle cognitif dont nous parlons, alors, sans aucun doute, nous le saurions, car nous savons beaucoup de choses sur les désaccords qu'ils ont exprimés quant à la manière dont d'autres groupes humains étaient traités. Pendant la guerre, les propres services de sécurité du régime faisaient état d'une forte sympathie de la population à l'égard des étrangers et prisonniers employés à des travaux forcés, malgré les peines sévères encourues pour tous ceux qui se laisseraient aller à les aider ou avoir des relations avec eux, alors que, dans le cas des Juifs, on n'en a pratiquement aucun exemple, quand bien même l'extermination était connue de tous[175]. Toutes les archives dont nous disposons sur l'Allemagne nazie montrent que l'appui de principe, exprimé, des Allemands pour l'antisémitisme et l'entreprise éliminationniste était pratiquement sans limites, et que les désaccords exprimés n'étaient que le fait de quelques voix solitaires criant dans la nuit désolée.

Sans même parler des agressions physiques, les Juifs allemands des années 30 ont été probablement victimes d'une violence verbale plus forte et plus intensive qu'aucun autre groupe au sein d'une société donnée[176]. Étant donné les horreurs qui allaient suivre, la signification de cette violence verbale a été souvent négligée, à tort. Car ses conséquences pour les Juifs, comme pour les Allemands, furent très lourdes.

Cette violence verbale, en quantité et en intensité – avec notamment ces inscriptions un peu partout (que les Allemands et les Juifs voyaient quotidiennement) interdisant toute existence physique et sociale aux Juifs à côté des Allemands de telle localité ou de telle institution –, doit être comprise comme une agression majeure à part entière, puisque son objectif était de produire de profondes atteintes, affectives, psychologiques et sociales, à la dignité et à l'honneur des Juifs. Les souffrances ressenties par ceux qui devaient entendre publiquement de telles vociférations sans pouvoir y répondre (et souvent devant leurs enfants) ont été probablement aussi profondes que les humiliations des coups reçus en public[177]. Les Allemands de l'époque le comprenaient parfaitement, tout comme les Allemands ou les Américains d'aujourd'hui lorsqu'ils sont confrontés à des actes du même ordre, même considérablement plus limités. Tous ceux qui participaient à ces agressions ou en étaient spectateurs (éprouvant toutes sortes d'émotions, l'horreur exceptée) affirmaient par là que leur conception des Juifs exigeait bien qu'ils fussent humiliés de la façon la plus abjecte. Il est très important de comprendre (comme on le montrera au chapitre suivant) que les déportations et les violences physiques ne constituaient pas une rupture radicale par rapport à ces énormes blessures verbales que les Allemands infligeaient *en permanence* aux Juifs : c'en était au contraire le corollaire[178].

Cette constante violence verbale et la vision des Juifs qu'elle exprimait étaient porteuses de mort. Certains observateurs attentifs avaient su prédire, dès les années 30, que les Allemands chercheraient à exterminer les Juifs. Dès 1932, alors que les nazis n'étaient pas encore au pouvoir et que rien n'assurait qu'ils y parviendraient un jour, l'écrivain Theodor Lessing, un Juif allemand, analysait la logique exterminationniste qui possédait tant d'Allemands et prédisait que, un jour, ils résoudraient la « question juive » par la violence : « On cherche toujours le chemin le plus facile. Le plus facile, c'est de nier ou d'éliminer ce qui met mal à l'aise. Le plus simple, ce serait de tuer les douze ou quatorze millions de Juifs[179]. » Ce que Lessing envisageait ici n'était pas, dans tous les sens du terme, la solution « la plus simple », mais c'était la plus « finale » : en 1932, tout ce que Lessing pouvait observer, c'est que la haine des Allemands envers les Juifs était telle qu'elle pouvait porter jusqu'au génocide.

Le critique littéraire Ludwig Lewisohn, un Juif américain, avait lui aussi compris, dès les premières mesures antijuives, ce qui était au cœur du programme nazi. Il voyait dans le nazisme une « révolte contre la civilisation », titre de l'article pénétrant et prophétique qu'il écrivit en 1934. Il y évoquait notamment le mythe du « coup de poignard dans le dos » qui rejetait sur les Juifs la défaite militaire de 1918 : « Si incroyable que cela puisse paraître aux esprits sensés ailleurs dans le monde, on *croit* à ce mythe. » Avec de tels fantasmes, comment les Allemands pourraient-ils tolérer que ces gens vivent au milieu d'eux ? Et de conclure : « Tout cela ne serait qu'une sinistre farce s'il n'y avait pas là un danger majeur pour la civilisation humaine, une corruption des âmes, brouillant irrémédiablement les cervelles de toute une génération d'Allemands. Car il est clair aujourd'hui qu'ils agiront en fonction de ce mythe. Ils ont déjà commencé. Le bouc émissaire va être sacrifié ; le Juif est crucifié[180]. » Dans un autre article du même volume, la journaliste Dorothy Thompson, qui avait bien saisi la nature du continuum éliminationniste, disait que seules des contraintes pratiques empêcheraient les nazis d'exterminer les Juifs[181]. Selon elle, l'émigration forcée serait, du point de vue allemand, le meilleur programme éliminationniste réalisable dans les conditions de l'époque. Lewisohn et elle, à la différence de tant d'autres qui refusaient de croire à l'évidence, prenaient au sérieux les déclarations des nazis et reconnaissaient pour ce qu'elle était la charge de mort de l'antisémitisme raciste allemand et de sa pratique. Lessing, bien qu'écrivant avant les persécutions des débuts du nazisme, avait compris les potentialités exterminatrices présentes en Allemagne avant même que Hitler, accédant au pouvoir, ne sût les canaliser.

Ce génocide en puissance, inhérent à l'antisémitisme éliminationniste allemand et donc aux Allemands, ne se lit pas seulement dans les observations de gens comme Lessing, Lewisohn, Dorothy Thompson ou le journaliste américain Quentin Reynolds entendu par le Congrès à la mi-1939, qui prédisait l'« anéantissement » des Juifs « dans un pogrom complet »[182]. Nous disposons aussi d'autres textes qui montrent à quel point l'idéologie antisémite dominante était profondément porteuse de mort. Le 1er juin 1933, un théologien protestant de premier plan, exégète de la Bible, Gerhard Kittel, prononçait à Tubingen une conférence intitulée « La question juive », qui sera ensuite publiée. Il y dessinait d'un trait clair le modèle cognitif des Allemands à l'endroit des Juifs, élaboré au XIXe siècle et arrivé au pouvoir avec les nazis. Comme s'il s'agissait d'une vérité allant de soi, il commençait par déclarer que les Juifs constituaient une race, un corps étranger à l'Allemagne. L'émancipation et l'assimilation, loin de rendre les Juifs mieux adaptés à la société allemande, leur avaient permis d'infecter le peuple allemand de leur sang et de leur esprit, avec des conséquences calamiteuses. Quelle pouvait donc être la « solution » à la « question juive » ? Kittel en présentait quatre. Il rejetait la création d'un État juif en Palestine, comme irréalisable. Il rejetait l'assimilation, car elle était porteuse d'un mal intrinsèque : elle entraînait la pollution de la race. Et il est très significatif qu'il ait rangé l'extermination au rang des « solutions » possibles : « On peut essayer d'exterminer *[auszurotten]* les Juifs. » Mais comme il n'était pas en mesure d'imaginer une extermination systématique organisée par l'État, Kittel n'avait à sa disposition que le modèle du pogrom, ce qui le conduisait à rejeter comme irréalisable la solution de l'extermination. Il s'arrêtait donc à la « solution » du « statut d'hôte » *(fremdlingschaft)*, c'est-à-dire à la ségrégation des Juifs au sein du peuple qui les hébergeait[183]. Qu'un théologien éminent ait été capable d'envisager l'extermination des Juifs dès juin 1933 (sans grande élaboration ni justification, presque en passant, comme une option allant de soi pour qui cherche une « solution » à la « question juive ») révèle à quel point l'antisémitisme éliminationniste régnant était porteur de mort, et combien ce type de débat devait sembler banal chez les Allemands ordinaires dans l'Allemagne du début des années 30.

En cette même période de l'ascension des nazis, nous trouvons des déclarations encore plus glaçantes et révélatrices que celles de Kittel. Dans une lettre de protestation écrite par le président américain du Conseil universel chrétien pour la vie et le travail à un dirigeant de l'Église protestante allemande chargé des relations internationales, nous pouvons lire :

> ... l'été dernier à Berlin, des collègues ont entendu des représentants officiels des Églises affirmer que la politique suivie [par l'Allemagne] était celle de « l'extermination humaine »... Franchement, les chrétiens d'Amérique ne peuvent imaginer comment une extermination d'êtres humains pourrait être « humaine ». Et il leur est encore plus difficile de comprendre comment des hommes d'Église, en quelque lieu et en quelque temps que ce soit, peuvent délibérément appuyer de leur influence une telle politique [...] Pourtant, nous avons été obligés de remarquer que, même avant la révolution, quand la liberté de parole était encore possible en Allemagne, aucune protestation n'est venue jusqu'à nous, émanant d'hommes d'Église allemands, contre le violent antisémitisme des nationaux-socialistes. Depuis, nous avons entendu bon nombre de discours d'excuse face à la situation, mais aucune déclaration officielle, et bien peu de déclarations individuelles, reconnaissant qu'il y allait de la morale[184].

Ces « représentants officiels des Églises », restés anonymes, allaient si loin dans l'antisémitisme qu'ils n'hésitaient pas à révéler à d'éminents visiteurs américains leurs pulsions exterminationnistes personnelles et celles de leur société. Il semble qu'ils aient cru que leurs collègues américains comprendraient et approuveraient cette « solution » de la « question juive » par l'« extermination humaine », politique dont ils savaient qu'elle était entièrement à l'unisson du programme nazi. Impossible de se dire que leur formule avait été employée métaphoriquement ou que leurs interlocuteurs américains avaient mal compris : comme on va le voir, la réaction à la protestation américaine montre qu'il n'en est rien. Si la façon dont les Américains avaient rapporté la position allemande avait été erronée, alors les responsables des Églises allemandes auraient sans nul doute cherché à clarifier leur position, à convaincre leurs collègues d'outre-Atlantique que des hommes de Dieu ne pouvaient avaliser une politique d'« extermination humaine ». Pour toute personne désavouant cette politique, il aurait été honteux, alarmant et douloureux que ses conceptions eussent été à ce point mal comprises. Mais au lieu de répondre par écrit pour clarifier ainsi les choses, le responsable allemand de ces affaires au sein de l'Église protestante note, avec un mépris évident pour ces Américains inéducables, que toute correspondance avec le président américain n'était « plus possible » à l'avenir. La révélation contenue dans la lettre américaine, et dans la réaction allemande, montre une nouvelle fois combien l'antisémitisme éliminationniste était porteur de mort dès les premiers temps de l'arrivée au pouvoir des nazis, avant même que le régime ne commence à mettre en œuvre sa politique d'extermination.

L'idéologie éliminationniste, issue du modèle cognitif régnant en Allemagne à l'endroit des Juifs, était à la racine de la politique nazie que le peuple allemand soutenait. Le programme de génocide des années de guerre avait les mêmes fondements et dérivait du même modèle. C'était une « solution » plus radicale à un problème dont l'Allemagne avait depuis longtemps approuvé le diagnostic. Vu sous cet angle, le saut qui permet de passer du programme éliminationniste des années 30 à la « solution » du génocide n'est pas aussi grand qu'on l'a presque toujours prétendu[185]. Triompher des inhibitions éthiques pour passer au massacre collectif n'aura pas été commode pour tout le monde, mais les motivations fondamentales d'une « solution » aussi radicale étaient depuis longtemps en place, et elles demandaient aux Allemands d'avoir le courage de leurs convictions, d'avoir confiance en Hitler, leur « guide », qui serait capable de résoudre la question en assurant le bonheur à long terme du pays. Il n'est donc pas surprenant que, lorsque la connaissance des massacres systématiques des Juifs s'est répandue à travers l'Allemagne, les Allemands n'aient exprimé qu'une sorte de malaise, né de la crainte résiduelle que des mesures aussi effrayantes ne pouvaient manquer de provoquer chez un peuple élevé dans le respect du commandement « Tu ne tueras point », et de l'angoisse à l'idée de ce que ces Juifs réputés tout-puissants feraient à l'Allemagne si elle échouait[186]. L'alternative à la victoire sur le champ de bataille, selon la vision hallucinée du monde qu'un Heck, ancien des Jeunesses hitlériennes, partageait avec ses concitoyens, était « la nuit sans fin de l'esclavage judéo-bolchevique, trop horrible à envisager[187] ». Tout aussi redoutables à envisager étaient, aux yeux des Allemands, les conséquences d'un échec de la nation dans son programme d'extermination des Juifs.

Si l'on met maintenant de côté ces quelques hésitations peu surprenantes et comparativement faibles, l'antisémitisme raciste des Allemands ordinaires était, en 1939, tout prêt à être canalisé et *activé* à des fins de génocide. Leur idéologie antisémite et éliminationniste les préparait-elle à porter leurs convictions jusqu'à leur extrémité logique et radicale ? Et quand ils seraient finalement confrontés au « mal », que la plupart d'entre eux ne connaissaient que de loin, allaient-ils consentir à l'expurger de la seule manière vraiment « finale » ? Le cadre théorique élaboré ici afin de comprendre l'antisémitisme nous laisse entendre qu'ils passeraient aux actes, car une telle « solution » trouvait son fondement idéologique dans la diabolisation des Juifs dont procédaient les différentes mesures, si populaires, prises dans les années 30 par le régime et les Allemands ordinaires dans tous les domaines de la vie quotidienne pour dégrader les Juifs, les priver de ressources et les exclure de la société allemande. Cependant, un point de vue théorique ne suffit pas : une enquête empirique est aussi nécessaire. C'est la raison pour laquelle, après avoir analysé la façon dont l'antisémitisme éliminationniste a conditionné toute l'évolution de la politique antijuive des nazis, il faut procéder ici à une analyse détaillée des actions entreprises par des Allemands ordinaires, une fois lancés dans l'entreprise exterminationniste. Que les Allemands ordinaires fussent possédés par un antisémitisme raciste, démonologique, ne saurait être mis en doute. Mais quelle puissance de motivation avait cette propriété commune ? Comment allait-elle les inciter à agir lorsqu'on leur demanderait d'être les exécutants déterminés d'un génocide ?

DEUXIÈME PARTIE

Programme et institutions éliminationnistes

Ce peuple doit disparaître de la surface du globe.

Heinrich Himmler,
discours aux chefs du parti nazi,
Posen, 6 octobre 1943

4

L'assaut nazi contre les Juifs et son évolution

L'intention éliminationniste avait beau être claire et constante chez Hitler et les nazis avant même leur arrivée au pouvoir, leur politique à l'égard des Juifs n'en fut pas moins évolutive, et sinueuse. Rien de surprenant à cela. Le nouveau régime était bien décidé à entreprendre cette tâche – l'élimination des Juifs de toutes les sphères de la vie sociale en Allemagne, et l'anéantissement de leur capacité présumée à nuire à l'Allemagne –, mais c'était une tâche très complexe, et sans précédent à l'époque moderne. De plus, la tâche ne pouvait être accomplie qu'à travers toutes sortes de contraintes, et elle devait aussi affronter la concurrence d'autres objectifs, parfois contradictoires. Les nazis étaient parvenus au pouvoir dans une conjoncture très difficile de crise économique, au milieu d'une Europe hostile, avec plusieurs objectifs de revanche et de révolution. Imaginer qu'un tel régime, opérant dans cette conjoncture, ait pu poursuivre l'objectif d'éliminer les Juifs d'Allemagne, d'Europe, du monde entier, sans avoir à opérer des virages, compromis tactiques, ajustements pragmatiques, sans être obligé de différer des objectifs à long terme au profit d'objectifs à court terme dans d'autres domaines, c'est avoir une idée peu réaliste de l'art de gouverner. C'est attribuer aux nazis une capacité prodigieuse à mettre leurs idées en pratique, à traduire leurs choix idéologiques en résultats politiques.

Il était inévitable que l'assaut nazi contre les Juifs ne pût être conforme à cette vision idéalisée et caricaturale de la façon dont les programmes se muent en politique. Leur politique antijuive a été effectivement marquée par d'apparentes contradictions, par des conflits entre lieux de pouvoir. Refusant de voir autre chose que ces sinuosités politiques, certains historiens ont cru pouvoir conclure que l'évolution de la politique nazie était incohérente, que personne n'en avait le contrôle, que la décision d'anéantir les Juifs n'était que le produit d'exigences contingentes, sans grand rapport avec les intentions des dirigeants nazis ou de Hitler, et qu'elle n'était pas partie intégrante, organique, de la conception du monde des nazis. Ce sont là autant d'idées fausses. La politique des nazis à l'égard des Juifs était parfaitement cohérente, et ferme dans ses objectifs.

Les intentions et la politique des nazis reposaient sur une vision des Juifs abondamment exprimée et partagée, l'antisémitisme raciste éliminationniste. Une fois que l'on a reconnu que l'idéologie éliminationniste (diagnostic d'une « question juive » et considération des différentes « solutions » pratiques) sous-tendait la pensée et les actes des nazis, alors leur politique à l'égard des Juifs devient beaucoup moins énigmatique, beaucoup plus délibérée, beaucoup plus facile à comprendre pour ce qu'elle était : *une tentative concertée, encore que flexible et inévitablement expérimentale, née d'une volonté consciente d'éliminer le pouvoir et l'influence prêtés aux Juifs aussi complètement et aussi définitivement que possible*. Cette politique était consciente, car ouvertement et fréquemment exposée ; elle était concertée, car poursuivie avec détermination et constance par de très nombreuses personnes ; elle était expérimentale et flexible parce que le terrain sur lequel elle avançait n'était pas balisé, et que des contraintes pratiques pesaient sur sa conception et sur son exécution par les Allemands. On peut même dire que, face à ces contraintes et à ces incertitudes pesant sur leurs intentions politiques, les nazis ont été *remarquablement cohérents*, bien plus que ne le reconnaissent en général les travaux récents, et plus cohérents qu'on aurait pu raisonnablement l'attendre.

Le démontrer, tout en éclairant la politique antijuive des nazis, demande une nouvelle conceptualisation de certains problèmes, et le recours à un nouveau cadre interprétatif[1]. Aussi, avant d'étudier l'évolution de la politique nazie à l'égard des Juifs, faut-il d'abord traiter brièvement quelques problèmes conceptuels et analytiques. La notion d'« intentionnalité », les relations entre Hitler et ses partisans, les critères d'évaluation de la cohérence des actions (autant de sujets importants) ont été et continueront vraisemblablement à être l'objet de débats, explicites ou non, et il vaut la peine de faire une pause pour les clarifier.

Le système politique de l'Allemagne nazie reposait à la fois sur la dictature et le consensus : il était dictatorial, parce qu'il n'existait aucun mécanisme électoral pour contrôler le pouvoir de Hitler ou l'écarter éventuellement de ses fonctions ; il était consensuel, parce que les gens en place dans les institutions politiques, et la population allemande dans son ensemble, considéraient le système et l'autorité de Hitler comme bénéfiques et légitimes[2]. Au sein de ce consensus global, des dissensions et des conflits pouvaient apparaître à propos de plusieurs problèmes, dont la politique à suivre à l'égard des Juifs, et cela pour trois raisons. La première tenait à l'existence de contraintes, obligeant à faire des compromis, à repousser tel objectif politique jusqu'au moment où les circonstances favorables apparaîtraient d'elles-mêmes ou pourraient être créées. La deuxième venait du fait que Hitler pratiquait un style de gouvernement souvent peu interventionniste, qu'il laissait à ses subordonnés – agissant dans des institutions différentes et avec des idées qui pouvaient elles aussi être différentes – une notable marge de manœuvre [3]. La troisième raison réside dans les tensions et incohérences qui apparaissent inévitablement dans une entreprise nationale nouvelle et complexe quand des institutions concurrentes (et dans le cas présent, dotées de compétences mal définies et qui se recoupaient souvent) n'opèrent pas sous le contrôle d'un organe central (pour ne rien dire de sa puissance) [4].

Et comme si ces traits du système politique n'étaient pas déjà des gages d'incohérence, ajoutons que l'idéologie éliminationniste était compatible avec plusieurs « solutions », et que presque toutes n'avaient aucun précédent et présentaient de grandes difficultés d'exécution. C'est ce qui explique que tous ceux qui ont eu à imaginer et à exécuter la politique antijuive, même s'ils avaient tous le même credo central, aient pu varier dans la conception des détails, dans la manière d'accorder cette politique à d'autres objectifs politiques, dans la définition de ce qui devait être fait à court, moyen et long termes, et sur la vitesse à laquelle il convenait de procéder pour chaque étape. Rien d'étonnant à ce que les nazis aient tâtonné avant de trouver leur « solution » à la « question juive ».

Ces traits du système nazi compliquent la tentative de comprendre ce qu'étaient leurs intentions à l'endroit des Juifs allemands et européens, et, quelles qu'elles aient été, de comprendre quelles considérations les ont poussés à adopter la politique et les mesures qu'ils ont effectivement choisies. La stratégie analytique dominante face à ces questions a été de reconstituer une séquence plausible non seulement des politiques mais des intentions, à partir des mesures prises à *chaque moment différent* mais aussi à partir de ce que les divers protagonistes semblent avoir eux-mêmes su des intentions qui sous-tendaient ces mesures. Chaque étape de la séquence est alors expliquée par la conjoncture politique, institutionnelle, territoriale et militaire du moment, dont on considère qu'elle conditionnait les intentions et les actes des acteurs. Cette méthode apprend certes beaucoup sur les conceptualisations et les actes des acteurs aux niveaux de la micro-analyse et de la méso-analyse. Cependant, quand elle n'est pas épaulée par un cadre interprétatif plus large, elle ne produit que des conclusions biaisées par le fait de son insistance sur les facteurs conjoncturels et matériels, qui tendent à surestimer l'importance de déviations tertiaires par rapport à la dynamique politique générale, à perdre de vue le caractère global du nazisme et de la politique éliminationniste à l'égard des Juifs. Ces points de vue au ras du sol sont très instructifs, et indispensables, mais on ne doit les concevoir que comme les compléments d'une perspective aérienne, et non comme son substitut.

Compte tenu de ces difficultés dans l'interprétation et l'explication, l'approche choisie ici est la suivante.

Toute analyse des événements doit commencer par Hitler. Quand bien même on voudrait en savoir beaucoup plus sur les délibérations intimes de Hitler et sur son rôle, il est néanmoins clair qu'il a pris en personne les décisions cruciales, et qu'il est l'initiateur des persécutions qui ont culminé dans le génocide[5]. A cela s'ajoutent deux autres certitudes. La première, c'est que Hitler n'a *jamais* varié dans ses idées et intentions éliminationnistes, qu'il avait exposées publiquement dès son discours du 13 août 1920, « Pourquoi nous sommes antisémites ». Il expliquait à son auditoire que la première étape était de savoir reconnaître la nature des Juifs, à la suite de quoi une organisation devrait naître « qui, un jour, passera à l'action ; et notre résolution est inébranlable. L'action, ce sera d'éloigner les Juifs de notre *Volk*[6] ». Seconde certitude, cette constance « inébranlable » de Hitler a formé le cadre de la politique allemande envers les Juifs (il n'envisagera ni ne proposera jamais que les Allemands puissent vivre en paix et en harmonie avec les Juifs). Cette constance de la résolution éliminationniste de Hitler n'est pas surprenante, puisque son jugement sur la gravité de la menace juive, très tôt formé, n'avait jamais varié. Le danger était si grand, disait-il devant un auditoire de 1 200 personnes en 1920, qu'il ne reculerait devant rien pour débarrasser l'Allemagne des Juifs. Et il proférait cette menace : « ... nous sommes mus par la résolution inexorable de prendre le Mal à la racine et de l'exterminer *[auszurotten]* de bas en haut. Pour atteindre ce but, rien ne nous arrêtera, quand bien même nous devrions faire cause commune avec le diable[7]. » Ainsi faisait-il savoir qu'il ferait tout ce qui serait nécessaire pour éliminer les Juifs, jusqu'à adopter des moyens qui iraient à l'encontre des conventions et violeraient même les tabous. Quand Hitler utilisait ainsi le vocabulaire de l'extermination totale, sa langue ne fourchait pas. La question centrale est donc celle-ci : comment Hitler a-t-il donné à sa constante visée éliminationniste une formulation concrète en fonction des différentes occasions et contraintes, et de ses autres souhaits et objectifs concurrents ?

Pour approfondir ces questions, il faut garder à l'esprit plusieurs distinctions. Les « idéaux » sont les images optimales de ce qui est désirable dans un monde qui serait débarrassé de toute contrainte sociale et physique. Les « intentions » sont les projets que l'on formule pour le monde réel en tenant compte de différentes conditions ou contraintes, réelles et potentielles. Les « politiques » sont les différents cours qu'on décide de donner à ses actions à un moment donné et en fonction de conditions et de contraintes données. Idéaux, intentions et politiques ne sont pas nécessairement des reflets parfaits les uns des autres. A moins que des obstacles ne surgissent, les intentions d'une personne tendent à atteindre ses idéaux ; et ses actions, c'est-à-dire la politique qu'elle poursuit, tendent à être formulées de manière à accomplir les intentions. Néanmoins, il y a souvent une contradiction brutale entre les idéaux et toute possibilité de les voir atteints dans la réalité. Aussi les intentions ne peuvent-elles pas satisfaire pleinement les idéaux qui les fondent, parce qu'il faut faire à la réalité des concessions raisonnables. Et les politiques reflètent souvent bien peu les intentions, pour ne rien dire des idéaux, parce que la formulation des actions à entreprendre doit faire encore plus de concessions à la réalité que celle, déjà prudente, des intentions. Qui plus est, quand on formule les politiques, on garde à l'esprit d'autres idéaux et intentions concurrents, et dans ce cas, il peut *sembler* que la personne en question n'a pas telle ou telle intention. Il est donc possible que quelqu'un ait pour idéal un monde vidé de toute influence juive, qu'il ait l'ardente intention de faire naître ce monde quand les conditions seront favorables, mais qu'il poursuive une politique, voire des politiques différentes, qui ne mènent pas au changement désiré, parce qu'il juge que la réalisation de cet idéal et l'accomplissement de cette intention ne sont tout simplement pas possibles dans la conjoncture du moment. Prendre son temps, tout en poursuivant des politiques intérimaires ou incomplètement satisfaisantes, est une réaction prudente, rationnelle, face à des obstacles insurmontables. Une telle manière de procéder n'est nullement incompatible avec le respect de ses idéaux et intentions ultimes. Elle ne saurait prouver que les idéaux et les intentions ont disparu.

A la lumière de cette analyse, voici ce qui peut être dit sur le cours global de la persécution et du massacre des Juifs par les Allemands. Hitler était le moteur de la politique antijuive. Dans les premières années de sa dictature, il s'est arrêté à des « solutions » de compromis à la « question juive », parce qu'il jugeait impossible dans l'immédiat, voire à long terme, le type de « solution » qu'il avait en tête. Toutes les « solutions » que lui-même et ses subordonnés ont cherché à mettre en place étaient directement issues d'un même diagnostic, parfaitement exprimé par l'un des slogans les plus fréquemment répétés sous le nazisme : « Mort aux Juifs ». Les politiques allemandes à l'égard des Juifs n'étaient que des variations sur un thème éliminationniste commun. Sans doute ces variations avaient-elles pour les victimes des conséquences extrêmement différentes, mais du point de vue des bourreaux, elles étaient des équivalents fonctionnels. Pour eux, elles avaient le même sens et venaient de la même motivation, laquelle est cruciale pour expliquer le cours pris par la persécution. Un même modèle cognitif des Juifs les informait toutes, et c'était lui qui donnait à toutes les mesures prises leur rationalité, leur orientation globale, leur terrifiante énergie.

Quand on recherche l'essence des si nombreuses mesures prises contre les Juifs d'Allemagne et d'Europe, on découvre que toutes ces politiques avaient en commun deux caractéristiques et objectifs principaux :

1. Transformer les Juifs en être « socialement morts » – en êtres violemment dominés, rejetés du seul fait de leur naissance et déshonorés – et, une fois ce but atteint, les traiter comme tels[8].
2. Écarter les Juifs complètement et durablement de tout contact social, et si possible physique, avec les Allemands, et donc les empêcher de participer à la vie de l'Allemagne.

Telles furent les deux composantes permanentes de la politique antijuive des Allemands, quelles que fussent les mesures prises. La conviction que ces objectifs étaient les bons constituait l'axiome de la politique antijuive, son modèle cognitif sous-jacent. La réalisation de ces objectifs s'est faite à travers des politiques et mesures différentes, dont certaines se recoupaient dans la durée. Parmi elles :

1. Agressions verbales.
2. Agressions physiques.
3. Mesures juridiques et administratives pour isoler les Juifs des non-Juifs.
4. Incitations violentes à émigrer.
5. Déportation et « réinstallation ».
6. Ségrégation physique dans des ghettos.
7. Assassinat, par la famine, l'épuisement, les maladies (avant le programme officiel de génocide).
8. Travaux forcés comme substitut de la mort.
9. Génocide (avant tout par massacres collectifs à la mitrailleuse, famine organisée et gazage).
10. Marches de la mort.

Aucune des principales mesures adoptées par les Allemands à l'égard des Juifs ne s'écartait de l'un ou l'autre des deux objectifs centraux : obtenir la « mort sociale » des Juifs, vider l'Allemagne de leur présence et de leur influence. Néanmoins, trois des politiques suivies se distinguent en ce qu'elles ont contribué simultanément, symbiotiquement, à ces deux objectifs : les agressions verbales, les agressions physiques, les discriminations juridiques et administratives imposées aux Juifs. Nul doute qu'en 1939 les Allemands avaient déjà réussi à faire des Juifs des morts sociaux au sein de la société allemande.

La plus cohérente, la plus fréquente de toutes les politiques gouvernementales allemandes antijuives, bien que souvent identifiée comme telle par les historiens, a pourtant rarement été considérée comme faisant partie intégrante de la politique antijuive des nazis : je veux parler des constantes et générales insultes antisémites émises publiquement en Allemagne, que ce soit dans les discours de Hitler, à la radio, dans les journaux, les magazines, les revues, les livres scolaires, les films, sur les panneaux publics ou verbalement. Les effets de ce continuel tir de barrage antisémite sur la vision que les Allemands avaient des Juifs ont déjà été exposés dans le précédent chapitre. On s'y arrêtera de nouveau ici, afin d'en souligner les objectifs politiques et sociaux. C'était avant tout un acte déclaratif, l'affirmation par Hitler et ses partisans de leurs croyances intimes, et qui annonçait aussi leur intention de libérer l'Allemagne de la prétendue emprise destructrice des Juifs. Cette violence verbale était destinée à la fois aux Allemands et aux Juifs : elle avait pour but de renforcer les croyances des Allemands et de terroriser les Juifs. Cette terreur semée par les mots était au service de l'objectif affectivement gratifiant pour ces Allemands de plonger les Juifs dans l'épouvante, et de l'objectif pratique de leur faire quitter l'Allemagne, pour (espérait-on) la laisser tranquille ensuite. Au même titre que toutes les autres politiques, l'assaut verbal contribuait à faire des Juifs des êtres socialement morts, envers qui les Allemands étaient déliés de toute obligation morale, des êtres totalement privés de dignité et ne méritant donc pas d'être traités dignement. Un survivant évoquait ainsi cet aspect de la politique nazie dans la période qui suivit le boycott du 1er avril 1933 : « Les rafales de la propagande s'abattaient sur les Juifs avec violence et intensité, sans relâche. Le message sans cesse répété, martelé dans l'esprit des lecteurs ou des auditeurs, était que les Juifs étaient des sous-hommes, source de tous les maux [9]... » L'accumulation de cette violence verbale contre les Juifs était au cœur de l'objectif poursuivi : faire des Juifs des êtres socialement morts (et donc préparer les Allemands à des mesures éliminationnistes bien plus drastiques encore), et, en les poussant à émigrer, réduire leur influence sur l'Allemagne.

Deuxième politique poursuivie pendant toute la durée du nazisme, bien que de façon intermittente dans les années 30, celle des agressions physiques. Le régime perpétrait, encourageait ou tolérait les violences antijuives, qui pouvaient surgir à tout moment dans les années 30, et qui, à partir de 1940, constitueront le lot quotidien des Juifs. Tantôt c'était des attaques à l'improviste, des rituels d'avilissement organisés par les autorités locales, tantôt des campagnes déclenchées par le gouvernement, pour faire violence aux Juifs, les terroriser ou les enfermer dans des camps. Comme on l'a déjà montré, les agressions physiques, tout comme les agressions verbales, devaient faire comprendre à tous que les Juifs étaient exclus de la communauté morale, et qu'ils feraient mieux de quitter l'Allemagne d'eux-mêmes. Ces agressions annonçaient aussi l'affreux sort qui pourrait bien un jour être celui des Juifs.

Troisième politique allemande antijuive, les mesures juridiques et administratives successives instaurant la ségrégation sociale des Juifs. De toutes les politiques suivies, c'était la plus étroitement liée à la violence verbale ; à la différence de la plupart des mesures antijuives qu'ils ont pu prendre, les Allemands ont mis celle-là en œuvre dès l'arrivée des nazis au pouvoir et n'ont jamais cessé de poursuivre ce programme. La progression systématique de cette exclusion des Juifs de toutes les sphères de la société, politique, économique, sociale et culturelle, était pour les victimes aussi douloureuse que les effets des différentes mesures elles-mêmes [10]. Les Allemands commencèrent par exclure les Juifs de la fonction publique une semaine après la journée de boycott, par la loi sur la restauration du service public du 7 avril 1933 ; ils les chassèrent de la plupart des professions libérales au cours des semaines suivantes [11]. L'exclusion des Juifs de la vie économique commença elle aussi dès les premières années du régime, en fonction de la situation économique du pays, et devint plus forte en 1938[12]. Dès le 22 septembre 1933, les Allemands écartèrent les Juifs des secteurs culturels et de la presse, laquelle, aux yeux de beaucoup, était tout particulièrement victime de leurs « poisons ». Tout au long de la période, les Allemands interdirent presque toute relation entre les Juifs et le reste de la population, ainsi que d'importantes pratiques de la religion juive, en promulguant un déluge de lois réglementant ce que les Juifs pouvaient faire et ne pas faire. Dès le 21 avril 1933, l'abattage rituel fut interdit, et comme il s'agit d'une pratique constitutive du judaïsme, le seul sens que pouvait avoir cette mesure était de déclarer que le judaïsme lui-même constituait une violation des normes morales de la société. Au total, les Allemands virent promulguer près de 2 000 textes de lois et règlements destinés à avilir et faire souffrir les Juifs, persécution qu'aucune minorité en Europe n'avait subie depuis des centaines d'années[13].

En septembre 1935, les lois de Nuremberg constituèrent l'événement juridique central de toute cette chaîne de discriminations légales, puisque ces lois, et les nombreux décrets qui les suivirent, définissaient juridiquement qui était juif : pour la première fois, les Allemands allaient savoir clairement qui était soumis à la législation sur les Juifs. Fidèles aux principes raciaux de la conception dominante du monde et des juifs, les critères adoptés reposaient avant tout sur les liens du sang et non sur l'identité religieuse : les lois de l'Allemagne déclaraient juifs même les convertis au christianisme (ou nés de parents convertis) si certains de leurs ascendants étaient juifs, sans vouloir considérer s'ils s'identifiaient psychologiquement ou socialement à quoi que ce soit qui fût juif[14]. Les lois de Nuremberg privaient aussi les Juifs de leurs droits civiques, et interdisaient à l'avenir tout mariage ou relations sexuelles entre Juifs et non-Juifs, ce qui avait un très fort impact symbolique et pratique. L'ensemble de ces lois, règlements et mesures des années 30 avaient pour but de priver les Juifs de leurs moyens d'existence, de les plonger dans le désespoir, de les isoler de la société dans laquelle ils avaient jusque-là évolué librement. Les Juifs étaient désormais socialement morts.

A partir du 1er septembre 1941, l'isolement social des Juifs au sein de l'Allemagne, et leur désignation publique comme êtres socialement morts, furent chargés d'une force symbolique encore supérieure par le règlement obligeant les Juifs allemands à porter en public une étoile de David jaune, d'une taille définie, avec le mot *Jude* inscrit en lettres noires. L'effet recherché était évident : marquer ainsi les Juifs aux yeux de tous était une manière d'accroître encore leur humiliation ; porter une cible aussi voyante au milieu d'une population hostile ne pouvait qu'accroître le sentiment d'insécurité des Juifs, et comme tout passant allemand pouvait désormais les identifier facilement, les Juifs, et surtout les enfants juifs, eurent à subir de nouvelles agressions verbales et physiques. Une Juive de Stuttgart racontera : « Porter l'étoile jaune, ce marquage imposé à partir de 1941 comme si nous étions des criminels, était une torture.

Tous les jours, quand je sortais, il fallait que je fasse de gros efforts pour avoir l'air calme[15]. » L'imposition de l'étoile jaune signifiait aussi que tous les Allemands étaient désormais en mesure d'identifier, contrôler et tenir à distance ceux qui portaient ce stigmate de leur mort sociale. Il n'est donc pas surprenant que, partout dans l'Europe occupée, les Allemands aient imposé le port de la dégradante étoile jaune[16].

Cette ségrégation sociale, avec toutes ses composantes, était complémentaire des violences verbales ou physiques, et elles se renforçaient mutuellement. Tandis que les violences verbales proclamaient, à l'intention des Allemands comme des Juifs, le fossé moral qui les séparait, les lois et règlements proclamaient et imposaient l'existence d'un gouffre physique et social. Au total, elles faisaient des Juifs des êtres socialement morts, des membres *de facto* d'une communauté de lépreux, contre qui tout pourrait et pouvait être fait. Elles rendaient la vie des Juifs, tant du point de vue pratique qu'existentiel, si difficile et si dégradante dans une Allemagne hostile que les Juifs allemands s'enfuyaient en masse. Sur les 525 000 Juifs vivant en Allemagne en janvier 1933, près de 130 000 émigrèrent dans les cinq années suivantes. En 1938, même les Juifs les plus enclins à garder des illusions étaient obligés d'admettre qu'un Juif ne pouvait plus vivre en Allemagne : le rythme de l'émigration s'accrut en 1938-1939, avec 118 000 nouveaux Juifs quittant l'Allemagne, et cette fois pour n'importe quel pays qui leur donnerait un visa d'entrée. Un peu plus de 30 000 Juifs parvinrent encore à s'enfuir après le début de la guerre[17]. Les Allemands avaient donc réussi à contraindre près de la moitié des Juifs allemands à quitter ce qui était jusque-là leur patrie bien-aimée (le plus souvent en perdant tout ce qu'ils possédaient).

Même si *l'idéal* de Hitler tout au long des années 30 restait l'élimination de toute influence juive, ses *intentions* immédiates, reflétées dans les politiques suivies, se limitaient au but plus modeste de débarrasser l'Allemagne de ses Juifs. Compte tenu de la situation internationale de l'époque, c'était la politique la plus efficace, même si elle n'était pas entièrement satisfaisante. L'Allemagne encerclée, l'Allemagne encore faible des années 1930 n'aurait pu se lancer dans des mesures plus radicales sans courir le risque d'une guerre qu'elle ne pouvait espérer gagner. L'Allemagne des années 30 cherchait à sortir de la crise économique, à se réarmer, et, à partir de 1935, à remporter des victoires diplomatiques et territoriales en pratiquant le chantage à la guerre (abrogation *de facto* des restrictions imposées par le traité de Versailles, remilitarisation de la Rhénanie en 1936, annexion de l'Autriche en mars 1938, démembrement de la Tchécoslovaquie en 1938 et 1939). Un assaut physique général contre les Juifs allemands aurait empêché l'Allemagne de refaire ses forces, condition absolument essentielle à la réalisation des objectifs apocalyptiques de Hitler, y compris la victoire sur la « juiverie internationale ». Même si Hitler et ses compatriotes avaient choisi d'ignorer ces formidables contraintes et d'anéantir les Juifs allemands, c'eût été une victoire à la Pyrrhus : elle n'aurait pas apporté une « solution finale » à la « question juive » car les Juifs du reste du monde n'auraient pas été touchés. Paul Zapp, qui, plus tard, comme chef du *Sonderkommando 11a*, massacrera les Juifs du sud de l'Ukraine et de Crimée, l'avait bien compris : « Il n'y aura pas de solution définitive à la question juive si on ne réussit pas à briser définitivement les Juifs du monde entier. Chef politique et diplomatique, Hitler a jeté les fondations d'une solution européenne de la question juive. Et c'est à partir de cette position de force que la question juive mondiale devra être traitée[18]. » La « juiverie internationale », dont on était sûr qu'elle manipulait à la fois l'Union soviétique et les démocraties occidentales, surtout les États-Unis, n'allait pas manquer de se mobiliser, et de mobiliser aussi le reste du monde pour abattre l'Allemagne et la détruire[19]. Hitler espérait bien que l'ultime règlement de comptes avec les Juifs viendrait un jour, mais ce serait aux Allemands d'en choisir le moment propice et les conditions.

Exterminer les Juifs allemands dès les années 30, même si cela avait été possible, aurait été prématuré eu égard aux autres objectifs de Hitler, et n'aurait pu se faire qu'au détriment de l'Allemagne. Hitler et les nazis étaient prisonniers d'une idéologie hallucinée, mais ils n'étaient pas fous. Ils faisaient preuve d'un talent extraordinaire pour atteindre leurs objectifs, reconstruire la société allemande et son environnement international d'une manière conforme à leurs idéaux. Même si Hitler et ses compatriotes avaient souhaité de tout leur cœur massacrer les Juifs jusqu'au dernier dès 1933, il suffit de voir la manière calculatrice dont ils ont procédé sur d'autres questions que la « question juive » dans les années 30, et même pendant la guerre, pour comprendre qu'ils ne l'auraient pas fait, préférant choisir le moment favorable, quand les temps seraient venus.

C'est donc de sang-froid que le gouvernement allemand a décidé de se limiter temporairement à des politiques complémentaires d'isolement juridique et administratif des Juifs au sein de l'Allemagne, pour les contraindre à émigrer. Ces politiques coordonnées au sommet ont progressé à grands pas, sans autre frein que des considérations internes (maintenir une apparence de légalité et faire en sorte que le retrait des Juifs de l'économie allemande la perturbe le moins possible) et les contraintes venant de l'opinion mondiale, avec leurs effets sur le statut de l'Allemagne et ses perspectives[20].

La Nuit de cristal, ce pogrom à l'échelle nationale du 9-10 novembre 1938, fut un événement d'une extrême importance. Les mesures prises jusque-là par les Allemands n'ayant pas suffi à faire partir tous les Juifs, le temps était venu d'être plus sévère, de leur faire parvenir un message sur le sens duquel ils ne pourraient pas se tromper : « Partez, ou bien... » En ce sens, la *Kristallnacht* – assaut national contre les personnes des Juifs, leurs moyens d'existence, les symboles centraux de leur communauté – était une étape peu surprenante[21]. C'était aussi le présage d'un avenir menaçant. Avec la Nuit de cristal, les Allemands exprimaient plus clairement que jamais deux idées que tout le monde pouvait comprendre : les Juifs n'avaient pas leur place en Allemagne, et les nazis étaient prêts à faire couler le sang juif. Du point de vue psychologique, il est presque aussi gratifiant de détruire les institutions d'une communauté que de détruire ses membres. Avec son « nettoyage » général des synagogues, la Nuit de cristal était la première étape du génocide.

Après la *Kristallnacht*, l'entreprise éliminationniste allemande ne cessa de révéler ses intentions mortelles, traduites en mesures politiques. Pourtant, à bien des étapes du parcours, ni Hitler ni ses compatriotes ne savaient encore avec certitude quels étaient les meilleurs moyens de concrétiser leurs intentions éliminationnistes. La nouvelle situation stratégique sur le champ de bataille classique, et sur le champ de la bataille contre les Juifs, la difficulté d'avoir à mener à bien ce qui devenait un programme éliminationniste à l'échelle d'un continent (dont la possibilité n'avait jamais été sérieusement envisagée) rendaient la planification difficile. Comment faut-il comprendre le cours pris par la politique antijuive des Allemands après la Nuit de cristal ?

La politique que les Allemands adopteraient par la suite se trouvait formulée dans les colonnes du *Schwarze Korps* deux semaines seulement après cette orgie de violence à l'échelle d'une nation qu'avait été la Nuit de cristal, cet équivalent psychique du génocide [22]. Dans un éditorial, ce journal officiel de la SS (l'organisation qui, plus que toute autre, était chargée de mener à bien les mesures éliminationnistes et exterminationnistes) déclarait d'un ton menaçant : « Les Juifs doivent être chassés de nos quartiers résidentiels et rassemblés là où ils seront entre eux, aussi éloignés que possible de tout contact avec les Allemands [...] Livrés à eux-mêmes, ces parasites seront [...] réduits à la pauvreté. » Pourtant, cela ne suffirait pas, il y aurait une autre étape, et le journal précisait laquelle :

> Que personne n'aille s'imaginer pour autant que nous nous contenterons de regarder cela les bras croisés. Le peuple allemand n'entend pas le moins du monde tolérer l'existence dans son pays de centaines de milliers de criminels, qui non seulement ne vivent que du crime, mais, en plus, veulent se venger [...] Ces centaines de milliers de Juifs appauvris seraient un véritable vivier de bolchevisme, une réunion de tous les éléments infra-humains politiquement criminels [...] Face à une telle situation, nous serions confrontés à la dure obligation d'exterminer ces bas-fonds juifs de la même manière que, pour la défense légale de l'ordre public, nous avons l'habitude d'exterminer tous les autres criminels : par le feu et par l'épée. Le résultat serait la fin définitive des Juifs allemands, leur anéantissement absolu [23].

Nous ignorons si telle était vraiment la politique à long terme que les Allemands avaient en tête à ce moment-là, bien que la première partie de cet éditorial du *Schwarze Korps* fût dans le droit-fil des propos échangés lors d'une réunion tenue au plus haut niveau le 12 novembre 1938 sur le sort à réserver aux Juifs. C'est sur les ordres de Hitler que Göring avait convoqué cette réunion où Reinhard Heydrich joua un rôle de premier plan, et Göring déclara qu'à son avis la guerre aurait des conséquences calamiteuses pour les Juifs : « Si le Reich allemand devait, dans un avenir plus ou moins proche, être impliqué dans un conflit extérieur, il va sans dire que nous, les Allemands, nous commencerions par procéder au grand règlement de comptes avec les Juifs [24]. » *Das Schwarze Korps* envisageait donc les grandes lignes d'un avenir plausible, souhaitable, en extrapolant à partir d'intentions connues et de mesures en cours ; il dessinait les principales dimensions d'une escalade mesurée et progressive d'un programme éliminationniste que nul ne mettait en question, chaque étape n'étant qu'une mesure différente en harmonie avec l'antisémitisme éliminationniste dominant [25]. Le fait qu'il exprimait l'intention fondamentale des nazis est attesté par le consul général britannique à Berlin : quelques jours avant la parution de l'éditorial du *Schwarze Korps*, il avait eu une conversation avec un haut fonctionnaire de la chancellerie qui lui « avait clairement indiqué que l'Allemagne entendait se débarrasser de ses Juifs, soit par l'émigration, soit, si nécessaire, en les affamant ou en les tuant, car elle ne pouvait courir le risque d'avoir en son sein une minorité hostile si la guerre éclatait » ; son interlocuteur avait ajouté que l'Allemagne « avait l'intention d'expulser ou de tuer les Juifs de Pologne, de Hongrie et d'Ukraine quand elle aurait pris le contrôle de ces pays [26] ». Quelques jours après la Nuit de cristal, le 21 novembre 1938, Hitler déclarait au ministre de la Défense et de l'Économie d'Afrique du Sud qu'en cas de guerre les Juifs seraient tués [27]. Moins de trois mois plus tard, fêtant l'anniversaire de son accession au pouvoir, Hitler allait reprendre ces avertissements explicites dans une vigoureuse prophétie. Le 30 janvier 1939, dans un discours au Reichstag publié ensuite dans le principal organe du parti, le *Völkischer Beobachter*, et repris dans une brochure, il commençait par dire que les Juifs avaient ri de ses précédentes « prophéties » pour s'apercevoir ensuite qu'elles étaient vraies. Et de poursuivre : « Aujourd'hui, je vais encore faire le prophète : si la finance juive internationale, en Europe et ailleurs, réussissait à plonger une fois encore les nations dans une guerre mondiale, la conséquence n'en serait pas la bolchevisation de la planète, et donc la victoire des Juifs, mais bien l'anéantissement de la race juive en Europe [28] ! »

On soulignera que, tout comme dans l'éditorial du *Schwarze Korps*, ce n'était pas là l'annonce d'un programme qui allait être immédiatement mis en place : c'était une déclaration parfaitement claire de l'idéal de Hitler, et de ses intentions en fonction de la conjoncture ; mais ce n'était pas une déclaration réservée à son cercle d'intimes, c'était un discours à la nation allemande, ainsi qu'aux dirigeants étrangers. La relation entre guerre européenne et extermination des Juifs était solidement ancrée dans l'esprit de Hitler [29]. Pourtant, quand la guerre éclaterait, il faudrait encore d'autres événements pour que son intention arrêtée entrât dans le domaine du réalisable. Quoi qu'il en soit, il était évident qu'un conflit armé amènerait Hitler à adopter contre les Juifs une politique plus implacable encore que celle des années 30. Le fait que Hitler et les nazis caressaient alors l'idée d'une « solution finale » par le génocide est aussi clair que leurs paroles. Que cet assassinat collectif de tous ceux qui étaient considérés comme inaptes à la cohabitation humaine fût en passe d'intégrer leur répertoire politique devint évident avec les débuts du programme baptisé Euthanasie en octobre 1939[30].

Il est peu plausible de prétendre que Hitler et ceux qui exécutèrent le programme Euthanasie étaient prêts à tuer des dizaines de milliers d'Allemands non juifs souffrant de maladie mentale ou d'infirmité congénitale mais qu'ils n'envisageaient pas (sans même parler de conviction quasi religieuse) que les Juifs, jugés encore plus néfastes et dangereux, dussent partager ce destin. Ceux que les nazis désignaient pour subir le massacre du programme Euthanasie (sans parler du petit pourcentage de Juifs parmi les victimes) avaient beau être des gens pour qui « la vie ne méritait pas d'être vécue », ils étaient considérés comme une menace bien moins redoutable pour l'Allemagne que les Juifs. Les infirmes congénitaux et les débiles mentaux menaçaient à deux titres la santé de la nation : parce qu'ils risquaient de contaminer les générations suivantes par la procréation, et parce qu'ils coûtaient cher en nourriture et autres dépenses[31]. Mais cela était dérisoire comparé à la menace imputée aux Juifs, lesquels, à la différence des victimes du programme Euthanasie, étaient tenus pour volontairement néfastes, puissants, acharnés à détruire le peuple allemand dans sa totalité, et peut-être capables d'y réussir. Tant que les Juifs ne seraient pas écrasés, l'Allemagne subirait ce fléau. Hitler le disait bien : « D'innombrables maladies sont causées par un unique bacille : les Juifs ! » Et d'ajouter : « Nous ne retrouverons la santé qu'après avoir éliminé les Juifs. »[32] Croire que Hitler et les autres dirigeants nazis auraient pu entreprendre le programme Euthanasie et ne pas vouloir faire subir le même sort aux Juifs, c'est comme dire qu'une même personne pourrait vouloir tuer une punaise mais non pas une araignée venimeuse, qu'elle laisserait vivre quelque part dans la maison ou à côté, là où celle-ci peut encore frapper[33].

Quoi qu'il en soit des avertissements et prophéties sans fard émis par Hitler ou d'autres Allemands, septembre 1939 n'était pas le moment favorable pour entreprendre un programme d'extermination. Aussi cherchaient-ils presque à tâtons les meilleures « solutions » provisoires en fonction de conditions géostratégiques qui se modifiaient sans cesse. Jusqu'à l'été 1941, date à laquelle le programme d'extermination systématique commença, cette quête incertaine était conduite simultanément par plusieurs institutions non coordonnées et souvent concurrentes[34], et elle débouchait sur toutes sortes de mesures pour isoler, enfermer dans des ghettos, « réinstaller » les Juifs, ou laisser leur population diminuer par l'effet de la famine et des maladies qu'elle entraîne, c'est-à-dire les deux premières phases que *Das Schwarze Korps* annonçait en 1938 d'une voix autorisée.

Alors que la ségrégation au sein de l'Allemagne et l'émigration vers d'autres pays étaient les meilleures stratégies éliminationnistes envisageables dans les années 30, et d'ailleurs mises en pratique, la conquête de la Pologne ouvrait de nouvelles possibilités au programme exterminationniste. Hitler et ses partisans n'allaient pas manquer d'en profiter. Désormais, deux solutions plus « finales » pouvaient être mises à l'étude : les Allemands contrôlaient, ou espéraient rapidement conquérir, des territoires où l'on pourrait déverser un grand nombre de Juifs, et ils tenaient en leur pouvoir non plus des centaines de milliers de Juifs mais des millions.

Sans doute, tous les dirigeants allemands ne voyaient-ils pas dans cette mainmise sur tant de Juifs une « chance », car elle posait d'énormes problèmes pratiques et était une source de difficultés quotidiennes pour ceux qui étaient chargés des affaires juives [35].

Néanmoins, la perspective de débarrasser l'Europe des millions de Juifs qui étaient aux mains des Allemands n'était pas perçue comme une corvée dont on se serait passé, mais comme une occasion à saisir. Et elle enflammait les imaginations de ceux qui échafaudaient des « solutions » : on pouvait désormais envisager des mesures radicales et définitives, plus conformes aux idéaux éliminationnistes. Tout naturellement, les têtes nazies en venaient à rêver et à proposer de vastes déplacements de populations, la transformation en hilotes de peuples entiers, la décimation de peuples menaçants ou indésirables [36]. Les Juifs, figures démoniaques centrales de l'eschatologie nazie, étaient forcément les plus menacés quand les Allemands lâchaient la bride à leurs sentiments éliminationnistes, à leurs rêves de reconstruire le paysage social et la « substance humaine » de l'Europe, à leur inventivité pour résoudre des « questions ».

Mais comment faire pour éliminer les quelque deux millions de Juifs de la Pologne occupée et le million de Juifs vivant ailleurs sous domination allemande [37] ? Il n'y avait que deux possibilités : les déporter dans quelque région choisie ou les tuer. En 1939 et 1940, le génocide n'était pas réalisable : tuer les Juifs allemands et polonais n'aurait pas résolu la « question » telle que les nazis la concevaient. Mais même si Hitler était prêt à choisir cette « solution » partielle et risquée, de puissantes raisons l'incitaient à la prudence. Il avait avec l'Union soviétique un pacte de non-agression difficile à gérer, des troupes soviétiques étaient stationnées au cœur de la Pologne et auraient immédiatement connaissance de toute tentative de génocide des Juifs polonais. Et comme Hitler était convaincu que les Juifs étaient tout-puissants en Union soviétique, que le vrai nom du bolchevisme était le « judéo-bolchevisme » (le bolchevisme était pour Hitler « un monstrueux produit des Juifs [38] », un simple instrument de leur pouvoir), un génocide des Juifs polonais aurait déclenché une guerre avec l'URSS alors que Hitler n'y était pas encore prêt. De plus, s'il est vrai qu'il envisageait encore une paix séparée avec l'Angleterre, celle-ci eût été compromise si les Allemands avaient entrepris de massacrer des civils juifs[39]. Aussi longtemps que l'Allemagne devrait compter avec les réactions possibles de ces deux puissances, le génocide n'était pas une politique envisageable.

Immédiatement après la capitulation polonaise, le 21 septembre 1939, Heydrich promulgua une ordonnance lourde de menaces sur l'enfermement des Juifs polonais dans des ghettos. Au début du texte, Heydrich distinguait entre objectifs à long terme et mesures provisoires :

> Une distinction doit être introduite entre :
> 1. l'objectif final (qui demandera du temps) et
> 2. les étapes vers la réalisation de cet objectif final (qui peuvent relever du court terme).
> Les mesures envisagées demandent une longue préparation tant du point de vue technique qu'économique.

Heydrich déclarait ensuite :

> 1. La première des mesures préliminaires pour parvenir à l'objectif final est de concentrer les Juifs des campagnes dans les grandes villes. Cette mesure doit être mise en œuvre rapidement[40].

Elle ne sera pas mise en œuvre si rapidement que ça, mais il n'en est pas moins vrai que presque tous les Juifs polonais seront enfermés dans des ghettos en 1940 et au printemps 1941[41]. Quel que pût être l'« objectif final » non précisé, cette ordonnance de Heydrich et toutes les discriminations juridiques que les Allemands imposaient aux Juifs des pays occupés étaient autant de signes de la résolution allemande de ne plus permettre aux Juifs de vivre en Pologne[42]. Quel que pût être « l'objectif final » (l'expression ne pouvait signifier que déportation collective ou extermination), l'enfermement dans des ghettos était une étape préliminaire facilitant la mise en œuvre de la politique éliminationniste allemande, quelque forme qu'elle dût prendre ensuite. Le principal administrateur civil du district de Lodz, Friedrich Übelhör, exposant en décembre 1939 le projet de ghetto pour Lodz, exprimait bien l'idée que tout le monde se faisait sur le court et le long terme, et sur ce qui, dans l'ordonnance de Heydrich, était annonciateur de massacres : « La création du ghetto n'est bien sûr qu'une mesure provisoire. Je déciderai à quel moment et avec quels moyens le ghetto, et donc la ville de Lodz, seront nettoyés de leurs Juifs. L'objectif final, à tout le moins, c'est que nous éradiquions complètement cette peste bubonique[43]. »

Étant donné qu'en 1939 et 1940 le génocide n'était pas encore réalisable (et ne le serait peut-être pas dans un avenir plus ou moins proche en raison de la situation géostratégique), Hitler et ses subordonnés se tournaient vers la « solution » qui venait en deuxième position dans leur esprit : la déportation massive. Des plans furent proposés pour transférer les Juifs hors de ces régions, et notamment hors du Warthegau, le territoire polonais désormais annexé au Reich : on en caressa quelque temps le projet, on commença à le mettre en œuvre, et puis on y renonça. Des deux propositions les plus sérieusement considérées, la première était de créer une « réserve » de Juifs dans la région de Lublin, la seconde de les déporter à Madagascar. Toutes les propositions de déportation en masse, y compris ces deux-là, n'étaient, pour reprendre la formule de Leni Yahil, que des « solutions imaginaires », une simple étape provisoire sur le chemin du génocide, ou, si l'on veut, une forme non sanglante de génocide. Ceux qui échafaudaient ces plans ne concevaient pas ces réserves comme des lieux habitables où les Juifs pourraient se refaire une vie. Leur véritable état d'esprit est révélé par le gouverneur du district de Lublin, en novembre 1939, écrivant que « le district, très marécageux [...] pourrait servir de réserve à Juifs *[Judenreservat]*, mesure qui pourrait entraîner une forte décimation *[starke Dezimierung]* dans leurs rangs [44]. » Ces réserves ne pourraient être, au mieux, que de gigantesques prisons (comme ces ghettos entourés de hauts murs que les Allemands allaient construire pour les Juifs de Pologne), des zones incapables de se suffire économiquement où les Juifs, coupés du reste du monde, ne pourraient que s'éteindre lentement. Les auteurs de ces plans étaient dans l'ensemble parfaitement conscients du fait que les destinations proposées n'avaient pas les ressources économiques suffisantes pour le nombre de Juifs qu'ils voulaient y entasser. De plus, et surtout dans le cas de Lublin, tout prouve que les déportations n'étaient qu'une étape, en attendant que les Allemands fussent prêts pour la phase ultime.

La période allant de septembre 1939 au début de 1941 ne fut donc pas un intermède dans la poursuite de l'entreprise éliminationniste [45], mais un temps d'*expérimentation* éliminationniste, débouchant sur une série de mesures jugées finalement peu satisfaisantes par les Allemands : ce n'étaient pas des « solutions finales » efficaces. La politique éliminationniste de la période se caractérisa par les premiers massacres systématiques de Juifs à l'automne 1939, la création des ghettos, notamment les deux plus grands (Varsovie en novembre 1940 et Lodz, dès avril), la décimation par la famine organisée [46] et des tâtonnements pour un vaste regroupement des Juifs dans une région éloignée, où l'on pourrait constituer un énorme ghetto, appelé à devenir un énorme cimetière.

Dès la période allant de 1939 à 1941, les Allemands n'avaient aucunement l'intention de conserver des Juifs vivants dans leur nouvel empire (même si ces Juifs devaient vivre dans quelque région éloignée) et, à plus d'un titre, ils traitaient déjà les Juifs, ces morts sociaux, d'une façon plus apocalyptique encore, comme si une sentence de mort collective avait été prononcée contre eux. Cette période scella le destin des Juifs : les subordonnés de Hitler commençaient à échafauder des plans concrets de « solution finale », une « solution » qui refusait toute place aux Juifs non seulement dans le Reich allemand mais aussi dans les territoires de plus en plus vastes qui passaient sous sa domination. Avant cette date, l'élimination des Juifs d'Europe avait été un idéal, à discuter en termes de programme, à l'optatif; mais quand de nouvelles possibilités favorables se présentèrent, les Allemands s'attaquèrent aussitôt à des plans plus concrets : le plan *le moins dur* envisagé alors pour les Juifs était de les placer dans des lieux hermétiquement clos, non viables économiquement, comme des colonies de lépreux, qui ne seraient pas approvisionnées correctement. C'était là, du point de vue psychologique et idéologique, l'équivalent fonctionnel, sinon réel, du génocide.

Avec la préparation de l'attaque contre l'URSS au début de 1941, Hitler changea d'idée sur ce qu'il fallait faire des Juifs dans l'immédiat. A la différence des douze ou quinze mois précédents, où tant de propositions pour la « solution » de la « question juive » étaient agitées, l'inventivité dans l'éliminationnisme marqua alors le pas : toutes ces ruminations antérieures sur des solutions imparfaitement « finales » furent désormais annulées, car Hitler venait de se tourner vers la « solution » la plus « finale » qui se pût imaginer[47]. A cette date, Hitler avait renoncé à l'idée d'une paix séparée avec l'Angleterre, et il se tournait vers l'Est pour un règlement de comptes final avec l'Union soviétique et les Juifs. Au terme d'une si longue attente, Hitler voyait enfin une occasion favorable d'accomplir sa prophétie, mieux, sa promesse, selon laquelle la guerre européenne aurait pour conséquence l'anéantissement des Juifs d'Europe. A la fin de 1940 ou au début de 1941, Hitler se décida à faire passer enfin ses idéaux dans la réalité et prit la *décision* de tuer tous les Juifs d'Europe[48]. Les documents dont on dispose montrent que, à la fin de janvier 1941, Heydrich, chargé par Hitler de mettre au point un plan approprié, lui soumettait son « projet de solution finale » à l'échelle de l'Europe *(Endlösungsprojekt)*[49].

Ce n'était donc pas une coïncidence si, dans ces mois-là, Hitler faisait publiquement référence à sa prophétie du 30 janvier 1939. Mais, pour la première fois, il s'agissait moins d'une prédiction portant sur un avenir indéterminé que d'une intention fermement déclarée, à mettre en œuvre dans les plus brefs délais. Le 30 janvier 1941, huitième anniversaire de son arrivée à la chancellerie et donc deux ans jour pour jour après sa première « prophétie » apocalyptique, il rappelait à son peuple que, ce jour-là, « il avait souligné que si l'autre monde *[sic]* était plongé dans la guerre par la juiverie, c'en serait fini du rôle de la juiverie en Europe. "Ils [les Juifs] peuvent encore rire aujourd'hui, comme ils ont ri de mes prophéties antérieures. Mais *les mois et les années qui viennent* prouveront que j'ai eu raison"[50] » (c'est moi qui souligne). Moins de trois mois plus tôt, le 8 novembre 1940, Hitler avait déjà fait référence à sa « prophétie », mais comme à quelque chose qui n'était encore qu'un horizon[51]. Le 30 janvier 1941, en revanche, il parlait de « mois à venir ». Il exprimait aussi ce jour-là ce qu'il n'avait encore jamais dit, et qu'il répéterait par la suite dans d'autres références à sa « prophétie », à un moment où les Allemands auraient déjà commencé à exterminer les Juifs d'Europe : maintenant qu'il avait décidé d'accomplir le génocide souhaité, il pouvait accabler de sarcasmes les Juifs, comme il le ferait par la suite quand ses fidèles les tueraient en masse. Il était désormais assez sûr du résultat pour se permettre de dire en public : laissons rire les Juifs, comme ils l'ont déjà fait. Hitler avait pris sa décision, et il était sûr qu'il rirait le dernier[52].

Dès que Hitler se fut enfin décidé pour la seule politique capable de satisfaire pleinement son idéal éliminationniste, de nouvelles institutions éliminationnistes occupèrent aussitôt le devant de la scène. Violences verbales, discriminations juridiques et ghettos (ces institutions centrales de la politique antijuive en 1941) restèrent au répertoire des Allemands, mais furent dépassés en importance par les brigades de tueurs, les camps de concentration et de « travail », et les chambres à gaz.

Au printemps 1941, les Allemands se préparaient à un double assaut contre l'Union soviétique. Bien que différentes par leur ambition, leur complexité, la quantité d'hommes et de ressources à mobiliser, l'immense campagne militaire et la petite campagne exterminatrice étaient, dans les plans de Hitler, des opérations parallèles et solidaires. Les institutions chargées de les mener à bien toutes les deux (les forces armées à l'origine pour la première, et la SS pour la seconde) avaient signé, avant l'invasion, un accord sur leurs opérations et compétences respectives, et leur collaboration sur le terrain sera étroite[53]. Des unités des deux ensembles avaient été assignées à chacune des quatre zones géographiques divisant le territoire soviétique conquis, du nord au sud. Wehrmacht, *Einsatzgruppen* (voir ci-dessous) et autres forces de sécurité avaient bien compris que cette guerre n'était pas comme les autres : ce n'était pas simplement une guerre de conquête, mais une guerre où les adversaires (pour la Wehrmacht, l'armée et l'État soviétiques ; pour les *Einsatzgruppen*, les Juifs) devaient être définitivement vaincus, détruits, effacés de la surface du globe.

Pour conduire la campagne de génocide contre les Juifs, Himmler, chef d'état-major de la cohorte des massacreurs, avait mis sur pied quatre *Einsatzgruppen* mobiles pour en faire le fer de lance des tueries. Chacun était subdivisé en unités plus petites, appelées *Einsatzkommandos* et *Sonderkommandos*. Les massacres organisés des Juifs, exécutés surtout par ces unités dans les premiers temps, même si d'autres unités de police et de sécurité y ont participé, commencèrent dès les premiers jours de l'opération Barbarossa, nom de code donné à l'invasion de l'Union soviétique. Bien que les documents dont on dispose sur les ordres initiaux donnés aux *Einsatzgruppen* et sur les modifications intervenues soient ambigus, la meilleure interprétation est celle qu'on va lire.

Dans les jours qui précédèrent l'invasion, Heydrich et ses subordonnés les plus proches prirent la parole devant les officiers des *Einsatzgruppen*, à Berlin d'abord, puis à Pretzsch, où les *Einsatzgruppen* s'étaient regroupés en attendant l'invasion[54]. Ils leur expliquèrent leur mission, qui consistait essentiellement à veiller à la sécurité des zones conquises au fur et à mesure que les troupes avanceraient. A eux d'identifier et de tuer les chefs communistes, et tous ceux qui pourraient fomenter et organiser la résistance à l'occupation allemande[55]. On les informa aussi de la décision de Hitler d'exterminer les Juifs soviétiques[56]. Walter Blume, le chef du *Sonderkommando 7a*, a raconté cette scène décisive : « Heydrich était venu en personne expliquer que la campagne de Russie était imminente, qu'il fallait s'attendre à une guerre de partisans, et qu'il y avait dans ces régions de nombreux Juifs qui devaient être liquidés, exterminés. Quelqu'un dans l'auditoire a demandé : "Comment sommes-nous censés y parvenir ?", et il a répondu : "Vous le découvrirez." Et il a expliqué que la juiverie de l'Est, pépinière *[Keimzelle]* de la juiverie internationale, devait être anéantie. Impossible de s'y tromper : tous les Juifs devaient être exterminés, sans égard à l'âge ou au sexe[57]. » Il s'agissait là d'une décision *stratégique*, d'un plan de bataille encore ouvert, à préciser progressivement, dont les détails tactiques seraient transmis aux *Einsatzkommandos* en fonction de ce que les événements exigeraient[58]. Comme le montrent les réserves émises sur les exécutions massives par Otto Ohlendorf, le chef de l'*Einsatzgruppe D*, lui-même et d'autres officiers des *Einsatzgruppen* craignaient que leurs hommes n'eussent pas l'estomac d'obéir à des ordres aussi terribles, et qu'ils ne devinssent des bêtes brutes, incapables de rejoindre ensuite la société des hommes[59].

C'est la raison qui explique que les chefs des *Einsatzgruppen* aient jugé prudent d'être discrets dans cette phase initiale de l'application des ordres de génocide. Pour commencer, il leur était possible de recruter localement des Lituaniens, des Lettons ou des Ukrainiens pour faire le sale travail : ainsi épargnerait-on aux Allemands ces tâches horribles, tout en renforçant leur résolution à tuer un jour eux-mêmes autant de gens désarmés puisqu'on les rendait témoins de la « juste » vengeance de populations locales qui avaient si visiblement souffert de l'emprise juive. Le recours à des hommes de main pris sur place figurait parmi les recommandations écrites de Heydrich aux chefs des *Einsatzgruppen*[60], car, selon la déposition ultérieure de l'un d'eux, « l'objet de ces mesures était de préserver l'équilibre psychologique de notre propre peuple[61] ». Pour habituer progressivement leurs hommes à leur nouvelle vocation de tueurs, les officiers des *Einsatzgruppen* pouvaient jouer sur l'escalade progressive dans le meurtre : en fusillant avant tout les hommes adultes et les adolescents, les soldats s'habitueraient aux exécutions de masse sans avoir à subir le choc des exécutions de femmes, de jeunes enfants et d'infirmes. Selon Alfred Filbert, le chef de l'*Einsatzkommando 9*, l'ordre « tout à fait clair » de Heydrich « incluait aussi les femmes et les enfants », mais « au début, il est indubitable que les exécutions furent généralement limitées aux hommes »[62]. En limitant chaque massacre à un nombre de victimes restreint (selon les critères allemands), quelques centaines ou un millier, et non pas des milliers, on escomptait que les exécutants seraient moins effarés par l'énormité des bains de sang qui allaient suivre. Ils pourraient aussi se dire qu'ils tuaient sélectivement les Juifs les plus dangereux, mesure qu'ils pouvaient considérer comme raisonnable dans une guerre aussi apocalyptique. Une fois que les hommes auraient pris l'habitude de ces massacres sélectifs et à échelle relativement réduite, les officiers seraient plus facilement à même d'étendre l'envergure des tueries [63].

Cette application par étapes de l'ordre de génocide avait deux autres justifications encore plus déterminantes. Les Allemands comptaient bien vaincre l'Union soviétique très rapidement, et il était donc inutile de massacrer les Juifs dans la précipitation. C'est ce qui explique que Himmler n'ait affecté à cette première application limitée du programme que le nombre de SS qui convenait, très insuffisant pour entreprendre un génocide plus étendu. En ces premiers temps, les *Einsatzgruppen* comptaient environ 3 000 hommes. Comme Hitler, Heydrich et les officiers des *Einsatzgruppen* le savaient fort bien, ces équipes mobiles de tueurs étaient trop réduites pour procéder immédiatement à un massacre général des Juifs soviétiques [64]. Ainsi, au début de juillet, lors de la première opération de massacre de l'*Einsatzkommando 8* à Bialystok, son chef, Otto Bradfisch, déclarait à l'un de ses subordonnés que, même si le *Kommando* était chargé de « pacifier » la région conquise, « il n'avait pas à le faire complètement, car d'autres unités plus importantes suivraient, qui se chargeraient du reste » [65]. Ensuite, ce programme d'extermination complète était une entreprise nouvelle, ce qui demandait aux Allemands de reconnaître le terrain, d'apprendre sur le tas à maîtriser la logistique des massacres, et les meilleures techniques à cet effet. Après tout, l'entreprise n'avait aucun précédent. Il n'est donc pas étonnant qu'ils aient démarré avec des forces inférieures à ce que l'avenir exigerait, des forces qui ouvriraient la voie à des unités supplémentaires de SS et de policiers, chargées de la phase d'extension du génocide. En ces premières semaines, les *Einsatzkommandos* étaient comme des éclaireurs du génocide, chargés de mettre au point les méthodes de massacre, d'habituer les exécutants à leur vocation nouvelle, et, plus généralement, d'étudier les conditions de réalisation de toute l'entreprise [66].

Les premiers massacres des *Einsatzkommandos* eurent lieu dès le troisième jour de l'opération Barbarossa dans la ville frontière de Garsden, en Lituanie, où un *Kommando* de l'*Einsatzgruppe A* fusilla 201 personnes, juives pour la plupart. Les jours et les semaines suivantes, les *Einsatzkommandos* orchestrèrent de très nombreux massacres de Juifs, certains perpétrés par eux-mêmes avec l'aide d'auxiliaires locaux organisés par leurs soins, et d'autres (surtout en Lituanie et en Ukraine) où ils laissaient des gens du pays (sous leur surveillance) massacrer des Juifs par centaines et par milliers dans des opérations de type pogrom [67].

A Kovno (Kaunas), dans les derniers jours de juin et les premiers jours de juillet, des milliers de Juifs furent massacrés par les Allemands aidés d'hommes de main lituaniens; à Lvov, Allemands et Ukrainiens tuèrent quelques milliers de juifs[68]. Les premières fusillades de masse opérées par les seuls *Einsatzkommandos* furent probablement celles de Lutsk en Ukraine, le 2 juillet, où les hommes du *Sonderkommando 4a* abattirent environ 1 100 Juifs (mais le 309e bataillon de police avait déjà commis une tuerie déchaînée de ce genre à Bialystok le 27 juin[69]). Le déroulement de ces premiers massacres pouvait varier : les Allemands étaient en pleine expérimentation, cherchant les meilleures formules. Himmler, en bon général, faisait la tournée des zones d'opération pour inspecter ses troupes et conférer avec les officiers. Un jour, à Minsk, il assista même à une tuerie[70]. Les rapports que les chefs des *Einsatzgruppen* lui faisaient, et ce qu'il avait vu de ses yeux, le convainquirent que les premières opérations de génocide étaient un succès : elles avaient démontré que les hommes consentaient à tuer des Juifs en masse, et que les techniques employées suffisaient. Il ordonna donc une extension de ces opérations jusque-là embryonnaires : le moment était venu de passer au massacre général[71].

Il faut souligner combien ce passage au massacre général fut considéré comme « normal » par les hommes des *Einsatzkommandos* et les autres unités engagées dans le génocide. Dans leurs dépositions d'après-guerre, les tueurs ne feront guère de remarques sur l'extension des tueries aux femmes, aux enfants et aux vieillards, ni sur les proportions et la vitesse accrues du massacre. Il est certain que les hommes de ces unités n'ont considéré aucun de ces changements (accroissement de l'étendue et du rythme des tueries) comme une modification fondamentale de leur tâche, comme un ordre qualitativement différent des précédents. Ces Allemands n'ont pas dit : « Au début, on tuait seulement des "judéo-bolcheviques", des "saboteurs" ou des "partisans", et voilà que, tout d'un coup, on nous demande d'anéantir des communautés entières, femmes et enfants compris. » Sans doute, après la guerre, certains parleront-ils de leur malaise quand ils reçurent les premiers ordres de tuer et comprirent ce qu'on leur demandait de faire, ou encore après le choc des premières tueries, mais, en règle générale, ces Allemands n'évoqueront plus tard cette escalade dans le massacre que d'un ton neutre (voire pas du tout), ce qui n'est pas surprenant : bien que ce fût une tâche nouvelle, à certains égards différente, elle ne changeait fondamentalement rien à la conception qu'ils se faisaient de leur action. Et c'est bien ce qui explique que ce changement d'échelle soit si rarement mentionné par eux[72]. Himmler, toujours pragmatique, avait commencé par engager les *Einsatzkommandos* dans des opérations probatoires, en prélude à la grande bataille, pour tester leur ardeur et affiner leur tactique face à l'ennemi. Une fois terminée cette phase de baptême du feu est, il déclencha l'assaut général, sur tous les fronts, un assaut dont les hommes connaissaient les buts, les grands traits et l'imminence. Ils avaient aussi peu de raisons de commenter ce changement d'échelle que des soldats qui reçoivent l'ordre de passer à une nouvelle offensive dans une guerre qu'ils mènent déjà.

Le changement d'échelle du massacre a été évoqué par le chef du personnel de l'*Einsatzkommando 8* dans sa déposition d'après-guerre : il a expliqué que les tueries de Juifs étaient d'abord limitées aux hommes, et que c'est dans la seconde moitié de juillet qu'elles furent étendues aux femmes et aux enfants. Il affirmait être sûr que Filbert, leur chef, leur avait donné ses ordres avant l'invasion de l'URSS, mais il ne se souvenait pas si Filbert avait parlé de « tous les Juifs » ou « seulement des hommes » [73]. Pour les hommes du *Kommando*, l'inclusion ultérieure des femmes et des enfants parmi les victimes n'était, à l'évidence, qu'une étape des opérations et non pas un changement fondamental. S'il en avait été autrement, cet homme et d'autres se seraient sûrement rappelé si leurs ordres initiaux parlaient d'exterminer tous les Juifs ou seulement les hommes. Le fait que cet homme et d'autres membres des *Einsatzkommandos* et bataillons de police ayant participé au massacre des Juifs soviétiques aient dit dans leurs dépositions que l'ordre d'exterminer les Juifs leur avait été donné par leurs chefs *soit avant l'invasion, soit dès les premiers jours*, est une preuve irréfutable que cet ordre général a été donné, et que Hitler avait pris sa décision de procéder au génocide avant que l'opération Barbarossa ne commence [74].

Même si cette interprétation de l'ordre initial donné aux *Einsatzgruppen* n'est pas la bonne (autrement dit, même si ceux qui doutent qu'un ordre d'extermination générale des Juifs ait été donné dès le début ont raison, et même si l'ordre initial était de tuer « seulement » les adultes et les adolescents de sexe masculin), il s'agissait quand même d'un ordre de génocide, et les exécutants l'avaient compris comme tel. Ainsi, les hommes du 307e bataillon de police, dès les premières semaines de juillet, reçurent-ils l'ordre de procéder à la rafle de tous les Juifs de sexe masculin de Brest-Litovsk âgés de 16 à 60 ans : ils réussirent à en rassembler de 6000 à 10000, qui furent fusillés ensuite en raison de leur « race » [75]. Le meurtre de tous les adultes masculins d'une communauté équivalait à la destruction de cette communauté puisque les femmes ne pourraient plus avoir d'enfants (à supposer que les Allemands ne les aient pas très vite massacrées elles aussi). Avec la préparation de l'invasion de l'URSS, Hitler et ses subordonnés avaient bel et bien franchi le Rubicon psychologique et moral du génocide, et la mort était le destin promis à tous les Juifs d'Europe. Il ne restait plus aux Allemands qu'à mettre au point le plan des opérations, à organiser le système et à mettre en œuvre le génocide dans sa totalité [76].

La seconde phase des opérations de génocide demandait une main-d'oeuvre complémentaire, et la tâche de la trouver fut confiée par Himmler aux « chefs suprêmes de la SS et de la police » (HSSPF) servant en Union soviétique et dont les *Einsatzgruppen* relevaient. Une fois leurs ordres initiaux modifiés par Himmler, les *Einsatzkommandos*, associés à la SS, à la police et même à des unités de la Wehrmacht, commencèrent à perpétrer des massacres titanesques, anéantissant systématiquement des communautés juives tout entières. Les photographies n°s 8 et 9 représentent deux moments de la destruction complète du ghetto de Mizoc par les Allemands, le 14 octobre 1942. Sur la photo n° 8, des femmes et des enfants juifs, nus, se serrent les uns contre les autres en attendant la mort. Sur la photo n° 9, deux Allemands circulent parmi les cadavres pour administrer une dernière balle à ceux qui auraient survécu à la rafale initiale, comme cette femme qui réussit à lever la tête et le haut du corps.

Autres exemples de massacres perpétrés par les Allemands : 23 600 Juifs tués à Kamenets-Podolski les 27-28 août 1941 ; 19 000 à Minsk, en deux fois, en novembre 1941 ; 21 000 à Rovno les 7-8 novembre 1941 ; 25 000 près de Riga le 30 novembre et les 8 et 9 décembre 1941 ; de 10 000 à 20 000 à Kharkov en janvier 1942 ; et enfin, le plus grand massacre à la mitrailleuse, plus de 33 000 Juifs massacrés en deux jours à Babi Yar, aux environs de Kiev, à la fin de septembre 1941.

C'est donc au moment où il préparait l'invasion de l'URSS que Hitler a franchi le dernier pas vers la solution éliminationniste définitive, celle du génocide, qu'il caressait depuis longtemps. Au cours des premières opérations, il devint clair pour les Allemands concernés, officiers et soldats, que l'idéologie éliminationniste allait être enfin mise en œuvre sous sa forme la plus pure, la plus logique. Bien qu'on ne puisse en être absolument certain, il est très peu vraisemblable que Hitler ait décidé d'anéantir les Juifs d'Union soviétique sans décider simultanément que le moment était venu d'exterminer aussi tous les autres Juifs d'Europe. Étant donné sa vision de la « question juive », il aurait été absurde de ne faire que la moitié du travail. Le moment était bel et bien venu de réaliser sa prophétie et de promettre à la mort tous les Juifs d'Europe : passer à une « solution » exterminationniste pour les Juifs soviétiques impliquait que la même « solution » fût adoptée pour tous les Juifs [77].

Il n'est pas surprenant que la planification des *opérations* nécessaires à une extension européenne du programme éliminationniste ait commencé vers le milieu ou la fin de juillet 1941, au plus tard, période où Himmler modifiait les ordres *opérationnels* des *Einsatzgruppen* pour accélérer le massacre des Juifs soviétiques [78]. Après quelques semaines d'assaut contre les Juifs soviétiques, qui avaient permis aux *Einsatzgruppen* de démontrer que des massacres de masse étaient réalisables et qu'il était possible de mettre en place une planification des opérations, Himmler, les chefs nazis et les SS pouvaient envisager une extension du génocide à tout le continent, pour faire coïncider réalité nazie et idéal nazi. Jusque-là, leur attention et leur énergie avaient dû se concentrer sur la planification, l'organisation et la mise en œuvre initiale du génocide dans la première et la plus importante des zones d'opération. Les massacres fondateurs ayant été opérés en Union soviétique, l'attention pouvait se tourner vers le reste de l'Europe, et l'extension des tueries à d'autres territoires n'était qu'une affaire de logistique et de calendrier. Les Allemands n'avaient plus à traiter que les questions matérielles du génocide, en fonction de leurs autres objectifs stratégiques, économiques, et de la transformation de l'Europe (même si cela ne serait pas toujours facile). Or l'expérience qu'ils étaient en train d'accumuler en Union soviétique montrait qu'il fallait procéder à certains changements dans la manière d'opérer.

Quand Himmler jugeait que les institutions et les hommes affectés aux opérations de génocide s'en tiraient bien, il n'avait pas tort : ils anéantissaient les communautés juives d'Union soviétique à un rythme de plus en plus furieux. Mais, sur le terrain, officiers et haut commandement étaient de moins en moins satisfaits des méthodes de massacre choisies : si ardentes au travail que fussent les équipes chargées des tueries, ces massacres apparemment sans fin de gens désarmés, hommes, femmes et enfants, commençaient à peser sérieusement à certains. Les craintes intuitives d'un Ohlendorf (quand il avait été informé des premières décisions du sommet) que de tels massacres ne seraient pas bons pour le moral des Allemands concernés se révélaient en partie fondées [79]. Himmler, toujours soucieux du bien-être de ceux qui faisaient passer dans la réalité les visions apocalyptiques qu'il partageait avec Hitler, se mit alors en quête de techniques de meurtre qui seraient moins pesantes pour les exécutants. Les chefs nazis qui avaient essayé, puis écarté, la méthode des pogroms, et procédé à une escalade progressive dans le massacre des Juifs soviétiques, restaient ouverts à la souplesse tactique dans la poursuite de leurs objectifs stratégiques. Ils se mirent alors à expérimenter une autre méthode de massacre, le gazage par camions mobiles, utilisée par les *Einsatzkommandos* et d'autres Allemands pour tuer des milliers de Juifs, avant de passer à une technique nouvelle, celles des installations de gazage permanentes [80]. Contrairement à une idée reçue, le passage à la technique du gazage, dans des installations mobiles ou fixes, n'était pas dicté par des considérations d'efficacité, mais par le souci d'atténuer la tension psychologique des Allemands chargés de tuer [81]. Les installations permanentes de gazage furent jugées préférables aux installations mobiles parce qu'elles avaient une capacité supérieure et permettaient aux Allemands de conduire les opérations de massacre loin des yeux de spectateurs indésirables (il y en avait toujours eu lors des précédentes tueries), et parce que ces installations se prêtaient mieux au traitement des cadavres, ultime tâche qui avait toujours été un problème avec les deux méthodes itinérantes : fusillades et gazage dans des camions.

La préparation de la phase opérationnelle suivante du programme de génocide s'étendit de l'été 1941 aux premiers mois de 1942 [82]. Elle fut surtout marquée par la construction de camps d'extermination. A Auschwitz, le 3 septembre 1941, les Allemands expérimentèrent la première « petite » chambre à gaz, en utilisant le zyklon B (cyanure d'hydrogène) pour tuer 850 personnes dont 600 soldats soviétiques. Les gazages systématiques de Juifs commencèrent à Auschwitz-Birkenau en mars 1942. La première installation fixe de gazage à entrer en fonction autrement que pour des expériences fut celle de Chelmno où, utilisant la technique des gaz de camion, les Allemands avaient entrepris de tuer les Juifs de Lodz à partir du 8 décembre 1941. Les gazages commencèrent dans les camps de la mort de l'*Aktion Reinhard* en 1942 : à Belzec le 17 mars, à Sobibor au début de mai et à Treblinka le 23 juillet. Si les Allemands avaient choisi la Pologne pour les camps de la mort, c'est avant tout parce qu'elle était le centre démographique de la communauté juive européenne, ce qui, du point de vue logistique, en faisait le site le plus adapté à une extermination massive[83]. La répartition des camps sur le territoire polonais avait été pensée avec le plus grand soin, pour que chacun se chargeât des Juifs d'une région donnée. Les Allemands tueraient les Juifs du Wathergau à Chelmno, les deux millions de Juifs du gouvernement général de Pologne à Belzec, Sobibor et Treblinka, et les Juifs de l'Europe de l'Ouest, du Sud et du Sud-Ouest à Auschwitz.

La mise en place du système allait bon train, et bien des réunions préparatoires avaient eu lieu, quand Heydrich décida finalement de réunir les représentants de toutes les administrations concernées à la conférence de Wannsee, à Berlin, le 20 janvier 1942, pour les informer de leurs tâches respectives dans cette extermination générale des Juifs d'Europe, qui devait concerner onze millions de personnes. De même que Hitler ne s'était pas contenté de limiter le génocide aux Juifs soviétiques, les intentions apocalyptiques révélées ce jour-là par Heydrich ne se limitaient pas à l'extermination des Juifs déjà aux mains des Allemands : sur la liste des victimes désignées figuraient également les Juifs de Turquie, de Suisse, d'Angleterre et d'Irlande. Les demi-mesures n'étaient pas de mise dès lors que l'apocalypse était réalisable[84].

Un an après le début du massacre des Juifs du gouvernement général de Pologne, baptisé *Aktion Reinhard*, les Allemands avaient déjà tué 75 à 80 % de leurs victimes potentielles, c'est-à-dire environ deux millions de Juifs, soit par les fusillades opérées par *Einsatzgruppen* soit, et surtout, par les chambres à gaz de Belzec, Sobibor et Treblinka, ce dernier camp ayant été la destination des survivants du ghetto de Varsovie. A cette date, Auschwitz avait déjà fait plusieurs centaines de milliers de victimes venant de toute l'Europe occupée. Dans les territoires soviétiques occupés, les Allemands avaient massacré plus de deux millions de Juifs (par fusillades et camions à gaz pour l'essentiel). Pendant cette période, l'option exterminationniste du programme éliminationniste avait reçu la priorité sur tous les autres objectifs allemands. Les Allemands, dirigeants ou exécutants, s'attelaient à l'extermination des Juifs avec une obstination qui, la plupart du temps, reléguait tous leurs autres objectifs au second plan. Maintenant qu'approchait le moment où la Grande Allemagne serait enfin à l'abri de la menace juive, les compromis tactiques qui avaient été jusque-là nécessaires ne l'étaient plus, et l'on en

LE PROGRAMME NAZI
D'EXTERMINATION DES JUIFS D'EUROPE
(Les frontières indiquées sont celles de 1942.)
Océan Arctique
Mer de Norvège
Atlantique nord
Mer du Nord
Mer Baltique
Manche
Mer Noire
Adriatique
Mer Égée
Méditerranée
FINLANDE
2 300
Helsinki
SUÈDE
8 000
Stockholm
NORVÈGE
1 300
Oslo
Leningrad
URSS
5 000 000
(Russie Blanche et Ukraine incluses)
Moscou
ESTONIE
« Judenrein »
LETTONIE
3 500
Riga
LITUANIE
34 000
DANEMARK
5 600
Copenhague
IRLANDE
4 000
GRANDE-BRETAGNE
330 000
Londres
PAYS-BAS
160 000
Minsk
RUSSIE BLANCHE
446 484
DISTRICT DE BIALYSTOK
400 000
ALLEMAGNE
131 800
Berlin
Varsovie
2 284 000
TERRITOIRE DE L'EST
420 000
BELGIQUE
43 000
Paris
FRANCE OCCUPÉE
165 000
Prague
74 200
BOHÊME MORAVIE
GOUVERNEMENT GÉNÉRAL
UKRAINE
2 994 684
88 000
SLOVAQUIE
Vienne
43 700
AUTRICHE
Budapest
HONGRIE
742 800
SUISSE
18 000
FRANCE LIBRE
700 000
Marseille
Zagreb
CROATIE
40 000
Sarajevo
ROUMANIE
342 000
Bucarest
Belgrade
SERBIE
10 000
BULGARIE
48 000
Sofia
Istanbul
ITALIE
58 000
Rome
ALBANIE
200
GRÈCE
69 600
Athènes
TURQUIE (partie européenne)
55 500
PORTUGAL
3 000
Madrid
ESPAGNE
6 000
N
O
E
S
0
600 km

faisait de moins en moins. Anéantir les Juifs d'Europe devint, au même titre que la guerre, mais parfois plus prioritaire encore, la mission première du fanatisme allemand.

Ce fut alors le temps de la grande expansion du système des camps et du nombre de Juifs et non-Juifs condamnés à en subir l'horreur. L'économie de guerre souffrait de plus en plus du manque de main-d'œuvre, et les Allemands recouraient de plus en plus au travail forcé, recrutant leurs esclaves en bien plus grand nombre qu'au début, surtout chez les non-Juifs. Le recours à des Juifs pour l'économie de guerre, option qui n'aura jamais eu, dans les faits, un rôle important, comptait encore moins dans les plans des Allemands, bien que la pénurie de main-d'œuvre rendît *économiquement* essentielle leur utilisation. Le point est d'importance, car il démontre sans équivoque que la priorité donnée à l'extermination des Juifs, tant par Hitler et les autres dirigeants nazis que par ceux qui commandaient et encadraient le système des camps d'extermination et de « travail », était si forte que les Allemands ont préféré supprimer de leur plein gré une main-d'œuvre juive indispensable, allant ainsi jusqu'à compromettre encore davantage leurs perspectives de victoire militaire. L'extermination des Juifs, à partir du moment où elle était réalisable, prenait le pas sur la sauvegarde même du nazisme [85].

La priorité affectée à l'extermination était telle que les massacres continueraient même pendant l'agonie du régime. Qu'ils fussent le moyen nécessaire pour « résoudre » la « question juive » était à ce point intériorisé par tous les Allemands impliqués dans les massacres, à tous les niveaux, qu'ils en poursuivaient l'entreprise alors même que le monde nazi se désintégrait autour d'eux. La dernière des grandes communautés juives que les Allemands décidèrent d'anéantir fut celle de Hongrie, dont une grande partie fut déportée à Auschwitz durant l'été 1944 : la guerre était clairement perdue, mais du 15 mai au 9 juillet, les Allemands entassèrent 437 000 Juifs dans 147 convois de marchandises, détournés d'activités militaires pourtant essentielles ; beaucoup de ces Juifs furent immédiatement gazés à leur arrivée à Auschwitz (et ce fut le plus grand massacre jamais perpétré), les survivants étant conduits dans d'autres camps d'extermination ou soumis aux marches de la mort [86]. Ces marches de la mort, qui seront étudiées en profondeur ultérieurement, sont une preuve plus grande encore de la volonté des Allemands de tout rang, dans toutes les institutions, de mener à bien l'anéantissement des Juifs. Elles débutèrent quand il devint inévitable d'abandonner des zones menacées par l'avancée soviétique des derniers mois de 1944, et elles se poursuivirent en Allemagne même dans les dernières semaines de la guerre : Juifs et non-Juifs furent jetés sur les routes par les Allemands, pour des marches forcées dans les conditions les plus dures, et sans recevoir de nourriture. Des milliers de Juifs y perdirent la vie, sous les balles et les coups des Allemands, ou vaincus par les ravages de la faim ou de l'épuisement. Rien n'illustre mieux peut-être le fanatisme de Hitler et de tous ceux qui étaient impliqués dans la solution exterminationniste de la « question juive » que ces marches de la mort[87].

Hitler avait entamé son hégémonie sur tout un peuple par des tirades enflammées et des agressions éliminationnistes symboliques contre la communauté juive d'Allemagne avec le boycott du 1er avril 1933, et il finissait son règne et sa vie (tandis que ses fidèles massacraient les Juifs jusqu'au dernier moment) sur son testament du 29 avril 1945 adressé au peuple allemand, dont la conclusion exprimait l'idée qui avait toujours été au centre de sa conception du monde et de son projet de gouvernement :

> ... le vrai coupable de cette lutte meurtrière : la juiverie ! Je n'ai jamais non plus laissé ignorer à personne que, cette fois-ci, ce ne seraient pas seulement des millions d'enfants européens des nations aryennes qui mourraient de faim, pas seulement des millions d'hommes faits qui subiraient la mort, et pas seulement des centaines de milliers de femmes et d'enfants qui seraient brûlés vifs dans les grandes villes, exposés à des bombardement mortels, sans que le vrai coupable ne paie lui aussi, ne fût-ce même que d'une façon humaine. Par-dessus tout, j'engage les dirigeants de la nation et leurs fidèles à observer scrupuleusement les lois raciales et à s'opposer d'une façon implacable à l'empoisonneur universel des peuples, la juiverie internationale[88].

Quelle que soit la manière dont ces paroles résonnent en nous, ce serait une erreur de n'y voir que les mots d'un fou désespéré à l'approche de la mort. La vérité, c'est qu'elles révèlent les idéaux permanents de Hitler, ses intentions et ses espoirs, les fondements de chaque aspect de son programme éliminationniste, quelles qu'aient été les politiques suivies au fil du temps. C'était l'expression des croyances distillées à tout un peuple jusqu'à constituer la dynamique et la direction d'une entreprise de douze ans pour purger l'Allemagne de toute influence juive. C'étaient les mots les plus lourds de sens que Hitler pouvait espérer laisser à son peuple, pour que, comme dans le passé, ils gouvernent, guident et inspirent les futurs actes des Allemands.

Conclusion

A partir du moment où une occasion favorable se présentait pour l'unique « solution finale » qui fût « finale », Hitler l'avait saisie pour réaliser son idéal d'un monde à jamais libéré des Juifs, pour faire le grand saut vers le génocide. L'occasion favorable s'était présentée avec la perspective de conquérir ce que les Allemands considéraient, avec la Pologne, comme la grande pépinière de Juifs, l'Union soviétique. Quand on cherche à établir les corrélations entre les mesures antijuives prises par les Allemands et ce qu'on sait (par déduction ou non) de leurs intentions – les hypothèses sur l'état psychologique et les pensées de Hitler, la fortune des armes allemandes –, la corrélation qui saute aux yeux comme étant la plus importante de *toutes*, c'est que Hitler a choisi la solution du génocide dès qu'elle a été possible. Le fait que les nazis aient envisagé et appliqué antérieurement d'autres politiques n'indique nullement qu'ils les jugeaient préférables ou supérieures. Quand ils ont décidé ces politiques antérieures, c'est que la conjoncture ne leur permettait pas de régler définitivement son compte à la « juiverie internationale ». Avant 1941, Hitler et les autres dirigeants nazis ont cherché avec cohérence à mettre en œuvre des mesures éliminationnistes radicales, ils ont su tirer parti d'une façon cohérente de chaque nouvelle occasion d'élaborer un plan plus complet et plus « final ». Pour expliquer le cours suivi par la politique antijuive de Hitler, il vaut donc mieux ne pas se focaliser sur la structure du système ni accorder trop d'importance à une prétendue variation de l'état d'esprit de Hitler et des autres nazis en fonction des succès ou des échecs de leur tentative de conquérir l'Europe et de la transformer : pour expliquer cette politique, il faut prendre au sérieux les idéaux de Hitler et ses intentions ultimes[89]. Le déroulement de l'entreprise éliminationniste (chacune des mesures prises par les Allemands étant conforme à ses prémisses et à ses objectifs) peut être expliqué de la façon la plus évidente comme la conséquence des convictions et des idéaux éliminationnistes que Hitler partageait avec tant d'Allemands, et qui sont devenus opérationnels en fonction des occasions et des considérations stratégiques. L'essence du programme éliminationniste et de son développement se trouve dans les quatre aspects solidaires de la politique antijuive de Hitler, et par conséquent de l'Allemagne :

1. Dès les débuts de sa vie publique, Hitler a exprimé son antisémitisme raciste et son obsession éliminationniste. Son premier texte politique publié était consacré à l'antisémitisme[90], et il en va de même de son testament au peuple allemand. L'antisémitisme éliminationniste, exprimé comme tel dans *Mein Kampf* et sans cesse répété par la suite, était au cœur de sa conception du monde. C'était l'aspect le plus important et le plus passionnément défendu de toute la pensée politique de Hitler.
2. A partir de 1933, le Führer et son régime, en accord avec les déclarations antérieures de Hitler, ont traduit cet antisémitisme éliminationniste en mesures radicales, lesquelles n'avaient pas de précédents, et ils n'ont cessé de les compléter avec la plus grande énergie.
3. Avant que n'éclate la guerre, Hitler avait énoncé, et il le répéterait à de fréquentes reprises au cours de la guerre, une prophétie qui était à vrai dire une promesse : la guerre lui donnerait l'occasion d'exterminer les Juifs d'Europe[91].
4. Quand les temps en furent venus, quand l'occasion s'en présenta, Hitler a mis en pratique son intention, et il a réussi à exterminer environ six millions de Juifs.

Le génocide n'est pas la conséquence des humeurs changeantes de Hitler, ni d'initiatives locales, ni de la main invisible d'obstacles structurels, mais de l'idéal de Hitler : éliminer tout pouvoir juif, idéal largement partagé en Allemagne. Rarement a-t-on vu un homme d'État annoncer si ouvertement, si fréquemment, si emphatiquement une intention apocalyptique (ici, détruire le pouvoir des Juifs et les Juifs eux-mêmes) et tenir à ce point sa promesse. Il est remarquable, et à vrai dire inexplicable, que presque tous les historiens ne veuillent voir dans la prophétie de Hitler, dans son intention proclamée d'anéantir les Juifs, qu'une métaphore ou un verbiage dépourvu de sens, alors que Hitler lui-même signifiait clairement que sa prophétie du 30 janvier 1939 était bel et bien une déclaration d'intention, et qu'il ne cessait de la répéter pour être sûr d'être bien compris. A la différence de ceux qui choisissent de ne pas s'arrêter aux propos de Hitler, il me semble qu'il y a d'excellentes raisons de privilégier l'interprétation donnée par Hitler lui-même de ses intentions, de prendre pour argent comptant l'évidente convergence entre les intentions d'extermination affirmées et les crimes réalisés [92].

En fait, avant même que la guerre n'éclate, Hitler avait déjà dit quels étaient les deux groupes qu'il comptait anéantir si la guerre venait : les Juifs et les infirmes congénitaux. Dès 1935, il informait le chef des services médicaux du Reich que « le problème de l'euthanasie serait abordé et résolu » sous le couvert d'opérations militaires [93]. Ce parallélisme entre deux intentions déclarées et deux actions ultérieures conformes à ces intentions doit être tenu pour une preuve convaincante de l'existence, dans les deux cas, de l'intention exterminatrice de Hitler *et* de sa patience, dans l'attente du moment opportun pour la réalisation de ses vœux. Quelle meilleure preuve d'une préméditation peut-on raisonnablement souhaiter ?

La décision de tuer les Juifs n'a pas été prise par Hitler et ses fidèles sous le coup de contraintes extérieures : elle était enfouie au cœur de leur vision des Juifs, et elle en est sortie, les poussant à l'action quand l'occasion s'en présenta. L'antisémitisme raciste démonologique était la force motrice du programme éliminationniste, lequel est passé à sa conclusion logique dès lors que les prouesses militaires de l'Allemagne créaient les conditions appropriées. Quand on étudie le cours de la politique antijuive allemande, il ne faut jamais perdre de vue cette vérité fondamentale. Le sens commun nazi (l'idée que les Juifs devaient disparaître à jamais pour que l'Âge d'or fût possible) était à la racine de cette pulsion exterminatrice. C'est lui qui a donné sa dynamique à la tentative, menée pendant douze ans, de réaliser cette vision enfiévrée d'une Allemagne et d'un monde libérés de l'influence juive. Non seulement il était la source de la pulsion exterminatrice, mais le sens commun nazi faisait du génocide l'option éliminationniste la meilleure de toutes.

5

Agents et mécanismes de l'extermination

Qu'est-ce qui définit une institution de génocide ? Qu'est-ce qui définit un agent du génocide ? On appellera « institution de génocide » toute institution faisant partie du système d'extermination. On appellera « agent du génocide » toute personne ayant contribué en le sachant au massacre collectif des Juifs[1], toute personne œuvrant au sein d'une institution de génocide. Ce groupe inclut tous ceux qui ont eux-mêmes tué des Juifs et tous ceux qui ont pris part à l'organisation du dernier acte meurtrier, ceux dont le concours était nécessaire à la mise à mort des Juifs. Ainsi tous les membres des *Einsatzgruppen* ou autres escouades qui fusillaient des Juifs étaient des agents du génocide. Ceux qui procédaient aux rafles de ces mêmes Juifs, encadraient leur déportation vers des lieux de massacre (en sachant ce qui leur arriverait) ou assuraient un cordon de protection autour de l'endroit où leurs compatriotes fusillaient les Juifs étaient aussi des agents du génocide, même s'ils ne participaient pas en personne aux tueries. On inclura aussi parmi les agents du génocide les cheminots et autres employés des chemins de fer qui savaient qu'ils assuraient le dernier voyage des Juifs, les ecclésiastiques qui savaient que le concours apporté à la police pour l'identification des Juifs par les registres paroissiaux mènerait ces derniers à la mort, et le désormais proverbial « meurtrier de bureau » *(Schreibtischtäter)* qui pouvait très bien n'avoir jamais vu ses victimes de ses yeux mais dont le travail administratif lubrifiait les rouages de la déportation et de l'extermination.

Dans la plupart des cas, il est facile de décider si, oui ou non, tel individu ou telle catégorie de gens doit être rangé parmi les agents du génocide. Tous ceux qui travaillaient dans les camps de la mort, qui étaient membres d'un *Einsatzkommando*, d'un bataillon de police ou d'autres institutions policières ou civiles qui massacraient les Juifs ou les déportaient vers les camps de la mort, tous ceux qui appartenaient à une unité militaire participant aux opérations de génocide, qui tuaient un Juif de leur propre initiative en sachant que l'Allemagne avait décidé une politique de génocide, tous ceux-là étaient des agents du génocide. Où ranger les nombreux Allemands, policiers ou civils, qui gardaient ou administraient les ghettos, ces Allemands qui surveillaient ces réserves de Juifs promis à l'extinction ? Les terrifiantes conditions de vie dans ces ghettos avaient beau entraîner la mort de nombreux Juifs, ils n'étaient pourtant pas des institutions de génocide au sens plein du terme. Où ranger les Allemands qui utilisaient des Juifs à des travaux forcés en sachant que ce travail n'était qu'un répit momentané avant leur mise à mort (ce qui ne pouvait plus faire aucun doute à partir de 1941), notamment ceux qui traitaient les Juifs avec une brutalité particulière ? Même les gardiens de certains camps allemands, dont certains étaient des camps de « travail », si brutaux qu'ils aient pu être envers les Juifs, peuvent ne pas avoir contribué directement à la mort de Juifs. Alors, comment les classer ? Il y a évidemment matière à discussion. La définition adoptée ici est que toutes les personnes œuvrant dans une institution intégrée à ce système de domination brutale, porteuse de mort, système qui atteignait son apogée dans les institutions vouées directement au massacre, ont été des agents du génocide, car elles savaient que leurs actes servaient le génocide [2]. La question : « Pourquoi telle personne acceptait-elle de participer à des actions qui faisaient partie du programme de génocide, et d'agir d'une manière qui ne pouvait que hâter la mort de ces Juifs ? », ou cette autre : « Comment tel individu a-t-il pu faire ce qu'il a fait, en sachant que son action permettait à l'Allemagne d'avancer encore un peu plus sur la voie, choisie par elle, du massacre des Juifs ? » sont des questions aussi appropriées pour ceux qui étaient les petits tyrans des ghettos que pour ceux qui travaillaient à Treblinka : d'un point de vue psychologique, les deux rôles sont très différents, mais cela ne fait pas les uns coupables de génocide et les autres non. Les différences ne peuvent être prises en compte que pour expliquer les actes de chaque individu [3].

Les agents du génocide opéraient au sein d'un éventail d'institutions impressionnant, et nombreux étaient les types de participation au massacre. Les chambres à gaz des camps de la mort ont toujours été la préoccupation dominante de l'opinion, et même des historiens [4]. Si horribles qu'aient été ces abattoirs « industriels », l'attention prioritaire accordée à ces installations matérielles a eu deux effets dommageables sur l'analyse. Elle a empêché d'accorder une attention suffisante aux autres institutions du génocide, beaucoup plus éclairantes sur les questions centrales de la période, et elle a conduit à sous-estimer l'importance des agents eux-mêmes. Les monstrueuses chambres à gaz et les monstrueux crématoires, associés à ces monstres qu'étaient Hitler, Himmler, Eichmann et quelques autres, sont devenus les vedettes scélérates de cette atroce décennie. Ceux qui travaillaient dans le vaste réseau des camps autres que ceux de la mort (mais équipés eux aussi pour les massacres de masse), et, plus encore, ceux qui travaillaient dans des institutions de génocide moins connues ont été par trop perdus de vue.

Si le présent livre n'accorde pas une attention dominante aux Allemands qui œuvraient dans les camps de la mort, aux « meurtriers de bureau » ou à ceux qui étaient situés aux franges de la catégorie des « agents du génocide », c'est parce que, comme on le verra bien par la suite, ces gens-là ne sont pas d'une importance capitale pour l'*analyse*, quelle qu'ait pu être l'importance historique de leur rôle. Les camps de concentration ont été l'objet d'une littérature considérable, même si c'est rarement le cas de leur personnel [5]. Malheureusement, les autres institutions de génocide, du moins jusqu'à une date récente, ont été beaucoup moins analysées [6]. Il aura fallu attendre 1981 pour que paraisse une bonne monographie des *Einsatzgruppen* [7], mais elle n'apprend pas grand-chose sur les hommes qui en faisaient partie. Il manque encore aujourd'hui un ensemble coordonné de recherches sur les Allemands en charge des ghettos, la question des ghettos n'étant guère abordée que dans les récits de survivants et dans les études consacrées à leurs prisonniers juifs [8]. Jusqu'à une date très récente, l'*Ordnungspolizei* (« police d'Ordre ») était à peine mentionnée par les historiens, bien que ses membres aient participé au massacre de millions de Juifs. La première monographie sur l'une des branches de cette *Ordnungspolizei*, les bataillons de police, n'a été publiée que récemment, et elle est consacrée pour l'essentiel à un seul bataillon [9]. Sur l'autre branche de l'*Ordnungspolizei*, la *Gendarmerie*, profondément impliquée dans le génocide, on ne trouve à peu près rien dans la littérature existante. De même, les hommes et les femmes des différentes administrations civiles allemandes opérant dans plusieurs pays occupés, et notamment en Pologne, dont la contribution au génocide est pourtant importante, ont été jusqu'ici par trop négligés. Les entreprises industrielles allemandes et leur personnel devraient aussi être l'objet d'une étude plus approfondie [10]. Il a fallu attendre ces dernières années pour découvrir un peu plus que les grandes lignes de la participation de la Wehrmacht au génocide, et l'on en reste encore à un niveau d'analyse trop général [11]. Les hommes et les femmes qui étaient les maîtres des Juifs dans les camps de « travail » sont aujourd'hui encore sans visages. Même le personnel de la SS et de ses différentes forces de sécurité mériterait des études plus nombreuses et plus approfondies [12].

Ce bref panorama des institutions qui demandent à être mieux étudiées montre à quel point nos connaissances sur les agents de l'Holocauste sont encore insuffisantes. Il montre aussi combien étaient nombreuses les institutions et les personnes impliquées dans le génocide. Si l'on nous permet un certain recours à l'hyperbole, on peut dire que, virtuellement, toutes les institutions allemandes opérant dans l'Europe de l'Est occupée, et surtout en Pologne, ont prêté la main au génocide. Ceux qui travaillaient dans ces institutions, si on y inclut une Wehrmacht complice, se comptent par millions, bien que tous n'aient pas contribué directement aux massacres collectifs. L'Holocauste aura été une énorme opération.

Le nombre des agents directs du génocide est lui aussi impressionnant [13]. Des centaines de milliers d'Allemands étaient intégrés au vaste système de domination violente sous lequel vivaient et mouraient Juifs et non-Juifs. Si l'on y inclut les hommes et les femmes qui utilisaient et tyrannisaient les travailleurs esclavagisés (plus de 7,6 millions en août 1944 dans tout le Reich[14]), alors le nombre des Allemands ayant participé à des crimes est lui aussi de plusieurs millions. Sur ce nombre, ceux qui ont été les agents de l'Holocauste (au sens défini ci-dessus) sont certainement plus de 100 000, et l'on ne serait pas surpris qu'ils fussent 500 000, voire davantage.

Certaines données chiffrées sur les institutions de génocide et leur personnel, si incomplètes qu'elles soient, disent encore mieux l'ampleur du système de destruction mis en œuvre par les Allemands. Une récente étude portant sur toutes les catégories de « camps » allemands (ghettos compris) a pu en identifier à coup sûr 10 005, tout en établissant avec certitude qu'il y en avait beaucoup d'autres qui échappaient encore aux recherches[15]. Sur ces 10 000 camps (qui ne contenaient pas tous des Juifs), il y avait 941 camps de travail conçus spécialement pour les Juifs sur le seul territoire de la Pologne actuelle. S'y ajoutaient 230 camps pour Juifs hongrois à la frontière autrichienne. Les Allemands avaient créé 399 ghettos en Pologne, 34 en Galicie orientale, 16 dans la petite Lituanie. Ainsi, les seuls camps de travail et ghettos pour Juifs qui ont pu être identifiés dépassaient les 1 600. Il faut y ajouter les 52 grands camps de concentration, et leurs 1 202 camps satellites *(Aussenlager)*[16]. On ignore combien d'Allemands étaient employés dans chacun de ces camps et ghettos. Auschwitz, avec ses 50 camps satellites, comptait 7 000 gardiens à différents moments de son histoire[17]. En avril 1945, 4 100 gardiens et employés étaient stationnés dans le seul camp de Dachau. A la même date, Mauthausen et ses camps satellites comptaient plus de 5 700 employés[18]. On a calculé qu'il suffisait de 50 gardiens pour 500 prisonniers dans un camp satellite, soit 1 pour 10[19]. Si l'on applique ce ratio aux 10 000 camps allemands avec leurs millions de prisonniers, ou même au nombre plus réduit des camps réservés aux Juifs, on mesure à quel point la main-d'œuvre du système d'extermination était énorme.

Venons-en maintenant aux institutions de génocide itinérantes. Les *Einsatzgruppen* comptaient au départ 3 000 hommes[20] et pratiquaient la rotation du personnel. Le catalogue de la Zentrale Stelle der Landesjustizverwaltungen zu Aufklärung national-sozialistischer Verbrechen de Ludwigsburg (ZStL) recense plus de 6 000 membres des *Einsatzgruppen*. Les 38 bataillons de police dont j'ai pu établir la participation au génocide représentaient au total un minimum de 19 000 hommes, et probablement plus, parce que, là aussi, il y avait rotation du personnel[21]. Trois brigades de la SS, totalisant 25 000 hommes, placées sous l'autorité directe de Himmler, ont massacré des Juifs en Union soviétique de 1941 à 1943[22]. Des milliers d'Allemands inconnus ont contribué au génocide dans d'autres corps : employés des chemins de fer, soldats de la Wehrmacht, policiers et membres d'autres forces de sécurité qui déportaient des Juifs, notamment ceux de l'Allemagne et de l'Europe de l'Ouest ; à quoi il faut ajouter les très nombreux Allemands qui contribuèrent au massacre des esclaves juifs travaillant sous leurs ordres dans des usines. La ZStL a plus de 333 000 noms à son catalogue *(Einheitskartei)* qui recense les membres des différentes institutions de génocide. Il contient des informations sur 4 105 institutions impliquées dans les crimes nazis (pas seulement contre les Juifs) ou soupçonnées d'y avoir pris part.

Quand on considère le nombre de ceux qui ont participé au génocide dans ces institutions, et le nombre encore plus important de ceux qui œuvraient au sein du système plus vaste de domination des pays conquis (dont les 10 000 camps identifiés à ce jour donnent l'échelle), la seule conclusion que l'on peut en tirer est que le nombre des Allemands qui ont contribué au génocide, et, plus généralement, qui ont été au courant de cette entreprise fondamentalement criminelle du régime, a de quoi faire tituber. Et pourtant, on sait bien peu de chose sur eux.

Les institutions de génocide différaient dans l'organisation et les méthodes ; les agents du génocide opéraient dans différents environnements, selon des procédures quotidiennes diverses, et leurs contacts avec leurs victimes prenaient eux aussi différentes formes. Tout cela fait qu'il est difficile de donner une description générale de ces institutions. Mais si elles différaient de bien des manières, elles avaient toutes un trait commun, de première importance : elles étaient des institutions vouées au traitement (parfois au simple hébergement) d'êtres socialement morts et considérés par les Allemands comme malfaisants, puissants et dangereux. Ce statut juridique et cette théorie sociale impliquant ce qu'il fallait faire des Juifs structuraient les institutions du génocide de la même manière que les plans architecturaux donnaient la structure des bâtiments qui les abritaient.

La mort sociale est un statut. Pour Orlando Patterson, elle résulte de la domination violente exercée contre une population considérée comme exclue du droit familial (voir ci-dessous) et de toute reconnaissance sociale. C'est à la fois une conception culturelle des morts sociaux et un ensemble de pratiques à leur endroit. Conceptions et pratiques sont interdépendantes. Les membres d'une société voient dans les morts sociaux des êtres privés des attributs humains essentiels, et donc indignes de bénéficier des protections essentielles, sociales, civiles et juridiques. On se refuse à croire que des êtres socialement morts puissent mériter une quelconque reconnaissance sociale, on leur dénie toute dignité, et on les traite d'une manière qui leur refuse la *possibilité* même de recevoir l'estime des autres, laquelle est indispensable pour devenir un membre reconnu, à part entière, d'une société. A ces êtres dépourvus de toute dignité sociale, les oppresseurs refusent les droits communautaires élémentaires, dont celui, fondamental, de voir reconnus et respectés leurs liens de parenté : ils sont exclus du droit familial, et, quand cela leur convient, les oppresseurs n'hésitent pas à séparer les membres d'une même famille aussi facilement que s'il s'agissait de demandeurs d'emploi rassemblés à un même coin de rue. Pour maintenir leurs victimes dans leur état d'êtres socialement morts, exclus de toute reconnaissance sociale et même des droits familiaux, les oppresseurs doivent les soumettre à une extrême violence ou les en menacer de façon permanente. Ainsi la mort sociale est-elle un vrai statut, propre à ceux qui subissent ces trois incapacités sociales extrêmes. La catégorie la plus connue des mort sociaux est celle des esclaves (c'est pour eux que l'expression a été forgée), mais le monde des morts sociaux n'a pas seulement été habité par eux [23].

Les esclaves sont des êtres socialement morts qui, dans la plupart des sociétés esclavagistes, étaient cependant perçus comme des êtres humains ayant une valeur d'usage, une très grande valeur d'usage même. Dans l'Allemagne nazie, les Juifs étaient des êtres socialement morts (soumis à une domination violente, exclus du droit familial et réputés incapables de bénéficier d'une quelconque reconnaissance sociale) que l'on considérait comme ne faisant pas partie de la race humaine et à qui l'on ne trouvait virtuellement aucune valeur d'usage. Dans l'Histoire, les esclaves n'ont pas été nécessairement tenus pour des êtres mauvais ou des fléaux moraux. C'était même souvent le contraire. Mais pour la majorité des Allemands, les Juifs étaient les deux à la fois. Les esclaves, que l'on considérait le plus souvent comme utiles et moralement neutres, étaient censés obéir et travailler. Les Juifs, ces êtres pervers et destructeurs de l'ordre moral et social de l'Allemagne, étaient censés souffrir et mourir. Les esclaves devaient être nourris correctement et maintenus en bonne santé, pour qu'ils soient en mesure de produire. Les Juifs étaient volontairement affamés, pour qu'ils perdent leur force et meurent. Chacun des deux groupes était socialement mort, mais leurs oppresseurs les jugeaient très différemment et les traitaient donc très différemment.

Fondamentalement, les esclaves n'étaient pas frappés d'une mort sociale complète (même si le concept a été créé pour rendre compte de leur situation), car, dans les sociétés esclavagistes, ils étaient indispensables à la production et assuraient à leurs maîtres une certaine surface sociale. De plus, les esclaves vivaient souvent au sein même de ces sociétés, et certains, sinon beaucoup, avaient des relations sociales et des liens avec leurs oppresseurs, y compris des relations sexuelles, voire amoureuses. Les Juifs, eux, étaient des morts sociaux complets : on refusait de dépendre d'eux pour la production ; on ne les laissait pas vivre au milieu de la société ; et on cherchait à empêcher toute relation sociale entre Juifs et Allemands (et même entre les Juifs et d'autres peuples réputés inférieurs, comme les Polonais). La différence entre les esclaves dans l'Histoire et les Juifs sous le régime nazi n'était pas dans le statut de morts sociaux, car il leur était commun, mais dans les conceptions des oppresseurs : ce sont elles qui étaient déterminantes pour l'existence des êtres socialement morts.

Le fait que certaines personnes soient considérées par d'autres comme des morts sociaux nous en dit déjà beaucoup, mais à vrai dire encore trop peu, sur la manière dont les oppresseurs les traitent. Le modèle cognitif culturel que les oppresseurs appliquent aux êtres socialement morts est ce qui gouverne fondamentalement leurs pratiques. Étant donné la nature du modèle cognitif dominant des Allemands à l'endroit des Juifs, les institutions qu'ils utilisaient pour regrouper les Juifs et en disposer ne pouvaient que devenir des lieux d'extrême souffrance, et, quand le temps en serait venu, des lieux de mort.

Grande était la variété des institutions, et l'on ne saurait ici les étudier toutes en détail. L'une de ces institutions, le « camp », doit cependant être l'objet d'une analyse globale, car, à bien des égards, il est l'institution paradigmatique du génocide. Et ce n'est pas un hasard si le camp est devenu l'institution emblématique de l'Allemagne nazie : le « camp », également désigné par le terme générique, mais manquant de précision, de « camp de concentration », n'a pas ici de sérieux concurrent. Son caractère emblématique vient de ce que de nombreux aspects des camps reproduisaient et symbolisaient des caractéristiques essentielles et distinctives de l'Allemagne nazie. C'était aussi dans les camps que les aspects fondamentaux de la révolution allemande nazie devenaient réalité, et que l'on pouvait le mieux apercevoir les traits de la future Europe sous domination nazie.

Qu'était-ce donc qu'un « camp », et qu'est-ce qui constituait l'univers des camps ? On appellera « camp » (à distinguer d'une prison) toute institution d'incarcération où étaient enfermés Juifs et non-Juifs, de façon permanente ou semi-permanente, et qui n'était soumise à aucune contrainte juridique. Comme le savaient bien les Allemands ordinaires, les camps étaient l'institution nouvelle propre au régime, adaptée à des fins spécifiques (voir ci-dessous), des fins aussi différentes de celle du système carcéral classique que la SS était différente de l'armée allemande sous Guillaume II. C'était là le trait essentiel de tous les types de camps créés par les Allemands, même s'ils avaient des objectifs variés et regroupaient différentes catégories de victimes : camps d'extermination, camps de concentration, camps de travail, camps de transit, ghettos, pour n'en nommer que quelques-uns [24].

Le camp était la première grande institution entièrement neuve créée par les nazis après l'arrivée de Hitler au pouvoir. Le camp était le symbole de la création nazie, le premier exemple de l'extraordinaire capacité de destruction du nazisme. En mars 1933, prenant prétexte de l'incendie du Reichstag, le régime créa toutes sortes de camps provisoires pour enfermer les 25 000 personnes qui venaient d'être arrêtées, surtout des communistes, des sociaux-démocrates et des syndicalistes. Le 20 mars 1933, Himmler réunissait la presse pour annoncer la création du premier camp de concentration officiellement baptisé comme tel, celui de Dachau, où seraient incarcérés 5 000 prisonniers : le régime, jamais timide quand il s'agissait de mesures violentes, ne faisait nul mystère de cette nouvelle institution[25].

Le camp n'était pas seulement la première grande institution neuve de l'Allemagne nazie, mais aussi, et c'est essentiel, la plus grande et la plus importante innovation institutionnelle allemande de la période nazie. Le nombre des camps (plus de 10 000) que les Allemands ont créés, entretenus et équipés en personnel ne peut que remplir de stupeur. On en trouvait partout sur le continent européen, mais la majorité d'entre eux étaient situés en Europe de l'Est. La Pologne à elle seule, premier site de l'immense massacre des Juifs et territoire transformé par les nazis en une immense colonie d'esclaves, comptait plus de 5 800 camps. Et pourtant, contrairement à ce que laissent entendre la plupart des historiens, le régime ne fit jamais aucun effort sérieux pour épargner au peuple allemand la vue de ces institutions vouées à la violence, à l'assujettissement, à la mort : sur le territoire allemand même, à portée de vue du peuple allemand, le régime créait un énorme réseau de camps, couvrant tout le pays ; infrastructure criminelle vouée à la souffrance, ce réseau de camps était aussi constitutif de l'Allemagne nazie des années 40 que toute autre infrastructure du pays, et sans que le régime y perdît jamais sa légitimité. On ne connaît pas le nombre exact des camps installés en Allemagne, parce que de telles recherches n'ont pas été entreprises. On sait cependant que dans la seule Hesse, un petit État, il y avait au moins 606 camps (un tous les 25 km^2), dimension apocalyptique du paysage physique et social allemand[26]. Berlin, capitale et vitrine du pays, abritait 645 camps de travail forcé[27]. Il serait intéressant de pouvoir calculer la distance moyenne séparant un Allemand d'un camp, et de savoir à quelle distance du camp le plus proche se trouvait le coin le plus reculé de l'Allemagne.

Ce réseau d'une ampleur stupéfiante dans lequel étaient emprisonnés, manipulés, maltraités, exploités et tués des millions d'innocents qui ne constituaient ni une menace militaire ni une menace physique pour le pays, était la plus grande création institutionnelle de l'Allemagne nazie, non seulement par la quantité des installations, par les millions de personnes qui souffraient dans ses enceintes, et le grand nombre d'Allemands et d'acolytes des Allemands qui y travaillaient, mais aussi parce que c'était un système entièrement nouveau au sein de la société allemande.

Les sociétés industrielles modernes sont souvent conçues comme composées de « systèmes »[28]. La conception commune veut qu'une société soit constituée de systèmes distincts, politique, social, économique et culturel. Les frontières entre ces différents systèmes sont parfois difficiles à délimiter avec précision, et ils se recoupent parfois les uns les autres : pourtant, chacun a ses propres institutions, son organisation globale, ses règles de fonctionnement (formalisées ou non) et ses pratiques. Chacun de ces systèmes est aussi considéré comme comprenant des sous-systèmes, notion utile. A l'époque du nazisme, l'Allemagne, pour la première fois en Europe occidentale (car l'Union soviétique avait déjà le Goulag), a créé un nouveau système, distinct des autres : le « système des camps ». Il avait ses propres institutions, sa propre organisation, ses règles de fonctionnement bien à lui, et ses pratiques, on ne peut plus spécifiques.

Le système des camps n'était intégré à aucun des autres systèmes de la société, et l'on ne gagnera rien à nier son caractère essentiellement distinct. Pendant les années de guerre, il était à la fois intégré au fonctionnement de l'Allemagne et fondamentalement séparé des autres systèmes de la société : pour une large part, cela tient au fait qu'il abritait une population soumise à une domination violente qui n'avait pas sa place dans les autres systèmes (sauf certains de ses éléments, comme esclaves producteurs). Le système des camps était si différent des institutions de toutes les autres sphères de la société allemande, les présupposés qui le fondaient et gouvernaient ses pratiques étaient si différents de ceux qui étaient considérés comme « ordinaires » en Allemagne, que le système de camps, tout en étant partie intégrante de la nature et du fonctionnement de l'Allemagne nazie, peut être défini comme un monde en soi. Le « monde des camps » était la plus vaste, la plus neuve, la plus importante création institutionnelle de l'Allemagne nazie. Ses différences étaient si prononcées, et allaient si loin, que ses habitants auraient pu aussi bien vivre sur une autre planète.

Le système des camps constituait un monde en expansion continue, chaque jour plus important et plus central dans le fonctionnement de la nouvelle Allemagne, dans sa définition même. Si une démocratie est souvent définie par son système politique (avec ses institutions de représentation politique et ses libertés fondamentales garanties), et non pas, par exemple, par son système culturel, alors l'Allemagne nazie se définissait de plus en plus par son système des camps, car c'était en son sein que plusieurs des pratiques allemandes les plus singulières et les plus essentielles trouvaient leur place, et que la vraie nature du régime et de la société en train de se constituer était, pour une large part, forgée et observable.

Les historiens adoptent généralement une perspective étroite dans leur étude des camps, attentifs surtout à leur instrumentalité, et notamment à leur rôle comme instruments de violence et lieux d'une production économique[29]. Si, au contraire, on veut bien voir dans le « monde des camps » un *système* de la société allemande, il devient alors évident qu'il faut disposer à leur endroit de concepts beaucoup plus diversifiés. L'essence du monde des camps doit être prise en compte, ainsi que les différentes pratiques instrumentales qu'on leur assignait et les pratiques expressives qui y trouvaient leur lieu. Le système des camps avait quatre traits essentiels :

1. C'était un monde où les Allemands exécutaient un certain nombre de tâches violentes, et poursuivaient tout un ensemble de buts concrets.
2. C'était le lieu de la plus libre expression de soi, un lieu où les Allemands

pouvaient se conduire en maîtres libérés des contraintes bourgeoises que le nazisme était en train de remplacer à toute allure par une nouvelle morale antichrétienne.

3. C'était un monde dans lequel les Allemands remodelaient leurs victimes pour les rendre conformes à l'image qu'ils avaient d'elles, validant par là leur conception du monde.
4. C'était un monde révolutionnaire, où la transformation sociale et la transmutation des valeurs qui étaient au cœur du programme nazi étaient le plus assidûment entreprises.

Les trois premiers traits de ce monde des camps vont être analysés ci-dessous, le quatrième étant traité dans l'épilogue.

Premier aspect du système des camps, ses fins instrumentales évidentes. Ces fins étaient connues comme telles par tous les Allemands intégrés au système des camps (et par des millions d'autres au-dehors), et c'est l'aspect qui a le plus retenu l'attention des historiens : massacre systématique des ennemis désignés, principalement les Juifs ; asservissement des populations vaincues, principalement celles des « sous-hommes », dans un but économique ; incarcération et châtiment des ennemis de la nouvelle Allemagne.

Au sommet du système des camps étaient les camps d'extermination d'Auschwitz, Belzec, Chelmno, Sobibor et Treblinka. Dans tous ces camps, les Allemands avaient construit des installations pour l'extermination des Juifs, qui étaient de très loin les principales victimes, et ils les y ont massacrés par centaines de milliers. Le fonctionnement des chambres à gaz et des crématoires est connu, et l'on n'y reviendra pas ici [30]. Pourtant, les Allemands ont aussi procédé à des massacres de masse dans des camps que l'on ne connaît pas sous le nom de « camps de la mort ». A partir du début 1942, c'est le système des camps tout entier qui œuvrait au massacre des Juifs. Que les Allemands tuent les Juifs immédiatement et directement dans les chambres à gaz d'un camp d'extermination, ou qu'ils les laissent mourir de faim et d'épuisement dans des camps qu'ils n'avaient pas expressément conçus à des fins d'extermination (les camps de concentration ou de « travail »), le taux de mortalité des Juifs dans ces derniers camps était bien celui d'un génocide, et il était d'ailleurs très largement supérieur à celui des autres groupes enfermés dans ces mêmes camps. Une fois le programme de génocide mis en route par les Allemands, la distinction entre camps d'extermination (construits expressément pour tuer les *Juifs*) et autres types de camps peut être considérée comme spécieuse dans le cas des Juifs (mais pas dans celui des autres groupes). Le taux de mortalité mensuel des Juifs à Mauthausen était de 100 % de la fin 1942 à 1943. Mauthausen n'était pourtant pas officiellement un camp d'extermination, et cela restait vrai pour les non-Juifs, dont le taux de mortalité mensuel, à la fin de 1943, était inférieur à 2 % [31]. Tout camp où se trouvaient des Juifs fonctionnait ainsi *à titre temporaire*, puisque les Allemands avaient voué tous les Juifs à la mort. Le taux d'extermination pouvait varier, l'objectif jamais.

Si celle des grandes tâches des camps qui nous frappe le plus était l'extermination de groupes désignés, ce n'était nullement le seul objectif, ni même l'objectif central du système des camps. Dans une économie de guerre où la main-d'œuvre manquait partout, le système des camps était avant tout destiné à l'exploitation économique de millions d'esclaves. L'esclavage s'accordait parfaitement à la vision du monde et au modèle d'humanité régnant en Allemagne, qui voulaient que les peuples fussent inégaux en valeur morale et en capacités. La plupart de ces travailleurs esclavagisés étaient des Slaves, lesquels, selon l'idéologie nazie, largement partagée en Allemagne, étaient des « sous-hommes », et donc des inférieurs exploitables à merci. Un grand nombre d'entre eux étaient esclaves dans des camps (mais il y en avait aussi beaucoup dans les exploitations agricoles allemandes), bien que la fraction du système des camps officiellement appelée « camps de concentration » ne comptât qu'une faible partie (environ 750 000 personnes à son moment de plus grand développement) des millions d'individus que les Allemands avaient enlevés de force ou faits prisonniers pour les contraindre ensuite au travail forcé, dans des conditions au mieux difficiles et au pire mortelles [32].

Le massacre collectif et l'asservissement nécessaire à toute exploitation économique étaient les deux objectifs principaux du système des camps, mais il y en avait d'autres : les Allemands y incarcéraient les individus qui luttaient contre eux, opposants au régime nazi à l'intérieur de l'Allemagne et résistants non allemands des pays occupés. Aussi bien en Allemagne que dans l'Europe occupée, le camp était une institution terroriste : tout le monde savait l'horrible sort qui attendait ceux qui y seraient jetés, que ce fût pour leurs actes ou leur identité. La perspective d'être envoyé en « camp de concentration » plongeait dans une crainte paralysante une bonne partie de la petite minorité d'Allemands qui auraient souhaité agir contre la domination nazie. Indépendamment des objectifs de génocide et d'exploitation économique, le système des camps était donc une institution d'incarcération, de châtiment, de terreur, utilisée pour maintenir la domination allemande sur les peuples soumis et sur la *petite minorité* d'Allemands qui, au bout de quelques années de régime nazi, auraient souhaité le renverser.

Toutefois, pour ses maîtres allemands, le système des camps n'était pas seulement un instrument au service d'objectifs bien définis. Le deuxième aspect de ce système, même s'il n'était pas ouvertement proclamé et si bien des gens n'en étaient pas clairement conscients, était d'être un monde sans contraintes, un monde où le maître pouvait exprimer en mots et en actes chacun de ses désirs barbares, obtenir toutes les satisfactions psychologiques, tous les plaisirs que la domination sur autrui peut apporter. Chaque gardien allemand était un seigneur incontesté, absolu, régnant sur les prisonniers. Lui ou elle pouvait se laisser aller à toutes ses envies d'avilir, torturer ou tuer un prisonnier, sans redouter la moindre punition. Lui ou elle pouvait se laisser aller à des orgies de cruauté, satisfaire toutes ses pulsions agressives et sadiques. Les camps devinrent donc l'institution où les Allemands pouvaient se laisser aller à tout ce que leur dictait leur idéologie ou leur psychologie, utilisant les esprits et les corps des prisonniers comme des instruments et des objets de jouissance. C'était un monde libéré de toute contrainte, où les nouveaux Allemands pouvaient exprimer leurs haines les plus profondes, régner en maîtres sur leurs « inférieurs » et leurs ennemis, donner libre cours à la morale nazie : une violence sans pitié à l'égard des « sous-hommes ».

Pour autant, cette liberté et la jouissance que les Allemands en retiraient n'étaient pas seulement issues de leurs pulsions : le système des camps ne se contentait pas de permettre la réalisation de ces désirs, il les encourageait. Les jugements différents que les Allemands portaient sur les différents groupes de victimes déterminaient le traitement réservé à chacun, le déploiement des pulsions agressives et sadiques. La brutalité envers les prisonniers dépendait des jugements, officiels ou non, sur la valeur respective des « races » : les prisonniers d'Europe de l'Ouest étaient les mieux traités, ceux de l'Europe du Sud moins bien, les Polonais plus mal, les Russes et autres Slaves de l'Est beaucoup plus mal, et, parmi les non-Juifs, les Tsiganes étaient traités de la façon la plus meurtrière [33]. Quant au sort réservé par les Allemands aux Juifs, ces incarnations laïques du diable, il était si terrifiant qu'on ne peut même pas le comparer à celui subi par les autres groupes. Quel que fût l'objectif, l'organisation et les pratiques ordinaires d'un camp donné, les Juifs, qui s'y trouvaient pourtant dans la même situation structurelle que les autres prisonniers, étaient toujours victimes du traitement le plus atroce, comme l'ont rapporté tous les survivants des camps, Juifs et non-Juifs [34].

Le système des camps était un monde où les règles et pratiques morales qui gouvernaient la société allemande « ordinaire » ne s'appliquaient pas. Dans ce nouveau monde, gouverné par la morale nazie et sa violence sans pitié à l'égard des « sous-hommes », les Allemands nazis et les Allemandes nazies pouvaient traiter les non-Allemands à leur convenance, en fonction de leur définition idéologique de leurs victimes et de leurs désirs les plus profonds : à l'intérieur du système des camps, le nazisme leur donnait pleine liberté de le faire.

Troisième aspect central du système des camps, le remodelage des victimes pour les rendre conformes à l'image que les nazis avaient d'eux. Puisqu'il s'agissait pour les Allemands de transformer en hilotes les habitants des camps, il n'est pas surprenant qu'ils aient cherché à les déshumaniser par toutes sortes de moyens. Chaque prisonnier se voyait privé de son individualité, non seulement pour faciliter l'exercice de la force brutale, mais parce que cela était jugé conforme à l'ordre moral du monde : aux yeux des Allemands, leurs prisonniers ne méritaient pas le respect fondamental que confère la reconnaissance de l'autre comme personne. D'où la pratique constante de couper les cheveux des prisonniers, pour en faire une masse indifférenciée : privés de leurs cheveux et sous-alimentés à l'extrême, hommes et femmes étaient presque impossibles à distinguer les uns des autres. Les Allemands ne prenaient pas non plus la peine d'apprendre les noms de leurs prisonniers : à Auschwitz, ils niaient même que chaque prisonnier eût un nom, marque d'humanité, en leur imposant un chiffre tatoué qui, sauf pour quelques prisonniers privilégiés, était la seule marque d'identification utilisée par le personnel du camp. A Auschwitz, il n'y avait plus de Moïse, Ivan ou Lech, mais seulement des matricules.

Déshumaniser chaque prisonnier en lui ôtant son individualité, le transformer, aux yeux des gardiens allemands, en un simple corps au sein d'une masse indifférenciée, était la première étape de leur transformation visible en « sous-hommes ». Les Allemands imposaient à la population des camps des conditions de misère physique, mentale et affective bien pire que tout ce que l'Europe avait pu connaître au fil des siècles. En refusant aux prisonniers une nourriture suffisante, et même en affamant délibérément nombre d'entre eux, en les forçant à accomplir un travail épuisant durant d'interminables journées, en les privant de tout hébergement et de vêtements décents, sans même parler des soins médicaux, en exerçant continûment des violences sur leur corps et leur esprit, les Allemands réussissaient à donner à leurs victimes l'apparence (blessures ouvertes, ulcérations, stigmates de la maladie et de la faiblesse) et les attributs des « sous-hommes » qu'ils voyaient en eux[35].

Le déchaînement de la violence dans les camps avait un double objectif. Le premier était de permettre aux Allemands une réalisation gratifiante de leurs pulsions, le second de remodeler les prisonniers. La violence perpétrée contre les prisonniers servait à confirmer la conception que les Allemands avaient de leur « sous-humanité » de toutes sortes de manières : la violence physique imprimait sur les corps le rappel constant de leur état d'abjection, elle les affaiblissait, elle renforçait tous les effets déshumanisants de la malnutrition, de l'excès de travail et de l'exposition aux dures conditions climatiques. Les retentissements psychologiques de cette violence physique n'étaient pas moins nombreux : elle répandait la terreur chez les prisonniers, contraints de se faire tout petits devant leurs maîtres allemands. La simple vision, fréquente dans les camps, d'un détenu roué de coups sans qu'il puisse esquisser un geste de défense (c'était la règle pour tous les prisonniers) ne pouvait que confirmer, dans l'esprit des Allemands, à quel point ces créatures manquaient de dignité, et combien elles étaient éloignées du statut d'être humain, digne de respect et de considération morale.

Ainsi les Allemands recomposaient-ils les noms, les corps, les esprits, le comportement social, les conditions de vie de la population des camps. Ils transformaient leurs prisonniers en êtres qui n'avaient qu'à travailler, souffrir et, selon les groupes, mourir. Ils en faisaient des êtres qui, progressivement, ratifiaient l'idée que ces Allemands avaient d'eux, et qui ressemblaient de plus en plus à des « sous-hommes », privés des principaux attributs humains, et, notamment, dépourvus des signes minimaux d'une bonne santé humaine. Les camps étaient donc un monde où l'on pouvait découvrir non seulement les nouveaux Allemands, mais aussi la condition de « sous-hommes » que les Allemands auraient imposée à la plupart des peuples de l'Europe de l'Est s'ils avaient gagné la guerre.

Conclusion

La transformation du système des camps, à partir de ses modestes mais menaçants débuts, en un nouveau système de la société allemande reflétait l'évolution de la mise en pratique par les nazis de leurs préceptes idéologiques centraux, et notamment de l'antisémitisme éliminationniste. Dans les commencements, les camps étaient des lieux de torture et de meurtres épisodiques, selon le bon plaisir des gardiens, et pour leur satisfaction personnelle. Ces camps étaient encore peu nombreux (leur population était inférieure à 25 000 personnes en 1939) et n'avaient d'autre effet que de plonger dans la terreur les opposants au régime et les Juifs. De la même manière, l'application de l'idéologie antisémite éliminationniste avait démarré modestement, limitée à des mesures non meurtrières, ponctuée de gratifiantes explosions de violence et de meurtres, dont le principal objectif était d'imposer aux Juifs des conditions de vie insupportables pour qu'ils quittent l'Allemagne. Les camps étaient donc des instruments importants de ce projet éliminationniste.

Comme les autres mesures éliminationnistes, les camps, au départ, n'entraînaient qu'épisodiquement la mort des victimes. Et comme pour l'idéologie éliminationniste, quand le moment propice se présenta, les Allemands n'eurent qu'à activer la capacité meurtrière des camps. La croissance du système des camps a accompagné l'application progressive de la partie la plus apocalyptique du credo nazi. Ainsi des logiques parallèles ont-elles marqué l'évolution de la politique éliminationniste et le développement des camps. Et c'est aussi en ce sens que le camp était l'institution emblématique de l'Allemagne nazie, tout comme l'extermination des Juifs était emblématique de son projet national.

Institution emblématique de l'Allemagne nazie et institution paradigmatique de l'Holocauste, les camps seront ici la toile de fond de notre étude sur les autres institutions du génocide. Les bataillons de police, les camps de « travail », les marches de la mort illustrent d'une manière différente les *aspects généraux* de l'Holocauste que l'on trouve aussi dans le monde des camps.

Ainsi, l'immensité croissante du nombre des camps exigeait-elle un nombre sans cesse plus élevé d'Allemands pour les faire fonctionner.

Cela était particulièrement vrai pour les camps situés en Allemagne même. Un nombre considérable d'Allemands ordinaires, d'Allemands qui n'appartenaient ni au parti nazi ni à la SS, encadraient ces camps. Associés à d'autres Allemands ordinaires de la SS et du parti, ils tuaient, torturaient, accablaient de souffrances les prisonniers des camps. Pourtant, si révélatrice que soit l'étude des camps à leur sujet, le rôle des Allemands ordinaires dans l'Holocauste et le sens de leur participation seront mieux compris si l'on étudie d'autres institutions du génocide majoritairement peuplées d'Allemands ordinaires, tels les bataillons de police.

TROISIÈME PARTIE

Les bataillons de police : des Allemands ordinaires, des tueurs volontaires

Je voudrais également dire qu'il ne m'est jamais venu à l'esprit que ces ordres pussent être injustes. Je sais, il est vrai, que le devoir de la police est de protéger les innocents, mais j'étais alors convaincu que les Juifs n'étaient pas innocents, mais coupables. Je croyais à la propagande qui affirmait que les Juifs étaient des criminels et des sous-hommes, et qu'ils étaient la cause du déclin de l'Allemagne après la Première Guerre mondiale. L'idée qu'on devait désobéir, ou esquiver les ordres de participer à l'extermination des Juifs, ne m'est donc jamais venue à l'esprit.

Kurt Möbius, ancien membre d'un bataillon de police, ayant servi à Chelmno, déposition du 8 novembre 1961

6

Les bataillons de police : des agents du génocide

L'*Ordnungspolizei* (police d'Ordre) a joué dans la perpétration de l'Holocauste un rôle aussi déterminant que les *Einsatzgruppen* et la SS. Elle était composée de la *Schutzpolizei* (police en uniforme), celle des bataillons de police, et de la *Gendarmerie* (police rurale)[1]. Les bataillons de police ont constitué la branche de la police d'Ordre la plus étroitement impliquée dans le génocide. A la différence des autres unités, ils étaient des bataillons mobiles, ce qui en faisait un instrument souple, bon à tout faire, de la mise en œuvre du programme d'extermination. L'étude de ces unités et des actes qu'elles ont commis jette une lumière inhabituellement claire sur certains des problèmes centraux de l'Holocauste.

Pour analyser la contribution de ces bataillons de police au massacre des Juifs, et établir sa signification, point n'est besoin d'une étude approfondie de l'histoire institutionnelle de l'*Ordnungspolizei* ni de ses bataillons de police pendant la période nazie. Il suffit de connaître trois aspects essentiels de ces bataillons :

1. Une grande partie des Allemands qui les peuplaient étaient des éléments bien peu prometteurs, dont le recrutement n'avait pas été fonction de leurs qualités militaires ou idéologiques : ils avaient souvent été choisis au hasard, et nombre d'entre eux étaient les recrues les moins souhaitables qu'on pût trouver, les moins aptes à un service de type militaire. Qui plus est, ils n'avaient été soumis à aucune véritable sélection idéologique.
2. Une fois incorporés dans les bataillons de police, ces sujets peu prometteurs avaient reçu un entraînement au-dessous de la moyenne pour tout ce qui concernait le combat, la logistique et les procédures. Leur formation idéologique, ou leur endoctrinement étaient très faibles, parfois même ridiculement superficiels et inefficaces.
3. Les bataillons de police n'étaient pas des institutions « nazies ». Leurs hommes n'étaient pas particulièrement nazifiés, à ceci près qu'ils étaient, au sens large, des représentants de la société allemande nazifiée.

Les effectifs de l'*Ordnungspolizei* (hommes et officiers) sont passés de 131 000 à la veille de la guerre[2] à 310 000 au début de 1943, dont 132 000 réservistes (42 %)[3]. C'étaient là des forces de sécurité d'une dimension et d'une importance considérables. Plus s'accroissaient la surface des territoires conquis peuplés de « races inférieures », et donc les exigences du maintien de l'ordre, et plus s'ajoutaient de nouvelles tâches : lutter contre les partisans, transférer des populations, et, même si ce n'est jamais mentionné dans les rapports officiels, tuer des civils, avant tout des Juifs, et en masse. Tout cela fait que l'*Ordnungspolizei* de 1942 était radicalement différente de celle de 1939. La structure institutionnelle était toujours la même, à peu de chose près, mais les effectifs avaient été multipliés par quatre par rapport à 1938 : on était passé d'une police de métier relativement décentralisée, dont les hommes étaient stationnés dans leur ville ou leur région d'origine, à un organisme de plus en plus peuplé de non-professionnels, engagés dans une domination de type colonial, parmi des peuples hostiles, différents par la langue, les coutumes et les aspirations. En 1942, la police d'Ordre de 1938 n'était plus reconnaissable, tant sa taille, sa composition, ses activités, ses règles de conduite étaient différentes.

Bataillons de police et bataillons de police de réserve étaient donc devenus l'organisme d'accueil de très nombreux Allemands[4]. Il y avait en moyenne cinq cents hommes par unité, chargés de toutes sortes de tâches dans les territoires occupés et en Allemagne même. Au départ, chaque bataillon comptait quatre compagnies et un état-major et avait à sa tête un capitaine ou un commandant (plus tard, il n'y aura plus que trois compagnies par bataillon). Chaque compagnie était divisée en trois sections, elles-mêmes divisées en groupes de dix à quinze hommes. En 1939, leur mission était de veiller à l'ordre public, de réguler la circulation, de garder les bâtiments officiels et d'aider aux transferts de populations des régions occupés, telle la Pologne[5]. Un accord conclu avec la Wehrmacht prévoyait que, en cas de besoin, ces unités pourraient participer à des opérations militaires (et lutter contre les partisans en deçà des lignes). Des bataillons de police ont effectivement participé à la campagne de 1939 contre la Pologne, à la campagne de 1940 sur le front occidental et à l'invasion de l'Union soviétique. Si l'on excepte cette participation aux combats, leurs tâches étaient les tâches normales d'une police en temps de guerre dans des territoires occupés. La faible prise en compte de leurs besoins en hommes, la légèreté de leur armement, l'insuffisance de la formation dispensée aux recrues prouvent que l'on n'attendait d'eux que des opérations de police « normales ». Aucun texte écrit, aucune parole rapportée, aucune action menée ne laisse entendre que, en 1939, on préparait ces bataillons de police à des opérations de génocide.

Le peu de soin mis à les recruter et à les former prouve bien le rang inférieur qu'on leur assignait dans le vaste éventail des forces de sécurité et des forces militaires allemandes[6], et il traduit aussi les problèmes de recrutement de ces unités, constants tout au long de la guerre. En novembre 1941, l'*Ordnungspolizei* considérait qu'elle avait besoin de près de 100 000 hommes supplémentaires (elle en avait alors moins de 300 000), et qu'il lui fallait d'urgence obtenir un premier contingent complémentaire de 43 000 hommes [7]. Comme on ne la laissait pas recruter les plus aptes, elle était contrainte de se rabattre sur des hommes ayant le profil militaire le moins marqué [8], tels ceux qui étaient trop vieux pour la Wehrmacht ou qui n'avaient pas été jugés physiquement aptes aux fonctions de policiers. Ces compromis s'expliquaient par « les difficultés actuelles de recrutement dans l'*Ordnungspolizei* [9] ». En recrutant au petit bonheur tous ceux qu'elle pouvait trouver, l'*Ordnungspolizei* épuisait les dernières réserves disponibles. Ainsi le 83ᵉ bataillon de police avait-il totalement épuisé les ressources en hommes de Gleiwitz (Silésie), où on l'avait créé, et il avait dû renoncer à compléter une de ses unités [10].

Non seulement le régime ne faisait rien pour affecter aux bataillons de police des recrues de qualité ou des hommes ayant démontré une fidélité au nazisme supérieure à la moyenne allemande, mais la formation donnée aux recrues était très insuffisante, ce qui prouve également combien on attendait peu de ces unités.

Ces recrues ne promettaient guère : la plupart n'avaient aucune formation militaire, beaucoup étaient dans une condition physique à la limite du minimum requis, et leur âge, leur situation de père de famille déjà établi dans une activité professionnelle les rendaient moins malléables que les jeunes recrues que préfèrent habituellement les armées et la police. Une bonne raison à cette préférence des militaires pour la jeunesse : des siècles d'expérience ont appris que les jeunes sont plus faciles à modeler, à transformer en servants dévoués d'une institution, intimement convaincus de la valeur de ses règles et de ses pratiques. Aussi, même si elle attendait peu de ces hommes, l'*Ordnungspolizei* se trouvait confrontée à un formidable problème de formation, rendu encore plus aigu par le peu de temps dont elle disposait, tant il était urgent de déployer ces unités nouvelles sur le terrain.

Malgré l'importance du problème, la formation des nouvelles recrues se faisait sans grand soin, presque avec négligence. Même quand les hommes des bataillons de réserve effectuaient la totalité du stage de formation (car beaucoup y échappaient), il ne durait qu'environ trois mois, période trop courte pour des unités de ce type, qui, avant la guerre, bénéficiaient d'une formation d'un an [11]. Un inspecteur de l'*Ordnungspolizei* écrivait que, près de six mois après la création des 65ᵉ et 67ᵉ bataillons de réserve, un tiers des recrues n'étaient pas convenablement formées [12]. Cette insuffisance de la formation est corroborée par les hommes des bataillons de police eux-mêmes, dont beaucoup ont mentionné l'inefficacité du stage initial.

Au cours du stage, deux heures hebdomadaires seulement étaient consacrées à la formation idéologique. Différents sujets étaient prévus (plus d'un par semaine) dans le manuel de formation. Bien des thèmes centraux du nazisme étaient abordés (*Diktat* de Versailles, « préservation du sang », « hégémonie du Reich »), mais tous étaient traités très rapidement[13]. Cette formation idéologique superficielle, qui se contentait de familiariser les recrues avec les principes directeurs de l'idéologie nazie, ne devait pas apporter beaucoup plus à ces hommes que les quelques discours de Hitler qu'ils avaient certainement tous déjà entendus. En ces semaines d'entraînement intensif et fatigant, les maigres heures consacrées à la formation idéologique étaient probablement plus efficaces pour le repos des recrues que pour leur endoctrinement[14].

Il était prévu que cette formation idéologique se poursuivrait sur le terrain, répartie en séances quotidiennes, hebdomadaires et mensuelles. L'« instruction quotidienne » (au minimum un jour sur deux) consistait à informer les hommes des événements politiques et militaires. L'« instruction hebdomadaire » avait pour but de façonner leur idéologie et de leur former le caractère. Enfin, une fois par mois, on leur faisait un cours sur un thème décidé par les bureaux de Himmler, et qui devait traiter à fond un sujet de grande importance idéologique. Même si une vision rapide des choses peut donner l'impression que ces hommes étaient soumis à un endoctrinement de grande ampleur, ces séances ne représentaient en fait que quelques heures par semaine, et, même quand on appliquait complètement le programme, elles n'avaient vraisemblablement que peu d'effet sur les hommes. L'« instruction quotidienne » n'était destinée qu'à transmettre et à interpréter les nouvelles et se limitait probablement aux événements militaires. L'« instruction hebdomadaire », disait le programme, devait faire en sorte que « les objectifs éducatifs du national-socialisme soient clairement présentés », et le manuel suggérait trois formules à cet effet : 1) une brève leçon sur une histoire de guerre vécue, ou sur des exploits des hommes de l'*Ordnungspolizei* ; 2) la lecture d'extraits de livres choisis, tel *Pflichten des deutschen Soldaten* (« Devoirs du soldat allemand ») ; 3) l'étude de textes tirés des brochures d'enseignement de la SS. L'impression de négligence qui se dégage à la lecture de ces instructions (avec pour résultat l'inefficacité de ces séances) s'accroît encore quand on voit, dans l'introduction du manuel, qu'aucune formation spéciale n'était requise des instructeurs : toutes les séances de formation devaient être assurées par des officiers du bataillon, sans expérience pédagogique, et non par des instructeurs formés à cet effet. Les séances hebdomadaires, point fort de cette formation, ne devaient durer que trente à quarante-cinq minutes, et elles pouvaient être annulées si « elles devaient nuire à la concentration et à la réceptivité des esprits[15] ».

Dans son ensemble, l'*Ordnungspolizei*, et particulièrement sa réserve, qui fournissait le gros des bataillons de police, n'étaient pas des institutions d'élite. L'âge moyen des hommes était très supérieur à celui des soldats de la Wehrmacht, et leur formation était insuffisante. Un bonne partie de ces hommes avaient réussi à se soustraire à un recrutement plus « militaire » (dans la SS ou la Wehrmacht), ce qui dénote peu de dispositions pour la discipline et les tâches militaires, y compris celle de tuer. Il est vraisemblable que bon nombre d'entre eux avaient des enfants. On était bien loin des jeunes de 18 ans, sans expérience de la vie, faciles à modeler selon les besoins de l'armée, qu'une institution militaire soucieuse d'efficacité se doit de recruter. Ces hommes n'avaient pas l'esprit de bravade des jeunes, et ils avaient l'habitude de penser par eux-mêmes. Tout porte à croire que du point de vue de l'âge, de la situation de famille et des dispositions d'esprit, l'*Ordnungspolizei* et notamment ses bataillons de police étaient composés d'individus plus habitués à l'indépendance que cela n'était la norme dans l'Allemagne nazie.

L'*Ordnungspolizei* n'était pas non plus une institution *nazie*, c'est-à-dire une institution créée par le régime à son image. Ses officiers n'étaient pas spécialement nazifiés, selon les critères de l'époque, les sous-officiers et hommes du rang encore moins. On n'avait fait aucun effort particulier pour la peupler de gens spécialement dévoués au nazisme. Même si l'on accordait quelque importance à l'idéologie d'un officier quand il était question d'une promotion, l'attitude idéologique n'était pas un critère de jugement au jour le jour[16] L'institution ne sélectionnait pas ses recrues en fonction de leur idéologie, et la maigre formation qu'on leur donnait avait peu de chances de raffermir beaucoup un nazisme préexistant, encore moins de convertir ceux qui n'étaient pas convaincus. Comparée à la ration idéologique quotidienne ingurgitée par la société allemande, celle de l'*Ordnungspolizei* était bien maigre. En fait, elle acceptait dans ses rangs tous ceux qu'elle pouvait trouver. Étant donné ce qu'était la procédure de sélection et le vivier de recrues possibles, tous ceux qu'elle recrutait n'avaient rien du policier idéal, et ils formaient un groupe moins nazifié que ne l'était, en moyenne, la société allemande. La police d'Ordre n'était peuplée ni de guerriers ni de surhommes nazis.

Si l'on ne pouvait donc s'attendre à ce que les hommes des bataillons de police fussent particulièrement nazifiés, l'institution ne les avait pas non plus préparés à le devenir davantage, ni, à plus forte raison, à devenir des agents d'un génocide. Et pourtant, le régime allait rapidement les utiliser pour des massacres, et l'on verrait, sans surprise, que ces Allemands ordinaires de l'*Ordnungspolizei*, dotés du bagage culturel le plus courant en Allemagne, devenaient très facilement des tueurs.

Ce que nous savons des activités des bataillons de police au cours de la guerre est fragmentaire. Aucune étude, systématique ou autre, de leur contribution aux massacres collectifs n'a été publiée. Néanmoins, on peut reconstituer une vision d'ensemble de leurs activités dans les territoires occupés[17]. Du point de vue administratif, ils dépendaient des HSSPF

(*Höheren SS- und Polizeiführer*, « chefs suprêmes de la SS et de la police », délégués de Himmler) de la région où ils opéraient. Les HSSPF étaient responsables de toutes les unités de la SS, de la police et des autres forces de sécurité (mais non de celles de la Wehrmacht) dans leur circonscription[18]. Les ordres de *tuer* n'étaient transmis que verbalement (en face à face ou par téléphone). Selon la nature des opérations et le rôle des autres institutions éventuellement impliquées, les officiers et les hommes de ces bataillons de police disposaient d'une autonomie plus ou moins grande dans la manière d'exécuter les ordres.

Les opérations étaient menées tantôt au niveau du bataillon tout entier, tantôt au niveau des compagnies, parfois avec quelques hommes seulement. La mission première d'un bataillon de police étant d'assurer l'ordre dans une zone déterminée (souvent hostile), ils étaient le plus souvent en garnison dans une ville importante, ou encore répartis par compagnie dans les villes de la région, utilisées comme base pour les opérations dans les environs. Les bataillons opéraient tantôt seuls, tantôt (et fréquemment) en liaison avec d'autres unités (armée, *Einsatzkommandos*, service de sécurité de la SS [SD], personnel des camps de concentration, *Gendarmerie*, administration civile allemande), bref en liaison avec tous les services allemands présents dans les pays occupés. Ils pouvaient rester quelque temps dans la même garnison, mais, en raison de la pénurie de personnel permanente de la police allemande, leur vie se passait sur les routes, surtout en Europe de l'Est : quand on avait besoin de renforts dans telle localité, c'étaient souvent les hommes des bataillons de police les plus proches qui y étaient envoyés.

Leurs missions étaient très variées. La majorité d'entre elles étaient des tâches de police ordinaire : garder des bâtiments ou des installations, lutter contre les partisans, parfois même se battre sur le front aux côtés de l'armée. Mais il y avait aussi les rafles, les déportations vers des camps de travail en Allemagne ou vers d'autres camps, souvent des camps de la mort. Et on tuait régulièrement, de sang-froid, et souvent massivement.

Quelles que fussent les tâches du jour, les bataillons de police étaient au repos une bonne partie de la journée. C'est là un aspect de leur vie qui, bien qu'on le connaisse très mal, ne doit pas être ignoré. Pour comprendre qui étaient ces hommes et ce qu'ils ont fait, il faut enquêter sur l'ensemble de leur vie quotidienne : les imaginer sans relations sociales, c'est donner d'eux une image caricaturale. Ces hommes n'étaient pas des individus isolés ou opprimés : malgré la guerre, ils allaient au cinéma ou à l'église, participaient à des matchs, bénéficiaient de permissions et écrivaient chez eux. Le soir, ils fréquentaient des bars ou autres lieux, buvaient, chantaient, faisaient l'amour, bavardaient. Comme tout le monde, ils avaient des choses à dire sur leur vie, et ce qu'ils étaient en train de faire. Comme tous les hommes servant dans l'armée ou la police, ils bavardaient (en groupe, en petits cercles, en tête à tête). Ils parlaient entre eux de tous les sujets du jour, y compris naturellement de la guerre, et de leurs activités de meurtre, dont ils savaient bien (que la guerre fût gagnée ou perdue) qu'elles deviendraient l'emblème historique de la période, de leur pays, de son régime, de leur vie. Pendant tout le temps de leur contribution au génocide, et à l'exception des moments, assez courts, où ils étaient occupés à des tueries, les Allemands des bataillons de police avaient la vie relativement facile et se la coulaient même assez douce.

La participation de ces bataillons de police à des massacres à grande échelle, au génocide donc, a débuté dès l'invasion de l'Union soviétique. Les tueries perpétrées auparavant en Pologne par certains d'entre eux n'avaient rien de systématique et ne faisaient donc pas partie d'un programme officiel de génocide. Les hommes du 9e bataillon de police vinrent grossir les rangs de trois des *Einsatzgruppen* – ces unité de tueurs qui furent les principaux agents du génocide en Union soviétique –, chacune des compagnies du bataillon étant rattachée à un des *Einsatzgruppen*. Les compagnies furent ensuite réparties entre les différents *Einsatzgruppen* et *Sonderkommandos*, si bien que, dans un *Kommando* de 100 à 150 hommes, il y avait 30 à 40 hommes des bataillons de police. En décembre 1941, le 9e bataillon de police a quitté les *Einsatzgruppen* et y a été remplacé par le 3e bataillon de police. Pendant les opérations, les hommes du bataillon étaient placés sous l'autorité des *Einsatzgruppen*, et leurs tâches n'étaient pas distinctes des leurs [19]. Les *Einsatzgruppen* ont tué plus d'un million de Juifs dans les territoires conquis sur l'Union soviétique, et les hommes des bataillons qui étaient avec eux, dont la plupart étaient des réservistes, apportèrent leur plein concours aux opérations.

Ces deux bataillons de police rattachés aux *Einsatzgruppen* ne furent pas les seuls à massacrer des Juifs en Union soviétique : d'autres contribuèrent à la mort de dizaines de milliers de personnes, tantôt en liaison avec les *Einsatzgruppen*, tantôt seuls. Les trois bataillons du 10e régiment de police (45e, 303e et 314e bataillons) et du 11e régiment de police (304e, 315e et 320e bataillons), opérant sous les ordres des HSSPF-Russie du Sud, aidèrent au massacre des Juifs d'Ukraine [20]. Les trois bataillons du régiment de police Russie-Centre (307e, 316e et 322e bataillons) firent des ravages pendant leur traversée de la Biélorussie [21].

L'un des premiers massacres de la campagne de génocide déchaînée contre les Juifs soviétiques a été perpétré par un autre de ces bataillons, le 309e : quelques jours après le début de l'opération Barbarossa, les Allemands de ce bataillon de police allumaient à Bialystok un incendie infernal, lourd de menaces et de symboles.

Les officiers et les hommes d'au moins une des compagnies du 309e bataillon de police savaient au moment même de leur entrée sur le territoire soviétique qu'ils allaient jouer un rôle dans l'extermination programmée des Juifs [22]. Quand ils entrèrent à Bialystok le 27 juin, une ville que les Allemands venaient de prendre sans avoir eu à combattre (comme bien d'autres), le commandant Ernst Weis, chef du bataillon, ordonna à ses hommes de passer au peigne fin le quartier juif et de s'emparer de tous les hommes qui s'y trouvaient. L'objectif de l'opération avait beau être de les tuer, les instructions sur la manière de les exécuter n'avaient pas encore été données à ce stade. Tout le bataillon participa à la rafle, menée avec la plus grande brutalité et débouchant çà et là sur des meurtres. Ces Allemands pouvaient enfin se déchaîner sans contraintes contre des Juifs. Un Juif racontera que « l'unité était à peine arrivée en ville que les soldats se répandirent partout en tirant des coups de fusil, apparemment dans le seul but de terroriser tout le monde. Ces tirs incessants étaient une chose terrible. Ils tiraient à l'aveuglette dans les maisons et les fenêtres, sans se soucier de savoir si des gens étaient atteints. Ces tirs ont duré toute la journée [23] ». Ces Allemands faisaient irruption chez des gens qui n'avaient pas levé le petit doigt contre eux, ils les arrachaient à leurs foyers, leur donnaient des coups de pied, les frappaient à coups de crosse et leur tiraient dessus. Les cadavres jonchaient les rues [24]. Ces violences et ces meurtres décidés par des individus, de leur plein gré, n'étaient nullement nécessaires, quel que fût le critère d'utilité adopté. Pourquoi ont-ils eu lieu ? Les Allemands eux-mêmes, dans leurs dépositions d'après-guerre, sont muets sur ce point. Pourtant, certains épisodes sont très révélateurs. Au cours de la rafle, un Juif entrouvre rapidement sa porte pour évaluer le péril : un lieutenant du bataillon, apercevant la porte entrebâillée, saisit l'occasion et lui tire dessus par l'étroite ouverture [25]. Ses ordres lui demandaient de conduire les Juifs en un lieu de rassemblement, mais il avait décidé de tirer sur celui-là. Difficile d'imaginer que cet Allemand ait éprouvé du remords quand sa cible s'est écroulée sous son coup superbe.

Une autre scène nous montre des Allemands de ce bataillon obligeant des Juifs âgés à danser devant eux. Comme si ce n'était pas assez amusant, ces Allemands se mettent à se moquer d'eux, à les humilier, à affirmer leur domination sur ces Juifs, et l'on soulignera qu'il s'agissait de gens âgés, à qui il est normalement dû considération et respect. Il semble que ces malheureux Juifs n'aient pas réussi à danser sur un rythme assez vif et les Allemands mirent le feu à leur barbe [26].

Ailleurs, non loin du quartier juif, deux Juifs épouvantés se jettent aux pieds d'un général allemand, le suppliant de les protéger. Un homme du 309e bataillon de police, entendant leurs supplications, décide d'intervenir de la manière à son sens la plus appropriée : il ouvre sa braguette et leur urine dessus. Tel était le climat et la pratique antisémites chez les Allemands : cet homme ne craignait pas de se débraguetter avec impudence devant un général pour accomplir en public un acte de mépris presque insurpassable. L'homme n'avait rien à redouter d'un tel manquement à la discipline et au décorum militaire : ni le général ni personne ne chercha à l'arrêter [27].

D'autres épisodes du massacre de Bialystok sont tout aussi révélateurs.

Les Allemands ratissaient un hôpital à la recherche de Juifs malades, pour les tuer : c'était montrer bien du zèle puisque ces malades ne pouvaient nullement les menacer. Ces soldats n'étaient pas venus là pour tuer tous les ennemis de l'Allemagne, mais seulement les Juifs, et ils ne manifestèrent aucun intérêt pour les soldats soviétiques (des Ouzbeks) gisant sur leur lit d'hôpital : leur soif de sang ne visait que les Juifs [28].

Les hommes du 309e bataillon de police réunirent tous les Juifs raflés sur la place du marché, près du quartier juif. Dans le courant de l'après-midi, un officier de la Wehrmacht se montra. Effaré par ces meurtres de civils, il fit de violents reproches au capitaine de la 1re compagnie. Le capitaine refusa d'obéir à l'officier qui lui demandait de libérer ces Juifs, assurant que ce dernier n'avait aucune autorité hiérarchique sur lui et ses hommes : il avait des ordres, et il était bien décidé à les exécuter [29]. Sur ce, les Allemands firent quitter la place à des centaines de Juifs pour aller les fusiller à l'écart [30]. Mais le massacre n'allait pas assez vite à leur goût : le nombre des Juifs raflés grossissait sans cesse, et les hommes du bataillon répartissaient les nouveaux arrivants entre la place du marché et la zone située en face de la grande synagogue. Aussi, une autre « solution » dut-elle être improvisée.

Comme ils n'avaient pas d'ordres précis sur la manière dont ils devraient procéder, ces Allemands prirent une initiative (comme cela sera souvent le cas au cours de l'Holocauste) et imaginèrent une nouvelle méthode. La grande synagogue de Bialystok était un symbole de la communauté juive visible de loin : impressionnant bâtiment carré couronné d'un dôme, c'était la plus grande synagogue de toute l'ancienne Pologne. Cherchant le moyen de se débarrasser de cette masse de Juifs réunis à l'ombre de ce puissant témoignage de la communauté ennemie, les Allemands conçurent le plan de détruire simultanément les Juifs et leur lieu de prière, leur foyer symbolique. C'était là une conclusion naturelle pour des esprits enflammés par l'antisémitisme [31]. L'incendie des synagogues, notamment au cours de la Nuit de cristal, était déjà un trait bien connu des actions antijuives des Allemands, un modèle établi susceptible d'être reproduit. Transformer un lieu de prière en un charnier était un bon début, plein d'ironie, pour une campagne que ces hommes savaient devoir se conclure par l'extinction complète des Juifs.

Les hommes de la 1re et de la 3e compagnie du 309e bataillon commencèrent à pousser les Juifs jusque dans la synagogue, en les battant quand ils n'avançaient pas, jusqu'à remplir l'immense édifice. Épouvantés, les Juifs se mirent à psalmodier des prières. Les Allemands arrosèrent d'essence le pourtour intérieur de la synagogue et l'un d'eux expédia un explosif à travers une fenêtre, pour allumer l'holocauste. A l'intérieur, les cris des Juifs succédaient aux prières. Un homme du bataillon racontera plus tard cette scène atroce : « J'ai vu [...] une fumée qui sortait de la synagogue et j'ai entendu les gens à l'intérieur qui criaient au secours. J'étais environ à 70 mètres, et, d'où j'étais, je voyais des gens qui essayaient de s'échapper par les fenêtres. On leur tirait dessus. Les hommes du bataillon encerclaient la synagogue pour que personne ne puisse en sortir[32]. » Ils étaient de 100 à 150 hommes à encercler ainsi la synagogue, pour s'assurer collectivement qu'aucun Juif n'échapperait à l'enfer. Ils veillaient à ce que plus de 700 personnes meurent de cette mort atroce et douloureuse, avec les cris des agonisants dans l'oreille. La plupart des victimes étaient des hommes, mais il y avait aussi parmi eux des femmes et des enfants[33]. Comme on pouvait s'y attendre, certains Juifs préférèrent se pendre ou s'ouvrir les veines. Six d'entre eux au moins réussirent à sortir de la synagogue, vêtements et corps en flammes, et les Allemands leur tirèrent dessus, pour voir ces torches humaines se consumer sous leur yeux[34].

Que pouvaient ressentir les hommes du 309e bataillon de police en contemplant ce bûcher sacrificiel élevé à leur credo éliminationniste ? L'un d'eux s'exclama : « C'est ce que j'appelle un joli petit feu *[schönes Feuerlein]* ! Qu'est-ce qu'on rigole ! » Un autre exultait : « Magnifique ! Faudrait brûler toute la ville[35] ! »

Les hommes de ce bataillon de police, dont beaucoup n'étaient pas des policiers d'active et n'avaient choisi de servir dans la police que pour éviter l'armée au moment de la conscription[36], étaient devenus en un instant des *Weltanschauungskrieger* (« guerriers d'une conception du monde »), des combattants idéologiques, tuant ce jour-là de 2 000 à 2 200 Juifs, hommes, femmes et enfants[37]. La rafle, les coups et la mort distribués çà et là, les cadavres et le sang jonchant les rues de Bialystok, la solution, improvisée par leurs soins, d'un « nettoyage par le feu » sont véritablement des actes de *Weltanschauungskrieger*, ou, pour être plus exact, de combattants de l'antisémitisme. Ils ont obéi aux ordres, ils les ont améliorés, ils ont agi sans hésitation ni dégoût, mais au contraire avec délectation et fureur. Le commandant leur avait ordonné de procéder à la rafle de tous les Juifs de sexe masculin, mais ils savaient que Hitler avait décidé l'extermination de tous les Juifs soviétiques, et, de leur propre initiative, ils y avaient inclus des femmes et des enfants. Ces Allemands étaient bel et bien des volontaires du meurtre et de la violence, car ils étaient allés au-delà de ce que leurs ordres précis exigeaient : ils avaient choisi d'agir selon l'esprit d'un ordre plus général, selon l'esprit de l'époque. Ce que les hommes du 309e bataillon de police ont accompli là peut être considéré comme le début emblématique du génocide. Ils étaient des « Allemands ordinaires », qui, face à l'ennemi mortel de l'Allemagne, à leur merci, avaient profité de l'occasion offerte, s'étaient laissés aller à des débordements et avaient infligé à de nombreuses victimes une mort inutilement atroce, celle du bûcher.

Autre unité itinérante à participer à cette phase initiale du génocide, le 65e bataillon de police, levé à Recklinghausen, une ville moyenne de la

Ruhr, dans le cœur industriel de l'Allemagne, et composé principalement de réservistes[38]. Dans les débuts, il avait servi à l'Ouest. Le 26 mai 1941, alors que les préparatifs de l'opération Barbarossa étaient déjà bien avancés, il était cantonné à Eilsberg, en Prusse-Orientale, en attendant l'invasion. Le 22 juin, il passa le Niémen à Tilsit et entra dans les pays Baltes avec la 285e division de sécurité. Sa mission était de mettre la main sur tous les Soviétiques encore attardés dans la région et d'assurer la sécurité à l'arrière de l'avance allemande. Le 26 juin, la 1re et la 2e compagnie du bataillon établirent leurs quartiers à Kovno (Kaunas), en Lituanie, tandis que la 3e compagnie s'installait à Chiaoulaï. Avant de poursuivre son avancée en territoire soviétique, le 65e bataillon allait recevoir le baptême du génocide.

Kovno a été le théâtre d'une incroyable boucherie de Juifs, offerte en spectacle à tous, Allemands et Lituaniens. L'assaut contre la communauté juive (qui ne s'y attendait pas, n'était pas armée et, à l'évidence, ne menaçait nullement les troupes allemandes) fut lancé dès l'entrée des Allemands à Kovno, que les Soviétiques venaient d'évacuer. Sous les encouragements des Allemands, et avec leur concours, les Lituaniens se livrèrent alors à une incroyable orgie de violences contre les Juifs, roués de coups, fouettés, abattus dans les rues mêmes de la ville. Il y eut 3 800 victimes. Le massacre s'était déroulé sous les yeux des hommes des deux compagnies du 65e bataillon et de nombreux autres spectateurs allemands. Dans la première semaine de juillet, des groupes de Lituaniens opérant sous commandement allemand fusillèrent de nouveau 3 000 Juifs à Kovno. Ces tueries, qu'elles fussent organisées ou spontanées, étaient comme un spectacle aux arènes : on assistait au massacre des Juifs avec le même plaisir et la même approbation que les foules romaines aux exhibitions de gladiateurs massacrant des bêtes sauvages[39]. Des hommes du 65e bataillon ont raconté ensuite ce dont ils avaient été témoins à Kovno, notamment le coup de main que des Lituaniens vinrent donner un dimanche, jour de repos : « Nous étions disposés sur une colline, et, en contrebas de la citadelle, une centaine de personnes (hommes et femmes) furent tués au fusil et à la mitrailleuse[40]. » Alors que certains des hommes des 1re et 2e compagnies durent attendre un peu avant de pouvoir faire eux-mêmes ce qu'ils avaient vu faire à Kovno, d'autres participèrent au massacre en entourant la zone proche de la citadelle où les Lituaniens massacraient les Juifs[41]. Comme on va le voir, les hommes de la 3e compagnie, cantonnés à Chiaoulaï, n'eurent pas, quant à eux, besoin d'une initiation progressive au génocide.

Chiaoulaï est une ville moyenne de Lituanie, à 130 kilomètres au nord de Kovno. Les hommes de la 3e compagnie y ont commis de nombreux massacres, en ville même et dans les environs. Dès la fin de juin 1941, ils y tuèrent un nombre considérable de Juifs, y compris semble-t-il, des femmes, dans ce qui était la phase initiale de la campagne de génocide contre les Juifs soviétiques. Le détail de la plupart de ces tueries est mal connu, mais les grandes lignes sont claires [42]. Les hommes de la 3e compagnie allaient eux-mêmes chercher les Juifs dans leur maison [43] et les amenaient ensuite en camions dans des bois voisins, où ils les fusillaient.

Dès cette phase initiale du génocide, on voit se mettre en place une pratique allemande, qui se retrouvera souvent, mais sans jamais devenir une règle absolue : l'extermination des ennemis mortels de l'Allemagne, bien qu'elle fût impérative, ne serait confiée qu'à ceux des Allemands qui seraient volontaires pour s'en charger. Un réserviste le dira par la suite : « Je me souviens encore d'une façon certaine que notre sergent S., deux ou trois fois (et sûrement deux fois) a constitué des pelotons d'exécution [...] et je dois préciser que ces pelotons n'étaient composés *que* de volontaires [c'est lui qui souligne] [44]. » Si grande était l'horreur de ces fusillades où les bourreaux se tenaient tout près de leurs victimes que, dans les premiers temps, certains volontaires, malgré leur incontestable désir de tuer, en avaient des haut-le-cœur. L'un d'eux, un réserviste, se souvenait d'être revenu d'une tuerie dans tous ses états : « Je l'ai fait une fois, mais jamais plus ! Je ne vais rien pouvoir avaler pendant trois jours [45]. » Mais quelles qu'aient pu être ces réactions initiales de dégoût, les massacres allaient bon train. Quelques jours après l'arrivée de la compagnie à Chiaoulaï, des affiches apparurent sur les murs : « Cette ville est sans Juifs ! » *(Diese Stadt ist judenfrei !)* [46]. D'allègres proclamations du même type allaient fleurir dans bien des villes soviétiques peu de temps après l'entrée des Allemands.

Tout au long de l'été et de l'automne 1943, les trois compagnies du 65e bataillon ont ainsi contribué à l'extermination des Juifs baltes : tantôt ces Allemands tuaient eux-mêmes, tantôt ils laissaient ce soin à d'autres, se contentant d'opérer les rafles, la surveillance et le convoiement des victimes sur les lieux de massacre. Les tueurs n'étaient pas toujours des volontaires, mais les documents dont nous disposons ne laissent rien voir de leur éventuelle mauvaise volonté, ni d'une quelconque coercition exercée contre eux [47]. Ils perpétrèrent des massacres à Rasseïniaï, à Pskov, et dans bien d'autres localités au cours de leur avancée dans le nord-ouest de la Russie, sans que nous en connaissions le détail [48]. Un réserviste qui a raconté les massacres de Chiaoulaï résumait ainsi leur nouvelle vocation : « Il y a eu de multiples opérations de ce type pendant notre avancée jusqu'à Louga [49]. » Les tueries étaient si fréquentes que les Allemands ne pouvaient plus se souvenir de chacune en particulier.

A son arrivée à Louga, à 130 kilomètres au sud de Leningrad, en septembre, le 65e bataillon de police prit ses quartiers d'hiver. Pendant quatre mois, toute son énergie s'employa à garder des installations et à fusiller des partisans, en ville et dans les environs. Il concourait aussi à la surveillance d'un camp de prisonniers soviétiques. Mais, fidèles à leur nouvelle mission, les hommes participèrent aussi à au moins un massacre de Juifs (hommes, femmes et enfants) et tuèrent ceux des prisonniers soviétiques qui avaient été identifiés comme juifs [50].

Certains prisonniers de guerre soviétiques étaient utilisés par les Allemands pour diverses tâches domestiques (cuisines et ateliers)[51]. Et quand ceux-ci découvraient que l'un de leurs domestiques était un Juif ou un commissaire politique, ils l'abattaient. A Louga, les hommes du 65e bataillon, ou du moins certains d'entre eux, avaient pleinement intériorisé la nécessité de tuer les Juifs. Pour eux, les Juifs étaient fondamentalement différents des autres Soviétiques, cette différence ne résidant pas dans des actions spécifiques ou des traits de caractère permanents des Juifs, mais dans leur « race », dans le simple fait d'avoir des parents juifs, du sang juif. Pendant leur séjour à Louga, ils tuèrent bien des Juifs qu'ils auraient parfaitement pu épargner. Un des tueurs a raconté l'épisode suivant : il avait été envoyé dans un bois en compagnie d'un prisonnier juif. Personne ne le surveillait, et c'était donc l'occasion à saisir pour laisser fuir le prisonnier, à supposer qu'il ait été hostile à la guerre d'épuration raciale qu'on lui faisait mener. Mais il l'a abattu[52]. De même, il aurait été facile à ces Allemands de ne pas « s'apercevoir » que tel prisonnier qui les servait était juif : dans le calme de leurs quartiers, il n'y avait aucune pression en ce sens. Mais ils l'ont fait, et régulièrement. Et quand ils rouaient de coups leurs victimes, rien ne les y obligeait non plus. Un prisonnier juif fut non seulement battu *(misshandelt)* par les hommes du 65e bataillon, mais aussi contraint de danser avec un ours empaillé que les Allemands avaient trouvé dans leurs quartiers, avant d'être abattu[53].

Ces Allemands traitaient les Juifs selon leurs convictions les plus intimes, convictions qu'ils transformaient en actes à leur guise, car il est clair qu'ils disposaient d'une pleine autonomie dans l'exercice du droit de vie et de mort. Pour ces hommes, le fait que tous les Juifs (et les commissaires soviétiques) dussent disparaître de la surface de la terre était un axiome. Point n'était besoin d'incitation ni de permission pour tuer tout Juif qu'ils découvriraient[54]. Une telle autonomie est remarquable, puisque, dans les armées ou dans la police, on répugne en général à laisser prendre aux hommes de troupe les décisions capitales, réservées aux officiers. Mais, à l'égard des Juifs, les règles ne tenaient pas. Chaque Allemand était à la fois l'enquêteur, le juge et l'exécuteur.

Plus encore qu'à l'anéantissement des Juifs soviétiques, les bataillons de police contribuèrent d'une façon déterminante au succès de l'*Aktion Reinhard*, nom donné par les Allemands au massacre systématique des Juifs vivant dans le Gouvernement général de Pologne (distinct des territoires occidentaux de la Pologne annexés à l'Allemagne)[55]. En moins de deux ans, de mars 1942 à novembre 1943, les Allemands tuèrent environ deux millions de Juifs polonais, dont l'immense majorité trouva la mort dans les chambres à gaz de Treblinka, Belzec, Sobibor, les camps spécialement construits par les Allemands pour assécher le vaste « réservoir de Juifs » qu'était la Pologne. D'autres milliers de victimes n'arrivèrent jamais jusqu'aux camps, car leurs bourreaux ne voulaient même pas se donner la peine de les y transporter et préféraient les tuer sur place, dans les villes ou aux alentours. Mais qu'ils choisissent de transporter les Juifs par chemin de fer vers un camp de la mort ou de les fusiller sur place, il leur fallait beaucoup de personnel pour rassembler leurs victimes et s'assurer qu'elles atteignaient bien le lieu choisi, fosse creusée dans le sol ou four crématoire. Différentes unités de police, et d'abord les bataillons de police, leur fourniraient souvent les hommes nécessaires [56].

Nous nous attacherons ici aux activités de la police d'Ordre en général, et des bataillons de police en particulier, dans l'un des cinq districts du Gouvernement général de Pologne, celui de Lublin, car cette étude permet de dresser un portrait collectif des institutions immergées dans le génocide.

Les unités de police opérant dans le district de Lublin étaient placées sous l'autorité du commandant de l'*Ordnungspolizei* de Lublin (KdO-Lublin). Ces unités peuvent être classées en trois catégories. Dans la première, on trouvait l'état-major du régiment et les unités de police qui lui étaient directement rattachées. Dans la deuxième, sept bataillons de police différents : les trois bataillons composant le 25ᵉ régiment de police (65ᵉ, 67ᵉ et 101ᵉ bataillons), les 41ᵉ et 316ᵉ bataillons, ainsi que deux autres unités mobiles, le 3ᵉ escadron de police montée et un bataillon de gendarmerie motorisée. Ces deux dernières unités avaient des missions semblables à celles des bataillons de police et contribuèrent elles aussi au massacre collectif de dizaines de milliers de Juifs, ce qui nous conduit à les inclure dans cette étude. Il y avait enfin des bataillons de police auxiliaires *(Schutzmannschaft-Bataillone)*, composés de volontaires des pays occupés (en l'occurrence d'Europe de l'Est), qui dépendaient eux aussi du KdO-Lublin. Troisième catégorie, la *Gendarmerie* et la police en uniforme, assignées à la surveillance des villes, petites et grandes, où elles étaient stationnées, ou encore à celle d'installations précises [57].

Comme cela était souvent le cas dans les institutions de l'Allemagne nazie, il n'y avait pas une unique structure de commandement à Lublin pour diriger toutes les unités de l'*Ordungspolizei* [58]. Cette caractéristique, associée au fait que les ordres de tuer n'étaient jamais transmis par écrit, empêche souvent de savoir avec certitude d'où venaient les ordres reçus par les différentes unités. Ces ordres étaient de deux types. Dans le cas le plus fréquent, l'unité recevait l'ordre d'entreprendre telle opération de déportation ou de fusillade dans telle ville, tel jour. Un ancien employé de l'état-major du KdO-Lublin expliquera : « Voici ce que je peux dire sur le contenu de ces ordres. Une date était fixée pour la déportation de Juifs de telle localité. Un bataillon était désigné pour s'en charger [...] les ordres stipulaient qu'il fallait immédiatement abattre ceux qui résisteraient ou tenteraient de fuir [59]. » A côté de ces ordres concernant des opérations organisées et massives, il y avait un autre type d'ordre, plus général, le *Schiessbefehl* (ordre de fusiller), visant les Juifs trouvés hors des ghettos et des camps (sur les routes, dans les bois, cachés dans des maisons ou des fermes). Le *Schiessbefehl* faisait des Juifs, et notamment des enfants, des hors-la-loi passibles d'une mort immédiate. Cet ordre laissait entendre très clairement aux hommes des bataillons qu'aucun Juif ne pouvait rester en liberté, que toute tentative de fuite devait se payer de la mort, et que le paysage social devait être expurgé de la plus infinitésimale présence juive. Malgré toute son importance symbolique, cet ordre n'était pas simplement symbolique. Toutes les unités placées sous l'autorité du KdO agissaient selon ses instructions [60], et les hommes des bataillons de police eurent si souvent à les appliquer que le massacre des Juifs devint pour eux une occupation courante.

Le KdO recevait des rapports réguliers des unités sur leurs activités, y compris celles qui relevaient du génocide. Aux comptes rendus hebdomadaires et mensuels s'ajoutaient des rapports *ad hoc* sur des questions particulières. Les rapports de chaque unité étaient collationnés et synthétisés par un officier d'état-major en un rapport mensuel transmis à ses supérieurs [61]. Ces documents, de formes différentes, sont révélateurs en eux-mêmes. Ils contenaient la comptabilité des exécutions : celles de Juifs, au titre du *Schiessbefehl*, et celles de non-Juifs, le plus souvent des partisans ou des gens ayant manifesté une quelconque résistance. En règle générale, les opérations contre les Juifs étaient toujours distinguées des autres. Bien entendu, les auteurs de ces rapports utilisaient le camouflage linguistique habituel aux Allemands, écrivant par exemple que les Juifs « avaient été traités selon les ordres *[befehlsgemäss behandelt]* ». Les massacres collectifs n'étaient généralement pas mentionnés dans ces rapports, le KdO étant informé oralement ou dans un langage codé ne permettant pas de savoir si les Allemands avaient fusillé les Juifs sur place ou s'ils les avaient déportés vers un camp de la mort [62]. Aucune importance à l'époque : comme chacun le savait, c'était des équivalents fonctionnels.

Les rapports hebdomadaires de la 1re compagnie du 133e bataillon pour la période du 25 juillet au 12 décembre 1942 ont survécu. La compagnie opérait alors en Galicie orientale, aux environs de Kolomya, accumulant les cadavres derrière elle. Ses rapports, du même type que ceux reçus par le KdO-Lublin de ses propres unités [63], nous apprennent plusieurs choses. Le nombre de Juifs tués par la compagnie (c'est-à-dire ceux que les hommes tuaient de leur propre chef au cours de leurs patrouilles au titre de leur habilitation générale à tuer les Juifs) est impressionnant : ses membres avaient pourchassé, attrapé et tué 780 Juifs, soit à peu près 6 par homme. Du 1er novembre au 12 décembre, le chiffre est de 481 Juifs tués, soit une moyenne de 80 par semaine et de 11 par jour. Le rapport distinguait toujours les Juifs tués des autres catégories de victimes, tels les partisans, leurs complices, les mendiants, les voleurs, les vagabonds, les malades mentaux et les « asociaux ». Les « raisons » données aux meurtres de Juifs étaient fausses ; elles n'avaient pas plus de rapport avec les vrais motifs pour lesquels les Allemands les tuaient que les protestations de pacifisme de Hitler n'en avaient eu avec le projet allemand de démembrer la Tchécoslovaquie. En voici quelques-unes : « refus de travailler », « risque d'épidémie », « sans brassard », « tentative de corruption », « a sauté d'un train », « vagabondage », « lieu de résidence quitté sans autorisation », « déportation » et « caché pour échapper à la déportation ». Dans bien des cas, au reste, le rapport ne mentionnait rien d'autre que le mot « Juif », raison suffisante en elle-même [64] : tout Juif, qu'il fût « un risque d'épidémie » ou non, pouvait et devait être tué si lui ou elle tombait entre les mains des hommes de la compagnie. Puisque la judéité était une cause suffisante, toutes les « raisons » données étaient à l'évidence superflues et n'étaient que de la poudre aux yeux.

La police d'Ordre, cette arme réunissant des hommes si ordinaires, était devenue une institution immergée dans les activités de génocide. Avec régularité, les ordres descendaient toute la chaîne du commandement pour appeler au massacre des communautés juives l'une après une autre, chaque opération individuelle concourant à l'anéantissement des Juifs d'une région tout entière ; avec la même régularité, les rapports remontaient à travers toute la hiérarchie pour rendre compte de ce que les hommes avaient accompli. Les relations et la coopération de la police d'Ordre avec les autres forces, police de sécurité et SSPF (« chefs de la SS et de la police »), étaient étroites : les membres de ces institutions apparentées travaillaient la main dans la main à la réussite de ce projet national. Les massacres collectifs et activités associées (rédaction des rapports, demande de munitions, attribution de camions pris dans le parc commun) étaient désormais partie intégrante du fonctionnement de cette police et de l'existence quotidienne de ses hommes.

Les trois bataillons du 25e régiment de police étaient au cœur du génocide. Chacun avait eu un itinéraire différent avant son transfert dans le Gouvernement général. Deux d'entre eux seront étudiés ici plus longuement, d'abord le 65e bataillon de police, et ensuite, en profondeur, le 101e bataillon de police [65].

L'histoire du 65e bataillon de police assure la liaison entre les deux principaux lieux de l'Holocauste, l'Union soviétique et le Gouvernement général de Pologne. Après son avancée meurtrière jusqu'à Louga en 1941, le 65e bataillon de police allait avoir à affronter des missions plus périlleuses que celle qui consistait à conduire jusqu'au lieu de massacre des Juifs désarmés : en janvier 1942, la plupart de ses hommes rejoignaient le groupe Scheerer, engagé dans une âpre bataille autour de Cholm, dans le nord de la Russie, à près de 200 kilomètres au sud-est de Louga. Pendant trois mois, ils allaient épauler l'armée dans ces rudes combats contre les troupes soviétiques. A un moment, le bataillon fut même encerclé. Les pertes furent très lourdes, et les rescapés purent bénéficier de la relève de nouvelles troupes allemandes venues rompre leur encerclement au début de mai [66]. En reconnaissance de ses exploits sur le front, le bataillon reçut le nom de « bataillon de police Cholm » et les survivants furent gratifiés d'un « insigne de Cholm ».

Des combats aussi intenses n'étaient pas la norme pour les bataillons de police engagés dans le génocide. Au début de juin, le bataillon décimé fut transféré à Brunowice, près de Cracovie ; les hommes eurent droit à une permission en Allemagne, puis, tous ensemble, ils partirent se reposer et suivre des cours de ski à Zakopane, à la frontière sud de la Pologne. Au total, ils bénéficièrent de huit semaines de repos [67]. Pendant ce temps, les nouvelles recrues venues compléter les effectifs étaient à l'entraînement à Brunowice.

De juillet 1942 à la mi-1943, le 65e bataillon de police devint pour la deuxième fois un organisme de génocide, en participant à l'extermination des Juifs polonais, d'abord dans la région de Cracovie, ensuite dans celle de Lublin. C'était la période où les crématoires des camps de la mort ne s'arrêtaient jamais, consumant les communautés juives déportées les unes après les autres. Le 65e bataillon de police, pour sa part, allait alimenter les fours d'Auschwitz et de Belzec.

Peu de temps après son arrivée à Brunowice, le commandant du bataillon fit une communication à ses troupes, connue par la déposition d'un homme de la 1re compagnie : « Ici, à Cracovie, nous avons une mission spéciale à accomplir. Mais la responsabilité en a été prise par les hautes autorités. » Le message avait beau être crypté, son sens était certainement clair pour les tueurs aguerris du bataillon, et celui qui l'a rapporté admettait avoir immédiatement compris qu'ils allaient tuer des Juifs [68]. Après cinq mois d'intermède au front ou au repos, les Allemands de ce bataillon de police savaient qu'ils allaient de nouveau massacrer des Juifs.

Le 65e bataillon de police fut impliqué dans toutes sortes d'opérations menées dans la région de Cracovie, dont beaucoup n'ont laissé que peu ou pas de traces écrites. Néanmoins, les sources dont nous disposons sont suffisantes pour comprendre ce qui s'est passé. La première contribution du bataillon à la bonne marche de l'*Aktion Reinhard* fut de mener les rafles contre les Juifs des ghettos, de les entasser dans des wagons de marchandises et de les livrer aux portes de l'usine de mort. Le bataillon procéda à plusieurs rafles, ses trois compagnies se relayant pour conduire les Juifs de Cracovie jusqu'à la gare de marchandises de la ville, et les Juifs des environs à la gare la plus proche. On entassait les gens dans les wagons, sans laisser à chacun assez de place pour s'asseoir, selon l'habitude allemande de l'époque. Trente hommes étaient ensuite chargés d'accompagner le convoi jusqu'à sa destination, Auschwitz ou Belzec, voyage d'environ cinq heures [69]. Un réserviste, âgé à l'époque de 34 ans, a raconté dans ses grandes lignes une de ces déportations au départ de Cracovie :

> C'était en novembre 1942, et tous les hommes disponibles de la compagnie avaient été affectés à un convoiement de Juifs *[Judentransport]*. Il fallait aller au ghetto, et là, prendre en charge une colonne de Juifs qu'on faisait sortir du ghetto. Ensuite, il fallait les convoyer jusqu'aux wagons de marchandises qui attendaient, et qui contenaient déjà une foule de gens. Ces Juifs (hommes, femmes et enfants) étaient entassés dans les wagons disponibles de la façon la plus inhumaine. Ensuite, il fallait assurer la surveillance du convoi. Je ne me rappelle pas le lieu de destination, mais je suis sûr que ce n'était pas Auschwitz. On a prononcé le nom de Belzec. C'est celui-là qui me paraît le plus vraisemblable. C'est un nom qui me dit quelque chose, en tout cas. Arrivés à destination, nous quittions le train et les SS le prenaient en charge. Le train s'arrêtait devant une clôture grillagée et, avec la locomotive, les SS le faisaient passer de l'autre côté. On sentait partout une odeur de cadavres. On pouvait imaginer ce qui attendait ces gens, et, surtout, que c'était un camp d'extermination. D'après ce qui nous avait été dit avant, ces gens devaient être réinstallés ailleurs [70].

Nombreux sont les agents de l'Holocauste, ou encore les gens du voisinage, à avoir parlé de l'odeur de mort régnant sur le camp et ses environs, sur laquelle on ne pouvait se tromper. Les hommes du 65e bataillon de police connaissaient tous la destination finale des Juifs bien avant leur arrivée aux portes de l'enfer : tous ceux qui participaient à ces opérations connaissaient les différents euphémismes utilisés par les Allemands pour désigner le massacre, et les hommes du 65e bataillon savaient parfaitement ce qui se cachait derrière le mot de « réinstallation » puisqu'ils avaient été les premiers Allemands en Union soviétique à perpétrer des massacres collectifs de Juifs, plus d'un an avant ces opérations de déportation particulières [71].

Un jour qu'ils venaient d'accompagner un convoi jusqu'à Auschwitz, et de le confier au personnel du camp, qui avait fait entrer le train à l'intérieur, les hommes du 65e bataillon prirent un peu de repos avant leur voyage de retour. Ce temps de repos, ils le prenaient aux portes mêmes de l'usine de mort, une institution qui n'avait pas d'équivalent dans l'Histoire, construite, améliorée et sans cesse modernisée dans le but explicite de détruire des vies humaines. Il était presque impossible à ces Allemands, au repos à cet endroit-là, de ne pas se laisser aller à des réflexions : ils venaient tout juste de se décharger de leur cargaison humaine destinée aux fours situés à l'intérieur. Dans peu de temps, ils allaient tourner le dos à Auschwitz, conclure un nouveau chapitre de leur sanglante chronique nationale. Ces hommes venaient tout juste de participer à une légère, mais palpable altération du monde. Ils venaient tout juste d'accomplir un acte de très grande portée morale. Tous, et notamment ceux qui se trouvaient devant cette porte pour la première fois, ne pouvaient qu'en être conscients. Comment évaluaient-ils la moralité de ce qu'ils venaient tout juste de faire ? Que ressentaient-ils en voyant le convoi disparaître à l'intérieur du camp de la mort ? Que se disaient-ils les uns aux autres en voyant la fumée s'élever, en percevant l'odeur de chair brûlée qui les agressait, reconnaissable entre toutes ?

Un homme du bataillon, un réserviste de 34 ans, enrôlé en 1940 la veille de la Pentecôte, a évoqué ce moment :

> Ça puait terriblement tout autour. Quand on est allé se reposer dans un restaurant du voisinage, un SS ivre (il parlait un mauvais allemand) a débarqué, et il nous a raconté qu'on disait aux Juifs de se déshabiller pour aller se faire épouiller, mais qu'en réalité on les gazait et qu'ensuite on les brûlait. Ceux qui ne suivaient pas le mouvement y étaient poussés à coups de fouet. Je me rappelle très bien tout ce qu'il a dit. A partir de ce moment-là, j'ai su qu'il existait des camps d'extermination pour les Juifs *[Judenvernichtungslager]* [72].

Ce réserviste savait déjà que les Allemands procédaient à des tueries massives de Juifs : devant les portes d'Auschwitz, il apprenait enfin comment fonctionnaient les usines de mort, et la ruse utilisée pour remplir les chambres à gaz. Entre ce qu'ils voyaient de leurs yeux et ce qu'on leur racontait, les agents du génocide accumulaient les informations sur l'étendue et les méthodes du massacre des Juifs, et ils avançaient dans la compréhension de leur rôle au sein de cette vaste entreprise nationale. Dans ce restaurant, les tueurs parlaient ouvertement des techniques de leur métier. Parler du génocide entre agents du génocide, c'était comme une conversation d'ouvriers dans un atelier.

Il n'est donc pas surprenant que cet homme et d'autres aient parlé d'Auschwitz comme d'un camp d'extermination pour Juifs alors que des non-Juifs y mouraient aussi. Les tueurs savaient que les Allemands étaient en train d'exterminer tous les Juifs, de nettoyer le monde de la « pourriture juive », si bien que, dans leur univers mental, les institutions vouées à la mort étaient vouées à la mort des Juifs. La mort de non-Juifs était perçue comme un incident dans le déroulement de la grande entreprise, une simple opération tactique. Leur image du camp était fondamentalement la bonne, car, dans les faits, Auschwitz était bien un « camp d'extermination des Juifs », non seulement parce que la grande majorité des victimes étaient juives, mais parce que ses installations d'extermination sans cesse agrandies n'auraient jamais été construites ni améliorées si les Allemands n'avaient pas été engagés dans un génocide des Juifs.

Tous les Juifs que le 65e bataillon de police arrachait aux ghettos à l'automne 1942 n'étaient pas envoyés à la mort dans les camps d'extermination : souvent les hommes du bataillon finissaient le travail eux-mêmes. Nous n'avons que peu d'informations sur ces massacres-là, mais il est vraisemblable qu'ils se déroulaient comme celui que l'on va évoquer ci-dessous (qui a été rapporté par un témoin) puisque, dès les premiers massacres, et peut-être même avant, des procédures standardisées avaient été mises au point. Un jour de l'automne 1942, à l'aube, les hommes du

65e bataillon encerclèrent un ghetto proche de Cracovie, afin que personne ne puisse s'échapper, et en firent sortir tous les Juifs ; ils les emmenèrent dans une forêt voisine ; hommes, femmes et enfants furent alors obligés de se déshabiller au bord d'une fosse qui allait devenir leur tombe, et un peloton de dix Allemands les fusillèrent jusqu'aux derniers. Chaque fois qu'une rangée de Juifs s'effondrait dans la fosse, un homme était chargé de tirer le coup final dans la tête de tous ceux qui bougeaient encore. En une journée de travail, ils tuèrent ainsi huit cents Juifs [73].

Il semble que l'opération ait été organisée par des SS et des SD. Les missions des bataillons de police, et de celui-là en particulier, étaient souvent décidées et parfois supervisées par les chefs SS et SD (mais ce n'était pas une règle). Ce fut le cas pour toute une série de fusillades collectives qui eurent lieu à l'automne 1942 et virent notamment les hommes du 65e bataillon fusiller les malades juifs d'un hôpital. L'un des hommes, âgé de 39 ans à l'époque, a raconté que ce type de massacre avait eu lieu en cinq ou six occasions : chaque fois, un groupe d'environ vingt-cinq hommes de la 1re compagnie était transporté dans les environs de Cracovie ; là, les Allemands se séparaient en deux pelotons, l'un chargé de surveiller la zone, l'autre chargé de tuer les malades juifs, amenés sur place par dix SS et SD. Lors de chacune de ces opérations, ils tuèrent jusqu'à 150 Juifs, des gens âgés ou des malades, et parmi ces derniers des enfants. Le tueur en question avait été affecté à chacun de ces différents groupes, même s'il a prétendu par la suite qu'il n'avait jamais fait partie de celui qui fusillait. Néanmoins, à cinq ou six reprises, cet homme avait accompagné ses camarades au massacre des malades, des gens qui ne menaçaient nullement les Allemands, et dont l'état aurait suscité chez tout autre un désir instinctif de les protéger. Mais pas chez ces hommes [74].

Les hommes du 65e bataillon étaient informés de leur affectation à ces opérations ou à d'autres par des notes affichées dans leur quartier : tuer des Juifs participait tellement de la routine, de leur monde « naturel », que les opérations de génocide étaient l'objet d'une simple note épinglée sur un mur. Il faut imaginer des groupes de copains allant jusqu'au tableau d'affichage pour savoir quelle allait être leur prochaine mission. Que se disaient-ils les uns aux autres en lisant qu'une nouvelle opération de massacre était annoncée, et en voyant les noms de ceux qui y seraient affectés ? Ils n'ont jamais évoqué par la suite une quelconque réaction de haine à la vue de ces ordres de génocide épinglés sur le tableau d'affichage. A coup sûr, ils n'auraient pas oublié leurs réactions d'émotion s'ils avaient perçu le tableau d'affichage comme un distributeur de nouvelles cataclysmiques [75].

Les hommes du 65e bataillon n'étaient pas seulement chargés de ces rafles de Juifs, tantôt convoyés jusqu'à un camp de la mort, tantôt fusillés sur-le-champ, ils faisaient aussi de fréquentes sorties meurtrières dans les environs de Cracovie et, dans les premiers mois de 1943, aux alentours de Lublin : leur mission était de ratisser les bois à la recherche des Juifs cachés et de les tuer [76]. Comme beaucoup de Juifs s'étaient échappés des ghettos du Gouvernement général, nombreux étaient les bataillons de police et autres unités de SS ou de police qui durent consacrer du temps à cette chasse aux Juifs, opérations le plus souvent couronnées de succès [77]. On a déjà évoqué le nombre prodigieux de meurtres perpétrés par la 1re compagnie du 133e bataillon de police à l'occasion de ces missions. Si les Allemands réussirent à découvrir tant de Juifs cachés, c'est en raison du zèle qu'ils mirent à le faire. Quand on envoie des gens chercher dans une botte de foin une aiguille qu'ils n'ont pas envie de trouver, le plus simple pour eux est de ne pas la trouver.

En mai 1943, le 65e bataillon de police fut envoyé à Copenhague, où ses hommes furent employés à différentes opérations liées au génocide : procéder aux rafles, déporter les Juifs et veiller à ce qu'ils ne s'échappent pas [78]. Février 1944 vit leur transfert en Yougoslavie, où ils passèrent toute l'année à lutter contre les partisans et à fusiller des otages. Le bataillon subit de lourdes pertes. Au printemps 1945, il fit retraite vers l'Allemagne, et, à la fin de l'année, il tomba aux mains des troupes britanniques dans les environs de Klagenfurt, en Autriche [79].

Les bataillons de police et autres unités de l'*Ordnungpolizei* avaient commencé à massacrer des Juifs au début de l'assaut donné simultanément à l'Union soviétique et à ses Juifs. Ils poursuivirent dans cette voie aussi longtemps que les Allemands continuèrent à tuer systématiquement les Juifs. On ne peut dire avec précision de combien de morts les bataillons de police ont été responsables ou complices : le nombre excède certainement le million, et pourrait même atteindre le triple [80].

7

Le 101e bataillon de police : les actes des hommes

Comme le 65e bataillon de police et les autres unités du 25e régiment de police, le 101e bataillon de police a participé avec ardeur à l'extermination des Juifs d'Europe entreprise par les Allemands[1]. Il y eut deux étapes dans la vie du bataillon. La première dura jusqu'en mai 1941, date où ses effectifs initiaux furent presque complètement remplacés par de nouvelles recrues. Pendant cette première phase de son existence, le 101e bataillon de police avait déjà participé à des opérations meurtrières, mais seulement de façon sporadique si l'on compare à ce qui allait suivre. La seconde phase va de mai 1941 à sa dissolution et recouvre la majorité des massacres commis. Comme ces deux moments de la vie du bataillon sont distingués par un changement de personnel, la première étape n'est que peu pertinente pour notre étude des actes qui ont fait du bataillon, dans sa seconde vie, une *Völkermordkohorte*, une « cohorte du meurtre d'un peuple ».

Jusqu'en mai 1941, la vie du bataillon n'a guère connu d'événements notables[2]. Le 101e bataillon de police avait été créé en septembre 1939, et il était alors exclusivement composé de policiers d'active *(Polizeibeamter)*. Envoyé aussitôt en Pologne, il y resta jusqu'en décembre, avec mission d'assurer la sécurité dans les zones conquises, de garder des camps de prisonniers et des installations militaires. Il revint ensuite à Hambourg et reprit ses tâches de police générale. En mai 1940, il fut de nouveau envoyé en Pologne, pour la deuxième de ses trois tournées de « pacification » et de réorganisation des territoires soumis. Il se consacra surtout à l'expulsion des Polonais de la région de Posen, où des Allemands des pays Baltes et d'Union soviétique devaient être réinstallés, et au gardiennage du ghetto de Lodz. Là, les hommes du 101e bataillon de police participèrent aux brutalités exercées contre les Juifs, jusqu'à en tuer certains. Au cours de ce deuxième séjour en Pologne, qui dura jusqu'en avril 1941, les hommes du bataillon fusillèrent également, en quelques occasions, des « otages » polonais[3].

Au retour à Hambourg, les hommes du bataillon furent répartis entre trois autres nouveaux bataillons récemment créés, les 102e, 103e et 104e, et de nouvelles recrues arrivèrent. Comme les trois nouveaux bataillons, le 101e bataillon de police fut rangé dans la réserve, et son nom officiel fut désormais « 101e bataillon de réserve de police ». Tout le temps où il resta en garnison à Hambourg, le bataillon fut occupé à des tâches de police ordinaire, avec une exception : par trois fois, certains de ses hommes furent chargés de déporter des Juifs de Hambourg en Union soviétique. Ces Juifs y furent ensuite massacrés ; une fois au moins, ce fut le fait d'hommes du bataillon. A l'évidence, ces déportations de Juifs vers la mort ne suscitaient aucune opposition chez ces hommes, puisque, d'après certains témoignages, c'était une mission convoitée : l'un d'eux a dit par la suite que seul un petit groupe de « camarades favorisés » pouvaient y aller[4].

En juin 1942, le bataillon se retrouva pour la troisième fois en Pologne, et il y resta jusqu'au début de 1944, toujours dans la région de Lublin, même si son quartier général passa de Bilgoraj, en juin, à Radzyn le mois suivant, puis à Lukow en octobre, de nouveau à Radzyn en avril 1943, et enfin à Miedzyrzec au début de 1944. Les compagnies et leurs sections étaient le plus souvent stationnées dans la ville qui abritait le quartier général du bataillon, mais aussi dans les villes des environs[5]. En février 1943, les membres les plus âgés du bataillon (nés avant 1900) furent renvoyés en Allemagne et remplacés par des hommes plus jeunes, comme cela se passait également dans les autres bataillons. Pendant toute la période, officiers et hommes du rang furent surtout engagés, et pleinement, dans l'*Aktion Reinhard*, et, à ce titre, ils entreprirent de nombreuses opérations d'extermination, tantôt fusillant eux-mêmes les Juifs, par milliers, tantôt les déportant vers les chambres à gaz, plus nombreux encore.

Le bataillon était composé d'un état-major et de trois compagnies, pour un effectif total de cinq cents hommes (avec rotation du personnel). Son chef était le commandant Wilhelm Trapp. Deux des compagnies avaient à leur tête un capitaine, la troisième un lieutenant. Chacune comprenait un petit état-major et trois sections. En général, deux des trois sections étaient commandées par un lieutenant, et la troisième par un sous-officier. Les sections étaient divisées en groupes de dix hommes, sous la direction d'un sous-officier. L'armement du bataillon était assez faible : il n'y avait que quatre mitrailleuses par compagnie, en plus du fusil de chaque homme. Le bataillon disposait de ses propres camions et de bicyclettes pour les patrouilles[6].

Qui étaient les hommes du 101e bataillon de police ? Les données biographiques dont on dispose à leur sujet sont rares, et l'on ne peut dresser d'eux qu'un portrait partiel[7]. Mais ce n'est pas un problème crucial, car les données disponibles suffisent à en dessiner les grandes lignes. Étant donné que ces hommes n'avaient pas choisi de rejoindre un corps connu pour sa participation à des massacres de masse, notre but n'est pas de rechercher ce qui, dans leur passé, pourrait expliquer leur participation

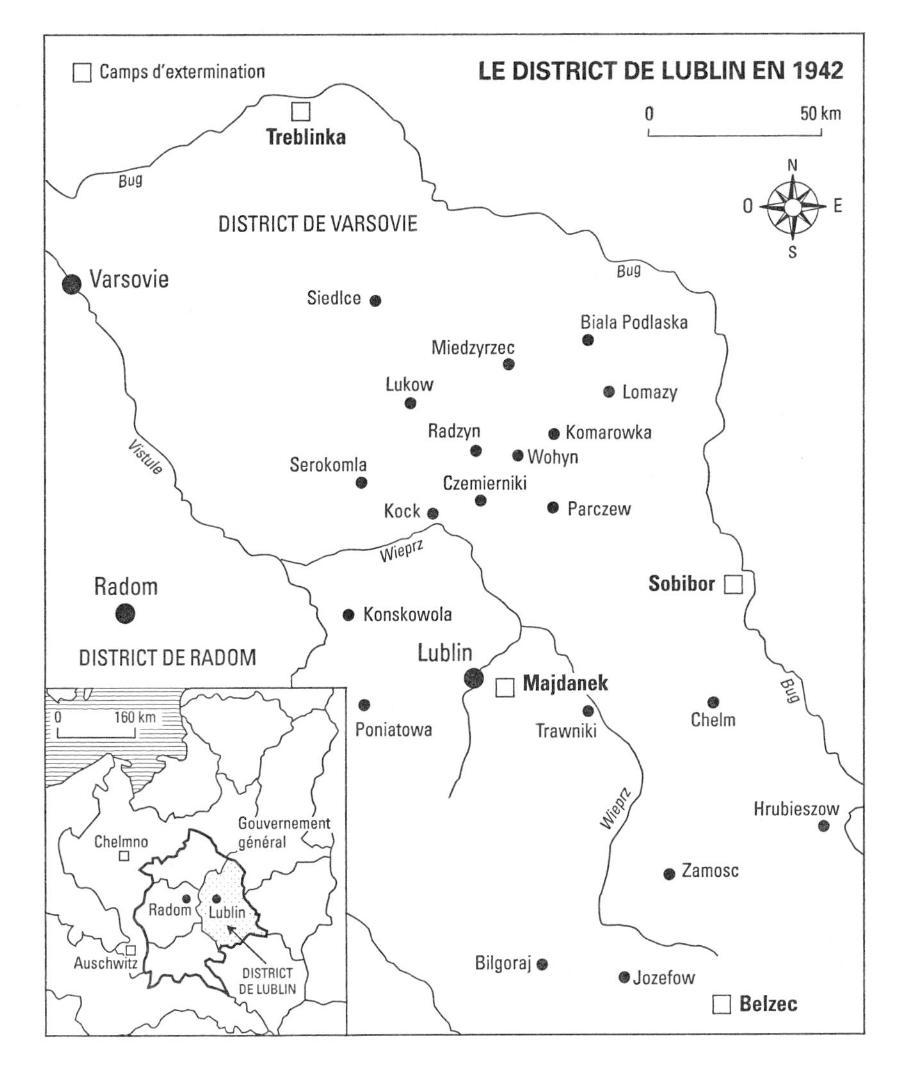

au génocide. De leur passé, nous n'avons besoin de connaître que ce qui nous permettra d'apprécier si ces hommes étaient représentatifs de l'Allemagne d'alors, et si les conclusions que l'on peut tirer de leur comportement s'appliquent aussi à leurs compatriotes.

La plupart de ces hommes étaient des réservistes, incorporés entre 1939 et 1941, des hommes qui ne servaient jusque-là dans aucune autre force de sécurité ou de la Wehrmacht, les hommes les moins susceptibles d'avoir l'esprit militaire ou le tempérament guerrier. Nous connaissons les âges de 519 des 550 hommes identifiés comme ayant servi dans le 101e bataillon de police durant son séjour meurtrier en Pologne[8]. Leur âge moyen était très élevé pour une institution militaire ou policière : quand le génocide a commencé, il était de 36,5 ans. Seuls 42 d'entre eux avaient moins de 30 ans, soit seulement 8,1 %. 133 autres, soit un peu moins de 30 %, avaient plus de 40 ans. 9 avaient plus de 50 ans. 382, presque les trois quarts (73,6 %), étaient nés entre 1900 et 1919, et appartenaient donc aux classes d'âges jugées généralement trop anciennes pour servir dans l'armée, et où les bataillons de police recrutaient majoritairement. Cette moyenne d'âge élevée doit être soulignée : les hommes du 101e bataillon n'étaient pas de ces jeunes gens de 18 ans, impressionnables, malléables, que les armées aiment à modeler selon leurs besoins spécifiques. C'étaient des hommes mûrs, ayant une expérience de la vie, chargés de famille. L'immense majorité d'entre eux avait atteint l'âge adulte avant l'arrivée au pouvoir des nazis : ils avaient connu un autre régime politique, d'autres climats idéologiques. Ils n'étaient pas des jeunots ébahis, prêts à croire tout ce qu'on leur disait.

Leur classe sociale, définie par le métier exercé, peut être déterminée pour 291 (52,9 %) d'entre eux [9]. On trouvait parmi eux des représentants de presque tous les groupes professionnels d'Allemagne, à l'exception de ceux qui composaient l'élite. Les classifications de l'époque, dont nous adopterons ici une variante, distinguaient classes inférieures, petite bourgeoisie et élite. L'élite était la mince couche supérieure de la société (3 %). Chaque classe était subdivisée en sous-groupes en fonction de l'activité professionnelle. Le tableau de la page 213 donne la ventilation des activités professionnelles pour l'Allemagne entière et pour le 101e bataillon de police [10].

Comparés à la population allemande dans son ensemble, les hommes du 101e bataillon de police étaient davantage issus de la petite bourgeoisie et moins souvent des classes inférieures. Cela tient avant tout au fait que les ouvriers non qualifiés étaient moins nombreux dans cette unité qu'au niveau national, et à la surabondance des petits et moyens employés du secteur privé ou de la fonction publique. En ce qui concerne la petite bourgeoisie, la bataillon était remarquablement pauvre en agriculteurs, ce qui s'explique par son origine hambourgeoise. La proportion de ses membres appartenant à l'élite (9 hommes) correspondait à la moyenne nationale. L'un dans l'autre, les différences entre la composition socioprofessionnelle du bataillon et celle du pays tout entier n'étaient pas très importantes [11]. Même si le bataillon comptait en moyenne un pourcentage moindre d'ouvriers et d'agriculteurs et un pourcentage supérieur de petits employés, il comptait néanmoins un pourcentage significatif des deux groupes.

Ce qu'il importe avant tout de pouvoir mesurer pour apprécier les actes des hommes du 101e bataillon et leur degré de représentativité, à eux tous, de la société allemande (donc des « Allemands ordinaires »), c'est leur degré de nazification. Pour ce faire, il faut s'intéresser à leur affiliation éventuelle à des institutions nazies, car, même imprécise, cette affiliation est le meilleur indicateur d'une nazification éventuellement supérieure à celle qui était la norme en Allemagne (en particulier pour la dimension

CLASSE **Activité professionnelle**	**% du total**		
	ALLEMAGNE	101ᵉ BATAILLON	
	%	(n)	%
CLASSES INFÉRIEURES			
1. Ouvriers sans qualif.	37,3	(64)	22
2. Ouvriers qualifiés	17,3	(38)	13,1
sous-total	54,6	(102)	35,1
PETITE BOURGEOISIE			
3. Artisans (indép.)	9,6	(22)	7,6
4. Prof. libérales (non univ.)	1,8	(9)	3,1
5. Employés inf. et moyens	12,4	(66)	22,7
6. Fonctionnaires inf. et moy.	5,2	(59)	20,3
7. Commerçants (patrons)	6	(22)	7,6
8. Agriculteurs (patrons)	7,7	(2)	0,7
sous-total	42,6	(180)	61,9
ÉLITE			
9. Cadres sup.	0,5	(1)	0,3
10. Hauts fonctionnaires	0,5	(1)	0,3
11. Prof. lib. (niveau univ.)	1	(1)	0,3
12. Étudiants	0,5	(0)	0
13. Chefs d'entreprise	0,3	(6)	2,1
sous-total	2,8	(9)	3,1
Total	100	(291)	100

Certaines données de ce tableau proviennent du livre de Michael H. Kater, *The Nazi Party*.

indépendante de l'antisémitisme). Bref, combien d'hommes du 101e bataillon de police étaient-ils membres du parti nazi et de la SS ? Sur un effectif de 550, 179 étaient membres du parti, soit 32,5 % du bataillon, ce qui n'est pas très supérieur à la moyenne nationale. 17 de ces membres du parti étaient aussi membres de la SS, et il y avait en plus 4 membres de la SS qui n'appartenaient pas au parti. Au total, 21 hommes seulement, soit 3,8 %, principalement des réservistes, étaient membres de la SS, ce qui représente un faible pourcentage. Et même s'il est supérieur à la moyenne nationale, il n'est pas d'une grande importance pour comprendre le comportement du bataillon.

Quoi qu'il en soit, le principal problème n'est pas d'évaluer le degré de nazification de ces hommes par comparaison à la moyenne nationale des affiliations aux institutions nazies, ni donc de savoir dans quelle mesure l'échantillon est en ce sens *représentatif* : les individus les plus importants pour notre étude sont ceux qui n'étaient affiliés ni au parti nazi ni à la SS, parce que c'est à travers eux (et des milliers d'autres dans les autres bataillons) que nous pouvons nous former une idée de ce qu'auraient fait les Allemands ordinaires si on leur avait demandé d'être des tueurs au sein d'une opération de génocide. Dans ce bataillon, *379 hommes n'avaient aucune affiliation avec les grandes institutions nazies.* On ne saurait d'ailleurs conclure non plus que l'appartenance au parti nazi entraînait un degré de nazification supérieur à celui de la population globale, parce que beaucoup de gens adhéraient au parti pour des raisons qui n'avaient rien à voir avec l'idéologie. Sans doute le fait d'être ou non membre du parti nazi différenciait-il effectivement un Allemand d'un autre, mais les membres du parti qui étaient plus nazifiés que la moyenne nationale étaient un sous-ensemble du parti. De plus, à l'époque où le 101e bataillon de police procédait à ses plus grands massacres, il y avait environ sept millions d'Allemands qui pouvaient se réclamer de l'appartenance au parti, soit plus de 20 % des adultes de sexe masculin. Être membre du parti nazi était une distinction plutôt banale en Allemagne. Être un nazi était chose « ordinaire » en Allemagne. Par conséquent, ce qu'il y a de plus remarquable et de plus significatif dans le cas du 101e bataillon de police, c'est que 96 % de ses hommes n'appartenaient pas à la SS, qui, elle, regroupait les croyants purs et durs. Globalement, le 101e bataillon de police n'était pas un groupe particulièrement nazifié en comparaison de la société allemande. Dans l'immense majorité des cas, ses hommes étaient des Allemands ordinaires de deux catégories : ceux qui étaient membres du parti et, surtout, ceux qui ne l'étaient pas.

La comparaison des âges et des activités professionnelles des membres du parti et des non-membres ne fait pas apparaître de différences remarquables. Le membres du parti avaient en moyenne un an de plus que les autres (37,1 ans contre 36,2), et la répartition des activités professionnelles au sein des deux groupes obéit à un parallélisme frappant.

CLASSE **Activité professionnelle**	**% du total**	
	MEMBRES DU PARTI	NON-MEMBRES DU PARTI
CLASSES INFÉRIEURES		
1. Ouvriers non qualifiés	23,3	20,6
2. Ouvriers qualifiés	10,2	16,3
sous-total	33,5	36,9
PETITE BOURGEOISIE		
3. Artisans (indép.)	5,8	9,2
4. Prof. libérales (non univ.)	4,7	1,4
5. Employés inf. et moyens	19,3	26,2
6. Fonctionnaires inf. et moy.	22,7	17,7
7. Commerçants (patrons)	8,7	6,4
8. Agriculteurs (patrons)	0,7	0,7
sous-total	61,8	61,7
ÉLITE		
9. Cadres sup.	0,7	0
10. Hauts fonctionnaires	0,7	0
11. Prof. lib. (niveau univ.)	0,7	0
12. Étudiants	0	0
13. Chefs d'entreprise	2,7	1,4
sous-total	4,7	1,4
Total	(150) 100	(141) 100

Certaines données de ce tableau proviennent du livre de Michael H. Kater, *The Nazi Party*.

Les hommes du 101e bataillon de police venaient avant tout de Hambourg et des environs, et il y avait aussi parmi eux un petit contingent d'environ douze hommes originaires du Luxembourg[12]. Comme la région de Hambourg était à majorité luthérienne, la plupart d'entre eux appartenaient probablement à cette confession. La faiblesse des données dont nous disposons sur leur religion montre que certains d'entre eux avaient renoncé à toute affiliation officielle à une confession et se déclaraient *gottgläubig* (« croyant en Dieu »), terme approuvé par les nazis pour désigner un déisme non confessionnel. Leur origine géographique et leur religion n'ont certainement rien à voir avec leur participation au génocide, car des bataillons de police et d'autres unités tout aussi meurtriers furent recrutés dans toutes les régions d'Allemagne et comprenaient des calvinistes, des catholiques et d'autres *gottgläubig*.

L'âge relativement avancé de ces hommes doit être noté. Beaucoup avaient une femme et des enfants. Malheureusement, les données disponibles sur leur situation familiale sont partielles et difficiles à interpréter : nous ne la connaissons que pour 96 d'entre eux, qui, à l'exception d'un seul, étaient tous mariés. Presque les trois quarts de ces hommes mariés (72 sur 98) avaient des enfants à l'époque des massacres. On peut supposer avec quelque raison que ce pourcentage était plus fort que celui du bataillon tout entier : dans ce qu'ils signalaient çà et là sur leur situation de famille, ceux qui étaient mariés, et notamment ceux qui avaient des enfants, étaient probablement plus enclins à communiquer ce détail cher à leur cœur. Impossible de savoir à quel point l'échantillon existant surreprésente, ou non, le nombre de pères de famille au sein du bataillon. Néanmoins, on peut supposer sans trop de risque que beaucoup d'autres étaient mariés et avaient des enfants, tout comme une grande partie des Allemands de leur classe d'âge. Rien ne conduit à penser qu'ils aient été différents sur ce point.

Les idées politiques de ces hommes, et leurs éventuelles adhésions antérieures à un parti, ne nous sont pas connues. Nous ne pouvons faire ici que des hypothèses : comme ils étaient pour la plupart originaires de Hambourg, une ville qui a montré moins d'enthousiasme pour le nazisme que le reste du pays, on peut supposer qu'il y avait parmi eux proportionnellement plus d'anciens sociaux-démocrates et de communistes. Le fait qu'ils ne soient pas allés servir dans des forces proprement militaires indique peut-être une froideur relative à l'égard du nazisme, mais il se peut aussi que leur situation de famille ait pesé sur leur choix. En tout cas, comme on l'a déjà dit, à l'époque où le bataillon participait au génocide, l'entreprise hitlérienne d'expansion nationale était très appréciée du peuple allemand en général, quels que fussent les sentiments politiques antérieurs. Mais comme le bataillon comptait un pourcentage proportionnellement inférieur de membres des classes inférieures, vivier traditionnel de la gauche, cela pouvait contrebalancer une froideur présumée à l'égard du nazisme. De toute façon, il ne s'agit là que de conjecture savante. Ce que l'on peut affirmer avec certitude, c'est qu'il y avait dans ce bataillon des hommes qui avaient été et étaient toujours des partisans du régime (comme la plupart des Allemands) et certains qui ne l'étaient pas. On ne saurait guère en dire plus.

En résumé, le bataillon recrutait chez des gens ordinaires que distinguaient surtout leur âge relativement avancé et le fait qu'ils ne servaient pas dans la Wehrmacht. Certains d'entre eux avaient été exemptés de service militaire en raison de leur âge ou de leur état physique[13]. On avait donc recruté des hommes qui étaient parmi les moins aptes qu'on pût trouver (physiquement et moralement) pour peupler des bataillons de police voués à vivre sur les grands chemins. En raison de leur âge relativement avancé, ces hommes apportaient avec eux des habitudes d'indépendance, et leur expérience de chef de famille. Leur degré d'affiliation au parti nazi et à la SS était quelque peu supérieur à la moyenne nationale, mais il reste que la grande majorité d'entre eux n'étaient affiliés à aucune institution nazie. Bref, ces hommes ne correspondaient pas au modèle attendu de « combattants d'une conception du monde » *(Weltanschauungskrieger)*, d'individus soigneusement sélectionnés pour mener à bien une tâche aussi apocalyptique que le massacre général d'une population civile.

La police d'Ordre ne pouvait ignorer qu'elle avait peuplé le 101e bataillon de police de sujets peu prometteurs. Et pourtant, elle ne faisait presque rien pour leur donner, à force d'entraînement physique et idéologique, un esprit plus martial et plus nazi. Tous diront plus tard que leur formation avait été négligée. Certains, même, n'avaient été recrutés que quelques semaines, voire quelques jours avant le début des massacres, et ils furent donc plongés d'emblée dans le génocide. L'un d'eux était maraîcher jusqu'en avril 1942 : il est enrôlé, soumis à un bref entraînement, expédié au 101e bataillon, et, avant même qu'il ait pu s'en rendre compte, il se trouve aussitôt immergé dans les tueries[14]. Absolument rien n'indique que la moindre tentative ait été faite d'examiner l'« aptitude » de ces hommes à leurs futures activités de génocide par une enquête appropriée sur leurs convictions idéologiques, et en particulier à l'égard des Juifs. Même s'il n'y a aucune raison de penser que leurs supérieurs étaient au courant, certains de ces hommes avaient, antérieurement, montré de l'hostilité envers le nazisme : l'un d'entre eux avait été déclaré suspect par la Gestapo, et d'autres avaient été d'actifs opposants au nazisme au sein du parti social-démocrate ou de leur syndicat[15]. Mais cela ne comptait absolument pas : la pénurie de personnel était telle que la police d'Ordre prenait tout ce qu'elle trouvait, et seuls lui restaient les laissés-pour-compte.

Le 20 juin 1942, pour la troisième fois, le bataillon reçut l'ordre de se rendre en Pologne : étaient concernés 11 officiers, 486 hommes et 5 employés administratifs[16]. Après un voyage de 800 kilomètres en camion qui dura quelques jours, ils arrivèrent à Bilgoraj, au sud de Lublin. Les hommes ne savaient pas encore ce qui les attendait, mais il est possible que certains, et notamment des officiers, en aient eu déjà quelque idée : le bataillon avait déjà convoyé des Juifs de Hambourg vers des camps de la mort, et les officiers, au cours du deuxième séjour en Pologne, avaient été étroitement associés à l'exécution des mesures antijuives prises alors ; enfin, beaucoup, sinon la plupart, savaient à coup sûr que leurs frères d'armes avaient déjà procédé à des massacres collectifs de Juifs en Union soviétique et en Pologne.

L'ordre de tuer des Juifs fut communiqué aux officiers pour la première fois par le chef du bataillon, le commandant Trapp, la veille du jour prévu pour le début des opérations [17]. Il y a tout lieu de penser que les commandants de compagnie n'étaient pas censés en informer leurs hommes sur-le-champ. Mais certains témoignages laissent entendre que tous ne surent pas tenir leur langue. Le capitaine Julius Wohlauf, commandant de la 1re compagnie, qui devait se révéler un tueur de Juifs enthousiaste, ne put, semble-t-il, garder ses informations pour lui : l'un de ses hommes s'est rappelé que Wohlauf avait évoqué leur mission du lendemain à Jozefow comme « une tâche extrêmement intéressante [18] ». Un autre homme, qui n'a pas reconnu clairement s'il était au courant de ce qui se préparait, dira avoir appris un détail de la future opération qui laissait présager sa nature : « Je me rappelle parfaitement que dans la soirée du jour précédent l'*Aktion* [c'est-à-dire le massacre] à Jozefow, des fouets furent distribués. Je ne l'ai pas vu de mes yeux car j'étais sorti faire des courses, je l'ai appris de mes camarades en rentrant au quartier. Entre-temps, on avait eu vent du genre d'opération qui nous attendait pour le lendemain. Les fouets devaient servir à faire sortir les Juifs de leurs maisons. C'étaient des fouets en cuir véritable [19]. » Les hommes qu'on équipait ainsi pour le massacre imminent étaient ceux qui avaient mission de procéder à la rafle des Juifs et de les regrouper en un lieu déterminé. Notre homme ne se rappelait pas quelles étaient exactement les compagnies concernées.

A minuit, les compagnies partirent en camion pour Jozefow, à une trentaine de kilomètres. Le trajet dura deux heures. Ceux qui connaissaient la nature exacte de l'opération avaient tout le loisir, ballottés dans les camions cahotants, de méditer la signification et l'attrait de ce qui les attendait. Les autres ne découvriraient que peu de temps avant le début de ce drame dantesque qu'ils avaient été choisis pour accomplir le rêve du Führer, si souvent exposé par lui et par ses proches, le rêve d'exterminer les Juifs.

Le commandant Trapp réunit son bataillon, les hommes se rangeant en carré devant lui pour entendre son discours.

> Il nous annonça que, dans la localité qui s'étendait sous nos yeux, nous allions devoir fusiller une masse de gens, et il nous dit très clairement qu'il s'agissait de Juifs. Ensuite, il nous invita à penser à nos femmes et nos

> enfants restés au pays qui devaient subir des bombardements aériens. Nous ne devions pas oublier, en particulier, que bien des femmes et des enfants avaient perdu la vie dans ces attaques. Penser à tout cela nous aiderait à exécuter les ordres. Le commandant Trapp a dit ensuite que cette opération n'était pas du tout de son goût, mais qu'il en avait reçu l'ordre d'en haut[20].

Et c'est ainsi que cette nuit-là, face à la petite ville endormie de Jozefow, si proche de se réveiller pour affronter des scènes qui dépasseraient les pires cauchemars de ses habitants, ces Allemands ordinaires apprirent qu'on attendait d'eux de prendre part à un génocide. Certains d'entre eux ont dit par la suite que Trapp avait justifié ces meurtres par l'argument, d'une faiblesse évidente, selon lequel les Juifs aidaient les partisans[21]. Mais il n'expliqua nullement en quoi les succès des partisans, qui, à cette date, étaient faibles ou inexistants, avaient le moindre rapport avec la mission de tuer des bébés, des enfants, des gens âgés et des invalides. Le recours à cet argument avait pour but de recouvrir d'un mince vernis de normalité militaire cette énorme tuerie, comme si le massacre de toute une communauté au saut du lit était censé apporter un répit militaire aux Allemands. Quant à l'évocation des ordres venus d'en haut, elle répondait à deux objectifs dans l'esprit du commandant Trapp : il était indispensable de bien faire comprendre aux hommes que des ordres d'une telle gravité venaient des plus hautes autorités, qu'ils avaient la pleine sanction de l'État et de Hitler. Trapp semble avoir aussi exprimé une authentique émotion : ces ordres le secouaient. On l'entendrait dire peu après au médecin du bataillon : « Mon Dieu ! Pourquoi est-ce que je dois faire ça[22] ! »

Pour autant, les réserves de Trapp ne semblent pas avoir eu pour origine une conception des Juifs différente de celle de l'antisémitisme dominant. Quand il expliquait à ses hommes que le massacre des Juifs, y compris les femmes et les enfants, était une réponse au bombardement des grandes villes allemandes, il exprimait la conception nazie des Juifs. Quel sens pouvait avoir une telle déclaration pour lui et tous ceux qui l'écoutaient[23] ? La logique précise de la comparaison n'est pas claire, mais elle laissait entendre que le massacre des Juifs était soit une juste rétribution en réponse aux bombardements alliés, soit un acte de représailles qui pouvait faire espérer une fin des bombardements, ou les deux. Pour ces Allemands qui étaient sur le point d'effacer complètement de la surface de la terre cette communauté juive éloignée de tout et prostrée, le lien entre les Juifs de cette petite ville polonaise endormie et les bombardements alliés sur l'Allemagne semble avoir été réel. Les hommes ne firent aucun commentaire sur ce qu'il y avait de grotesque dans cette justification avancée par Trapp en cet instant qui marquait leur baptême d'exécutants du génocide. La perversité de l'esprit allemand nazifié était telle que cette invitation à penser à leurs propres enfants n'était pas destinée à faire naître en eux une quelconque sympathie pour des enfants qui se trouvaient être juifs : penser à leurs enfants devait au contraire les inciter à tuer des enfants juifs (et la manœuvre atteindra son objectif, sauf dans quelques cas) [24].

Le discours de Trapp à ses hommes comportait des instructions générales pour la conduite des opérations. Les Allemands réunis devant lui (qu'ils aient appris seulement cette nuit-là ou la veille au soir dans quelle nouvelle phase de leur vie ils entraient) comprenaient qu'ils s'embarquaient dans une opération d'importance, rien qui ressemblât à une opération de police classique. On leur donnait l'ordre explicite de tuer les Juifs les plus abandonnés à eux-mêmes, les vieux, les malades, les femmes et les enfants, mais non pas les hommes valides, qui devaient être mis de côté [25]. Ces Allemands ordinaires étaient-ils prêts à le faire ? Certains d'entre eux se sont-ils mis à murmurer entre leurs dents qu'ils préféreraient être ailleurs, comme tout homme, même soldat, qui reçoit des ordres pesants et désagréables ? Si c'était le cas, la suite du discours de Trapp était pour eux une véritable bénédiction : leur commandant adoré, leur « papa Trapp » offrait un moyen d'y échapper aux plus âgés du bataillon. L'offre qu'il fit était remarquable : « A la fin de son discours, le commandant demanda aux hommes les plus âgés du bataillon s'il y en avait parmi eux qui ne se sentaient pas chauds pour le faire. Au début, personne n'eut le courage de se détacher des rangs. J'ai été le premier à m'avancer en disant que j'étais un de ceux qui ne se sentaient pas faits pour cette mission. Alors seulement d'autres ont fait comme moi. Au bout du compte on était dix ou douze, et on nous a dit de nous tenir à la disposition du commandant [26]. »

Il a dû y avoir bien des hésitations. Ces Allemands étaient sur le point de procéder au massacre d'une communauté tout entière. Un nouvel univers moral s'ouvrait devant eux. Lequel aurait pu imaginer, disons trois ans plus tôt, qu'il se retrouverait en Pologne orientale avec une telle tâche à accomplir, tuer toutes les femmes et tous les enfants qu'il pourrait trouver ? Mais le Führer avait ordonné de tuer, de tuer tous ces Juifs. Et voilà que leur commandant offrait, au moins à certains d'entre eux, la possibilité de ne pas tuer. C'était un homme très droit qui, tous en ont témoigné, veillait au bien-être de ses hommes [27]. Certains se détachèrent des rangs. Si les autres hésitaient à le faire, leur hésitation ne pouvait qu'être renforcée par la réaction d'un autre officier, le capitaine Hoffmann. L'homme qui avait été le premier à saisir l'offre de Trapp continuait ainsi son récit : « A ce moment-là, j'ai remarqué que mon commandant de compagnie, le capitaine Hoffmann, manifestait beaucoup d'agitation à me voir ainsi sortir des rangs. Je me souviens qu'il a dit quelque chose comme : "On devrait le fusiller, ce type !" Mais le commandant Trapp lui a coupé la parole [28]. » Ainsi Hoffmann, qui devait se révéler un tueur zélé, encore que pusillanime, était donc publiquement remis à sa place et contraint à se taire par le chef du bataillon. Pas de doute : la loi du bataillon serait celle de Trapp. Et les hommes qui s'étaient détachés des rangs furent tous dispensés de massacre. On soulignera, comme les hommes n'ont pu manquer de se le dire, qu'en s'opposant si publiquement et d'une manière aussi violente à l'acceptation de l'offre de Trapp, Hoffmann mettait publiquement en question un ordre de son supérieur : rien là qui fût l'image parfaite de l'obéissance.

Selon un autre témoin, Alois Weber, l'offre de Trapp ne s'adressait pas seulement aux hommes âgés mais à tout le bataillon : « La demande de Trapp ne cachait pas de piège. Il ne fallait pas un énorme courage pour sortir des rangs. Un des hommes de ma compagnie l'a fait, et il y a eu là-dessus un échange violent entre Hoffmann et Papen [...] Il est possible qu'ils aient été une douzaine à se détacher des rangs, et il y avait des jeunes parmi eux. Tout le monde devait avoir compris qu'on avait tous le droit de sortir des rangs, parce que, moi, c'est ce que j'avais compris [29]. » Difficile de dire laquelle des deux versions est la bonne. A mon sens, c'est la seconde, celle de l'offre la plus large, qui est la plus plausible. Non seulement elle a l'air plus crédible, mais trois autres faits militent en ce sens. Comme on le verra, au cours des opérations meurtrières qui allaient suivre ce jour-là, des hommes de tous âges, et pas seulement les plus vieux, ont été en mesure de se soustraire aux fusillades. Ensuite, Weber assure que des jeunes faisaient partie de la douzaine d'hommes qui étaient sortis des rangs, ce qui aurait eu peu de chances de se produire si Trapp n'avait pas compris tout le monde dans son offre. Enfin, il n'y a aucune raison de mettre en doute la version de Weber puisqu'elle ne lui était pas favorable : il reconnaissait ne pas avoir choisi de profiter de l'offre, et donc de ne pas devenir un tueur de Juifs, alors qu'il en avait la possibilité et qu'il voyait que d'autres la saisissaient [30]. Au demeurant, il n'est pas très important de savoir laquelle des deux versions est la bonne : même si, au début, Trapp ne s'était adressé qu'aux plus vieux, il devint vite clair par la suite, comme on le verra, que tout le monde pouvait demander à en bénéficier. Qui plus est, une fois que le massacre eut commencé et qu'ils furent tous immergés dans l'horreur, ils avaient bien plus de raisons psychologiques de chercher à en sortir, et pourtant bien peu le firent.

La réunion générale du bataillon fut suivie par une série de réunions restreintes. Trapp procéda à l'affectation des tâches auprès des commandants des compagnies, qui en informèrent ensuite leurs hommes (c'est un sergent qui les communiquera à la 1ʳᵉ compagnie). Parmi ces ordres, il y avait celui de tuer sur place, c'est-à-dire dans leur maison, voire dans leur lit, ceux qui ne pourraient pas être conduits au lieu de regroupement (les vieux, les jeunes enfants et les malades) [31]. Selon les ordres initiaux, la 1ʳᵉ compagnie devait aider à vider le ghetto de ses Juifs et constituer les pelotons d'exécution. La 2ᵉ compagnie était chargée avant tout de vider le ghetto, maison après maison, et d'amener les Juifs sur la place du marché de Jozefow. Le gros de la 3ᵉ compagnie devait assurer la sécurité de l'opération en encerclant la ville, l'une de ses sections étant chargée d'assister la 2ᵉ compagnie [32]. Mais ces dispositions furent modifiées au cours de l'opération, si bien que des hommes des différentes compagnies participèrent à des tâches qui étaient à l'origine dévolues aux autres.

L'aube arriva, et les Allemands commencèrent la rafle dans le ghetto de Jozefow, par petits groupes de deux ou trois, maison par maison. Comme les autres, les hommes de la 3e compagnie avaient reçu instruction de leur chef « d'abattre sur place les malades, les bébés, les petits enfants et ceux des Juifs qui tenteraient de résister [33] ». Les Allemands firent preuve d'une brutalité incroyable, obéissant aux ordres sans la moindre inhibition, et tuant d'emblée ceux qui n'étaient pas en état de marcher, pour ne pas avoir à les transporter jusqu'au point de regroupement. « J'ai vu environ six cadavres de Juifs qui, selon les ordres, avaient été tués par des camarades dès qu'ils les avaient trouvés. Parmi eux, une vieille femme allongée morte dans son lit [34]. » A la fin de l'opération de ratissage, il y avait des cadavres de Juifs partout, « dans les cours devant les maisons, sur le pas des portes, et dans toutes les rues menant à la place du marché », a raconté un des Allemands [35]. Un homme de la 3e compagnie évoquera ainsi l'ouvrage : « Je sais aussi que l'ordre avait été appliqué parce qu'en traversant le quartier juif pendant l'opération d'évacuation, j'ai vu des vieillards et des enfants morts. Je sais aussi que tous les malades de l'hôpital juif avaient été abattus par ceux qui ratissaient le quartier [36]. »

Nous lisons ces deux phrases, nous avons un frisson, et puis nous continuons. Mais imaginons quel puissant refus de tuer aurait dû mobiliser ces hommes s'ils avaient été opposés à ce massacre, s'ils n'avaient pas considéré que les Juifs méritaient leur sort. Ils venaient tout juste d'entendre leur commandant dire qu'il était prêt à en dispenser ceux qui le souhaiteraient. Or, au lieu d'accepter son offre, ils avaient choisi de faire irruption dans l'hôpital, un établissement destiné à soigner, et d'abattre les malades qui les avaient certainement suppliés, en hurlant, de les épargner. Ils avaient tué des bébés [37]. Aucun de ces Allemands n'a jugé approprié de raconter le détail de cette tuerie-là. Selon toute probabilité, le tueur abattait le bébé dans les bras de sa mère, et peut-être la mère aussi, pour faire bonne mesure ; ou bien encore, comme c'était l'habitude en ces temps-là, il l'attrapait par le pied et le brandissait à bout de bras avant de lui tirer un coup de pistolet. Et peut-être la mère était-elle là, horrifiée. Ensuite, on laissait tomber le petit corps, comme un déchet, destiné à pourrir sur place. Une vie venait de s'éteindre. Devant tant d'horreurs, meurtres de bébés ou massacre des malades dans l'hôpital juif, sans parler des autres tueries qui allaient suivre, ceux qui voyaient dans les Juifs une partie de la famille humaine auraient dû se demander s'il ne fallait pas saisir l'offre de Trapp. Autant qu'on le sache, aucun ne l'a fait.

La rafle terminée, les Allemands passèrent une dernière fois le ghetto au peigne fin pour s'assurer qu'aucun Juif n'échapperait à son destin. En cette mi-1942, dans toute la Pologne, les Juifs étaient au courant du sort que les Allemands leur préparaient, grâce à certains témoignages directs ou à des récits circulant dans leur communauté, et beaucoup s'étaient ménagé des cachettes, souvent ingénieuses, dans l'espoir d'échapper aux fouilles. Les Allemands le savaient et mettaient tout leur zèle à découvrir ces cachettes. Avec le concours empressé de Polonais du coin, ces Allemands sondaient chaque mur, soulevaient chaque pierre : « Le quartier juif fut l'objet d'une nouvelle fouille. Plusieurs fois, avec l'aide de Polonais, on trouva de nombreux Juifs cachés dans des pièces ou des alcôves murées. Je me souviens qu'un Polonais attira mon attention sur une sorte d'espace mort entre les murs de deux pièces contiguës. Une autre fois, un Polonais me montra une cachette souterraine. Les Juifs trouvés dans des cachettes n'étaient pas tués sur place, comme les ordres le voulaient : je les faisais conduire sur la place du marché [38]. » Cet homme, si on doit le croire, préférait laisser le sale travail aux autres. S'il choisissait de désobéir aux ordres qui demandaient de tuer ceux qui résisteraient, c'était pour arriver au même résultat d'une manière moins désagréable (en en confiant la tâche à d'autres). S'il avait été opposé au meurtre des Juifs, au lieu de trouver simplement dégoûtant d'avoir à les tuer lui-même, il lui aurait été facile de ne pas les débusquer de leurs cachettes ; et pourtant, dans sa longue déposition, jamais il ne laisse entendre que lui ou d'autres aient parfois préféré fermer les yeux [39].

Les Allemands regroupaient tous les Juifs sur la place du marché, mais l'opération prenait du temps. C'était la première fois que le 101e bataillon était engagé dans un massacre, et il n'avait pas encore affiné sa technique. Certains officiers étaient mécontents des lenteurs de l'opération, et ils harcelaient leurs hommes : « On ne va pas s'en sortir ! Ça ne va pas assez vite [40] ! » Vers 10 heures du matin, les Allemands purent enfin procéder au tri des hommes en état de travailler *(Arbeitsfähigen)*, quatre cents environ, et ils les envoyèrent dans un « camp de travail » près de Lublin [41]. Pour les hommes du 101e bataillon commence alors la phase suprême de leur initiation au génocide. On procède à la nouvelle répartition des tâches, et c'est le début du massacre systématique. Déjà, lors de la première réunion avec Trapp, il y avait eu des recommandations sur la technique à utiliser : « Du docteur Schoenfelder, je me souviens très bien [...] Comme je l'ai dit, nous formions un demi-cercle autour du docteur Schoenfelder et des autres officiers. Le docteur Schoenfelder a dessiné par terre, pour qu'on puisse tous voir, les contours d'un buste humain, et il a montré sur le cou l'endroit où il faudrait tirer. Cette image est encore très claire dans ma tête. Une chose dont je ne suis pas sûr, c'est s'il avait une badine ou quelque chose d'autre pour dessiner par terre [42]. » Ce médecin du bataillon, dont la mission était de soigner, et qui apprenait à ses hommes le meilleur moyen de tuer, ne considérait pas, à l'évidence, que son serment d'Hippocrate s'appliquait aux Juifs [43]. Suivit une discussion sur la manière d'améliorer la technique : « On nous a montré comment la fusillade devait avoir lieu. La question était de savoir s'il fallait ou non avoir la baïonnette montée sur le canon [...] la baïonnette éviterait les erreurs de tir, et l'homme n'aurait pas besoin d'approcher de trop près les victimes [44]. »

Les Allemands transportèrent alors les Juifs en camion, un groupe à chaque voyage, jusqu'à un bois des environs. Là, « les Juifs reçurent des policiers qui les escortaient l'ordre de sauter du camion, et naturellement, vu les circonstances, on leur donnait un "coup de main" *("nachgeholfen")* pour accélérer le mouvement[45] ». Bien que ce fût leur premier massacre, il était déjà normal pour les hommes du 101e bataillon de police de frapper les Juifs (tel est le sens évident du « coup de main », cité entre guillemets dans la déposition). C'était si « naturel » que le tueur le mentionne en passant, sans considérer qu'il faille s'y attarder.

Les hommes de la 1re compagnie, qui avaient été affectés aux fusillades, furent rejoints vers midi par des hommes de la 2e compagnie, car le commandant Trapp s'était dit qu'autrement ils n'auraient pas fini de tuer avant la tombée de la nuit[46]. Le massacre demandait finalement plus de monde que le commandant ne l'avait planifié au début. Les méthodes de transport et la procédure des fusillades étaient quelque peu différentes d'une unité à l'autre, et elles évoluèrent au cours de la journée. Les sections de la 1re compagnie avaient été réparties en groupes d'environ huit hommes, et la procédure était la suivante, à quelques variantes près : le groupe s'approchait des Juifs qui venaient d'arriver, et chaque policier choisissait sa victime, homme, femme, enfant[47]. Ensuite, Allemands et Juifs se mettaient en marche en deux colonnes parallèles, en sorte que chaque tueur marchait à la hauteur de sa victime, pour gagner une clairière où ils prenaient position, en attendant que le chef de groupe donnât l'ordre de tirer[48].

Cette marche dans le bois était pour chaque tueur l'occasion de se laisser aller à des réflexions. Marchant à côté de sa victime, il ne pouvait que projeter sur cette forme humaine proche de lui ce qui lui venait à l'esprit. Certains de ces Allemands marchaient à côté d'un enfant. Il y a toute raison d'imaginer que chez eux, en Allemagne, ces hommes s'étaient promenés dans un bois avec leurs propres enfants à leurs côtés, des enfants allègres, toujours prompts à questionner. Quelles étaient leurs pensées, leurs émotions, à percevoir à côté d'eux la silhouette d'une petite fille de 8 ou 12 ans, où tout esprit non endoctriné aurait simplement vu une petite fille ? C'était un moment où chaque tueur avait une relation de personne à personne avec sa victime, avec la petite fille. Voyait-il en elle une petite fille, et se demandait-il en lui-même pourquoi il allait tuer cette petite fille, cet être humain si délicat, qui, s'il avait vraiment vu en elle une simple petite fille, aurait éveillé à coup sûr de la compassion, un désir de la protéger ? Ou bien ne voyait-il en elle qu'une Juive, une toute jeune Juive, mais une Juive quand même ? Se demandait-il, incrédule, ce qui pouvait justifier qu'il tire sur une petite fille vulnérable et lui fasse éclater le crâne ? Ou bien considérait-il que ses ordres étaient raisonnables, qu'il fallait écraser dans l'œuf le « fléau » juif ? Cette « petite Juive », après tout, était une future mère de Juifs.

La tuerie proprement dite fut quelque chose de terrifiant. Sa victime, dont il avait vu la tête à côté de la sienne pendant la traversée du bois, chaque Allemand l'avait maintenant devant lui, de dos, le visage contre le sol, et il devait viser la nuque, appuyer sur la gâchette, regarder (c'était parfois une petite fille) le corps tressauter puis retomber inerte. Ces Allemands devaient se cuirasser contre les cris des victimes, les cris des femmes, les gémissements des enfants [49]. A tirer de si près, ces Allemands étaient souvent aspergés de chair humaine. « Le coup frappait le crâne avec une telle violence que toute sa partie postérieure était arrachée et que du sang, des éclats d'os et de cervelle venaient maculer les tireurs [50] », a raconté l'un d'eux. Le sergent Anton Bentheim, dans sa déposition, a précisé que ce n'était pas là un épisode isolé, mais bien la règle à chaque fusillade : « Les exécuteurs étaient horriblement souillés de sang, d'éclats d'os et de cervelle. Ça restait collé aux vêtements [51]. » Il y avait là de quoi soulever les tripes du plus endurci des tueurs, et pourtant, ces Allemands repartaient à travers le bois pour aller chercher de nouvelles victimes, de nouvelles petites filles, et revenir ensuite avec elles par le même chemin. Pour chaque nouveau groupe de Juifs, il fallait trouver dans le bois un endroit adéquat, non souillé par la tuerie précédente [52].

Avec ce système de fusillade individualisée, personnalisée, chacun des tireurs tuait en moyenne de cinq à dix Juifs, pour la plupart des gens âgés, des femmes et des enfants. Ainsi la trentaine d'hommes de la section de la 2ᵉ compagnie que commandait le lieutenant Kurt Drucker tua-t-elle 200 à 300 Juifs en trois ou quatre heures [53]. Périodiquement, on faisait une pause, pour fumer une cigarette [54]. A la différence de la plupart des autres massacres commis par les Allemands, les hommes du 101ᵉ bataillon n'ont pas obligé les Juifs à se déshabiller ce jour-là, pas plus qu'ils ne les ont dépouillés des objets de valeur qu'ils pouvaient avoir sur eux. Au total, entre les tueries sauvages dans le ghetto et le massacre méthodique dans le bois, ces Allemands tuèrent dans la journée plus de 1 200 Juifs, et peut-être même quelques centaines de plus. Les corps furent abandonnés là où ils étaient, dans les rues de Jozefow ou dans les bois environnants : au maire polonais de se débrouiller pour les enterrer [55].

Parmi les victimes, il y avait un nombre important de Juifs originaires d'Allemagne du Nord, qui parlaient un allemand très voisin de celui des hommes du 101ᵉ bataillon. Dans le cas des Juifs polonais (la majorité des victimes), l'impossibilité de communiquer avec eux, le caractère étranger de leurs habitudes polonaises aidaient à renforcer la monumentale barrière cognitive et psychologique qui empêchait les Allemands de reconnaître en ces Juifs des êtres humains. Mais si les Allemands pouvaient plus facilement se dissocier des Juifs polonais, ils ont dû nécessairement éprouver un choc en se trouvant face à des gens qui venaient de la même région qu'eux, qui s'adressaient à eux dans leur langue maternelle et avec le même accent. Deux hommes de la 2ᵉ compagnie se souvenaient d'un Juif de Brême, ancien combattant de la Grande Guerre, qui les avait suppliés de l'épargner. En vain [56] : le fait d'être allemands ne valut aux

Juifs allemands rien d'autre que les balles égalitaires qui, aux yeux des Allemands, et dans la réalité, devaient frapper indistinctement tous les Juifs, allemands ou polonais, hommes ou femmes, jeunes ou vieux.

Comment les tueurs vivaient-ils la tuerie ? Leur zèle à fusiller ne fait pas de doute : ils mettaient dans l'accomplissement de leur tâche une application dont les effets étaient patents. L'horreur du moment en révolta certains, mais pas tous. L'un d'eux gardait un souvenir très précis de cette journée :

> Sur instruction de Steinmetz [un sergent], ces Juifs devaient être conduits dans les bois, et on allait avec eux. Au bout de 200 mètres environ, Steinmetz ordonnait aux Juifs de se coucher l'un contre l'autre, en rang, sur le sol. Je dois préciser qu'il n'y avait que des femmes et des enfants, en général des filles, d'une douzaine d'années [...] J'avais à tirer sur une vieille femme de plus de 60 ans. Je me souviens encore que cette vieille femme m'a dit de faire ça très vite ou quelque chose de ce genre [...] A côté de moi, il y avait le policier Koch [...] Lui, il devait abattre un petit garçon d'une douzaine d'années. On nous avait expressément recommandé de tenir le canon à 20 centimètres de la tête. Apparemment, Koch ne l'avait pas fait, parce que, quand on a quitté le lieu de l'exécution, des camarades se sont mis à rire de moi en voyant que des morceaux de la cervelle de l'enfant avaient atteint mon pistolet et y étaient restés collés. Je leur ai demandé pourquoi ils riaient, et Koch, en montrant du doigt la cervelle sur mon pistolet, a dit : « Ça vient du mien, il a fini de gigoter. » Il disait ça d'un ton tout fier... [57]

Cette facétie, cette joie ouverte, enfantine, au beau milieu d'un massacre n'était pas du tout un cas unique. Le tueur qui nous rapporte la scène ajoute : « J'ai entendu souvent des cochonneries *[Schweinereien]* de ce genre... »

Les abominables scènes de tuerie ont effectivement troublé certains tueurs, cela ne fait aucun doute. Et quelques-uns ont été profondément secoués. Le spectacle d'un abattoir est peu ragoûtant, même pour un amateur de viande. Il n'est donc pas surprenant que quelques-uns aient désiré être exemptés de fusillades, ou faire une pause. Le sergent Ernst Hergert a rapporté qu'entre deux et cinq de ses hommes avaient demandé à être exemptés après le début de l'opération, parce qu'ils ne supportaient pas de tuer des femmes et des enfants. Ils en furent dispensés, par lui-même ou par le lieutenant, et on les affecta à des tâches de surveillance ou de convoiement pendant toute la durée de l'opération [58]. Deux autres sergents, Bentheim et Arthur Kammer, accordèrent des dispenses identiques à des hommes de leur section [59]. Un troisième sergent, Heinrich Steinmetz, fit savoir clairement à ses hommes, avant le début du massacre, qu'ils n'étaient pas obligés d'y aller. « Je voudrais aussi dire que, avant le début de l'exécution, le sergent Steinmetz a dit aux hommes de la section que ceux qui ne se sentaient pas le courage de le faire n'avaient qu'à sortir des rangs. Personne, pour sûr, n'a choisi de se faire exempter [60]. » On soulignera que ces hommes avaient déjà participé à la violente rafle dans le ghetto, si bien que, au moment où cette seconde offre leur était faite, ils avaient déjà eu une expérience directe de l'horrible réalité du génocide. Selon l'un d'eux, Steinmetz avait renouvelé sa proposition alors que la tuerie avait commencé. Cet homme reconnaissait qu'il avait déjà tué six ou huit Juifs quand il demanda une exemption à son sergent[61]. Le sergent Steinmetz n'était pas un de ces gradés qui sont sans pitié pour leurs hommes.

Un des refus les plus notables de tuer fut celui d'un des officiers, le lieutenant Heinz Buchmann. Dès le début des tueries dans Jozefow, il avait évité d'y être directement mêlé en se faisant affecter à d'autres tâches : on l'avait chargé de convoyer les hommes « aptes au travail » jusqu'à un camp de « travail » près de Lublin. Son souhait de ne pas participer aux tueries était si bien accepté par ses supérieurs que son commandant de compagnie, dès le début des opérations dans le ghetto, donnait ses ordres directement à ses subordonnés sans passer par lui[62].

Il est donc évident que certains des hommes n'hésitèrent nullement à se faire exempter : ils obtinrent cette dispense facilement, et leurs camarades purent constater qu'on pouvait très bien se faire exempter de l'horrible tâche. Trapp l'avait proposé devant tout le bataillon réuni ; ensuite, un des sergents, au moins, en renouvela l'offre à ses hommes ; un lieutenant et un sergent d'une autre section acceptèrent eux aussi d'accorder des dispenses sans faire de difficultés. Que ce fût devant tout le bataillon réuni ou dans l'intimité des sections et des groupes, il y eut des offres d'exemption, qui furent saisies. Et le cas de l'officier qui se fit exempter montrait aux hommes du rang qu'on pouvait s'arracher à cet horrible massacre sans être déshonoré. Du haut en bas de la hiérarchie du 101e bataillon de police, on savait, pour moitié clairement, pour moitié implicitement, que, si l'on ne voulait pas tuer, on ne pouvait pas y être contraint[63]. Le fait que de simples sergents, et non pas le commandant du bataillon, pouvaient de leur propre chef exempter quelqu'un montre à quel point cette option était acceptée. On peut donc affirmer que ceux qui massacrèrent les Juifs, y compris les enfants, l'ont fait volontairement[64].

Leur journée de travail finie, les hommes du bataillon avaient enfin l'occasion de la digérer, et d'en parler entre eux. Un des hommes de l'intendance, resté à Bilgoraj, s'entendit raconter, à leur retour, ce qu'ils avaient fait[65]. On est donc sûr qu'ils en parlaient. Et il est impossible d'imaginer que ces Allemands ordinaires n'aient parlé qu'en termes neutres d'actes rien moins que neutres. Beaucoup étaient très secoués, abattus même : « Aucun camarade n'avait participé à tout ça avec plaisir. Après, ils étaient tous déprimés[66]. » Ils en avaient perdu l'appétit : « Je me souviens encore qu'à leur retour aucun des camarades n'a touché au repas. Mais ils ont tous pris leur ration supplémentaire d'alcool[67]. » On le voit, les événements du jour avaient marqué bon nombre d'entre eux. Dans leurs dépositions d'après-guerre, certains évoqueront en termes forts leur sentiment de détresse et celui de leurs camarades après ce premier massacre. Il ne fait aucun doute que, dans un premier temps, certains ont été malheureux, troublés, peut-être même furieux d'avoir été engagés dans une opération aussi horrible [68]. Mais il faut prendre avec beaucoup de circonspection ces récits d'affliction faits après la guerre, et résister à la tentation d'y lire plus qu'il ne convient [69]. Les hommes gardaient le souvenir nauséabond des crânes explosant, des morceaux d'os et de cervelle volant de tous côtés, de tous ces corps fraîchement tués par leurs soins [70], et ils étaient secoués à l'idée d'avoir été plongés dans un massacre, d'avoir commis des actes qui changeaient à jamais leur être social et moral. Leur réaction est à rapprocher de celle des soldats qui viennent d'affronter pour la première fois l'épouvantable réalité du combat : eux aussi sont souvent perturbés, vomissent, perdent l'appétit. Que ces Allemands aient éprouvé la même chose après leur initiation au massacre n'a rien d'étonnant. Mais il est difficile de croire qu'il y avait là autre chose qu'une réaction à l'horreur du moment, puisque, bien vite, ils devaient commettre de nouveaux massacres, assidûment. Le rapport du médecin du bataillon montre que, si choqués qu'ils fussent, aucun n'a présenté de troubles psychiques notables après le massacre de Jozefow : le médecin écrivait que personne « n'est tombé malade à la suite de cette expérience, ni n'a eu quoi ce soit que l'on puisse qualifier de dépression nerveuse [71] ».

L'image qu'il faut retenir de ce bataillon est celle d'une unité où l'on pouvait verbalement négocier des concessions, exprimer ses émotions, ses idées, son désaccord, même entre hommes de niveau hiérarchique différent. Au milieu de l'après-midi, il y avait eu une dispute assez chaude entre le lieutenant Hartwig Gnade, commandant de la 1re compagnie, et l'un de ses sous-lieutenants, à propos de l'endroit le plus approprié pour fusiller un groupe de Juifs. On avait entendu Gnade hurler à son subordonné récalcitrant qu'ils ne pourraient plus travailler ensemble si l'autre n'obéissait pas à ses ordres [72]. Cet acte d'insubordination, un officier discutant les ordres de son supérieur (et devant les hommes) sur une question aussi insignifiante, et l'évidente incapacité (ou refus) du supérieur d'affirmer ses prérogatives de manière autoritaire, montrent que ce bataillon de police n'était pas soumis à une discipline draconienne, et qu'un certain laxisme y régnait : ce n'était pas une unité où l'on tient sa langue devant un supérieur, où l'on obéit aveuglément aux ordres.

Malgré l'évident malaise ressenti par plusieurs de ces Allemands devant ce premier massacre, malgré leur haut-le-cœur devant les éclaboussures de chair humaine, sous-produits de leurs coups de feu dans les nuques des Juifs, et bien qu'ils aient eu la possibilité de s'arracher à la tuerie, à cette horrible et répugnante tâche, presque tous ont choisi de poursuivre les exécutions. S'ils désapprouvaient ce massacre de Juifs, ce massacre d'enfants et de bébés, ce massacre où même les plus endurcis étaient écœurés par les éclaboussures de sang, d'os et de cervelle sur leurs vêtements, pourquoi les ont-ils tués, comment ont-ils réussi à prendre sur eux de tuer et de continuer la tuerie ? Il y avait un moyen de s'en sortir : même ceux qui n'étaient pas hostiles par principe au massacre des Juifs, mais qui, simplement, ne supportaient pas cette horreur, ont réussi à s'en faire temporairement exempter [73].

Les hommes du 101ᵉ bataillon de police ne connurent guère de répit dans leur contribution à la « solution » de la « question juive » : quelques jours plus tard, ils se lançaient dans plusieurs opérations plus réduites, dans la zone de Bilgoraj et Zamosc, raflant des Juifs dans les villages pour les regrouper ailleurs. Ces opérations semblent avoir été assez fréquentes, mais on sait peu de chose sur elles, parce que leurs auteurs en ont peu parlé [74].

Peu de temps après le massacre de Jozefow, le 101ᵉ bataillon de police participa de nouveau à un massacre de grande ampleur, cette fois près de Lomazy. A la différence de ce qui s'était passé à Jozefow, où tout le bataillon avait participé au génocide, les tueries de Lomazy furent confiées à la seule 2ᵉ compagnie. La veille de l'opération, le commandant de la compagnie fit venir ses chefs de sections à Biala-Podlaska, où l'état-major du bataillon avait son quartier général. Les différentes sections étaient à ce moment-là réparties entre plusieurs localités voisines, et une partie de l'une d'entre elles, commandée par le sergent Heinrich Bekemeier, était stationnée à Lomazy même depuis le 9 août. Le commandant de la compagnie, le lieutenant Gnade, les mit au courant de l'opération décidée et leur ordonna de se trouver avec leurs hommes à Lomazy le lendemain matin, 19 août, vers 4 ou 5 heures.

Lomazy était une ville de moins de 3 000 habitants, dont la moitié étaient alors des Juifs. Sur les 1 600 ou 1 700 Juifs que les Allemands allaient trouver à Lomazy, la majorité n'étaient pas des Juifs polonais, mais des Juifs d'ailleurs, dont certains originaires d'Allemagne, et même de Hambourg [75] : les Allemands les avaient déportés à Lomazy le mois précédent, pour la première étape d'un massacre en deux temps. Il n'y avait pas de ghetto muré, mais ils étaient tous regroupés dans la même partie de la ville. Il ne fallut que deux heures aux hommes de la 2ᵉ compagnie pour rassembler toutes leurs victimes et les conduire au point de regroupement, un terrain de sport proche de l'école. La rafle avait été menée sans la moindre pitié. Comme Gnade en avait donné instruction lors de la réunion de la veille, les Allemands tuaient immédiatement ceux qui n'étaient pas transportables. Le zèle de ces hommes a été résumé par le tribunal dans ses attendus :

> La fouille des maisons a été accomplie avec une application extraordinaire. Les forces disponibles étaient divisées en groupes de deux ou trois agents de police chargés d'opérer la fouille. Le témoin H. a raconté qu'ils devaient aussi fouiller les caves et les greniers. Les Juifs étaient désormais au courant de la menace qui pesait sur eux : ils avaient entendu parler de ce qui arrivait à ceux de leur race dans tout le Gouvernement général et tentaient donc de

> se cacher pour échapper à l'extermination. On tirait des coups de feu dans tout le quartier juif. Le témoin H. a raconté que dans son seul secteur, un pâté de maisons, près de quinze Juifs furent abattus. Au bout de deux heures environ, le quartier juif, facile à quadriller, était vide [76].

Les Allemands avaient tué les vieillards, les infirmes, les enfants, dans la rue, dans leur foyer, dans leurs lits [77].

Le caractère meurtrier de la rafle de Lomazy est d'autant plus à souligner que le plan prévu entendait épargner aux Allemands d'avoir à tuer eux-mêmes. A la réunion de la veille, Gnade avait annoncé qu'une unité de Trawnikis, connus aussi sous le nom de Hiwis [78] (des Européens de l'Est, en majorité des Ukrainiens, qui servaient d'auxiliaires aux Allemands pour l'extermination), se chargerait des exécutions, sous contrôle allemand. Chaque Juif que chacun des Allemands pourrait amener jusqu'au lieu de regroupement serait un Juif qu'il n'aurait pas à tuer lui-même à bout portant : il s'épargnerait l'épreuve, à supposer qu'elle en fût une, d'avoir à tuer lui-même des Juifs suppliants ou cherchant à se cacher, un vieil homme dans son lit, ou encore un bébé. Mais par une sorte de décision collective les Allemands qui procédèrent à la rafle ne voulurent pas profiter de cette occasion qu'on leur donnait d'éviter les meurtres à bout portant, les meurtres de personne à personne [79].

Une fois arrivés au terrain de sport, les Allemands séparèrent les hommes des femmes. Tous restèrent là, assis par terre pendant des heures, attendant que tout soit prêt pour le massacre. Les photos n°s 11, 12 et 13 montrent une partie de la scène, les deux premières de près, la troisième à une certaine distance.

Sur la photographie n° 11, au deuxième plan au centre, se trouve un Allemand avec un fouet. Le fait qu'il ait ainsi tourné un instant le dos aux Juifs qu'il était chargé de surveiller pour faire face au photographe laisse penser qu'il était fier de ce qu'il faisait : loin de vouloir cacher à la postérité sa participation au génocide, il entendait au contraire en conserver l'image.

Au dos de la photo n° 13, le photographe avait inscrit ceci :

Juifs condamnés/Lomartzie/18 août 42/1 600

En notant cette précision, il était sûr, par la suite, de ne pas oublier, ni de confondre avec un autre, l'exploit accompli ce jour-là : ils avaient tué 1 600 Juifs [80].

Un groupe de la première section quitta alors le terrain de sport avec 50 ou 60 Juifs munis de pioches et de pelles, pour aller dans une zone boisée située à un peu plus d'un kilomètre, site choisi pour le massacre. Les Allemands obligèrent les Juifs à creuser une grande fosse (comme on le voit sur la photographie n° 14, il y avait de l'eau au fond [81]).

Les Hiwis en retard finirent par arriver et s'installèrent aussitôt pour casser la croûte. Sous les yeux mêmes de leurs futures victimes, les 40 ou 50 Hiwis calmèrent leur faim et apaisèrent leur soif avec de la vodka [82], qui les rendrait plus violents encore. Gnade et le chef allemand des Hiwis se mirent aussi à boire[83]. Les Juifs, qui ne pouvaient avoir que les pires soupçons sur ce qui allait se passer, regardaient leurs tueurs festoyer devant eux avant la tuerie. Bien qu'il fît très chaud, les Allemands ne donnèrent pas d'eau aux Juifs.

La marche vers le site choisi pour le massacre pouvait commencer. Mais auparavant, des paysans polonais apportèrent une longue corde, faite d'éléments noués bout à bout. Pour une raison inexplicable, tenant peut-être à une bizarrerie de la logique nazie, les Allemands avaient entouré les Juifs avec cette corde pour s'assurer qu'ils marcheraient à la mort par rangées frontales de six ou de huit[84]. Tout Juif qui s'écartait, le plus souvent en tombant à l'extérieur du périmètre délimité par la corde mouvante, était abattu. Comme la vitesse de marche imposée par les Allemands était rapide, les Juifs les moins jeunes avaient du mal à suivre, ce qui entraînait un tassement à l'arrière de l'anneau mouvant. Les malheureux avaient une telle peur d'être abattus certains se précipitèrent en avant, faisant tomber plusieurs de leurs frères. Ceux qui étaient tombés furent relevés par les autres et « furent brutalement amenés à l'avant et abattus » par les Allemands (récit du sergent Bentheim)[85]. Un peu avant d'atteindre le bois, les Allemands décidèrent finalement de se passer de cette corde si peu fonctionnelle.

Les Allemands séparèrent alors les hommes des femmes et les répartirent entre deux sites, à environ 50 mètres de la fosse. Ensuite, ils leur ordonnèrent d'ôter leurs vêtements de dessus, les hommes devant se mettre torse nu. Certains finirent d'ailleurs nus. Les Allemands les dépouillèrent alors de tous les objets de valeur qu'ils pouvaient avoir sur eux[86]. L'ignominie d'avoir à se déshabiller en public n'était rien en comparaison de ce qui attendait les Juifs, mais c'était quand même une ignominie. Le fait avait d'ailleurs une autre conséquence, car on était à la mi-août : « J'ai encore en tête l'image très claire de ces Juifs, la plupart torse nu, attendant plusieurs heures sous le soleil qui brûlait leur peau. En effet, après s'être déshabillés, les Juifs devaient rester allongés par terre dans une zone assez étroite, sans avoir le droit de bouger[87]. » Quand tout fut enfin prêt pour le massacre, les hommes de la seconde section formèrent une double haie entre le lieu où les Juifs attendaient et le site de la future tuerie : par groupes successifs de quinze ou vingt, les Juifs furent obligés de courir à travers cette double haie d'Allemands hurlants qui les frappaient à coups de crosse au passage[88]. Et comme si cette terreur et cette torture imposées aux victimes d'un massacre imminent ne suffisaient pas, Gnade décida de réserver à certains des Juifs un traitement particulier, d'une plus grande valeur symbolique. Le souvenir de ce moment était resté fixé de façon indélébile dans la mémoire d'un de ses hommes :

> Pendant ces exécutions, j'ai aussi vu quelque chose que je n'oublierai jamais. Avant le début des exécutions, le lieutenant Gnade a choisi lui-même

> vingt ou vingt-cinq Juifs âgés. C'étaient tous des hommes, avec une longue barbe. Gnade les a obligés à ramper sur le sol devant la fosse. Avant qu'il ne leur ordonne de ramper, il a fallu qu'ils se déshabillent. Et pendant que ces Juifs complètement nus se mettaient à ramper, le lieutenant Gnade a crié autour de lui : « Où sont mes sous-off, vous n'avez pas de bâtons ? » Alors les sous-off sont allés à la lisière de la forêt, ils y ont pris des bâtons, et avec ces bâtons, ils ont fait pleuvoir les coups sur les Juifs [...] Je pense que tous les sous-off de la compagnie ont obéi à l'ordre du lieutenant Gnade et battu les Juifs[89]...

Après les avoir battus violemment, mais pas à mort, les Allemands fusillèrent ces Juifs âgés, ces Juifs archétypiques de l'imaginaire allemand nazifié. Pourquoi humilier et torturer les Juifs, et surtout des Juifs âgés ? Pourquoi la mise à mort d'une légion de Juifs n'était-elle pas une satisfaction suffisante pour ces Allemands ? Des exécuteurs froids et mécaniques se seraient contentés de tuer. Des hommes opposés à de tels meurtres n'auraient pas d'abord torturé de malheureux Juifs âgés, ils ne leur auraient pas infligé de nouvelles misères avant d'y mettre fin. Ces Allemands-là n'étaient pas des fonctionnaires sans émotions ou n'agissant qu'à contre-cœur.

Sur le site du massacre lui-même, le spectacle était indescriptible. La fosse, que l'on voit creuser sur la photo n° 14, faisait entre 1,6 et 2 mètres de profondeur, sur environ 30 mètres de large et 55 mètres de long[90]. Il y avait une pente à l'une de ses extrémités. Les Juifs étaient contraints de descendre par cette pente et de s'allonger la tête sur le sol. Les Hiwis, debout dans la fosse, leur tiraient une balle dans la nuque. La vague suivante devait venir s'allonger sur les cadavres sanglants de leurs prédécesseurs, aux crânes éclatés. La fosse se remplissait progressivement. Les Hiwis ne cessaient de boire, ils étaient ivres, et leur tir était de moins en moins précis. Même à bout portant, ils ne frappaient pas toujours droit dans la nuque, et c'était un spectacle insoutenable, dont l'horreur est difficilement imaginable : de nombreux Juifs n'étaient pas tués par la balle, et comme les Allemands n'avaient pas décidé ce jour-là d'administrer le coup de grâce *(Gnadenschüsse)* à ceux qui survivaient au premier tir, les nouveaux groupes de Juifs qui arrivaient dans la fosse étaient parfois contraints de s'allonger sur des corps sanglants en proie aux convulsions de l'agonie, dont les cris exprimaient une souffrance inexprimable. Et il y avait pire encore : en creusant la fosse, on avait atteint la nappe phréatique et, l'eau montante se mêlant au sang, des cadavres commençaient à flotter. Les Hiwis pataugeaient dans l'eau rougie de sang qui leur arrivait aux genoux[91].

De nombreux Allemands encerclaient la fosse et étaient donc témoins de l'abominable spectacle. Les Hiwis étaient maintenant tellement ivres qu'on ne pouvait pas les laisser continuer : « J'avais peur qu'ils nous tirent dessus aussi[92] », a raconté un Allemand. Gnade ordonna alors à ses deux sous-lieutenants de remplacer les Hiwis par leurs hommes[93], et les Allemands avaient déjà compris ce qui les attendait. L'un d'eux a raconté que les sous-lieutenants

> [les] informèrent que Gnade avait ordonné d'employer les hommes de la compagnie comme exécuteurs *(Schützen)*. Ensuite, ils ont dit qu'on devait procéder de la même manière que les Hiwis. On a refusé, parce qu'il y avait presque 50 centimètres d'eau dans la fosse. En plus, il y avait partout des cadavres qui flottaient. Je me souviens avec une horreur particulière que, pendant l'exécution, il y avait un grand nombre de Juifs qui n'avaient pas été touchés à mort, et qui, sans qu'on leur donne le coup de grâce, étaient recouverts par les victimes suivantes.

Cet homme et ses camarades conférèrent alors entre eux pour adopter une méthode différente : « On a décidé que les exécutions devaient se faire en deux groupes, chacun de huit ou dix hommes. La méthode adoptée était différente de celle des Hiwis : ces deux pelotons d'exécution se mettraient sur les deux bords opposés de la fosse et tireraient en feu croisé de là où ils seraient. » Chaque homme tirait sur les Juifs qui étaient du côté opposé au sien. Chaque peloton tirait environ une demi-heure avant d'être relevé. La première section s'occupait d'un côté de la fosse, et la seconde ou la troisième de l'autre.

> En cours d'opération, les hommes étaient remplacés à tour de rôle. Je veux dire que toutes les cinq à six [vagues d'] exécutions, on remplaçait de dix à douze tireurs. Quand tous les hommes de la section avaient pris leur tour, on recommençait avec le premier groupe, et chaque groupe devait donc une nouvelle fois s'occuper de cinq à six [vagues d'] exécutions [...] Je pense aussi qu'à part quelques hommes qui avaient des missions de surveillance indispensables, personne n'a pu se dispenser de participer aux exécutions, à l'exception de certains qui surveillaient la campagne avoisinante, puisque toutes les tâches étaient partagées entre les sections.

Ce tueur se souvenait que les Allemands avaient tiré pendant deux heures. Entre-temps, les Hiwis s'étaient remis de leur ivresse (certains avaient dormi dans l'herbe), et ils vinrent remplacer les Allemands pendant une heure encore. Eux aussi tiraient maintenant à partir des bords de la fosse, mais il y en avait qui descendaient parmi les cadavres et le sang[94]. La fosse finissait par déborder de cadavres. « J'ai encore cette scène dans la tête, a raconté un des Allemands, et je me suis dit à l'époque qu'on ne pourrait même pas recouvrir les corps de terre[95]. »

Environ 1 700 Juifs, hommes, femmes et enfants, périrent ce jour-là de cette mort horrible, et parmi eux un nombre notable de Juifs allemands, certains de Hambourg, comme les hommes du bataillon[96]. Pour beaucoup de victimes, douze heures de torture psychique et physique précédèrent donc la balle dans la nuque : il y avait d'abord eu le choc d'être réveillé par l'irruption des Allemands et arraché de son lit, puis les longues heures passées sur le terrain de sport, et ensuite la marche vers le lieu du massacre, avec son cortège de cadavres ; tous, sauf les victimes de la première vague, avaient entendu les cris des agonisants quand les Allemands les poussaient vers la fosse en les battant, et les forçaient à descendre dans cet enfer. Quand les cris et les salves des Allemands annonçaient que son tour était venu, chaque Juif devait accomplir ce terrible parcours. En fin d'après-midi, Allemands et Hiwis arrivèrent enfin au terme du massacre. Ne restait plus qu'un ultime détail : une vingtaine de Juifs avaient été laissés en vie afin qu'ils recouvrent de terre la fosse, devenue tombe collective. Certains Juifs, qui criaient encore, furent enterrés vivants. Mais les Allemands n'en avaient que faire, et ils se dépêchèrent de tuer les Juifs momentanément épargnés pour fermer la tombe.

Ce massacre perpétré par la 2e compagnie à Lomazy est instructif à plus d'un titre. Par la méthode, par la nature même de l'opération, il se différencie notablement du massacre de Jozefow, et il ressemble probablement plus à ceux perpétrés par les *Einsatzgruppen*[97]. Les Allemands avaient organisé ce jour-là un massacre moins personnalisé, pour alléger le fardeau psychologique des hommes, en déléguant le sale travail aux Hiwis et en utilisant un système de tuerie « à la chaîne » et non pas celui du massacre fragmenté comme à Jozefow. Si l'on fait un instant retour sur ce qui s'était passé à Jozefow, on comprend que le bataillon, encore novice, avait improvisé son premier massacre, et qu'on lui avait ensuite enseigné la technique appropriée, celle qui cherche à établir une distance entre le tueur et les victimes, entre le tueur et le sang. Leur manque de préparation au moment des tueries de Jozefow montre à quel point le commandement allemand traitait cavalièrement ce genre de question. Et si nous revenons maintenant à Lomazy, c'est pour constater que la méthode choisie pour rendre le massacre moins pénible n'était nullement nécessaire, puisqu'elle ne fut pas respectée en cours d'opération. Les hommes de cette compagnie étaient déjà bien acclimatés à leur nouveau métier[98].

Mais si le massacre de Lomazy est révélateur, ce n'est pas seulement par rapport à celui de Jozefow. Cette fois, les Allemands n'ont pas sélectionné les Juifs « aptes au travail » : leur objectif était de tuer tous les Juifs, sans égard à d'autres objectifs possibles. Deuxièmement, la cruauté dont firent preuve les Allemands tout au long de la journée est révélatrice de leur attitude à l'égard de leurs victimes et de leur tâche. Et les cruautés qu'ils laissèrent les Hiwis perpétrer étaient incessantes : l'un de ces Allemands a dit par la suite que « les cruautés eurent lieu tout le temps, du lieu de "déchargement" *[Abladeplatz]* jusqu'à la fosse[99] ». Troisièmement, quand Gnade enjoignit à ses hommes de remplacer les Hiwis, ils refusèrent d'obéir à l'ordre de descendre dans la fosse, mais pas à l'ordre lui-même : ils n'ont désobéi qu'à la partie de l'ordre qu'ils trouvaient déplaisante, et on les a laissés faire. Quatrièmement, il est curieux que les Allemands aient pu tolérer un comportement aussi désordonné, non professionnel, voire dangereux, de la part des Hiwis, qui ne semblaient nullement récalcitrants (c'est même le contraire) à l'idée d'accomplir leur part dans le massacre. Cinquièmement, à aucun moment de ce massacre, personne n'a jamais mis en avant une prétendue rationalité militaire justifiant les tueries. Les Allemands savaient que la politique de leur pays en Pologne était le génocide, et que le génocide, le désir de libérer la terre du « fléau » juif, avait sa propre rationalité, sans qu'il fût besoin d'en invoquer d'autres. Ce jour-là, chacun pouvait s'amuser avec les Juifs comme il l'entendait, même si, au goût de certains, cela finissait par faire désordre.

Une fois Lomazy devenue *judenrein* par les soins des Allemands, les hommes de la 2e compagnie regagnèrent leurs différentes garnisons. Le groupe du sergent Bekemeier resta à Lomazy, où il était arrivé une semaine auparavant. Si l'on en juge par les photographies qu'ils ont prises, le séjour à Lomazy leur a plu : ils ont fait des photos de groupe devant l'école adjacente au terrain de sport qui avait servi de lieu de regroupement des Juifs [100], et d'autres, moins apprêtées, dont l'une où on l'on voit un groupe qui ne pose pas et qui a l'air plutôt joyeux. D'autres clichés montrent des hommes photographiés à leur insu, en compagnie de Polonais de la ville, dont des enfants, et les relations semblent tout à fait amicales. Nous ne savons pas si ces photographies candides ont été prises avant ou après l'horrible massacre qui devait réduire de plus de la moitié la population de Lomazy. Une dernière photographie de groupe fut prise avant que le groupe ne quittât définitivement Lomazy, quelques jours après le massacre. Ce désir des Allemands d'avoir un témoignage photographique de leur séjour à Lomazy, et leurs mines réjouies ostensiblement offertes à l'appareil, était leur ultime commentaire sur leur séjour dans cette ville qui, grâce à eux, grâce au massacre de la moitié de ses habitants, était devenue *judenrein.* Ce qu'ils avaient accompli dans cette bourgade polonaise, c'était une immense révolution sociale. Et rares sont les révolutionnaires qui regardent avec tristesse ceux qu'ils viennent d'exproprier. Mais ici, les expropriés avaient perdu la vie.

Si nous avons décrit ici assez longuement ces deux grands massacres perpétrés par le 101e bataillon de police, c'est pour donner une idée de ce qu'ils avaient dû être pour leurs auteurs. La question de savoir comment les Allemands ont pu en arriver à agir de cette manière-là et pourquoi ils n'ont pas cherché à se faire dispenser de ces tueries s'éclaire différemment quand on prend en compte les détails de leurs actes et de leurs choix. Les hommes du 101e bataillon de police ont raflé, déporté et massacré des Juifs en bien d'autres occasions, et ces opérations-là pourraient elles aussi être racontées avec tous leurs horribles détails, à partir des récits qu'en ont faits leurs auteurs, mais, par manque de place, nous ne pouvons les évoquer qu'en passant. Du point de vue de la cruauté et de l'horreur, elles n'étaient que des variantes des massacres de Jozefow et Lomazy, et leur description ne ferait que confirmer le portrait du bataillon que nous venons de dresser.

LOCALITÉ	DATE	VICTIMES	OPÉRATIONS
Jozefow	juil. 1942	1 500 Juifs	fusillade
Environs de Lublin	à partir de juil. 1942	Juifs, par centaines	petites rafles répétées
Lomazy	août 1942	1 700 Juifs	fusillade
Parczew	août 1942 vers camps	5 000 Juifs	déportation
Miedzyrzec	août 1942	11 000 Juifs	déportation vers camps [101]
Serokomla	sept. 1942	200 Juifs	fusillade
Talcyn/ Kock	sept. 1942	200 Juifs 79 Polonais	fusillade
Radzyn	oct. 1942	2 000 Juifs	déportation vers camps
Lukow	oct. 1942	7 000 Juifs	déportation vers camps
Parczew	oct. 1942	100 Juifs	fusillade
Konskowola	oct. 1942	1 100 Juifs	fusillade
Miedzyrzec	oct. et nov. 1942		
Biala		4 800 Juifs	déportation vers camps
Biala-Podlaska (arrond. de)		6 000 Juifs	déportation vers camps
Komarowka		600 Juifs	déportation vers camps
Wohyn		800 Juifs	déportation vers camps
Czemierniki		1 000 Juifs	déportation vers camps
Radzyn		2 000 Juifs	déportation vers camps
District de Lublin	à partir d'oct. 1942	Juifs, par centaines	« chasses aux Juifs »
Lukow	nov. 1942	3 000 Juifs	déportation vers camps

En cet été et cet automne 1942, les hommes du 101e bataillon de police procédèrent à de nombreux nouveaux massacres ou autres opérations contre les Juifs dans la région de Lublin. Dans certains cas, ils tuaient eux-mêmes; dans d'autres, ils déportaient les Juifs vers des camps d'extermination. Massacres collectifs ou déportations vers les chambres à gaz, les opérations se déroulaient de la même façon : tout commençait par une rafle, au cours de laquelle les Allemands tuaient les vieillards, les malades et les enfants dans les maisons et dans les rues. Ensuite, les Allemands conduisaient les Juifs jusqu'à un point de regroupement, souvent la place du marché, et, dans la plupart des cas, mais pas toujours, ils séparaient les hommes « aptes au travail » des autres pour les envoyer dans un camp de « travail ». Souvent, les Juifs devaient attendre assez longtemps sur le lieu de regroupement jusqu'à ce que les préparatifs de leurs derniers moments fussent terminés. Le plus souvent, ce temps d'attente était l'occasion d'humiliations et de tortures diverses exercées par certains hommes du bataillon, par des Hiwis, ou encore par d'autres Allemands des forces de sécurité opérant parfois en liaison avec le bataillon. Quand tout était enfin prêt, les Allemands escortaient les Juifs soit jusqu'aux wagons de marchandises, où ils les entassaient à coups de pied, de crosse et de fouet, soit jusqu'à l'endroit choisi pour les tueries, où les Juifs étaient fusillés par groupes successifs. En cet été et cet automne 1942, leurs principales opérations contre les Juifs furent celles récapitulées sur le tableau p. 236[102] :

Étant donné que, à la fin de l'année 1942, les Allemands avaient réussi à tuer presque tous les Juifs de la région, le 101e bataillon de police eut assez peu de nouveaux grands massacres à perpétrer en 1943, et il se consacra surtout à des petites opérations. Les grands massacres furent ceux récapitulés dans le tableau suivant :

LOCALITÉ	DATE	VICTIMES	OPÉRATIONS
Miedzyrzec	mai 1943	3 000 Juifs	déportation vers camps
Majdanek	nov. 1943	16 500 Juifs	fusillade
Poniatowa	nov. 1943	14 000 Juifs	fusillade

Les massacres de 1943 culminèrent dans les immenses tueries de Majdanek et Poniatowa, qui faisaient partie de l'opération baptisée par les Allemands « Fête de la moisson » *(Operation Erntefest)*. Au total, qu'ils aient agi seuls ou avec d'autres, les hommes du 101e bataillon de police ont fusillé ou déporté vers les camps de la mort plus de 80 000 Juifs.

Ces massacres à grande échelle et ces déportations sont les grands événements de la vie du bataillon pendant son séjour en Pologne, mais ils n'auront pas été les seules contributions de ces hommes au génocide décidé par Hitler. Où qu'ils fussent stationnés, ils étaient en permanence chargés de débusquer des petits groupes de Juifs des environs et de les tuer :

> Notre tâche principale était d'exterminer les Juifs. Ces « actions » consistaient à liquider les Juifs vivant dans les petites villes, les villages ou sur des propriétés. De temps en temps, sous le commandement du sergent Steinmetz, la section partait en camions. [...] Dans la localité, on fouillait les maisons pour trouver les Juifs. Là encore, les malades et les impotents étaient abattus sur place, et les autres Juifs dans les environs. A chacune de ces opérations, on liquidait de dix à quarante personnes, selon la taille de la localité. Les Juifs étaient contraints de s'allonger par terre, et on les tuait d'une balle dans la nuque. Jamais on ne creusait de tombe. Le commando n'avait pas à s'occuper de l'enterrement. Au total, on a bien fait une dizaine d'opérations de ce genre, qui toutes avaient pour but unique l'extermination des Juifs [...] Il y avait toujours des volontaires épris d'action qui, avec le sergent Steinmetz, entraient les premiers dans ces bâtiments *[sic]* et abattaient les Juifs [103].

Ces assassinats de Juifs vivant dans des villages ou dans des fermes obéissaient aux mêmes procédures que les grands massacres, seule l'échelle était différente. Pourtant, si les grandes tueries marquaient profondément les tueurs, contraints de mesurer l'importance historique de leurs actes, ces petites opérations répétées faisaient du meurtre des Juifs un élément normal de leur vie quotidienne. Si cet homme et d'autres voyaient dans l'extermination des Juifs leur activité principale, c'était dû à la fréquence de leur participation à ce genre de patrouille pour rechercher des Juifs cachés dans les campagnes et les tuer. Ces opérations « chercher-détruire » (c'est moi qui les appelle ainsi) différaient des grands massacres déjà décrits, non seulement par le nombre des victimes, qui pouvait n'être que de une ou deux dans une opération, mais aussi par le nombre d'Allemands qu'elles mobilisaient. Elles demandaient aussi une initiative individuelle, laquelle, lors des grandes opérations, n'était requise que des seuls hommes (souvent nombreux, à vrai dire) qui fouillaient les maisons des ghettos à la recherche des Juifs : « Je me rappelle encore très bien aujourd'hui que nous étions devant le souterrain quand un petit garçon de 5 ans est sorti en rampant. Un agent de police l'a aussitôt attrapé et emmené à l'écart. Puis il a sorti son pistolet et l'a abattu. C'était un policier d'active *(Beamter)* qui servait d'infirmier. C'était le seul infirmier pour toute la section [104]. »

Le 101e bataillon de police, comme les autres unités allemandes, avait reçu le *Schiessbefehl* [105], l'ordre de tuer tous les Juifs qu'il pourrait trouver en dehors des ghettos et des zones autorisés de la Pologne. A ce titre, les hommes du bataillon, même les plus novices, avaient pouvoir de vie et de mort sur les Juifs : chacun devait être à la fois juge et exécuteur. Les hommes du 101ᵉ bataillon de police ont prouvé que la confiance mise en eux n'était pas vaine.

Chaque fois que l'on apprenait ou que l'on soupçonnait (souvent grâce à des informateurs polonais) que des Juifs étaient cachés dans telle zone, on formait un détachement adapté à la tâche escomptée, qui partait à la recherche des Juifs, et, s'il les trouvait, les tuait[106]. Les informations étaient parfois précises, parfois vagues. Les forces mobilisées allaient de toute une compagnie à quelques hommes, mais ces variations n'étaient que secondaires par rapport à l'objectif central, procéder à un ratissage systématique des campagnes, indispensable si l'on voulait que la Pologne fût enfin « nettoyée » de ses Juifs.

Ces opérations « chercher-détruire », qui débutèrent à l'automne 1942 et se poursuivirent tout au long de 1943, devinrent la principale activité des hommes du 101ᵉ bataillon de police. Beaucoup, dans leurs dépositions ultérieures, ont attesté du caractère répétitif de ces missions, au point d'avoir du mal à s'en rappeler les détails. Les choses se brouillaient dans leur esprit[107]. Un membre de la 2ᵉ compagnie a raconté : « A partir des différents endroits où la section était stationnée, il y avait chaque semaine plusieurs opérations. Leur objectif était la prétendue pacification de la région confiée à nos soins. Bien entendu, au cours de ces patrouilles, on nous prévenait de la présence de Juifs, et quand nous en trouvions un nous l'abattions sur-le-champ[108]. » Un homme de la 3ᵉ compagnie ajoutait : « Il est tout à fait vrai qu'après la fin d'une action [massacre collectif], des opérations [ponctuelles] contre les Juifs étaient souvent entreprises [...] En ce qui me concerne, il est vrai que j'ai participé à une dizaine ou une douzaine d'opérations de ce genre. Le nombre des victimes allait de deux à vingt. Le nombre de fois où M. Nehring et moi y avons participé vaut aussi pour les autres membres de la section[109]. » Selon un autre homme de la 3ᵉ compagnie, ces missions étaient si fréquentes et si couronnées de succès, que, du début d'août 1942 à la fin d'août 1943, « presque tous les jours des Juifs dispersés qui avaient été repérés par nos détachements étaient tués sur-le-champ[110] ».

A ces opérations « chercher-détruire » s'ajoutaient parfois d'ultimes opérations de « nettoyage » dans des zones où l'on avait déjà procédé à un grand massacre collectif. Ainsi, le groupe du sergent Bekemeier, qui était resté à Lomazy après le massacre du 19 août alors que le reste de la compagnie était reparti vers d'autres garnisons, entreprit quelques jours plus tard de passer de nouveau le ghetto au peigne fin ; il y trouva environ vingt Juifs, hommes, femmes et enfants : les Allemands les conduisirent dans le bois, les obligèrent à s'allonger par terre sans les faire se déshabiller et les tuèrent d'un coup de pistolet dans la nuque[111]. Ce peloton d'environ vingt hommes, commandé par un sergent, opérait loin de ses supérieurs : qu'ils trouvent un peu plus ou un peu moins de Juifs ne faisait aucune différence pour l'état-major du bataillon, qui n'avait aucun moyen de savoir combien de Juifs avaient échappé au grand massacre. Et quand bien même il l'aurait su, les hommes restés à Lomazy auraient pu mettre dans leur rapport le chiffre qu'ils voulaient, puisqu'on ne leur demandait aucune preuve des meurtres. Ces tueries étaient tellement intégrées à leur vie quotidienne que les Allemands n'y voyaient plus qu'une routine. Quand Bekemeier et ses hommes trouvaient des Juifs, ils ne se contentaient pas toujours de les tuer : comme on va le voir dans le cas évoqué ci-dessous, le sergent s'en amusait un peu auparavant.

> Il y a un épisode que je n'ai jamais oublié. Sous le commandement du sergent Bekemeier, nous devions escorter un groupe de Juifs quelque part. Il a fait ramper les Juifs dans des flaques d'eau en les obligeant à chanter. Il y avait un vieil homme qui ne pouvait plus avancer (c'était après qu'ils eurent dû ramper), et il l'a abattu à bout portant en tirant dans la bouche [112]...
> Quand Bekemeier a tiré, le Juif a levé la main comme pour en appeler à Dieu, avant de s'effondrer. On a simplement laissé le cadavre là où il était. Ça n'était pas notre affaire [113].

L'une des photographies disponibles de l'album des tueurs montre Bekemeier et ses hommes tenant leur bicyclette et posant avec fierté, alors qu'ils se préparent à partir pour une de ces patrouilles si souvent meurtrières. Quant à la photo n° 15, elle montre le lieutenant Gnade et ses hommes au cours d'une opération « chercher-détruire ». Ces souvenirs photographiques, d'apparence si innocente pour ceux qui ne savent pas ce qu'il y a derrière, étaient pleins de sens pour les Allemands du 101e bataillon de police.

L'opération « chercher-détruire » qui se terminera sur une des plus grandes curées est celle qui eut lieu près de Konskowola. Des hommes de la 3e compagnie avaient été envoyés par Hoffmann dans une zone où, selon des indicateurs, des Juifs étaient cachés. Ils tombèrent sur une série d'abris souterrains et crièrent aux Juifs de sortir. Silence. Les Allemands jetèrent alors des grenades lacrymogènes qui leur révélèrent quelque chose de leurs victimes : « Des souterrains montaient les pleurs et les gémissements de femmes et d'enfants. » Les Allemands leur crièrent de se montrer, mais rien ne se passa. « Et comme personne ne sortait, on a jeté des grenades à main dans le souterrain. Je me souviens qu'on a jeté sans arrêt des grenades, jusqu'à ce qu'on n'entende plus rien [...] Je ne peux pas dire le nombre exact des victimes, parce que nous n'avons pas creusé pour aller dans le souterrain. On n'a pas vérifié non plus si les occupants étaient morts [114]. »

Lors des liquidations planifiées de ghettos, les Allemands opéraient en nombre, selon une procédure, décidée par leurs chefs, qui était pour eux contraignante, même s'ils avaient toujours la possibilité d'y apporter leur note personnelle sous forme de brutalité gratuite. Une opération « chercher-détruire », en revanche, ne mobilisait que des petits groupes de copains, très peu contrôlés, arpentant agréablement les campagnes à pied ou à bicyclette, et libres de procéder avec zèle ou mollesse, l'œil en éveil ou la tête ailleurs. Quand ils trouvaient des Juifs, ils étaient libres de les traiter comme ils le voulaient, que leur souhait le plus profond fût de les tuer ou de les épargner. Ils pouvaient humilier ou torturer les Juifs avant de les tuer, ou simplement les tuer. Ils pouvaient soit essayer de les tuer en leur infligeant le moins de souffrances additionnelles possible, soit ne pas s'attacher à ce détail, soit perpétrer sur leurs victimes des brutalités gratuites. Les dépositions des tueurs sur ces missions « chercher-détruire » révèlent des hommes pleins de zèle, et dont on peut dire qu'ils n'éprouvaient au mieux que de l'indifférence pour leurs victimes juives, souvent des femmes et des enfants. Aucun de ces Allemands ne s'est vanté après la guerre d'avoir fait exprès de ne pas débusquer des Juifs cachés, ni d'avoir cherché à les faire souffrir le moins possible : tous évoquent d'un ton détaché leurs réussites routinières dans ces opérations meurtrières, et leur désinvolture à l'égard de tout ça. Il n'est donc pas surprenant que ces Allemands n'aient jamais épargné aucun Juif : ils abordaient ces patrouilles ouvertement vouées au génocide (« c'était plus ou moins notre pain quotidien[115] », dira l'un d'eux) avec une alacrité qui ne trompe pas. Ces tueurs ont tous reconnu que, très normalement dans leur bataillon, on se portait volontaire pour ces missions qui consistaient à localiser, débusquer et tuer des Juifs supplémentaires. Ils ont dit aussi que presque chaque fois il y avait plus de volontaires que la mission du jour ne le demandait[116]. On peut donc dire avec certitude que ces Allemands ordinaires voulaient vraiment tuer les Juifs.

La seule rationalité de ces opérations « chercher-détruire » résidait dans le génocide, et c'est bien ainsi qu'elles étaient comprises. Les Allemands de ce bataillon de police n'ont jamais été confrontés à un seul cas de résistance armée de la part des Juifs au cours de toutes ces opérations[117]. Nombre d'entre eux étaient des abonnés de ces missions : pour eux, c'était une chasse, purement et simplement, une chasse dont l'objet était de vider la campagne de bêtes sauvages et nuisibles. Ce sont les Allemands eux-mêmes qui, entre eux, appelaient ce type de mission « chasse aux Juifs » *(Judenjagd)*[118].

L'expression était utilisée à bon escient ; elle exprimait l'idée que les tueurs avaient de la nature de leur activité et le type d'affect qu'elle mobilisait : ils devaient se lancer à la poursuite des derniers vestiges d'une espèce particulièrement nuisible qui devait être entièrement anéantie. De plus, le mot *Jagd* avait un *Gefühlswert*, une valence affective, positive. La chasse est une activité agréable, riche en péripéties, sans aucun danger pour le chasseur, et la récompense, c'est le compte des animaux tués : dans le cas des hommes de ce bataillon et d'autres Allemands « chasseurs de Juifs », c'était le compte des Juifs débusqués et tués.

A la lumière de leurs activités et des révélations contenues dans leurs dépositions d'après-guerre, les hommes du 101e bataillon de police méritent d'être appelés « cohorte du meurtre d'un peuple » *(Völkermord-kohorte)*, et il ne fait aucun doute que c'est bien ainsi qu'ils se voyaient : « Cependant, notre tâche principale était, continûment, d'exterminer les Juifs[119]. » Le zèle mis par ces hommes à exterminer les Juifs était tel qu'il leur arrivait de retarder des opérations contre des partisans véritables, contre des gens qui représentaient une réelle menace militaire, pour se lancer dans une opération de « chasse aux Juifs »[120]. Le récit et l'analyse de leurs actes montrent que ces Allemands approuvaient le génocide, leur activité principale en Pologne, et qu'ils avaient aussi bonne opinion d'eux-mêmes. A de fréquentes reprises, ils avaient fait preuve d'initiatives meurtrières ; ils n'avaient pas non plus cherché à échapper à leurs ordres, alors même qu'ils auraient pu le faire sans courir le risque d'être punis ; ils donnaient toujours la priorité au massacre des Juifs, et même se livraient avec entrain aux pires cruautés. Leur application n'était pas entamée par l'horreur des tueries, laquelle, exposée ici dans certains de ses détails, est difficile, voire impossible, à imaginer et à appréhender par quelqu'un qui n'y a pas été confronté. De plus, nombre de ces tueries étaient personnalisées, les hommes étant confrontés individuellement à leur victime. Souvent, en face d'eux, il y avait des enfants.

8

Le 101e bataillon de police : peser les motivations des hommes

Quelle idée devons-nous nous faire de ces Allemands du 101e bataillon de police et de leurs actes, terme qui recouvre non seulement les massacres et les déportations mais aussi la manière dont ils les ont perpétrés ? Les actes commis par ces Allemands ne semblent pas avoir été compatibles avec une désapprobation de principe du génocide. Bien que certains actes donnent d'eux-mêmes leur motivation, au moins approximativement, la vision que ces agents du génocide avaient de leurs actes et les motivations de leurs actions deviennent encore plus claires si l'on étudie de plus près certains aspects particuliers de leur séjour en Pologne.

Ainsi est-il instructif de faire une comparaison, même rapide, avec d'autres populations dont certains membres ont été massacrés par ce même bataillon. En plus de leur affectation à l'anéantissement de la communauté juive de Pologne, les hommes du 101e bataillon avaient pour mission de « pacifier » la zone où ils opéraient, ce qui les a amenés à massacrer nombre de Polonais. Des partisans s'activaient, même s'ils n'étaient pas aussi dangereux à cette date que certains ont voulu le prétendre, et infligeaient des dommages aux forces et aux installations allemandes, et même, une fois, au 101e bataillon. En Pologne, comme ailleurs, les Allemands avaient adopté une politique d'occupation extrêmement brutale : en matière de représailles, l'habitude allemande était d'exécuter cinquante ou cent civils polonais pour tout Allemand tué.

Le 25 septembre 1942, un détachement de la 3e compagnie tomba dans une embuscade à Talcyn, au cours d'une opération destinée à prendre au piège deux partisans polonais. Un sergent allemand fut tué. Le bataillon avait déjà participé au meurtre de 20 000 Juifs, mais c'était la première perte qu'il subissait depuis son arrivée en Pologne trois mois plus tôt, ce qui jette une certaine lumière sur l'atroce violence de la riposte. Le commandant Trapp rédigera un rapport de deux pages et demie très serrées pour raconter en détail tout ce qui s'était passé avant, pendant et après l'embuscade (tout ça pour la mort d'un unique sergent en territoire hostile). Mais surtout, les Allemands entendaient faire payer aux Polonais ce que Trapp – révélant par là, à son insu, que sa compassion était sélective et qu'il était incapable de réflexion sur lui-même – appelait dans son rapport un *feige Mordtat*, un « crime lâche ». Quatre sections, commandées par Trapp en personne, commencèrent par ratisser toute la zone de Talcyn à la recherche de partisans, sans succès. Les instructions étaient de tuer 200 personnes en représailles de la mort du sergent. Aussi réunirent-ils les 300 habitants polonais du village, pour n'en choisir pourtant que 78 (dont probablement quelques femmes et enfants) qu'ils fusillèrent au cimetière[1]. Quelle fut l'attitude de Trapp devant ce massacre de Polonais ? Elle frappa l'un de ses hommes : « Je me rappelle encore très clairement que notre commandant était très secoué après cette opération. Et même il pleurait. C'était vraiment ce qu'on appelle un être humain de qualité, et je considère comme impossible que ce soit lui qui ait ordonné de fusiller les otages[2]. » Trapp, qui, des années plus tard, et bien qu'il ait dirigé d'innombrables massacres, sera donc qualifié d'« être humain de qualité », ne se contenta pourtant pas de ces seules représailles contre le village où son sergent avait été tué, ce village dont il écrivait dans son rapport qu'il « était connu depuis longtemps pour être un nid de complices [des partisans][3] » : ses hommes firent 8 kilomètres de plus pour aller massacrer 180 Juifs du ghetto de Kock, à titre de « représailles complémentaires »[4]. L'homme ne nous dit pas que Trapp ait été bouleversé par ce massacre de Juifs.

Cet épisode permet de comparer les attitudes des Allemands à l'égard des Polonais et à l'égard des Juifs. Sans doute les meurtres de Polonais obéissaient-ils à une logique de représailles militaires, qui, bien que normale pour les troupes d'occupation allemande, n'en était pas moins criminelle. Pourtant, cette fois-là, ils décidèrent d'épargner 122 Polonais qui, d'après les instructions, auraient dû être tués. Trapp, qui venait dans les trois derniers mois de conduire des opérations ayant entraîné la mort de près de 20 000 Juifs, était « secoué » d'avoir tué un peu moins d'une centaine de Polonais ! Il en pleurait. Et il n'était pas le seul à être perturbé par cette fusillade de Polonais : certains de ses hommes faisaient savoir qu'ils ne souhaitaient plus accomplir des missions de cet ordre à l'avenir[5]. Trapp, avec une sollicitude qu'il n'avait jamais manifestée à ses victimes juives, envoya un de ses hommes porter de bonnes paroles aux femmes des otages, terrées dans l'école pendant que les Allemands fusillaient leurs maris[6]. Et le bataillon agit ce jour-là comme si une sorte de règle empirique nazie voulait qu'aucun massacre collectif ne pût être entrepris contre une population sans que des Juifs y perdent aussi la vie (et ici la proportion est de plus de deux victimes juives pour une victime polonaise). Les hommes du bataillon durent se rendre dans une bourgade éloignée du lieu du crime, où ils purent satisfaire leur soif de sang juif et en tuer plus que le quota ne l'exigeait. C'est Trapp lui-même, l'homme qui venait d'être ému aux larmes par le massacre des Polonais, qui a *décidé* le massacre des Juifs de Kock, des Juifs qui n'avaient rien à voir avec la mort du sergent, sauf dans des esprits allemands nazifiés, pour qui le Juif était l'ennemi métaphysique [7].

Par la suite, le 101e bataillon de police participera à des représailles sanglantes à très grande échelle contre des Polonais (conséquence de l'assassinat d'un officiel du parti nazi à Biala Podlaska), opérant cette fois aux côtés d'unités de la Wehrmacht et de Hiwis. Trapp cherchera à faire en sorte que ses hommes ne soient pas au cœur de l'opération (ils eurent seulement à ratisser des bois), laissant les massacres et les incendies de villages aux Hiwis [8].

Comparé à l'évidente répugnance manifestée par le bataillon devant cette tuerie, relativement limitée, de Polonais, le zèle mis par ses hommes à massacrer les Juifs n'en ressort que mieux. Tuer des Polonais était une regrettable nécessité. A l'égard des Juifs, plus personne n'avait d'inhibition. Pour autant, leur entrain à tuer les Juifs n'est pas le seul élément distinctif : tout aussi révélateur de leur bonne conscience est le fait qu'ils ne détestaient pas être vus par d'autres, y compris par des personnes chères, dans leurs activités de tueurs. Plusieurs épouses avaient suivi leur mari en Pologne, dont celles du lieutenant Paul Brand et du capitaine Wohlauf, commandant de la 1re compagnie. Peu de temps après l'arrivée du bataillon en Pologne, Wohlauf était retourné à Hambourg pour s'y marier, le 29 juin 1942. Il était ensuite rentré en Pologne, alors que sa femme s'attardait encore un peu en Allemagne, pour ne le rejoindre que peu de temps après le premier grand massacre, celui de Jozefow. Elle vécut près du bataillon plusieurs semaines, qui virent plusieurs tueries, et elle fut témoin d'un ou deux grands massacres [9].

L'épouse de Wohlauf assista à l'opération destructrice que le bataillon tout entier mena à Miedzyrzec le 25 août, et qui dura toute la journée. La rafle des Juifs, conduits ensuite sur la place du marché, fut sans doute la plus brutale et la plus sauvage de toutes celles qu'eut à effectuer le bataillon : des centaines de cadavres de Juifs jonchaient les rues après leur passage. La scène qui se déroula sur la place du marché fut aussi une des plus horribles de toutes. Les Allemands forcèrent les Juifs à rester quatre heures sous un soleil brûlant, si bien que beaucoup s'évanouirent, et ils abattaient tout Juif qui se mettait debout : la place du marché était jonchée de cadavres [10]. Parmi ceux qui furent ainsi abattus, il y avait plusieurs enfants, pour qui il était particulièrement difficile de rester immobile pendant des heures dans de telles conditions. Des Hiwis et des Allemands de l'unité de *Gendarmerie* locale profitèrent aussi de l'occasion pour satisfaire leur appétit de cruauté, et se donnèrent le plaisir de faire pleuvoir des coups de fouet sur les Juifs [11]. Non seulement Frau Wohlauf assista à tout, mais il y avait aussi à côté d'elle d'autres épouses d'Allemands stationnés dans la ville, ainsi que des infirmières de la Croix-Rouge allemande [12]. Ce jour-là, à son habitude, Frau Wohlauf arborait probablement une cravache [13]. Ce jour-là, elle et les autres Allemandes purent voir de leurs propres yeux comment leurs maris purgeaient le monde de la « menace » juive : ils tuèrent un millier de Juifs et en déportèrent 10 000 autres vers des camps de la mort. Telle fut la lune de miel de Frau Wohlauf, déjà enceinte.

Si Wohlauf et les autres officiers ne voyaient pas d'inconvénient à faire leur travail sous les yeux de leur femme, d'autres Allemandes et même d'infirmières de la Croix-Rouge, bien des hommes du 101e bataillon considéraient que la présence de Frau Wohlauf, au moins, était mal venue. Un homme évoquera par la suite sa réaction : « Le jour de l'"action", j'ai vu de mes yeux Frau Wohlauf, en tenue de tous les jours, sur la place du marché de Miedzyrzec. Et pas seulement un moment, mais pendant un bon bout de temps. Moi aussi, j'étais stupéfait par ce comportement de notre commandant de compagnie et de son épouse, et ce qui me rendait particulièrement furieux, c'était que notre commandant de compagnie savait bien avant une "action" ce qui allait se passer [14]. » Un autre homme parlera de la réaction générale du bataillon : « En plus, mes camarades m'ont dit combien ils étaient furieux que la femme de notre commandant de compagnie assiste à l'exécution alors qu'elle était enceinte [15]. » Dans leurs objections, il n'y avait nulle honte de ce qu'ils faisaient, aucun désir de cacher aux autres leur contribution à une extermination de masse et à des tortures, mais plutôt le sentiment que Frau Wohlauf offensait leur sens de la chevalerie et de la décence, notamment parce que la rafle dans le ghetto était particulièrement violente et atroce ce jour-là, même selon leurs propres critères [16]. Il est clair qu'ils ne s'en prenaient qu'à la présence de cette femme en particulier, censée ne pas assister à un tel spectacle en raison de sa grossesse, car ils ne trouvaient rien à redire à la présence d'autres épouses, comme celle du lieutenant Brand, venue, semble-t-il, jeter un coup d'œil au spectacle. Sans doute pensaient-ils que, d'une façon générale, les femmes ne devaient pas assister à ces horreurs, mais s'ils étaient furieux, c'était parce que Frau Wohlauf était enceinte. L'accent mis sur sa grossesse dans leurs dépositions ultérieures montre que les hommes se préoccupaient avant tout des possibles retentissements de l'horrible spectacle sur sa sensibilité. Vivant avec le bataillon depuis quelque temps, Frau Wohlauf était déjà au courant du génocide et de la part qu'ils y prenaient ; ce jour-là, à Miedzyrzec, elle n'apprenait rien de plus, sauf peut-être le détail de ces opérations. Que ce fût « l'état » de cette femme et leur souci de sa santé qui faisaient enrager les hommes, nous en avons la preuve dans la déposition de la femme du lieutenant Brand : « Je me souviens très bien que, un peu plus tard, le commandant Trapp a dénoncé l'incident publiquement, disant qu'il trouvait scandaleux qu'une femme attendant un bébé pût assister à de telles choses. » Trapp avait choisi de faire connaître sa colère en présence de plusieurs de ses hommes. Frau Brand précisera : « Quand je parle de dénonciation en public, je veux dire que le commandant Trapp a fait sa déclaration devant un grand nombre d'officiers et de sous-officiers, et en présence des différentes épouses qui étaient venues rendre visite à leur mari, dont j'étais [17]. »

Les hommes du 101e bataillon de police ne voyaient aucune objection à ce que Frau Wohlauf, Frau Brand et d'autres vivent avec le bataillon en Pologne, sans rien ignorer de ses activités de génocide des Juifs, que l'un des hommes avait pu qualifier, on l'a vu, de « pain quotidien[18] ». Quant à Trapp, il démontrait lui aussi qu'il n'avait plus d'inhibition face à ce qu'ils faisaient, puisqu'il était prêt à en parler ouvertement devant elles et devant bon nombre de ses hommes : il voulait simplement qu'il fût bien clair que leurs opérations de massacre étaient des spectacles auxquels les femmes, surtout quand elles étaient enceintes, ne devraient plus assister à l'avenir. Il savait combien ces opérations étaient toujours violentes et atroces.

Délaissons un moment le cas du 101e bataillon de police : on peut dire que, d'une façon générale, les agents du génocide opérant en Pologne et ailleurs ne firent jamais d'objections à ce que leurs actes fussent connus au-delà de leur groupe de tueurs, y compris de leur femme ou de leur bien-aimée. Il y avait des Allemandes partout en Pologne (épouses, petites amies, secrétaires, infirmières, employées dans des entreprises, actrices), ce qui veut dire qu'elles étaient au courant du génocide : l'extermination de la communauté juive de Pologne, environ 10 % de la population, était connue de tous. Les rapports des services de sécurité allemands sur l'état d'esprit des populations dans le district de Lublin prouvent d'abondance que la connaissance du génocide, tant chez les Allemands que chez les Polonais, était des plus répandues. Selon un de ces rapports, le sort des Juifs était un sujet de conversation dans tous les services allemands, y compris dans les bureaux de poste et les trains, et le fait que les Allemands gazaient les Juifs était un secret très éventé[19]. Un Allemand qui avait été en poste à Lublin aura une phrase mémorable là-dessus : « Les moineaux le chantaient sur les toits[20]. » L'épouse du lieutenant Brand a rapporté un incident mettant en scène un Allemand faisant effrontément état de son appétit de sang juif, qui montre à quel point on parlait librement du génocide :

> Un matin, je prenais le petit déjeuner avec mon mari au quartier, dans le jardin, quand un homme de sa section est arrivé, s'est signalé à notre attention et a dit : « Mon lieutenant, je n'ai pas encore eu mon petit déjeuner. » Mon mari l'a regardé d'un air interrogateur, et il a continué : « J'ai pas encore zigouillé le moindre Juif ! » C'était tellement cynique que j'ai aussitôt réprimandé l'homme avec indignation, avec des mots durs, et même, si je me souviens bien, en le traitant de « vaurien » *[Lumpen]*. Mon mari a fait partir l'homme, puis il m'a fait des reproches, disant que ce que j'avais dit pourrait m'attirer de gros ennuis[21].

Aux yeux des agents du génocide en général, et des hommes du 101e bataillon de police en particulier, il n'y avait aucun inconvénient à ce que les femmes fussent au courant de tout, sans quoi ces Allemands n'auraient pas laissé tant de femmes assister aux violentes persécutions et aux massacres de Juifs. Certains trouvaient néanmoins choquant que des femmes fussent les témoins directs de ces horreurs. Comme les soldats de bien des époques, qui auraient été furieux si on avait laissé les femmes les suivre sur le champ de bataille, les hommes du 101ᵉ bataillon pensaient que c'était une affaire d'hommes, et qui ne convenait pas, en tout cas, à des femmes enceintes : comme des soldats, ils pouvaient tout à la fois trouver à redire à la présence des femmes et ne pas avoir honte de leurs actes de combattants au service de la nation.

Cette franchise des Allemands à propos de leurs massacres, dont ils rendaient volontiers spectateurs d'autres Allemands, hommes et femmes, présents à ce moment-là en Pologne montre, *à l'évidence*, que les agents du génocide approuvaient leur action historique, ou même en étaient fiers. Après la guerre, ils ne se feront pas faute de nier cette approbation, mais rien ne démontre mieux la fausseté de ces dénégations, et prouve même qu'ils étaient au contraire fiers de leurs actes, que les photographies prises par les Allemands du 101ᵉ bataillon pour conserver le souvenir de leur séjour en Pologne, et dont un certain pourcentage seulement, inchiffrable, est sorti de l'ombre. Leur désir de conserver un souvenir complet de leurs actes, meurtres compris, la mine réjouie, la fière attitude d'hommes parfaitement à l'aise dans leur environnement et leur métier qu'ils arborent face à l'objectif, sont une preuve évidente qu'ils ne se voyaient pas eux-mêmes comme les auteurs d'un crime, à plus forte raison du plus grand crime du siècle. La photo n° 17 nous montre ce que les Allemands célébraient : leur mépris actif à l'endroit des Juifs, le refus de leur reconnaître la moindre valeur humaine. Elle est exemplaire de la façon dont les Allemands utilisaient les Juifs, ces morts sociaux, pour leur propre satisfaction[22].

Des preuves photographiques, comme ce cliché, en disent souvent plus long que bien des témoignages verbaux. Certains mots, pourtant, peuvent accroître encore la force de ces preuves visuelles, ceux, par exemple, que cet Allemand à la mine avantageuse a écrits au revers de cette image déjà si révélatrice : « Il faut qu'il travaille, mais il doit être rasé de près avant » *(Arbeiten soll er, aber Rasirt [sic] muss er sein)*. L'Allemand en question ne se contentait pas de commémorer l'événement, il y ajoutait son commentaire ironique[23]. Humilier les Juifs en leur coupant la barbe était une pratique commune chez les Allemands de l'époque. Elle était ici doublement symbolique ; elle démontrait l'absolue maîtrise de l'Allemand photographié sur le Juif : celui-ci, un adulte, n'avait pas d'autre choix que l'immobilité tandis que l'autre exprimait sa souveraineté sur son propre corps en lui coupant la barbe, symbole de son statut masculin. De plus, en la faisant fixer sur la pellicule, le bourreau s'assurait que cette profanation de la personne de sa victime serait étalée aux yeux d'autres spectateurs dans la suite des temps. Cet acte simple disait sans équivoque, à l'Allemand, au Juif, à tous les témoins, sur le moment ou plus tard, que le pouvoir du « barbier » sur sa victime était virtuellement sans limites. Cet acte, et l'amusement qu'il procurait à d'autres, disent tout de l'état d'esprit des « maîtres » face à des êtres socialement morts, et notamment dans ces moments où ils les marquaient physiquement pour leur faire bien comprendre qu'aucun statut social ne leur était reconnu[24]. Quel meilleur moyen pour un homme que d'étaler aux yeux de ses enfants et de ses petits-enfants ses hauts faits au cours de la grande guerre menée pour la survie du *Volk* allemand ? Le second aspect symbolique de l'acte était dans le choix de la barbe, qui ne relevait pas du hasard. Tout comme le lieutenant Gnade sélectionnant les vieux Juifs barbus pour les faire ramper avant le massacre de Lomazy, tout comme les hommes du 309e bataillon de police mettant le feu à la barbe des Juifs à Bialystok, tout comme les innombrables Allemands qui, au cours de l'Holocauste, coupaient de leur propre chef les barbes des Juifs, l'homme ici photographié entendait priver sa victime juive de ce symbole de la fécondité luxuriante que les Allemands attribuaient au peuple juif.

Les photos que les Allemands du 101e bataillon prenaient comme souvenirs de leur travail en Pologne étaient généreusement distribuées dans toute l'unité. Ce n'étaient pas des souvenirs privés, furtivement enregistrés et conservés par des individus : la distribution, le partage de ces photos avec d'autres transformaient en célébration, en fête, l'approbation que le bataillon tout entier donnait au travail exécuté. « J'ai une remarque à faire à propos de ces photos. Elles étaient suspendues contre un mur et tous ceux qui le voulaient pouvaient en commander un tirage. Moi aussi, j'en ai eu certaines par ce moyen, bien que je n'aie pas participé aux événements qu'on voit sur ces photos. Si mes souvenirs sont exacts, la plupart de ces photographies ont été prises par un administratif de la compagnie[25]. » C'est comme si l'on avait dit : « Nous vivons un grand moment. Tous ceux qui veulent avoir un souvenir de ces hauts faits peuvent en commander un tirage. » On pense à des touristes achetant des cartes postales ou demandant à leurs amis de leur réserver un tirage des photos qui conservent le souvenir d'une vue splendide ou de scènes mémorables d'un agréable voyage.

Les photographies prouvent deux choses. D'une part, les hommes étaient désireux d'orner leurs albums personnels de souvenirs des opérations de génocide. Ensuite leur contenu même est révélateur. Ces images prises à Lomazy et ailleurs sont une invitation à mettre en question l'idée, dominante, que ces Allemands auraient été des meurtriers malgré eux, effrayés, contraints, hostiles ou horrifiés, de gens qu'ils considéraient comme innocents. Au contraire, certaines de ces photos présentent des hommes qui ont l'air calme et heureux, d'autres qui prennent une pose fière ou joyeuse au moment même où ils maltraitent des Juifs. Difficile de voir dans ces photos des hommes qui jugeaient leurs actes criminels.

Et pourtant, les photos dont on a parlé jusqu'ici, si éloquentes qu'elles soient, sont presque muettes si on les compare à deux autres. La première a été prise à Radzyn, entre la fin août et octobre 1942, période où le bataillon procédait à plusieurs massacres collectifs et opérations de déportation. Elle immortalise un groupe d'officiers de l'état-major du bataillon et de la 1re compagnie assis, dehors, autour d'une longue table, en compagnie de deux des épouses d'officiers, Frau Brand et Frau Wohlauf. On boit, l'atmosphère semble à la convivialité. Frau Wohlauf arbore un grand sourire : à l'évidence, le moment est agréable.

La seconde photo, prise à Czermierniki dans les six derniers mois de 1942, est celle d'une vraie fête. On y voit une quinzaine d'hommes de la section du lieutenant Oscar Peters (3e compagnie), un verre à la main, large sourire aux lèvres, qui semblent chanter, accompagnés par un violon. Sur le mur, derrière, une chanson écrite à la main, à l'évidence composée par eux-mêmes :

Parole für Heute
Jetzt gehts los im Trapp
Und alles fühlt sich Wohlauf

Avant d'en lire une traduction, le lecteur doit savoir qu'elle contient deux jeux de mots : l'un sur le nom du commandant du bataillon, Trapp, qui signifie aussi « au trot, d'un bon pas », l'autre sur le nom du capitaine Wohlauf, qui signifie « en bonne santé, en forme ».

Mot d'ordre pour aujourd'hui :
On y va d'un bon pas
Et tout le monde se sent en forme.

En jouant sur les mots, les hommes du bataillon disaient leur état d'esprit. Loin de maudire les noms des deux officiers qui les envoyaient tuer les Juifs, ces hommes les célébraient. Ces hommes, dont la vie était vouée aux massacres, aux opérations « chercher-détruire », se sentaient en pleine forme[26].

Les lieux où ces agents du génocide se retrouvaient entre eux n'étaient pas seulement couverts de photos épinglées sur les murs, ils bruissaient aussi de conversations sur les massacres. Les hommes du 101e bataillon de police n'ont pas raconté grand-chose des propos échangés entre eux à l'époque. Mais si nous nous tournons un instant vers ceux du 25e régiment de police, qui faisaient les mêmes opérations qu'eux, nous découvrons un fait intéressant : ses officiers y parlaient souvent, et sur un ton approbateur, des massacres commis : « ... Je sais que le commandant de la compagnie, tout comme les autres officiers du régiment, qui était alors stationné à Lublin, parlaient au club des officiers des fusillades auxquelles ils avaient procédé [...] Les jeunes officiers en parlaient beaucoup. Ils considéraient que ce qu'ils faisaient en Pologne était la guerre, et que ces tueries étaient autant d'actes d'héroïsme[27]. » Ces Allemands étaient à ce point possédés par leurs fantasmes antisémites qu'ils voyaient des combattants en guerre contre l'Allemagne dans ces Juifs de la région de

Lublin si manifestement inoffensifs, sans armes, cette population prostrée, abandonnée de tous, et docile à toutes les exigences allemandes. En massacrant les Juifs, ces guerriers idéologiques croyaient accomplir de hauts faits. Même si la déposition d'après-guerre citée ci-dessus ne se réfère pas au 101ᵉ bataillon mais à des officiers du 25ᵉ régiment, elle suggère parfaitement l'atmosphère d'approbation qui régnait dans toutes les unités. Le témoin en question, qui avait commandé la police d'Ordre à Lublin de juillet 1940 à juillet 1944, répétait que les officiers « parlaient sans arrêt des fusillades et en étaient plutôt fiers [28] ».

On ne saurait douter que les hommes du 101ᵉ bataillon de police parlaient entre eux des massacres. L'employé administratif de la 1ʳᵉ compagnie, par exemple, a raconté qu'au retour des opérations les hommes le tenaient régulièrement informé du détail de leur ouvrage [29]. Beaucoup ont raconté qu'ils avaient parlé de leur colère en constatant la présence de Frau Wohlauf sur la place du marché à Miedzyrzec : l'épisode montre qu'il y avait discussion à voix haute, jugement moral et sévère critique des supérieurs [30]. Sans doute, dans leurs dépositions d'après-guerre, aucun n'a dit explicitement que le génocide et ses cruautés annexes faisaient l'objet d'une approbation générale (ce qui n'est pas surprenant puisqu'ils auraient risqué gros à le déclarer devant le juge), mais les milliers de pages de ces dépositions n'autorisent nullement à conclure que ces hommes avaient désapprouvé le génocide dans son principe. C'est même le contraire : les récits faits par ces hommes des conversations qu'ils avaient sur le terrain laissent entendre qu'ils approuvaient, dans leur principe, le génocide et leurs propres actes [31]. L'un d'eux, par exemple, a évoqué l'atmosphère allègre et facétieuse d'un repas succédant à une tuerie : « Au déjeuner, certains camarades se sont amusés *[machten lustig]* à raconter des détails de l'opération. A les entendre, je comprenais qu'ils avaient participé à une fusillade. Et je me souviens d'une plaisanterie particulièrement grossière de l'un d'eux, qui a eu le culot de dire que ce qu'on était en train de manger, c'était de la “cervelle de Juif”. La remarque était si répugnante que je l'ai aussitôt réprimandé et qu'il s'est arrêté. Les autres, qui avaient ri de cette plaisanterie, à mon sens atroce, se sont aussi arrêtés de rire [32]. » La déposition d'un ancien membre de la 2ᵉ compagnie montre clairement que ces conversations sur les tueries et les brutalités étaient fréquentes : « Le soir, au quartier, on racontait souvent des histoires de terribles violences commises contre les Juifs, où la 1ʳᵉ compagnie était censée s'être particulièrement distinguée. Dans cette compagnie, il y avait un certain « Gros » Raeder qu'on appelait aussi *Schläger* (Tape-dur), connu pour la brutalité avec laquelle il traitait les Juifs et les Polonais [33]. »

Il faudrait évidemment savoir sur quel ton, et avec quel genre d'émotion ces hommes faisaient ces récits, et comment ils étaient reçus. Les documents dont on dispose tendent à montrer que ces conversations publiques régulières étaient l'occasion d'échange de plaisanteries, dans un climat d'approbation générale. Même si la 1re compagnie avait fait preuve d'une cruauté particulière, les activités où elle se serait « distinguée », selon le témoignage cité plus haut, étaient aussi celles des autres. Il y a donc de fortes chances que ceux qui auraient commis de tels excès au sein de la 2e compagnie se soient également réunis pour en parler et évoquer ceux des autres. Qui plus est, les hommes de la 2e compagnie devaient avoir eux-mêmes commis les brutalités dont ils parlaient entre eux, car les trois compagnies étaient le plus souvent stationnées dans des lieux différents, si bien que chaque compagnie, pour alimenter ses conversations, devait se référer à sa propre expérience. A l'évidence, les hommes du 101e bataillon commettaient de nombreuses violences. Si ces conversations du soir ne s'étaient pas déroulées dans une atmosphère générale d'approbation, si certains des hommes présents avaient répliqué à ces récits en faisant connaître leur opposition de principe aux massacres et aux brutalités contre les Juifs, ils l'auraient sans aucun doute mentionné dans leurs dépositions d'après-guerre : le silence des hommes sur ce point est presque aussi révélateur que l'aurait été une confession où ils se seraient accusés eux-mêmes[34].

Qu'ont dit les hommes du 101e bataillon de police de leur attitude à l'égard du génocide ? Le lieutenant Buchmann, celui qui avait refusé de participer aux fusillades, expliquait ainsi ce qui l'avait conduit à demander une exemption alors que ses camarades officiers ne le faisaient pas : « J'étais un peu plus vieux que les autres, et, de plus, officier de réserve. Je n'avais nullement l'intention de chercher une promotion ou autre distinction, parce que j'avais dans le civil une affaire très prospère. Ceux qui commandaient la compagnie, Wohlauf et Hoffmann, étaient jeunes, ils étaient des officiers d'active, ils aspiraient à devenir quelqu'un. L'expérience acquise dans mes affaires, qui m'avaient amené à voyager à l'étranger, me donnait une meilleure compréhension des choses. En plus, en raison de mes affaires, j'avais connu de nombreux Juifs[35]. » Buchmann avait beau parler du carriérisme des deux autres officiers, et déclarer ne rien vouloir dire qui pût nuire à d'autres[36], il livrait sans le vouloir leur vraie motivation et éclairait la différence cruciale entre son attitude et la leur : sa « meilleure compréhension des choses », c'était la conscience qu'ils étaient en train de commettre des crimes. A la base de cette « compréhension », dont il disait implicitement qu'elle était exceptionnelle pour l'époque, il y avait ses voyages à l'étranger et ses relations d'affaires avec des Juifs. En résumé, il avait une vision différente des Juifs. Ce disant, il reconnaissait implicitement que ses camarades officiers étaient mus par l'antisémitisme régnant, qui était à l'origine de toute la politique d'extermination.

Que ce lieutenant, comme il le déclarera, ait eu une attitude fondamentalement différente de celle des autres à l'égard du massacre collectif des Juifs est confirmé par d'autres hommes du bataillon. Le réserviste qui assurait l'administration de la 1re compagnie l'a décrit lui aussi comme une exception, ajoutant que ni lui ni ses camarades ne croyaient que leurs officiers, notamment le capitaine Wohlauf, tuaient les Juifs à contrecœur. Alors que le lieutenant Buchmann était opposé à ces massacres et les déplorait souvent publiquement, les autres officiers ne montraient aucune sympathie pour sa position, même s'ils acceptaient de le voir exempté [37]. En une occasion, alors que le lieutenant se trouvait momentanément sous les ordres d'un officier des forces de sécurité de Lukow, et non plus de Trapp, il semble qu'il se soit senti obligé de céder à la pression, malgré son opposition de principe, et de prendre la direction de son groupe pour une opération consistant à escorter des Juifs jusqu'à un endroit choisi et à les y fusiller [38]. Mais, par chance pour lui, il était très rare que des éléments du bataillon fussent placés sous un commandement extérieur. Sous les ordres de l'indulgent Trapp, lui et quelques autres n'étaient soumis à aucune pression. Si le lieutenant Buchmann ne tuait pas, c'est parce qu'on n'exerçait aucune pression sur lui. Mais si les autres tuaient, c'est que la pression n'était pas nécessaire.

Les deux traits les plus significatifs du comportement du 101e bataillon de police sont, d'une part, le fait que les hommes se portaient sans cesse volontaires pour tuer, d'autre part, que presque personne ne profitait de la possibilité donnée par le commandant de se faire exempter. L'un des Allemands de la 2e compagnie l'a dit clairement : « On pouvait parfaitement se faire exempter d'exécution si on le voulait [39]. » Et cela n'était pas une interprétation personnelle, car le lieutenant Buchmann dira de son côté : « Je me souviens que, de temps en temps, avant les opérations, on demandait aux hommes s'il y en avait parmi eux qui ne sentaient pas chauds pour la tâche à venir. Quand quelqu'un répondait affirmativement, on lui confiait d'autres choses à faire [40]. » A propos du massacre de Jozefow, un autre homme de la 2e compagnie, Erwin Grafmann, déclarait : « Dans tous les cas, on pouvait soit se porter volontaire, soit demander à ne pas participer si on ne se sentait pas chaud pour ça [41]. » La répulsion à tuer que certains Allemands ont pu manifester à l'occasion était viscérale et non pas éthique : la tâche était souvent désagréable, on ne se sentait pas toujours « chaud ». La décision de tuer ou de ne pas tuer était affaire de goût, non de principe.

Dans sa déposition, un autre tueur confirmait, par inadvertance, que ni lui ni aucun autre ne considérait que ceux qui se faisaient exempter le faisaient par rejet idéologique ou éthique du génocide : « Quand on me pose la question de savoir pourquoi j'ai participé aux fusillades, je réponds que personne n'a envie d'être considéré comme un lâche [42]. » Ce serait donc la crainte d'être traité de lâche qui aurait empêché certains de se faire exempter : le seul sens de cette déclaration est qu'il régnait un consensus inentamable sur le caractère justifié de ces meurtres. Car juger que quelqu'un est un lâche, un être psychologiquement faible affligé d'une constitution inférieure, présuppose que tout le bataillon était d'accord sur ce qu'on lui demandait de faire. D'ailleurs, peu avant le premier massacre, celui de Jozefow, Gnade avait terminé son discours aux hommes de sa compagnie en leur disant : « N'allez pas être faibles[43] ! » Être lâche, « faible », c'est seulement ne pas être assez courageux ou pas assez ardent pour mener à bien la tâche qu'on voudrait pourtant voir accomplie. Mais si quelqu'un n'est pas favorable à un acte, alors le fait qu'il ne l'accomplisse pas renvoie à son opposition à cet acte, et non à sa lâcheté ou à sa faiblesse[44]. Les pacifistes, ceux qui par principe s'opposent à la guerre, ne sont pas des lâches. Il est bien remarquable que les hommes du 101ᵉ bataillon n'aient jamais dit que ceux qui se faisaient exempter couraient le risque d'être traités d'« amis des Juifs » *(Judenbegünstiger)*, c'est-à-dire d'opposants de principe à de tels actes. A aucun moment, ni sur le terrain, ni après la guerre, un telle possibilité n'a été envisagée. Elle l'aurait certainement été si une solidarité à l'égard des Juifs avait existé dans le bataillon et si celle-ci avait été un motif possible d'action, ou même s'il avait été simplement possible d'envisager que les hommes du 101ᵉ bataillon aient pu penser qu'une opposition de principe au massacre des Juifs était ce qui motivait le refus de participer à ces massacres. Mais le climat idéologique était tel à l'intérieur du bataillon qu'aucun homme, dans sa déposition d'après-guerre, ne mentionne un quelconque reproche fait à quelqu'un d'être un « ami des Juifs ».

Également révélatrice est la maigre justification du massacre avancée par Trapp, dans son discours devant tout le bataillon réuni avant la tuerie de Jozefow : les femmes et les enfants allemands qui mouraient dans les bombardements alliés justifiaient l'extermination totale des malheureuses communautés juives de Pologne, prostrées, vivant dans un pays vaincu à des centaines de kilomètres des villes bombardées. Cette justification n'aurait eu aucun sens, et aurait était prise pour la « logique » d'un fou par toute personne ne partageant pas le credo antisémite éliminationniste des nazis, dont un article de foi était la capacité démoniaque des Juifs à atteindre leur but de loin, avec des effets puissamment destructeurs. Rappeler les pertes civiles dues aux bombardements était une manière d'activer chez ces Allemands le modèle cognitif à l'endroit des Juifs, de leur rappeler la nature des Juifs, et non pas de gagner d'éventuels opposants à une conception des Juifs qu'ils ne partageaient pas jusque-là. Le fait que cette justification était pleine de sens pour les hommes du 101ᵉ bataillon est encore mieux prouvé par leur silence à ce sujet : aucun, dans sa déposition, n'a dit qu'il jugeait l'argument insensé, aucun n'a déclaré qu'il n'avait vu à l'époque aucune relation de cause à effet entre la mort de civils allemands et le besoin de tuer les Juifs, ni aucune sorte de relation organique entre les bombardements alliés et le génocide.

Les règles appliquées pour les « chasses aux Juifs » et pour la formation des pelotons de tueurs dans le cas des grands massacres étaient inhabituelles pour des forces de sécurité de ce type, et elles sont donc intéressantes : on ne prenait que des volontaires. Les officiers savaient que c'étaient des tâches désagréables, et il était donc raisonnable de laisser chacun décider s'il se sentait l'envie d'y participer ou non. Deux raisons à cette méthode. La première, c'est que les officiers savaient bien que toute répugnance à participer aux exécutions tenait au caractère horrible de l'opération et non à une quelconque opposition morale de principe. Les officiers avaient le souci de leurs hommes. Et aucun document disponible ne montre qu'un homme du 101e bataillon désireux de se faire exempter était considéré comme défiant, au nom d'un principe, l'ordre moral allemand, le régime, l'un de ses plus importants projets. Si cela avait été le cas, les officiers n'auraient pas laissé à leurs hommes le soin de décider s'ils allaient ou non participer à ce qui était la principale activité du bataillon en Pologne.

La seconde raison pour laquelle les officiers s'en remettaient à des volontaires était la certitude que le travail serait quand même exécuté. Dans sa déposition, un des hommes de la 2e compagnie déclarait : « Il est vrai qu'il y avait toujours assez de volontaires pour les exécutions. Moi aussi, j'ai été une fois ou deux volontaire pour les exécutions, surtout pour des petites opérations de la section [45]. » Nombre de ses camarades ont confirmé que les volontaires étaient faciles à trouver, dont cet autre : « Avant tout, j'affirme catégoriquement que, chaque fois qu'un supérieur le demandait, il y avait assez de volontaires pour les pelotons d'exécution. C'était aussi le cas à Jozefow. J'ajoute même qu'il y avait tant de volontaires que tous ne pouvaient pas être pris [46]. » Le premier de ces deux hommes, Grafmann, est l'un des rares à avoir demandé à être exempté, au milieu de l'opération de Jozefow, parce qu'il ne pouvait plus supporter l'horreur de cette tuerie en face à face. Comme le montre sa déposition, et le fait que, par la suite, il se soit porté volontaire pour d'autres fusillades, sa requête ne relevait pas d'une opposition morale au massacre des Juifs [47]. Grafmann semble être l'exemple même du tueur qui éprouve quelques difficultés au début, en raison de l'horreur des tueries, et qui décide ensuite librement de participer de nouveau aux massacres. Se porter volontaire pour les fusillades était la norme dans ce bataillon comme dans bien d'autres [48].

L'exemple du lieutenant récalcitrant, Buchmann, était pour tout le bataillon la démonstration puissante que l'on pouvait refuser de tuer sans s'exposer à des ennuis. Du commandant du bataillon jusqu'aux sous-officiers, toute la hiérarchie montrait qu'elle comprenait parfaitement que l'homme du rang pût avoir peu de goût à accomplir ces tâches-là. L'un d'eux l'a dit en commentant l'offre qui leur avait été faite par Trapp : « Ça ne demandait pas un courage particulier de se détacher des rangs [49]. » Mais imaginons que, malgré ces possibilités officielles d'être dispensé, malgré la possibilité de ne pas se porter volontaire pour tuer des Juifs, certains des hommes aient hésité à déclarer leur peu de goût pour ces tâches et n'aient donc pas demandé à être dispensés ou aient refusé de se porter volontaires à de fréquentes reprises (ce qui finirait par être trop voyant), imaginons que, tout en jugeant le génocide comme un crime monumental, leur volonté ait été si faible qu'ils préféraient quand même être des agents de ce génocide, assister et participer à ces scènes épouvantables qu'étaient les rafles et les exécutions : ils avaient encore la possibilité de faire ce que le lieutenant récalcitrant a fait, demander à être muté. Le lieutenant Buchmann écrivit en effet au chef de la police de Hambourg pour lui faire part de son opposition aux exécutions et lui demander d'être affecté à Hambourg. Sa demande fut acceptée [50]. Même, on ne lui tint pas rigueur de ce refus, puisqu'il fut ensuite promu à un rang supérieur et qu'on lui donna un poste de confiance à l'état-major du chef de la police de Hambourg [51].

Comme c'est généralement le cas dans les forces militaires ou de police, des procédures de mutation volontaire existaient dans la police d'Ordre, et certains de ses hommes en ont profité. En février 1940, par exemple, deux hommes du 102e bataillon, lui aussi formé à Hambourg, demandèrent à être mutés dans leur ville d'origine et obtinrent satisfaction : l'un d'eux venait de perdre son père, et il ne restait plus que sa mère âgée pour s'occuper de leur lopin de terre. Dans le cas du second, l'état cardiaque de sa femme fut jugé une raison valable. En août de cette année-là, un autre homme vit sa demande de mutation acceptée, au motif qu'une de ses jambes gonflait et le faisait souffrir dans les longues marches [52]. Ces procédures de mutation existaient, et la police d'Ordre semble avoir été assez libérale. Il y a aussi un autre point à considérer si nous voulons évaluer les possibilités qu'avaient ces hommes d'échapper aux opérations meurtrières : parfois, des offres de mutation venaient de l'autorité supérieure elle-même. Nous avons une documentation sur un appel aux volontaires diffusé dans les trois bataillons du 25e régiment de police et dans le 53e bataillon de police : on recherchait des policiers d'active, jeunes, et appartenant aux sections de transports et communications, volontaires pour un stage de formation dans une nouvelle « compagnie de communications » à Cracovie. La proposition arriva en décembre 1942, alors que toutes les unités étaient déjà plongées dans les massacres. Deux hommes du 101e bataillon se portèrent volontaires et furent mutés [53]. Pourquoi tous les hommes qualifiés du bataillon n'ont-ils pas fait la même demande ? Aucun document n'atteste qu'en dehors de ces deux hommes d'autres membres du bataillon aient présenté des demandes de mutation, ni de leur propre chef, ni pour répondre à une proposition officielle, pendant cette période de massacres. Après la guerre, tous jureront leurs grands dieux qu'ils n'approuvaient pas ces tueries, qu'ils auraient voulu les éviter, mais pratiquement aucun d'entre eux ne *prétendra* qu'il avait demandé sa mutation [54].

Un autre aspect de la vie de ces hommes demande à être pris en compte. Pendant toute la période où ils étaient des agents du génocide, les hommes du 101e bataillon avaient des permissions de plusieurs semaines et rentraient chez eux [55]. Certains ont dit qu'ils avaient ordre de ne pas parler de l'extermination des Juifs pendant ces permissions, mais d'autres ont assuré ne pas avoir reçu pareille instruction. Ainsi le lieutenant Kurt Drucker reconnaît-il que, « à l'occasion d'une permission, il avait parlé des événements avec des amis[56] ». Quelles que fussent leurs instructions (elles pouvaient varier d'une compagnie à l'autre), les hommes du bataillon ont été presque toujours muets, après la guerre, sur la question de savoir s'ils en avaient parlé ou non à leurs amis et à leurs proches pendant leurs permissions. S'ils avaient été convaincus que le génocide était un crime, et si, en permission chez eux, ils avaient envisagé avec dégoût l'idée d'avoir à affronter de nouveau ces violences et ces tueries injustifiables, comment avaient-ils pu se résoudre à revenir en Pologne ? Une fois rentrés à Hambourg ou à Brême, comment des opposants aux tueries n'auraient-ils pas été liquéfiés d'horreur à l'idée de revenir vers ces épouvantables massacres collectifs ? La question n'est pas de savoir si l'on pouvait attendre d'eux une désertion (mais on signalera qu'à notre connaissance il n'y a eu aucun cas de ce genre) avec tous les risques afférents. Le vrai problème, c'est que le répit de ces permissions aurait dû être, pour des gens qui auraient vraiment vu dans ces opérations un meurtre de masse (et non pas une extermination justifiée), l'occasion d'une réflexion plus profonde sur leur situation et les options qu'ils avaient. Ils étaient au cœur de leur famille, loin de la pression sociopsychologique qu'implique le fait, pour des individus, de vivre dans une institution vouée au génocide. Ils savaient quelles horreurs les attendaient à leur retour en Pologne. Alors, pourquoi ne pas se décider à demander une mutation ? Pourquoi n'ont-ils pas fait appel à toutes les ressources qu'ils pouvaient avoir chez eux (parents, amis, relations susceptibles d'avoir des contacts en haut lieu) pour les aider à échapper à cette épouvantable affectation ? Si les hommes du 101e bataillon de police avaient fait des efforts pour s'arracher au génocide, ils n'auraient pas manqué d'en faire état après la guerre. On les entendra dire, après coup, qu'ils auraient souhaité ne pas avoir à tuer, mais l'argument n'est guère convaincant dans la bouche de gens qui sont interrogés par un juge sur leur participation à un génocide. Malgré leur puissant désir de se disculper, il n'y aura qu'un seul homme du bataillon, en plus du lieutenant Buchmann, pour dire qu'il avait fait ce que l'on devait précisément attendre d'un adversaire du génocide, c'est-à-dire qu'il avait cherché à se faire muter : il avait demandé à sa femme d'écrire aux autorités de la police de Hambourg pour dire qu'elle était incapable d'élever ses enfants (huit à l'époque) sans son assistance, et il fut muté à Hambourg quelques mois plus tard[57]. Aucun autre homme du bataillon n'a dit plus tard pour sa défense, que, pendant sa permission, il avait fait connaître à sa famille ou à ses amis son souhait de sortir de là, ni qu'il avait fait la moindre tentative pour se libérer de ces tâches meurtrières, ce qui montre une fois de plus qu'ils ne désapprouvaient pas le génocide.

Il y a eu chez les Allemands une « culture de la cruauté » à l'endroit des Juifs, qui, dans le cas de ce bataillon, ne peut être prouvée, documents à l'appui, aussi massivement que pour d'autres institutions du génocide : peu de Juifs ont survécu aux opérations que le bataillon a menées, et il faut donc s'en remettre à ces Allemands pour parler de leur propre violence, et donc s'accuser eux-mêmes, ce qu'ils n'avaient évidemment pas envie de faire. De plus, les juges d'instruction de la République fédérale d'Allemagne cherchaient rarement à connaître les violences autres que les assassinats, puisque, à l'époque de leur enquête, tous les crimes autres que les meurtres étaient prescrits : un Allemand d'un bataillon de police pouvait avoir battu, torturé ou mutilé un Juif, s'il n'y avait pas eu mort d'homme, il ne pouvait plus être poursuivi. Néanmoins, il nous reste suffisamment de preuves documentées de cette « culture de la cruauté » des hommes du 101e bataillon.

Ces Allemands ne faisaient aucun effort pour épargner à leurs victimes des souffrances inutiles, et les documents montrent même que la question ne les a jamais préoccupés. L'ensemble du processus de destruction d'une communauté juive – de la violence des rafles aux souffrances infligées aux Juifs sur les lieux de rassemblement (contraints de rester assis, accroupis ou allongés sans bouger pendant des heures, en plein soleil, sans eau ni nourriture) jusqu'aux méthodes d'exécution, à Lomazy par exemple – prouve combien les Allemands supportaient aisément ces sévices infligés à leurs victimes, quand ils ne s'empressaient pas de les infliger eux-mêmes. Les rafles auraient pu ne pas être ces débauches de violence sauvage : les Allemands n'étaient pas obligés d'inspirer une pareille terreur à leurs victimes et de laisser tant de cadavres, parfois des centaines, dans les rues. Quand les Juifs attendaient que les Allemands les escortent dans les bois environnants pour les y fusiller, ou les entassent dans les wagons de marchandises, il n'aurait pas été difficile aux Allemands de leur distribuer un peu d'eau, de les laisser bouger un peu, au lieu de les abattre dès qu'ils se relevaient. Bien des hommes du bataillon l'ont dit dans leur déposition : il était évident à leurs yeux que cette attente était pour les Juifs une terrible et inutile souffrance. Enfin la cruauté déployée par les Allemands dans les fusillades, les coups de matraque ou de fouet pour les faire sortir de leur maison ou les entasser dans les wagons sont suffisamment éloquents en eux-mêmes. Parce que ces sévices et ces cruautés étaient devenus partie intégrante des opérations de « nettoyage » des ghettos, et aussi parce que l'objectif lui-même, l'extermination de tout un peuple, est si horrible qu'il tend à éclipser les crimes « mineurs », on a tendance à les oublier quand on fait le compte des violences allemandes pour apprécier l'attitude des tueurs. Pourquoi les opérations de meurtres ne se faisaient-elles pas « dans l'ordre », pourquoi n'évitait-on pas les exécutions publiques d'enfants, les coups de fouet, et toutes les humiliations symboliques ?

A cette routine barbare des opérations, à cette violence délibérée et inutile à tous les stades de l'extermination des ghettos, s'ajoutaient les violences infligées gratuitement aux Juifs par des Allemands ou leurs acolytes, les Hiwis : ainsi, lors de l'une des opérations de déportation de Miedzyrzec, les Hiwis, influencés à l'évidence par la brutalité des Allemands, accablèrent les Juifs de coups de fouet. Les Allemands, qui avaient pleine autorité sur les Hiwis, les autorisaient à commettre contre les Juifs, en public, toutes les brutalités qu'ils voulaient, et parfois même les y encourageaient, si bien qu'il faut prendre en compte les violences perpétrées par les Hiwis quand on étudie le traitement réservé aux Juifs par les Allemands. Ce qui s'est passé sur la place du marché de Miedzyrzec lors de la dernière vague de déportation des Juifs de la ville en est un exemple. Les Allemands avaient obligé les Juifs à s'asseoir par terre, entassés les uns sur les autres (la photographie n° 18 représente une scène identique photographiée lors d'une autre opération à Miedzyrzec), et les Juifs priaient et pleuraient, ce qui faisait beaucoup de bruit, au grand déplaisir de leurs maîtres allemands : « De temps en temps, les Hiwis donnaient aux gens des coups de crosse, pour les obliger à se taire. Les hommes du SD avaient des fouets à nœuds, comme ceux dont on se sert pour les chevaux. Ils parcouraient les rangées de Juifs entassés les uns sur les autres et distribuaient de violents coups[58]. » Les hommes du 101e bataillon de police n'entendaient pas être en reste sur leurs acolytes ukrainiens. Mais bien qu'ils aient eux aussi humilié et torturé les Juifs de Miedzyrzec de la manière la plus délibérée, la plus gratuite, ils seront muets là-dessus dans leurs dépositions. Les survivants, eux, raconteront une histoire des plus révélatrices. Tous affirmeront que les Allemands avaient été d'une brutalité incroyable, et que leur cruauté gratuite tournait parfois à la compétition sadique. Sur la place du marché, les Juifs, obligés de rester par terre pendant des heures, furent victime d'insultes *(khoyzek gemacht)* et de coups de pied, et certains Allemands organisèrent un « jeu » *(shpil)* : ils « jetaient des pommes en l'air, et celui sur qui elle retombait était tué ». Le jeu continuera à la gare, cette fois avec des bouteilles d'alcool vides : « Les bouteilles étaient jetées en l'air au-dessus des Juifs et celui qui était touché par la bouteille était sorti de la foule et battu sous les éclats de rire. Certains de ceux qui venaient d'être ainsi roués de coups *(tseharget)* étaient alors abattus ». Ensuite, morts et vivants furent entassés dans les wagons de marchandises à destination de Treblinka. La photo n° 19 est celle de ce moment-là : les femmes épouvantées, leurs enfants dans les bras, pressées par les Allemands (on devine comment), s'engouffrent dans l'obscurité du wagon, d'où tous ne sortiront que pour être gazés. L'Allemand qui est le plus proche d'elles, non identifié, marche d'un pas menaçant, un fouet à la main.

Rien d'étonnant si, contrairement à l'image qu'ils donneront d'eux-mêmes dans leurs dépositions édulcorées, ces Allemands ordinaires étaient, aux yeux de leurs victimes, bien plus que de simples assassins, et certainement pas des tueurs réticents, contraints d'accomplir leur tâche malgré leur opposition au génocide : pour les victimes, c'étaient « des fauves à deux jambes », « assoiffés de sang »[59].

Les rapports du bataillon ne parlaient que rarement des victimes torturées, de tous ces coups de crosse gratuits sur la tête des Juifs, mais les documents dont on dispose font comprendre que les tortures infligées aux Juifs de Miedzyrzec et de Lomazy (où les Juifs barbus furent battus et obligés à ramper jusqu'à la fosse des tueries) n'étaient pas de rares exceptions. Bien que les hommes du 101e bataillon de police soient restés muets sur les cruautés infligées aux Juifs de Lukow, voués à la déportation, l'un des hommes de la *Gendarmerie* stationnée à Lukow a raconté ce qu'il avait vu des fenêtres de son bureau : « [Les Juifs] étaient conduits par les policiers. Je pouvais les voir donner des coups de bâton aux Juifs qui tombaient. C'était un spectacle secouant. Ceux qui ne parvenaient pas à se relever étaient sortis du rang par les policiers. Les coups n'arrêtaient pas et les hommes d'escorte hurlaient sans arrêt *[lautstark angetrieben]* [60]... »

Les hommes du 101e bataillon ont parlé des cruautés des autres – Allemands du SD ou Hiwis – à Miedzyrzec, mais pas des leurs. Ils n'ont jamais dit qu'eux aussi avaient utilisé des bâtons ce jour-là, et pour quels ravages, bien que plusieurs d'entre eux eussent participé au « nettoyage » du ghetto. Certaines dépositions nous laissent deviner l'usage qu'ils en faisaient, même si la présence de tels instruments est rarement mentionnée. On parle de fouets à Jozefow, de bâtons à Lomazy (uniquement parce que celui qui dépose raconte l'épisode des Juifs barbus roués de coups) et de fouets encore à Miedzyrzec, mais chaque fois, il n'y a qu'un ou deux hommes pour les évoquer. Aucun Allemand n'a dit qu'ils avaient utilisé des fouets à Lomazy. Tout ce que nous savons vient d'une photographie qui a réapparu, où l'on voit un fouet. De même, les hommes du 101e bataillon de police n'ont pas voulu raconter d'eux-mêmes les scènes de Lukow qu'illustrent les deux photos nos 20 et 20 *bis*.

Avant d'envoyer sept mille Juifs de Lukow à la chambre à gaz de Treblinka, les hommes du 101e bataillon décidèrent de tourner en dérision ceux que l'on voit sur ces photos nos 20 et 20 *bis*. Ils les obligèrent à revêtir leurs châles de prière, à s'agenouiller comme pour prier, et peut-être même à psalmodier leurs prières. La vue des objets et rituels religieux juifs provoquait chez ces Allemands qui « résolvaient la question juive » un rire moqueur, et les excitait à la cruauté : à leurs yeux, c'était incontestablement les accoutrements bizarres, les grotesques cérémonies, les mystérieux instruments d'une engeance démoniaque. L'Holocauste a été l'un des rares massacres de masse dont les auteurs, comme ici ces hommes du 101e bataillon, avaient l'habitude de se moquer de leurs victimes et de les contraindre à exécuter des bouffonneries avant de les envoyer à la mort. Ces poses fières et joyeuses des maîtres allemands (noter le visage épanoui sur la photo n° 20) en train d'humilier des hommes qui étaient pour eux les Juifs archétypiques en châle de prière (noter, sur la photo n° 20 *bis*, l'absence de chapeau, probablement arraché d'un coup de poing) sont incontestablement représentatives de bien des scènes d'humiliation publique et autres cruautés sur lesquelles les hommes du 101e bataillon de police sont restés muets, et auxquelles les Juifs qui auraient pu en témoigner n'ont pas survécu. Si nous ne tenions compte que des récits particuliers et précis faits par les hommes du bataillon, nous n'aurions qu'une esquisse de leurs actes, sous-estimant grossièrement les souffrances gratuites infligées aux Juifs, pour ne rien dire de leur évident entrain, parfois, à infliger ces violences à leurs victimes. Le commandant Trapp, tueur aux sentiments contradictoires, fit au moins une fois à ses hommes le reproche de leur cruauté. L'un des hommes a raconté que, en présence de tout le bataillon rassemblé après la sauvage première phase du massacre de Jozefow, il avait exprimé sa réprobation : « Si je me souviens bien, il a dit en substance qu'il ne pouvait pas accepter les mauvais traitements infligés aux Juifs *dont il avait été témoin* [c'est moi qui souligne]. Notre tâche était de tuer les Juifs, pas de les battre et les torturer[61]. » On notera que le commandant, selon le récit de cet homme, n'avait pas formulé une interdiction catégorique, mais une réprobation (Trapp était *nicht einverstanden*). Telle était la voix de l'autorité en la personne d'un officier allemand atypique cherchant à restreindre la cruauté qui venait de jaillir spontanément de ses hommes. Trapp, paraphrasant sans le vouloir un vers de Shakespeare – « On nous dira purificateurs, pas assassins[62] », – disait en quelque sorte à ses hommes : « Tuer oui, torturer non. » Bien en vain, car ses hommes persistaient dans la cruauté, comme le prouvent les opérations de Miedzyrzec et d'ailleurs, et toutes ces discussions entre hommes à propos des « horribles excès contre les Juifs », dont certains mêmes se vantaient[63].

Il n'est pas contestable qu'au sein du 101e bataillon différentes attitudes à l'égard du génocide ont coexisté. Même si, globalement, son principe était approuvé par tous, chacun abordait sa tâche destructrice avec des émotions qui lui étaient propres. Une typologie rapide permet de distinguer le tueur sadique, comme Gnade et Bekemeier ; le tueur zélé mais qui ne tient pas le coup, comme Hoffmann[64] ; l'exécuteur appliqué mais qui ne s'en vante pas, comme Grafmann ; le tueur qui approuve mais souffre, comme Trapp. Ce qui les différencie, c'est la quantité de plaisir qu'ils prenaient à tuer, et non le jugement porté sur la valeur morale de leur tâche. Les données disponibles ne nous permettent pas de savoir comment ces différents types se distribuaient dans le bataillon. Les informations dont nous disposons sur la plupart de ces hommes à titre individuel ne permettent pas de conclure. Pour la même raison, il est impossible de dire combien d'hommes ont tué et avec quelle fréquence. Et il est plus difficile encore de savoir combien d'hommes se livraient à des cruautés gratuites, et avec quelle fréquence. Impossible non plus de connaître la nature précise de leurs émotions quand ils se trouvaient confrontés au résultat de leur travail, fosses remplies de cadavres, rues jonchées de Juifs morts, vieux et jeunes. Il aurait été vraiment surprenant que, dans les années 60, ces tueurs évoquent devant un juge d'instruction, devant le monde entier, les sentiments de joie et de triomphe qui avaient pu les saisir en ces moments-là. Il est tout aussi difficile de croire que ces hommes éprouvaient pour ces Juifs qu'ils massacraient un sentiment positif ou au moins neutre, une compassion envers des êtres humains.

Au contraire, les documents dont nous disposons disent unanimement que presque tous les hommes du 101e bataillon de police ont pris part aux rafles puis aux déportations ou aux tueries, et non pas simplement une fois, mais à de fréquentes reprises. Il faut noter, de plus, que c'est seulement lors du premier massacre, à Jozefow, que certains furent « secoués » par leur ouvrage au point de demander à en être dispensés et de présenter des signes évidents de troubles psychiques. Si cette réaction avait été la conséquence d'une opposition de principe à cette tâche, et non d'un simple dégoût, ce choc affectif aurait dû être encore plus fort, et non pas disparaître avec les massacres suivants, et cela d'autant plus qu'il était toujours possible de se faire exempter. Mais, comme des étudiants en médecine qui peuvent au début être révulsés à la vue du sang et des boyaux, tout en considérant leur travail comme parfaitement justifié, ces hommes finirent par s'habituer à ce qu'il y avait de déplaisant dans leur travail. C'est parce qu'ils approuvaient moralement leur tâche que seule une très petite minorité d'entre eux demandèrent à en être dispensés, et c'est ce qui explique que les officiers pouvaient s'en remettre à des volontaires pour constituer les pelotons d'exécution[65]. Dans ce bataillon, tuer les Juifs était la norme, au deux sens du terme. Même le personnel médical tuait. Dans la 1re compagnie, les deux infirmiers, dociles à cette perversion de la médecine allemande de l'époque que nous ne connaissons que trop bien, venaient inspecter les cadavres des Juifs fusillés pour s'assurer qu'ils étaient morts : « Il est arrivé à plusieurs reprises que tous les deux donnent le coup de grâce à ceux qui vivaient encore[66]. » Non seulement presque tous les hommes du bataillon ont tué, mais ils ont tué avec application, avec zèle, ce qui n'est pas surprenant puisque, comme l'a dit l'un d'eux, « il est vrai qu'il y avait de nombreux fanatiques parmi mes camarades[67] ». Leur contribution infatigable à la destruction de ce qui était considéré comme le plus grand ennemi de l'Allemagne, la « juiverie internationale », méritait bien d'être saluée par les autorités supérieures. Conrad Mehler, un membre de la 1re compagnie, reçut la croix du Mérite militaire *(Kriegsverdienstkreuz)* de seconde classe, et la citation disait, entre autres raisons, que c'était pour « s'être distingué pendant les opérations d'évacuation [euphémisme officiel pour les rafles dans les ghettos] et de déportation des Juifs par sa conduite vaillante et intrépide[68] ». Les hommes du 101e bataillon de police et leurs camarades des autres bataillons du 25e régiment de police eurent droit à l'approbation finale de leur colonel, qui, en application des trompeuses règles de langage en vigueur, ne mentionna pas explicitement le génocide, bien qu'il sût parfaitement que leur tâche principale à Lublin avait été de tuer des Juifs.

> Au moment de quitter le 25e régiment de police et de la SS, je me dois de vous remercier sincèrement tous, officiers, sous-officiers et hommes du rang pour votre travail infatigable, votre loyauté à mon égard et votre volonté de sacrifice. Vous avez donné le meilleur de vous-même au *Führer*, au *Volk* et à la Patrie dans cette dure, continuelle et sanglante guerre de partisans. Continuez avec le même courage, et en avant pour la victoire [69] !

Bien que les hommes du 101e bataillon de police, après la guerre, n'aient pas fait publiquement étalage des distinctions collectives ou individuelles qu'ils avaient reçues (une vingtaine furent décorés), cette citation, ce jugement sur leur application et leur efficacité, était entièrement méritée [70]. C'est cet hommage du colonel, dont ils n'avaient évidemment aucune honte à l'époque, et non pas leurs dénégations d'après-guerre, qui doit être le mot de la fin quant à leurs actes et à leurs attitudes. Ils ne se sont pas contentés de faire leur travail. Au service de la nation allemande, ils ont été des tueurs émérites.

9

Les bataillons de police : vie, meurtres, motivations

Quand on étudie les différentes contributions au génocide du 101e bataillon de police ou d'autres, on est tenté de ne voir leur vie qu'à travers le prisme de leurs crimes. D'où une certaine distorsion. Le caractère extraordinaire des opérations de meurtre fait que l'on considère souvent ces criminels comme ayant vécu dans l'isolement, à l'écart du fonctionnement « normal » de la société : le génocide ne semble pas appartenir au même univers social ou moral, mais à un sous-univers du monde réel. D'où le risque de donner une vision caricaturale de ces hommes et de ce qu'ils ont fait. Or ces Allemands avaient d'autres activités que le génocide, ils avaient une existence sociale. Pour les comprendre, eux et leurs actes, il faut examiner les moments de leur vie où ils ne tuaient pas.

Les activités de meurtre de ces hommes ne se déroulaient pas au milieu d'un vide social ou culturel. Les Allemands s'étaient rapidement organisé en Pologne un réseau d'institutions propres, et une vie culturelle indépendante, par essence, de celle des Polonais (pour ne pas parler des Juifs), celle qui convenait à des *Übermenschen* venus prendre la place de « sous-hommes » et remodeler à leur image les territoires conquis : la vie du 101e bataillon de police en Pologne se déroulait au sein de cet univers culturel allemand. Après avoir massacré des Juifs désarmés par milliers, les hommes du bataillon revenaient à une vie allemande plus conventionnelle. Leurs activités culturelles, les « clubs » de la police, les lieux de loisirs et cantines[1], les événements sportifs, le cinéma et le théâtre, les offices religieux, les liens affectifs, les discussions morales, tout cela offre un contraste frappant, discordant, avec leurs actes apocalyptiques.

Les bulletins d'informations distribués dans les unités, si incomplets et schématiques qu'ils soient, montrent que ces agents du génocide n'étaient pas des individus atomisés, comme on l'a si souvent prétendu, au point que presque tout le monde aujourd'hui en est probablement convaincu. Le Bulletin du 25e régiment de police, avec ses six rubriques sur deux pages, permet de connaître un peu plus la vie de ces hommes en dehors des tueries. Dans le numéro 25, la première rubrique donnait le résultat d'une rencontre sportive : « Les dimanches 18 et 25 octobre 1942, une équipe du bataillon de gendarmerie motorisée a participé au championnat d'automne d'athlétisme de Radom » ; étaient cités les noms de quatre hommes qui, « dans la catégorie "ouvert à tous", [avaient] battu la Luftwaffe de Radom dans les deux 4000 mètres, avec les meilleurs temps du jour ». Un autre homme du même bataillon de gendarmerie avait été classé second de différentes épreuves. Le colonel concluait : « J'exprime aux vainqueurs mes félicitations pour leur réussite. »

La deuxième rubrique du bulletin donnait la liste des officiers et des hommes du rang qui seraient de service chaque jour de la semaine à venir. La troisième rubrique annonçait la remise en service du train Cracovie-Krynica « pour promouvoir la station thermale de Krynica », donnait l'horaire d'hiver pour cette plaisante destination, située à plusieurs heures par le chemin de fer. La quatrième rubrique, « Une pièce pour les hommes », annonçait un autre divertissement :

Les 3 et 4 novembre à 20 heures,
à la maison du NSDAP [parti nazi] à Lublin,
la troupe théâtrale de la police « Ostermänn »,
plus connue sous le nom « Les jeunes de Berlin »,
jouera pour les membres de la police d'Ordre et leurs familles.
Entrée libre.

Les cinquième et sixième rubriques traitaient de la santé, l'une pour ordonner la déclaration immédiate des maladies infectieuses, l'autre annonçant de prochaines informations à propos du typhus, à afficher dès que reçues.

Ce que véhicule ce bulletin, tout à fait représentatif de tous les autres, ne correspond pas à l'image unidimensionnelle que l'on peut si aisément former des agents du génocide et du système au sein duquel ils opéraient. Le colonel est tout naturellement fier des prouesses athlétiques de ses hommes face à la Luftwaffe dans la lointaine Radom. Il informe ses troupes des possibilités qu'il y a de faire un séjour agréable à Krynica, station thermale célèbre de la Pologne du Sud. Il les invite avec leurs familles, gratuitement, à une soirée théâtrale animée par la propre troupe de la police.

Il s'agit là du Bulletin du 25e régiment du 30 octobre 1942, et il concerne toutes les unités de la région de Lublin [2]. Quelles étaient les opérations entreprises dans le cadre de la guerre contre les Juifs au moment où étaient reçues ces informations sur les loisirs ?

Le 101e bataillon de police se trouvait alors engagé dans l'extermination méthodique des Juifs de la région, et il venait, trois jours plus tôt, de procéder à l'une des déportations des Juifs de Miedzyrzec vers un camp de la mort. Le 65e bataillon s'activait à tuer et à déporter vers Auschwitz les Juifs de Cracovie et des environs. Le 67e bataillon exterminait les communautés juives autour de Bilgoraj et de Zamosc. Vers là même époque, le 316e bataillon massacrait deux mille Juifs à Bobruisk.

Le bulletin du 25 octobre 1942 ne sortait nullement de l'ordinaire : nouvelles sportives [3], annonces de spectacles [4] et autres étaient les rubriques normales attendues par les tueurs. Ainsi, à la fin de juin 1942, on informait les unités des heures d'ouverture d'une piscine de Lublin et des possibilités offertes de pratiquer le tennis. Il fallait apporter sa raquette, mais « une petite quantité de balles sont disponibles à l'Association sportive de la SS et de la police, Ostlandstrasse 8c, salle 2. On peut les emprunter moyennant paiement. Compte tenu de la difficulté à se procurer des tenues de tennis, elles ne sont pas obligatoires. Mais on ne peut entrer sur les courts qu'avec des chaussures de sport à semelle de caoutchouc [5] ». Ce bulletin donnait toutes sortes d'informations sur le quotidien, comme la date à laquelle le charbon serait distribué pour l'hiver [6], ou de nouvelles procédures administratives. Il communiquait aussi les dernières instructions pour le traitement des otages, y compris leur exécution, et pour les opérations contre les Juifs. Il est à soi seul remarquable que des tueries aussi « normales » aient été abordées dans la même page que les informations sur les loisirs.

Le bulletin donnait aussi toutes sortes d'instructions sur la conduite à tenir aussi bien pendant le service que pendant le temps de repos, avec souvent des avertissements à ceux qui ne respectaient pas les règles ou dont le comportement laissait à désirer. Dans l'un de ces bulletins, le colonel informait ses hommes que son attention avait été attirée sur les « grandes quantités d'emballages, bouteilles d'eau minérale et autres, qui traînaient ». Ce gaspillage le révoltait : « Il est irresponsable, dans l'état actuel de pénurie de matières premières, que les responsables ne cherchent pas à récupérer immédiatement les emballages et récipients vides. » Il annonçait des punitions pour tous ceux qui persisteraient dans le gaspillage [7]. A travers cet avertissement et d'autres du même type sanctionnant le mépris des ordres et du décorum, on voit que ces Allemands n'étaient pas du tout des automates, des subordonnés à l'obéissance parfaite : comme les autres, ils faisaient preuve de négligence et d'un dédain sélectif à l'égard des devoirs, des règlements, des normes sociales.

Les Allemands qui peuplaient les forces de police stationnées à Lublin pouvaient participer non seulement aux activités culturelles organisées par la police, mais aussi à celles de la Wehrmacht. Les hommes du 25e régiment de police ne s'y conduisaient pas toujours très bien, comme l'atteste cette réprimande du colonel :

> Grâce aux billets gratuits pour les représentations théâtrales, les concerts, les films, les spectacles organisés par les forces armées sont fréquentés également par des hommes de la police en uniforme, qui n'y prennent aucun plaisir et qui manifestent leur mécontentement par des remarques à voix haute, des rires et un comportement désordonné. Une telle conduite trahit bien du mépris à l'égard des autres spectateurs et des artistes, et risque de ruiner la réputation de la police en uniforme. Il est de la responsabilité des

commandants d'unité et de leurs états-majors de publier des instructions pédagogiques afin que tout le monde se conduise correctement et attende tranquillement la fin de la représentation ou l'entracte [8].

Bien que membres d'institutions où beaucoup avaient un comportement quotidien décent, où l'autorité n'avait pas à intervenir pour faire respecter les règles habituelles de civilité, certains Allemands du 25e régiment de police, soumis théoriquement aux règles sévères d'une institution de police, violaient avec grossièreté les règles sociales de la vie quotidienne. Qu'y apprenons-nous sur ces hommes, sur leur zèle dans l'obéissance, et sur la nature de ces institutions dont, à l'évidence, ils n'avaient pas peur ? Dans le même bulletin du régiment, on trouve une autre réprimande, non pas cette fois pour comportement grossier mais pour violation de la légalité : « Des membres de la police d'Ordre qui étaient affectés à la protection de la moisson se sont livrés, illégalement, à la chasse au sanglier. Je signale que tous ceux qui se livreront à une chasse interdite seront considérés comme des braconniers. La récidive sera considérée comme aggravante [9]. »

Ces bulletins, même avec leurs informations clairsemées, si pauvres en volume et en variété comparées à la réalité quotidienne de ces Allemands en service ou au repos, permettent néanmoins de tirer un certain nombre de conclusions : les stéréotypes sur les agents du génocide ne reposent que sur du vide empirique. Ceux qui ont créé ou acclimaté ces stéréotypes erronés n'ont rien fait pour confronter le contexte social et institutionnel de ces agents du génocide avec leurs actes ou la totalité de leur vie [10].

Ces agents du génocide n'étaient pas des robots. C'étaient des êtres humains qui menaient des vies « pleines » et non cette vie à une seule dimension que la littérature sur l'Holocauste laisse le plus souvent supposer. Ils avaient des relations sociales complexes, et une assez grande variété de tâches quotidiennes à accomplir. Ils avaient des familles en Allemagne, des amis au sein de l'unité (des « potes » mêmes), et, là où ils étaient stationnés, des contacts avec d'autres Allemands, voire avec des non-Allemands. Ils avaient beau vivre à l'ombre des massacres, un nombre assez important d'entre eux avaient leur famille sur place, comme le montre le libellé de l'invitation à la soirée théâtrale du bulletin. A l'évidence, le capitaine Wohlauf et le lieutenant Brand n'étaient pas les seuls dont la femme se trouvait en Pologne. Et d'autres avaient des petites amies. L'un des administratifs du 25e régiment de police avait une liaison avec une femme qu'il épouserait ensuite : il était chargé, entre autres tâches, de la comptabilité des massacres, et la femme travaillait dans les bureaux du chef de la police d'Ordre à Lublin, d'abord comme standardiste, puis comme secrétaire dans le service chargé de programmer l'extermination des Juifs [11]. Ce monde n'était pas vide de femmes. Les hommes du 101e bataillon participaient assez souvent à des « soirées de sociabilité » *(geselligen Abenden)*, et l'un des hommes, un violoniste, se souvient que le docteur Schoenfelder, le médecin qui apprenait aux Allemands comment fusiller les Juifs, jouait de l'accordéon « merveilleusement et le faisait fréquemment pour [le bataillon] [12] ». Il y avait aussi des matinées musicales, comme celle dont la 2e compagnie avait été régalée à Miedzyrzec, lieu de massacres répétés. Quatre photographies parvenues jusqu'à nous nous montrent un petit groupe de musiciens jouant d'un balcon au-dessus d'une cour remplie d'hommes de la compagnie, assis ou déambulant. Les hommes du 101e bataillon avaient aussi une sorte de piste de bowling, fabriquée par leur atelier. Le jeu pratiqué, le *Kegeln*, était, comme le bowling, un jeu convivial par excellence, où de petits groupes de joueurs, de deux à six, réunis au bout de la piste, rivalisaient d'habileté pour faire tomber des quilles, parmi les cris d'encouragement et les applaudissements [13].

Ces agents du génocide disposaient de temps libre, et, selon les endroits où ils étaient stationnés, ils l'utilisaient à toutes sortes de loisirs propices à l'activation de leurs facultés morales et de leur réflexion individuelle. A l'église, sur un terrain de jeux, ou entre copains, au café par exemple, la réflexion, le dialogue, la discussion morale étaient possibles. Ils avaient nécessairement des opinions, des réactions, des jugements sur les événements petits et grands de leur vie quotidienne. Certains allaient aux offices, priaient Dieu, réfléchissaient aux grandes questions et récitaient des prières qui leur rappelaient leurs obligations à l'égard des autres humains ; les catholiques se confessaient et communiaient [14]. Et quand, le soir, ils retrouvaient leur femme ou leur petite amie, combien de ces tueurs parlaient de leurs activités de génocide ?

Ces Allemands des bataillons de police étaient si peu esclaves des ordres que leurs supérieurs étaient souvent contraints de les réprimander, pour leur négligence et pour des fautes caractérisées. Leur goût de photographier leurs exploits contre les Juifs était contredit par d'incessantes interdictions de le faire, mais sans grand résultat [15]. Ce n'étaient pas là des robots allemands, ils avaient leur opinion sur les règles qui les gouvernaient, et c'était elle qui décidait de leurs choix, de ce qu'ils feraient ou ne feraient pas, et de la manière de le faire.

Dans leurs dépositions d'après-guerre, les agents du génocide n'ont presque rien dit sur leurs loisirs : ceux qui les interrogeaient étaient intéressés par leurs crimes, et non par la fréquence de leurs sorties au théâtre, le nombre de buts qu'ils marquaient par match, ou ce qu'ils se racontaient entre eux au club. On aimerait pourtant bien savoir quelles avaient été leurs réactions à certains ordres concernant les animaux, qui, à tout autre qu'un antisémite nazifié, auraient semblé d'une ironie vraiment perturbante. Un bulletin du régiment d'août 1942 faisait savoir aux unités que le Gouvernement général avait été déclaré « région d'épidémie animale *[Tierseuchengebiet]* », ce qui amenait à prescrire une surveillance et des examens vétérinaires stricts pour les chiens de police, surtout quand ils passaient d'une région à l'autre : « Pendant tout ce temps, le maître doit observer son chien de très près et le conduire chez le vétérinaire de la police au plus léger symptôme de maladie ou au moindre changement dans le comportement de l'animal[16]. » Ce souci de la santé des chiens de la police et de la prévention des épidémies est compréhensible (après tout, ils étaient utiles, et, entre autres, à brutaliser les Juifs). En lisant ce texte, les tueurs n'ont-ils pas réfléchi à la différence de traitement entre chiens et Juifs ? Au moindre symptôme, le chien malade devait être conduit chez le vétérinaire pour y être soigné, mais les Juifs qui étaient malades, et gravement, ou qui présentaient le moindre symptôme de maladie contagieuse n'étaient pas, eux, conduits chez le docteur : la règle en vigueur chez les Allemands était de combattre leur maladie par une balle ou un voyage socio-biologiquement « sanitaire » à la chambre à gaz. Non seulement les Allemands traitaient la maladie des chiens et des Juifs de façon absolument opposée, mais ils tuaient aussi les Juifs en bonne santé, en utilisant le mot « maladie » pour désigner formellement, et frauduleusement, ce qui justifiait le massacre : pour les Allemands, « maladie » et « Juif » étaient devenus synonymes, et la maladie en question était traitée comme un cancer, à retirer, par ablation, du corps social. Cette transmutation des valeurs avait été orgueilleusement formulée par un des médecins allemands d'Auschwitz : « Bien sûr, je suis un médecin et je veux préserver la vie. Et c'est par respect de la vie humaine que je procéderai à l'ablation d'un appendice gangreneux sur un corps humain. Les Juifs sont l'appendice gangreneux sur le corps de l'humanité[17]. »

En octobre 1942, les hommes du 25e régiment de police apprenaient par un post-scriptum du bulletin qu'un « berger allemand jaune de 14 mois répondant au nom de Harry » avait sauté d'un train près de Lublin quelques semaines plus tôt et n'avait pas encore été retrouvé : « On demande à toutes les unités de rechercher ce berger allemand pour qu'il soit rendu à son maître[18]. » Si le chien était retrouvé (c'était celui d'un général SS), le quartier général du régiment devait en être immédiatement informé. Les missions de chasse aux Juifs avaient habitué les hommes à patrouiller dans les campagnes, et peut-être, au cours des ratissages suivants, à la recherche du moindre Juif, chacun gardait-il un œil pour repérer le chien. Le sort du chien, s'il avait été retrouvé, aurait été bien préférable à celui d'un Juif. A tous égards, et les Allemands auraient été d'accord là-dessus, il était préférable d'être un chien.

Ces ordres à propos des chiens auraient pu être pour les Allemands une provocation à réfléchir, si leur sensibilité avait, même de loin, approché la nôtre ; la comparaison entre la façon dont ils traitaient les Juifs et celle dont ils traitaient les chiens aurait pu induire ces Allemands à regarder en eux. Mais quelles que fussent les comparaisons troublantes que ces ordres à propos des chiens auraient pu faire naître dans un esprit non nazifié, on est sûr, au moins, que la série d'ordres qu'on va lire, émis sur la « cruauté envers les animaux *[Tierquälerei]* », aurait eu sur un esprit non nazifié des effets dévastateurs.

Le 11 juin 1943, le colonel du 25ᵉ régiment réprimandait les unités coupables de ne pas avoir obéi à l'ordre d'afficher la notice d'information sur la protection des bêtes *(Tierschutz)*. Cette négligence l'amenait à conclure qu'« on se désintéresse de la protection des animaux ». Il continuait ainsi :

> Il faut, avec une vigueur accrue, prendre des mesures pour empêcher la cruauté envers les animaux et faire rapport au régiment.
> Une attention particulière doit être accordée aux bovins, car l'excès de chargement des wagons de transport a entraîné de lourdes pertes d'animaux, ce qui a gravement nui à l'approvisionnement.
> Les notice jointes doivent être utilisées pour l'instruction des troupes [19].

Les agents du génocide, des tortionnaires, émettaient et recevaient des ordres, venus du cœur, enjoignant le respect des animaux. Et ces ordres parlaient du problème posé par l'entassement excessif du bétail dans des wagons ! A titre de comparaison, voici le récit, par un homme du 101ᵉ bataillon de police, de la manière dont les Juifs de Miedzyrzec étaient entassés dans les wagons comme du bétail : « Une chose particulièrement cruelle, je m'en souviens, était la manière dont les Juifs étaient entassés dans les wagons. Les wagons étaient si pleins qu'on avait du mal à fermer les portes coulissantes : souvent, on devait s'aider du pied [20]. »

L'étrange Allemagne nazie était capable de manifester simultanément sa sollicitude envers les animaux et sa cruauté sans pitié à l'égard des Juifs [21]. L'ordre de ne pas trop entasser les Juifs dans les wagons n'a jamais été donné aux Allemands de Pologne qui déportaient les Juifs vers la mort, presque toujours en les battant pour qu'il en entre le plus possible dans chaque wagon. Des wagons identiques servaient pour les animaux et pour les Juifs. Lesquels devaient être traités avec le plus d'humanité, tous le savaient. Ce n'est pas seulement parce qu'elles étaient de la nourriture que les vaches ne devaient pas être entassées dans les wagons : si les Allemands veillaient à ce que le bétail fût convenablement traité, c'était pour obéir à un impératif moral [22].

Si saisissant que soit à nos yeux le contraste entre les deux types de wagons de bestiaux, et ce flot d'ordres exigeant un traitement décent, « humain », des animaux, il y a de fortes chances pour que les Allemands de Pologne n'y aient rien vu de notable. Ce qui nous apparaît comme une ironie si évidente que personne ne pouvait la manquer, si cruelle que toute personne impliquée aurait dû être bouleversée, était sans doute perdu pour les agents du génocide. Ils étaient au-delà de tout cela. Leur modèle cognitif était tel qu'ils étaient incapables de formuler la comparaison. A l'égard des Juifs, chaque agent du génocide était, pour reprendre le titre d'une pièce dont on les régalait alors, un « Homme sans cœur » *(Mann ohne Herz)* [23]. Tout porte à croire que l'ironie de ce titre était aussi perdue pour eux.

Les histoires présentées ici de certains bataillons de police, de ces cohortes itinérantes de guerriers idéologiques allant d'une communauté juive à l'autre pour les exterminer, ne sont nullement des exemples isolés. D'autres récits de telles horreurs préméditées pourraient être faits à propos de nombreux autres bataillons de police. Ceux que l'on a évoqués ici (les 309e, 133e, 65e et 101e) n'étaient pas les plus meurtriers de tous (voir le tableau p. 274-275) et les actes commis par leurs hommes ne se distinguaient pas par une brutalité meurtrière supérieure à la moyenne allemande durant l'Holocauste. Cela posé, comment faut-il évaluer la responsabilité globale des bataillons de police dans l'Holocauste ?

Tous les bataillons de police n'ont pas participé au génocide, tout simplement parce que beaucoup n'en ont jamais reçu l'ordre. Aussi le *pourcentage* des bataillons de police à avoir perpétré des massacres n'est-il pas un chiffre éclairant, car ces tâches n'étaient pas réservées à des volontaires, au sens où le régime aurait émis des avis de recrutement offrant à des hommes particulièrement assoiffés de sang la possibilité de s'enrôler comme agents du génocide : c'est le hasard qui a fait que certains bataillons ont été engagés dans des opérations de massacre et d'autres non. Aucun document ne laisse penser non plus que le régime ait hésité à utiliser des bataillons de police pour l'extermination des Juifs, ou choisi ceux à qui il aurait recours en les sélectionnant selon des critères d'aptitude ou de volonté, ou par d'autres moyens prenant en compte le caractère de chaque bataillon et de ses hommes[24]. Ne doivent donc entrer dans l'analyse du rôle des bataillons de police dans le génocide que les actes des hommes servant dans les bataillons de police qui reçurent l'ordre de déporter des Juifs vers des camps de la mort ou de les tuer de leurs propres mains.

Un certain nombre de généralités peuvent être avancées. Le nombre des bataillons de police à avoir participé à l'Holocauste est suffisamment important pour que cette contribution à l'extermination soit considérée pour ce qu'elle était alors, à savoir parfaitement ordinaire. C'est d'une manière *routinière* que le régime a utilisé des bataillons de police pour exécuter le génocide décidé. Ce que j'ai pu établir par mes recherches (considérables mais non exhaustives), c'est qu'au moins 38 bataillons de police ont tué ou déporté des Juifs vers des camps de la mort de la même manière que les 65e et 101e bataillons (mais on en découvrira sûrement d'autres). Les documents disponibles sont si sommaires que peu de choses peuvent être dites sur la nature et l'ampleur de leurs opérations, sauf qu'ils ont procédé à des massacres de Juifs. Sur ces 38 bataillons, 30 au moins ont perpétré des massacres ou des déportations à *grande échelle*. Le tableau p. 274-275 recense certaines des plus importantes tueries (celles qui ont fait au moins un millier de victimes) de ces 30 bataillons. Ces bataillons et d'autres ont effectué un nombre considérable d'autres massacres, réduits ou massifs, qui ne sont pas récapitulés ici[25].

Les hommes de ces bataillons de police savaient parfaitement qu'on ne leur demandait pas simplement de prendre part à des opérations militaires particulièrement rudes, justes ou injustes, comme fusiller une centaine d'otages en représailles d'une assistance que la population locale aurait apportée aux partisans. Quand ils massacraient des milliers de gens ou expédiaient des communautés entières dans des wagons de marchandises vers des usines de la mort, ces Allemands ne pouvaient se bercer (et ne se berçaient pas) de l'illusion qu'ils étaient autre chose que des membres d'une cohorte vouée au génocide, quand bien même ils ne le formulaient pas avec tant de mots.

Il est difficile de dire combien d'Allemands ont été impliqués dans les massacres commis par ces seuls bataillons-là : nous ignorons la taille précise de chaque bataillon, et il n'est pas toujours possible de déterminer le nombre de ceux qui, au sein de chaque bataillon, participaient aux opérations de déportation ou de massacre. De plus, leur personnel se renouvelait en fonction des mutations et des pertes, ce qui accroît le nombre d'Allemands agents du génocide dans le cadre de ces bataillons. Voici quelques estimations globales, dont chacune représente l'hypothèse basse. Si l'on considère que les effectifs normaux d'un bataillon tournaient autour de 500 hommes (chiffre probablement sous-estimé), les 38 bataillons en question comptaient en tout 19 000 hommes. Dans les 30 bataillons connus pour avoir perpétré des massacres à très grande échelle, le même calcul donne 15 000 hommes. On ne peut établir avec certitude le nombre d'hommes de chaque bataillon engagés dans les opérations contre les Juifs, mais on sait que les bataillons chargés des tueries les plus massives mobilisaient un important pourcentage de leurs effectifs dans ces opérations. Certains ont dit dans leur déposition que tout le monde y était mêlé[26]. Aussi, même si le nombre des Allemands que l'on peut qualifier d'agents du génocide est inférieur au nombre total estimé pour la population de ces bataillons, il reste considérable. Beaucoup d'entre eux étaient des Allemands « ordinaires ».

Il n'y a pas de lien de cause à effet entre la composition précise de chaque bataillon et ses actes. Qu'ils fussent peuplés surtout de réservistes, ou de policiers d'active, ou d'un mélange des deux en des proportions variables, ils ont tous agi de la même façon, en meurtriers. Quel que fût le pourcentage de SS ou de membres du parti nazi en leur sein, ils ont accompli leur entreprise de génocide d'une manière qui pouvait faire la fierté de Hitler. Dans les dépositions d'après-guerre, on ne voit presque personne distinguer entre ceux qui étaient membres du parti ou de la SS et les autres : pour ces hommes, il ne semble pas qu'il y ait eu là un problème, ce qui tient certainement au fait que, lorsqu'il s'agissait de leur activité principale, il n'y avait aucune différence, et en tout cas aucune différence systématique entre ceux qui appartenaient à ces grandes institutions nazies et les autres. Tuer les Juifs égalisait tout, nivelait tout dans l'Allemagne nazie, effaçant les différences qui, en d'autres domaines

BATAILLON DE POLICE	LIEU	DATE	NOMBRE DE VICTIMES
3e	URSS	à partir de déc. 1941	centaines de milliers
9e	URSS	juin-déc. 1941	centaines de milliers
11e	Slutsk	aut. 1941	milliers
13e	District de Mlawa Plöhnen	nov. déc. 1942 fin 1942	12 000 5 000
22e	Riga Slutsk	nov.-déc. 1941 8-9 fév. 1943	25 000 3 000
32e	Lvov	sept. 1941	milliers
41e	Varsovie (ghetto) Majdanek Poniatowa	début 1943 3 nov. 1943 3 nov. 1943	dizaines de milliers 16 000 14 000
45e	Berditchev Babi Yar	12 sept. 1941 29-30 sept. 1941	1 000 33 000
53e	Varsovie (ghetto)	début 1943	dizaines de milliers
64e	Sajmiste	26 sept. 1941	6 000
65e	Chiaoulaï Cracovie	été 1941 été-aut. 1942	3 000 milliers
67e	Szczebrzeszyn env. de Zamosc Bilgoraj	aut. 1941 été ou aut. 1942 aut. 1942	1 000 2 000 1 200
96e	Rovno	7-8 nov. 1941	21 000
101e	Parczew Miedzyrzec Majdanek Poniatowa	août 1942 25 août 1942 3 nov. 1943 3 nov. 1943	5 000 10 000 16 000 14 000
133e	Stanislawow Nadvornaya Delatyn	12 oct. 1941 16 oct. 1941 en deux fois, aut. 41	12 000 2 000 2 000
251e	Bialystok	16-20 août 1943	25 000 à 30 000
255e	Bialystok	16-20 août 1943	25 000 à 30 000

256e	Bialystok	16-20 août 1943	25 000 à 30 000
303e	Babi Yar Zhitomir	29-30 sept. 1941 sept. 1941	33 000 18 000
306e	Luninets Wisokie David Gorodok Stolin Janow Podlaski Pinsk	4 sept. 1942 9 sept. 1942 10 sept. 1942 11 sept. 1942 25 sept. 1942 29 oct.- 1er nov. 1942	2 800 1 400 1 100 6 500 2 500 16 200
307e	Brest-Litovsk Tarnow Neu Sandau	début juil. 1941 juin 1942 août 1942	6 000 à 10 000 16 000 18 000
309e	Bialystok	27 juin 1941	2 000
314e	Dnepropetrovsk Kharkov	nov. 1941 janv. 1942	milliers 10 000 à 20 000
316e	Bialystok Mogilev Bobruisk	12-13 juil. 1941 nov. 1941 fin 1942	3 000 3 700 2 000
320e	Kamenets-Podolski Rovno Kostopol Pinsk	27-28 août 1941 7-8 nov. 1941 14 juillet 1942 29 oct.- 1er nov. 1942	23 600 21 000 5 000 16 200
322e	Bialystok Mogilev Minsk Minsk	12-13 juil. 1941 19 oct. 1941 nov. 1941 28-30 juil. 1942	3 000 3 700 19 000 9 000
3e escadron de police montée	Majdanek Poniatowa Trawniki	3 nov. 1943 3 nov. 1943 3 nov. 1943	16 000 14 000 12 000
Bataillon de gendarmerie motorisée	Majdanek Poniatowa	3 nov. 1943 3 nov. 1943	16 000 14 000
1er bataillon de garde de police (Posen)	Stry Drogobych Rogatin Tarnopol	été 1943 1943 1943 été 1943	1 000 1 000 ghetto vidé ghetto vidé
Compagnie de réserve de police (Cologne)	Kielce Varsovie (ghetto)	20-24 août 1942 mai 1943	20 000 milliers

d'activité, auraient existé entre Allemands aux origines, aux professions et aux idées différentes.

L'itinéraire de chaque bataillon n'avait lui non plus rien à voir avec l'efficacité ou la bonne volonté manifestées par ses hommes dans leurs activités de génocide. Qu'ils aient combattu au front ou non, qu'ils aient été ou non confrontés aux horreurs de la guerre et aient craint pour leur vie, leur comportement comme agents du génocide n'en était pas affecté. Le 65e bataillon de police massacrait des Juifs avant d'être envoyé au front, dans le Nord de l'URSS, où il fut encerclé, dut combattre pour sa vie et eut à subir de lourdes pertes, et il tuera encore les Juifs du Gouvernement général après avoir subi ce baptême des épreuves de la guerre : la « brutalisation » subie pendant ces combats n'a eu aucun effet discernable sur sa manière de traiter les Juifs. De même, aucune preuve documentaire ne permet de dire que l'engagement prolongé de ces hommes dans l'extermination des Juifs ait changé quoi que ce soit à leur attitude envers leurs victimes : si l'on excepte le massacre initial, et le choc ressenti devant l'horreur de ces tueries, le comportement des Allemands, leur zèle et la haute qualité de leur apocalyptique production semblent avoir été constants tout au long de leur vie d'agents du génocide. En conséquence, l'idée que, au cours des opérations de massacre, les hommes ont perdu peu à peu toute inhibition à l'égard des Juifs, ou qu'ils sont devenus plus brutaux en raison des effets psychologiques de ces massacres répétés, et que ce sont ces phénomènes (à supposer qu'ils se soient effectivement produits) qui expliquent *causalement* la manière dont ils ont agi envers les Juifs n'est pas attestée par les documents disponibles : au contraire, ils démontrent que c'est faux [27]. Les bataillons de police, les plus novices comme les plus expérimentés, les plus exposés au danger comme les plus abrités, ont tué des Juifs avec une compétence qui avait de quoi satisfaire les antisémites les plus virulents. Hitler et Himmler savouraient.

Toutes sortes de formations ont été engagées dans les massacres, bataillon complet, compagnie ou parfois simple escouade. Pour les très grands massacres, ces Allemands opéraient en liaison avec d'autres unités, de police ou non, et aussi avec des auxiliaires non allemands. Les petites opérations, elles, ne mobilisaient que de petits groupes de tueurs. Parfois, ils étaient placés sous l'autorité d'un officier, parfois les hommes du rang se retrouvaient seuls. Rien dans la documentation existante ne tend à montrer que la taille de la tuerie ou le degré de contrôle exercé par les officiers sur une opération donnée aient obéi à des considérations autres que pratiques, avant tout celle du nombre d'hommes nécessaire à chaque opération. Les Allemands des bataillons de police opéraient tout aussi facilement en formation étendue qu'en formation moyenne ou en petits groupes de deux, trois ou cinq. Ils menaient à bien la tâche prescrite, quelle qu'elle fût : « nettoyage » de ghettos, déportation, fusillade, « chasse aux Juifs » dans les campagnes. Ces Allemands avaient de grandes capacités d'adaptation et possédaient parfaitement leur métier.

L'absence de toute variation significative entre les actes des Allemands de différents bataillons de police – que ce soit en raison de leur composition, de leur itinéraire ou de la région où ils opéraient – est à rapprocher d'une autre : l'absence de différence entre les actions des hommes des bataillons et celles des hommes des *Einsatzkommandos* et autres unités SS. Bataillons de police et *Einsatzkommandos*, par exemple, non seulement étaient composés différemment, mais leurs missions statutaires étaient différentes. Officiellement, les bataillons de police devaient se consacrer au maintien de l'ordre. Comme les *Einsatzkommandos*, ils devaient aussi assurer la sécurité dans une zone désignée, ce qui voulait dire combattre les ennemis du régime. Mais leur formation (même négligée) et leurs règles de conduite étaient celles de policiers, même si, dans le cas présent, ils étaient appelés à être des policiers coloniaux. Au contraire, les *Einsatzkommandos* étaient par définition des combattants idéologiques, dont la raison d'être était l'extermination des Juifs. Eux aussi avaient des missions annexes, mais la principale était de tuer les ennemis du régime. Malgré ces identités et vocations différentes, bataillons de police et *Einsatzkommandos* se ressemblaient beaucoup dans leur manière d'opérer et de traiter les Juifs.

Pourtant, sur deux point importants, les bataillons de police différaient des *Einsatzkommandos*. Le plus souvent, l'entrée en génocide des *Einsatzkommandos* avait été volontairement facilitée : au début, on leur avait ordonné de ne tuer que les Juifs de sexe masculin, pour leur épargner la tâche psychologiquement plus difficile de tuer les femmes et les enfants, et donc leur laisser le temps de s'acclimater à leur mission. Ce fut aussi le cas des quelques bataillons de police qui procédèrent à des tueries au début de l'assaut mené contre les Juifs soviétiques. Mais les Allemands de bien d'autres bataillons n'eurent pas droit à cette initiation progressive au génocide. Parmi leurs premières victimes désignées, il y avait bon nombre de femmes et d'enfants, ce qui mettait leur zèle et leurs nerfs à rude épreuve. Il semble que les Allemands aient compris que, contrairement à leurs prévisions initiales, il n'était pas indispensable de prendre ces précautions. Même si certains des tueurs, au début, furent très secoués, la plupart se firent rapidement et facilement aux tueries. Au début, s'ils tuaient des femmes, des enfants, des vieillards et des impotents, c'était parce qu'ils sélectionnaient les hommes en bonne santé pour les camps de « travail ». Mais quand l'entreprise d'extermination eut pris son rythme et fut devenue une affaire routinière, sélectionner les victimes eût été contraire à l'esprit et aux procédures de l'*Aktion Reinhard*.

Ensuite, ces bataillons de police, là encore dès les tout débuts de leur contribution au génocide, étaient chargés d'anéantir des ghettos juifs (ces taches sur le paysage social à leurs yeux d'Allemands), et cela dans un double sens : tuer les habitants du ghetto et détruire l'institution du ghetto. Les Allemands cherchaient à débusquer les Juifs cachés et tuaient sur place les vieillards et les impotents, parfois dans leurs lits. Les « nettoyages » de ghettos, déjà racontés, tournaient à la sauvagerie et ne ressemblaient pas à des actions militaires. Dès le début, pour tous ceux qui y étaient impliqués, il était évident qu'aucune rationalité militaire ne présidait à ces scènes dantesques. Vider un ghetto demandait une volonté et une initiative que les premières opérations des *Einsatzkommandos*, plus ordonnées, d'apparence plus militaire, n'exigeaient pas [28].

On voit que, à la marge au moins, les hommes de certains bataillons de police avaient un chemin psychologiquement plus difficile à parcourir. A la différence des *Einsatzkommandos*, on ne leur avait pas facilité les premiers pas, et ils devaient commencer par vider des ghettos, avec toutes les violences que cela entraînait. Ces différences, il faut le souligner, n'existaient pas dans tous les cas, et ce ne sont finalement que des différences marginales de degré : on peut discuter de leur sens et de leur effet psychologique sur les agents du génocide, mais quand on regarde les massacres qui étaient l'activité essentielle de ces Allemands, les différences sont éclipsées par les ressemblances. Globalement, c'est la convergence entre bataillons de police et *Einsatzkommandos* qui est à souligner.

L'étude des bataillons de police, au bout du compte, permet d'établir deux faits fondamentaux : le premier, c'est que des Allemands ordinaires sont devenus facilement des agents du génocide; le second, c'est qu'ils l'ont été même quand ils pouvaient ne pas l'être.

En recrutant au hasard les effectifs des bataillons de police, le régime ne pouvait les peupler que d'Allemands ordinaires, globalement représentatifs de la société allemande tout entière, et les données biographiques sur les hommes du 101ᵉ bataillon le confirment. Nous avons néanmoins étudié un échantillon complémentaire, pris sur deux autres bataillons de réserve qui ont perpétré eux aussi de nombreuses tueries, le 65ᵉ et le 67ᵉ, pour nous assurer que la composition du 101ᵉ n'était pas exceptionnelle. Sur cet échantillon de 200 hommes, il y avait 49 membres du parti nazi, soit 22,3 % et 13 SS, soit 6 %. Le nombre des membres du parti nazi de ces deux bataillons était donc inférieur à celui du 101ᵉ, alors que celui des SS y était légèrement supérieur. Sur les 700 hommes de l'échantillon total, 228 (29, 6 %) étaient membres du parti nazi et 34 (4,4 %) membres de la SS. Ainsi le degré de nazification du 101ᵉ bataillon n'était-il pas élevé par rapport aux deux autres.

Par leur sensibilité politique antérieure, leur origine sociale et, à quelques différences mineures près, même par leur degré de préparation idéologique, les Allemands des bataillons de police étaient des membres ordinaires de la société allemande. 17 au moins des 38 bataillons qui ont participé au génocide, et 14 des 30 qui ont perpétré des massacres à grande échelle, comptaient dans leurs rangs un nombre important d'hommes qui n'étaient pas des policiers d'active, et dont le profil, selon toute probabilité, ressemblait à celui de l'échantillon, car ils avaient été recrutés de la même façon [29]. La plupart d'entre eux, comme le montre le programme de formation, avaient subi un entraînement limité, car le régime nazi et la police d'Ordre n'imaginaient pas qu'une préparation plus poussée fût nécessaire pour que ces hommes collaborent de plein gré à l'extermination des Juifs.

Enfin, ces hommes avaient la possibilité, individuellement, d'éviter complètement de participer aux tueries, ou au moins de ne pas être en permanence affectés à ces massacres. Le fait que cette possibilité existait est démontré dans le cas de nombreux bataillons, et il est probable qu'elle existait dans la majorité de ces unités. Nous savons de source sûre, au moins pour huit bataillons de police et pour une neuvième unité très voisine (le bataillon de gendarmerie motorisée), que les hommes avaient été informés que, en cas de refus de tuer, ils ne seraient pas punis [30]. Dans le cas du 101e bataillon, la preuve, on l'a vu, est sans équivoque et impressionnante. La sollicitude que bien des commandants avaient pour leurs hommes, en offrant à tant d'entre eux la possibilité de se faire dispenser, avait d'ailleurs sans doute une autre source : selon un témoignage, Himmler lui-même aurait émis une circulaire permettant aux hommes de la police et des autres forces de sécurité de demander à être exemptés [31]. Selon toute probabilité, les hommes des autres bataillons de police avaient été informés de ces possibilités d'exemption, bien qu'ils n'en aient pas parlé dans leurs dépositions d'après-guerre : en parler eût été s'accuser soi-même. Le commandant qui était responsable de la division des opérations du 25e régiment de police a mentionné un colonel en poste à Lemberg (Lvov) qui avait demandé à être relevé de ses fonctions parce que sa conscience ne lui permettait plus de poursuivre ces massacres. Le colonel fut muté à Berlin, à un poste important. Ce commandant, qui, de par ses fonctions, aurait certainement été au courant si des cas semblables s'étaient présentés dans le 25e régiment, a déclaré sans la moindre équivoque qu'au sein de la police d'Ordre, à sa connaissance, personne n'avait été puni pour avoir refusé de prendre part au génocide [32].

Mais même si aucune offre ne leur en avait été faite, les hommes des bataillons de police auraient pu chercher un moyen de se libérer de ces tâches pesantes : ils auraient pu demander leur mutation, ils auraient pu dire qu'ils étaient incapables d'exécuter ces ordres-là. Nombre d'entre eux ont dit par la suite que leurs commandants étaient paternels, compréhensifs, affectueux [33]. A coup sûr, ils auraient pu approcher ces commandants, leur expliquer que tuer des enfants était un peu trop difficile. Et s'il fallait passer aux extrêmes, ils auraient pu simuler des dépressions nerveuses. Sans doute y eut-il des tentatives isolées pour éviter de participer aux tueries, mais les preuves documentaires montrent qu'elles furent bien rares [34].

Les Allemands servant dans les bataillons de police étaient des êtres pensants, dotés de facultés morales, qui ne pouvaient pas ne pas avoir une opinion sur les massacres collectifs qu'ils perpétraient. Il est significatif que, dans leurs abondantes dépositions d'après-guerre, où chacun cherchait à se disculper, chaque fois qu'un individu interrogé nie avoir participé aux tueries et les avoir approuvées, il ne parle jamais que de son seul cas. Si ces dénégations individuelles, étonnamment fréquentes, reflétaient la vérité, cela voudrait dire qu'il y avait eu une opposition importante dans les rangs, et que ces hommes auraient parlé entre eux de leur désaccord : mais si ce type de discussion avait eu lieu, on s'attendrait alors à ce que des légions d'agents du génocide, chacun corroborant la version des autres, aient dit dans leurs dépositions qu'ils avaient évoqué avec leurs camarades ce caractère criminel des massacres, que chacun avait fait écho aux lamentations de l'autre sur l'obligation de participer à ces crimes. Mais pratiquement aucun, dans sa déposition, ne mentionne une telle opposition de principe chez des camarades. Cela est aussi vrai pour les membres de bataillons, où l'on sait de source sûre que la possibilité d'exemption existait, que pour ceux où l'on n'en a pas la preuve.

Au bout du compte, que la possibilité de se faire exempter sans encourir de punition eût été offerte dans neuf bataillons seulement ou dans tous n'a pas beaucoup d'importance pour qui veut tirer des conclusions sur la participation des bataillons au génocide, puisque ceux qui étaient officiellement informés qu'ils pouvaient s'en faire exempter ont tué quand même. Les Allemands des 9 bataillons en question, soit un total de 4 500 hommes ou plus, savaient parfaitement qu'il n'était pas obligatoire de participer au génocide, et pourtant, presque unanimement, ils ont choisi de tuer et de continuer à tuer. Il est significatif que, sur ces neuf bataillons, tous sauf un étaient composés en majorité de réservistes, ou dans une proportion importante. Cela tend à montrer que, pour les hommes des autres bataillons de police, l'existence ou non d'une possibilité d'exemption n'aurait rien empêché non plus. Rien, ni document ni raisonnement, ne permet de penser le contraire. Les effectifs de ces neuf bataillons constituent un échantillon suffisant pour que l'on puisse, sans crainte de se tromper, étendre la conclusion aux autres bataillons. En choisissant de ne pas se faire exempter des opérations d'extermination des Juifs, les Allemands des bataillons de police montraient eux-mêmes qu'ils voulaient être des agents du génocide.

Pourquoi auraient-ils agi autrement puisqu'ils voyaient dans les Juifs une puissance maléfique ? Erwin Grafmann, qui, à plusieurs titres, est l'homme du 101e bataillon le plus proche de l'honnêteté[35], fut interrogé sur la question de savoir pourquoi lui et les autres n'avaient pas saisi l'offre de leur sergent de se faire dispenser de peloton d'exécution avant le premier massacre. Voici sa réponse : « A l'époque, nous n'y avons même pas réfléchi[36]. » La proposition était faite, mais ni lui ni ses camarades n'avaient à l'idée qu'on pût l'accepter. Pourquoi ? Parce qu'ils voulaient y prendre part. Et Grafmann de dire, sans la moindre équivoque, que, lors de ce premier massacre à Jozefow : « Je n'ai pas entendu un seul de mes camarades dire qu'il ne voulait pas y participer[37]. » En laissant ainsi entendre à quel point ils approuvaient ces actes, Grafmann confirmait qu'ils étaient prisonniers d'une idéologie assez puissante pour les pousser à tuer les Juifs de leur plein gré : « C'est seulement des années plus tard qu'on a pleinement compris ce qui s'était passé à l'époque. » Il avait été si nazifié que c'est seulement des années plus tard (probablement quand, sorti de l'ivresse, ces hommes avaient commencé à percevoir le monde avec des yeux non nazis) qu'il avait compris que ce qu'ils avaient commis était un crime monstrueux. Ce que Grafmann voulait dire, c'était que lui et ses camarades (il parlait en leur nom) n'étaient pas moralement opposés à l'assassinat des Juifs, comme le montre parfaitement la phrase suivante, où il explique pourquoi il avait fini par se faire dispenser de tueries, en cours de journée, après avoir fusillé « de dix à vingt Juifs » : « J'ai demandé à être exempté parce que mon voisin tirait très mal. Apparemment, il tenait toujours son canon trop haut, car les blessures infligées aux victimes étaient horribles : dans certains cas, tout le dos du crâne était brisé et la cervelle jaillissait. Je ne pouvais simplement pas voir ça plus longtemps [38]. » Grafmann soulignait lui-même que c'était seulement le dégoût qui lui faisait souhaiter une pause, et pas un mot n'est sorti de sa bouche pour dire que lui ou tout autre tueur jugeait cette fusillade immorale. Il le répétera à son procès : ce n'est que plus tard « qu'il avait pensé pour la première fois que ça [tuer] n'était pas juste [39] ».

Un autre membre du bataillon, au milieu d'un exposé sur les « bandits » (partisans), expliquait pourquoi eux tous (et probablement aussi Grafmann) n'avaient pas le moindre doute moral sur ce qu'ils faisaient. Ce qu'il disait était vrai non seulement pour les Allemands des bataillons de police mais pour tous ceux qui servaient en Europe de l'Est : à leurs yeux, les Juifs étaient, axiomatiquement, identifiés aux partisans et à leurs activités anti-allemandes, et « la catégorie d'être humain ne leur était pas applicable... [40] ». Un autre agent du génocide, membre d'une des unités de police dépendant du commandant de la police d'Ordre de Lublin le confirmait, en une phrase de confession candide, exprimant le mobile essentiel de ces Allemands qui, sans qu'on les y oblige, de leur plein gré, avec zèle, et avec une extraordinaire brutalité, avaient participé à l'extermination des Juifs d'Europe : « Nous ne considérions pas un Juif comme un être humain [41]. »

QUATRIÈME PARTIE

Les camps de « travail » : pour les Juifs, des camps d'extermination

Travailler [pour les Juifs], c'était jadis piller les caravanes, et aujourd'hui, c'est piller les paysans endettés, les industriels, les classes moyennes, etc. La forme a changé, mais le principe est toujours le même. Pour nous, ce n'est pas du travail, mais du vol.

Adolf Hitler,
discours du 13 août 1920, Munich

10

L'Allemagne nazie et le « travail » juif

Pourquoi les Allemands mettaient-ils certains Juifs dans des camps de travail ? Pourquoi ne les tuaient-ils pas tous d'emblée ? Pourquoi, dans les camps de travail, les Juifs étaient-ils soumis par les Allemands à un traitement différent des autres ? Les réponses sont si complexes et défient à ce point notre sens commun que certains historiens réputés se sont complètement égarés. Deux d'entre eux ont écrit que les experts qui planifiaient l'extermination des Juifs « ne s'enivraient pas des mythes du sang et de la race, mais pensaient en termes de grands espaces économiques, de rénovation structurelle et de surpopulation, avec les problèmes d'approvisionnement afférents [1] ». Ceux qui partagent ce point de vue décrivent toujours le recours allemand à une main-d'œuvre juive comme obéissant à des principes économiques rationnels, encore que brutaux. Certains sont allés jusqu'à dire que la politique allemande de mobilisation de la main-d'œuvre esclave, et plus globalement d'exploitation économique, était l'aspect principal de leur politique à l'endroit des Juifs, et que l'Holocauste n'était qu'un phénomène secondaire et non un objectif autonome de la politique nazie [2].

L'extermination des Juifs par les Allemands n'a pas été un sous-produit d'autres programmes. Pour quelqu'un qui n'était pas possédé par l'idéologie exterminationniste, la façon dont les Allemands utilisaient la main-d'œuvre juive était manifestement irrationnelle. La destruction volontaire d'une main-d'œuvre importante, riche de talents et irremplaçable, au cours d'une guerre totale, ne saurait être un moyen de parvenir à « des méthodes plus rationnelles de production ». Au contraire, *quand on sait ce qu'étaient les objectifs des nazis*, et seulement à leur lumière, la façon dont les Allemands ont utilisé la main-d'œuvre juive, aussi surprenant que cela puisse paraître, avait sa rationalité, car elle était le résultat de compromis successifs entre des objectifs incompatibles.

Le fait que les Allemands aient à la fois utilisé et refusé d'utiliser les Juifs comme main-d'œuvre s'explique par la coexistence de trois objectifs essentiels. Le premier était d'éliminer les Juifs et, à partir d'une date qui n'est certainement pas postérieure à juin 1941, de les exterminer. Le deuxième, obéissant à des considérations pragmatiques mais souvent en conflit avec le premier, et donc largement ignoré par les Allemands chargés du génocide, était d'arracher aux Juifs la plus forte possible contribution économique possible à la victoire. Le troisième, moins évident, mais tout aussi important, entrait dans le cadre des satisfactions affectives que les Allemands entendaient tirer de leurs divers traitements des Juifs : en l'occurrence, le besoin de les « mettre au travail » [3].

Depuis la révolution industrielle, le travail, bien que conçu parfois comme intrinsèquement moral [4], a été vu le plus souvent comme une activité utilitaire dont le but est de produire des biens et des services. Son efficacité est jugée sans aucune considération sentimentale : la question est seulement de savoir quelle quantité et quelle qualité de biens est produite et à quel coût. Cette attitude à l'égard du travail était partagée par la société allemande et les nazis, à une exception près : le travail du Juif.

Dans la tradition antisémite allemande, et européenne en général [5], l'idée régnait partout, profondément enracinée (bien que rarement relevée par les historiens) et particulièrement forte dans le cas des nazis, que les Juifs cherchaient en permanence à se dérober au travail manuel, et, plus généralement, à tout travail honnête. Quatre siècles avant Hitler, Luther avait formulé cet axiome culturel : « Ils nous tiennent prisonniers dans notre propre pays. Ils nous font travailler à la sueur de notre front, gagner de l'argent et des biens à leur profit, tandis qu'ils restent assis derrière le four, à paresser, à péter, à faire rôtir des poires, à manger et à boire, à vivre bien, et tranquillement, de ce que nous amassons. Ils [...] se moquent de nous, crachent sur nous, parce que nous travaillons et que nous leur permettons d'être des seigneurs paresseux, maîtres de nos personnes et de nos biens [6]. » Lors de l'intense campagne contre l'émancipation des Juifs menée dans la Bavière profonde, en 1849-1850, les pétitions affirmaient régulièrement que les Juifs refusaient le vrai travail [7]. Dans la seconde moitié du XIXe siècle, le thème du parasitisme juif était tellement prégnant que presque tous les antisémites reprenaient cette accusation : « L'exploitation, comme antithèse du travail productif, devint un synonyme de l'activité des Juifs [8]. » L'écrivain Friedrich Rühs disait en 1816 que « les Juifs regardent le travail comme un châtiment », ce qui était une anticipation du châtiment que les nazis infligeraient aux Juifs en les mettant au travail [9].

Le thème du parasitisme juif était aussi au centre de la conversation sociale antisémite tant dans l'Allemagne de Weimar que dans l'Allemagne nazie. Des déclarations comme : « Les Juifs ne travaillent pas » ou : « Le Juif est la personne qui fait trafic du travail et l'industrie des autres » étaient souvent lues et entendues, notamment dans l'Allemagne nazie [10]. Hitler fit écho à ce thème à plusieurs reprises, lui qui écrivait dans *Mein Kampf* que, même si les Juifs étaient des nomades, ils n'avaient pas, à la différence des nomades, « une attitude positive à l'égard du concept de travail [...] Si cette attitude n'est jamais présente chez le Juif, c'est qu'il n'a jamais été un vrai nomade, mais seulement et toujours un parasite sur le corps d'autres peuples ». Il était impossible que le Juif pût accomplir un travail honnête et productif, qui était l'antithèse de ce à quoi il œuvrait toute sa vie, « puisqu'il détruit de plus en plus complètement les fondements de toute économie qui apporterait un réel bienfait au peuple »[11]. La swastika, symbole central et partout étalé de la nouvelle Allemagne, exprimait cette conception. Blason sur le drapeau nazi, voici ce qu'elle racontait, selon Hitler : « Nous, les nationaux-socialistes, nous voyons notre programme sur notre drapeau. Dans le *rouge*, nous voyons les idées sociales du mouvement, dans le *blanc*, l'idée nationaliste, dans la *swastika*, la mission de combattre pour la victoire de l'Aryen, et, simultanément, pour la victoire de l'idée de travail créateur, qui, en elle-même, a toujours été et sera toujours antisémite[12]. » Si fondamentale était la croyance en cette opposition binaire entre Juifs et travail créateur, productif, honnête, que de tous les sens que Hitler aurait pu choisir de donner au symbole central de son mouvement et de la nouvelle Allemagne, il choisissait celui-là.

La profondeur de cette croyance allemande dans l'incapacité réelle, et non pas seulement symbolique, des Juifs à s'engager dans un travail productif est manifeste dans un discours de Hans Frank, le gouverneur général de la Pologne occupée, prononcé en novembre 1941 à l'université de Berlin. Face à un auditoire d'Allemands ordinaires, Frank ne savait pas trop comment aborder une question dérangeante pour leur credo antisémite commun : « Mais ces Juifs [de Pologne] ne sont pas cette bande de parasites que nous imaginions, mais, *assez étrangement* (nous ne l'avons compris que là-bas), il y a une autre catégorie de Juifs, *quelque chose que l'on n'aurait jamais cru possible*. Il y a là-bas des Juifs qui travaillent, dans les transports, le bâtiment, les usines, et d'autres qui sont des travailleurs qualifiés, tailleurs, cordonniers, etc. [c'est moi qui souligne][13]. »

En Allemagne, l'opinion partageait le point de vue de Hitler : les Juifs étaient des parasites dont le seul travail consistait à se nourrir du sang de l'industrieux peuple allemand[14]. En raison de ce modèle culturel, tout discours sur les Juifs et le travail et toute mesure destinée à mettre les Juifs au travail avaient une dimension symbolique et morale. Faire travailler un Juif devenait un acte expressif (« rationnel en valeur », pour reprendre le vocabulaire de Max Weber[15]), c'était un accomplissement en soi, quelle que fût la valeur du produit, que ce travail fût ou non productif. Mettre les Juifs au travail n'avait d'autre but que lui-même.

La mise au travail des Juifs, indépendamment de toute finalité économique, semble être née de deux considérations antisémites solidaires. Premièrement, puisque, de par sa nature, le Juif fuyait le travail, tout travail honnête était pour lui un pesant fardeau : le travail « punissait » le Juif physiquement, vengeait des siècles, des millénaires d'exploitation. Un poème figurant dans un manuel scolaire de l'époque, intitulé « Le père des Juifs est le diable », exprimait bien cet aspect du modèle cognitif à l'endroit des Juifs : « Immédiatement après la création du monde, le Juif, à peine né, fit la grève », parce que « son but n'était pas de travailler, mais de tricher ». Face à ces Juifs, le pharaon de l'Égypte trouvait la riposte : « Ces maudits paresseux, je les tourmenterai/Ils feront des briques pour moi ! »[16]. Le pharaon, héros d'un poème de 1936, énonce très clairement la conception allemande selon laquelle faire travailler les Juifs, c'est les « tourmenter », et il annonce l'asservissement futur des Juifs et l'utilisation du travail comme moyen de torture. Second motif non économique de cette mise au travail des Juifs, la satisfaction qu'éprouvaient les maîtres allemands, leur plaisir de voir les Juifs au travail et d'étaler leur capacité à contraindre le Juif à agir contre sa nature, comme un homme honnête (même s'il ne pourrait jamais le devenir). Ainsi les Allemands entendaient-ils satisfaire leur besoin psychologique d'être totalement les maîtres des Juifs.

Cette pulsion idéologique et psychologique à contraindre les Juifs au travail était si forte chez les Allemands que, souvent, ils obligeaient les Juifs à accomplir des travaux inutiles. Ce phénomène du travail sans finalité productive était si répandu dans les camps qu'il doit être au cœur de toute analyse du travail juif dans l'Allemagne nazie. Eugen Kogon, sans citer sa source, décrit ce travail inutile comme une pratique courante à Buchenwald : « Certains des travaux effectués au camp avaient une utilité, mais d'autres étaient totalement dépourvus de sens, et n'étaient qu'une forme de torture, pour le seul “amusement” des SS. Les Juifs, en particulier, étaient souvent contraints de construire des murs qu'ils auraient à démolir le lendemain, pour les reconstruire le surlendemain, etc.[17]. »

Cette impulsion d'origine antisémite à forcer les Juifs à « travailler », sans finalité économique, se retrouvait partout où les Allemands imposaient leur loi, mais nulle part elle n'est plus frappante que dans l'Autriche de mars 1938, où on la vit naître spontanément dans l'euphorie de l'Anschluss. Au nombre des célébrations joyeuses de l'événement par les Autrichiens, on compte des actes de vengeance symbolique immédiate contre les Juifs, qui, en Autriche tout comme en Allemagne, étaient considérés comme des exploiteurs. Un peu partout, ce fut comme un spectacle de cirque : les Juifs, hommes, femmes et enfants, étaient obligés de revêtir leurs plus beaux habits et de nettoyer les chaussées, les trottoirs et les bâtiments de Vienne avec de petites brosses (du moins souvent) et de l'eau mêlée d'acide brûlant la peau, sous les applaudissements et les railleries de la foule autrichienne : « A Währing, un des quartiers les plus riches de Vienne, les nazis obligèrent des Juives à nettoyer la rue en manteau de fourrure, et tandis qu'elles étaient accroupies, ils venaient compisser leur tête[18]. » C'était là sous sa forme la plus pure, le travail sans finalité économique, et l'expression la plus pure de son origine idéologique et psychologique.

Les différentes politiques suivies par les Allemands, en ce qui concernait les Juifs et le travail, répondaient à des objectifs concurrents (désir de les exterminer, de leur arracher un bénéfice économique et de les mettre au travail par vengeance), et c'est ce qui explique qu'elles aient fini par constituer un ensemble de mesures incohérentes, et, qui, au bout du compte, se nuisaient les unes aux autres. *A priori*, la façon dont chacun des objectifs influerait sur la mise au point et l'application d'une politique n'était pas claire. Dans quelle mesure, en raison de la grande pénurie de main-d'œuvre due à la guerre, l'objectif rationnel d'utiliser les Juifs à la production allait-il prévaloir sur les impulsions, exterminationnistes et autres, à avilir et détruire les Juifs ? Le recours à la main-d'œuvre juive n'aura-t-il été qu'un détail, bien qu'important, dans le destin des Juifs d'Europe sous le nazisme ?

Le fait le plus saillant de ce recours à la main-d'œuvre juive est qu'il n'avait *rien* à voir avec le dessein global des Allemands à l'endroit des Juifs d'Europe. La mobilisation des Juifs pour la production ne fut qu'une idée tardive, née à un moment où Hitler avait déjà décidé du destin des Juifs. Le système des camps avait été édifié à des fins pénales, et ce n'est que plus tard, au cœur de la guerre, alors que les Allemands avaient déjà tué la plus grande partie de leurs victimes juives, qu'on lui donnera un rôle important dans la production[19].

Dès les années 30, malgré l'apparition d'une pénurie de main-d'œuvre, les Allemands entreprirent de chasser les Juifs de l'économie allemande et de l'Allemagne même. C'est dans les années 30 que furent prises les mesures éliminationnistes consistant à transformer les Juifs en êtres socialement morts, coupés de tous liens sociaux avec les Allemands et poussés à l'émigration. A l'époque, il ne s'agissait pas de mettre les Juifs au travail, mais au contraire de les empêcher de travailler. En 1936, quand l'Allemagne atteignit au plein emploi, qu'il n'y eut plus de réserve de main-d'œuvre mais au contraire un début de pénurie, l'objectif éliminationniste ne fut pas remis en cause : c'est même à ce moment-là que les nazis mirent en place la *Entjudung der deutschen Wirtschaft*, le « désenjuivement » de l'économie allemande, qui commença en 1937 et atteignit son plein régime en 1938[20]. Ce fut le premier exemple d'une attitude qui allait devenir la règle : malgré l'urgence économique, les Allemands ne voulaient pas utiliser les Juifs, préférant laisser fermer des entreprises et remplacer les Juifs par des travailleurs importés appartenant à des « peuples inférieurs » (qui n'étaient pas toujours aussi qualifiés que les Juifs)[21]. Du point de vue allemand, ce qui était rationnel dans le traitement d'autres peuples ne l'était pas quand il s'agissait de la politique à l'égard des Juifs. Même insérés dans l'économie, même attelés à des machines identiques aux autres, même en esclaves muets de l'effort de guerre, les Juifs restaient aux yeux des Allemands des êtres à part.

La conquête de la Pologne, puis de la France, permit aux Allemands de mobiliser des civils et des prisonniers de guerre de ces deux pays pour tenter de remédier, mais d'une façon limitée, à la pénurie de main-d'œuvre allemande. Au total, à la fin de 1940, près de deux millions de civils et prisonniers étrangers travaillaient dans le Reich, soit environ 10 % de la main-d'œuvre totale [22]. Mais les Allemands refusaient de puiser dans un autre vivier de main-d'œuvre abondante : les Juifs polonais. Frank, le gouverneur général de Pologne, avait bien promulgué, le 26 octobre 1939, l'ordre de soumettre tous les Juifs au travail forcé, et des équipes d'ouvriers juifs avaient été formées [23]. Mais c'était là bien plus un réflexe idéologique qu'une mesure économique : en dépit d'une conscience aiguë des besoins de la production, les Allemands, dès le début, faisaient fi de la productivité des Juifs polonais. Non seulement ils s'abstenaient d'organiser efficacement cette main-d'œuvre juive (si aveuglés par leur idéologie que c'est seulement au milieu de l'année 1940 qu'ils s'aperçurent que les travailleurs juifs pouvaient apporter une contribution économique véritable, et même alors ils n'y eurent recours qu'à contrecœur [24]), mais ils prenaient aussi des mesures qui affaiblissaient les travailleurs juifs et entraînaient des milliers de morts parmi eux, avant même que la politique d'extermination ne fût formellement décidée.

Le premier exemple en est celui du ghetto de Varsovie. Il compta un moment jusqu'à 445 000 Juifs, et représentait la plus forte concentration de Juifs et de travailleurs juifs de toute la Pologne. Les conditions de vie imposées au ghetto auraient été absurdes si les Allemands avaient eu vraiment l'intention de faire une place à ces Juifs dans la production : les mesures prises par les Allemands étaient le catalogue complet de ce qu'il faut faire si l'on veut transformer des travailleurs en bonne santé et productifs en des ombres d'êtres humains, en squelettes vivants ou en squelettes tout court. Le ghetto de Varsovie abritait 30 % de la population de la ville sur 2,4 % de la superficie totale, soit une densité de 80 000 personnes au kilomètre carré : *neuf personnes par pièce* dans les logements. L'alimentation en eau, le chauffage et le système d'égouts étaient catastrophiques. Cette surpopulation insupportable et ces conditions sanitaires désastreuses ne pouvaient que favoriser la propagation des maladies. Ces conditions inhumaines étaient pourtant presque vivables si on les compare aux mesures prises pour l'approvisionnement du ghetto, qui n'étaient en fait que la planification d'une famine [25] : la ration officielle pour chaque Juif du ghetto était de 300 calories par jour. Les Polonais avaient droit à 634 calories et les Allemands à 2 310 [26]. Pire, les Juifs ne recevaient pas la totalité de cette allocation alimentaire pourtant dérisoire [27]. Les conséquences, voulues, ne se firent pas attendre : très vite, les habitants du ghetto, affamés et affaiblis, ne furent plus capables d'effectuer un travail continu, à plus forte raison un travail physiquement éprouvant. Le nombre des décès dus à la famine et aux maladies qui vont de pair était effrayant : en moyenne, 4 650 Juifs par mois entre mai 1941 et mai 1942, soit 1 % de la population chaque mois, 12 % par an [28].

La politique adoptée par les Allemands à l'égard des Juifs du ghetto de

Varsovie, caractéristique du traitement global réservé aux Juifs de Pologne, était de ne pas utiliser la force de travail qu'ils représentaient[29]. Que les Allemands, à dessein, n'aient pas consenti aux Juifs des conditions sanitaires compatibles avec le travail *dès 1940*, donc bien avant que l'objectif concurrent de les exterminer ait été officiellement adopté et que, quelques mois plus tard, en juin 1941, sa réalisation ait commencé, le fait est en lui-même un témoignage éloquent de la place marginale tenue par les considérations économiques dans leur politique à l'égard des Juifs, et de la visée exterminationniste inhérente à leur antisémitisme raciste[30].

Tout au long de 1940 et de 1941, en Pologne, les Allemands continuèrent à sacrifier la productivité juive tout en augmentant le nombre des « travailleurs » appartenant à d'autres populations inférieures pour combattre une pénurie de main-d'œuvre de plus en plus aiguë : en septembre 1941, on estimait qu'il aurait fallu à l'Allemagne 2,6 millions de travailleurs supplémentaires[31]. Or, en 1942, selon les statistiques allemandes, il y avait plus de 1,4 million de travailleurs juifs dans le Gouvernement général : 450 000 environ travaillaient à plein temps et « 980 000 étaient employés pour une courte période ». Ainsi, face à la pénurie de main-d'œuvre, les Allemands refusaient-ils de recourir à *1 million* de Juifs[32].

A la fin de 1941 et en 1942, alors que les Allemands mobilisaient en plus grand nombre une main-d'œuvre étrangère, ce qui amènera un important changement dans leur politique de travail forcé (voir ci-dessous), le contraste entre la « rationalité » du traitement des non-Juifs et celui des Juifs devint plus frappant encore. Malgré l'ardente (et jusque-là décisive) opposition idéologique à toute introduction de « sous-hommes » russes à l'intérieur du territoire allemand, choix purement idéologique qui avait amené les Allemands à faire mourir (surtout faute d'alimentation) 2,8 millions de prisonniers de guerre soviétiques en bonne santé en moins de huit mois[33], un renversement de politique s'opéra. En 1942, devant l'urgence économique, les Allemands interrompirent la décimation par la faim des prisonniers de guerre soviétiques et commencèrent à les utiliser comme main-d'œuvre : en 1944, il y aura plus de 2,7 millions de citoyens soviétiques (dont beaucoup n'étaient pas des soldats prisonniers) au travail dans l'économie allemande[34]. Or, c'est précisément en 1942, au moment même où ils étaient obligés de fermer des entreprises liées à la défense, que les Allemands édifiaient les camps de la mort et commençaient à organiser la rafle systématique de tous les Juifs d'Europe, cet énorme réservoir de travailleurs utiles et souvent irremplaçables[35]. Cela veut dire que, au moment où les Allemands transformaient certains camps (entre autres, Auschwitz, Gross-Rosen et Majdanek en Pologne, Mauthausen en Autriche, Buchenwald et Dachau en Allemagne même[36]) en vastes complexes économiques liés à de grandes entreprises, ils avaient déjà tué la majorité de leurs victimes juives.

L'emploi d'une main-d'œuvre juive à partir de 1942 avait une dimension particulière : faire travailler les Juifs signifiait les exploiter momentanément avant de les tuer, quand ce n'était pas simplement un moyen de les faire mourir. Le taux de mortalité était effrayant, ce qui oblige à considérer que, dans le cas des Juifs, la distinction habituelle entre camps de travail et camps de la mort doit être repensée[37]. Néanmoins, en dépit de leur politique d'extermination, tantôt par communautés entières, tantôt par petits groupes, les Allemands firent davantage d'efforts, à partir de la fin 1942, pour extraire une certaine production des Juifs avant de les tuer. Au cours de cette dernière période d'exploitation *partielle*, les Allemands n'ont maintenu certains Juifs en vie et au « travail » que jusqu'à ce que la situation militaire des camps devînt dangereuse, ou que leur visée exterminationniste devînt irrépressible. Le premier cas est celui du ghetto de Lodz, dans l'Ouest de la Pologne. A sa création en 1940, le ghetto abritait 164 000 personnes. 40 000 Juifs supplémentaires y furent amenés en 1941 et 1942, ce qui portait le total à plus de 200 000. Dans la première moitié de 1942, les Allemands déportèrent 55 000 de ces Juifs de Lodz à Chelmno, où ils furent assassinés dans des camions à gaz. Il y eut ensuite d'autres déportations, et une famine programmée (43 500 personnes, 21 % de ceux qui vivaient dans le ghetto, moururent de faim et de maladie), si bien qu'en 1944 il ne restait plus que 77 000 Juifs, la plupart occupés à un travail productif. A l'approche de l'armée soviétique en août 1944, les Allemands liquidèrent le ghetto et déportèrent tous ses membres à Auschwitz (seul un petit groupe fut laissé sur place)[38]. Le travail productif avait apporté à ces Juifs un sursis, mais la vision du monde des nazis exigeait qu'il ne durât pas.

Même en cette période où la force de travail des Juifs était plus assidûment exploitée, les travailleurs juifs pouvaient être tués en masse à tout moment, sans aucune considération de la production, ce qui équivalait à fermer une entreprise industrielle du jour au lendemain. Quand l'*Aktion Reinhard* fut officiellement terminée, les seuls Juifs encore en vie dans le Gouvernement général de Pologne étaient ceux qu'employaient les camps de travail dirigés par des SS[39]. Tous les Juifs de ces camps avaient été sélectionnés comme « aptes au travail » et travaillaient pour des entreprises d'armement. Et soudain, les 3 et 4 novembre 1943, sans même prévenir les commandants de ces camps, les Allemand fusillaient 43 000 de ces Juifs au cours de l'opération Fête de la moisson, qui aura été le plus important massacre par fusillade de toute la guerre[40]. Baptisée avec une ironie toute allemande, cette *Erntefest* était bien leur fête de la moisson du travail juif.

Ce n'est qu'en 1944, quand les difficultés économiques et militaires devinrent très graves, qu'il y eut un important changement dans la politique allemande à l'égard du travail des Juifs. Jusque-là, les Allemands avaient toujours tout fait pour que le sol de la patrie ne fût pas souillé de leur présence, et en septembre 1942, malgré l'urgence des besoins, Hitler

1. Panneau à Brunswick en 1935 :
« Les Juifs entrent ici à leurs risques et périls. »

2. Varsovie, 1939. Un Allemand coupe la barbe d'un Juif,
sous les regards rieurs de l'assistance.

3. Réunion publique le 15 août 1935 à Berlin. Des milliers d'Allemands sont venus entendre des discours antisémites sur le thème d'une Allemagne « nettoyée » de ses Juifs. Sur les deux banderoles, on peut lire : « Les Juifs sont notre malheur » et « Femmes et jeunes filles, les Juifs sont votre ruine ».

4. La Nuit de cristal (9-10 novembre 1938). Des Allemands assistent à l'incendie de la synagogue de la Börneplatz à Francfort.

5. Ratisbonne, au lendemain de la Nuit de cristal.
Des spectateurs se tiennent dans les rues où passent les Juifs emmenés à Dachau. L'inscription sur l'étendard dit : « Exode des Juifs ».

6. Sarrebrück, mai 1933. Inscription sur le mur d'un cimetière juif : « La mort des Juifs sera la fin des misères de la Sarre. »

7, 7 *bis*. Kovno (Kaunas), fin juin 1941. Sous les yeux de soldats allemands, des Lituaniens battent à mort des Juifs.

8. Ces femmes du ghetto de Mizoc, contraintes à se déshabiller, attendent d'être fusillées par un *Einsatzkommando*.

9. Les cadavres des femmes du ghetto de Mizoc. Deux tueurs allemands achèvent d'une balle dans la tête celles qui ont survécu à la première salve.

10. Babi Yar. Le ravin du massacre.

11. Lomazy, août 1942. Rassemblés sur le terrain de sport par les hommes du 101e bataillon de police, les Juifs attendent d'être fusillés.

12. Gros plan des Juifs attendant sur le terrain de sport de Lomazy.

13. Les mêmes, vus de plus loin.

14. Un bois aux environs de Lomazy. Ces Juifs sont contraints de creuser ce qui sera la tombe collective.

15. Le lieutenant Gnade et ses hommes ratissant la campagne à la recherche de Juifs cachés.

16 *bis*. Le capitaine Julius Wohlauf.

16. Vera Wohlauf.

17. Un homme du 101ᵉ bataillon de police et d'autres Allemands au large sourire s'amusent de leurs jouets juifs.

18. Miedzyrzec, 26 mai 1943. Des hommes du 101e bataillon de police surveillent les Juifs regroupés sur la place du marché. Les Allemands les déportèrent ensuite à Majdanek, où les hommes du 101e bataillon, et d'autres, les fusillèrent en novembre 1943, dans le cadre de l'opération Fête de la moisson.

19. Miedzyrzec. Les Allemands entassent dans un wagon des femmes et des enfants juifs.

20, 20 *bis*. Lukow. Avant de déporter les Juifs de la ville à Treblinka, les hommes du 101e bataillon de police prennent le temps de faire poser un groupe de Juifs pour une photo souvenir.

21. Vienne, mars 1938. Pour fêter l'annexion de l'Autriche par l'Allemagne, une foule allègre contemple le spectacle de Juifs obligés de nettoyer la chaussée avec de petites brosses.

22. Helmbrechts. Les cadavres de 22 prisonnières juives tuées par les Allemands dans ce camp.

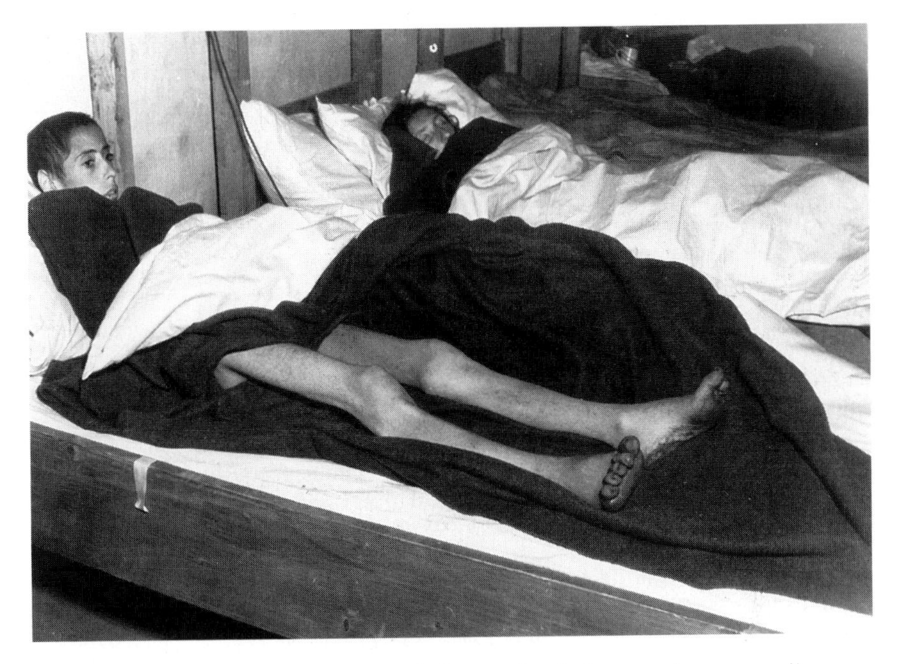

23. 8 mai 1945. Une survivante de la marche de la mort des prisonnières de Helmbrechts. Elle avait 17 ans.

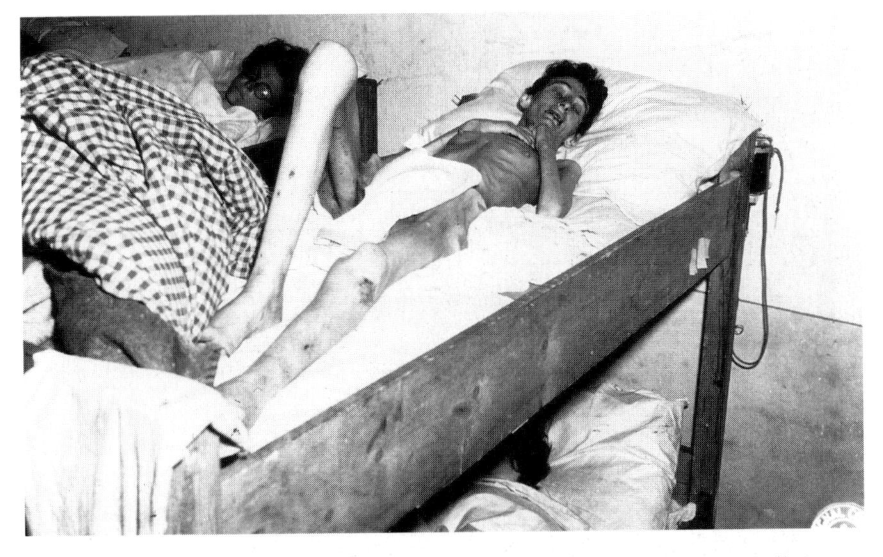

24. 8 mai 1945. Une survivante de la marche de la mort des prisonnières de Helmbrechts, Juive hongroise de 32 ans. Un médecin américain a écrit : « Elle a l'apparence d'une femme de 75 ans, et elle est dans un état d'amaigrissement, de déshydratation et de faiblesse extrêmes. Elle présente de très forts œdèmes aux pieds avec ulcération des orteils, ainsi qu'une stomatite marquée. » Avant la guerre, elle avait passé un doctorat de français.

25. Gardelegen, 7 mai 1945.
Un des prisonniers brûlés vif,
dans la position où la mort l'a saisi.

26. Gardelegen. Ils sont morts au moment où ils essayaient de se frayer un chemin hors de la grange par-dessous la porte.

27. Minsk Mazowiecki. Des Allemands obligent des Juifs à jouer à saute-mouton.

28. Ivangorod, Ukraine, 1942. Devant le photographe, un soldat vise une mère juive et son enfant.

29. Düsseldorf. Sur les murs de la synagogue, l'inscription « Mort au Juif ».

avait refusé à Himmler et à Speer de créer des camps de travail pour les Juifs sur le territoire même du Reich[41]. En avril 1944, un an et demi après que Hitler avait donné l'ordre de rendre définitivement l'Allemagne *judenrein* en déportant les derniers Juifs employés dans l'armement à Berlin, il acceptait que 100 000 Juifs de Hongrie, promis sans cela à l'extermination immédiate, fussent transférés en Allemagne, où on les emploierait à creuser d'énormes bunkers souterrains et à d'autres travaux liés à la défense. Malgré le terrible traitement auquel ces Juifs furent soumis et la forte mortalité dans leurs rangs, surtout chez ceux qui construisaient les bunkers, cette décision allemande d'exploiter leur travail aura quand même sauvé la vie à bon nombre d'entre eux. Les 350 000 autres Juifs de Hongrie déportés en même temps qu'eux en 1944 furent gazés à Auschwitz[42]. Et il y avait parmi eux bien des gens en état de travailler[43].

Les grands traits de la politique allemande de recours au travail forcé montrent que, dans le cas des Juifs, le travail n'était qu'une étape avant la mort. L'énorme pénurie de main-d'œuvre conduisait les Allemands, malgré leurs répugnances, à recourir massivement aux étrangers : 4 millions de travailleurs étrangers, prisonniers et civils, en 1942, 6 millions en 1943, plus de 7,5 millions en 1944, étaient employés dans presque tous les secteurs de l'économie allemande[44]. Et pourtant, malgré cette pénurie de main-d'œuvre, les Allemands traitaient le travail juif différemment.

L'absence de rationalité économique dans la politique antijuive était reconnue par les autorités allemandes elles-mêmes, dans leurs propos comme dans leurs actes. En réponse à une lettre du 15 novembre 1941 du commissaire du Reich pour l'Ostland qui demandait s'il fallait vraiment « liquider tous les Juifs de l'Est [...] sans considération d'âge de sexe et d'intérêt militaire » (la Wehrmacht, par exemple, était intéressée par les spécialistes de l'armement), le ministère de l'Est répondit : « Fondamentalement, les considérations économiques ne doivent pas entrer dans le règlement du problème[45]. » Les Juifs morts étaient remplacés, quand ils l'étaient, par d'autres « sous-hommes ». Le gouffre existant entre la politique à l'égard des Juifs et celle à l'égard des autres peuples, y compris les « sous-hommes » slaves, était si énorme, même quand il s'agissait de production, que c'est à croire que les Allemands avaient deux méthodes de calcul radicalement différentes[46].

Le peu d'importance accordé à la production n'était pas seulement un trait de leur politique globale à l'égard des Juifs : l'absence de toute rationalité économique dans le désir allemand de mettre les Juifs au travail est encore plus frappante quand on s'intéresse à la nature du travail et aux conditions de vie dans les camps de « travail ».

11

La vie dans les camps de « travail »

Au début de 1943, la campagne d'extermination baptisée *Aktion Reinhard* avait d'ores et déjà permis aux Allemands de tuer l'essentiel des Juifs du Gouvernement général de Pologne, surtout dans les camps de la mort, Treblinka, Belzec et Sobibor. Les seuls Juifs polonais encore en vie étaient ceux qui effectuaient des travaux liés à la défense dans des camps dirigés par les SS. En cette période qui est celle par excellence du « travail juif », tous les Juifs de ces camps avaient été sélectionnés par les Allemands comme « aptes au travail ». Ces camps de « travail », qui n'avaient officiellement d'autre mission que la production, peuvent donc nous en apprendre beaucoup sur la nature du « travail » juif dans l'Allemagne nazie.

La plupart de ces camps étaient situés dans le district de Lublin[1]. Le plus grand, et de loin le plus connu, était celui de Majdanek, dont Himmler avait ordonné l'édification le 21 juillet 1941. Situé à la périphérie sud-est de Lublin, Majdanek, comme Auschwitz, mais à moins grande échelle, abritait à la fois des installations industrielles et des chambres à gaz. Sa population n'était pas homogène, et les trois principaux groupes de prisonniers étaient les Polonais, les Juifs et les Soviétiques. Au total, 500 000 personnes entrèrent à Majdanek, et 360 000 y moururent (la plupart des survivants étant transférés dans d'autres camps), mais à un rythme différent de celui des camps d'extermination proprement dits. A Auschwitz, à Chelmno et dans les trois camps d'extermination de l'*Aktion Reinhard*, les Allemands gazaient dès leur arrivée la très grande majorité de leurs victimes, exclusivement juives. A Majdanek, ils gazaient ou fusillaient 40 % de leurs victimes, et les 60 % restant mouraient sous l'effet des épouvantables conditions de vie que les Allemands leur imposaient (violences physiques comprises) : la cause principale des décès était la faim, l'épuisement dû au travail en état de sous-alimentation, les maladies[2].

Bien que « camp de travail », Majdanek avait un taux de mortalité supérieur à celui de tous les autres camps, à l'exception d'Auschwitz et des quatre autres camps d'extermination[3]. Bien que « camp de travail »,

Majdanek n'était pas en mesure d'affecter tous ses prisonniers à un travail productif, si bien que les maîtres allemands décidèrent d'imposer à leurs travailleurs juifs un travail destiné à les faire souffrir et mourir. De nombreux anciens prisonniers de Majdanek ont raconté qu'on les faisait travailler pour rien. Un Juif qui avait survécu, arrivé à Majdanek en avril 1943, au « plus fort » de l'utilisation du « travail » juif dans le district de Lublin, disait de Majdanek que c'était « purement et simplement un camp d'extermination, voué uniquement à torturer et à tuer ». Le travail imposé aux prisonniers n'avait pas d'utilité ; chaque journée commençait par un appel qui pouvait durer des heures, et au cours duquel des prisonniers étaient battus et laissés « à demi morts ».

> Puis on allait au « travail [4] ». On avait des chaussures de bois, et une volée de coups de bâton s'abattait sur nos épaules pour nous obliger à aller à un bout du champ et remplir tantôt nos casquettes, tantôt nos vestes, de pierres, de sable humide ou de boue ; ensuite, en les tenant à deux mains et en courant sous une nouvelle grêle de coups, il fallait les apporter à un autre bout du champ, déverser ce que nous avions, puis le reprendre et courir de nouveau à l'autre bout du champ, et ainsi de suite. Une double haie de SS et de prisonniers privilégiés *[Häftlingsprominenz]*, armés de bâtons et de fouets, faisaient pleuvoir les coups sur nous. C'était l'enfer [5].

Le résultat d'un tel traitement allait de soi. Un autre survivant racontait : « Sur le chemin de retour vers le camp, les hommes du commando tiraient des claies chargées de cadavres entassés ; les vivants étaient soutenus par le bras ; arrivés à l'intérieur du camp, et abandonnés à leurs propres forces, ils rampaient jusqu'aux baraques, en s'aidant des mains et des pieds pour traverser la cour gelée ; ceux qui arrivaient à atteindre la baraque essayaient de se redresser en s'aidant du mur, mais ils ne pouvaient pas rester debout longtemps [6]. » S'ils étaient en état de l'affronter, il y avait encore l'appel du soir, et ses brutalités. Bien d'autres témoignages existent sur la nature exterminationniste du « travail » dans l'un des plus grands camps de « travail » allemand [7].

Bien qu'il y ait eu dans ce camp une importante population non juive, les victimes des chambres à gaz étaient presque exclusivement juives. Les Allemands de Majdanek traitaient les prisonniers juifs d'une manière fondamentalement différente des autres, et bien plus dure. La population de Majdanek atteindra au maximum 35 000 ou 45 000 prisonniers, chiffre très inférieur aux 150 000 prévus, en raison du manque d'équipements. Les 18 000 Juifs présents lors de la Fête de la moisson furent tous fusillés. Mais là comme ailleurs, les Allemands ne tuaient pas au hasard : les non-Juifs restèrent en vie et le camp fonctionna jusqu'à l'arrivée des troupes soviétiques le 22 juillet 1944 [8].

Alors que Majdanek était un grand camp, avec deux types de missions et deux types de population, les autres camps de la région encore actifs après l'*Aktion Reinhard* étaient plus petits, officiellement voués au seul

« travail », et peuplés presque exclusivement de Juifs. Eux aussi montrent ce qu'était le « travail juif » pour les Allemands. Parmi ces petits camps, celui de Lipowa (Lipowa Lager) et le Flughafenlager (camp de l'aéroport)[9].

Le camp de Lipowa, créé en décembre 1939 sur un ancien manège de la rue Lipowa à Lublin, était au départ un simple lieu de regroupement, qui devint progressivement un camp de concentration à part entière[10]. La transformation intervint en 1940-1941, pour deux raisons. Les autorités allemandes avaient compris que bien des Juifs de Lublin cherchaient à échapper à la conscription dans des unités de travail, et elles commençaient à incarcérer ces récalcitrants à Lipowa. De plus, on attendait de grands convois de déportés en provenance d'Allemagne et de Juifs polonais prisonniers de guerre, qu'il faudrait loger. A l'hiver 1940-1941, au moins 2 000 Juifs polonais prisonniers de guerre arrivèrent, et ils devinrent le plus important groupe du camp[11]. Vinrent ensuite d'autres Juifs, raflés périodiquement dans le ghetto de Lublin. En avril 1942, Lipowa fut placée sous l'autorité du chef de toutes les forces de la SS et de la police de Lublin, le *SS-und Polizeiführer* (SSPF). La production du camp était désormais destinée à des entreprises appartenant à la SS. Les prisonniers étaient aussi employés au triage des effets personnels des Juifs tués dans l'*Aktion Reinhard*, Lipowa étant spécialisé dans les chaussures[12]. Le bref sursis accordé aux 3 000 Juifs de ce camp vint à expiration en novembre 1943[13], et ils furent fusillés lors de la Fête de la moisson.

Dans les deux premières années du camp, la production resta très faible, tout comme la productivité de ses travailleurs juifs. Le fait est à noter, puisque l'objectif officiel du camp était de mettre au travail des Juifs de Lublin. A partir de décembre 1939, le *Judenrat* (conseil juif) de Lublin fut obligé de fournir chaque matin de 8 000 à 10 000 travailleurs, dont beaucoup d'ouvriers spécialisés. Mais jusqu'au moment où le camp passa sous la juridiction de la SS Deutsche Ausrüstungs-Werke (DAW), à l'automne 1941, les ateliers du camp étaient très mal équipés et très mal encadrés[14]. Les qualifications des ouvriers spécialisés étaient pour la plupart inutilisées, ce qui veut dire que les Allemands gaspillaient une grande partie de la force de travail et des compétences de ces hommes, qui, en des circonstances normales, auraient été très productifs.

En décembre 1941, quand le camp passa sous l'autorité de la DAW et qu'arriva un nouveau directeur, Hermann Moering, de nouveaux baraquements et ateliers furent construits, et la DAW envoya des machines. Désormais mieux à même d'utiliser une main-d'œuvre qualifiée, les Allemands mobilisèrent davantage de Juifs pour les ateliers, et le nombre de ceux qui étaient envoyés travailler en dehors du camp (presque un tiers dans les premiers temps) se réduisit, au printemps 1943, à un commando de 50 hommes[15]. Selon Moering, le nombre de travailleurs juifs qualifiés était passé de 280 (à son arrivée) à 1 590 (à la fin de l'automne 1943). A son moment de plus grande production, de l'été 1942 jusqu'à sa destruction en novembre 1943, Lipowa sera la plus importante entreprise de la DAW en dehors du territoire allemand[16], et l'un des premiers fournisseurs de chaussures et de vêtements pour le SSPF de Lublin, la Wehrmacht, la SS, la police et les services civils. Si l'on en croit la comptabilité de la DAW, ce camp dégageait du profit[17].

Ainsi, après deux ans de gaspillage, les choses devinrent enfin plus sérieuses à Lipowa, et l'entreprise semblait enfin obéir à une rationalité économique, du moins si l'on s'en tient à une mesure étroitement comptable. Les insignifiants bénéfices de sa brève et ultime période de production ne doivent pourtant pas faire illusion : replacés dans leur contexte (impressionnante contre-productivité du travail juif, gaspillages des deux premières années), ils démentent cette impression de profit. La production réalisée par 16000 Juifs environ dans toutes les entreprises de la DAW en 1943, et par 16000 autres dans les ateliers de la société SS Ostindustrie GbmM (Osti), peut difficilement être considérée comme obéissant à une logique économique quand on sait que deux millions de Juifs polonais avaient déjà été tués[18]. Et quand, en novembre 1943, les Allemands massacrèrent cette force de travail pour laquelle ils n'avaient pas de remplaçants, ils condamnèrent les installations du camp à rester pratiquement inutilisées jusqu'à la fin de la guerre[19].

Au reste, le camp était dirigé d'une façon absolument irrationnelle du point de vue de la production, puisque les Juifs y étaient très mal traités. Régime général du camp (règlement et punitions) et comportement non codifié des gardiens se combinaient pour rendre l'existence quotidienne périlleuse, pleine de dangers mortels et de souffrances pour les Juifs. A Lipowa comme dans tous les autres camps, il ne semble pas qu'il y ait eu de limite à ce que les Allemands pouvaient faire aux Juifs en toute impunité.

Dès le début de 1941, au plus tard, toute tentative de fuite était punie de mort. La peine de mort immédiate, ce réflexe des Allemands face à toute infraction, pseudo-infraction ou comportement jugé déplaisant chez les Juifs, était administrée très facilement à Lipowa. Le vol était puni de mort. Des surveillants intéressés à la bonne santé et à la productivité des ouvriers auraient pu fermer les yeux sur les tentatives faites pour obtenir, par des voies clandestines, un croûton de pain supplémentaire, complément à de maigres et affaiblissantes rations, ou un vêtement supplémentaire, pour lutter contre le froid : les Allemands, au contraire, faisaient tout ce qui était en leur pouvoir pour empêcher les Juifs d'échapper à l'épuisement et aux maladies.

La brutalité des Allemands à Lipowa ne s'expliquait pas par le besoin de se protéger du vol des objets de valeur. Toute infraction commise par un Juif, si insignifiante qu'elle fût, contre les règles imposées par les Allemands, si nuisibles à la production qu'elles pussent être, était punie avec une absolue sévérité : en 1941, un Juif qui avait volé des mitaines fut abattu d'un coup de pistolet à bout portant[20]. La sévérité des gardiens était sans relation avec la valeur de l'objet dérobé : à Lipowa, les Allemands punissaient de mort même les vols de déchets sans valeur[21]. Leur riposte ne visait pas des dommages tangibles causés au matériel ou à la production, mais la transgression elle-même, et la sentence était identique, que le manquement à la règle fût insignifiant ou constituât au contraire un vrai dommage.

La peine de mort, ou toute autre « punition » violente (qui n'était rien d'autre qu'un acte de torture), guettait tout Juif qui tentait de survivre aux privations par des moyens prohibés, mais chaque coup reçu accroissait encore le besoin où étaient les prisonniers de recourir à ces moyens interdits, pour tenter de récupérer des forces. Presque tous les Allemands du camp avaient un fouet ou un équivalent et les utilisaient fréquemment, avec énergie, distribuant les coups aux Juifs arbitrairement, sans que rien ne le justifiât, même en tenant compte de la conception libérale que ces Allemands avaient de la causalité. A ces coups de fouet quotidiens s'ajoutaient les cruautés suivantes :

1. Usage de fouets où étaient incorporés de petites billes d'acier *(eingearbeitet).*
2. Réclusion dans une cave pour une durée indéterminée.
3. Séances de coups dans un souterrain spécialement équipé d'une « table de fouet » *(Auspeitschtisch)* mise au point par un des Allemands.
4. Passage par les verges entre deux haies d'Allemands.
5. Tortures à l'électricité.
6. Réveil des prisonniers en pleine nuit, avec des coups, pour les obliger ensuite à rester debout des heures dans la neige.
7. Pendaisons publiques, qui terrorisaient les Juifs plus efficacement que les exécutions sans témoin.

Certains Juifs mouraient de cette inventivité de leurs bourreaux ; les plus « chanceux » en sortaient gravement blessés[22].

A Lipowa, comme dans les autres camps et, d'une façon générale, dans tout l'empire exterminationniste des Allemands, la cruauté du traitement réservé aux Juifs n'était pas un secret. Tout se faisait au grand jour, et c'était pure routine pour l'ensemble des gardiens. Brutaliser régulièrement les Juifs était à la fois la politique semi-officielle du camp et une norme non écrite pour son personnel. Bien que les violences exercées quotidiennement à Lipowa ne fussent nullement exceptionnelles par rapport aux habitudes allemandes, même dans les camps dits de « travail », deux épisodes inhabituels méritent cependant d'être mentionnés, car ils sont très révélateurs[23].

La Wehrmacht avait beau traiter les Juifs appartenant à l'armée polonaise comme des prisonniers de guerre[23] (même s'ils étaient des prisonniers de seconde classe à ses yeux), les SS se refusaient, quant à eux, à leur reconnaître ce statut. Pour eux, un soldat polonais juif était avant tout un Juif. Ceux des Juifs polonais prisonniers de guerre qui vinrent à Lipowa avaient été auparavant sous la juridiction de la Wehrmacht et traités avec une certaine décence. Les Allemands de Lipowa le savaient. Pour bien montrer à ces prisonniers de guerre qu'ils n'étaient que des Juifs, ils décidèrent d'organiser une nuit, sans prévenir, une cérémonie qui signifierait clairement aux nouveaux arrivants quel était leur véritable statut. Un survivant l'a racontée : « La nuit, on nous a fait sortir des baraques, à moitié nus et pieds nus. Il a fallu qu'on reste un long moment dans la neige, à plat ventre sur le sol couvert de neige. On nous a dit que nous n'étions pas des prisonniers de guerre mais seulement des Juif internés. Ils nous ont battus [...] Puis on nous a ordonné de rentrer dans nos baraques en courant; et pendant qu'on courait, ils nous battaient et lâchaient les chiens sur nous [25]. » D'autres survivants ont fait le même récit des longues heures de cette inoubliable nuit d'hiver, ajoutant que beaucoup étaient tombés malades à cause du froid (et des coups) et qu'ils en étaient morts. « Un très grand nombre d'Allemands », et parmi eux les officiers du camp, participèrent à cette cérémonie nocturne [26].

Cette « cérémonie de déchéance » rappelle, par sa symbolique, d'autres rituels visant à transformer des hommes libres en esclaves, en êtres socialement morts. Pour accompagner la proclamation du nouveau statut, on se livre à des actes qui le rendent manifeste, qui impriment dans l'esprit de chacun la nouvelle évaluation sociale de la place des individus en question [27]. Cette nuit-là, les Allemands ne se sont pas contentés de faire connaître verbalement aux prisonniers qu'ils n'étaient plus que des Juifs à leurs yeux et n'avaient donc plus droit à la protection des conventions internationales. Cela ne leur suffisait pas : ils décidèrent de reproduire, certainement sans avoir aucune connaissance consciente de ces rituels, une pratique traditionnelle du processus de transformation des hommes en esclaves. Dans leur cas, leur annonce du nouveau statut empruntait la langue la plus propre à faire comprendre ce qu'était un Juif dans leur monde : le langage de la souffrance. Pour ce rituel de déchéance, ils recouraient à leur langage particulier, celui qu'ils avaient le mieux en bouche : les Juifs étaient des êtres indignes de tout repos, faits pour souffrir, pour être battus, torturés, attaqués par les chiens, faits pour mourir, au premier signe des « surhommes » allemands. Il s'agissait d'introduire dans l'âme des Juifs, à travers leurs corps, irrévocablement, la conviction qu'ils n'étaient plus que des jouets, et qu'ils ne vivraient qu'autant que les Allemands le souffriraient. Les Allemands utilisaient ici leur principe de communication favori qui veut qu'un coup de fouet vaille mille mots; et les prisonniers juifs durent rapidement apprendre la langue de l'ordre nouveau [28].

Le second épisode est encore une cérémonie, cette fois purement festive, mais ce qu'elle nous dit de l'attitude des Allemands à l'égard de leur entreprise exterminationniste est tout aussi éloquent que les tortures infligées aux Juifs polonais prisonniers de guerre. Il s'agissait d'une fête donnée par Odilo Globocnik, le chef de l'*Aktion Reinhard*, en l'honneur d'une figure particulièrement brutale du camp de Lipowa, Alfred Dressler, son commandant. Écoutons un Juif survivant : « Un jour, alors que je travaillais chez Globocnik, il y a eu une réception en l'honneur de Dressler qui fêtait son cinquante millième Juif tué. Chez Globocnik, tout le monde ne parlait que de ce qui motivait la fête. A un moment, Globocnik m'a fait venir dans la salle et, en me menaçant d'un fusil, m'a forcé à boire toute une bouteille de vodka[29]. » Tel était l'exploit « productif » que les Allemands célébraient dans ce camp de « travail ».

En plus des Allemands qui dirigeaient et encadraient le camp, il y eut, successivement, des contingents d'unités paramilitaires d'Allemands ethniques [vivant dans les pays de l'Est avant la guerre], d'Allemands ethniques servant dans la Waffen-SS, de membres du commando Dirlewanger et enfin d'Ukrainiens, qui tous vivaient en général en dehors du camp et n'y venaient que pour en surveiller le périmètre et les groupes de Juifs qui travaillaient hors les murs[30]. Ces contingents étaient de trente à quarante hommes. Les Allemands du camp proprement dits étaient surtout des SS, dépendant du SSPF de Lublin. Nous ne disposons que d'informations limitées sur quarante-six de ces Allemands, issues des enquêtes judiciaires d'après-guerre. Ils semblent avoir constitué un groupe d'hommes très ordinaires, selon les critères allemands de l'époque[31]. Il y avait parmi eux quelques non-SS qui étaient là pour leurs compétences techniques, et quelques femmes, qui tenaient des emplois de bureau.

Comme dans tous les camps allemands, certains individus se démarquaient de la brutalité générale en l'exaspérant encore plus, au point que les normes déjà inhumaines semblaient douces comparées aux leurs. Quelques-uns, en revanche, se révélaient moins brutaux envers les Juifs. Il n'est pas surprenant que la personnalité de chaque individu ait influencé la substance et le style de la cruauté particulière qu'il exerçait contre les Juifs, bien que, dans presque tous les cas de figure, le résultat était le même : beaucoup de souffrance pour les Juifs. A Lipowa, presque tous les membres du personnel semblent avoir utilisé généreusement leur fouet. Certains, dont le commandant lui-même, qui donnait le ton, fouettaient particulièrement dur. Entre eux, les prisonniers glissaient dans l'énoncé de son nom le mot « mort » *(Mord)*. La cruauté était si générale qu'elle constituait une forte pression sociale, obligeant tous les Allemands du camp à s'y conformer. Les survivants ont raconté qu'un gardien dont le comportement était particulièrement décent leur donnait néanmoins des coups quand il y avait un supérieur pas loin[32]. Cela est révélateur à deux titres : les Juifs s'attendaient à ce que cet Allemand les battît, et, bien qu'il le fît, il était néanmoins considéré comme l'Allemand le plus décent du camp : les autres étaient pires que lui. Ensuite, si les autres gardiens avaient réellement voulu épargner de la souffrance aux Juifs, eux aussi auraient pu choisir de ne les frapper que quand un supérieur les observait, et de les frapper le moins douloureusement possible. Pourtant, le témoignage des survivants est formel, ils *choisissaient* de ne rien faire pour diminuer la douleur infligée aux Juifs. Sur les quarante-six membres du personnel allemand dont le tribunal examinera les cas après guerre, seul cet homme et deux autres furent évoqués dans de bons termes par les survivants venus témoigner [33].

Un autre camp de « travail » de la banlieue de Lublin raconte lui aussi une histoire de cruauté et de meurtres allemands bien éloignés de toute rationalité économique, jetant un doute encore plus grand sur l'idée que des considérations de productivité aient guidé la politique allemande à l'égard des Juifs autrement que d'une manière très secondaire et temporaire. Ce camp, qui porte différents noms dans les documents allemands, « camp de travail de Lublin » et Flughafen Lublin (aéroport de Lublin) sera nommé ici par l'une de ses appellations, Flughafenlager (camp de l'aéroport) [34]. Son activité économique principale était de trier le butin pris sur les Juifs assassinés au titre de l'*Aktion Reinhard*, et aussi, mais plus tardivement, de produire des brosses. On avait envisagé un moment une production d'armement, mais le projet resta sans suite. Sa production avait beau avoir une certaine importance économique, elle n'était qu'un produit secondaire de sa principale activité : ce camp était prodigieusement productif en cadavres de « travailleurs ».

Le Flughafenlager, ouvert à l'automne 1941, était situé sur la route qui allait de Lublin à Zamosc en passant par Majdanek. A la différence des autres camps de la région officiellement voués à la production, le Flughafenlager de Lublin eut du travail à donner à ses Juifs pratiquement dès le début. Chacune des principales subdivisions du camp était un camp en elle-même, un ensemble relativement distinct par ses tâches, son personnel, ses prisonniers, son histoire de cruauté et de mort. Ces grandes subdivisions étaient les suivantes : le *Hauptnachschublager* (camp principal des fournitures) Russie-Sud, relativement petit, l'usine d'habillement des SS *(Bekleidungswerk)*, dépendant de la DAW, et les entreprises Osti, les dernières venues [35]. L'établissement principal, celui de l'habillement, dépendant de la SS, était avant tout un instrument du SSPF de Lublin, pour accomplir sa part d'*Aktion Reinhard* [36].

Des dizaines de milliers de Juifs, hommes et femmes de tous âges, sont passés par le Flughafenlager. De gros convois de déportés en provenance de Varsovie, Bialystok et Belzyce s'y arrêtaient un moment, pour permettre aux Allemands de répartir les Juifs soit vers Treblinka et ses fours, soit vers les camps voisins de Majdanek, Budzyn, Poniatowa, Trawniki et Lipowa. La population juive proprement dite du Flughafenlager était en moyenne de 7 500 à 8 500, les Juifs morts étant remplacés par de nouveaux arrivants [37]. Sur les milliers de Juifs qui passèrent une partie de leur vie derrière les murs du Flughafenlager, seuls 40 ou 50 ont survécu [38].

Le « camp des fournitures » aura été tout au long de son histoire une petite entreprise, avec vingt-cinq Juifs permanents et des équipes venant chaque jour d'autres camps, une centaine de personnes environ [39]. Leur tâche consistait à charger et décharger des camions et à construire des baraquements.

On sait peu de chose sur la vie des Juifs dans ce « camp des fournitures » et dans le Flughafenlager tout entier avant l'automne 1942, car, autant qu'on le sache, il n'y eut qu'un survivant de cette période, une femme qui travailla un temps à l'usine d'habillement. Sur le « camp des fournitures », nous devons donc nous contenter de la déposition d'Albert Fischer, un des Allemands du personnel, qui, à la différence de ses collègues, a évoqué de lui-même le traitement réservé aux Juifs [40]. Il a raconté toutes les horreurs dont il avait été le témoin pendant trois mois, à partir de mars 1942. Sa vision des choses est extrêmement partielle, limitée par la brièveté de son séjour et par le fait qu'il ne pouvait témoigner que des actes de cruauté commis en sa présence. Ce qu'il a raconté, et qui ne recouvre peut-être pas absolument tout ce qu'il a vu, doit être multiplié d'un fort coefficient si l'on veut imaginer et comprendre l'échelle des souffrances que les Allemands du « camp des fournitures » infligèrent aux Juifs.

Bien que l'on sache peu de chose du « camp des fournitures » [41], il est clair que la brutalité et la sauvagerie étaient l'air même que les Juifs respiraient. Pour résumer la vie au camp, Fischer eut une formule définitive : « Les coups étaient le menu quotidien du camp » *(Schlägereien waren im Lager an der Tagesordnung)*. Après avoir donné cette vision d'ensemble, Fischer parlait presque exclusivement d'un sergent particulièrement cruel et brutal, Max Dietrich, mais ce parangon de brutalité n'était qu'un exemple particulièrement violent de la façon dont les Allemands ordinaires se conduisaient dans ce camp. Membre de la SS depuis le 1er février 1933, Dietrich avait 29 ans quand Fischer le rencontra, et il avait déjà une longue pratique du traitement des prisonniers, pour avoir fait son apprentissage à Dachau, dès l'âge de 21 ans, de 1934 à 1938. En 1941, il commandait une équipe de travailleurs juifs où l'on trouvait des Juifs polonais prisonniers de guerre venus de Lipowa, pour le compte du SSPF de Lublin. Dans le « camp des fournitures », il dirigea une autre équipe de ce type, de mai 1942 à une date inconnue de 1943 [42].

Dès le deuxième ou le troisième jour suivant son arrivée au camp, Fischer découvrit les méthodes de Dietrich en le voyant « fouetter les Juifs de son fouet de cuir d'une façon effrayante ». Un jour ou deux plus tard, nouvel étalage de violence : cette fois, Dietrich avait choisi un fouet d'acier pour faire connaître, en un langage typiquement allemand, ce que valait à ses yeux un « travailleur juif » : « Je suis arrivé au moment où Dietrich frappait le Juif, exactement comme on frappe un lapin dans la nuque pour le tuer. Il avait un fouet d'acier à peu près aussi long et aussi épais qu'un ressort de landau d'enfant. Le Juif s'effondra, sans vie [43]. »

Dietrich ne se limitait pas à ces tortures à l'ancienne, si mortelles qu'elles pussent être. Un jour, Fischer et un autre Allemand entendirent des cris terrifiants et s'approchèrent, ils découvrirent Dietrich, « une fois encore hors de lui », et une scène qui n'avait certes pas sa place dans une institution vouée à la production : « Alors j'ai vu Dietrich battre le Juif si longtemps qu'il gisait évanoui sur le sol. Là-dessus, Dietrich ordonna aux autres Juifs de le déshabiller complètement et de lui verser de l'eau sur la tête. Quand le Juif a repris connaissance, Dietrich s'est emparé des mains du Juif, qui avait déféqué par terre, les a plongées dans les excréments et l'a forcé à manger ses excréments. Je me suis éloigné parce que ça me rendait malade. » Le soir, Fischer apprit que le travailleur juif en question était mort [44].

Dietrich, en dépit de son sadisme prononcé, nous en dit long sur le comportement de ses collègues. Il était bien le plus déchaîné de tous, mais si on le remarquait plus que les autres, c'était simplement parce qu'il mettait plus de vigueur et d'entrain à manier le fouet et autres instruments d'expression. Fischer résumait de façon incisive le caractère et le comportement de Dietrich en comparaison des normes en vigueur dans le reste du camp : « Les coups étaient le menu quotidien du camp. Dietrich s'y distinguait tout particulièrement. Il commençait le matin quand les Juifs arrivaient : il en battait quelques-uns puis s'arrêtait. Alors seulement il pouvait savourer son café. Quand on lui parlait de tous ces épisodes, il devenait très agité et nous menaçait avec son pistolet. » Donner des coups était la règle éthique du camp, c'était la grammaire de l'expression et de la communication. Le besoin compulsif d'un Dietrich de faire souffrir les Juifs n'était pour ses collègues, frappeurs zélés mais non obsédés, qu'un sujet de surprise : ce qui les troublait, c'était que battre les Juifs fût pour lui une drogue [45], car une brutalité aussi effrénée a de quoi démonter même des gens particulièrement brutaux mais capables de se contrôler. Ce n'était certainement pas le menu quotidien du camp qui gênait les collègues de Dietrich, car dès le lever du soleil et leur propre lever ils le dispensaient de bon cœur. Ils frappaient les prisonniers juifs absolument tous les jours.

Fischer lui-même reconnaissait qu'il ne voyait alors rien de mal dans le traitement infligé aux Juifs. Il s'était engagé dans la Waffen-SS en 1940, ardent jeune nazi de 16 ans, « parce qu'à l'époque, j'étais tout feu tout flamme pour la cause » *(weil ich damals Feuer and Flamme für die Sache war)*. En quoi il parlait pour sa génération tout entière. Il avait combattu sur le front russe, où il avait été blessé en novembre 1941. Après sa convalescence, il avait servi dans différentes unités, avant de finir au « camp des fournitures » en mars 1942, où son zèle nazi dut affronter sa conséquence logique, la réalité nazie la plus brutale. Évoquant rapidement le lent processus par lequel un peu d'humanité s'était éveillée en lui, jusqu'à lui faire éprouver le besoin de tout confesser dans sa déposition, il expliquait : « C'est seulement dans les dernières années que j'en suis venu progressivement à me dire que bien des choses étaient pourries. Et après, mes yeux se sont ouverts. » S'il faisait cette déposition, c'était parce que « [il] voulai[t] décharger [sa] conscience, [se} vider du poids de tout ce qui s'était passé ». C'étaient les paroles d'un homme qui en avait gros sur la conscience.

A la différence du « camp des fournitures », la partie du Flughafenlager occupée par l'usine d'habillement était très étendue. Tout au long de la vie du camp, elle sera sa section de production centrale, avec des prisonniers *exclusivement* juifs, 3 500 à 5 000 en moyenne, dont 2 000 à 3 000 étaient des femmes[46]. Elles venaient de Pologne, de Tchécoslovaquie, des Pays-Bas, et, pour bon nombre d'entre elles, d'Allemagne, notamment d'Aix-la-Chapelle et de Coblence[47].

Nous ne connaissons que les grandes lignes des premiers temps de l'usine d'habillement (du point de vue de l'organisation, du type de travail des prisonniers et des traitements subis). Dans un premier temps, les SS avaient fait venir des Juifs sur ce site pour des travaux de construction (en juillet 1940 au plus tard, et peut-être avant), mais le Flughafenlager ne sera officiellement créé qu'à l'automne 1941. La construction de l'usine d'habillement elle-même ne commencera qu'à l'hiver 1941-1942[48]. Sa création répondait à deux objectifs : le premier était le souhait de Globocnik, mis en pratique à partir de 1942, de créer un empire économique de la SS de Lublin, placée sous son contrôle puisqu'il était SSPF[49]. Le second résultait de la fin de l'*Aktion Reinhard* : il fallait trier les effets appartenant aux Juifs massacrés[50].

L'usine d'habillement était un camp de « travail », créé pour exploiter la main-d'œuvre juive, pour obtenir une production économique et un profit, pour mettre les Juifs « au travail ». Mais jusqu'au moment où il reçut les vêtements et autres effets personnels des Juifs massacrés au titre de l'*Aktion Reinhard*, événement qui n'avait pas été prévu au moment de la création du camp, l'usine d'habillement n'avait du travail que pour une fraction seulement de sa population juive[51]. Ses prisonniers, comme tous les Juifs du monde des camps en général, avaient été arrachés à leurs différents métiers productifs : aussi la création de l'usine d'habillement et son fonctionnement initial n'avaient-ils que peu de chose à voir avec une réelle rationalité économique, avec un vrai projet d'utiliser la force de travail des Juifs.

Pour autant, les Allemands ne permettaient pas aux Juifs de rester sans rien faire. Même, comme on le montrera dans le chapitre suivant, ils faisaient tout leur possible pour s'assurer que les Juifs ne restent jamais un moment sans souffrir. Les Allemands mirent les Juifs « au travail », bien qu'aucun lexique normal n'eût appelé cela « travail », ni ceux qui l'exécutaient des « travailleurs ». Les Allemands leur imposaient des activités privées de sens mais épuisantes, calculées pour les affaiblir et ébranler leur santé, même celle des plus costauds[52], tout en les nourrissant très mal. Une de ces prisonnières juives racontait : « Le pain était dur et à peine mangeable. A midi, il y avait une soupe que nous appelions la "soupe de sable" : ils la faisaient avec des pommes de terre et des carottes qu'ils ne s'étaient pas donné la peine de nettoyer. Dans cette soupe, ils jetaient une ou deux têtes de bœuf, avec les dents, les poils et les yeux[53]. » L'hygiène était épouvantable : la seule eau courante accessible aux prisonniers était celle de l'infirmerie[54], et il leur fallait la transporter dans des seaux jusqu'à leurs baraques. Il n'est donc pas surprenant (et c'est bien ce que les Allemands attendaient) que les Juifs de ce camp de « travail », naguère en bonne santé et productifs, aient produit si peu et soient morts si rapidement du typhus et de la dysenterie causés par le manque de nourriture et la mauvaise hygiène[55]. Comme cette femme était la seule survivante de l'usine d'habillement avant l'automne 1942 (elle n'y avait passé que trois semaines en avril 1942), nous ne savons pas avec précision en quoi consistait le travail privé de sens qu'on les obligeait à accomplir. Mais l'institution voisine et jumelle, le « camp des fournitures », nous permet de nous en faire une idée. Dietrich, une fois encore, avait donné le signal. Un dimanche, le seul jour où les Allemands laissaient les prisonniers prendre un peu de repos, il rassembla un groupe de Juifs qu'il comptait « mettre au travail » :

> L'une des baraques, près de la voie de garage, était remplie de paillasses. De l'autre côté de la voie, il y avait une baraque qui, à l'époque, était vide. Dietrich obligeait les Juifs à transporter les paillasses, en courant, d'une baraque à l'autre, et quand la seconde était pleine, à les rapporter dans la première. Les Juifs devaient faire tout ça en courant, et Dietrich leur donnait des coups de fouet : certains s'écroulaient, incapables de continuer. Alors Dietrich trouvait la paix. Il se retirait dans ses quartiers et se saoulait[56].

Au cours de cette première période, l'usine d'habillement, quel que fût le nom que les Allemands lui donnaient, n'était rien d'autre qu'un lieu d'extermination, où les méthodes employées – activité épuisante, famine calculée et punitions violentes – ne différaient de celles des camps d'extermination que par la durée du processus.

La seconde période de l'histoire de l'usine d'habillement commence à l'automne 1942, avec l'arrivée de grandes quantités de vêtements et autres possessions personnelles des Juifs disparus dans les flammes de l'*Aktion Reinhard*. Les Allemands avaient enfin assez de travail pour toute la main-d'œuvre de ce camp de « travail », jusque-là si peu équipé pour la production. Le nombre des prisonniers, 2 000 environ jusque-là, augmenta très vite à la fin de 1942, et un rapide programme de construction permit d'accroître les installations[57].

Le butin que les prisonniers devaient trier était énorme. Selon Globocnik, 1 901 wagons de vêtements, lingerie, rembourrages de matelas et chiffons furent livrés à l'industrie allemande. Les Allemands avaient également confisqué 130 614 montres (demandant réparation), 29 391 paires de lunettes, de nombreux bijoux et de grosses sommes d'argent. Le total dépassait les 178 millions de Reichsmarks[58]. Une grande partie de ce butin (mais on ignore la proportion exacte) fut triée à l'usine d'habillement.

Comprenant parfaitement que les terribles conditions de vie que lui-même et ses subordonnés avaient imposées jusque-là aux Juifs allaient à l'encontre de leur productivité, même pour un travail de tri de ce genre, le commandant de l'usine, Christian Wirth, augmenta les rations alimentaires et institua un régime un peu moins brutal. Au début de 1943, le camp fut enfin équipé d'un égout et le système de distribution d'eau courante fut étendu[59]. Ces changements, si limités qu'ils fussent, montrent que, jusque-là, l'usine d'habillement n'avait eu d'autre objectif que d'« exterminer » par le « travail ».

La santé des prisonniers avait déjà eu tellement à souffrir des conditions de vie qui leur étaient faites dans ce camp de « travail » qu'ils étaient incapables de fournir un travail réellement productif. Au printemps 1943, l'Osti installait des ateliers dans l'usine d'habillement. A la différence des maîtres de l'empire des camps, l'Osti, une entreprise, cherchait vraiment à atteindre une certaine productivité. Aussi le directeur d'un des ateliers de l'Osti fut-il épouvanté quand il découvrit la condition des travailleurs qui constituaient son réservoir de main-d'œuvre : gravement sous-alimentés, c'étaient des loques humaines. Avant de les mettre au travail, il leur accorda deux semaines de repos, pour leur permettre de retrouver un minimum de vigueur[60]. Mais comme toutes les autres installations de l'Osti reposant sur le travail de Juifs épuisés, la fabrique de brosses et la fonderie implantées dans le Flughafenlager furent des échecs économiques[61].

Wirth ne se contenta pas d'augmenter les rations alimentaires mais prit d'autres mesures pour améliorer le sort des prisonniers. Il fit rouvrir l'infirmerie abandonnée, qui resta néanmoins un des lieux favoris des Allemands pour tuer des Juifs quand ils s'en sentaient l'humeur[62]. Il fit aussi en sorte que le nombre des Juifs battus à mort ou abattus fût réduit. Pour autant, la vie des Juifs dans le camp restait une lutte pour la survie temporaire. La sous-alimentation était toujours le lot quotidien et minait toutes les forces encore vives. Tout Juif qui était trop affaibli ou trop estropié pour suivre les cadences impitoyables était tué sur-le-champ ou envoyé à Majdanek[63].

Les terrifiantes conditions de vie des prisonniers, dans l'usine d'habillement, étaient encore aggravées par les mauvais traitements subis ; la somme des deux montre que le véritable objectif de ce camp était le génocide. Comme à Lipowa, tout Juif surpris à dérober ne serait-ce que des épluchures de pommes de terre ou des sous-vêtements usagés était aussitôt réputé « saboteur » et abattu. Accepter, malgré la règle, un morceau de pain *donné librement* par un Allemand ou un Polonais de rencontre était aussi du « sabotage ». Le fait que ces actes interdits n'avaient d'autre but que de survivre, et donc de maintenir une productivité minimale des travailleurs, n'entrait pas en ligne de compte. Puisque ces actes étaient interdits, les coupables méritaient la peine de mort, appliquée selon différentes méthode, en fonction des humeurs des Allemands : s'ils avaient envie de la décharge émotive que procure un coup de pistolet, ils abattaient le Juif sur-le-champ ; s'ils préféraient voir la chair et les os éclater sous le fouet ou le gourdin, ils le battaient à mort ; s'il leur fallait quelque chose de plus solennel, ils choisissaient la pendaison. Les pendaisons, supplice de rigueur pour toutes les tentatives d'évasion, étaient des spectacles publics [64], et, comme tels, destinés à instiller la terreur chez les spectateurs qui, outre les Allemands venus y chercher les plaisirs de l'arène, étaient tous les prisonniers du camp. Les Allemands veillaient à ce qu'aucun Juif ne manquât le spectacle et exigeaient que chacun lui accordât toute son attention : un survivant a raconté qu'il avait été battu pour avoir détourné les yeux lors d'une de ces pendaisons [65]. Pour les Allemands, il s'agissait de rendre les victimes complices de leur propre mort (une de leurs techniques favorites), d'imprimer en eux toute l'abjection de leur condition d'esclaves. Les Allemands obligeaient les victimes à construire elles-mêmes les potences, et à se passer elles-mêmes la corde autour du cou [66]. Voir un membre de la « conspiration juive internationale » donner la main à sa propre mort était une savoureuse ironie, et tout spécialement délectable quand elle était accompagnée d'autres formes de dégradation symbolique [67].

Toute erreur dans le travail ou toute cadence un peu trop lente étaient punies soit de « légers » coups de fouet, soit de l'affectation à une corvée de punition, soit, si le SS, homme ou femme, avait envie d'exercice, par cinquante coups de fouet sur le corps dénudé. On pouvait aussi être tué sur-le-champ. De plus, les Juifs savaient qu'ils risquaient à tout instant d'être envoyés à la chambre à gaz de Majdanek, au moindre mécontentement d'un Allemand [68], et le simple fait d'attirer l'attention d'un garde pouvait y suffire. Étant donné la faiblesse physique des prisonniers, on ne pouvait attendre d'eux aucun travail efficace, si bien que la torture et l'assassinat des « travailleurs » étaient partie intégrante, structurante, de chaque journée de travail dans l'usine d'habillement. La cruauté était inscrite dans le tissu même du « travail ».

Battre les prisonniers était à ce point la routine qu'une survivante, évoquant l'un des pires Allemands du camp, ne le mentionnait qu'en passant : « Wagner était un sadique. Il ne se contentait pas de battre les femmes ; ça, tous les autres SS le faisaient [69]. » Ailleurs dans sa déposition, elle précisait ce qui constituait la singularité de ce Wagner : « Il ne frappait pas avec la crosse de son fusil, mais avec son fouet, et souvent il battait tellement les femmes qu'elles en mouraient [...] Ce sadisme à l'égard des femmes en faisait quelqu'un de tout à fait anormal à nos yeux. Les autres SS, qui exerçaient sur nous un pouvoir total, étaient bien sûr aussi cruels, mais ils n'étaient pas sadiques à la manière de Wagner [70]. » Les critères de normalité dans ce camp n'incluaient pas les satisfactions ouvertement sexuelles que Wagner prenait à battre les femmes, qu'il forçait parfois à se déshabiller [71]. Si Wagner semblait « tout à fait anormal », ce n'était pas parce qu'il était brutal envers les femmes, mais en raison des composantes particulières, clairement sadiques, de sa violence. La norme générale de brutalité dans l'usine d'habillement était si élevée que de simples coups ne méritaient même pas d'être mentionnés : c'était une activité constitutive du camp pour les Allemands ordinaires.

La liberté qu'avaient les Allemands de torturer les Juifs à volonté et l'inventivité qu'ils montraient dans cet exercice distrayant expliquent que dans le climat propice de l'usine d'habillement, dans cette corne d'abondance de la cruauté, certains se soient particulièrement distingués : Wirth déboulait à cheval au milieu des Juifs rassemblés et les envoyaient valser d'une ruade ; plusieurs étaient blessés, certains même en mouraient. Autre distraction des Allemands : faire des expériences de gazage dans les baraques [72], bien que les installations adéquates de Majdanek fussent à deux pas. Ce n'était pas surprenant : avant d'être nommés à l'usine d'habillement, Wirth et d'autres s'étaient distingués en gazant des Juifs [73]. Wirth avait œuvré à la fois dans le cadre du programme Euthanasie et dans des camps d'extermination de l'*Aktion Reinhard.* Lui-même et ses subordonnés, tueurs professionnels et qui savaient y trouver leur plaisir, avaient gardé leurs vieilles habitudes dans leur nouvelle affectation, où tuer restait une de leur mission. Mais ils n'avaient pas perdu l'esprit d'initiative et mettaient beaucoup d'ardeur à renouveler leur style. Ces hommes n'étaient pas de simples tueurs : c'étaient des tueurs passionnés, enthousiastes, toujours prêts à améliorer, à inventer.

A l'usine d'habillement, il arrivait que les Allemands pendent des Juifs à la porte du camp, pratique inhabituelle car les cadavres pouvaient alors être vus des passants [74]. Apparemment, Wirth ne se souciait pas de la pseudo-règle du secret sur les activités du camp, puisque tout le monde savait à Lublin et dans la région (et en particulier tous les Allemands, soldats, policiers, employés de bureau ou autres) que les Juifs faisaient l'objet d'une extermination programmée. Ces pendaisons à la porte du camp avaient pour but de communiquer un message symbolique évident. Les entrées sont souvent des indicateurs de la nature de l'institution dont elles régulent la communication avec l'extérieur : les cadavres suspendus proclamaient visuellement, aux yeux de tous, la vraie vocation de l'usine. Ils annonçaient aussi, avec une précision rare, la manière dont les Juifs quitteraient cette institution, car une porte est aussi le point de passage pour le retour vers l'extérieur [75]. Ces pendaisons de Juifs étaient une sorte de commentaire à l'infâme inscription *« Arbeit macht frei »* (« le travail rend libre »), tout à la fois ironique et trompeuse, mais qui exprimait une vérité que ces Allemands eux-mêmes ne percevaient pas bien. Pour les Juifs, la pendaison était la « liberté » que donne le « travail ». Elle définissait un sens et un usage importants du mot « travail » dans le lexique spécial que les Allemands avaient mis au point pour les Juifs.

L'immense répertoire de la cruauté des Allemands, la volumineuse et sanglante histoire de leur traitement des Juifs sont tellement stupéfiants qu'il est même difficile de distinguer ce qui y relève de l'extraordinaire. Il existe pourtant un épisode inoubliable de la vie quotidienne de l'usine d'habillement, qui n'a aucun équivalent, une transgression pathologique, bouleversante, insoutenable, portant le Mal au sein même des Juifs hébétés de douleur, et qui en dit plus long encore sur l'état d'esprit des Allemands : la transformation sadique d'un garçonnet juif en bourreau allemand.

La règle voulait que les enfants ne fussent pas gardés en vie dans les camps (ghettos exceptés), car, entre autres raisons, ils symbolisaient les possibilités de renaissance du peuple juif, un avenir que les Allemands cherchaient à nier, dans leur tête et par leurs actes. Cet interdit demandait donc que l'usine d'habillement fût elle aussi exempte de cet élément qui donne à une communauté un espoir d'avenir et lui permet de croire, malgré tout, à sa force vitale. Mais à l'usine d'habillement, il y avait une exception : un jeune Juif d'environ 10 ans, que Wirth traitait avec sollicitude. Il le bourrait de friandises et lui fit même cadeau d'un poney, ce rêve de tout enfant. Mais cette gentillesse de Wirth avait pour fin la cruauté. Un survivant a raconté :

> J'ai vu de mes yeux à plusieurs reprises le commandant SS en compagnie de ce garçonnet juif, qui avait environ 10 ans, à qui il donnait du chocolat et d'autres douceurs, le faire tirer à la mitraillette sur de petits groupes de Juifs, deux ou trois à la fois. J'étais à environ dix mètres quand le garçonnet se livrait à ces fusillades. Le commandant SS était là sur son cheval blanc (il avait aussi donné un cheval à l'enfant), et il l'épaulait dans la fusillade. Ces deux êtres humains ont tué, en ma présence, et en plusieurs séances, de 50 à 60 Juifs. Parmi les victimes, il y avait des femmes [76].

Une fois encore les Allemands avaient manifesté leur habituel souci d'expression symbolique quand il s'agissait de Juifs : l'enfant avait reçu l'accoutrement approprié à sa transformation en bourreau de ses frères, les Allemands l'ayant habillé d'un petit uniforme SS taillé à ses mesures, qu'il portait quand il tirait sur ses victimes du haut de son poney de jeune seigneur. Et si ces témoignages des prisonniers de l'usine d'habillement sont véridiques, l'enfant ne se contentait pas de tuer des Juifs sans visage : on nous dit qu'il aurait aussi tué sa propre mère [77].

Ainsi le seul enfant juif visible dans le camp [78], qui aurait dû être une petite source d'espoir, une étincelle de joie dans l'épouvantable vie de ces Juifs, avait été transformé par Wirth en négation de tout espoir, en symbole du désespoir, en petit SS. Les Juifs adultes de l'usine d'habillement avaient dû apprendre à avoir peur de cet enfant (situation aberrante, infantilisante, déshumanisante), de cet enfant juif, à peine en âge de comprendre ce qu'il faisait, un enfant que Wirth avait à ce point perverti qu'il tuait ses parents symboliques et réels, sautillant joyeusement sur son poney. Aucun épisode n'est aussi révélateur : oui, c'était le monde à l'envers, c'était pour les Juifs un lieu surréel de souffrance physique et morale dont ils n'avaient aucune chance de sortir vivants. L'inauguration par les Allemands de ce nouvel ordre du monde, leur volonté d'arracher leur pouvoir aux Juifs destructeurs, leur transmutation de toutes les valeurs, tout cela peut être lu dans cette transformation symbolique de l'enfant juif. Les Allemands avaient amené un enfant de 10 ans à tuer sa mère.

La seconde période de la vie de l'usine d'habillement fut marquée par un autre changement dans la vie du camp. Les Juifs, désormais traités un peu moins durement, étaient devenus si nombreux que Wirth décida d'en recruter certains pour surveiller les autres et faire une partie du sale travail des Allemands. Il instaura une hiérarchie parmi les Juifs, qui, jusque-là, n'étaient qu'une masse indifférenciée. Reprenant le modèle classique des camps, qu'il connaissait si bien, il nomma des kapos juifs et créa d'autres postes privilégiés. Pour obtenir leur coopération, il leur faisait miroiter une libération et une part du butin de l'*Aktion Reinhard*. Il organisa aussi une cérémonie qui est probablement unique dans toute l'histoire des camps : un mariage juif organisé par les Allemands, en présence des gardiens et d'invités venus de l'extérieur célébrer l'événement avec leurs « camarades de travail » juifs, au total 1100 personnes environ. Cet événement extraordinaire avait pour objectif de tromper les Juifs privilégiés, de leur faire croire que, malgré tout, les Allemands étaient de bonne foi. C'était bien dans la ligne de la nouvelle politique de Wirth, en cette seconde période de la vie du camp : obtenir l'obéissance des Juifs « par la carotte et le bâton »[79]. Tout au long de la cérémonie, ce qui délectait Wirth et les autres Allemands, ce n'était pas ce mariage, c'était leur ruse : ils levaient leurs verres en l'honneur d'un mariage juif qui était symboliquement le dernier, un mariage condamné d'emblée à rester sans fruit. Les Allemands devaient bien rire à parader au milieu de cette cérémonie qui n'était qu'une farce. Le goût de Wirth pour l'ironie cruelle, l'excitation qu'il trouvait à subvertir dans la dérision les liens de parenté sacrés des Juifs (dont l'épisode de l'enfant juif était un expression si raffinée) auraient suffi à eux seuls à expliquer la cérémonie, même si elle avait aussi un objectif utilitaire : duper les Juifs[80].

Dans cette seconde période, l'usine d'habillement n'était plus qu'une simple institution complémentaire de l'*Aktion Reinhard*, dans laquelle les Juifs « travailleraient » à titre temporaire, jusqu'au moment où on n'aurait plus besoin d'eux pour trier les effets personnels de leurs frères massacrés. Alors on les ferait périr, car leur destin n'était que de survivre un moment à tous ceux que les Allemands avaient tués immédiatement dans le cadre de l'*Aktion Reinhard*. Cette période avait beau être celle où les Juifs étaient utilisés à un travail productif (parfois il y avait tant de travail à faire que les femmes triaient jour et nuit[81]) et où leurs conditions de vie étaient légèrement meilleures, elle n'en voyait pas moins les Allemands pratiquer ce que Wirth appelait « l'extermination des Juifs avec l'aide des Juifs ». Rien ne révèle mieux le deuxième aspect de la conception allemande du travail juif, à savoir que le travail n'était qu'une exploitation temporaire, un bref détour sur le chemin menant inexorablement au crématoire ou au charnier. A l'usine d'habillement, la vraie nature de la relation entre « travail » et mort était explicite, impossible à nier.

La nature et les conditions du « travail » imposées aux Juifs à Lipowa et au Flughafenlager se retrouvaient partout ailleurs dans le système des camps, à Auschwitz, Buchenwald, Mauthausen, Plaszow, Budzyn, Krasnik, Poniatowa, Trawniki et dans tant d'autres [82]. Lipowa et le Flughafenlager ne se distinguaient ni par leur brutalité ni par leur douceur, ni par une rationalité ou une irrationalité particulières dans la politique suivie en matière de travail des Juifs. Ce sont des cas représentatifs, qui font comprendre très précisément ce qu'étaient le « travail » juif et l'existence des Juifs dans la phase finale de l'Holocauste.

Le système destructeur de Lipowa, du Flughafenlager et des autres camps dits de « travail » (méthodes identiques de destruction, d'affaiblissement physique et d'exercice continuel de la cruauté) est en parfait accord avec le désintérêt global pour la productivité manifeste dans toute la politique suivie par les Allemands en matière de travail des Juifs. Sur cette question du travail des Juifs, les trois niveaux, ceux de la macro-analyse, de la méso-analyse et de la micro-analyse, se rejoignent en une harmonie qui n'est pas habituelle. Premier niveau : Hitler et les dirigeants nazis ont constamment subordonné les exigences économiques à leur désir idéologique de débarrasser l'Allemagne et le monde des Juifs. Deuxième niveau : les camps de « travail » étaient organisés pour donner la mort. Troisième niveau : les gardiens allemands, à titre individuel, ne cessaient de battre, de blesser et de tuer des Juifs qui ne les provoquaient pas. A travers toute la chaîne, on constate donc une adhésion scrupuleuse à un principe non exprimé : la question économique n'imposerait jamais sa rationalité propre au traitement réservé aux Juifs par les Allemands. La contre-productivité économique de cette politique d'extermination n'a jamais retenu ni Hitler ni le plus humble gardien de camp.

Le « travail » juif : un point de vue comparatiste

Il n'est pas douteux que dans leur décision d'exploiter ou non chacune des deux mains-d'œuvre, juive et non juive, les Allemands ont continûment manifesté leur désir d'éviter de recourir à des Juifs pour des travaux auxquels ils étaient pourtant aptes, préférant les remplacer par des travailleurs moins compétents prélevés dans d'autres populations vaincues, ou encore laisser leurs postes vacants et la production s'arrêter : la politique avait le pas sur l'économie. Mais cette politique contre-productive, née de l'idéologie, se retrouve-t-elle dans les *conditions* d'emploi lorsque les Allemands se décidaient quand même à employer des Juifs ? Traitaient-ils quotidiennement les travailleurs juifs d'une façon différente des autres travailleurs prélevés chez les peuples vaincus ? Différentes conceptions de la rationalité guidaient-elles leur utilisation des Juifs et des non-Juifs ?

Le premier, et sans doute le meilleur, instrument de mesure est celui du taux de mortalité. A tous les niveaux institutionnels, le taux de mortalité des Juifs était fortement supérieur à celui des autres peuples. En Pologne, dans les pays Baltes, dans les territoires soviétiques occupés, en Tchécoslovaquie, en Grèce et en Yougoslavie, les Allemands ont exterminé de 80 à 90 % des Juifs de chaque pays (le pourcentage étant probablement supérieur encore en Union soviétique). Aucun autre peuple n'a subi des pertes de cette ampleur [83].

Autre différence éloquente : le seul groupe de travailleurs que les Allemands aient tué massivement, jusqu'à être obligés de fermer les ateliers où ils travaillaient, fut celui des Juifs. L'opération Fête de la moisson, où les Allemands massacrèrent 43 000 Juifs qu'ils n'étaient pas en mesure de remplacer, infligeant par là un sévère préjudice à la production, n'est qu'un exemple de cette attitude allemande. Même à Auschwitz, il y eut pénurie de main-d'œuvre à la fin de 1942, et si l'idéologie exterminationniste n'avait pas dominé tout le camp, les Allemands auraient dû comprendre qu'il ne fallait peut-être pas tuer immédiatement la majorité des nouveaux arrivants en âge de travailler [84]. Au total, le nombre des Juifs employés par les Allemands en Pologne (et la plupart d'une manière très peu productive) passa de 700 000 en 1940 à 500 000 en 1942 puis environ 100 000 à la mi-1943. Cette rapide diminution, conséquence de l'extermination, apparaît encore plus dommageable quand on la compare avec le nombre total des travailleurs juifs disponibles, 1,4 million dans le seul Gouvernement général en 1942 [85]. Jamais dans l'histoire de la domination allemande de l'Europe, les Allemands n'ont agi de cette façon irrationnelle à l'égard de travailleurs non juifs, fermant des usines pour pouvoir les tuer. Jamais dans le cas des Russes, jamais dans le cas des Serbes, jamais dans le cas des Grecs, jamais dans le cas des Français, jamais dans le cas des Danois, jamais dans le cas des Allemands. Seulement dans le cas des Juifs.

Enfin le niveau des pertes (famine, maladies et morts individuelles) au cours du « travail » normal était bien plus élevé chez les travailleurs juifs que chez les autres. Si la productivité avait été le critère dominant, ou même un critère important, le taux de mortalité des Juifs n'aurait pas été aussi différent de celui des autres groupes, de celui des Polonais par exemple. Et pourtant il l'était [86], comme le montre bien le tableau de la p. 314 [87].

Le taux *mensuel* de mortalité des Juifs était de 100 %, celui des Polonais de moins de 5 %. Les chiffres de novembre et décembre 1943 sont particulièrement révélateurs, car, à la fin de 1943, toute la population du camp de Mauthausen avait été mobilisée pour une production liée à l'armement, et c'est ce qui explique la baisse spectaculaire de la mortalité des « détenus préventifs », qui passe de 35 % à 2 %. Néanmoins, la nouvelle priorité économique dictée par l'urgence de l'effort de guerre n'a pas eu de conséquence sur le taux de mortalité des Juifs, qui est resté de 100 % [88]. La prise en compte par les Allemands des besoins de la production n'aura eu que des effets très marginaux sur le déroulement du génocide [89].

Les conditions de travail des Juifs étaient elles aussi très différentes.

TAUX DE MORTALITÉ MENSUELLE À MAUTHAUSEN
SELON LES CATÉGORIES DE PRISONNIERS
en pourcentage

	nov.-déc. 1942	janv.-fév. 1943	nov.-déc. 1943
Juifs	100	100	100
Prisonniers politiques	3	1	2
Droit commun	1	0	1
Détenus préventifs	35	29	2
Asociaux	0	0	0
Polonais	4	3	1
Civils soviétiques	–	–	2

La règle dans les camps était d'utiliser des critères raciaux pour déterminer le traitement général, la quantité de nourriture et sa valeur nutritive, les tâches des uns et des autres. Les Juifs avaient toujours droit au pire. Dans tous les camps, les Allemands traitaient les Juifs plus durement, les nourrissaient plus mal et leur affectaient les tâches les plus épuisantes et les plus dégradantes [90]. Cette discrimination systématique et mortelle se retrouvera hors des camps, dans la dernière période de la guerre, quand les Allemands emploieront des Juifs à creuser d'énormes souterrains en Allemagne même [91]. On retrouve là la discrimination systématique évoquée au chapitre 5.

Qui plus est, c'est presque exclusivement aux Juifs que les Allemands réservaient le travail privé de sens. La compulsion idéologique des Allemands à mettre les Juifs au travail n'avait pas son équivalent dans le cas des autres peuples dominés, même des Tsiganes, que les Allemands ont pourtant cherché à déshumaniser complètement et qu'ils ont massivement exterminés. Cet aspect du « travail » juif représente une rupture significative d'avec les critères appliqués aux autres peuples, et il suffit à montrer que cette altération radicale de la sensibilité et de la rationalité des Allemands ne concernait que les Juifs.

Non seulement les gardiens de camp mais les Allemands en général avaient des réactions différentes face aux travailleurs juifs et non juifs. C'étaient les millions d'Allemands ordinaires surveillant le travail ou travaillant avec les étrangers qui, tout autant que le régime lui-même, déterminaient par leur comportement individuel ce que serait la vie de ces travailleurs étrangers. Malheureusement pour ces derniers, un très fort pourcentage de ces Allemands montraient par leur attitude et leurs brutalités à quel point ils étaient pénétrés par le racisme nazi, en particulier à l'égard des « sous-hommes » slaves[92]. Dans les premiers temps, les mauvais traitements infligés aux travailleurs étrangers par les Allemands firent tomber la productivité au-dessous du niveau escompté. Cette expression spontanée des convictions individuelles des Allemands était si préjudiciable à la production que, au début de 1943, le régime lança une campagne pour convaincre les Allemands de mieux traiter les travailleurs étrangers[93]. Le degré d'inhumanité et de cruauté que manifestaient les Allemands à l'égard des différentes catégories de travailleurs étrangers obéissait à la hiérarchie raciale qui gouvernait l'ordre nazi, la société et la pensée allemandes de l'époque. Les Français étaient beaucoup mieux traités que les Polonais, dont l'existence était pourtant préférable à celle des Russes[94] ; ces derniers, dans les premiers temps, eurent à subir d'abominables souffrances et leur taux de mortalité était effrayant[95]. Et pourtant, l'armure idéologique des Allemands pouvait parfois se craqueler au contact des « sous-hommes » non juifs, même russes ou soviétiques en général.

Ainsi, la composante de l'idéologie nazie et du code culturel allemand en général qui voyait dans les Slaves des sous-hommes ne fut-elle jamais aussi universellement acceptée, ni aussi imperméable à toute remise en cause, que la composante antisémite. La *substance* des croyances à l'endroit des Slaves n'était pas, pour les Allemands, génératrice des mêmes terreurs (voir p. 461 à 463). Face aux Slaves, ils n'avaient pas les mêmes barrières psychologiques et conceptuelles qu'à l'endroit des Juifs, objets d'une haine hallucinée. Bien des Allemands étaient encore capables de percevoir la réalité des travailleurs étrangers pour ce qu'elle était. Des Allemands qui avaient des contacts avec des travailleurs polonais ou russes étaient capables d'opérer des ajustements dans leur modèle cognitif pour prendre en compte l'évidente humanité de ces « sous-hommes ». Leurs convictions étaient plus superficielles (comparées à leurs convictions à l'endroit des Juifs) et le modèle culturel était donc susceptible d'une certaine flexibilité.

Ouvriers et paysans allemands constataient et *reconnaissaient* que les Polonais et les Russes travaillaient dur et bien, et ils y voyaient une preuve de leur humanité. Un ouvrier de Bayreuth remarquait : « Notre propagande représente toujours les Russes comme des imbéciles. Je me suis aperçu que c'était tout le contraire. Les Russes réfléchissent quand ils travaillent et ils n'ont pas du tout l'air d'être stupides[96]. » Russes et Polonais avaient parfois leurs familles avec eux, et ces liens familiaux étaient reconnus et respectés par les Allemands. Un rapport du SD de Liegnitz donnait quelques exemples de ce comportement et concluait que « la population considère que le sens de la famille manifesté par les bolcheviques est à l'opposé de ce que dit notre propagande. Les Russes se préoccupent beaucoup de leur famille, et ils mènent une vie familiale ordonnée. Ils se font des visites dès qu'ils le peuvent. Les liens sont très forts entre enfants, parents et grands-parents[97] ». Une fois qu'ils avaient ainsi ouvert les yeux, les Allemands pouvaient s'exprimer et agir d'une manière différente de ce qu'impliquaient leurs croyances culturelles antérieures à l'égard de ces « sous-hommes », démontrant par là qu'ils les avaient remises en cause [98]. Bien des Allemands convenaient que les Russes eux-mêmes, pourtant réputés inférieurs à tous les autres, étaient de bons travailleurs. Les histoires d'amour étaient fréquentes entre citoyens allemands et travailleurs étrangers. En 1942 et 1943, près de 5 000 citoyens allemands étaient arrêtés chaque mois pour relations interdites avec des étrangers. Et bien que ce manquement fût sévèrement puni, cette violation massive et délibérée des lois raciales n'en continuait pas moins [99]. Les Allemands autorisaient les travailleurs étrangers à écrire chez eux et leur accordaient souvent des permissions. Ils écoutaient souvent leurs plaintes, et les industriels allemands plaidaient leur cause auprès des autorités avec une vigueur et des arguments qu'ils n'utiliseront jamais dans le cas des Juifs [100]. Une Polonaise enceinte n'était jamais tuée par les Allemands, une Juive si. La Polonaise était renvoyée chez elle au sixième mois de sa grossesse, comme l'étaient aussi ceux qui souffraient d'une maladie, physique ou mentale [101]. Plus significatif encore, des relations se développaient souvent entre Allemands et travailleurs non allemands, lesquelles, bien que toujours marquées par la domination des premiers sur les seconds, étaient fondées sur la reconnaissance par les Allemands d'une humanité commune, et pouvaient aller jusqu'à l'amitié [102]. Cela ne se produisait pour ainsi dire jamais entre Allemands et Juifs.

Dans l'ensemble, bien que le sort réservé aux travailleurs étrangers par les Allemands ait été très dur, ce qui démontre à quel point le racisme régnait sur l'Allemagne [103], il était pourtant incomparablement meilleur que celui des Juifs. Au moment même où les autorités adjuraient les paysans allemands de ne plus laisser leurs ouvriers étrangers manger à leur table et assister à leurs fêtes, elles cherchaient à vider entièrement l'Allemagne de ses Juifs et les mettaient en « quarantaine » dans des ghettos comme autant de « porteurs immunes de bacilles infectieux » [104]. Chacune des deux politiques était le résultat d'une conviction [105].

Le traitement que les Allemands infligeaient aux Juifs, c'est-à-dire les sévices et les meurtres, leur était spécialement réservé. Taux de mortalité le plus fort, rations alimentaires les plus basses, accumulation des dégradations symboliques et des brutalités, le tout fondé sur des convictions inaltérables, tel était le lot des Juifs. Même si les Allemands se montraient également brutaux et meurtriers à l'égard des autres étrangers (et le niveau de leur violence dépassait de très loin celui de bien des sociétés esclavagistes), leur politique à l'égard des non-Juifs était surtout guidée par des considérations économiques. Au début de 1943, au plus tard, l'utilisation de la main-d'œuvre non juive obéissait à des principes raisonnablement rationnels [106]. Les conditions de vie faites aux non-Juifs permettaient à la productivité d'atteindre un niveau convenable, d'autant plus que les campagnes menées auprès de l'opinion pour tempérer les haines avaient porté

MAIN-D'ŒUVRE ÉTRANGÈRE	PRODUCTIVITÉ PAR RAPPORT À LA PRODUCTIVITÉ ALLEMANDE (À TÂCHES ÉGALES)
Soviétiques	80/100 %
Femmes soviétiques	50/75 %
comparées à ouvrières allemandes	90/100 %
Polonais	60/80 %
Belges	80/100 %
Hollandais	60/80 %
Italiens, Yougoslaves, Croates	70/80 %
Prisonniers dans les mines	50 %
Prisonniers dans la métallurgie	70 %

leurs fruits, comme le montre le tableau ci-dessus sur la productivité moyenne de la main-d'œuvre étrangère en pourcentage de celle de la main-d'œuvre allemande, à tâches égales, pour la Rhénanie et la Westphalie[107].

Le type d'utilisation rationnelle de la main-d'œuvre qui rendait cette productivité possible n'a jamais été mis en pratique quand il s'agissait des Juifs, excepté localement et à très petite échelle. Ces différences dans le traitement des Juifs et des non-Juifs étaient le fait de la société allemande à tous les niveaux, des dirigeants aux exécutants, à tous ces Allemands ordinaires que leur travail mettait quotidiennement en contact avec les différents peuples assujettis : c'est de la somme de leurs actes individuels que résultaient les conditions de vie de ces étrangers exploités. Si les Allemands avaient été vraiment guidés par des considérations de rationalité économique, alors leur utilisation de la main-d'œuvre juive (qu'il s'agisse de la politique générale ou du traitement des individus sur le terrain) aurait été au moins aussi rationnelle que leur utilisation des Polonais[108], pour ne rien dire des Français, des Hollandais, voire des prisonniers allemands. Le comportement discriminatoire des Allemands à tous les moments de la vie quotidienne prouve, si besoin était, qu'ils voyaient et traitaient les Juifs comme des êtres à part, destinés avant tout à souffrir et à mourir, quelque autre usage qu'on pût en faire temporairement.

12

Travail et mort

Pourquoi les Allemands ne se sont-ils jamais départis de cette stupéfiante irrationalité économique qui consistait à exterminer une main-d'œuvre riche en talents et capable d'une productivité supérieure ? Pourquoi ont-ils volontairement imposé aux Juifs des conditions de vie épouvantables et les ont-ils traités avec une telle cruauté au moment même où ils les mettaient au travail ? Quel contexte politique et social, quel modèle cognitif donnaient, à leurs yeux, *un sens* à cette manière de traiter le travail des Juifs ?

Le fait que les Allemands n'aient pas recouru à la main-d'œuvre juive disponible dans toute l'Europe conquise, et le sort qu'ils réservaient aux Juifs dans des camps de « travail » comme Majdanek, Lipowa, le Flughafenlager et tant d'autres, constituent des points de départ empiriques pour répondre à ces questions. On y trouve la démonstration que les principaux aspects objectifs du « travail » des Juifs relevaient de la pathologie, qu'ils n'avaient rien à voir avec ce qui définit ordinairement le travail :

1. L'utilité potentielle du travail des Juifs n'entrait pas en ligne de compte aux yeux des Allemands. Ils l'ont démontré sans cesse par leurs décisions d'anéantir des communautés juives tout entières, avec leurs équipements économiques, mettant fin brutalement à une production très importante et irremplaçable.
2. Même quand les Juifs étaient mis « au travail », les Allemands sous-utilisaient totalement leurs capacités de production ; ils les avaient arrachés à leurs lieux habituels de travail et à leurs équipements pour les envoyer dans des lieux non équipés, si bien que, la plupart du temps, ils travaillaient sur du matériel primitif ou en très mauvais état. De plus, les tâches étaient affectées sans considération des qualifications des Juifs. La conséquence en était que :
3. Le « travail » des Juifs se caractérisait par son infime productivité, à deux niveaux : productivité générale des Juifs d'Europe, productivité d'une force de travail donnée dans un camp donné.
4. Le « travail » des Juifs avait une dimension de « punition » (sans parler des mauvais traitements), comme le prouvent les travaux privés de sens.
5. Le « travail » des Juifs avait pour première caractéristique le très mauvais

état physique des travailleurs, conséquence du traitement infligé par les Allemands. Les cadences étaient inhumaines, insupportables physiquement. S'y ajoutaient la sous-alimentation et une absence d'hygiène volontaires, ayant pour résultat l'état de santé catastrophique des prisonniers juifs.

6. Le « travail » des Juifs était caractérisé par son issue mortelle. La seule raison pour laquelle un plus grand nombre de Juifs ne sont pas morts de faim, d'épuisement physique et de maladie est que les Allemands les tuaient avant que leur état de santé ne devînt critique. Exténués, les travailleurs juifs marchaient vers leur mort. Tant qu'ils n'étaient encore qu'à mi-parcours, les Allemands les exploitaient pour en tirer une certaine production et différentes satisfactions psychologiques dérivées. Toute infraction imaginaire ou réelle (contre l'ordre inhumain du camp) était une occasion de tuer les Juifs.
7. Le « travail » des Juifs était caractérisé par la cruauté permanente du personnel allemand des camps.
8. Même si cela ne fut pas absolument vrai tout le temps ni à tous les points de vue, le « travail » des Juifs était, par essence, fondamentalement et qualitativement différent de celui des non-Juifs soumis eux aussi au travail forcé.

En aucun sens du terme, les Allemands ne traitaient les « travailleurs » juifs selon la définition commune du « travailleur », ni même selon la définition commune de l'« esclave ». Les Allemands n'utilisaient pas rationnellement les Juifs pour la production, n'évaluaient pas leurs capacités productives et les cultivaient encore moins, et ils empêchaient cette « main-d'œuvre » de se reproduire[1]. Travailleurs et esclaves sont normalement évalués en fonction de ce qu'ils produisent. Les Juifs non : leur production était sans incidence sur leur destin, sauf dans le très court terme. Les Allemands traitaient les Juifs comme des criminels condamnés à mort, contraints de casser quelques pierres avant leur exécution. Pour les travailleurs et les esclaves, le travail est un moyen de vivre et de se reproduire (et, pour les travailleurs, d'acquérir une dignité). Pour les Juifs, le « travail » signifiait la mort. Leur destin, comme celui de criminels condamnés à mort, était scellé. Ils étaient même plus mal traités que les criminels, car leurs gardiens avaient un besoin compulsif de les faire souffrir.

Objectivement, le « travail » juif sous le règne des nazis était une violation radicale de toutes les normes rationnelles du travail, sans équivalent dans l'histoire des sociétés industrielles, et même rarement égalée dans les sociétés esclavagistes. C'était une des composantes de l'entreprise d'extermination : le « travail » juif était destructeur en lui-même.

Quels étaient donc alors le modèle cognitif, les présupposés, le contexte politique et social qui transformaient le travail en destruction et lui faisaient prendre des formes aussi aberrantes ? En d'autres termes, quelle était la conception *subjective* des Allemands à l'endroit des Juifs et de leur destin qui les poussait à transformer le travail (activité utilitaire visant à une production rentable et rationnelle) en destruction, et, sur le lieu du travail, à traiter les Juifs non pas comme des travailleurs mais comme des criminels condamnés à mort ?

Cette métamorphose imposée au sens du travail était due au modèle cognitif antisémite, dont l'article le plus important était que les Juifs « ne méritaient pas de vivre ». Ils étaient des êtres socialement morts que l'on pouvait seulement tuer, et cela à double titre : c'était moralement correct et *de facto* légal. En raison de leur nature réputée satanique, les Juifs ne pouvaient se voir accorder le droit, minimal, à la vie, et les tuer était moralement louable. Cette conception régnait dans tout le système des camps, ghettos compris, chez tous ceux qui surveillaient le « travail » des Juifs *avant même que la politique de génocide n'eût été officiellement lancée.* Quand les dirigeants allemands ont pris la décision du génocide, et que différentes institutions, avec leurs employés, ont entrepris de mener à bien ce programme, la visée exterminationniste préexistante, objet jusque-là de politiques encore vagues, a pu embrayer sans à-coups sur la nouvelle politique d'extermination totale. Jusque-là, l'acte moral qui consistait à tuer les Juifs par le « travail » était, dans les faits, bienvenu, mais il n'avait pas un caractère obligatoire : désormais, la nouvelle politique en faisait une norme morale. Tuer les Juifs, jusque-là une simple bonne action, devenait une urgence.

Sans cette approbation morale du meurtre des Juifs, la constante dégradation de leur force de travail, les « exécutions » arbitraires dues aux gardiens, le taux de mortalité astronomique, rien de tout cela n'aurait pu exister et n'aurait été toléré à aucun niveau de la hiérarchie. Sans cette orientation de toute une société, la destruction d'une main-d'œuvre en une époque de cruelle pénurie n'aurait tout simplement pas eu de sens.

Un deuxième trait de ce modèle subjectif était que les Juifs devaient souffrir. Non seulement ils ne méritaient pas de vivre et étaient destinés à mourir, mais tant qu'ils étaient vivants, ils devaient aussi subir punitions et dégradations, ce qui explique que les mauvais traitements quotidiens aient acquis la puissance d'une norme. Une loi non écrite exigeait de battre les Juifs, de les insulter, de leur faire la pire vie possible, et c'est elle qui engendrait la cruauté généralisée. Dans les camps de « travail », les Allemands infligeaient des souffrances aux Juifs avec une régularité calculée non seulement pour les blesser dans leur corps mais pour les plonger dans un état de perpétuelle terreur. Et ce n'était pas seulement une cruauté d'origine individuelle, ni une cruauté collective résultant d'une somme de cruautés individuelles : les souffrances des Juifs étaient la trame même de la vie des camps, qu'il s'agît du manque d'eau et de l'absence d'égouts, des coups reçus pour manquement à des cadences par définition intenables, de la peur constante des « sélections ».

Le présupposé selon lequel les Juifs devaient souffrir était la condition cognitive de cette cruauté incessante, économiquement absurde (tant celle liée aux conditions de vie dans les camps que celle émanant des Allemands pris individuellement). Ce qu'il faut souligner, quand on considère ce modèle cognitif gouvernant l'action de tous, c'est que, chaque fois qu'un Allemand tuait ou brutalisait un Juif sans ordre, cet acte était *volontaire*. Comme tous les Allemands des camps, à quelques rares exceptions près, infligeaient ces sévices aux Juifs, on voit qu'il régnait dans les camps une idée, non codifiée mais partagée par tous, selon laquelle produire de la souffrance juive était un aspect essentiel de la tâche de chacun. Sans cette attribution subjective d'une valeur morale à la souffrance juive, les actes qui produisaient cette souffrance et les graves dommages économiques qui en résultaient n'auraient eu aucun sens pour les Allemands, et ils ne les auraient pas commis. Ces actes n'auraient même pas été tolérés, et encore moins encouragés. La joie violente et l'ardeur inventive mises à infliger ces souffrances physiques et psychologiques aux Juifs n'étaient qu'une perversion idéologique du rôle de contremaître.

Troisième aspect du modèle culturel, lié au deuxième, la conviction que les Juifs étaient des parasites, toujours prompts à éviter le travail. Dans l'esprit des Allemands, contraindre les Juifs à un travail manuel, à un travail honnête, c'était les faire souffrir, puisque leur nature récusait ce type d'activité. Cet aspect avait moins d'importance que les autres dans le traitement *général* des Juifs, mais on le trouve à la source de plusieurs actions particulières des Allemands. Il mérite donc d'être considéré à deux titres. Souvent, les Allemands contraignaient les Juifs à des travaux sans utilité : quand on analyse ce qui motivait le traitement allemand du « travail » juif, ce phénomène important et révélateur, à la différence des autres formes de cruauté, ne peut s'expliquer convenablement par la seule conviction allemande que les Juifs méritaient de souffrir. Ensuite, quand on veut comprendre la façon dont les Allemands parlaient du « travail » des Juifs, propos qui, à leur tour, influençaient leur manière de traiter les travailleurs juifs, l'idée que les Juifs refusaient le travail, profondément ancrée dans la culture allemande, doit être au centre de l'analyse.

Dernier aspect pertinent du modèle cognitif, le fait qu'une certaine rationalité économique dans le traitement des Juifs n'apparaisse que dans certains camps ou ateliers particuliers, et que, même là, elle ait pu être subordonnée aux autres axiomes du modèle culturel. Autrement dit, à l'intérieur d'une politique irrationnelle d'utilisation de la force de travail des Juifs, il a pu arriver que des centres de production particuliers, avec toutes leurs irrationalités particulières, aient eu recours au travail des Juifs d'une manière qui semble impliquer l'observation de critères économiques. Mais ces critères économiques n'ont jamais pris le pas sur l'intention exterminationniste, dans son urgence, ni sur le besoin général de rendre les Juifs aussi misérables que possible. L'usine à brosses du Flughafenlager, dépendant de l'Osti, est un bon exemple de ce type de rationalité économique locale. Les Allemands avaient arraché les Juifs à tout ce qui était leur environnement économique, leurs machines avaient été détruites ou mises de côté quelque part. Les Juifs du camp n'avaient presque aucun outil à leur disposition. Aussi les Allemands les « travaillaient »-ils à une cadence brutale. Sachant que les Juifs allaient mourir, et qu'il n'y avait pas les équipements nécessaires à une production normale, il était localement « rationnel », sensé aux yeux des Allemands, de « travailler » les « travailleurs », au sens propre et au sens figuré, jusqu'à la mort.

Cette exploitation irrationnelle, d'un point de vue économique, de la main-d'œuvre juive n'empêchait pas les Allemands de poursuivre des objectifs de production et de profit, mais cette rationalité « locale » ne pouvait prendre le pas sur l'extermination des Juifs, dans la souffrance, qu'à titre temporaire[2]. Oswald Pohl, l'homme qui était responsable de tous les camps de concentration, disait à Himmler, en recourant à un euphémisme typique de la période, que les « Juifs physiquement aptes, destinés à l'émigration à l'Est [= l'extermination] doivent interrompre leur voyage et travailler pour l'armement[3] ». Le voyage reprendrait ensuite. Dans le cas des administrateurs allemands sur le terrain, le fait de savoir que ce programme d'extermination formait le contexte politique et social de l'emploi des Juifs était la condition déterminante pour qu'ils distinguent une apparence de rationalité économique à ce traitement brutal et irrationnel des travailleurs, et pour qu'ils les laissent traiter de cette façon. Puisque les Allemands « travaillaient » les Juifs à mort quand ils ne pouvaient pas les employer à une production rentable, il n'est pas surprenant qu'ils aient agi de même quand ils les utilisaient pour la production.

Si les Allemands ont pu trouver un sens à cette utilisation de la force de travail des Juifs et au traitement qui leur était infligé, c'est parce qu'il y avait deux principes d'airain au cœur de leur pensée, celui de l'extermination et celui de la souffrance juive, avec l'idée complémentaire que les Juifs devaient d'une manière ou d'une autre travailler et donc être exploités économiquement avant de mourir[4]. C'est ce modèle cognitif du travail juif, et seulement celui-là, qui permet de comprendre ce qu'ont fait les Allemands. C'est seulement à l'intérieur des limites de la politique globale antijuive, née de l'application des principes d'extermination des Juifs dans la souffrance, que pouvait s'insérer une certaine prise en compte de la rationalité économique, et seulement à titre temporaire. De plus, l'application des politiques concrètes qui pouvaient être localement rationnelles dans un contexte globalement irrationnel de contre-productivité servait de la même façon le programme exterminationniste. Les principes d'extermination et de souffrance transformaient la production elle-même en servante de l'extermination des travailleurs. Même quand telle entreprise dégageait un certain profit, ce n'est pas de rationalité économique qu'il s'agissait, puisque ces résultats ne faisaient que cacher les coûts économiques gigantesques de la politique exterminationniste. Contraindre un travailleur qualifié, jeune, en bonne santé, à tisser lui-même la corde ou à construire l'échafaud où on le pendra (de ses mains meurtries, tuméfiées, raidies de froid, et avec des outils inadéquats) ne peut être considéré comme une utilisation économiquement rationnelle de sa force de travail que par ceux qui veulent avant tout le pendre, sans se préoccuper de la perte de productivité que cela représente.

Bien des déclarations des Allemands eux-mêmes montrent clairement qu'ils avaient tout à fait compris que la politique suivie était, du point de vue économique, une catastrophe, ruineuse pour l'effort de guerre. Quand on contestait l'extermination des Juifs, c'était toujours au nom d'un raisonnement économique et jamais au nom d'un principe moral. Un inspecteur de l'armement en mission en Ukraine écrivait dans son rapport en décembre 1941 : « Y a-t-il au monde quelqu'un qui soit censé produire de la valeur économique dans ces conditions ? » Mais ce genre de considération, même quand elle était exprimée, était impuissante à convaincre des esprits prisonniers de l'antisémitisme exterminationniste : le même rapport, évoquant les « 150 000 à 200 000 Juifs » que les Allemands avaient déjà tués dans la région, disait que la politique à l'égard des Juifs était « à l'évidence [...] fondée sur des principes idéologiques »[5]. Dans le système de valeurs qui, à tous les niveaux institutionnels, guidait la politique suivie en matière de travail des Juifs, la rationalité économique n'était prise en compte que très secondairement.

Le véritable sens du « travail » juif avait été exposé par Heydrich lui-même à la conférence de Wannsee, le 20 janvier 1942, où il informa les représentants des différents ministères et services concernés de leurs responsabilités respectives dans la « solution finale de la question juive », déjà bien engagée : « Les Juifs seront enrôlés pour travailler [...] et il ne fait pas de doute qu'un grand nombre d'entre eux disparaîtront par déperdition naturelle. » Les autres seraient tués[6]. Heydrich exposait ici l'altération cognitive fondamentale du mot « travail » appliqué aux Juifs : la réunion de Wannsee officialisait le nouveau sens du terme dans l'empire nazi, qui devenait synonyme de destruction. A Wannsee, les représentants des principales institutions traitant la « question juive » reçurent leurs instructions sur ce que ce « travail » devait accomplir. En octobre 1942, Himmler concluait sa circulaire imposant le regroupement des Juifs des districts de Varsovie et de Lublin dans « un petit nombre de vastes camps-usines » en disant : « Il va de soi que ces Juifs-là aussi doivent un jour disparaître selon les vœux du Führer »[7]. C'était *selbstverständlich* : cela « allait de soi ».

Si le phénomène du « travail » des Juifs a représenté un tel triomphe de la politique et de l'idéologie sur l'intérêt économique bien compris, ce n'est pas seulement parce que les Allemands ont exterminé une main-d'œuvre irremplaçable, mais aussi en un sens encore plus profond : même quand ils ne les tuaient pas, les Allemands, en raison de leur antisémitisme raciste, avaient les plus grandes difficultés à les employer rationnellement.

Les mots et les actes de Heydrich, Himmler et d'innombrables autres révèlent la véritable relation entre « travail » des Juifs et mort des Juifs dans le monde allemand. Il n'y avait pas simplement priorité de l'une par rapport à l'autre : le travail était imposé à des êtres que les Allemands avaient déjà condamnés à mort, des êtres socialement morts à qui il n'était accordé qu'un sursis. Dans son essence, le « travail » juif n'était pas un travail au sens ordinaire du terme, mais seulement une forme de mort retardée : c'était bien la mort elle-même.

CINQUIÈME PARTIE

Les marches de la mort : jusqu'aux derniers jours

Les cœurs auraient été contraints de s'attendrir,
La barbarie elle-même l'eût pris en pitié.

William Shakespeare, Richard II

13

Les chemins de la mort

Les très longues marches des Juifs et d'autres prisonniers ont commencé dès la fin de 1939 et n'ont été interrompues qu'un jour ou deux après la fin officielle de la guerre. Ces marches ont été justement baptisées par leurs victimes elles-mêmes « marches de la mort » *(Todesmärsche)*[1]. Elles ont surtout eu lieu la dernière année de la domination nazie, et même dans les six derniers mois. C'est cette raison, et d'autres, qui font de cette phase finale des marches l'objet de ce chapitre.

Dans l'histoire des marches, on peut distinguer trois périodes. La première, durant laquelle n'eurent lieu que quelques marches, va du début de la guerre jusqu'au début de l'extermination systématique des Juifs, en juin 1941. La deuxième comprend les années d'extermination jusqu'à l'été 1944. La troisième couvre les mois qui ont vu l'effondrement du Troisième Reich, quand tout le monde savait que la fin était proche, quand tout ce que les Allemands pouvaient faire était de tenter d'en reculer l'échéance, et quand les camps de la mort fermaient[2].

La logique qui gouverne cette division en périodes est simple. La première précède le lancement officiel de la politique d'extermination : elle aurait donc dû entraîner moins de morts chez les Juifs, du moins si les Allemands qui encadraient ces marches n'avaient pas été eux-mêmes gouvernés par un ensemble de convictions qui leur faisaient souhaiter la mort des Juifs. La deuxième période coïncide avec celle de l'extermination à grande échelle, où tuer les Juifs lors des marches n'aurait dû être qu'un des moyens du génocide. Selon les normes en vigueur pour le traitement des Juifs en cette période de tueries fébriles, les marches, comme les camps, ne pouvaient qu'être synonymes de cruauté et de mort. La troisième période se situe dans une conjoncture historique différente : les perspectives de victoire étaient des plus faibles, et tout effort était vain. L'Allemagne et les Allemands étaient désormais confrontés à un nouvel ensemble de problèmes, et le régime nazi lui-même s'engageait dans des politiques différentes. De plus, les institutions et les lieux d'extermination étaient l'objet d'importants changements : les camps de la mort avaient été fermés ou étaient sur le point de l'être, et, dans les zones encore contrôlées par les Allemands, seuls quelques Juifs européens survivaient, réduits à l'état de squelettes. Rien ne laissait clairement prévoir les conséquences que cette situation nouvelle aurait sur le sort des détenus survivants, étant donné la grande pénurie de main-d'œuvre de l'Allemagne, et l'obligation où étaient désormais les autorités locales allemandes et leurs subordonnés de penser à leur propre avenir dans un système politique nouveau, mais encore indéfini, où il pourrait en tout cas être utile, pour sauver sa peau, de prouver qu'on avait traité décemment les prisonniers. Puisque les camps d'extermination venaient d'être fermés, et que le nazisme touchait à sa fin, rien ne permettait de prédire à coup sûr la façon dont les Allemands allaient se comporter : les marches allaient-elles être utilisées pour poursuivre le travail d'extermination des camps, ou seraient-elles l'occasion de passer à une politique nouvelle, qu'elle fût dictée d'en haut ou décidée d'en bas ?

Dans ces trois périodes, la nature institutionnelle des marches n'a que peu changé. La structure restera toujours plus ou moins identique, Juifs et autres prisonniers marchant à travers les campagnes pour aller d'un lieu à un autre, sous la surveillance d'un contingent d'Allemands, parfois épaulés par des auxiliaires non allemands. Bien que ces marches aient eu lieu dans des contextes politiques différents, la façon dont les Allemands y traitaient les Juifs n'a connu que de faibles variations, liées aux circonstances et aux politiques de chaque période. En fait, les marches des trois périodes présentent une ressemblance remarquable : toutes étaient des marches meurtrières [3].

Les marches de la mort étaient la variante pédestre des convois de wagons à bestiaux. Ou, inversement, le transport par train était l'équivalent sur rails d'une marche de la mort. Le wagon à bestiaux annonçait la nature des ultimes marches de la mort. Les Allemands ne se souciaient nullement d'assurer aux Juifs des conditions de transport décentes, dignes d'êtres humains, ni même de savoir s'ils mourraient en route ou non. Parfois, les Allemands laissaient les wagons à l'arrêt pendant des jours, sans autoriser les Juifs à en sortir, même quand cela aurait pu être fait facilement. Ils refusaient aux Juifs la nourriture, l'eau, les latrines, l'aération indispensable, ils leur refusaient même la place suffisante pour se tenir assis. Pendant la période nazie, les Allemands ont toujours procédé aux transports de masse des Juifs selon les mêmes « normes ».

Dans la dernière et la plus importante des trois périodes de marches de la mort, les Allemands n'étaient pas maîtres de décider de la date du départ ni du moment où ils tueraient Juifs et non-Juifs : les marches ont débuté (et sont rapidement devenues plus nombreuses) quand l'avance des armées alliées commençait à menacer les camps où étaient enfermés les Juifs et autres prisonniers. Pour les Allemands, l'alternative était la suivante : déplacer les prisonniers ou les perdre. Ils n'avaient plus la maîtrise logistique de l'événement. Au sein de cette ultime période, trois phases apparaissent. La première débute en été 1944, quand l'armée

Rouge approche des camps situés dans la partie occidentale de l'URSS et en Pologne orientale. La deuxième va de janvier à mars 1945, c'est celle de la grande migration vers l'Allemagne, gardiens et prisonniers revenant vers les autorités centrales dont dépendait leur sort respectif. Auschwitz, Gross-Rosen et d'autres vastes ensembles de camps en Pologne occidentale et en Allemagne orientale sont alors vidés de leurs survivants, jetés à pied (ou parfois dans des charrettes) sur les routes gelées, en direction d'un autre enfer momentanément hors de portée des Alliés. La troisième phase débute en mars 1945 et se termine en juin avec la fin de la guerre. Pendant cette période, où personne ne pouvait plus croire à la victoire, des Allemands ont erré par toute l'Allemagne avec leurs colonnes de prisonniers, sans destination prédéterminée. Ces gardiens allemands n'étaient pas en train de rentrer chez eux (et n'avaient donc pas un intérêt personnel à prendre part au voyage) comme cela avait été le cas pour leurs collègues pendant la deuxième phase, celle du convoiement vers l'Allemagne de Juifs détenus en Pologne. Impossible à ces Allemands de croire que reculer ainsi jour après jour face aux Alliés, avec leurs prisonniers, eût une quelconque utilité.

Selon les diverses estimations du taux et du nombre total des décès pendant la dernière phase des marches de la mort, le nombre des victimes serait de 30 à 50 % des 750 000 personnes encore prisonnières des Allemands, soit entre 250 000 et 375 000 [4]. Sans doute beaucoup de ces prisonniers n'étaient-ils pas juifs, mais les documents dont on dispose montrent qu'en cette ultime période d'extermination, le taux de mortalité des Juifs était nettement supérieur, comme c'était déjà le cas dans les camps [5]. Au départ de ces marches, l'état de santé des Juifs était déjà, la plupart du temps, plus mauvais que celui des autres prisonniers : même à privations égales, ils étaient de toute façon condamnés à mourir plus vite, sous les effets de la malnutrition, des blessures, de l'épuisement, des conditions climatiques et des maladies. Or les Allemands les traiteraient plus mal que les autres et les tueraient directement en plus grand nombre. Cette ultime tragédie n'a été connue du reste du monde que dans les derniers jours de la guerre, moment où l'une de ces marches forcées, à laquelle nous nous attacherons ici, trouvait enfin son terme, dans la zone frontalière située entre l'Allemagne du Sud et la Tchécoslovaquie.

Le 7 mai 1945, un capitaine du 5e bataillon de santé de la 5e division d'infanterie de l'armée américaine reçut l'ordre de prendre six hommes pour procéder à la désinfection sanitaire d'un groupe de personnes déplacées, qui, pensait-on, auraient également besoin de soins médicaux. Deux jours plus tard, le capitaine faisait un rapport oral à l'officier américain chargé d'enquêter sur cette affaire et racontait ce qu'il avait découvert à son arrivé à Volary, en Tchécoslovaquie.

> J'ai pris contact avec le capitaine W. à Lohora et je me suis rendu en voiture à Volary où l'on m'avait dit qu'un groupe de femmes très amaigries et très affaiblies avaient été trouvées dans une vieille grange des environs, et qu'on était en train de les emmener dans une école faisant fonction d'hôpital [...] Arrivé à la grange, j'ai trouvé le capitaine W. et lui ai demandé ce qui se passait. Il m'a répondu qu'il avait là un groupe de 118 femmes juives, et que de toute sa vie il n'avait rien vu de plus horrible. Il m'a dit d'entrer dans la grange et de me rendre compte par moi-même. Ce que j'ai fait. La grange était une baraque en bois sans étage. Il faisait très sombre à l'intérieur, et c'était plein de saletés. Dès que j'ai aperçu ces personnes, ç'a été un terrible choc, à ne pas croire que des êtres humains puissent être à ce point détruits, affamés, squelettiques, et être encore en vie. Ce premier regard était très rapide : ce que je voyais dans cet espace étroit, c'était comme un entassement de petites souris, incapables de lever le bras. Non seulement leurs vêtements étaient très sales, déchirés, en loques, mais aussi presque entièrement

recouverts de selles, qui jonchaient aussi le sol. Cela tenait au fait que ces femmes souffraient de violentes diarrhées, avec évacuation toutes les deux ou cinq minutes. Elles étaient trop affaiblies pour aller faire leurs besoins à l'écart. Une des choses qui m'a surpris quand je suis entré dans la grange, c'est que j'ai cru avoir devant moi un groupe d'hommes âgés répandus sur le sol, des hommes de 50 à 60 ans. Ce fut un choc quand une de ces filles à qui je demandais son âge me répondit qu'elle avait 17 ans, alors que je lui en donnais au moins 50. Je suis retourné à l'Ortslazarett [hôpital] de Volary, où l'on m'a confié la responsabilité du transport de ces femmes de la vieille grange jusqu'à l'hôpital, de leur admission, de leur alimentation et de leur traitement. Les mesures ont été prises pour admettre immédiatement ces malades quand elles arriveraient, pour la plupart sur des civières : j'estime que 75 % d'entre elles durent être transportées ainsi, les 25 % restants étant capables, avec l'aide d'autres personnes, de se traîner jusqu'à l'ambulance. Notre première tâche a été de donner à ces femmes quelque chose qui ressemblât à un lit, et d'entreprendre aussitôt les soins d'urgence, c'est-à-dire des injections intraveineuses de sang complet, de plasma, et, pour celles qui étaient le moins mal, des perfusions. L'état de la plupart de ces patientes devait être considéré comme critique et l'est encore aujourd'hui, deux jours après. En ma qualité d'officier de santé de l'armée des États-Unis, j'estime qu'au moins 50 % de ces 118 femmes seraient mortes dans les vingt-quatre heures si elles n'avaient pas été localisées et secourues. En les examinant, j'ai identifié chez elles les symptômes et maladies que voici : 1) Extrême dénutrition. 2) Extrême carence en vitamines chez 90 % d'entre elles. 3) La majorité avaient des œdèmes aux pieds et quatre souffraient en plus d'œdèmes purulents. 4) Orteils profondément gelés avec présence de gangrène sèche : chez une des patientes, la gangrène s'étend bilatéralement aux jambes, ce qui demandera nécessairement une amputation du tiers inférieur des deux jambes dans un avenir proche. Un fort pourcentage de ces femmes souffrent d'escarres profondes. Environ 50 % présentent une toux productive persistante, signe de pathologie pulmonaire. Environ 10 % d'entre elles ont reçu des éclats d'obus non loin d'ici il y a une ou deux semaines, et leurs blessures n'ont jamais été soignées : à l'heure actuelle ces plaies sont suppurantes, et il est possible que, dans plusieurs cas, il y ait aussi gangrène à ce niveau. A l'hôpital, on a remarqué que beaucoup de celles qui souffraient de diarrhée étaient aussi atteintes de mélæna avec forte fièvre. Dans les premières heures de leur admission à l'hôpital, deux des patientes sont mortes, et deux autres dans les quarante-huit heures suivantes. A l'heure actuelle, beaucoup sont dans un état critique et le pronostic est très mauvais[6].

Ces jeunes Juives étaient les survivantes d'une marche de la mort partie trois semaines plus tôt du camp de Helmbrechts, succédant à une première marche qui les avait conduites du camp de Schlesiersee à Helmbrechts[7]. Ces femmes faisaient partie de celles qui avaient eu de la chance, si l'on peut employer le mot, car beaucoup de leurs compagnes de misère n'avaient pas survécu pour voir leur libération. Les événements et les traitements qui avaient plongé ces femmes dans un état de faiblesse si extrême qu'un médecin n'arrivait pas à comprendre comment les organes vitaux arrivaient encore à fonctionner constituaient le dénouement prévisible de la guerre des Allemands contre les Juifs.

Cette marche de la mort, l'une de celles qui ramenaient les Juifs vers l'ouest en janvier 1945, s'inscrivait dans l'évacuation des quatre camps de femmes satellites du camp de Gross-Rosen, édifiés en octobre et novembre 1944 le long de la frontière nord de la Basse-Silésie, dont celui de Schlesiersee. C'était un petit camp, conçu pour un millier de prisonnières, qui, comme celles des trois autres camps, venaient d'Auschwitz. Parmi elles, le groupe le plus important était celui des déportées juives de Hongrie et des régions de langue hongroise de la Tchécoslovaquie, suivi par celui des Juives polonaises. Toutes ces femmes étaient jeunes[8]. A Schlesiersee, leur principale tâche était de creuser des tranchées antichars. Leurs conditions de vie étaient atroces : « Dans ce camp, nous étions obligées d'aller creuser des tranchées antichars par un froid glacial et dans la neige profonde. Bien des filles eurent les pieds gelés, car on ne nous donnait pas de chaussures, et beaucoup avaient les pieds nus[9]. » La cruauté des gardiens ne se limitait pas à ce travail dans le froid. Ils fouettaient leurs prisonnières à la moindre tentative de leur part de chercher un peu de chaleur :

> Le froid était intense à Schlesiersee, et nous n'avions que des vêtements légers ; certaines femmes emportaient au travail la couverture qu'elles possédaient. Trois ou quatre fois, au retour, il y a eu une inspection. Toutes celles qui s'étaient enveloppées dans leur couverture furent punies de vingt-cinq coups de fouet. Je l'ai vu de mes yeux. Une fois, les femmes avec qui je travaillais reçurent trente coups. On nous battait aussi quand nos vêtements étaient mouillés ou sales. Au travail, c'était impossible à éviter, puisqu'on devait creuser les tranchées dans la neige[10].

Ce récit est exemplaire à deux titres : d'abord, il montre la priorité donnée à la cruauté envers les Juifs par rapport au travail productif, et cela à tous les niveaux ; ensuite, il montre qu'aux yeux des Allemands, la brutalité devait structurer toute la vie des Juifs. Les Allemands affectaient à ces prisonnières juives un travail qu'elles ne pouvaient faire sans se salir, ce qui leur valait une punition, laquelle ne pouvait que diminuer encore leur productivité. Curieuse logique qui faisait fouetter ces femmes pour avoir exécuté le travail ordonné.

A l'approche des armées soviétiques, les Allemands évacuèrent le camp, probablement le 20 janvier 1945[11]. Ce n'était pas la première marche de la mort pour ces femmes, qui avaient déjà survécu à celle qui les avait amenées d'Auschwitz. Sur les 970 jeunes Juives qui partirent de Schlesiersee pour gagner, en huit ou neuf jours d'un itinéraire sinueux, le camp de Grünberg, situé à seulement 100 kilomètres de là, 150 environ moururent en chemin. Une vingtaine moururent de faim et d'épuisement, conséquence de leur extrême état de faiblesse depuis Auschwitz et Schlesiersee, les 130 autres furent fusillées par les Allemands au cours de la marche : toutes celles qui ne pouvaient plus avancer étaient aussitôt abattues [12]. Un ouvrier polonais, qui travaillait pour un paysan allemand depuis 1940, avait été le témoin d'un de ces massacres : les Allemands qui encadraient le convoi, qu'il décrira comme des soldats assez âgés (donc pas des SS, pas des jeunes nazis pleins de zèle), avaient ordonné aux villageois de mettre à leur disposition des charrettes attelées d'un cheval, et le Polonais leur en avait amené une : « Devant l'école, des femmes totalement épuisées étaient assises. Elles n'avaient sur elles que des haillons, la plupart n'avaient pas de chaussures, leur tête était recouverte d'une couverture [...] [Les soldats] les extrayaient des charrettes, presque toujours en les empoignant par les cheveux, et tiraient sans arrêt [13]. »

Le camp de Grünberg avait été créé en 1941 ou en 1942, comme camp de travail pour prisonnières juives. Il était situé au sud-ouest de Breslau (Wroclaw), près de la ville de Grünberg, et, à la mi-1944, on en fit un camp satellite de celui de Gross-Rosen. On n'en sait guère plus sur ce camp. A l'automne 1944, il s'y trouvait environ 900 jeunes Juives, de 16 à 30 ans, venues pour la plupart de la partie orientale de la Haute-Silésie. Ces femmes travaillaient surtout dans une entreprise allemande de textile située près du camp. Avec l'arrivée des prisonnières qui venaient de Schlesiersee, sa population doubla, et comme l'armée Rouge approchait, la décision fut prise d'évacuer les quelque 1 800 prisonnières [14]. Celles qui arrivaient tout juste de Schlesiersee n'eurent donc même pas le temps de reprendre leur souffle et durent repartir sur les routes avec leurs compagnes de Grünberg un jour ou deux plus tard, le 29 janvier 1945. Les Allemands avaient divisé les prisonnières en deux groupes, pour deux destinations. Une partie des gardiens convoieraient de 1 000 à 1 100 prisonnières jusqu'à Helmbrechts, un camp satellite de celui de Flossenbürg, en Haute-Franconie (Bavière), alors que les autres escorteraient le second groupe jusqu'à Bergen-Belsen, au nord de Hanovre [15]. Une survivante a raconté cette marche-là : « En chemin, beaucoup s'effondraient d'épuisement, ou ne pouvaient plus se lever le matin. Ces prisonnières étaient aussitôt tuées par les gardiens. Dans notre groupe, il y avait aussi une charrette avec un cheval. Certaines prisonnières très mal en point étaient mises dans la charrette. Ensuite, celles qui étaient vraiment à l'agonie étaient conduites jusqu'au bois le plus proche et fusillées. Chaque fois que la charrette était pleine, elle partait vers les bois. J'estime que 30 % seulement de notre groupe a rejoint Bergen-Belsen [16]. » Cette marche vers Bergen-Belsen, à 400 kilomètres à vol d'oiseau, avait duré un mois. Ces femmes avaient fait presque tout le voyage à pied, en dormant le plus souvent dans des granges glaciales. En chemin, un nombre inconnu, mais important, de prisonnières étaient mortes d'épuisement ou sous les balles des Allemands [17].

Au moment de quitter Grünberg, les Allemands avaient entassé les plus malades sur une charrette et les avaient affectées au groupe partant à pied pour Helmbrechts. Les prisonnières de Grünberg étaient en meilleur état que leurs compagnes qui avaient déjà fait une première marche pour venir de Schlesiersee : ces dernières étaient non seulement épuisées mais, « presque aucune d'entre [elles] n'avait de chaussures convenables. Beaucoup devaient marcher les pieds enrobés dans des chiffons. Sur tout le trajet, le sol était couvert de neige [18] ». Certaines des prisonnières de Grünberg n'avaient pas non plus de chaussures [19]. La distance à couvrir pour atteindre Helmbrechts était d'environ 500 kilomètres. C'était le milieu de l'hiver.

Sur les 1 000-1 100 prisonnières de la marche, 621 seulement atteignirent Helmbrechts environ cinq semaines plus tard. Les Allemands en avaient déposé dans d'autres camps environ 230, dont des malades, et quelques-unes avaient réussi à s'enfuir. 150 à 230 de ces femmes n'avaient pas survécu au voyage [20]. Pour une part, ces décès étaient dus à l'épuisement : « Au bout de plusieurs jours sans rien manger ni boire (nous passions les nuits dehors dans la neige, c'était très dur), beaucoup moururent. Chaque matin, au réveil, il y avait des corps sans vie sur le sol [21]. » Mais la plupart des prisonnières qui périrent semblent avoir été abattues par les Allemands, souvent parce qu'elles se traînaient à l'arrière de la colonne. En une seule fois, ils en avaient tué cinquante [22]. A cela s'ajoutait l'habituel assortiment des violences allemandes : les coups, la nourriture insuffisante, pas de vêtements, pas d'abri pour dormir, la terreur généralisée.

A leur arrivée à Helmbrechts, le 6 mars, deux mois tout juste avant l'effondrement militaire du Reich et sa capitulation inconditionnelle, ces 621 femmes étaient dans un état épouvantable. La dysenterie avait frappé, et bien des pieds étaient gelés. Certaines souffraient d'une stomatite gangreneuse affreuse à supporter et à voir. La muqueuse de la bouche et la chair des joues étaient à ce point détruites que les os de la mâchoire étaient à nu [23].

Les cinq semaines que ces prisonnières juives passèrent à Helmbrechts avant de repartir pour une nouvelle marche de la mort ne furent que privations et souffrances. Il est très significatif que, sur les questions touchant à la survie, leurs maîtres allemands les aient traitées plus mal que les prisonnières non juives arrivées dans le camp avant elles.

Le camp de Helmbrechts, camp satellite *(Aussenlager)* du camp de Flossenbürg, avait été créé à l'été 1941. La ville de Helmbrechts est située à environ 15 kilomètres au sud-ouest de Hof, en Haute-Franconie, très près du point d'intersection entre la Tchécoslovaquie et ce qui deviendrait Allemagne de l'Est et Allemagne de l'Ouest. Le camp, assez petit, avait été installé sur une grande artère en lisière de la ville, ce qui donnait aux habitants d'Helmbrechts maintes occasions de voir ce qui s'y passait. Il comprenait cinq bâtiments de bois sans étage, dont quatre étaient affectés à l'hébergement des prisonnières et ceints de barbelés non électrifiés[24].

Le personnel de surveillance était réduit : 54 personnes à notre connaissance, 27 gardiens et 27 gardiennes, arrivées par groupes successifs, souvent avec les prisonnières, et qui semblent être restées à Helmbrechts jusqu'au bout, ne quittant le camp que pour la marche finale. Le personnel masculin n'avait pratiquement aucun contact avec les prisonnières, puisqu'il n'avait pas le droit d'entrer dans l'enclos de barbelés que les prisonnières juives, à la différence des autres, ne quittaient jamais. Sa tâche principale était d'accompagner les prisonnières non juives au travail, tandis que les gardiennes surveillaient toute la section enclose. C'est donc d'elles que dépendaient les conditions de vie dans le camp, et surtout celles des prisonnières juives, qui étaient sous leur surveillance vingt-quatre heures sur vingt-quatre. Le commandant du camp était un homme, Alois Dörr. A la tête du personnel féminin, il y avait une gardienne en chef, rattachée directement à Dörr.

On sait peu de chose sur ce personnel de surveillance : deux dossiers individuels seulement subsistent (sur 54), et les dépositions d'après-guerre ne fournissent que peu de renseignements sur les itinéraires des uns et de autres. Autant qu'on puisse en juger, rien n'annonçait un groupe spécialement terrifiant, du moins selon les critères allemands. Les 27 gardiens peuvent être répartis en deux groupes. Le plus important était composé d'Allemands trop âgés pour servir dans l'armée, et qui, le plus souvent, n'étaient membres ni de la SS ni du parti nazi. Le second groupe était composé de 8 ou 10 Allemands ethniques venus d'Europe orientale, dont 3 au moins avaient déjà servi dans la SS (par conscription ou engagement volontaire). Quelques-uns semblent avoir été des vétérans du système des camps. Les dates de naissance de 20 de ces gardiens nous sont connues, elles indiquent un âge moyen de 42 ans et demi en décembre 1944. Le plus âgé avait presque 55 ans. 7 sur 20 (5 %) étaient dans leur cinquantaine, et 12 (60 %) avaient plus de 40 ans. 3 seulement avaient moins de 30 ans, le plus jeune ayant 20 ans. Avant de devenir gardiens à Helmbrechts, ils avaient tous connu des itinéraires différents, ce qui exclut qu'il y ait eu le moindre processus de sélection pour recruter ces gens qui allaient surveiller, torturer et tuer les ennemis désignés de l'Allemagne, et notamment les Juifs. Sur les 27 hommes ayant servi dans le camp, 2 seulement, le commandant et un autre, étaient membres à la fois de la SS et du parti nazi, et un troisième était membre du parti seulement[25]. On voit que ce personnel masculin, au moins du point de vue des affiliations statutaires, constituait un groupe peu nazifié.

Hartmuth Reich, né en 1900 et ancien combattant de la Grande Guerre, a raconté comment un de ses camarades et lui-même étaient arrivés à Helmbrechts. Chargé de famille nombreuse, il avait été dispensé de service militaire jusqu'en 1944, année où, la situation devenant critique pour l'Allemagne, il avait été mobilisé dans la territoriale (à Paris) et bénéficié d'une brève formation militaire. Mais c'était bien loin de chez lui : « Ma femme fit plusieurs démarches et on m'a muté à Wurtzbourg en août 1944, où je suis resté jusqu'à un peu avant Noël. » On notera que c'est sa femme qui avait fait les démarches pour sa mutation et qu'elle a eu gain de cause. « A Wurtzbourg, j'ai fait la connaissance de mon compatriote de Hof, Eberhard Vogel. Lui aussi avait plusieurs enfants. » Les deux hommes sont envoyés au camp de Sachsenhausen. En janvier 1945, une centaine de ces soldats de la territoriale, qui devaient avoir eu un itinéraire militaire voisin de celui de Reich, sont mutés à Flossenbürg pour y surveiller les prisonniers qui allaient travailler à l'extérieur. Ils y restèrent jusqu'à la fin février. « Pour être plus près de nos familles, nous nous sommes portés volontaires pour être gardiens à Helmbrechts, un des camps satellites. » Reich n'appartenait ni à la SS ni au parti [26].

Autre parcours, celui de Martin Wirth, 20 ans, le plus jeune gardien du camp, un Allemand ethnique, venu de Roumanie. En 1943, après une brève formation militaire, il avait été enrôlé dans la division de combat SS Prince-Eugène. Un problème cardiaque lui valut d'être déclaré inapte au combat et affecté aux missions de surveillance. En été 1944, on l'envoya à Flossenbürg, et quelques mois plus tard à Helmbrechts. Cet Allemand ethnique, qui aurait dû être un combattant (et dans une division SS, peu différente à cet égard d'une division ordinaire de la Wehrmacht), était donc réorienté, pour raison de santé, sur un chemin qu'il n'aurait jamais imaginé devoir prendre, qu'il n'avait pas choisi, et où il finirait par trouver son plaisir [27].

Enfin, l'itinéraire du gardien Gerhard Hauer montre, lui aussi, qu'il n'était guère homme à avoir voulu spontanément servir l'entreprise nazie la plus extrême, et qu'il n'était pas du bois dont on fait les guerriers idéologiques. Né à Cologne en 1905, Gerhard Hauer avait été mobilisé en 1940, et renvoyé dans ses foyers huit semaines plus tard pour déficience cardiaque. Il n'avait jamais été membre de la SS ni du parti nazi. A son retour à la vie civile, il travailla d'abord dans l'alimentation en gros, et quand un raid aérien détruisit l'entreprise, il se fit embaucher dans une coopérative agricole, puis dans une usine. En février 1944, il fut rappelé sous les drapeaux, effectua une formation de huit semaines aux Pays-Bas, suivie d'une affectation à Munster. De là il fut muté à Lublin, où il compléta sa formation militaire. A l'approche de l'armée Rouge, on l'affecta à l'évacuation d'un camp de femmes de la région. Avec trente ou quarante autres soldats, il escorta un groupe de femmes jusqu'à Flossenbürg, où pendant trois ou quatre semaines, il surveillera un commando de travail. Il fut ensuite envoyé à Helmbrechts avec quelques autres, et devint l'un des premiers gardiens masculins du camp [28].

Les itinéraires de ces hommes sont caractéristiques de ceux des autres gardiens de Helmbrechts, et, plus largement, d'un grand nombre de gardiens de camps, qui, contrairement à l'image dominante, mythique, n'avaient pas été choisis en raison de leur ferveur nazie ni soumis à une formation spéciale. Deux éléments de ces trois biographies, communs à beaucoup de leurs collègues, sont à relever. Ces hommes avaient été jugés inaptes au combat, et, s'ils avaient atterri à Helmbrechts, ce n'était pas au terme d'une sélection rigoureuse, mais parce qu'ils s'étaient trouvés à tel endroit à tel moment. A l'exception des deux SS du camp, le commandant Dörr et Michael Ritter, aucun document ne permet de penser que les gardiens de Helmbrechts aient été sélectionnés en fonction de leur profil idéologique. Et il n'y a aucune raison de penser que, à l'exception de Dörr, ces hommes aient fini à Helmbrechts en raison des qualités dont ils auraient fait montre et qui auraient laissé supposer aux autorités supérieures que c'étaient de bons sujets pour torturer et massacrer des Juifs. Globalement, c'étaient des Allemands ordinaires, appartenant à la classe ouvrière.

Les antécédents des 27 gardiennes sont différents, ils sont faciles à résumer. Elles étaient toutes beaucoup plus jeunes et exclusivement originaires d'Allemagne même. Elles étaient âgées de 20 à 44 ans, avec une moyenne à peine supérieure à 28 ans, soit quatorze ans de moins que chez les hommes. Officiellement, elles appartenaient à la SS, mais les dossiers disponibles montrent qu'elles étaient entrées dans la SS entre juin et décembre 1944, si bien qu'avant d'arriver au camp elles n'avaient guère été SS que par l'uniforme. La moitié ont déclaré qu'elles avaient été enrôlées et l'autre moitié qu'elles s'étaient engagées volontairement : les raisons données à leur volontariat montrent qu'elles préféraient garder des « étrangers » que de travailler en usine, ce que presque toutes avaient déjà fait auparavant[29]. Leur ressemblance avec les vrais SS était proche de zéro. La gardienne en chef, dans sa déposition, les appelait gardiennes « SS » avec de l'ironie dans la voix, d'où les guillemets du procès-verbal. Ces femmes étaient des Allemandes de la classe ouvrière qui n'étaient pas membres du parti nazi et n'étaient devenues gardiennes de camp qu'assez tard. Ni le sentiment d'appartenir à une organisation d'élite, ni la forte formation militaire et idéologique des SS n'étaient au nombre de leurs attributs[30].

Entre gardiens, les relations étaient excellentes. Bien que les femmes fussent beaucoup plus jeunes, et malgré le statut inférieur de la femme dans la société allemande, hommes et femmes se regardaient comme égaux. L'un des gardiens le dira : « Entre les gardiens et les gardiennes, il n'y avait pas de hiérarchie. Et surtout pas dans le cas des relations d'amitié très marquée entre certains : nous étions tous au courant de la liaison entre Dörr et Helga Hegel, entre Hirsch et Marianne, entre Riedl et Emma Schneider, entre Koslowski et Ida, entre Wagner et Schäfer, entre Kemnitz et Irena[31]. » On ne peut qu'être frappé par le nombre d'histoires d'amour durables entre gardiens et gardiennes dans ce lieu de souffrance et de cruauté qu'ils avaient eux-mêmes créé. On notera aussi que trois au moins des Allemands ethniques, qui semblent avoir été très bien acceptés par les autres, avaient des liaisons de ce type. A l'évidence, ces gens parlaient beaucoup entre eux, de tous les sujets dont peuvent parler des collègues, des amis, des amants. Bien entendu, ils avaient leur lot de jalousies, sur des sujets personnels ou des questions de statut. La rivalité la plus notable était celle qui opposait la première gardienne en chef à celle qui l'avait remplacée, et qui, le fait est à noter, lui avait aussi succédé dans le lit du commandant. Néanmoins, le climat était à l'harmonie, surtout entre femmes : « Les relations entre nous, les gardiennes, étaient très bonnes. » Quant au métier exercé, il ne semble pas avoir été source de grands soucis. Les épouses, et parfois les enfants, des gardiens venaient en visite [32]. Les familles de certains gardiens, notamment les enfants, étaient présents lors d'un des pires épisodes de violence que le camp ait connu [33]. Le fait que ces gardiens ne cachaient rien du sort réservé aux prisonnières, leur évidente absence de tout sentiment de honte, et l'accord général régnant dans leur groupe quant au traitement infligé aux prisonnières juives (voir ci-dessous), tout cela montre clairement qu'il y avait consensus sur les conditions de vie brutales et meurtrières imposées aux détenues. Il y avait consensus sur le fait que leur communauté, vouée à l'exercice de la cruauté, faisait quelque chose de juste. Dans les dépositions d'après-guerre, presque personne n'a manifesté la moindre sympathie pour les victimes, pas même celui qui a raconté les pratiques particulièrement brutales d'un de ses collègues.

Il n'est pas facile d'évaluer l'influence de Dörr sur la vie du camp. Les commandants de camp avaient le pouvoir d'améliorer les conditions de vie des prisonniers, et certains l'ont fait [34]. Mais pas Dörr. Nazi de longue date (il avait adhéré au parti en 1932) et membre de la SS depuis le 28 janvier 1933, juste avant l'arrivée de Hitler à la chancellerie, Dörr était un supérieur exigeant, cruel envers les prisonnières. Son comportement nous est connu à la fois par les dépositions de ses subordonnés et par les récits des survivantes. Certaines le décriront comme un antisémite passionné. Une prisonnière racontera que, avant de battre une femme, il lui avait dit d'une voix cinglante : « Qu'est-ce que tu mijotes, toi, la youpine *[du Jüdle]* [35] ? » Il était le seul homme du camp à aller dans les quartiers des femmes, accompagné par une gardienne. Il est possible que sa cruauté ait influencé celle des gardiennes, mais il ne les surveillait que de loin et elles n'avaient pas peur de lui : « Dörr nous traitait très bien [36]. » Ces gardiennes, ces filles de la nation allemande, n'étaient soumises à aucune supervision et avaient tout pouvoir de traiter les prisonnières comme elles l'entendaient. Elles étaient brutales.

Les chambres où ces Allemandes et ces Allemands faisaient l'amour étaient situées tout près des baraques des détenues, lieu de toutes les privations et de toutes les cruautés. Que se disait-on en reposant doucement sa tête sur l'oreiller, en allumant la cigarette réparatrice après la satisfaction des besoins physiques ? Se racontait-on un détail particulièrement distrayant des sévices administrés ou observés, évoquait-on la soudaine poussée d'adrénaline du cogneur ou de la cogneuse, et l'énergie qu'elle communiquait à tout le corps ? Il semble très peu vraisemblable que ces Allemands aient parlé entre eux de leurs actes de sadisme envers les prisonnières pour s'en lamenter, pour évoquer d'une voix embuée de pitié l'état de saleté, de douleur physique, de maladie qu'ils imposaient aux détenues juives, avant de se réveiller le lendemain, et de repartir vers une nouvelle dose d'horreur. Cette communauté d'Allemands, dont beaucoup avaient des relations intimes, s'épanouissait à côté de cet enfer, leur création, surveillé avec enthousiasme. Ces Allemands avaient un pouvoir absolu sur leurs victimes juives, et pourtant, cette domination, cette relation structurelle, n'explique pas la façon dont ils les ont traitées.

Les prisonnières de Helmbrechts travaillaient pour l'entreprise d'armement Neumeyer. Les 179 premières étaient arrivées le 19 juillet 1944, alors que les bâtiments du camp, y compris les baraques, n'étaient pas encore construits. Le premier mois, elles dormirent dans l'usine. Quatre convois supplémentaires portèrent la population du camp à 670-680 femmes, dont la plupart n'étaient pas des Juives mais des Polonaises et des Russes « détenues à titre préventif » *(Schutzhäftlinge)*. Il y avait aussi environ 25 Allemandes, coupables d'avoir eu des relations *(Umgangs)* avec des prisonniers de guerre ou des travailleurs étrangers, d'autres pour offense *(Beleidigung)* à Hitler ou « favoritisme » envers des Juifs *(Judenbegünstigung)*[37].

Les conditions de vie des prisonnières non juives à Helmbrechts, bien que dures et marquées par de nombreuses brutalités, étaient comparativement bonnes. Elles travaillaient par équipes se relayant toutes les douze heures, et, si elles étaient mal nourries, leur ration était quand même plus généreuse que celles des autres. Le matin, elles avaient du café et du pain, au déjeuner une soupe de pommes de terre ou de navets, avec de temps en temps des morceaux de viande dedans ; pour dîner, une petite ration de pain avec de la margarine, complétée d'une saucisse ou d'un morceau de fromage. A l'usine, on leur donnait en plus un sandwich au moment de la pause. Même si ces rations les laissaient affamées, elles leur permettaient néanmoins de conserver une santé à peu près correcte[38]. Une des prisonnières allemandes de ce camp a déclaré par la suite : « La nourriture consistait surtout en navets et pommes de terre avec parfois des morceaux de viande. Pour nous qui travaillions à l'usine, je considère que ça allait[39]. » A l'exception de trois d'entre elles qui furent fusillées après tentative d'évasion, il semble qu'*aucune prisonnière non juive* ne soit morte à Helmbrechts[40]. Cette longévité est d'autant plus étonnante, comparée à ce qui était la norme chez les Juives, que ces femmes étaient elles aussi sévèrement punies en cas de vol d'aliments ou de matériel (avec parfois privation de nourriture pendant deux jours), et fréquemment battues pour des manquements réels ou inventés. Les soins médicaux dont les prisonnières non juives bénéficiaient les aidaient à conserver leur santé, et cet accès aux soins était un des grands facteurs de la supériorité de leurs conditions de vie comparées à celles des prisonnières juives. Jusqu'à la fin de février, une détenue médecin et deux assistantes officièrent à l'infirmerie, tandis qu'un médecin de la ville s'occupait de celles qui étaient gravement malades. Les remèdes qu'il ordonnait étaient achetés à la pharmacie du coin. Les prisonnières non juives qui avaient des problèmes dentaires étaient conduites chez le dentiste local [41].

Les prisonnières juives ne virent jamais un docteur, bien qu'elles fussent bien plus gravement malades. Ou plutôt elles en virent un, une fois, peu de temps après leur arrivée, car on craignait un début d'épidémie : ce médecin inspecta les prisonnières, conclut qu'aucune épidémie ne menaçait et, sans s'occuper de la moindre malade, partit pour ne plus revenir. Les Allemands ne donnaient à leurs prisonnières juives aucun des médicaments que les autres trouvaient à l'infirmerie. Les détenues juives avaient leur propre « infirmerie », qui ne méritait ce nom à aucun titre : c'était simplement la moitié d'une des baraques, où l'on mettait toutes celles qui étaient gravement malades [42].

A leur arrivée à Helmbrechts, les prisonnières juives, très affaiblies, subirent une désinfection (contre les poux) et furent affectées aux deux baraques qui leur étaient réservées, sans aucun contact avec les autres. Voici comment se passa la séance de désinfection : elles durent se déshabiller et rester complètement nues dehors pendant des heures, dans le froid du début mars, avant de passer une par une devant une gardienne qui plongeait leurs habits dans un liquide *ad hoc* et les leur rendait trempés. « Il était interdit de les tordre. Chacune de nous devait enfiler aussitôt ces vêtements trempés et regagner immédiatement la baraque. Il n'y avait aucun chauffage. Les vêtements devaient sécher à même la peau [43]. » De même que le médecin était venu inspecter les prisonnières non pas pour traiter les malades mais seulement pour prévenir une épidémie qui aurait pu frapper aussi les non-Juifs, de même ces Allemands procédaient à la désinfection sans une seule pensée pour ces femmes : il ne s'agissait que d'une mesure prophylactique, destinée à protéger les non-Juifs du camp et des environs. La survivante qui a raconté cette séance concluait : « Avec cette manière de procéder, plusieurs prisonnières moururent. »

Toutes les discriminations possibles étaient infligées aux détenues juives. La réclusion dans des baraques séparées les coupait socialement et symboliquement des autres détenues. Il n'y avait pas assez de châlits et de paille pour toutes, alors que les Allemands changeaient périodiquement la paille des autres. Certaines des prisonnières juives dormaient à même le sol glacial [44]. Ces terrifiantes conditions matérielles, ajoutées à la saleté qui régnait partout, avaient des effets particulièrement ravageurs dans la baraque où étaient regroupées les malades les plus atteintes. La nuit, toutes les baraques étaient fermées (pour les non-Juives aussi) et on ne pouvait plus aller aux latrines : il fallait se contenter de seaux. Mais dans les baraques des Juives, ces seaux étaient trop petits et débordaient, souillant le sol et la paille. De plus, beaucoup de détenues juives souffraient de dysenterie et étaient parfois incapables de se retenir jusqu'au seau. Leurs baraques dégageaient une odeur insupportable. Et comme si cette puanteur permanente n'était pas une punition suffisante, les gardiennes battaient quotidiennement les détenues juives, y compris les malades, pour n'avoir pas su tenir la baraque propre[45]. Mais elles ne leur donnaient pas les seaux supplémentaires qui auraient permis d'éviter ces « punitions ». Elles les punissaient aussi en les forçant à rester dehors dans le froid pendant des heures : « Les appels de punition avaient lieu chaque fois que la baraque avait été souillée pendant la nuit. Mais c'était inévitable puisque les récipients qu'on nous donnait pour la nuit n'étaient pas en nombre suffisant. » La même prisonnière racontera aussi que, lors d'une de ces punitions dehors, « de nombreuses prisonnières s'évanouirent. Et certaines moururent »[46]. Ce récit véhicule jusqu'à nous le principe qui était à la base du traitement réservé aux Juifs par les Allemands, là et ailleurs : ils punissaient les Juifs pour des fautes qu'ils s'employaient eux-mêmes à rendre inévitables.

A la différence des autres, les prisonnières juives étaient en haillons, et beaucoup n'avaient pas de chaussures. Le commandant refusait de leur donner des vêtements et des souliers décents, bien qu'il y eût des réserves dans le magasin du camp. La nourriture qu'on leur donnait était encore bien plus insuffisante que celle des autres, et elle n'était distribuée qu'une fois par jour, à midi : c'était une soupe si maigre que les autres prisonnières l'appelaient la « soupe juive » *(Judensuppe)*. Souvent, même, il n'y en avait pas assez pour tout le monde, et certaines détenues étaient donc privées de leur maigre ration journalière[47]. Dévorées par la faim, et sachant que les Allemands ne préparaient jamais assez de soupe pour tout le monde, il leur arrivait de se disputer pour avoir une meilleure place dans la queue. L'ancienne gardienne en chef racontera un de ces épisodes, et sa propre brutalité face à ce comportement inévitable des prisonnières : « A Helmbrechts, peu de temps après l'arrivée du convoi en provenance de Grünberg, les filles se jetèrent un peu trop tôt sur la nourriture qui avait été préparée pour elles. Nous en avons pris huit, et je les ai condamnées à rester dans la cour (la nuit), sans nourriture, pendant trois jours. Il faisait extrêmement froid, je crois même qu'il neigeait[48]. » Ces désordres lors la distribution de soupe fournissaient aux gardiennes allemandes un autre prétexte pour transformer en souffrance le moment de la sustentation. « A l'heure du repas, il y avait souvent de la bousculade dans les rangs. Nous avions toujours peur d'aller chercher la soupe à cause des coups qu'on allait nous donner[49]. » Même la perspective de recevoir de la nourriture (d'autant plus obsédante qu'il s'agissait d'un besoin vital, essentiel à la survie) était pour les prisonnières juives de Helmbrechts une source d'angoisse.

Officiellement, ces prisonnières juives avaient été transférées à Helmbrechts pour y travailler, mais, à la différence des autres, on ne leur affecta aucun travail. L'entreprise d'armement n'avait pas besoin d'elles. Cela, d'ailleurs, ne changeait rien, car le traitement que leur infligeaient les Allemands les rendait de toute façon incapables d'effectuer un travail productif[50].

Les gardiennes exerçaient des brutalités contre toutes les prisonnières, et certaines des détenues non juives ont raconté les sévices subis [51]. Toute violation du règlement pouvait attirer sur elles la fureur des gardiennes. Pourtant, ces détenues reconnaîtront, après la guerre, que les souffrances des prisonnières juives étaient bien plus fortes que les leurs, tant à cause de leurs conditions de vie qu'en raison des violences exercées contre elles. Une ancienne prisonnière russe racontera : « Les Juives étaient encore plus mal traitées que nous et elles n'avaient presque rien à manger. Aucune Russe n'est morte de faim. Si nous ne respections pas le règlement, nous étions privées de notre maigre ration, mais les Juives, elles, étaient battues jusqu'à ce qu'elles s'évanouissent. Quand elles revenaient à elles, leurs vêtements leur avaient été arrachés, et elles devaient rester dehors toutes nues jusqu'à 7 heures du matin [52]. » Une ancienne prisonnière allemande fera un récit identique, soulignant que, sur tous les points, la situation des prisonnières non juives était bien meilleure.

> [Les prisonnières juives] étaient entassées dans des baraques trop petites ; elles étaient obligées de dormir sur le sol glacé. On leur avait tout pris. Elles n'avaient rien d'autre que des chemises pour affronter l'hiver. Nous étions près de leurs baraques et nous ne pouvions pas dormir à cause de leurs cris et de leurs gémissements. C'était une terrible torture *(Martyrium)*. Leur nourriture était encore pire : rien que des navets, et une seule fois par jour. Si ces pauvres femmes dissimulaient le plus petit objet personnel, un souvenir d'un être aimé, une photographie, etc., elles étaient battues jusqu'au sang par les gardiennes SS à coups de matraque, et contraintes de rester nues dehors de longues journées, pieds nus sur le sol caillouteux dans un froid terrible. Leurs jambes étaient gonflées comme des barattes à beurre ; les plus affaiblies s'effondraient [53].

Les gardiennes allemandes cherchaient à dépouiller les prisonnières juives de tout vestige d'humanité. Elles ignoraient leurs besoins les plus vitaux. Elles les battaient jusqu'au sang, sans motif, selon leur caprice. Elles leur interdisaient de posséder le plus petit objet personnel, le plus infime signe de leur identité [54]. A tous égards, elles traitaient différemment les prisonnières non juives, qu'elles reconnaissaient au moins comme des êtres humains, même si c'était à contrecœur. La ségrégation la plus stricte régnait entre Juives et non-Juives, et tout échange verbal était absolument interdit [55]. Les non-Juives avaient le droit de conserver des objets personnels, et on les nourrissait assez pour leur permettre d'effectuer un travail productif. Les coups qu'elles recevaient des gardiennes n'approchaient pas en férocité les blessures infligées quotidiennement aux Juives. Par comparaison, les prisonnières russes, pourtant placées au rang le plus bas de la « sous-humanité » non juive, vivaient dans le luxe. Le meilleur instrument de mesure, à l'âge nazi, est le taux de mortalité. Sur plusieurs mois, pas une seule prisonnière russe d'Helmbrechts ne mourut de faim, ni de maladie consécutive à la dénutrition [56]. Dans les cinq semaines qu'elles ont passé à Helmbrechts, quarante-quatre prisonnières juives moururent. A supposer que ce taux fût resté constant (mais en fait, il n'aurait pu qu'augmenter), cela aurait donné une mortalité annuelle de 70 % [57]. Cette différence dans le traitement des prisonnières n'était pas toujours ordonnée d'en haut : les gardiennes en étaient les responsables.

La photo n° 22 montre les cadavres émaciés de prisonnières juives, déterrés par les Américains le 18 avril 1945, cinq jours après l'évacuation du camp.

Ce bref passage des prisonnières juives à Helmbrechts, avec son lot de ségrégation, de destruction physique et spirituelle, était le prélude à une ultime marche de la mort, qui commença le 13 avril 1945, moins de quatre semaines avant la fin de la guerre, à un moment où la situation militaire de l'Allemagne était depuis longtemps désespérée, ce que personne ne pouvait ignorer. Il semble que Dörr ait décidé de son propre chef d'évacuer le camp, bien que nous sachions peu de chose sur cette décision, sur la chronologie de l'évacuation et sur les ordres précis donnés par Dörr à son personnel. On sait que, avant le départ, il prit la parole devant un groupe de gardiens pour leur expliquer qu'il faudrait diviser les prisonnières en trois sections, escortées chacune par des gardiens et des gardiennes. Il n'avait pas précisé la destination. Les prisonnières très malades devraient être transportées. Bien que l'on ne sache pas quels avaient été ses ordres au sujet des prisonnières qui seraient trop faibles pour continuer, il est sûr qu'il avait précisé qu'aucune ne devait être abandonnée encore vivante en chemin et qu'il n'avait nullement interdit aux gardiens de les tuer [58].

Quand ils pensaient au chemin qui les attendait, gardiens et gardiennes ne pouvaient envisager la marche d'un cœur léger. Ils allaient se jeter sur les routes alors que l'armée ennemie était sur leurs talons. Le monde où ils avaient vécu depuis douze ans, qui avait vu les jours glorieux de la conquête de l'Europe continentale, vraisemblable début des mille ans de domination promis par Hitler, se décomposait encore un peu plus à chacun de leurs pas. Un nouveau régime, inconnu, allait leur être imposé : les Allemands étaient sur le point de devenir un peuple sans pouvoir, à la merci de leurs ennemis, dont certains, quand ils étaient entre leurs mains, avaient été traités avec une cruauté inimaginable. Avec la défaite et la capture imminente, ces Allemands auraient dû comprendre que leurs normes culturelles ne s'appliquaient plus, que tous les prisonniers allaient finalement devenir leurs égaux. Mais non. C'est un des aspects les plus extraordinaires de ces marches de la mort, et de celle qui quitta le camp de Helmbrechts.

Avant le départ, Dörr fit distribuer aux prisonnières non juives, et à elles seules, tout ce qui restait de vêtements dans le magasin du camp. Même avant cette nouvelle marque de ségrégation, les prisonnières juives, couvertes de haillons, étaient bien plus mal vêtues que les autres, et donc bien plus vulnérables au froid. Cette vulnérabilité était donc encore accrue par rapport aux non-Juives. Et comme elles étaient aussi dans un état de santé bien plus désastreux, cette discrimination rendait leurs espérances de survie encore plus faibles. Comme si cela ne suffisait pas, les Allemands poussèrent la discrimination encore plus loin, en distribuant aux autres une ration de pain avec de la saucisse et de la margarine, sans rien donner aux Juives, semble-t-il[59].

Dans cette conjoncture de défaite, et sans ordres précis, les Allemands se préparaient à partir sur les routes avec environ 580 prisonnières juives et 590 non juives : les contingents étaient égaux, mais les conditions du voyage ne le seraient pas. On croit savoir que 47 Allemands escortaient la marche, 22 gardiens et 25 gardiennes. Les hommes avaient un fusil et une réserve de munitions, les femmes avaient leur matraque[60].

Comme dans bien d'autres phases de la terreur et de l'extermination nazies, le traitement réservé aux prisonnières juives pendant cette marche (comme dans toutes les autres) sera fondamentalement différent de celui qui était appliqué aux non-Juives, même si toutes les prisonnières étaient dans la même situation de dépendance à l'égard des Allemands : sans pouvoir, sans défense, sans droit à protection, soumises à la domination absolue de leurs maîtres et otages de leurs caprices[61]. Les prisonnières non juives avaient été maintenues en deux groupes distincts, comme dans le camp. Le premier groupe, de très loin le plus important, était composé de toutes les prisonnières non allemandes, surtout russes et polonaises. Leur marche ne dura que quelques jours, et les Allemands les laissèrent derrière eux après l'étape du camp de Zwotau (Svatava), le septième jour. A ce que nous savons, pas une seule ne mourut en cours de marche, et la plupart d'entre elles étaient dans un état de santé décent (pour l'époque) quand elles furent laissées à Zwotau. Le second groupe de détenues non juives était constitué des 25 Allemandes. Elles resteront dans la marche jusqu'au bout, mais certaines serviront de gardiennes : on leur demandera de quitter la colonne à tour de rôle pour venir surveiller les prisonnières juives et veiller à ce qu'aucune ne s'échappe. « C'est vrai, nous les prisonnières allemandes, on nous faisait marcher le long de la colonne pour avoir les autres à l'œil[62]. » Ces femmes avaient été incarcérées pour des violations individuelles des lois du régime, mais, aux yeux de leurs geôliers allemands, elles restaient des membres du *Volk*, des sœurs par le sang, ce qui leur donnait un statut si supérieur à celui des Juives, dont le seul crime était d'être nées, qu'on pouvait recourir à leur aide pour perpétrer ce massacre ambulatoire. Ainsi, bien que les prisonnières juives et non juives fussent en nombre égal au départ de Helmbrechts, les Allemands choisirent de détacher les non-Juives de la marche (et elles avaient infiniment moins souffert que les Juives) et de transformer les Allemandes en gardiennes. La marche serait une marche de la mort pour les Juives, et pour elles seulement.

Chaque groupe avait son contingent distinct de gardiens et de gardiennes, à quoi s'ajoutaient les « charrettes de malades » sur lesquelles

étaient entassées, comme des sardines, les prisonnières juives les plus affaiblies (de 180 à 200 selon une survivante)[63]. En moyenne, 15 kilomètres étaient parcourus chaque jour, le minimum étant 8 kilomètres, le maximum pouvant aller jusqu'à 20 ou 21 kilomètres[64]. L'itinéraire suivi était à peu près en ligne droite.

Comme au camp, chaque moment de la marche des prisonnières juives était torture mortelle, par la volonté délibérée des Allemands. Comme au camp, toute cette souffrance était presque toujours infligée gratuitement. Les conditions générales de cette marche (effort physique, vêtement, nourriture, sommeil) montrent que, dans l'esprit des gardiens, quelles que fussent les instructions reçues de leurs supérieurs, elle n'avait pas d'autre but que de faire souffrir et périr les prisonnières juives. Tout ce qu'ils firent au cours de la marche, en connaissance de cause et d'une façon tout à fait cohérente, ne pouvait avoir d'autre objectif.

Les prisonnières juives avaient quitté Helmbrechts dans un état déplorable, et on leur avait refusé vêtements et nourriture disponibles. Pendant la marche, les Allemands leur interdiraient systématiquement de recevoir la moindre nourriture de qui que ce soit. Ils ne leur donnaient à manger qu'une fois par jour, parfois à midi, parfois le soir, à la halte, parfois pas du tout. Cette nourriture était chiche : un peu de pain, ou un peu de soupe, ou quelques pommes de terre. Les survivantes, ou d'anciennes prisonnières mieux traitées, ou encore des gens qui les ont vues passer, tous auront les mêmes mots pour évoquer le traitement infligé à ces malheureuses. La faim les dévorait, au sens strict du terme : elles étaient affamées à en mourir. Une fois, elles trouvèrent au bord de la route un tas de fourrage pour animaux et « fondirent sur lui comme sur une proie » pour le dévorer, bien qu'il fût pourri et immangeable, même par des animaux [65]. Il leur arrivait souvent de manger de l'herbe [66]. Les deux derniers jours, alors que celles qui avaient réussi à survivre n'avaient plus qu'un filet de vie, elles durent marcher toute la journée : le jeudi 3 mars, à midi, elles ne reçurent qu'un verre de soupe aqueuse, après quoi elles n'eurent plus rien avant vendredi midi, où on leur donna trois pommes de terre et un demi-verre de lait (déposition de l'ancienne gardienne en chef [67]). De tels « repas » (tout comme leurs rations des autres jours) ne pouvaient qu'entraîner la mort.

Pourquoi les Allemands n'ont-ils pas donné à ces prisonnières juives des rations leur permettant de calmer un peu leur faim ? La raison n'est pas à chercher du côté du chaos et des difficultés d'approvisionnement de la période, ni des réticences fréquentes des citoyens allemands des contrées traversées à l'idée de donner de la nourriture à des Juifs, ces « sous-hommes ». Quand bien même il y aurait eu abondance de nourriture, quand bien même cette marche aurait été une promenade dans les jardins d'Eden, les gardiens allemands ne leur auraient pas permis d'apaiser leur faim, de fortifier leur corps contre les ravages de la dénutrition et de la maladie : les Allemands les empêchaient de recevoir la nourriture supplémentaire qu'on pouvait leur offrir çà et là. Ils agirent ainsi tout au long de la marche.

Dès le premier jour, les Allemands montrèrent qu'ils étaient bien décidés à transformer ces jeunes Juives en squelettes ambulants et en cadavres. Déjà, nombre d'entre elles étaient si faibles qu'elles tombaient, et beaucoup ne pouvaient avancer qu'avec l'aide des autres. Quelques kilomètres après Helmbrechts, à Ahornberg, des civils allemands, touchés par leurs prières, leur apportèrent de la nourriture et de l'eau, mais les gardiennes s'y opposèrent. Le huitième jour de la marche, une partie de la colonne fit une pause dans la ville de Sangerberg, et les prisonnières purent dire aux habitants, qui observaient leur groupe, qu'elles mouraient de faim : « Des femmes de Sangerberg tentèrent de faire passer du pain aux prisonnières. Mais la gardienne SS la plus proche les en empêcha aussitôt. Un gardien menaça une des femmes qui voulait donner de la nourriture de lui tirer dessus si elle persistait. Dans deux cas, un gardien donna des coups de crosse à des prisonnières qui voulaient prendre la nourriture offerte. Une gardienne donna aux poulets le pain qui avait été apporté pour les prisonnières [68]. » La veille, les Allemands n'avaient rien donné à manger aux prisonnières juives de toute la journée, et une douzaine d'entre elles étaient mortes dans la nuit, des suites de leur dénutrition et de la nuit passée dehors dans le froid (on expliquera ci-dessous le pourquoi de cette pratique). Telle était la toile de fond de cette scène où les Allemands refusèrent de distribuer le pain proposé par des civils et le donnèrent aux poulets.

Tout au long de la marche, les gardiens cherchèrent systématiquement à affamer les prisonnières juives. Le seizième jour, après une marche de 20 kilomètres, ils leur permirent d'accepter un peu de soupe apportée par des habitants d'Althütten, mais rien d'autre. Le vingt et unième jour, alors que les Américains étaient tout près, et la capitulation imminente, ils refusaient encore que les gens de Volary donnent de la nourriture aux prisonnières : toutes celles qui tentaient d'en prendre étaient battues par les gardiennes [69].

Autre souffrance, celle de la déshydratation et de la soif permanente. Les Allemands leur permettaient rarement de boire, bien que l'eau fût partout disponible : « Dès que nous arrivions près d'une rivière, les gardiens nous forçaient à continuer sans nous permettre d'aller boire [70]. » Les gardiens savaient bien que ces femmes étaient sur le point de mourir, qu'eux-mêmes, les gardiens, n'auraient pas réussi à marcher ainsi sans nourriture ni eau, et qu'eux-mêmes, les gardiens, ne faisaient pourtant rien pour leur permettre de manger ou de boire. La gardienne en chef, Hegel, dira : « Pas une fois, je n'ai permis aux femmes d'avoir un supplément de nourriture, alors qu'il aurait été en mon pouvoir de le faire [71]. »

Au terme de la longue journée de marche, où on leur refusait les pauses nécessaires, la colonne atteignait son étape du soir. Mais loin d'être l'occasion de refaire un peu leurs forces, la nuit n'était qu'un demi-répit, car d'autres épreuves guettaient les malheureuses. Dans le meilleur des cas, elles dormaient dans des granges glaciales, mais c'était quand même préférable à l'autre solution fréquemment choisie par les gardiens allemands : les faire dormir dehors dans la nuit d'avril. Non seulement les prisonnières souffraient du froid, mais, pendant toute la nuit, ce n'était que cris et gémissements, rendant le sommeil difficile. Souvent, au matin, des femmes ne se relevaient pas, mortes de froid ou de faiblesse [72].

De même que Dörr n'autorisait pas les prisonnières à accepter la nourriture et l'eau qu'on leur offrait, de même, plusieurs fois, il les contraignit à passer la nuit dehors alors qu'elles auraient pu dormir à l'abri. A leur arrivée à Cista, à la fin du septième jour, le maire de la ville proposa de les héberger dans un dortoir qu'on avait installé en prévision de la venue d'un groupe d'auxiliaires féminines de la Wehrmacht qui n'était jamais arrivé. Dörr refusa et obligea ses prisonnières à dormir sur un terrain de sport. Les gens de la ville se souvenaient qu'il faisait froid, que ces femmes étaient épuisées, dans un état de maigreur extrême, et qu'elles avaient gémi toute la nuit. Il gelait. Au matin, seize d'entre elles étaient mortes [73]. Dörr procéda de la même façon au moins trois fois au cours de la marche [74].

Comment exprimer la souffrance de ces femmes, se traînant sur des routes gelées, souvent sans chaussures, chaque étape de douleur n'annonçant que la suivante, chaque jour de douleur ne débouchant que sur le suivant ? Elles ignoraient leur destination. Aucun terme n'était en vue. A chaque pas, il fallait bander ses énergies, ou plutôt ce qu'il en restait. Chaque aube les trouvait affamées, pieds gonflés et purulents, membres engourdis, plaies ouvertes inguérissables. Elles savaient qu'une journée de marche les attendait, et que leurs bourreaux ne les laisseraient guère faire de pauses. Peut-être, le soir, auraient-elles droit à un peu de nourriture. Et la journée se terminerait dans un nouveau demi-sommeil frissonnant, douloureux, pour déboucher sur d'autres jours, d'autres nuits d'horreur. Telle était la « journée normale ». Mais d'autres jours avaient leur lot de difficultés particulières : fortes dénivellations à franchir, sol enneigé sous les pieds nus, attaques aériennes des Alliés, nouvelles blessures.

C'était comme un voyage dans l'enfer de Dante, d'un cercle à l'autre. Et pourtant, comme si la dénutrition, l'épuisement, le froid ne faisaient pas peser des menaces suffisantes sur la vie de ces femmes, comme si ce voyage en enfer n'était pas assez cauchemardesque, les Allemands avaient encore d'autres tortures à leur infliger, les coups de crosse et de matraque, leur moyen d'expression éprouvé.

Si les gardiennes avaient une matraque, ce n'était pas sans raison, si les gardiens avaient un fusil, ce n'était pas pour se battre. Fidèles à la règle non écrite qui voulait que « une matraque à la main est une matraque dont on se sert », les gardiennes battaient les prisonnières à leur guise et sans la moindre pitié. Ici encore, tous les témoignages sont formels.

« Naturellement », les coups commencèrent dès le premier jour. Comme c'était souvent le cas dans cet enfer que les Allemands avaient conçu pour les Juifs, tous les moments de transition étaient autant d'occasions de cruautés physiques et symboliques, comme pour rappeler aux victimes l'abjection de leur statut et annoncer la dureté de ce qui les attendait. « Le 13 avril 1945, au moment où l'évacuation se préparait, j'ai vu Willi Rust battre plusieurs Juives malades avec une planche [75]. » Les gardiens de ces êtres socialement morts se sentaient périodiquement le besoin de réaffirmer les statuts respectifs antérieurs, de crainte que les êtres socialement morts ne se disent que des changements substantiels allaient intervenir dans leur condition et dans leur vie [76].

Les Allemands battaient ces femmes juives sous le moindre prétexte et souvent sans prétexte. Ils les battaient parce qu'elles étaient malades, ils les battaient parce qu'elles marchaient trop lentement (ce qui ne pouvait évidemment pas les aider à conserver l'allure) [77]. On a déjà vu que, lorsque des civils essayaient de donner de la nourriture aux prisonnières, les gardiens ripostaient en distribuant des coups à celles-ci et non aux civils. Chaque fois qu'elles tentaient d'améliorer un peu leur situation, sans être un danger pour personne, les Allemands les battaient violemment pour leur peine : « Une fois, je me suis arrêtée pour ramasser une épluchure de pomme de terre pourrie. Un gardien est arrivé et m'a frappée à la tête. Il l'a fait avec son fusil, ça m'a fait une blessure qui saignait, et je n'ai reçu aucun soin. J'ai dû mettre un chiffon tout sale sur la blessure, ce qui a causé une infection [78]. » Tous les gardiens et gardiennes, presque sans exception, battaient ces malheureuses. Une survivante racontera : « Toutes les gardiennes avaient des matraques et des gourdins, et quand ça leur chantait, elles nous frappaient à la tête [79]. » La gardienne Hegel l'avait confirmé dès sa capture par les Américains : « Toutes les gardiennes "SS" avaient une matraque et toutes battaient les filles [80]. » Une autre gardienne avouera : « Je battais souvent les filles, et très dur. Pour ça, j'utilisais mes mains, et souvent un instrument quelconque. Entre Zwotau [Svatava] et Wallern [Volary], j'ai battu une fille très violemment, et elle en est morte le lendemain [81]. » Écoutons encore cette gardienne répondre à celui qui l'interrogeait sur des « détails de la marche » :

> Jensen, Koslowski, Wagner et Riedl ont battu à mort trois ou quatre filles parce qu'elles s'étaient jetées sur des betteraves pourries [...] [82]. Tous les soirs, j'entendais Koslowki parler du nombre de filles qu'il avait tuées dans la journée. Je ne sais pas combien ça fait au total, mais c'était environ deux à quatre par jour. Koslowski m'a dit une fois que Wagner l'avait aidé à tuer certaines des femmes. J'ai souvent vu Dörr donner des coups, et très violents. Je me souviens d'une fille qui s'est effondrée aussitôt sous ses coups. Schmidt, Schäfer et Reitsch étaient aussi très brutaux avec les filles. Je ne l'ai pas vu de mes yeux, mais on en parlait beaucoup entre gardiennes. Une fois, j'ai vu aussi Hegel frapper brutalement une fille avec sa matraque. Mais je ne sais pas ce qu'il est advenu de la fille, parce que j'ai dû aller ailleurs [83].

Cette gardienne incriminait nominalement 10 des 41 Allemands qui escortaient la marche, elle comprise.

Comme le montre son récit, les prisonnières ne mouraient pas seulement d'épuisement ou sous les coups, mais aussi sous les balles des Allemands, distribuées libéralement. Certaines de ces « exécutions » étaient ordonnées par Dörr ou par Hegel, la gardienne en chef, mais chaque Allemand pouvait tuer à discrétion (même si les hommes étaient les seuls à avoir un fusil). La gardienne Hegel a donné une vision d'ensemble de ces tueries :

> En réalité, chaque gardien décidait lui-même qui devait être abattu, mais les chefs de chaque colonne avaient le droit d'ordonner à leurs subordonnés de s'abstenir d'abattre les prisonnières. Ça ne s'est jamais produit. Dörr ne m'a jamais donné l'ordre de n'abattre personne, bien qu'il eût pu le faire. Je ne sais pas le nombre exact de celles qui étaient abattues chaque jour, mais je pense qu'il y en avait en moyenne six à dix par jour. Ces femmes n'étaient abattues que parce qu'elles étaient trop faibles pour avancer, elles n'étaient coupables de rien [84].

Les gardiens allemands savaient que cette marche ne pourrait se poursuivre indéfiniment, mais à aucun moment ils n'ont décidé d'arrêter les tueries : jusqu'au dernier instant, ils tueront des prisonnières juives. Même dans les ultimes moments de cette marche, ils n'ont manifesté aucun remords, aucune contrition, mais ont au contraire accompli plusieurs actes emblématiques (en plus de leur refus persistant de donner à manger aux prisonnières).

On était le 4 mai. Le piège se refermait. Les Allemands ne pouvaient aller nulle part sans tomber sur les Alliés. Comprenant que leur capture était imminente, ils décidèrent d'abandonner les prisonnières juives, bien que leur intention première fût de ne le faire que lorsqu'ils auraient atteint la Tchécoslovaquie, à l'époque « protectorat de Bohême-Moravie ». Ils entreprirent d'escorter les prisonnières encore en état de marcher jusqu'à Prachatice, à l'époque ville frontalière allemande, à une quinzaine de kilomètres de Volary, les plus malades étant entassées sur des charrettes tirées par un tracteur. En chemin, un avion américain attaqua le convoi, tuant une gardienne enceinte (le père était un des gardiens) et en blessant deux autres.

La suite est confuse, car les témoignages dont nous disposons sont peu clairs et ne concordent pas. Ce qui est sûr, c'est que les Allemands tuèrent un certain nombre de prisonnières, mais on ne sait pas comment ni où. Quand l'avion américain se fut éloigné et qu'on constata qu'il avait pris des vies allemandes, certains des gardiens se mirent à tirer frénétiquement dans la masse des prisonnières prostrées, qui n'y étaient pour rien.

Profitant de la confusion créée par l'attaque de l'avion, certaines prisonnières s'enfuirent. Celles qui étaient sur les charrettes étaient bien trop faibles pour saisir cette occasion de se libérer, de tromper l'attention de leurs bourreaux. Les Allemands les enfermèrent pour la nuit dans une grange. Par une ultime malchance, les trois hommes qui les surveillaient étaient parmi les plus sauvages de tous, et ils se livrèrent à deux nouvelles tueries. La première entraîna la mort de 12 prisonnières. Le déroulement de la seconde, le lendemain de l'attaque de l'avion, le jour où les survivantes furent libérées, est ainsi raconté dans le jugement du tribunal : les trois gardiens en question, des Allemands ethniques, firent sortir les femmes de la grange et les obligèrent à marcher jusqu'à un bois, situé sur une colline très pentue, comme pour leur ôter leurs dernières forces ; pendant la demi-heure que dura l'ascension, plusieurs tombèrent d'épuisement, et les trois gardiens abattaient celles qui ne pouvaient pas continuer, une à une. Au total, 14 à 17 femmes moururent. Il n'en restait que trois debout, et ils les laissèrent partir. Tout cela eut lieu le 5 mai, veille du jour où l'armée américaine prit le contrôle de toute la région [85].

Les prisonnières en état de marcher qui ne s'étaient pas enfuies lors de l'attaque aérienne continuèrent jusqu'à Prachatice. En chemin, un gardien en abattit une. Le lendemain, les Allemands firent partir ces femmes vers la frontière tchèque, à un peu plus d'un kilomètre, sans les accompagner.

Elles se traînèrent jusqu'à cette ligne de démarcation politique et morale et furent récupérées par des paysans tchèques. Leur terrifiant voyage était terminé.

Seule une partie des malades avaient été entassées sur les charrettes jusqu'à Prachatice. Les autres, la majorité, furent libérées par les Américains à Volary, où on les avait laissées à l'annonce de l'attaque aérienne : leurs gardiens allemands avaient refusé de les conduire jusqu'à la frontière par crainte d'affronter une autre attaque aérienne. Les 2 et 3 mai, 20 d'entre elles moururent à Volary, 2 autres le 6 mai, jour de l'arrivée des Américains, et 4 les jours suivants, bien qu'on eût commencé à les soigner[86]. Rappelons l'état dans lequel les avait trouvées l'officier de santé américain : « Dès que j'ai aperçu ces personnes, ç'a été un terrible choc, à ne pas croire que des êtres humains puissent être à ce point détruits, affamés, squelettiques, et être encore en vie. »

La marche des prisonnières juives de Helmbrechts se terminait donc sur des destins différents : deux ultimes tueries en avaient tué vingt-six, une autre avait été abattue avant Prachatice, certaines avaient pu s'enfuir en profitant de l'attaque aérienne, la majorité des survivantes avaient été relâchées à la frontière, et les plus malades avaient été abandonnées à Volary, où plusieurs moururent[87]. Jusqu'au dernier soupir du nazisme, la discrimination entre Juifs et non-Juifs avait continué : Alois Dörr, tueur de Juifs et qui s'en vantait, eut une dernière attention pour ses prisonnières allemandes en leur faisant établir des papiers d'identité par les autorités allemandes de Prachatice[88].

La marche des détenues de Helmbrechts avait commencé sur une tuerie et se terminait par une autre. Les Allemands avaient abattu ou battu à mort 10 prisonnières juives dès le premier jour de la marche, et 27 les deux derniers jours. Le nombre de celles qui moururent au cours des vingt-deux jours de la marche et dans les jours qui suivirent sa conclusion ne peut être établi avec certitude. Le tribunal d'Allemagne fédérale a retenu pour sa part le chiffre de 178 : 129 mortes de faim, de maladies, d'épuisement, et 49 sous les coups ou les balles[89]. Il y a de bonnes raisons de penser que le vrai chiffre est en fait de 275[90]. Même si l'on s'en tient aux estimations parcimonieuses du tribunal, 30 % des prisonnières juives moururent donc en un peu plus de trois semaines. Selon le médecin américain qui examina certaines des survivantes, 50 % d'entre elles seraient mortes si elles n'avaient pas reçu les soins d'urgence appropriés[91]. Pour des marches comme celle-là, parler de « taux de mortalité » n'a aucun sens (d'autant plus que l'habitude est de les calculer annuellement...). Cette marche était bien une « marche de la mort », une marche d'extermination voulue comme telle par les Allemands, et qui, même en prenant l'hypothèse basse du tribunal, aurait eu raison de toutes les prisonnières en deux mois, soit plus rapidement que toutes les autres méthodes allemandes d'extermination, à l'exception des camps d'extermination proprement dits.

14

Les marches : dans quel but ?

Quel sens donner à cette marche et aux marches de la mort en général ? Pourquoi les Allemands du camp de Helmbrechts sont-ils ainsi partis avec leurs prisonnières juives sur le chemin de nulle part ? Pourquoi sont-ils restés avec elles jusqu'au bout, et pourquoi n'ont-ils cessé de les torturer jusqu'au bout, alors que la guerre était évidemment perdue, et que leur errance ne pouvait avoir aucune incidence sur la situation militaire ? Pourquoi n'ont-ils pas renoncé à cette entreprise apparemment absurde, pourquoi ont-ils pris le risque d'être capturés ? Quel sens trouvaient-ils eux-mêmes à tout cela ?

Les événements de la marche, la manière dont les Allemands ont traité leurs prisonnières, leurs propres déclarations, tout montre que la marche de la mort, faire marcher les Juives jusqu'à la mort, était une fin en soi. Mais la question demeure : quelle idée se faisaient ces Allemands de ce qu'ils étaient en train d'accomplir ?

On ne sait pas avec certitude quels étaient les ordres venus d'en haut, mais on peut néanmoins dire ceci. Si Dörr a évacué le camp avant l'arrivée des Américains, c'est qu'il en avait reçu l'ordre. La destination qu'on lui avait fixée, Dachau, ne pouvait convenir, puisque les Américains venaient de s'en emparer. En cours de marche, de nouveaux ordres l'atteignirent, le dirigeant vers l'Autriche. Il est probable qu'on lui avait aussi donné l'ordre, banal, d'éviter autant que possible la capture. Bien que les témoignages divergent sur les instructions données par Dörr à ses gardiens, sur ce qu'il faudrait faire des prisonnières qui ne pourraient plus avancer, on peut penser qu'il leur avait dit de tuer toutes les traînardes [1]. Il avait également interdit tout contact entre les prisonnières et les civils. Une fois en route, ces Allemands n'étaient plus en liaison régulière avec leurs supérieurs. Aucun itinéraire ne leur ayant été indiqué, ils devaient donc le choisir eux-mêmes, mais ils ne disposaient même pas d'une carte [2]. Quels qu'aient pu être les ordres supérieurs, ces Allemands étaient livrés à eux-mêmes. Un des gardiens le dira : « Tout au long de la marche, les gardiens ignoraient vers quelle destination nous étions censés aller [3]. » Il fallait improviser en permanence, en fonction des circonstances. A eux de décider quoi faire de leurs prisonnières, comment les traiter, comment les nourrir, si elles devaient vivre ou mourir.

Mais si ce personnel allemand manquait d'ordres clairs, il y avait cependant une exception notable, une exception cruciale : le deuxième jour de la marche, on leur avait fait savoir qu'il y avait des *ordres explicites* des autorités supérieures *interdisant de tuer les Juifs*, des ordres enjoignant au contraire de les traiter avec humanité.

Voici ce qui s'était passé. Le deuxième jour, un lieutenant SS, courrier de Himmler, tomba sur leur colonne et fit connaître à Dörr les ordres de Himmler en ce qui concernait les prisonnières. Il commença par demander à Dörr combien ils en avaient déjà tué (on ne sait pas ce que l'autre lui répondit), avant de l'informer que Himmler avait expressément interdit désormais de tuer les Juifs : il était en train de négocier avec les Américains et ne souhaitait pas que la poursuite du massacre pût contredire ses efforts. Le courrier demanda aussi que les gardiennes SS se séparent de leur matraque. En cas de capture imminente, il faudrait aussi détruire toutes les archives du camp[4], et surtout ne pas tuer les prisonnières, mais les relâcher dans un bois.

Ces ordres de Himmler furent communiqués aux gardiens. L'un d'eux dira que c'était l'émissaire de Himmler lui-même qui s'en était chargé : « Nous, les gardiens, on a dû se rassembler, et ce lieutenant nous a dit qu'il était un des aides de camp de Himmler. Ensuite il a dit que des négociations étaient en cours avec les Américains, et que les prisonniers devaient être traités avec humanité. Ensuite, le lieutenant a dit que Himmler ordonnait de ne plus tuer les prisonnières. Il nous a aussi interdit de garder nos matraques[5]. » Un autre dira que c'était Dörr lui-même qui avait informé ses troupes[6], mais l'essentiel demeure : ces Allemands avaient l'ordre formel de ne plus tuer de Juifs.

Même s'ils n'avaient pas reçu ces ordres explicites de Himmler, il serait impossible de trouver la moindre rationalité à leurs actes. Ils obligeaient à marcher des femmes qui pouvaient à peine se traîner ; ils refusaient la nourriture à des femmes qui étaient si amaigries que les Américains se demanderont ensuite comment elles avaient pu rester en vie ; ils obligeaient des femmes en haillons, sans graisse naturelle pour les protéger, à dormir dehors dans la nuit glaciale. Ils battaient des femmes qui ne pouvaient même plus lever le bras pour se protéger. Impossible de se convaincre qu'ils convoyaient ces femmes vers un lieu où on les ferait travailler : les prisonnières juives étaient déjà si affaiblies à Helmbrechts qu'elles auraient été incapables d'y travailler. Et après les privations et les violences de la marche, les survivantes étaient à moitié mortes. Même si les Allemands n'avaient pas contrevenu aux ordres de ne pas tuer les Juifs et de les traiter humainement, leur comportement cruel et meurtrier ne pourrait être compris que comme une expression de leurs désirs intimes. Mais puisqu'il y avait des ordres contraires de Himmler, ces cruautés et ces meurtres constituaient aussi une lourde désobéissance. C'est au mépris des ordres, au mépris de toute rationalité, que ces Allemands ont choisi de faire ce qu'ils ont fait : ils ont agi volontairement.

Leur violence délibérée ne s'exerçait pas pareillement sur toutes leurs prisonnières : ils ont traité convenablement les détenues allemandes et les ont même utilisées comme gardiennes. A Zwotau [Svatava], au bout de sept jours de marche, ils ont laissé derrière eux toutes leurs prisonnières non juives, à l'exception des quelques Allemandes. Parlant de ces prisonnières favorisées, un gardien dira : « Elles étaient dans une condition physique comparativement bonne. Elles étaient capables de marcher [7]. » Ces prisonnières laissées derrière eux par les Allemands étaient précisément celles qui étaient en bonne santé, qui auraient pu travailler, si ces Allemands avaient vraiment eu l'intention (ou un espoir réaliste) de sauver une main-d'œuvre pour le Reich chancelant. Les tortures et les meurtres n'étaient pas distribués sans discrimination ; ces gardiens n'étaient pas des personnalités sadiques cherchant une gratification sur n'importe quelle victime potentielle. Leur cruauté, leur désir de tuer avait ses victimes spécifiques : *les Juifs*.

Quelle vision des Juifs, leurs victimes d'élection, pouvait leur faire commettre de telles atrocités ? Comme le montrent les photographies (voir notamment les clichés n°s 23 et 24) prises après la libération des survivantes, ces prisonnières juives ne pouvaient représenter une menace. Elles pouvaient à peine bouger.

Comment était-il possible de ne pas éprouver une pitié horrifiée à la vue de ces lamentables épaves ? Le poids moyen des 83 survivantes examinées par le médecin américain était de 40,7 kg. 29 d'entre elles pesaient 36 kg ou moins. 5 pesaient 29,5 kg ou moins [8]. C'étaient des squelettes vivants.

Et pourtant, rien dans les documents existants ne montre que les Allemands éprouvaient de la compassion pour ces jeunes Juives. De nombreuses preuves documentaires indiquent au contraire (à l'appui, s'il en était besoin, de toutes leurs actions) qu'un tel sentiment leur était étranger. Pourquoi les Allemands étaient-ils à ce point sourds à la misère de ces femmes ? Qu'est-ce qui les poussait à les traiter si cruellement, au point que beaucoup d'historiens n'arrivent pas à comprendre que des gens ordinaires aient pu commettre de leur plein gré de telles cruautés, et qu'ils choisissent donc d'en écarter *a priori* la possibilité ? Il fallait que ces Allemands fussent puissamment motivés pour agir ainsi. Et leur motivation (leur vision des Juifs et de l'objectif de cette marche) n'est pas restée totalement inexprimée : quelques-unes de leurs paroles, très révélatrices, sont parvenues jusqu'à nous.

Comme on l'a vu dans le chapitre précédent, un des gardiens, Koslowski, ne cessait de se vanter auprès de ses collègues du nombre de prisonnières juives qu'il avait tuées au cours de la marche [9]. Que ces vantardises aient pu continuer jusqu'au bout montre le consensus moral régnant dans ce groupe d'Allemands à propos de ces meurtres. Les propos tenus par les tueurs non seulement à leurs collègues mais aussi à leurs victimes juste avant de les frapper en disent aussi beaucoup sur leurs motivations, car ce sont des moments ou le moi s'exprime, et parfois avec une franchise inhabituelle. Une des survivantes se rappelait qu'une nuit, particulièrement glaciale, un tueur s'approchant de sa victime avait choisi d'annoncer ses coups avec une ironie satisfaite : « Une nuit où nous étions dans une grange, plusieurs femmes gisaient mortes sur le sol. L'une de nous a crié qu'elle gelait. Ce SS lui a ordonné de s'allonger sur les cadavres en lui disant : "Maintenant tu vas avoir chaud." Puis il l'a battue jusqu'à ce qu'elle meure [10]. » La seule chaleur qu'un Juif pût espérer de cet homme était celle de la tombe. Pas de four crématoire à portée de la main.

Autres paroles révélatrices, dans la bouche de Dörr cette fois. En cours de marche, les cadavres étaient tantôt enterrés, tantôt abandonnés. Une ancienne prisonnière allemande a raconté une de ces mises en terre : elle s'était aperçue qu'une ou deux prisonnières « montraient encore des signes de vie », et elle avait dit à Dörr qu'« il ne pouvait pas enterrer des gens qui étaient encore en vie. Voici ce qu'il [lui] a répondu, littéralement : "Elles mourront de toute manière. Plus il y a de Juifs morts, mieux c'est ! De toute façon, elles sont sur le point de mourir" [11] ». Enterrer un être encore vivant était un acte d'inhumanité insupportable pour cette prisonnière allemande, mais pas pour Dörr, pas plus, semble-t-il, que pour beaucoup des agents allemands du génocide qui, parfois, au cours des massacres, ne prenaient pas la peine de vérifier si les Juifs qu'on enterrait étaient bien morts [12]. Les paroles de Dörr exprimaient explicitement à la fois son attitude envers les Juifs et l'idée qu'il se faisait de cette marche et de son but : plus il y aurait de Juifs morts, et mieux ce serait.

La réaction des gardiens allemands aux deux attaques aériennes survenues au cours de la marche va dans le même sens. Dans la confusion qui suivit la première, des soldats de la Wehrmacht, qui se trouvaient là, avaient pris au moins deux des prisonnières blessées pour les conduire à un proche hôpital de campagne, où elles avaient été soignées. Des gardiens de la marche firent tout ce qu'ils purent pour retrouver ces deux prisonnières, empêcher que les soins fussent poursuivis, et ils les forcèrent, malgré leurs blessures, à rejoindre la colonne. Ils avaient expliqué au personnel soignant que, pour les Juifs, il ne devait pas y avoir de soins médicaux [13]. Des soins eussent contrevenu à ce qui était l'essence d'une marche de la mort : ils étaient l'antithèse de la mort.

Tous les gardiens n'ont pas agi de la même façon, quelques-uns sont restés en deçà de la norme en matière de brutalité, mais ces exceptions mêmes montrent à quel point la violence était générale, et combien elle était volontaire. Les prisonnières juives, comme tous les Juifs des camps, savaient observer leurs bourreaux, et elles avaient compris que ceux des Allemands qui ne se montraient pas cruels étaient des exceptions. Une fois, elles s'adressèrent ainsi à l'un des gardiens les plus âgés : « Laissez-nous vivre ; vous, vous n'êtes pas de leur société [14]. » Ce gardien n'appartenait pas à cette « société », une société de tueurs de Juifs par excellence.

C'était l'un des « vieux » gardiens, un de ceux qui étaient assez âgés pour avoir connu autre chose que le nazisme : « Les gardiens âgés étaient pour la plupart de bonnes natures, ils ne nous battaient pas et ne nous tourmentaient pas. Les jeunes SS étaient bien plus brutaux *[schon brutaler]* »[15]. Les jeunes étaient implacables.

Les gardiens non brutaux étaient une minorité bien distincte, et le cas ne se rencontrait que chez les hommes[16]. Chez les gardiennes, toutes sans exception agirent avec hostilité, brutalité et cruauté envers leurs prisonnières juives[17]. Comme l'ensemble des gardiens opéraient sans aucun contrôle de leurs supérieurs (Dörr et la gardienne en chef n'étaient pas avec la colonne, car ils partaient devant, à bicyclette, pour régler les problèmes de logistique), ils étaient leurs propres maîtres. Le deuxième jour, six gardiennes profitèrent de ce relâchement du commandement pour déserter. Pourquoi les autres Allemands ne le firent-ils pas ? Le Reich était à l'agonie, la fin était en vue. S'enfuir était facile, surtout pour ceux qui étaient originaires de la région. De même, pourquoi n'ont-ils pas laissé leurs prisonnières s'enfuir ? Pourquoi tuaient-ils toujours les prisonnières qu'ils amenaient dans les bois, au lieu de les y laisser ? Personne ne les surveillait. Un seul gardien refusa explicitement de tuer au cours de la marche, et son cas fut discuté entre collègues. Il semble qu'il ne lui soit rien arrivé[18]. Pourquoi les autres ne firent-ils pas comme lui ?

Il faut souligner ici l'exceptionnelle brutalité des gardiennes à l'égard des prisonnières. Que ce fût à Helmbrechts (où les hommes n'avaient que peu de contact avec les femmes) ou pendant la marche, c'est surtout de la cruauté des gardiennes que les survivantes ont parlé. Devant leurs témoignages, devant l'absence de tout document prouvant que les gardiens eussent reçu l'ordre d'être cruels envers les prisonnières en marche (et nous avons bien des dépositions de gardiens sur la marche), c'est la déclaration de la gardienne en chef (« Toutes les gardiennes "SS" avaient des matraques et battaient souvent les filles ») qui doit être tenue pour le mot de la fin sur leurs actes, et sur leur caractère volontaire.

L'épreuve subie par ces jeunes Juives, sur six mois, entre leur départ de Schlesiersee et les premiers soins d'urgence reçus du médecin américain, défie la compréhension, ou semble la défier, à plus d'un titre. Même en ne tenant pas compte de ce que ces femmes avaient subi avant les six derniers mois de cette tragédie mise en scène par les Allemands (c'est-à-dire, même si elles avaient commencé leur voyage en bonne santé, au lieu d'être déjà affaiblies et mal nourries), il serait encore difficile de comprendre comment elles ont pu survivre, physiquement, psychologiquement, affectivement, à ces six mois d'errance, à ces privations permanentes, à ces cruautés et ces coups permanents, à cette peur permanente, et, surtout, à cette faim permanente. Il est vraiment difficile, dans le confort de nos fauteuils, de comprendre la souffrance et les douleurs qu'elles ont endurées, de nous représenter ce qu'a été chaque heure de cette épreuve. Il est aussi difficile de comprendre l'objectif poursuivi par les Allemands dans de telles marches, car jeter des Juifs sur les routes sans destination apparente et les tuer en chemin ne semble pas obéir à la moindre rationalité. Enfin, quand on connaît le traitement subi par ces malheureuses, il est difficile de comprendre comment des hommes ont pu volontairement l'infliger à autrui, et encore moins y prendre du plaisir. Les six mois d'errance de ces jeunes Juives, qui défient le sens commun, ne sont qu'un cas parmi d'autres de ce que les Juifs eurent à subir en ces derniers mois de la guerre. La marche, dans l'ignorance de leur destination, les privations, la souffrance et la mort constituaient leur quotidien, c'était le lot que les gardiens allemands leur réservaient tous les jours. La marche des prisonnières de Helmbrechts, dans tout ce qu'elle a eu d'extrême, tout ce qui la rend apparemment incompréhensible, est bien l'un des épisodes les plus révélateurs de l'Holocauste, et la lumière qu'elle jette sur la nature des marches de la mort est probablement d'une clarté insurpassable.

La marche des prisonnières de Helmbrechts se caractérise par un certain nombre de traits qui auraient dû être autant d'occasions inhabituellement favorables de déboucher sur un traitement décent des Juifs. Si l'on cherche à imaginer quelles étaient les conditions nécessaires pour que des Allemands qui s'étaient donnés au nazisme finissent par traiter convenablement les Juifs, cette marche, à bien des égards, les contenait virtuellement presque toutes.

La fin de la guerre était imminente. Quelles qu'aient pu être les motivations personnelles ou institutionnelles à obéir aveuglément aux ordres, elles perdaient toute leur valeur en ce moment où le régime agonisait. Les anciennes règles ne s'appliqueraient plus bien longtemps. Les Allemands n'avaient aucune raison de croire que dans le monde d'après le nazisme, encore indéfini mais à coup sûr radicalement différent, les Juifs ne seraient pas traités comme les autres citoyens, qu'ils seraient toujours considérés comme des « sous-hommes », pire, comme la fraction la plus abjecte de la « sous-humanité ». Même, étant donné que tous étaient convaincus de la capacité des Juifs à manipuler le capitalisme aussi bien que le bolchevisme, à tirer les ficelles dans le dos des Alliés, ces Allemands avaient toutes les raisons de croire le contraire, c'est-à-dire que les Juifs sortiraient de la guerre puissants, favorisés, privilégiés. Voilà ce qu'auraient dû être les pensées de tous les Allemands qui escortaient les victimes jetées sur les routes (ou encore détenues dans des camps) dans les trois derniers mois de la guerre : elles auraient dû inspirer leurs actes, si leurs actes avaient obéi à de quelconques considérations de cet ordre.

Les gardiens allemands des détenues de Helmbrechts (et bien d'autres) opéraient sans presque aucun contrôle de leurs supérieurs, ni même de leur commandant, loin de toute autorité capable de sévir. Ils avaient donc la latitude d'agir comme ils le désiraient. Ils auraient pu facilement déserter, et cela d'autant plus qu'ils étaient en territoire allemand, où ils n'avaient pas à redouter les populations locales ; certains se trouvaient même dans leur région d'origine. S'ils avaient été hostiles à l'extermination des Juifs, ces Allemands avaient désormais de puissantes motivations et de bonnes occasions « structurelles » de les traiter convenablement ou de tout simplement déserter. Le plus stupéfiant, et le plus révélateur, c'est qu'ils avaient des ordres explicites de Himmler de ne plus tuer les Juifs et de les traiter humainement, des ordres qui leur épargnaient d'avoir à torturer. A eux seuls, ces ordres auraient dû jouer un rôle décisif dans leur comportement, leur faire traiter convenablement les prisonnières juives qu'ils escortaient.

Si l'on regarde du côté de ces malheureuses, il est difficile d'imaginer des victimes moins menaçantes. C'étaient des femmes, et, dans la culture européenne, les femmes sont tenues à l'écart des affaires militaires parce qu'on les considère comme peu aptes à la guerre. De plus, leur état physique était tellement lamentable que tout être doué de raison, tout être non soumis à un modèle cognitif pervers, ne pouvait voir en elles une menace. Aucun raisonnement objectif de sécurité ou de légitime défense ne permettait de voir dans ces femmes un danger.

De même que les victimes étaient les créatures les moins menaçantes qui soient, rien n'annonçait que les gardes qui les escortaient fussent d'une nature plus impitoyable que la moyenne allemande. La majorité n'étaient pas des SS, et ils représentaient une sorte d'échantillon de la population allemande (ceux et celles qui étaient des SS n'avaient d'ailleurs guère reçu de formation idéologique). Ces prisonnières n'étaient donc pas gardées par des gens plus idéologisés, plus possédés par l'antisémitisme éliminationniste que la moyenne des Allemands de l'époque. De plus, les actes commis par ces gardiens montrent qu'ils n'étaient pas tout le temps brutaux, que la distribution des coups n'était pas un besoin permanent de leur être, puisqu'ils traitaient mieux les prisonnières non juives et bien quelques-unes. Rien ne vient donc conforter l'idée que ces jeunes Juives étaient gardées par des gens qui étaient compulsivement enclins à brutaliser et tuer tous ceux qui étaient en leur pouvoir. La plupart des preuves documentaires établissent le contraire.

Et pourtant toutes ces conditions, individuelles et collectives, inhabituellement favorables selon les critères allemands de l'époque, au lieu d'engendrer un traitement convenable des prisonnières, ont produit exactement le contraire. Ce qui s'est passé pendant cette marche révèle pourquoi les autres marches (comme les autres institutions allemandes détenant encore des Juifs) ont été aussi meurtrières, brutales et riches en cruautés délibérées. Bien que les conditions générales de détention, dans les camps ou sur les routes, ne fussent pas, loin s'en faut, favorables à un traitement convenable des Juifs, ce ne sont pas elles qui ont dicté la conduite de ces Allemands dans ces institutions vouées au meurtre. La marche des détenues de Helmbrechts démontre que les conditions elles-mêmes, les impératifs « structurels » de l'institution, le contenu même des ordres reçus pouvaient changer sans que rien ne changeât dans le traitement infligé aux Juifs. Il est donc clair que les causes de la brutalité allemande ne doivent pas être cherchées dans le jeu de ces facteurs. La marche de Helmbrechts est cruciale pour notre compréhension, parce qu'elle démontre que, aussi longtemps que la société allemande nazifiée et son antisémitisme exterminationniste restaient intacts, les Allemands ne pouvaient se convaincre de traiter convenablement les Juifs après des années de persécution éliminationniste et de massacres.

Au cours de la troisième période des marches de la mort, de la fin 1944 à mai 1945, des centaines de marches de ce genre eurent lieu, souvent tout aussi privées de sens, partout où l'Allemagne nazie reculait. Une étude extensive, bien que non exhaustive, de ces marches, permet de retrouver bien des traits structurels de celles qu'on a déjà évoquées ici [19].

Les marches de la mort de cette ultime période, malgré tous leurs traits communs, présentent un aspect chaotique, et parfois des variantes notables [20]. L'autorité se dissolvait de plus en plus en Allemagne, et il est clair que ces marches n'étaient pas contrôlées d'en haut, ce qui explique que les Allemands qui les escortaient aient pu se conduire de manières différentes. En l'absence d'autorité centrale, et dans le désordre qui accompagnait la fin de la guerre, où toutes les institutions s'effondraient, et, avec elles, les modèles qu'elles prescrivaient, il est d'autant plus significatif que les Allemands qui guidaient ces marches aient continué, la plupart du temps, à respecter les articles de base du credo exterminationniste nazi.

Les disparités entre les marches de la mort sont telles qu'il serait difficile d'en reconstruire un modèle. Les ordres que les commandants et les gardiens recevaient sur l'objectif de ces marches, leur destination et la manière d'opérer, furent différents. Dans certains cas, Juifs et non-Juifs furent traités avec à peu près la même brutalité, mais, à ma connaissance, jamais les Juifs ne furent l'objet d'un traitement plus favorable. Ces marches étaient avant tout mortelles pour les Juifs. Dans certains camps, dont Auschwitz et plusieurs de ses camps satellites, les Allemands abandonnèrent ceux des Juifs qui étaient incapables de partir, laissant le destin décider s'ils mourraient ou seraient libérés [21]. Mais d'une façon plus générale, les Allemands tuèrent les Juifs invalides (et parfois aussi les non-Juifs) avant d'évacuer le camp, ou en cours de marche, quand ils n'étaient plus capables de suivre. La plupart du temps, les prisonniers allaient à pied, mais, parfois, ils faisaient le voyage sur des charrettes, voire en train.

Un des nombreux aspects mal connus de ces marches touche à l'identité des gardiens. La plupart du temps, ils appartenaient au personnel des camps évacués, ce qui fait que beaucoup étaient des gardiens de camps par vocation, membres de la division SS Tête-de-mort. Mais bien d'autres étaient soit des SS d'un autre type, soit des non-SS, appartenant aux forces civiles de défense ou à différentes unités de l'armée ou de la police. Les quelques documents dispersés dont nous disposons tendent à montrer que, du point de vue de l'âge et des antécédents, on y trouvait toute la gamme des adultes en âge de servir. Parfois, comme dans le cas de la marche des prisonnières de Helmbrechts, il y avait aussi des Allemands ordinaires des deux sexes parmi eux, distribuant leur part de tortures. Et il y avait aussi des Allemands ethniques, qui avaient fait le choix du Reich et restaient avec leurs frères nés en Allemagne tandis que leurs victimes s'effondraient autour d'eux.

Comme dans le cas des prisonnières de Helmbrechts, les victimes et leur escorte traversaient des territoires qui pouvaient être hostiles (Pologne et Tchécoslovaquie) ou amis. La plupart des marches de la dernière phase de la guerre eurent lieu sur le sol allemand. Des dizaines de milliers de citoyens allemands virent passer à travers villes et villages les longues colonnes de squelettes titubants, dont certains présentaient des blessures apparentes. Si quelques-uns s'apitoyaient sur leur sort, la plupart des autres ne regardaient ces « sous-hommes » qu'avec hostilité et dégoût. Ils les brocardaient. Ils leur lançaient des pierres. Même en ces dernières heures du nazisme, l'extermination de ces « sous-hommes » n'était pas un scandale à leurs yeux. On sait que certains civils allemands aidèrent des gardiens à rattraper des prisonniers évadés [22]. Et quand l'envie leur en prenait, des civils allemands participaient aussi aux massacres des prisonniers et allaient jusqu'à en prendre l'initiative [23].

Quelles que fussent ces différences, il reste que, pour les Juifs, ces marches de la mort étaient toutes une même et interminable agonie. En cette ultime période de la guerre, tous les traitements discriminatoires étaient leur lot [24]. C'étaient eux que les Allemands tuaient le plus fréquemment [25], et c'est contre eux qu'ils déployaient tout leur répertoire de cruautés ; à eux, les rations les plus maigres et de la pire qualité. Dans certains cas, les Allemands laissèrent dans le camp évacué les prisonniers non juifs et partirent avec les Juifs sur les routes [26]. Le fait de priver leurs prisonniers juifs de nourriture et d'eau était une annonce éloquente, encore que muette, de ce qu'était l'objectif de ces marches, de ce que les gardiens espéraient voir arriver à ceux qu'ils escortaient : « Nous avons traversé des villes allemandes. Nous demandions de la nourriture. Au début, les gens nous prenaient pour des réfugiés allemands. Le SS qui nous escortait a crié : "Ne leur donnez rien à manger, ce ne sont que des Juifs." Alors on ne m'a rien donné. Les enfants allemands commençaient à nous jeter des pierres [27]. » L'épisode a eu lieu sur la route qui va de Neusalz à Bergen-Belsen. Ces enfants allemands, qui ne savaient des Juifs que ce que la société leur avait appris, trouvaient d'emblée la conduite à tenir.

La preuve que la mort et les souffrances étaient l'objectif de ces marches ne se trouve pas seulement dans le traitement réservé aux Juifs par les Allemands en face à face. La folie absolue de ces errances sans but

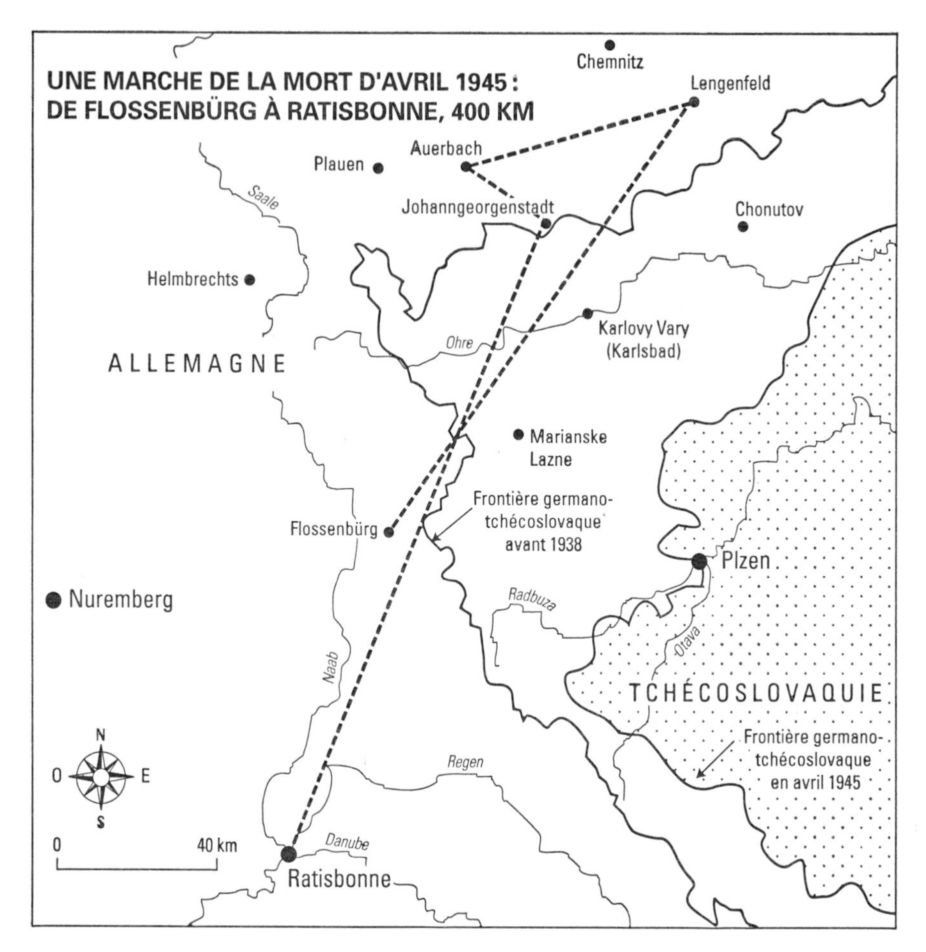

montre aussi que ces marches, avec leur cortège de privations et de morts, jour après jour, heure après heure, avaient leur raison d'être en elles-mêmes. Plusieurs suivirent des routes relativement directes vers leur destination. Mais dans bien d'autres cas, il n'en fut rien. Une de ces marches, de Flossenbürg à Ratisbonne, une distance de 80 kilomètres, commença le 27 mars et suivit l'itinéraire représenté sur la carte ci-dessus [28]. Les prisonniers marchèrent pendant trois semaines et couvrirent 400 kilomètres, cinq fois la distance réelle. Au rythme moyen de 20 kilomètres par jour, il n'est pas surprenant que peu aient survécu à l'épreuve [29].

Il suffit de regarder les itinéraires suivis par d'autres marches pour se convaincre que ces errances n'avaient d'autre but que de maintenir les prisonniers sur les routes. Les conséquences pouvaient en être calculées, et l'avaient été.

Les Allemands chargés d'escorter ces marches, coupés de leur quartier

UNE MARCHE DE LA MORT D'AVRIL 1945 : DE BERGA À PLAUEN, 270 KM

général, pratiquement laissés à eux-mêmes, n'avaient aucune raison d'aller ainsi vers nulle part ; ils auraient pu choisir de s'arrêter, de nourrir leurs prisonniers, de les remettre aux Alliés, qui, en tout état de cause, allaient les rattraper dans quelques jours ou quelques semaines. Autant qu'on le sache, le fait ne s'est jamais produit [30]. Une marche de la mort n'était pas un moyen d'aller d'un point à un autre, elle était un moyen de faire mourir.

La fidélité des Allemands à leur entreprise d'extermination défie l'entendement. Leur monde se désagrégeait autour d'eux, mais jusqu'au bout ils tueraient les Juifs. Un survivant de la marche partie du camp de Dora-Mittelbau a rapporté un massacre particulièrement épouvantable, qui incrimine non seulement les gardiens mais aussi d'autres Allemands qui n'avaient pas de raison de s'en mêler :

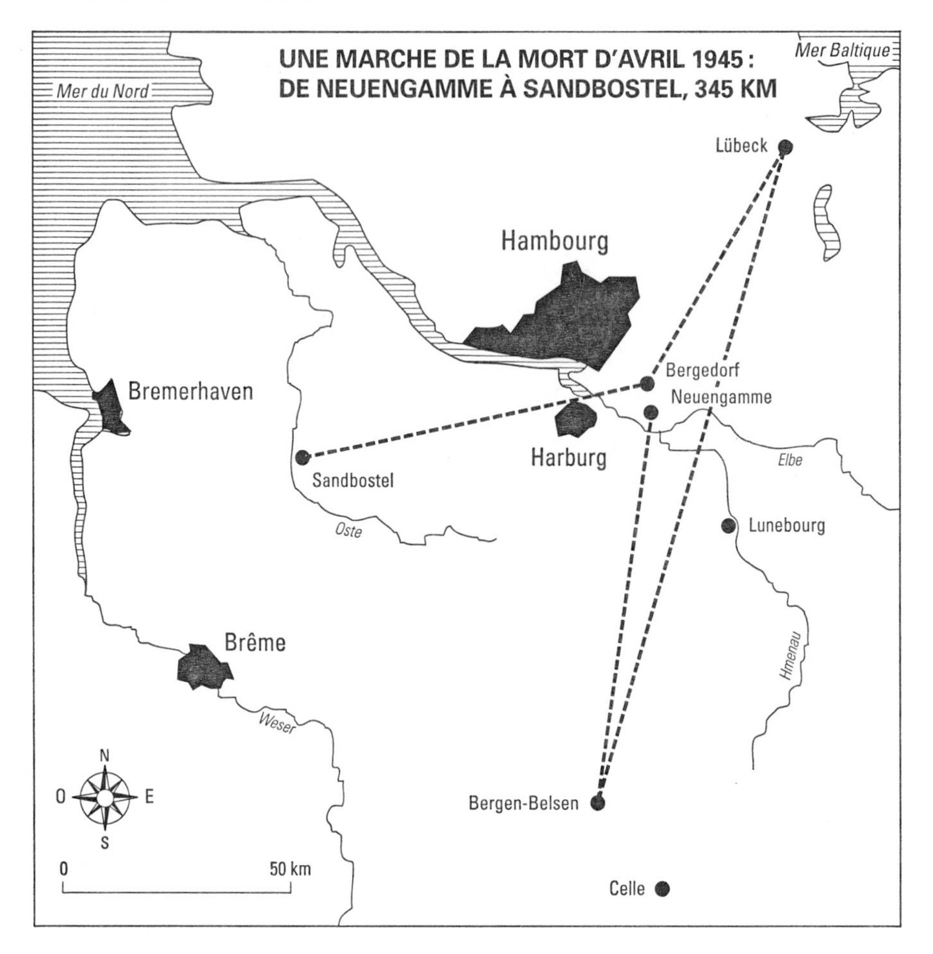

Une nuit, nous nous sommes arrêtés près de la ville de Gardelegen. Nous étions allongés par terre dans un champ, et plusieurs Allemands sont partis se consulter sur ce qu'ils devaient faire. Ils revinrent avec tout un groupe de Jeunesses hitlériennes et de policiers de la ville. Ils nous firent entrer dans une vaste grange. Comme nous étions de 5 000 à 6 000, le mur de la grange s'effondra sous notre pression et nous fûmes beaucoup à pouvoir nous enfuir. Les Allemands répandirent partout du pétrole et mirent le feu à la grange : plusieurs milliers de prisonniers furent brûlés vifs. Ceux d'entre nous qui avaient réussi à s'échapper s'étaient tapis dans un bois voisin et entendaient les cris des victimes agonisantes. C'était le 13 avril 1945. Le lendemain, l'endroit tombait aux mains de l'armée d'Eisenhower. Quand les Américains arrivèrent, les cadavres brûlaient encore [31].

Dans les derniers jours de la guerre, de nombreux camps furent évacués, Flossenbürg, Sachsenhausen, Neuengamme, Magdebourg, Mauthausen, Ravensbrück, les camps satellites de Dachau ; partout les prisonniers furent jetés sur les routes sans vraie destination[32]. Que pouvaient avoir en tête les gardiens allemands ? L'ultime marche de la mort en Allemagne, dernier soupir du nazisme, commença dans la nuit du 7 mai 1945, alors que presque toute l'Allemagne était occupée, et qu'on était à moins de vingt-quatre heures de la capitulation[33].

Tous les survivants juifs ont raconté que, jusqu'au bout, les Allemands n'ont cessé de brutaliser et de tuer leurs prisonniers[34]. Leurs témoignages démontrent la haine évidente des Allemands pour leurs victimes. Ces Allemands n'étaient pas des exécutants affectivement neutres, dociles aux ordres de leurs supérieurs, ni des bureaucrates cognitivement et affectivement neutres, indifférents à la nature de leurs actes. Ces Allemands ont choisi d'agir comme ils l'ont fait sans contrôle de l'autorité supérieure, guidés par leur seule compréhension du monde, par leur propre conception de ce qui était juste, et à l'encontre de leurs propres intérêts, puisqu'il aurait mieux valu pour eux se faire capturer sans avoir encore du sang sur les mains. Ces cruautés, ces meurtres n'étaient pas le résultat d'ordres reçus : c'était une expression de leur moi le plus intime[35].

Dans le chaos des derniers mois et des dernières semaines de la guerre, chaos gouvernemental, institutionnel, logistique et psychique, il n'est pas surprenant qu'un phénomène incohérent comme les marches de la mort soit devenu l'institution centrale du nazisme agonisant. Officiellement, il s'agissait de déplacer une main-d'œuvre vers de nouveaux lieux de travail, où elle pourrait continuer à produire pour le Reich. Comme on l'a vu, quand les Allemands parlaient de « travail » des Juifs, ce n'était pas dans le sens premier d'activité productrice : dans la communauté linguistique allemande, le mot « travail », quand il était appliqué aux Juifs, signifiait seulement un autre moyen de tuer en masse, plus lentement, et d'une façon parfois plus gratifiante. Les marches n'avaient pas, elles non plus, d'objectif rationnel : il ne s'agissait pas de sauver des gardiens qui pourraient encore combattre, ni de réserver les trains aux transports de troupes et de matériel. Il ne s'agissait pas non plus de préserver une « main-d'œuvre juive » : de même que les Allemands des camps savaient que la productivité économique n'était pas en jeu quand ils contraignaient les Juifs à accomplir des travaux inutiles (à Buchenwald, « le travail consistait à transporter sans cesse d'un point à l'autre des sacs de sel humide[36] ») et que la mise au travail n'était pas l'objectif premier de l'enfermement des Juifs, de même les gardiens de Helmbrechts, comme ceux qui escortaient les autres marches, savaient bien qu'il ne s'agissait pas de conserver une main-d'œuvre à l'Allemagne nazie. Même si ceux qui ont décidé le principe de ces marches ont pu imaginer, dans une sorte d'hallucination, une future remise au travail des prisonniers, les Allemands ordinaires qui escortaient les prisonnières juives de Helmbrechts, et tant d'autres, ne pouvaient, face à ces cadavres ambulants, se bercer de l'illusion qu'ils surveillaient une précieuse ressource productive. Idéologie ou non, il est clair que ces Juifs squelettiques étaient incapables de travailler. Aucune personne sensée n'aurait pu croire que ces marches avaient une autre finalité que celle de poursuivre la punition et le massacre des prisonniers juifs. Quand il s'agissait des Juifs, tous les Allemands, du bas de la société jusqu'à Hitler, savaient à quoi leurs actes devaient tendre.

Qui plus est, chaque aspect du comportement de ces Allemands ruinait par avance toute hypothèse d'une affectation future des victimes à la production. Les Allemands qui étaient le mieux à même d'influer sur le traitement à réserver aux Juifs et sur leur destin étaient ces Allemands ordinaires qui les gardaient. Et ils ont agi d'une manière qui ne permet d'envisager aucun sens plausible à ces marches, de leur point de vue, sinon celui qu'un des gardiens de Helmbrechts formulera par la suite en réfléchissant à cette question : « A la question de savoir si le but de cette marche était, plus ou moins, de faire mourir progressivement toutes les prisonnières juives, je dirais qu'on pouvait effectivement en avoir le sentiment. Je n'en ai pas la preuve, mais la manière dont le convoiement était effectué est révélatrice [37]. » Les marches de la mort n'étaient que la poursuite du travail des camps de concentration et d'extermination, du travail de Hitler, du travail de tous les Allemands qui prêtèrent la main à cette extermination d'innocents [38].

Ces gardiens allemands de Schlesiersee, de Helmbrechts et d'autres camps, ces Allemands ordinaires, savaient tous qu'ils continuaient le travail commencé (et déjà largement accompli) dans le système des camps et dans les autres institutions vouées au meurtre : exterminer les Juifs jusqu'au dernier.

En baptisant ces errances « marches de la mort », les victimes ne cherchaient pas simplement un effet rhétorique, ni la meilleure formule pour exprimer un taux de mortalité. Tout dans la manière dont elles étaient conduites montrait que les Juifs devaient mourir. Jusqu'au dernier moment, les Allemands ordinaires qui ont été les agents de l'Holocauste ont, de leur plein gré, avec foi, avec zèle, massacré les Juifs. Ils l'ont fait même quand ils étaient sur le point d'être capturés par les Alliés. Ils ont continué à le faire même quand ils eurent reçu l'ordre d'arrêter les tueries, ordre émanant d'un personnage qui n'était autre que Himmler lui-même.

SIXIÈME PARTIE

Antisémitisme éliminationniste, Allemands ordinaires, bourreaux volontaires

Nous avions nourri le cœur de fantasmes
Et ce régime l'a rendu brutal.

William Butler Yeats,
Méditations par temps de guerre civile

Si pendant des années, des décennies, on prêche que la race slave est inférieure, que les Juifs ne sont pas des êtres humains, il est inévitable qu'il en résulte une telle explosion.

Général SS Erich von dem Bach-Zelewski, devant le tribunal de Nuremberg, pour expliquer la relation entre l'idéologie nazie et les crimes commis par les Allemands, en particulier les massacres perpétrés en Union soviétique par les Einsatzgruppen

La mort est un maître venu d'Allemagne.

Paul Celan, Fugue de mort

15

Expliquer les actes des coupables : comparaison des différentes explications

Le présent ouvrage cherche à mettre les agents du génocide au cœur de l'Holocauste et à expliquer leurs actes. Il tente de répondre à un certain nombre de questions à leur sujet, et d'abord aux trois que voici : les agents de l'Holocauste ont-ils tué de leur plein gré ? Si oui, quelle était la motivation qui les poussait à tuer et à brutaliser les Juifs ? Et comment cette motivation était-elle née ?

Pour répondre à ces trois questions, nous avons commencé par étudier l'évolution de l'antisémitisme éliminationniste dans l'Allemagne des Temps modernes et démontré la persistance, partout dans le pays, d'une profonde animosité culturelle envers les Juifs et d'un souhait d'élimination qui apparaît dès le début du XIXe siècle pour devenir, au XXe siècle, pratique mortelle. L'analyse des politiques antijuives des nazis a ensuite permis de montrer qu'elles ont toujours été une expression de l'antisémitisme éliminationniste, mais qu'elles ont évolué en fonction des possibilités réelles de résoudre la « question juive ». C'est seulement quand l'Allemagne a eu en son pouvoir la majorité des Juifs européens, et quand la guerre a levé les contraintes externes, que les Allemands ont pu enfin mettre en œuvre l'intention exterminationniste présente chez Hitler depuis le début. Ensuite, après une mise en perspective de l'institution paradigmatique du génocide, le camp, nous sommes passés à ce qui constitue le cœur empirique de ce livre : une enquête approfondie sur les trois types d'institutions de mise à mort, qui a permis d'étudier en détail les agents de ces institutions, de faire la chronique de leurs crimes, et de mettre en pleine lumière leur volonté, leur enthousiasme, leur cruauté dans l'accomplissement de leurs tâches, à la fois celles qui leur avaient été ordonnées et celles qu'ils s'assignaient eux-mêmes.

A la lumière de ce que cette enquête a montré, il est désormais possible d'entreprendre une analyse plus méthodique de ces agents de l'Holocauste, qui tire la leçon des études de cas, et qui entre dans une comparaison raisonnée des différentes explications données tant par les autres historiens que par moi-même. Les conclusions de cette analyse sont de grande portée pour la compréhension de l'ensemble du nazisme, et ce point sera abordé dans l'épilogue.

Si chacune des trois institutions – bataillons de police, camps de « travail », marches de la mort – a été l'objet d'une enquête, c'est précisément parce que, chacune à sa manière, présente ses difficultés pour mon explication. De plus, leur étude a permis de mettre en lumière des aspects particulièrement importants de l'Holocauste qui n'ont pas été jusqu'ici suffisamment analysés. Ce que ces études de cas ont permis de montrer, c'est que les agents de l'Holocauste ont commis quatre catégories d'actes différents.

LES ACTES DES AGENTS DE L'HOLOCAUSTE

		ordonnés par une autorité	
		oui	non
cruauté	oui	cruauté organisée et « structurée »	« excès » telle la torture
	non	tueries et meurtres individuels	« actes d'initiative » tels les meurtres décidés à titre individuel

Chacune de ces quatre catégories d'actes se retrouve en permanence, avec régularité, dans le traitement infligé aux Juifs par les Allemands. D'abord, c'était devenu pour eux une routine que de faire preuve d'initiative, qu'ils mettent du zèle et de l'inventivité dans l'exécution des ordres ou qu'ils décident eux-mêmes de tuer des Juifs alors qu'ils n'avaient pas d'ordres en ce sens ou auraient pu laisser ce soin à d'autres. Ces meurtres commis de leur pleine initiative, sans un ordre pour les motiver, doivent être expliqués. Ensuite, les actes accomplis en exécution d'ordres directs des supérieurs (et qui constituent l'essentiel du génocide) demandent autant explication que les meurtres relevant de l'initiative individuelle. Notre étude des bataillons de police montre en effet que les Allemands avaient des possibilités de se faire dispenser des opérations de tuerie, ce qui rend l'« obéissance aux ordres » beaucoup plus complexe du point de vue de la psychologie et des motivations qu'on ne le reconnaît le plus souvent.

Les troisième et quatrième catégories d'actes, qui recouvrent différents types de cruauté, caractérisent aussi continûment la manière qu'ont eue ces Allemands de traiter les Juifs. La troisième, la cruauté ordonnée, prenait deux formes. Les Allemands, aussi bien ceux qui élaboraient les décisions que ceux qui les appliquaient, organisaient les institutions regroupant les Juifs de façon que les prisonniers y subissent de terribles souffrances, qui n'étaient pas objectivement nécessaires, quelles que fussent les difficultés matérielles de l'époque. Dans le cas des camps de « travail », les brutalités infligées aux Juifs étaient une violation complète de l'objectif initial de l'institution. Deuxième forme de cruauté ordonnée, et trait constant de l'Holocauste, les sévices exercés sur les Juifs par de petits groupes d'hommes à l'initiative des officiers ou même des sous-officiers.

Quatrième catégorie d'actes, les cruautés relevant d'une initiative individuelle. Elles étaient tellement intégrées dans la vie quotidienne, et surtout dans les institutions où Allemands et Juifs étaient en contact permanent, qu'il faut les tenir pour tout aussi importantes, tout aussi fréquentes, que le meurtre lui-même. Cette cruauté volontaire était la grammaire de l'expression allemande dans tous les types de camps, dont ceux de « travail », et sa forme la plus élémentaire était les coups de fouet ou de matraque assenés aux Juifs comme par réflexe. Un survivant du massacre de Jozefow, qui avait connu toute la gamme des violences allemandes avant de réussir à leur échapper, résumait ainsi l'expérience collective des Juifs soumis aux Allemands : « Les Allemands arrivaient toujours avec des fouets et des chiens[1]. » On soulignera que la cruauté n'avait pas d'autre fin pratique que d'infliger aux Juifs des souffrances et de procurer aux Allemands une satisfaction. Les Allemands donnaient souvent à cette cruauté une forme symbolique, parfois sans douleur physique – comme quand ils tournaient les Juifs en dérision et leur coupaient la barbe –, mais parfois violente et meurtrière – comme quand ils choisissaient des Juifs barbus pour les rouer de coups ou quand ils faisaient brûler toute une communauté dans sa synagogue. Ce type de cruauté, dont la signification symbolique était apparente à tous, demande aussi explication.

Les preuves documentaires dont nous disposons ne nous permettent pas, bien entendu, de savoir ce que chaque agent de l'Holocauste a fait. Mais on peut néanmoins affirmer ceci : chaque agent, individuellement, a participé au programme exterminationniste (par définition), et très peu ont choisi de s'en faire dispenser quand ils en avaient la possibilité. Dans les institutions où les Allemands étaient en contact quotidien avec les Juifs, et où la possibilité d'être brutal leur était donc quotidiennement ouverte, leur cruauté aura été un phénomène presque universel, qu'il s'agisse des camps de concentration, des camps de « travail » ou des ghettos. Tous les témoignages des survivants le disent, et les coupables l'ont reconnu eux-mêmes dans leurs dépositions. De plus, cette cruauté était presque toujours volontaire, résultat d'une initiative personnelle. Enfin, les tueries étaient caractérisées par le zèle des tueurs, sans quoi le génocide n'aurait pu procéder d'une façon aussi continue, avec une telle absence d'à-coups. Ainsi, à l'exception de ceux qui, faute d'être en contact étroit avec les Juifs, n'avaient guère d'occasion de les brutaliser, presque tous les autres agents du génocide ont commis les différentes catégories d'actes énoncés ici.

Pour expliquer ces quatre types d'actes permanents, il faut aussi prendre en compte d'autres facteurs. L'horreur des tueries pour les hommes des bataillons de police, et notamment quand ils devaient fusiller eux-mêmes, aurait dû constituer une puissante incitation à s'en faire dispenser. Même quand ces Allemands n'étaient pas aspergés de sang ou de fragments de chair, les pleurs de leurs victimes, leurs cris de souffrance et d'angoisse auraient dû les pousser à refuser de poursuivre dans cette voie. Et pourtant, toutes ces horreurs de la campagne exterminationniste, qui constituaient la réalité phénoménologique des agents de l'Holocauste, semblent en avoir dissuadé bien peu de traiter les Juifs selon la manière allemande de l'époque.

Dans certaines institutions plus que dans d'autres, et dans certaines circonstances au sein de l'institution, la marge de manœuvre dont disposait chaque agent était assez large. Autrement dit, ces Allemands avaient souvent la possibilité, parfois très ouverte, de « sortir » aussi bien de l'institution que de certaines opérations. Ils ont rarement saisi ces occasions. Ils avaient aussi la possibilité de « parler », ne serait-ce que pour exprimer leur éventuel mécontentement, soit à leurs supérieurs, soit, plus facilement encore, avec leurs camarades. Les documents dont nous disposons montrent que ce fut bien rarement le cas, et même presque jamais. Toute explication de leurs actes se doit de prendre en compte la rareté des demandes d'exemption, la rareté des désaccords exprimés.

Autre aspect peu attendu, et à bien des égards extraordinaire, la vie quotidienne de ces agents de l'Holocauste en dehors des opérations de tueries : leurs fêtes, le souhait de certains que leurs femmes soient présentes en ces lieux où ils tuaient les Juifs, leur désir de garder des souvenirs photographiques de leurs massacres, ces poses devant les appareils, leur plaisir et leur orgueil évidents à montrer ces clichés aux camarades et à leur en proposer un tirage, sans parler de tous ceux qui se vantaient de leurs cruautés, tout cela est un des traits distinctifs du génocide et nous permet d'entrer dans les motivations des tueurs. Tout cela doit être expliqué.

Les explications traditionnelles sont impuissantes à prendre en compte les cas et les preuves réunis dans la présente étude. Toutes sont démenties par les actes des agents de l'Holocauste d'une façon aveuglante, irréfutable. Dire que ces Allemands n'ont participé au génocide que parce qu'ils y étaient contraints, parce qu'ils étaient des exécutants obéissants, incapables de penser, ou parce qu'ils étaient soumis à une pression sociopsychologique, ou parce qu'ils étaient mus par le souci de leur avancement, ou parce qu'ils ne comprenaient pas ou encore parce qu'ils ne se sentaient pas responsables de ce qu'ils faisaient, autant de positions dont on peut démontrer qu'elles sont, l'une après l'autre, intenables. Ces analyses traditionnelles ne peuvent expliquer les tueries commises par les agents de l'Holocauste, lesquelles, on le soulignera, *sont en général les seuls actes que ces analyses traitent*. Quant aux autres actes qui ont été décrits ici dans le détail, en particulier la cruauté endémique, les explications habituelles les ignorent purement et simplement. Mais dès qu'on les aborde, on comprend au premier coup d'œil que ces explications ne rendent pas compte de ces actes-là. Les énormes insuffisances des explications traditionnelles ne portent d'ailleurs pas sur les seuls faits : elles souffrent toutes d'un même défaut conceptuel et théorique.

Toute explication qui repose sur l'idée que les agents de l'Holocauste n'ont agi que sous la contrainte d'une pression extérieure, ou sur la supposition erronée qu'ils n'avaient pas d'autre choix que de tuer, doit être immédiatement écartée. On a déjà prouvé, dans le cas des bataillons de police, que ces Allemands avaient des possibilités de se faire exempter. Plus généralement, on peut dire avec certitude que, à aucun moment dans le déroulement de l'Holocauste, aucun Allemand, SS ou autre, n'a été ni exécuté ni envoyé en camp de concentration, ni incarcéré, ni gravement puni pour avoir refusé de tuer des Juifs. D'où nous vient cette certitude [2] ?

Face à la litanie des déclarations faites par les agents de l'Holocauste devant les juges d'après-guerre, tous prétendant qu'un refus de leur part aurait eu de graves conséquences, un fait est en lui-même révélateur : les enquêtes judiciaires sur plusieurs dizaines de milliers d'Allemands montrent que 14 d'entre eux seulement ont fait valoir pour leur défense qu'un refus d'obéir à un ordre d'exécution (pas seulement d'exécution de Juifs) avait été puni soit par la mort (9 fois), soit par l'incarcération dans un camp de concentration (4 fois), soit par un transfert dans un bataillon disciplinaire (1 cas). Qui plus est, aucun de ces cas n'a résisté à l'examen. Deux études distinctes sur cette question des refus d'obéir ont montré que les cas mis en avant étaient faux [3]. L'une d'entre elles le dit d'un manière qui ne supporte pas le doute : « En aucun cas il n'a été possible de prouver que le refus de tuer a eu pour conséquence la mort ou la prison [4]. »

Étant donné que les archives des tribunaux de la SS et de la police ne contiennent pas un seul cas de peine de mort ou de camp de concentration pour refus de tuer des Juifs, étant donné que Himmler devait donner son accord à toute sentence de mort contre un SS, ce qui exclut toute exécution sommaire, et, surtout, étant donné que personne n'a jamais pu dénicher un cas vérifié de peine de mort ou de camp de concentration pour refus d'obéir à un ordre d'exécution, malgré tous les efforts déployés pour trouver de tels cas (les avocats du procès de Nuremberg furent autorisés à aller dans les camps d'internement pour SS afin d'y enquêter) et les enjeux de la découverte de tels cas pour les accusés, nous pouvons conclure qu'il est très peu vraisemblable qu'un SS ait jamais été puni pour avoir refusé de tuer des Juifs [5]. Les preuves documentaires, nombreuses et puissantes, obligent bien plutôt à conclure que cela ne s'est jamais produit.

Incapables de produire devant les tribunaux un seul exemple à l'appui de leurs assertions, bien des tueurs allemands ont eu recours à un autre argument : quelle que fût la réalité de ces punitions, ils avaient toujours été sincèrement convaincus que refuser d'obéir aux ordres équivalait à un suicide, et leurs actes reposaient sur cette conviction. Peut-être se faisaient-ils des idées fausses, mais on ne pouvait les en blâmer [6].

Ces déclarations d'après-guerre sont des mensonges, car un grand nombre de ces tueurs allemands devaient bien savoir qu'ils n'étaient pas obligés de tuer, et qu'ils avaient la possibilité de se faire muter. On a déjà longuement étudié ce point dans le cas du 101e bataillon de police et des autres. Pour neuf d'entre eux au moins (car, dans les autres cas, nous ne disposons pas de preuves), les hommes savaient qu'ils n'étaient pas obligés de tuer [7]. Il existait un ordre écrit de Himmler autorisant les hommes des *Einsatzgruppen* à demander leur mutation s'ils le désiraient, ce qu'un membre de l'*Einsatzgruppe A* appellera « mutation vers un autre travail au pays [8] ». Himmler avait pris cette décision en raison des difficultés psychologiques rencontrées par certains membres des *Einsatzgruppen* lors des premiers massacres. Les documents disponibles laissent aussi entendre qu'un ordre identique existait dans le cas des bataillons de police, ce qui montre que, au-delà des neuf bataillons pour lesquels nous en avons la preuve formelle, les policiers savaient que cette possibilité leur était ouverte. Un homme du 67e bataillon de police l'a bien dit dans sa déposition : « On nous faisait savoir régulièrement, tous les mois je pense, que, selon l'ordre de Himmler, personne ne pouvait nous obliger à tuer [9]. » Himmler, les officiers des *Einsatzgruppen* et bien des commandants de bataillons de police étaient convaincus qu'on ne pouvait demander de tuer des Juifs qu'à ceux qui se donneraient à leur tâche [10].

Qui plus est, il y a eu des cas de mutation. Nous l'avons déjà prouvé pour les bataillons de police, et cela s'est aussi produit dans les *Einsatzgruppen*. Le commandant de l'*Einsatzgruppe D*, le colonel SS Otto Ohlendorf, a déclaré au procès de Nuremberg : « J'ai eu de multiples occasions de constater que plusieurs hommes de mon groupe n'étaient pas, au fond d'eux-mêmes, d'accord avec cet ordre. J'ai donc interdit à une partie d'entre eux de prendre part aux exécutions et je les ai renvoyés en Allemagne [11]. » Un lieutenant, en poste à l'état-major de l'*Einsatzgruppe D*, a confirmé que ces mutations furent fréquentes, et que les hommes étaient au courant qu'ils pouvaient demander leur mutation parce que « le commandant lui-même avait fait savoir au groupe que certains n'étaient pas aptes à l'exécution de ces tâches et qu'ils en seraient exemptés [12] ». Même situation dans l'*Einsatzgruppe C*, dont le commandant, le général SS Max Thomas, avait donné l'ordre explicite à ses subordonnés de renvoyer en Allemagne ou d'assigner à d'autres tâches tout homme qui ne pourrait se résoudre à tuer des Juifs, que ce fût pour des raisons morales ou par faiblesse. Et dans les faits, plusieurs furent renvoyés chez eux [13].

Il est donc prouvé qu'aucun Allemand n'a été ni exécuté ni puni pour avoir refusé de tuer les Juifs. Il est aussi incontestable que, dans le monde des tueurs, on savait presque partout qu'on n'était pas obligé de tuer, comme on l'a vu pour les bataillons de police, les *Einsatzgruppen* et d'autres institutions vouées au massacre. Les tribunaux d'Allemagne fédérale ont constamment rejeté, avec raison, les arguments des accusés qui prétendaient avoir cru, en toute bonne foi, qu'ils étaient obligés de tuer. Les tribunaux ont rejeté ces arguments non seulement parce que la possibilité de se faire exempter était largement connue, mais aussi parce que le moindre début de démarche – parler à un supérieur ou demander sa mutation en se disant opposé aux meurtres – aurait pu être fait sans aucun danger pour le solliciteur. Or les preuves montrent que les agents de l'Holocauste n'ont presque jamais engagé ces démarches.

Étant donné que les tueurs, ou tout au moins un très grand nombre d'entre eux, n'étaient pas obligés de tuer, toute explication qui ne tient pas compte de cette possibilité de choix doit être écartée. Les Allemands pouvaient dire non au meurtre de masse. Ils ont choisi de dire oui.

Deuxième type d'explication traditionnelle, celle qui prétend que les hommes en général, et les Allemands en particulier, sont très fortement, et même d'une manière presque inéluctable, enclins à obéir aux ordres, quelle que soit leur nature. De ce point de vue, les agents de l'Holocauste auraient été des exécutants aveugles, dociles à l'autorité, n'agissant qu'en fonction d'un impératif moral et psychologique : l'obéissance. Qu'elles soient exprimées ou non, élaborées ou à peine conscientes, les idées sur l'obéissance gouvernent une grande partie des analyses de l'Holocauste et de ses agents.

Face à l'Allemagne nazie et à ses crimes, on avance l'argument, souvent sans même y réfléchir, comme s'il s'agissait d'un axiome, que les Allemands sont tout spécialement respectueux de l'autorité de l'État. Cette proposition n'est pas soutenable. Ces mêmes Allemands que l'on suppose esclaves d'un État à leurs yeux sacré, et prêts à obéir pour la seule vertu d'obéissance, descendaient dans la rue, du temps de la république de Weimar, pour défier l'État, voire chercher à le renverser[14]. Difficile dans ces conditions d'affirmer que les nazis ou les Allemands en général regardent tous les ordres venus de l'État comme des commandements sacrés, qu'il faut respecter inconditionnellement, quel que soit leur contenu.

Comment, en effet, soutenir une telle affirmation quand on sait que des millions d'Allemands étaient en rébellion ouverte contre la république de Weimar, dont l'autorité était publiquement tournée en dérision et quotidiennement violée par d'innombrables Allemands, toutes tendances politiques confondues, citoyens ordinaires ou fonctionnaires de cet État ? Dans le cas des Allemands, il serait plus juste de parler de respect *conditionnel* pour l'autorité. Il ne faut pas donner des Allemands une vision caricaturale : comme les autres peuples, ils respectent l'autorité quand ils la tiennent pour légitime, ils obéissent aux ordres qu'ils jugent légitimes. Eux aussi, confrontés à un ordre, en pèsent l'origine et le sens avant de décider de l'exécuter ou non. Des ordres considérés comme violant les normes morales de la société, et surtout les normes fondamentales, sont de nature à saper la légitimité du régime dont ils émanent. L'ordre de massacrer des dizaines de milliers d'hommes, de femmes et d'enfants sans défense, communauté après communauté, n'aurait pu avoir que cet effet aux yeux de gens qui l'auraient considéré comme injuste.

La vérité, c'est que des Allemands de tous niveaux, même les plus nazifiés, désobéissaient à des ordres qu'ils considéraient comme illégitimes. Des généraux qui avaient participé de leur plein gré à l'extermination des Juifs soviétiques ont conspiré contre Hitler[15]. De simples soldats ont participé au massacre des Juifs sans en avoir reçu l'ordre, ou alors même qu'on leur avait ordonné de se tenir à l'écart des massacres[16]. Des Allemands ont désobéi pour satisfaire leur désir de tuer des Juifs. Les hommes du 101e bataillon de police ont transgressé l'ordre donné par leur commandant très aimé de s'abstenir de toute cruauté. Rappelons l'épisode évoqué à la première page de ce livre : l'un des officiers du 101e bataillon, tueur de Juifs plein de zèle, le capitaine Wolfgang Hoffmann, avait consigné par écrit, avec la plus grande vigueur, son refus d'obéir à un ordre supérieur qu'il désapprouvait. Cet officier, qui, à la tête de ses hommes, avait mené d'innombrables opérations de génocide, refusait de leur faire signer une déclaration impliquant qu'ils volaient les Polonais, car le faire eût été reconnaître qu'ils pouvaient transgresser l'« honneur » du soldat allemand[17]. Cette unique lettre nous en apprend plus sur la visée exterminationniste des Allemands, sur leur capacité à prendre des décisions d'ordre moral et à s'y tenir, que les milliers de pages de leurs dépositions d'après-guerre. Les Allemands qui escortaient les malheureuses prisonnières juives de Helmbrechts sont un autre exemple très parlant de la capacité allemande à désobéir à des ordres qu'ils désapprouvaient : ils ont continué à tuer leurs prisonnières alors qu'un ordre explicite de Himmler, transmis par un lieutenant de son état-major, leur enjoignait d'arrêter les tueries. Et l'on trouverait bien d'autres exemples de désobéissance à l'autorité dans l'Allemagne nazie, aussi bien dans l'armée et la police que dans la société allemande elle-même, avec ses fréquents mouvements de grève, ses multiples protestations ouvertes contre différentes politiques religieuses du gouvernement, son opposition déclarée au programme Euthanasie. Plus on étudie les actes des Allemands, plus on constate à quel point l'idée de leur obéissance aveugle est fantaisiste, plus il est clair qu'elle n'est qu'un alibi moral, qui doit être dénoncé comme tel et rejeté[18].

L'argument selon lequel les Allemands obéissent sans broncher à l'autorité, c'est-à-dire qu'ils obéissent comme par réflexe, sans considération du contenu de l'ordre, n'est pas défendable. Par voie de conséquence, il en va de même de la thèse de Stanley Milgram et de bien d'autres, selon laquelle les hommes en général obéissent aveuglément à l'autorité[19]. Toute « obéissance », tout « crime d'obéissance » (et seulement dans les cas où il n'y a ni menace ni coercition), dépend de l'existence d'un contexte social et politique favorable, où les acteurs considèrent que l'autorité émet des ordres légitimes et que les ordres eux-mêmes ne sont pas une grossière transgression des valeurs sacrées et l'ordre moral qui les gouverne [20]. Quand ce n'est pas le cas, les hommes cherchent des moyens, avec plus ou moins de succès, de ne pas violer leurs convictions morales les plus profondes, et de ne pas se livrer à des actes aussi scandaleux.

La troisième explication traditionnelle soutient que les agents du génocide subissaient une pression socio-psychologique émanant de l'institution et de leurs camarades [21]. Il est vrai qu'on constate chez les agents de l'Holocauste l'existence d'une telle pression, comme dans le cas de ces gardiens de camps de « travail » et de camps de concentration qui ne battaient les Juifs, ou feignaient de les battre, que lorsque d'autres Allemands pouvaient les observer. Le lieutenant Buchmann, du 101e bataillon de police, en dépit de son opposition déclarée, semble avoir dû céder à une pression de ce type la seule fois où il fut obligé de prendre part à une tuerie. Néanmoins, les preuves documentaires montrent, dans leur immense majorité, que cette pression de l'institution et des collègues n'était pas le déterminant essentiel de la participation au génocide, et que, si elle avait été à la base de toute l'entreprise, elle n'aurait pas été suffisante.

L'idée que la pression venue des pairs, c'est-à-dire le désir de ne pas laisser tomber ses camarades ou de ne pas s'exposer à leur désapprobation, peut pousser des individus à entreprendre une action à laquelle ils sont opposés, voire qu'ils ont en horreur, est plausible même dans le cas des agents de l'Holocauste, mais elle ne rend compte que de quelques *cas individuels*. Elle ne saurait, sur une longue période, concerner un groupe plus important. Si une fraction importante d'un groupe, sans même parler de majorité, s'oppose à une action, ou l'abhorre, alors la pression socio-psychologique doit jouer *dans l'autre sens*, et inciter les individus à ne pas agir. Si vraiment les Allemands avaient désapprouvé ces massacres, alors la pression des camarades n'aurait pu obliger des individus à agir contre leur volonté : au contraire, elle aurait appuyé leur résolution individuelle ou collective à ne pas tuer [22]. Au mieux, et selon toute probabilité, seuls les actes d'une très petite minorité d'agents de l'Holocauste relèvent d'une telle pression à agir en conformité avec les autres. Mais l'explication se contredit elle-même quand on prétend l'appliquer à l'action de *groupes entiers* d'Allemands [23]. On voit que ses vertus explicatives sont minces. Ainsi, ces deux explications apparentées (que les Allemands en particulier et les hommes en général sont enclins à obéir et qu'une pression socio-psychologique suffit à les transformer en meurtriers) ne sont pas défendables. Comme le montre, en partie, le choix fait par quelques individus de ne pas participer au génocide, les Allemands étaient vraiment *en mesure* de dire non.

La quatrième explication traditionnelle soutient que les agents de l'Holocauste, tels de petits employés, ne poursuivaient que leur intérêt personnel (avancement, enrichissement), sans aucune autre considération.

Cette explication a été avancée pour rendre compte des actes des Allemands occupant des positions de responsabilité au sein des institutions chargées de concevoir et mettre en œuvre la politique allemande à l'égard des Juifs. Si faible que soit déjà la plausibilité de cette explication dans le cas de ces bureaucrates, elle ne saurait s'appliquer aux cas des simples soldats chargés de mener cette guerre contre les Juifs. La plupart des hommes des bataillons de police, et de bien d'autres unités de tueurs, ne cherchaient pas à faire carrière dans ces institutions et n'avaient donc aucune raison de penser à leur avancement. Pourquoi auraient-ils aspiré à une promotion puisqu'ils étaient des hommes mûrs, enrôlés sur le tard, et destinés à revenir vers leurs foyers de petits-bourgeois ou d'ouvriers ? De même, bien peu cherchaient à s'enrichir personnellement, comme le montrent les preuves documentaires dont on dispose[24]. Comme motivation au génocide, l'« intérêt personnel » ne rend même pas compte des faits de base[25]. A quelques exceptions près, les agents de l'Holocauste n'avaient aucun intérêt matériel ni de carrière qui pût les pousser à poursuivre les tueries, à ne pas vouloir dire non.

La cinquième explication traditionnelle prétend que les tâches des agents de l'Holocauste étaient si fragmentées qu'ils ne pouvaient mesurer la portée de leurs actes individuels, ou que, s'ils le pouvaient, cette même fragmentation leur permettait d'en rejeter la responsabilité sur autrui. Comme explication globale des actes commis (ceux, par exemple, de ces Allemands qui tuaient des Juifs à bout portant, après qu'on leur eut explicitement fait connaître l'ordre d'exterminer la totalité des Juifs d'Europe), tout cela relève de la pure fantaisie. Et c'est aussi pure fantaisie dans le cas des « meurtriers de bureau », pour lesquels cette explication a été avancée sans la moindre preuve. Puisqu'il est clair que les dizaines de milliers d'Allemands qui tuaient les Juifs savaient très bien ce qu'ils faisaient, il n'est nullement besoin de concocter un tel argument de défense (impossible à appuyer par des preuves) pour expliquer pourquoi certains autres ne comprenaient pas très bien ce qu'ils faisaient et ne voyaient pas qu'ils avaient la possibilité de dire non. La plupart connaissaient parfaitement la signification de leurs actes, et il n'y a pas de raison de croire que ceux qui ne comprenaient pas très bien la situation auraient agi différemment s'ils avaient été éclairés.

Aucune des cinq explications traditionnelles ne réussit à rendre compte convenablement, pas même des meurtres de Juifs exécutés sur ordre. Toutefois, malgré leur énorme insuffisance en regard de ces massacres commis sur ordre, il leur reste une certaine plausibilité de surface dans le cas de ce type d'action. Mais quand il s'agit de rendre compte des autres actes des agents de l'Holocauste, elles n'ont pas la plus petite ombre de crédibilité. En fait, ceux qui les avancent ne considèrent jamais directement, explicitement, systématiquement, les actes perpétrés autrement que sur ordre.

Les actes de cruauté et les meurtres commis quotidiennement par les agents de l'Holocauste de leur propre initiative, le zèle manifesté par les Allemands dans la mise en œuvre de cette politique de vengeance et d'extermination, ne peuvent être expliqués à l'aide de ces cinq analyses traditionnelles. Chacune affirme ou présuppose que les Allemands étaient par principe opposés (ou l'auraient été s'ils n'avaient pas été transformés en acteurs « indifférents », aveuglés par les facteurs institutionnels) au massacre des Juifs, au programme exterminationniste. Raul Hilberg, un bon exemple de cette manière de penser, pose cette question : « Mais comment les bureaucrates allemands surmontaient-ils leurs scrupules moraux [26] ? » Il pose comme hypothèse que les « bureaucrates allemands » avaient tout naturellement des « scrupules moraux » face au traitement infligé aux Juifs, et que ceux-ci devaient être surmontés dans l'effort pour que le programme exterminationniste allât de l'avant. Hilberg et les autres tenants de ces explications traditionnelles se donnent comme objectif de trouver les raisons qui expliquent comment ces hypothétiques désapprobations pouvaient être surmontées (ou comment une telle « indifférence » pouvait jouer) au point de permettre aux Allemands d'agir contre leur conviction intime et de tuer les Juifs. De telles explications ne sauraient rendre compte des initiatives prises quotidiennement par les Allemands, quand ils faisaient plus que ce qu'on exigeait d'eux, ou quand ils se portaient volontaires pour des tueries alors que ce n'était pas nécessaire. De telles explications ne peuvent rendre compte des cas où les Allemands ont tué des Juifs en violation des ordres. De telles explications ne peuvent rendre compte du fait que ce programme à longue portée ait pu se dérouler avec une telle absence d'à-coups (à vrai dire incroyable), alors que sa réalisation dépendait d'un nombre incalculable d'individus, lesquels, s'ils avaient voulu le saboter ou simplement traîner des pieds, auraient accumulé les ratages [27].

Les meurtres commis par les tueurs de leur pleine initiative, et leur zèle envers le nazisme, ne sont égalés (et peut-être même surpassés) que par les cruautés exercées par ces mêmes Allemands contre leurs victimes. Partout, constamment, les Allemands ont agi envers les Juifs avec cruauté, et surtout dans les camps et les ghettos. Cette cruauté ne se limitait pas à incarcérer les Juifs dans des conditions misérables, sous un régime de fer destiné à les faire souffrir, pour ensuite les tuer de toutes sortes de manières abominables : elle était aussi personnelle, directe, en face à face. Avec leurs fouets et leurs matraques, toujours bien visibles, avec leurs mains nues, avec leurs bottes, les Allemands rouaient les Juifs de coups, lacéraient leurs chairs, les piétinaient sous leurs talons, les obligeaient à accomplir des tâches absurdes et dégradantes. La scène survenue à Bialystok où un homme du 309ᵉ bataillon de police compissait un Juif en présence d'un général allemand est emblématique de la période. Pour cet Allemand ordinaire, les Juifs étaient des excréments, à traiter comme tels. Un des médecins allemands d'Auschwitz, Heinz Thilo, a dit du camp qu'il était l'*anus mundi*, l'anus du monde [28], l'orifice par lequel les Allemands évacuaient ce qui était pour eux l'excrément socio-biologique de l'humanité, les Juifs.

« La cruauté a un cœur humain » : ainsi commence un des plus grands poèmes de William Blake[29]. L'Histoire est remplie de cruautés à grande échelle, organisées, sanctionnées par l'autorité. Chasseurs d'esclaves et propriétaires d'esclaves, tyrans, prédateurs coloniaux, inquisiteurs ecclésiastiques, policiers, tous ont torturé et tourmenté pour conserver ou accroître leur pouvoir, amasser des richesses, arracher des aveux. Pourtant, dans les longues annales de la barbarie humaine, les cruautés exercées par les Allemands contre les Juifs sous le nazisme se distinguent de toutes les autres par leur ampleur, leur variété, leur inventivité, et, surtout, par leur gratuité. Dans son ouvrage magistral, *Slavery and Social Death* (Esclavage et Mort sociale), qui étudie de près quatre-vingt-huit sociétés esclavagistes différentes, Orlando Patterson a pu établir que, dans près de 80 % des cas, les maîtres traitaient leurs esclaves convenablement, et dans 20 % des cas seulement « mal ou avec brutalité ». Dans 29 % de ces sociétés, il n'y avait pas de disposition juridique limitant l'autorité du maître, mais ceux-ci traitaient néanmoins leurs esclaves convenablement[30]. De plus, dans les sociétés, clairement minoritaires, où les maîtres se conduisaient avec brutalité, la violence était loin d'être aussi constante, aussi effrénée ou délibérée que celle avec laquelle les Allemands traitaient les Juifs des camps ou des ghettos. L'univers de mort et de torture que les Allemands créèrent pour les Juifs n'est approché que par les représentations de l'Enfer dans l'enseignement religieux, celles qu'on retrouve chez Dante ou Jérôme Bosch. « En comparaison » de ce qu'il avait vu à Auschwitz, a écrit un des médecins allemands du camp, Johann Paul Kremer, « l'*Enfer* de Dante semble presque relever de la comédie »[31].

Pour ses maîtres allemands, le Juif n'était pas un esclave qu'on fouette à l'occasion pour le faire travailler jusqu'aux limites de ses capacités physiques, mais dont le corps, objet de valeur, est maintenu en bonne santé. Le Juif n'était pas non plus un conspirateur que les Allemands auraient torturé pour lui faire avouer les secrets de son organisation clandestine. Il n'était pas non plus un hérétique présumé, soumis à la torture pour qu'il confesse son hérésie. C'était l'être même du Juif, le simple fait d'avoir un Juif sous les yeux, qui faisait naître chez les maîtres allemands une compulsion de violence.

La cruauté volontaire des Allemands, les coups distribués, « menu quotidien » des Juifs dans les camps, le « sport » pratiqué par les Allemands contre les Juifs, les cruautés symboliques qu'ils exerçaient contre eux, sont autant de traits qui font partie intégrante des actes des Allemands. Souvent, ils utilisaient les Juifs comme jouets, les contraignant, tels des animaux de cirque, à accomplir des exercices bouffons (dans le double but de les humilier et de faire rire leurs bourreaux).

Des traitements subis du fait des Allemands, les Juifs auraient pu dire, paraphrasant le roi Lear : « Nous sommes pour les Allemands comme des mouches pour des enfants folâtres, ils nous tuent et nous torturent par jeu. » En Pologne, les Allemands ont commencé ce jeu, ce sport, dès leur arrivée en 1939. Selon un survivant, « la vie est vite devenue insupportable. Les coups étaient quotidiens. Ils saccageaient et pillaient. Ils s'abattaient sur les villages, et, après chaque raid, les infâmes et sinistres listes de personnes exécutées couvraient les murs. Ils excitaient les Polonais déplacés à piller les maisons des Juifs. Ils venaient nous rafler pour nous faire subir toutes sortes d'actes sadiques ; ils nous annonçaient qu'ils étaient là pour une bonne année, et que nous n'aurions pas cinq minutes de paix, ce qui est bien la plus grossière litote de toute la guerre[32] ». En règle générale, ces brutalités relevaient de leur seule initiative et n'avaient d'autre but que de satisfaire leurs passions. Chez ces Allemands qui régissaient directement des Juifs condamnés à être les citoyens de cet empire de souffrance et de mort, la cruauté était devenue la norme universelle. Le petit nombre d'Allemands qui, dans leur for intérieur, y répugnaient se sentaient obligés de feindre pour se conformer à la règle. Les survivants ont évoqué le cas des quelques Allemands qui ne battaient les Juifs que quand ils étaient observés par d'autres, et qui s'arrangeaient alors pour limiter la souffrance infligée. Cela prouve de façon éloquente que les autres Allemands auraient pu faire de même, alors qu'ils ont au contraire *choisi* de brutaliser les Juifs, qu'ils fussent observés ou non. Chaim Kaplan, le brillant chroniqueur du ghetto de Varsovie, a pris la peine de raconter les quelques cas où certains Allemands des différentes institutions qu'il avait pu voir, ou dont il avait pu entendre parler, se sont distingués des autres en ne respectant pas la règle de la brutalité. Il cite le cas d'un contremaître allemand qui avait compris que, s'il ne révélait pas explicitement ses sentiments d'humanité, les Juifs, qui ne connaissaient que la douleur, croiraient qu'il était semblable aux autres brutes, et il avait dit à un ami de Kaplan : « Tu ne dois pas avoir peur de moi. Je ne suis pas infecté par la haine des Juifs. » Kaplan évoque aussi un autre cas, celui de soldats allemands demandant poliment à participer à un match entre Juifs du ghetto. Cette participation amicale des Allemands à un jeu sportif était stupéfiante, Kaplan dit que c'était un « miracle »[33]. Mais toutes les études sur la vie dans les ghettos montrent à quel point il était rare de voir des Allemands se conduire humainement. Pour Erich Goldhagen, « ces "bons Allemands" (c'est le nom qu'on leur donnait) étaient comme des figures de la sobriété perdues au milieu d'un carnaval macabre, orgiaque. Leur décence semblait aussi rare et merveilleuse que la conduite d'un saint dans le monde ordinaire. Les Juifs racontaient les actes de ces quelques individus comme on raconte la vie des saints, avec une sorte de respect sacré, et des légendes se formaient autour de leurs noms[34] ». Les Allemands, c'est-à-dire la grande majorité des agents de l'Holocauste, dont les actes rendaient miraculeux, par contraste, ces quelques cas de comportement décent, ne pouvaient pas être des gens qui condamnaient l'objectif de la « solution finale » à laquelle leur cruauté apportait une si forte contribution. La cruauté des

Allemands envers les Juifs, qui était toujours gratuite, sans aucun objectif pratique autre que la satisfaction des bourreaux [35] est un défi pour tous ceux qui nous assurent que les acteurs désapprouvaient leurs actes.

Les actes de cruauté qui émanaient de l'autorité supérieure, ceux qui relevaient du système et tissaient la vie de chaque camp, et ceux qui survenaient à l'improviste, sont autant d'éclairages sur l'état d'esprit des agents de l'Holocauste. Ils démontraient à ces criminels, et aux innombrables Allemands qui étaient au courant, que l'entreprise dans laquelle ils étaient lancés ne pouvait absolument pas être « légitime », qu'il ne pouvait s'agir d'une « exécution légitime », même en masse, d'ennemis mortels, comme elle en prenait parfois l'apparence, sauf à prendre le terme dans un sens perverti. Cette cruauté démontrait que le traitement infligé aux Juifs ne pouvait être moral en aucun des sens habituels de ce mot, et certainement en aucun sens chrétien du terme. Seule la nouvelle morale de l'Allemagne nazie pouvait donner aux agents de l'Holocauste le sentiment d'être engagés dans une action juste. De plus, cette cruauté systématique démentait les faibles rationalisations, d'une fausseté transparente, apportées au massacre des Juifs à l'époque, et que les coupables ont répétées par la suite sans les soumettre à la critique, et certains historiens avec eux. Elle dément le discours ultérieur des coupables qui ont prétendu avoir été obligés d'obéir à des ordres, soit parce que tout ordre doit être respecté, soit parce qu'ils n'avaient pas la possibilité d'évaluer la moralité et la légitimité des ordres reçus. Cette cruauté systémique démontrait à tous les Allemands concernés que, s'ils traitaient les Juifs comme ils le faisaient, ce n'était pas pour des raisons militaires, ni parce que des civils allemands mouraient sous les bombardement alliés (leurs actes de cruauté, comme une grande partie du génocide, ont commencé avant les raids alliés), ni parce que les Juifs étaient un ennemi au sens traditionnel du terme, mais parce qu'un ensemble de croyances donnait du Juif une définition qui appelait à la vengeance contre lui et alimentait une haine plus profonde que toutes celles jamais éprouvées par un peuple envers un autre.

Toute explication des actes des coupables doit, à tout le moins, être en mesure de rendre compte des faits empiriquement constatés, c'est-à-dire des quatre types d'actes dont nous avons vu qu'ils étaient de pratique constante. Aucune des explications traditionnelles ne peut expliquer pourquoi les Allemands n'ont pas profité des occasions qui s'offraient à eux soit de ne pas participer aux tueries, soit d'atténuer la souffrance des Juifs. Aucune ne peut expliquer pourquoi, globalement, les Allemands ont fait exactement le contraire, infligeant aux Juifs des souffrances non indispensables, mettant tout leur zèle à tuer et, dans bien des cas, avec une ardeur évidente. Les explications traditionnelles sont ici en échec. Toute explication doit aussi affronter un ensemble de questions conceptuelles, théoriques et comparatives, ce que les explications traditionnelles sont incapables de faire.

Étant donné que chacune des explications traditionnelles présuppose, explicitement ou implicitement, l'existence de traits humains universels, elles devraient donc se vérifier pour toute personne qui se trouverait dans la même situation que les criminels allemands. Mais cela est à l'évidence faux, et démontrable comme tel. Les variations dans les traitements infligés aux victimes dépendaient fortement de l'identité et des attitudes des gardiens. On le voit bien dans le cas du camp créé par le ministère de l'Intérieur de Slovaquie, lorsqu'il y eut changement de personnel : « Le camp était gardé par des Hlinka, mais comme ils se montraient très hostiles envers les prisonniers, les Juifs convainquirent les autorités slovaques d'en changer. Les gardes hlinka furent alors remplacés par la gendarmerie slovaque, et la situation du camp s'améliora[36]. » Ces gardiens durent être remplacés parce que la haine des Juifs gouvernait leur comportement : si l'objectif était d'améliorer les conditions de vie des détenus, il était plus efficace de leur substituer des gardiens moins hostiles que d'inciter ces antisémites pleins de haine à agir plus humainement.

Parce qu'elles ne tiennent pas compte de l'identité des agents de l'Holocauste, les explications traditionnelles font comme si, par exemple, dans le cas où le gouvernement italien aurait ordonné un tel génocide, les Italiens ordinaires auraient massacré ou brutalisé les Juifs, hommes, femmes et enfants, plus ou moins comme les Allemands l'ont fait : on aurait vu jouer soit un prétendu respect universel de l'autorité, soit la pression prétendument invincible des institutions, soit la prétendue poursuite de l'intérêt personnel. Tout cela est démenti par les faits. Les Italiens, et même les militaires italiens, ont, dans l'ensemble, désobéi aux ordres de déportation des Juifs donnés par Mussolini, parce qu'ils savaient que la mort attendait les Juifs dès qu'ils seraient aux mains des Allemands[37]. Il est donc indiscutable que, dans une même situation structurelle (celle de gardien de camp ou d'exécutant d'ordres de massacre), tous les peuples n'auraient pas agi comme les Allemands l'ont fait ; il est donc indiscutable que ce ne sont pas des facteurs psychologiques et socio-psychologiques « universels » qui rendent compte des actes des agents de l'Holocauste. La bonne question est donc celle-ci : quelles étaient, en ce milieu du XXe siècle[38], les spécificités de l'Allemagne, de la politique, de la société, de la culture allemandes, qui préparaient les Allemands à faire ce que les Italiens n'auraient pas fait ?

Les explications traditionnelles doivent aussi être confrontées à un autre problème conceptuel, plus grave encore que celui que pose leur refus de prendre en compte l'identité particulière des Allemands. Ce problème prend la forme d'une série d'hypothèses. Auraient-ils exécuté l'ordre de tuer l'ensemble de la population danoise, leurs propres cousins nordiques, de la même manière qu'ils l'ont fait pour les Juifs ? Auraient-ils exterminé, jusqu'à la racine, toute la population de Munich ? Auraient-ils, sur un simple ordre de Hitler, tué tous les membres de leur famille ? Si l'on veut bien concéder que les dizaines de milliers d'Allemands qui ont contribué à la persécution et au massacre des Juifs n'auraient pas obéi à de tels ordres (et je ne peux imaginer aucun historien de l'Allemagne, et, sur ce point, aucun de nos contemporains s'il est honnête, affirmant le contraire), alors il faut reconnaître que c'est *la conception que les bourreaux avaient de leurs victimes* qui est la principale source de leur volonté de les tuer. Le reconnaître oblige à préciser quels étaient les attributs des Juifs, aux yeux des Allemands, qui demandaient que ce peuple fût totalement exterminé [39].

Un autre des aspects saisissants du programme d'extermination est qu'il se soit déroulé sans heurts. Les bureaucrates, les administrations chargés de mettre en œuvre les politiques antijuives, les subordonnés qui devaient exécuter les ordres de leurs (lointains) supérieurs, tous avaient la possibilité de saboter, ou de ralentir, une politique à laquelle ils auraient été opposés. Qui plus est, toute entreprise à grande échelle demande plus qu'une simple obéissance aux ordres de la part de ceux qui les appliquent, si l'on veut que les choses se déroulent rapidement et sans à-coups. Et c'est encore bien plus vrai pour une entreprise de génocide à l'échelle d'un continent : à tous ses points d'articulation, elle demandait un grand esprit d'initiative de la part des institutions et des individus impliqués, confrontés à d'autres demandes, à d'autres objectifs qui risquaient d'autant plus de les faire dévier de leur route qu'eux aussi exigeaient d'être menés avec une extrême célérité. Une entreprise de cette ampleur exige des individus qu'ils y consacrent toute leur énergie, et cette énergie vient le plus souvent d'une adhésion enthousiaste au projet. Où donc les innombrables Allemands ordinaires ont-ils puisé leur énergie, la dynamique du génocide ?

Toute explication de l'Holocauste doit prendre en compte l'identité des bourreaux et celle des victimes. Elle doit aussi prendre en compte la variété des individus, des institutions et des lieux du génocide. Elle doit identifier les traits communs aux bourreaux qui expliquent à la fois pourquoi une action relativement uniforme et pourquoi ces actes *particuliers* continus ont pu avoir lieu en des endroits différents et du fait d'individus très nombreux et hétérogènes. Il faut expliquer le déroulement sans heurts de toute l'opération. Il faut intégrer les différents niveaux d'analyse, c'est-à-dire la remarquable convergence entre la politique globale et son exécution locale, souvent peu coordonnée, y compris le caractère des institutions de mise à mort et les actes des individus. C'est dans le cas du « travail » juif que l'intégration des différents niveaux d'analyse est la plus saisissante. Jusqu'à ce jour, la macro-analyse du nazisme et de l'Holocauste a le plus souvent été séparée de la méso-analyse et de la micro-analyse [40]. Enfin, il faut que l'explication puisse rendre compte du génocide dans une analyse comparative, dimension que les explications traditionnelles n'abordent même pas, et qu'elles ne sont pas en mesure de traiter correctement. Le point crucial est le suivant : toute explication doit montrer quelle est la motivation essentielle qui permet de répondre à toutes ces questions, et elle doit en expliquer la genèse.

Les explications traditionnelles sont incapables de répondre même aux plus limitées de ces questions. Si inventif, ingénieux ou tortueux que puisse être le raisonnement, il est impossible d'élaborer un assemblage plausible d'explications des faits de base de l'Holocauste en employant une explication traditionnelle pour rendre compte d'un de ses traits, une deuxième pour un autre, une troisième pour un autre encore, et ainsi de suite : les actes des Allemands défient toutes les explications traditionnelles. Celles-ci ne souffrent pas seulement de ces énormes défauts empiriques, qui suffisent à les disqualifier, elles pèchent aussi par une insuffisance conceptuelle, qui leur est fatale.

Les explications traditionnelles sont abstraites, elles font bon marché de l'historicité [41], l'une d'entre elles ayant même été conçue dans un laboratoire de socio-psychologie. Elles sont si abstraites, d'une visée si universalisante, qu'elles affirment implicitement que la tâche d'expliquer (1) la volonté des Allemands (2) d'anéantir (3) la totalité du peuple juif n'est pas différente de celle d'expliquer comment (1) tout individu peut être amené (2) à faire quelque chose qu'il ne veut pas faire (3) à un objet, que cet objet soit une personne ou une chose. Les explications traditionnelles ne prennent pas en compte la spécificité historique des agents de l'Holocauste eux-mêmes ni de la société qui les a nourris, pas plus qu'elle ne prend en compte le caractère extraordinaire de leurs actes ni l'identité de leurs victimes. La structure des explications traditionnelles est telle qu'à leurs yeux tous ces traits de l'Holocauste, et le fait même qu'il s'agissait d'un génocide, n'ont été que des épiphénomènes et ne sont donc pas pertinents. Les auteurs de ces explications auraient pu tout aussi bien ne pas mentionner que les agents de l'Holocauste étaient allemands, que leurs actes incluaient massacre de masse et brutalité systématique, que les victimes étaient les Juifs : ces omissions n'auraient rien changé au caractère ni à la force de leurs analyses. Les explications traditionnelles font comme si la participation d'un individu ordinaire à un génocide et la volonté d'un individu ordinaire de faire respecter une politique fiscale un peu trop sévère n'étaient pas des phénomènes différents. Coercition, obéissance aux ordres, pressions socio-psychologiques, intérêt personnel et rejet des responsabilités vers d'autres sont autant d'explications qui, selon leur propre logique, sont tout aussi applicables aux agents de l'Holocauste que, par exemple, à des bureaucrates d'aujourd'hui chargés d'appliquer une politique de réduction de la pollution de l'air qu'ils pourraient juger erronée.

Les insuffisances conceptuelles des explications traditionnelles sont profondes. Elles ne reconnaissent pas, et nient même, l'humanité des agents de l'Holocauste, le fait qu'ils étaient des êtres humains capables d'effectuer des choix moraux. Elles ne voient dans l'« inhumanité » de leurs actes qu'un épiphénomène par rapport au phénomène sous-jacent qu'elles entendent expliquer. Elles ne reconnaissent pas l'humanité des victimes car, à les en croire, il n'importe pas de savoir si les victimes étaient des êtres humains (et non pas des animaux ou des choses), des êtres humains avec une identité particulière.

Toutes les explications traditionnelles doivent être rejetées au profit d'une autre : une explication qui, d'abord, affronte les demandes de compréhension qui viennent d'être énumérées, prenant en compte les actes des bourreaux, leur identité et celle de leurs victimes, et qui, ensuite, reconnaisse que les bourreaux étaient des êtres actifs, que leurs actes ont été tout à fait extraordinaires et que leurs victimes étaient des êtres humains [42]. La seule explication qui convienne est celle qui montre qu'un antisémitisme démonologique, dans sa variante violemment raciste, était le modèle culturel de ces agents de l'Holocauste et de la société allemande en général. Selon cette conception, les bourreaux allemands approuvaient ces massacres de masse qu'ils commettaient, ils étaient des hommes et des femmes qui, fidèles à leurs profondes convictions antisémites, à leur credo culturel antisémite, considéraient le massacre comme juste.

Le fait que les tueurs tuaient par conviction personnelle a été reconnu par les commandants des *Einsatzgruppen* dans ce qui est probablement le plus éclairant de tous les propos tenus lors des procès d'après-guerre, et qui, d'une façon surprenante, a été jusqu'ici négligé. Un expert au service de la défense lors du procès des *Einsatzgruppen* à Nuremberg, Reinhard Maurach, a rédigé pour le tribunal une note où il exprime cette vérité toute simple : les membres des *Einsatzgruppen* avaient cru en toute ingénuité que le bolchevisme, contre lequel l'Allemagne menait une guerre apocalyptique, « était une invention des Juifs et ne servait que leurs intérêts ». Et il montrait que c'était là la justification subjective de l'extermination des Juifs par les Allemands, puisque tous les Allemands, qu'ils aient tué ou non, étaient convaincus, à tort ou à raison, que le salut de l'Allemagne en dépendait : « Il ne fait pas de doute que le national-socialisme avait réussi à convaincre l'opinion et même *l'immense majorité des Allemands* que bolchevisme et peuple juif étaient la même chose [c'est moi qui souligne]. » Maurach, comme les bourreaux eux-mêmes en cet immédiat après-guerre, était toujours prisonnier de cette idéologie, aussi cherchait-il à montrer que ces convictions étaient justes. L'idée que les Allemands se faisaient du rôle des Juifs en Union soviétique, à savoir qu'ils dominaient le parti, l'État et les organes de sécurité, « confirmait la justesse de l'idéologie nationale-socialiste ». Le maléfique pouvoir des Juifs était si évident, disait Maurach, que même le petit groupe de non-antisémites existant au sein de l'armée avait fini par s'en convaincre et devenir antisémite. A la fin de sa note, il résumait les deux sources de cette conviction exterminationniste : « Les accusés, selon la théorie du national-socialisme aussi bien que d'après leurs propres conceptions et expériences, étaient obsédés par une illusion psychologique fondée sur une idée erronée des buts du bolchevisme et du rôle politique des Juifs en Europe de l'Est. Cette conception avait réussi [...] à donner aux accusés la conviction qu'il fallait s'attendre, de la part des populations juives des territoires russes occupés, à une attaque contre l'avenir du Reich allemand[43]. » Maurach ne laissait subsister aucun doute : les agents de l'Holocauste croyaient fermement en ces illusions.

Otto Ohlendorf, ancien commandant de l'*Einsatzgruppe D* allait dans le même sens, en 1947, dans une lettre écrite en prison et transmise clandestinement à sa femme, où il évoquait les conceptions qui l'avaient poussé, avec tant d'autres, à massacrer les Juifs. A ses yeux, même après la guerre, les Juifs « avaient continué à semer la haine ; et ils récoltent de nouveau la haine. Que voir dans leurs actes sinon l'œuvre de démons acharnés contre nous[44] ? » Ohlendorf n'était pas un sadique, et passait par ailleurs pour un nazi inhabituellement convenable, un « idéaliste » même aux yeux de ses collègues du parti, possédé par le rêve d'une utopie harmonieuse. Mais en ce qui concernait les Juifs, cet homme très éduqué partageait la vision démonologique commune à toute la société allemande, d'où sa question rhétorique : « Que pouvions-nous faire d'autre[45] ? » Des agents de l'Holocauste comme Ohlendorf considéraient que les Juifs ne leur laissaient pas le choix. Il est absolument certain que leurs croyances à l'endroit des Juifs étaient d'une virulence suffisante pour leur permettre de voir dans le génocide une « solution » appropriée, et même la seule « solution finale » à la « question juive »[46]. Comment ces croyances ont-elles pu être à l'origine de tous les traits distinctifs de l'Holocauste ?

Les croyances des Allemands à l'endroit des Juifs, différentes de celles qu'ils pouvaient avoir, par exemple, à l'égard des Danois ou des Bavarois, voyaient dans les Juifs, à la différence du peuple danois ou des citoyens de Munich, un peuple qu'il était *normal* et *nécessaire* d'anéantir. Que de telles croyances aient suffi à motiver l'extermination totale du peuple juif ne peut être mis en doute. La logique sous-tendant ce raisonnement était explicitement affirmée par la presse allemande, offerte à la lecture et à la méditation de tous les Allemands : « Chez les Juifs, il n'y a pas simplement quelques criminels (comme chez les autres peuples), c'est toute la juiverie qui a des racines criminelles, et qui est criminelle dans sa nature même. Les Juifs ne sont pas un peuple comme les autres, mais un pseudo-peuple réuni par une criminalité héréditaire *[eine zu einem Scheinvolk zusammengeschlossene Erbkriminalität]* [...] L'anéantissement des Juifs n'est pas une perte pour l'humanité, il a la même fonction que la peine capitale ou la prison pour d'autres criminels[47]. » Comment de telles croyances expliquent-elles toute la gamme des actes commis par les Allemands ? Et quand on en vient à examiner les choix faits par les agents de l'Holocauste, comment cette conception fondamentale a-t-elle opéré ?

Ces croyances les conduisaient collectivement, et chacun d'entre eux individuellement, à obéir aux ordres de génocide, au lieu de choisir de s'en faire dispenser, ou de se faire muter dans une autre unité. Pour ceux qui pensaient que les Juifs menaient au monde allemand une guerre apocalyptique, anéantir les Juifs paraissait juste et nécessaire. Laisser subsister, suppurer et grandir une menace aussi mortelle, c'était abandonner ses compatriotes, trahir des êtres chers. Un livre pour enfants très diffusé, *Le Champignon vénéneux*, récit illustré et haineux des perfidies des Juifs, qui, tels les champignons vénéneux, semblent bons mais sont mortels, exposait aux enfants allemands ce sentiment et cette logique dans le titre de son dernier chapitre : « Sans solution à la question juive/pas de salut pour l'humanité [48] ! »

C'est la croyance des Allemands en la justice de leur entreprise qui les faisait, régulièrement, prendre des initiatives dans l'extermination des Juifs, se livrer aux tâches prescrites avec l'ardeur des vrais croyants, tuant des Juifs même quand ils n'en avaient pas reçu l'ordre. C'est elle qui explique non seulement que les Allemands n'aient pas refusé de tuer, mais aussi pourquoi tant d'entre eux, comme les hommes des bataillons de police, se portaient volontaires pour les tueries. L'ardeur à tuer des Juifs, si fréquente chez les Allemands ordinaires, n'a jamais été si évidente que lors d'une des opérations du 101e bataillon de police. A la mi-novembre 1942, un soir, les hommes furent informés que, le lendemain, ils auraient à tuer les Juifs de Lukow : « Ce soir-là, nous recevions une unité de spectacle aux armées de la police de Berlin, chargée de ce qu'on appelait le bien-être du front. Il s'agissait de musiciens et d'artistes de variété. Eux aussi avaient appris qu'il allait y avoir un massacre de Juifs, et ils demandèrent, avec véhémence même, la permission de participer à cette exécution de Juifs. Leur étrange requête fut acceptée [49]. » Ces artistes de variété allemands, dont la tâche officielle n'avait rien à voir avec le massacre des Juifs, n'eurent besoin ni de pression, ni d'ordres, ni de coercition pour tuer des Juifs. En pleine harmonie avec l'esprit d'engagement volontaire qui animait toute l'entreprise, ils ont souhaité d'eux-mêmes saisir cette occasion de tuer des Juifs. De plus, leur désir de tuer des Juifs n'a pas été considéré comme aberrant ou pathologique : le jour suivant, ces artistes constituaient le gros des tueurs. Comme bien d'autres Allemands, volontaires explicites ou non, ils étaient devenus en peu de temps, et avec empressement, des tueurs de Juifs.

La conviction que l'extermination des Juifs était un acte de justice explique aussi que la *manière* dont les Allemands ont participé à l'extermination des Juifs d'Europe ait relevé elle aussi d'un choix volontaire, et l'un des survivants blâmera les Allemands non pas d'avoir obéi à leurs ordres (« Nous ne pouvions pas nous attendre à ce que des Allemands désobéissent à des ordres »), mais pour leurs initiatives, si meurtrières : « Ce qu'il y a de pire, c'est que, transgressant les ordres, individuellement et volontairement, activement et tacitement, ils se sont donnés avec joie au programme d'extermination et l'ont même élargi [50]. »

L'ardeur que les Allemands mettaient à tuer était manifeste, massacre après massacre, comme le montre leur manière d'agir à Uscilug, en Ukraine, près de la frontière polonaise. Ils commencèrent par fusiller ou déporter tous les Juifs qu'ils avaient pu facilement rafler, et ensuite, raconte un survivant, ils se lancèrent

> dans la chasse à ceux qui s'étaient cachés. C'était une chasse comme l'humanité n'en a jamais vu. Des familles entières s'étaient réfugiées dans les cachettes que nous avions à Wlodzimierz, et on leur donnait la chasse sans relâche, inexorablement, rue après rue, maison par maison, mètre par mètre, de la cave au grenier. Les Allemands étaient devenus experts dans l'art de trouver les cachettes. Quand ils fouillaient une maison, ils frappaient dans les murs, l'oreille tendue pour guetter le son creux qui indiquerait un double mur. Ils perçaient les plafonds et les planchers…
> Il ne s'agissait plus d'« opérations » limitées, c'était l'anéantissement complet. Des groupes de SS sillonnaient les rues, fouillaient les égouts, les hangars, les buissons, les granges, les étables, les porcheries. Ils attrapaient et tuaient des Juifs par milliers, puis par centaines, puis par dizaines, et enfin un par un[51].

Cette « chasse comme l'humanité n'en a jamais vu » était absolument caractéristique de la façon dont les Allemands « nettoyaient » un ghetto, et elle nous rappelle les « chasses aux Juifs » conduites tant dans les ghettos que dans les campagnes par les Allemands ordinaires des bataillons de police, dont le 101ᵉ. Pour tous ceux qui ont vu de leurs yeux un nettoyage de ghetto, ces Allemands n'étaient pas des gens qui accomplissaient leur tâche en traînant des pieds : c'étaient des hommes mus par une passion, une détermination infatigable, un enthousiasme de zélotes accomplissant une mission sacrée, rédemptrice.

De même que, à travers les âges, tant d'hommes jeunes s'étaient portés volontaires pour combattre au nom de leur pays, de même, les Allemands étaient volontaires pour détruire cet ennemi mortel que leur désignait leur modèle culturel. C'est ce qui explique pourquoi, dans les bataillons de police, on pouvait se permettre de ne prendre que des volontaires pour les pelotons de tueurs : les officiers savaient que leurs hommes étaient à leurs côtés dans cette entreprise allemande, et ils ne prenaient aucun risque en confiant à des volontaires l'épouvantable travail. Les officiers étaient certains, et avec raison, qu'il y aurait toujours assez d'hommes pour se porter volontaires.

La conviction que les Juifs avaient déjà fait beaucoup de mal aux Allemands, et qu'ils chercheraient toujours à leur en faire davantage, explique, en partie au moins, l'atroce cruauté dont les Allemands firent preuve. Un ancien policier, qui avait servi dans la région de Cracovie, a dit dans sa déposition que ses collègues, « à quelques exceptions près, étaient tout à fait contents de participer aux massacres de Juifs […] [en raison] de leur haine des Juifs : c'était une vengeance[52]… » Les actes de cruauté perpétrés par les Allemands, aussi bien ceux qui étaient structurels que ceux qui étaient spontanés, n'étaient pas considérés comme illégaux ou immoraux par la majorité d'entre eux. Cette cruauté, qui n'avait d'autre but que de faire souffrir les Juifs, n'ôtait rien à la légitimité du régime, ne minait en rien l'autorité de ceux qui donnaient les ordres, comme cela aurait été le cas si ces Allemands avaient pensé qu'il n'y avait aucune justification « rationnelle », aucune légalité, aucune raison d'État de type classique derrière ce traitement infligé aux Juifs. L'antisémitisme démonologique explique aussi l'échelle de cette cruauté : perpétrer des actes de cruauté a souvent été érigé en norme là où les Allemands avaient un contact régulier, intime, avec les victimes. Leurs convictions étaient la cause nécessaire de ces brutalités quotidiennes, minutieuses et sans pitié, infligées aux Juifs dans toute l'Europe, car elles excluaient *complètement* les Juifs de la protection que le code éthique accorde aux membres non juifs de la société. Il fallait à tout le moins cette levée des contraintes éthiques pour que les Allemands traitent les Juifs avec une cruauté qu'ils n'auraient jamais pu envisager dans le cas d'Allemands. L'antisémitisme allemand avait aussi soif de vengeance (l'extermination étant sa forme ultime), laquelle, pour beaucoup d'Allemands, signifiait que les Juifs devaient souffrir, et qui n'était aux yeux des victimes qu'une pathologie affectant tous les Allemands : « Chez le nazi, la bête est complètement saine, elle fond sur sa proie ; mais l'homme qui est en lui est très malade. La nature l'a frappé de la maladie du sadisme, qui a pénétré toutes les fibres de son être. Il n'y a pas de nazi dont l'âme ne soit pas malade, qui ne soit pas tyrannique, sadique [53]... » Les convictions allemandes à l'endroit des Juifs ont déchaîné les passions intimes, féroces et destructrices, qui, habituellement, sont disciplinées et contenues par la civilisation. Elles ont aussi fourni aux Allemands le raisonnement moral et les compulsions psychologiques poussant à exercer ces passions contre les Juifs.

Si les tueurs n'avaient pas été des antisémites, convaincus que les Juifs méritaient leur sort, mais de simples exécutants aveugles, sans passion, alors oui, ils auraient « maintenu une froide distance avec leurs victimes [54] ». Ils se seraient dit qu'ils ne comprenaient pas pourquoi les Juifs devaient mourir, mais que, puisque le Führer, dans son infinie sagesse, avait ordonné le massacre, il devait avoir ses raisons, une profonde et secrète raison d'État. Leur attitude aurait été voisine de celle des cavaliers de la Brigade légère chantée par Tennyson : « Nous n'avons pas à raisonner/Nous n'avons qu'à agir et mourir [55]. »

Si les Allemands avaient seulement vu dans les Juifs des criminels condamnés à la peine capitale, coupables d'un crime particulièrement abominable, ils auraient dû faire preuve de la même « froide distance » qu'un bourreau professionnel. Après tout, n'étaient-ils pas délégués par la nation tout entière pour exécuter des coupables condamnés à mort par l'État ? Dans un État moderne, le bourreau professionnel est censé administrer la mort d'une manière quasi médicale, rapidement, sans torture, en infligeant au condamné le minimum de souffrance ; il est censé, en quelque sorte, se conformer à la maxime du Brutus de Shakespeare :

« Tuons-les hardiment, mais sans colère [56]. » Tous les partisans de la peine de mort en Allemagne auraient été scandalisés si l'exécution d'un criminel de droit commun allemand s'était accompagnée de tortures ou d'humiliations. Après la tentative avortée d'assassinat dont il avait été l'objet, le 20 juillet 1944, Hitler ordonna que les conspirateurs fussent pendus avec une corde de piano et suspendus à des crocs de boucher. Quand le film contenant la scène de leur supplice fut présenté à la Wehrmacht, les spectateurs furent si scandalisés qu'ils sortirent [57]. Sans doute certains d'entre eux étaient-ils, dans leur for intérieur, du côté des condamnés, mais tous, et même ceux qui pensaient que les conspirateurs étaient coupables du plus grand crime et méritaient leur mort, considéraient que tuer d'une manière aussi barbare était indigne d'une nation « civilisée ».

La « distance froide », on la trouve effectivement chez les Allemands qui tuèrent les malades mentaux et les grands handicapés physiques lors du programme Euthanasie. La plupart étaient des médecins et des infirmières qui se conduisaient envers leurs victimes avec la froideur du chirurgien chargé de procéder à l'ablation d'une excroissance horrible et gênante [58]. Mais les assassinats de Juifs, eux, s'accomplissaient souvent dans la fureur, et ils étaient précédés d'actes de cruauté, d'humiliations, de moqueries et d'un rire diabolique. Pourquoi ? Pourquoi ces bourreaux du peuple juif ne se comportaient-ils pas comme des bourreaux professionnels ? Pourquoi ces Allemands ordinaires transformés en tueurs du jour au lendemain témoignaient-ils d'une cruauté aussi spontanée, aussi allègre ? La réponse à ces questions est à chercher dans leur idée des Juifs. A leurs yeux, *der Jude* n'était pas simplement un hideux criminel, digne de la peine capitale, c'était un démon sur la terre, le « démon plastique de la décadence de l'humanité », selon Richard Wagner, et la phrase en allemand a une tonalité particulièrement menaçante : *« der plastiche Dämon des verfalls der Menschheit* [59] ». Innombrables étaient les maux dont *der Jude* s'était rendu coupable. Il était le principal responsable du désordre, des troubles, des convulsions sanguinaires qui avaient frappé le monde. Il était rusé et cruel à l'extrême. Quand ils parlaient de lui, écrivains et prédicateurs laissaient couler un flot d'hyperboles, comme des enragés qui exhalent leur fureur dans un crescendo d'invectives incohérentes. « Eux [les Juifs, et dans ce cas particulier, des entraîneurs sportifs juifs] sont pires que le choléra, que la tuberculose, la syphilis, pire qu'un incendie, qu'une famine, que la rupture d'une digue, que l'extrême sécheresse, que les sauterelles, que les gaz mortels, ils sont pires que tout cela car ces forces élémentaires détruisent seulement le peuple allemand, alors qu'eux détruisent l'Allemagne même [60]. »

Un principe non formulé voulait que la mort ne fût pas une punition suffisante pour ces grands malfaiteurs de l'Histoire universelle : il fallait tirer vengeance des maux qu'ils avaient commis, il fallait exercer contre eux de sévères représailles *(harte Sühne)*, il fallait leur faire payer leurs innombrables méfaits. Pour expier leur parasitisme millénaire, leurs pillages, leurs vols, leur exploitation, il fallait les contraindre à un travail forcé, un travail dont ils mourraient ; pour les punir d'avoir utilisé leurs immenses pouvoirs secrets à avilir les nations et les classes sociales, il fallait les humilier, les faire ramper dans la poussière ; les souffrances physiques qu'ils avaient causées par leurs machinations, ils devaient les payer de leur incessante souffrance physique. Dans les ghettos, dans les camps, sur le chemin de la tuerie, au bord même de la fosse, les Allemands brutalisaient les Juifs, exerçant contre eux une rage collective inspirée par les malheurs, réels et imaginaires, qui avaient fondu sur l'Allemagne. « C'était une vengeance. » Cette rage allemande contre les Juifs était du type de celle qui possède le capitaine Achab dans sa chasse à Moby Dick, et le mémorable passage où Melville décrit les motivations d'Achab dit tout sur les cruautés incessantes, indicibles, insurpassables que les Allemands infligeaient aux Juifs :

> Tout ce qui rend fou et qui tourmente, tout ce qui remue le fond trouble des choses, toute vérité contenant une part de malice, tout ce qui ébranle les nerfs et embrouille le cerveau, tout ce qui est démoniaque dans la vie et dans la pensée, tout mal était, pour ce fou d'Achab, visiblement personnifié, et devenait affrontable en Moby Dick. Il avait amassé sur la bosse blanche de la baleine la somme de rage et de haine ressentie par l'humanité tout entière depuis Adam, et, comme si sa poitrine avait été un mortier, il y faisait éclater l'obus de son cœur brûlant[61].

Bien que la violence allemande demeure par certains côtés un mystère insondable, l'antisémitisme des Allemands permet de comprendre que leur immense cruauté à l'égard des Juifs était presque toujours volontaire, qu'elle avait sa source dans chaque individu, homme ou femme[62].

C'est donc l'antisémitisme des agents de l'Holocauste qui explique les quatre types d'actes figurant dans notre tableau de l'autorité et de la cruauté. Il explique la bonne volonté mise à exécuter les ordres, les initiatives prises pour tuer les Juifs et leur infliger des sévices, ainsi que la brutalité générale, à la fois institutionnelle et individuelle. Il explique le zèle des bourreaux, et pourquoi une entreprise d'une telle envergure a pu se produire sans heurts : c'est la croyance dans la nécessité et la justice du génocide qui fournissait l'énergie et l'application que ce type d'entreprise exige de ses participants. Il explique pourquoi, à tous les niveaux des institutions de mise à mort, les Allemands se sont si peu souciés d'atténuer les souffrances des Juifs, ce qui aurait pu être fait facilement par des gens qui, tout en considérant que le processus de mise à mort ne pouvait être arrêté, auraient souhaité épargner aux victimes des souffrances et des angoisses non indispensables. Il explique pourquoi si peu de tueurs ont demandé à être dispensés de tuerie. Il explique pourquoi des gens qui n'étaient pas de grands partisans du nazisme, voire des gens qui s'opposaient au nazisme[63] ont pu contribuer à l'extermination des Juifs, car, comme le montre notre exposé sur la genèse de l'antisémitisme allemand, leurs croyances à l'endroit des Juifs étaient distinctes de leur appréciation du nazisme. C'est parce que l'antisémitisme éliminationniste était un modèle cognitif antérieur au système nazi, qu'un antinazi engagé pouvait rester un antisémite raciste engagé, passionné. Pour beaucoup, l'extermination des Juifs ne se faisait pas au nom du nazisme mais au nom de l'Allemagne[64].

Si la macro-analyse, la méso-analyse et la micro-analyse se rejoignent, c'est parce que les mêmes convictions inspiraient les décideurs politiques, gouvernaient les institutions de mise à mort et motivaient les exécutants de la politique de génocide. Mis en présence de l'ennemi commun, chaque Allemand qui se trouvait face à un Juif reproduisait la pensée de ceux qui décidaient de la politique globale. Et ces Allemands, on n'en sera pas surpris, prenaient çà et là des initiatives qui semblaient dépasser le programme fixé par les autorités, car, confrontés à un « problème » au niveau local (un problème concernant les Juifs qu'ils avaient à portée de main), les administrateurs locaux agissaient selon l'esprit de la culture allemande de l'époque.

Gouvernés par une vision commune des Juifs, et donc par un même bréviaire de l'action, il n'est pas étonnant que tant d'Allemands venant de milieux différents, aux genres de vie différents, placés dans des contextes institutionnels différents, offrant des occasions d'agir différentes, et dans des lieux très différents (camps complètement organisés, opérations itinérantes de rafle et de tuerie, tantôt organisées tantôt sauvages, « chasses aux Juifs » relativement peu contrôlées et où il fallait faire preuve d'initiative, marches de la mort avec leur autonomie presque complète), se soient livrés aux actes dont nous avons montré qu'ils étaient communs à tous les agents de l'Holocauste. Valeurs et croyances communes opéraient une sorte de coordination invisible, ce qui signifie que l'absence d'une coordination centrale, les différences de comportement que les circonstances et les lieux auraient pu induire chez des individus qui n'auraient fait que répondre à des pressions institutionnelles n'ont pas eu pour conséquence de grandes divergences dans la manière de traiter les Juifs. L'antisémitisme éliminationniste des agents de l'Holocauste, leur structure cognitive commune, arrimés à un programme national d'extermination décidé et coordonné par l'État, étaient une motivation si puissante que l'influence des autres structures et facteurs s'en trouve d'autant diminuée. Puisque toutes les autres structures variaient, seule la structure cognitive commune à tous rend compte de la similitude fondamentale des actes commis par les Allemands contre les Juifs.

Bien des actes commis par les Allemands qui, en d'autres circonstances, auraient semblé inhabituels, irrationnels, étranges même, étaient des produits parfaitement sensés et « rationnels » de leur antisémitisme. Les Allemands préféraient souvent brutaliser les Juifs (ou, si l'on préfère, ne pouvaient s'empêcher de brutaliser les Juifs) plutôt que de les employer d'une manière conforme à la productivité économique. Un « excédent » de brutalité, à grande échelle, aura été le trait central du traitement infligé aux Juifs par les Allemands, et des relations entre Allemands et Juifs sous le nazisme. L'atmosphère de fête qui régnait parfois dans les institutions de mise à mort, le contentement étalé, l'acceptation de la norme de cruauté (aux deux sens du mot « norme » : allant de soi et désirable) étaient des corrélats de la haine [65].

Finalement, c'est le dévouement à la cause du génocide que l'antisémitisme insufflait à tant d'Allemands (des hommes et des femmes dont on aurait pu penser que rien dans leur vie antérieure, ni dans leur formation ne les préparait à devenir des agents de l'Holocauste) qui leur donnait la résolution de continuer le travail, malgré son évidente horreur et la répulsion viscérale que beaucoup éprouvaient. La brutalité spontanée des « nettoyages » de ghettos, la vue de ces Juifs affamés, squelettiques, malades, blessés, s'écroulant morts au milieu du chemin ou sous les coups des gardiens, l'horreur des tueries par fusillade, rien de tout cela n'a pu entamer la détermination allemande.

Et dans les cas si peu fréquents où certains ont reculé, ou fait des objections à l'allégresse d'un camarade tueur, il ne faut absolument pas conclure, sauf preuve explicite, que ce comportement de recul impliquait une désapprobation morale à l'endroit du massacre : ce n'était le plus souvent qu'une répulsion devant l'horreur de la scène. Un de ces Allemands, chargé de commander ses camarades pendant une opération de tuerie et désapprouvant la manière de faire de l'un d'entre eux, évoquait ainsi ce moment :

> Là-dessus, le Rottenführer Abraham a tué les enfants au pistolet, à peu près cinq ou six. Ils pouvaient avoir de 2 à 6 ans. La manière de tuer d'Abraham était brutale : il les prenait par les cheveux, les arrachait du sol, leur tirait une balle dans la nuque et les jetait dans la fosse. Au bout d'un moment, je n'ai pas pu le supporter plus longtemps et je lui ai dit d'arrêter. Ce que je voulais, c'est qu'il ne tienne plus les enfants par les cheveux, qu'il les tue d'une manière plus décente [66].

Ce n'était pas l'assassinat d'enfants que cet Allemand jugeait « brutal », mais seulement la manière de procéder. Il ne pouvait en supporter la vue. C'était indécent. Si seulement Abraham s'était contenté de forcer les enfants à s'allonger sur le sol avant de tirer dans leurs petites nuques : alors on aurait eu une exécution « décente », que cet Allemand aurait pu observer avec calme.

L'horreur, la férocité macabre qui règne dans la réalité phénoménologique des tueurs, était globalement insuffisante à arrêter leur main, sauf en de rares cas. Après tout, les démons devaient être détruits. Ohlendorf l'a bien dit, parlant au nom de tous : « Que voir dans leurs actes sinon l'œuvre de démons acharnés contre nous ? »

A la lumière de ce qui vient d'être dit, il est possible d'approfondir la signification des aspects collectifs et individuels des institutions de mise à mort. Bataillons de police, camps de « travail », marches de la mort, chaque cas met en relief des aspects importants de la perpétration de l'Holocauste et démontre, de différentes manières, à la fois le caractère volontaire des actes des agents de l'Holocauste et la centralité de l'antisémitisme raciste éliminationniste dans leurs motivations[67].

Les actes des Allemands servant dans les bataillons de police obligent à se demander comment des Allemands que rien ne préparait à cela, et qui opéraient au sein d'une institution qui ne les avait pas spécialement endoctrinés et n'exerçaient sur eux aucune pression sortant de l'ordinaire, qui leur offrait même la possibilité de ne pas tuer ni brutaliser les Juifs, comment ces Allemands ont donc choisi d'agir. Bien que ces Allemands « ordinaires », en raison de leurs antécédents, aient été parmi les moins propres à devenir des agents du génocide, bien qu'ils aient opéré au sein d'une institution qui faisait une part inhabituelle à la liberté de chacun, leurs actes ont pourtant été conformes à ce qu'on aurait pu attendre des antisémites les plus zélés. Étant donné le caractère « ordinaire » des membres des bataillons de police (suggéré par la méthode de recrutement et confirmé par l'échantillon socio-professionnel étudié dans cet ouvrage), les conclusions auxquelles nous avons abouti sur les actes de ces hommes peuvent être étendues au *peuple allemand tout entier*. Ce que ces Allemands *ordinaires* ont fait, tous les autres Allemands *ordinaires* auraient pu le faire.

Le cas du « travail » juif, notamment dans les camps dont c'était officiellement le seul objectif, a permis d'étudier si, oui ou non, l'antisémitisme éliminationniste gouvernait les actes des agents de l'Holocauste même quand il était contredit par une autre logique, par une autre rationalité puissante, celle de la productivité, qui régnait par ailleurs dans l'économie allemande. Cet aspect du sort des Juifs, plus que tout autre, démontre l'énorme puissance de l'antisémitisme allemand, capable de pervertir des institutions qui, surtout en temps de guerre, auraient dû fonctionner selon les seuls impératifs de la productivité économique. Les Allemands ne traitaient pas les Juifs de la même manière que leurs prisonniers appartenant à d'autres peuples, à tous les niveaux (organisation du travail juif, caractère des institutions qui abritaient leur prétendu travail, traitement individuel des travailleurs), et agissaient donc à l'encontre de l'intérêt allemand, qui était de produire dans l'urgence des fournitures et des matières premières nécessaires à l'effort de guerre. Le fait qu'ils aient pu agir ainsi prouve que, dans l'esprit des Allemands, les Juifs avaient un statut cognitif particulier. On soulignera que l'idée du parasitisme juif, du refus juif de tout vrai travail, si importante pour comprendre la façon dont les Allemands ont « utilisé » leur main-d'œuvre juive, avait des racines très profondes dans l'histoire allemande. La capacité de l'antisémitisme idéologique à *générer* les actes des Allemands, à les *faire agir* à l'encontre d'autres rationalités, n'est nulle part si claire que dans le cas du « travail » juif.

Les marches de la mort laissent l'historien tout aussi perplexe, et toute explication doit être en mesure d'en relever le défi. Dans le chaos et les périls des derniers mois, des dernières semaines et des derniers jours de la guerre – conjoncture bien différente des « glorieuses » années 1939-1942, où l'on avait pu croire que l'Europe entière devrait marcher au pas sous la bannière du nazisme –, les Allemands avaient beaucoup à perdre en continuant à tuer et brutaliser les Juifs. De plus, ces marches forcées étaient souvent bien peu encadrées, et elles échappaient au contrôle de l'autorité centrale : les Allemands qui escortaient les Juifs étaient leurs propres maîtres. A en croire les explications qui nient l'existence d'un antisémitisme démonologique chez les agents de l'Holocauste ou lui refusent le rôle central, on aurait dû assister à une diminution, voire à une cessation des actes de génocide, puisque les conditions psychologiques n'étaient plus les mêmes et que les autorités supérieures étaient lointaines. Et pourtant, le zèle de ces Allemands (dans le cas de la marche d'évacuation du camp de Helmbrechts, les incessants actes de brutalité et les meurtres, dirigés contre les prisonnières juives *et seulement contre elles*) démontre que ces gardiens et gardiennes étaient des tueurs obéissant à des motivations intimes, à une haine sans limites des Juifs. Ils ont continué à tuer et à brutaliser leurs prisonniers alors même qu'ils avaient reçu l'ordre de Himmler d'arrêter le massacre. A l'égard des Juifs, les Allemands ont eu un comportement autistique : une fois lancé le programme d'extermination, ils n'obéirent à rien d'autre qu'à leurs impulsions intimes, nées de l'idée qu'ils avaient de leurs victimes.

Chacune de ces trois institutions de génocide illustre d'une façon presque parfaite un aspect crucial de la perpétration de l'Holocauste. Les bataillons de police montrent que l'antisémitisme avait si largement infecté la société allemande que des Allemands ordinaires pouvaient devenir des tueurs. Les marches de la mort montrent à quel point les agent de l'Holocauste avaient intériorisé l'objectif de tuer les Juifs, et combien ils se donnaient à cette tâche, au point de tuer les Juifs jusqu'au dernier moment. Quant au « travail » juif, il montre à quel point l'antisémitisme était puissant puisqu'il pouvait pousser les Allemands à agir contre leurs intérêts économiques les plus évidents.

Un des traits les plus remarquables du génocide (et cela est vrai aussi bien pour les bataillons de police et les camps de « travail » que les marches de la mort, les *Einsatzkommandos* et les autres institutions de mise à mort), c'est que les Allemands, agents directs ou non du génocide, *comprenaient* spontanément, naturellement, pourquoi on attendait d'eux qu'ils tuent les Juifs. Imaginons qu'un gouvernement occidental fasse aujourd'hui savoir à un vaste groupe de citoyens de tous horizons sociaux qu'il entend exterminer, à la racine, un autre peuple : au-delà même de leur réaction morale à cette information, les gens trouveraient cette annonce tout simplement incompréhensible. Ils croiraient entendre les paroles d'un fou. L'antisémitisme allemand était tel que, quand les Allemands, agents directs ou simples spectateurs, entendaient dire que les Juifs devaient être tués, ils ne manifestaient aucune surprise, aucune incrédulité : au contraire, ils comprenaient. Quel que fût leur jugement moral ou utilitaire sur ce meurtre collectif, l'extermination des Juifs *avait un sens pour eux*.

Dans les dépositions d'après-guerre des agents de l'Holocauste, quand ils évoquent le moment où ils ont appris qu'on se préparait à exterminer les Juifs ou que le massacre était en cours, ainsi que le rôle qu'ils devraient y jouer, il est tout à fait remarquable qu'ils ne mentionnent jamais une quelconque réaction de surprise, d'incompréhension ; jamais ils ne disent avoir posé aucune question, ni à leurs commandants ni à leurs camarades, sur les raisons d'une telle entreprise, ni avoir eu la réaction scandalisée qu'on doit avoir devant des propos aussi déments. Un survivant juif a évoqué sa propre réaction, en octobre 1942, alors qu'il se cachait à Hrubieszow, une ville au sud-est de Lublin, à un moment où, tout autour de lui, ce n'était que chasse aux Juifs et assassinats : « Je ne cessais de me dire avec stupeur que tout cela était incroyable : de complets étrangers lancés sans remords dans une chasse contre des gens qui ne leur avaient rien fait de mal. Le monde était fou [68]. » Les Juifs, mais pas les Allemands, avaient ce genre de pensée. L'antisémitisme exterminationniste était si profondément ancré dans la société allemande que, informés du souhait de Hitler, les Allemands le comprenaient tout à fait. Un membre du *Sonderkommando 4a*, dans une lettre de septembre 1942 à sa femme (« ma chère Soska »), parlant non seulement en son nom mais au nom de ses camarades, de tous les soldats allemands en général, exprimait de la manière la plus claire qui soit comment les convictions de chacun pouvaient déboucher sur cette compréhension, sur cette approbation de toute une société :

> Cette guerre, nous la menons pour l'existence même [*Sein oder Nichtsein*, « pour l'être ou le non-être »] de notre *Volk*. Grâce à Dieu, dans notre patrie, tu ne vois pas cela de trop près. Mais les bombardements aériens t'ont montré ce que l'ennemi nous réserve s'il gagne. Ceux du front en font sans arrêt l'expérience. Mes camarades se battent littéralement pour l'existence de notre *Volk*. Ils font à l'ennemi ce que celui-ci leur ferait. Je pense que tu me comprends. Parce que nous considérons que cette guerre est une guerre juive, les Juifs sont ceux qui en affrontent le premier choc. En Russie, là où il y a un soldat allemand, il n'y a plus de Juif [69].

Les Allemands ne se disaient pas qu'ils étaient les exécutants du plan démentiel d'un criminel dément : au contraire, ils comprenaient parfaitement pourquoi une action si radicale (en dépit de leur peur d'échouer et de subir la vengeance des Juifs) devait être entreprise, pourquoi, au nom du salut du *Volk*, l'extermination des Juifs devait être un projet national allemand.

C'est parce que les agents de l'Holocauste étaient convaincus que les

Juifs étaient irrémédiablement démoniaques que leurs commandants étaient en droit d'attendre que leurs allégations si ouvertement absurdes (mais proférées en toute ingénuité) sur la responsabilité des Juifs dans les bombardement aériens et les attaques des partisans soient parfaitement comprises par leurs hommes et confortent leur résolution. L'idée de massacrer tous les enfants juifs de Pologne en représailles des bombardements anglo-américains sur les grandes villes allemandes aurait été considéré comme démente par tout esprit rationnel, tout esprit non nazifié. Mais pas par les Allemands ordinaires qui servaient dans le 101ᵉ bataillon de police et autres unités. A leurs yeux, c'était un argument tout à fait logique, et le lien entre les Juifs totalement démunis des petites villes de Pologne et les bombardements aériens sur Berlin et Hambourg était parfaitement compréhensible. Englués dans leur antisémitisme démonologique, ces Allemands ordinaires étaient convaincus que, derrière les bombardements alliés, il y avait cet ogre universel, la « juiverie internationale » *(das Weltjudentum)* ou « le Juif » *(der Jude)*, et que les Juifs de Pologne et de Jozefow n'étaient qu'un des tentacules de ce monstre. En tranchant cet tentacule, ces Allemands contribueraient à la destruction du monstre, source de tant de maux, qui faisait pleuvoir les bombes sur les villes allemandes. Le commandant Trapp, quand il pressait ses hommes de former mentalement l'image de « nos femmes et de nos enfants restés au pays » qui mouraient sous les bombes des Alliés, en espérant que cela les aiderait à vaincre leurs inhibitions face au massacre d'enfants juifs, considérait comme allant de soi que ses hommes comprendraient tout de suite et suivraient son conseil. Ces Allemands ordinaires n'avaient besoin d'aucune explication supplémentaire. Car le discours du commandant était fondé sur un « sens commun » que tous partageaient. Aucun homme n'est sorti des rangs pour demander : « Quel est le lien entre les enfants juifs de Jozefow et les bombardements anglo-américains sur les villes allemandes ? » Le lien allait de soi [70].

Les officiers savaient que l'antisémitisme de leurs hommes était suffisamment fort pour que les demandes d'exemption soient rares, et c'est ce qui fait que leur laxisme a été officialisé par Himmler [71]. Ils savaient qu'ils ne couraient guère de risques en les laissant sans grand contrôle, voire seuls, dans les « chasses aux Juifs », « nettoyages de ghetto », camps de « travail » ou marches de la mort, et qu'il n'y aurait pas de désertions, même dans les derniers temps de la guerre. Eduard Strauch, l'ancien chef de l'*Einsatzkommando 2* parlait au nom de tous dans cette conférence d'avril 1943, à Minsk, où il s'indignait qu'on pût mettre en doute l'ardeur de ses hommes, même si les opérations étaient « dures et déplaisantes » : « Nous sommes convaincus que ces tâches doivent être menées à bien. Je peux dire avec orgueil que mes hommes [...] sont fiers d'agir selon leurs convictions et leur fidélité envers le Führer [72]. » A tous les niveaux, les acteurs étaient « au diapason » du génocide, et tout le monde le savait, Himmler, Strauch, les officiers, et, sauf exception, tous les Allemands impliqués.

Les agents de l'Holocauste étaient fiers de leurs résultats, fiers de ce métier de tueur auquel ils se donnaient tout entier. Cette fierté, ils l'ont exprimée sans cesse dans leurs actes, dans les innombrables choix qui les ont conduits à arpenter les champs de tuerie et à tuer. Ils l'ont exprimée aussi par leurs actes et leurs mots en dehors des massacres. S'ils avaient désapprouvé pour de bon le principe du génocide, pourquoi auraient-ils pris des photos de leurs opérations, des photos de leur vie de tueurs, pourquoi les auraient-ils fait circuler et permis qu'on en fasse des tirages[73] ? La photo n° 28, où l'on voit un soldat allemand tuer une mère juive et son enfant, a été envoyée à sa famille par la poste. Au dos de la photo : « Ukraine, 1942, Action juive, Ivangorod ».

Pourquoi les tueurs tenaient-ils à ce que leur femme, leur petite amie, voire leurs enfants, connaissent leurs meurtres et leurs cruautés ? Pourquoi se réunissaient-ils pour fêter les grands massacres ? Et s'ils avaient désapprouvé tout cela, pourquoi n'en parlaient-ils pas entre eux ? Pourquoi ne se lamentaient-ils pas entre eux sur leur destin et celui de leurs victimes, pourquoi se vantaient-ils de ce qui était à leurs yeux des exploits ?

Dès que l'observation s'attache aux aspects sociaux de la vie de ces hommes, et non plus simplement aux tueries, l'image trompeuse qui veut ne voir en eux que des hommes unidimensionnels, coupés de leurs relations sociales en raison de leur situation particulière, devient difficile à défendre. Même s'il est difficile de reconstituer complètement ce qu'a été la vie sociale et culturelle des agents de l'Holocauste, l'image irréelle que certains ont voulu donner d'eux, celle d'individus isolés, apeurés, incapables de penser, accomplissant leur tâche avec répugnance, est fausse[74]. Les tueurs allemands, comme d'autres gens, ont constamment fait des choix quant à leur manière d'agir, des choix dont le résultat constant a été la souffrance et la mort des Juifs. Ils ont fait ces choix individuellement, comme membres satisfaits d'une communauté approuvant le génocide, pour qui tuer les Juifs était une norme et souvent un exploit à célébrer.

Le massacre des Juifs par les Allemands : la perspective comparatiste

Plusieurs comparaisons demandent une explication adéquate. La première est interne au génocide, c'est celle qui s'attache aux différents types d'agents, d'institutions et de sites voués à la perpétration de l'Holocauste, et elle montre que, en dépit de ces variables, les actes des Allemands ont été globalement les mêmes : cette première comparaison est le sujet central de cet ouvrage et y a été traitée abondamment, si bien que le présent chapitre n'abordera que les trois autres comparaisons. La deuxième, qui est restée un peu en marge de cette étude (pour les raisons que l'on a exposées dans l'introduction), élargit le champ d'investigation pour s'attacher à ceux des agents de l'Holocauste qui n'étaient pas allemands.

La troisième met en parallèle la frappante différence entre le traitement infligé par les Allemands aux Juifs et celui qu'ils ont réservé à d'autres peuples vaincus, placés pourtant très bas dans leur échelle raciale. Elle a déjà été abordée, car elle est des plus instructives. La quatrième comparaison se focalise sur les aspects de l'Holocauste qui le distinguent des autres génocides et tueries à grande échelle.

Comparer le sort réservé aux Juifs par les Allemands et par des peuples non allemands demande une double enquête. La première doit chercher à établir si, oui ou non, d'autres groupes nationaux, en de semblables circonstances, ont traité ou auraient traité les Juifs comme les Allemands l'ont fait. Un bataillon de Danois ordinaires ou d'Italiens ordinaires, composé d'hommes ayant les mêmes antécédents et la même formation que les Allemands ordinaires du 101e bataillon, se trouvant dans la région de Lublin et recevant de leur gouvernement les mêmes ordres, avec la même possibilité de s'en faire dispenser, auraient-ils massacré, déporté, chassé à travers la campagne les Juifs, hommes, femmes et enfants, avec la même efficacité et la même violence que ces Allemands ordinaires ? Des gardiens de camps danois ou italiens auraient-ils traité les travailleurs juifs des camps de la même manière brutale et meurtrière, contraire à la productivité économique ? Des Danois et des Italiens, hommes et femmes, encadrant des colonnes de prisonnières juives squelettiques, malades et mourantes de faim leur auraient-ils refusé vêtements et abris (qui étaient disponibles), les auraient-ils battues sans merci et les auraient-ils privées d'une nourriture, qui était elle aussi disponible ? L'idée que des Danois et Italiens ordinaires auraient agi comme ont agi des Allemands ordinaires n'a pas la moindre apparence de plausibilité. De plus, elle est démentie par les données historiques. Les Danois ont sauvé les Juifs danois, et, avant cela, ils ont résisté aux autres mesures antisémites imposées par l'occupant allemand. Plus généralement même, les Danois se sont toujours montrés enclins à traiter les Juifs du Danemark comme des êtres humains et des membres de la communauté nationale danoise. Les Italiens, on l'a déjà dit, et même les militaires italiens (en Croatie) ont, dans l'ensemble, désobéi aux ordres de Mussolini de déporter les Juifs parce qu'ils savaient qu'une fois aux mains des Allemands, ils seraient tués [75]. Le refus d'autres peuples de faire ce que les Allemands ont fait prouve que les Allemands n'étaient pas des *hommes* ordinaires, des êtres transhistoriques, loin de toute culture, mais qu'il y avait chez eux quelque chose de particulier, une spécificité de leur héritage politique et culturel, qui gouvernait la vision qu'ils avaient de leurs victimes, si bien qu'ils pouvaient brutaliser et tuer les Juifs, de leur plein gré, avec ardeur même, convaincus de la justice de leur action et de toute l'entreprise.

Une fois établies ces premières différences entre Allemands et non-Allemands, il est indispensable d'étudier ce qu'ont fait les non-Allemands qui participaient aux côtés des Allemands à la persécution et au massacre des Juifs. Ici, deux cas se présentent. Le premier est celui des non-Allemands qui ont agi de la même façon que les Allemands. Il nous faut alors rechercher ce qu'ils avaient en commun avec les Allemands, ou établir s'il existe différents chemins pour devenir agent d'un génocide. Après tout, il y avait d'énormes différences entre la situation des Allemands et celle, par exemple, des Ukrainiens qui servaient dans des institutions allemandes de mise à mort. Les Allemands avaient vaincu, réprimé et déshumanisé les Ukrainiens, et des pressions s'exerçaient sur eux qui ne s'exerçaient pas sur les Allemands. Le laxisme et la sollicitude du commandant du 101e bataillon de police et d'autres commandants allemands envers ceux de leurs hommes qui ne pouvaient se résoudre à tuer ou à continuer de tuer ne se retrouvaient pas dans le comportement des Allemands à l'égard de leurs serviteurs d'Europe orientale, envers qui ils se montraient d'une extrême sévérité.

Les circonstances qui ont fait de ces non-Allemands des adjuvants de l'Holocauste, et l'identité de ces hommes, devraient être étudiées en profondeur. Nous en savons aujourd'hui bien moins sur eux que sur les tueurs allemands. Les groupes nationaux les plus impliqués sont les Ukrainiens, les Lettons et les Lituaniens. Deux choses peuvent être dites à leur sujet. Leurs cultures nationales étaient profondément antisémites [76], et le peu que nous savons sur ces hommes qui ont aidé les Allemands à massacrer les Juifs laisse entendre qu'ils étaient animés par une haine violente à l'endroit de leurs victimes [77]. Beaucoup reste à étudier. Mais avant que l'on puisse conclure avec certitude sur leurs motifs (et aussi sur ce que leurs actes nous disent de ceux des Allemands), il faudra procéder à une analyse très soigneuse des contextes dans lesquels ils ont agi (souvent extrêmement différents) et des ressemblances et différences dans leur conception respective des victimes [78].

Le grand enjeu comparatif d'une étude sur les motivations des agents allemands et non allemands du génocide est d'abord d'établir si, oui ou non, il y avait quelque chose de non purement structurel dans la perpétration de ces crimes (c'est-à-dire répondre à la question suivante : l'*identité* des bourreaux ou celle des victimes a-t-elle une pertinence ?). Étant donné qu'il y avait tant d'autres peuples qui ne traitaient pas les Juifs comme les Allemands l'ont fait, et que, comme je l'ai montré, il est clair que les actes des coupables allemands ne peuvent être expliqués par des traits structurels autres que ceux de leur modèle cognitif, il est indispensable, quand on étudie les différents groupes nationaux impliqués dans l'Holocauste, d'éviter les explications réductionnistes qui attribuent des actes complexes et très variables à des facteurs structurels ou à des processus socio-psychologiques prétendument universels ; la tâche est alors de spécifier quelle combinaison de facteurs cognitifs et conjoncturels ont conduit les bourreaux, quelle qu'ait été leur identité, à apporter leur contribution à l'Holocauste. Toute enquête sur les agents de l'Holocauste non allemands doit constamment tenir compte du fait que des influences différentes ont pu peser sur différents groupes. Mais quoi que puissent découvrir de telles études, l'objectif principal d'une comparaison entre Allemands et non-Allemands doit être d'éclairer les actes des Allemands eux-mêmes, car, comme je l'ai dit dans l'introduction, ce sont eux qui ont voulu l'Holocauste et ont été les seuls agents centraux, les seuls agents indispensables du génocide.

De même que le modèle culturel des Allemands, et notamment leur vision des victimes, explique ce qu'ils ont fait aux Juifs, de même il devrait aussi éclairer ce qu'ils ont fait aux non-Juifs, autre question comparative importante [79]. Sans aller jusqu'à dire que ce qui va suivre représente une analyse exhaustive de ce vaste sujet, on peut esquisser une comparaison des croyances dominantes en Allemagne (croyances antérieures aux actes de meurtre ou de barbarie, voir p. 461 à 463) à l'égard de trois groupes : les Juifs, les malades mentaux et les Slaves (qui ont connu d'immenses souffrances sous la domination allemande). La comparaison révèle deux choses : la forte relation entre les croyances antérieures des Allemands et leurs actes (en d'autres termes, c'est la croyance qui gouverne l'action), et la capacité d'explication comparative du contenu spécifique de l'antisémitisme allemand pour rendre compte du traitement réservé aux Juifs par les Allemands.

Les Juifs étaient considérés comme un peuple puissant, biologiquement programmé, un peuple qui ne souhaitait que la destruction de l'Allemagne, et qui, de par sa nature et ses actes, n'avait aucun droit à la protection de la morale traditionnelle. La sécurité de l'Allemagne demandait que les Juifs fussent tués, et la morale permettait (voire louait) une telle entreprise. Les malades mentaux et les infirmes étaient conçus comme des désordres biologiques menaçant la santé de l'organisme allemand. Pour ceux qui acceptaient complètement la conception biologique nazie, ces malades étaient au mieux des consommateurs non producteurs, au pire une menace pour la santé raciale du pays. Cette conception et la question de savoir si la morale traditionnelle devait leur être appliquée faisaient l'objet d'un débat en Allemagne. Pour les esprits les plus nazifiés, il fallait tuer ces malades, sans toutefois les faire souffrir. Pour bien d'autres Allemands, c'était là violer des convictions bien ancrées, d'où l'importance de la protestation [80]. Les Slaves, racialement inférieurs, étaient considérés comme des bêtes de somme. La menace qu'ils représentaient pour l'Allemagne était comprise en termes de lutte darwiniste pour l'espace vital et les ressources de la terre. Le traitement que les Allemands entendaient réserver aux Slaves répondait à un raisonnement utilitariste (au seul profit des Allemands) : il fallait les soumettre et les exploiter physiquement, autant que l'économie l'exigerait. Ce programme demandait de tuer leurs élites, de réprimer violemment toute opposition, et de réduire le reste de la population à un statut d'hilotes sans éducation. Ceux dont l'apparence physiognomonique serait correcte (car c'était là la pierre de touche des qualités raciales) seraient germanisés. Mais cela ne pourrait jamais être le cas d'un Juif, quelle que fût son apparence.

Telles étaient les conceptions des dirigeants nazis à l'égard de ces trois groupes (un peu moins uniformément partagées dans le cas des malades mentaux), et elles expliquent à la fois leurs politiques *et* les succès rencontrés dans leur application. L'idéologie des Allemands gouvernait non seulement leur traitement des Juifs mais aussi celui des autres peuples.

D'une façon plus générale, la conception nazie de l'humanité, qui avait pénétré de larges fractions de la société allemande, inspirait l'ensemble de la politique à l'égard des peuples vaincus. Dans la hiérarchie biologique des races, les peuples du Nord, grands, blonds, aux yeux bleus, occupaient le sommet. En dessous, il y avait les différentes lignées raciales de l'Europe de l'Ouest. En dessous venaient les Européens du Sud. En dessous, mais bien plus bas, les Slaves. Plus bas encore, les Asiatiques. Et tout à fait au fond, quelque part vers la ligne de démarcation entre l'homme et le primate, il y avait la race noire[81]. La conceptualisation de cette hiérarchie était bien brumeuse : pour l'essentiel, elle reposait sur une décroissance progressive des qualités, notamment de l'intelligence, du haut de l'échelle vers le bas. Le sort réservé par les Allemands aux pays conquis correspondait parfaitement à cette hiérarchie, et, à l'évidence, c'est elle qui l'inspirait. Les Scandinaves, comme nordiques, furent les mieux traités, les moins brutalement. Les Européens de l'Ouest, moins bien traités, le furent beaucoup mieux que les Européens du Sud. Si puissantes étaient cette idéologie et ses illusions que les peuples slaves furent victimes d'une brutalité et d'une violence meurtrière nuisibles aux objectifs militaires, car les Allemands se firent haïr de ceux qui, au début, s'étaient parfois montrés prêts à coopérer. Comme on l'a vu avec l'analyse du « travail » juif, les Allemands appliquaient dans les camps cette même classification des peuples conquis.

Par rapport à cette hiérarchie de l'humanité, fantasmée par les Allemands, la position des Juifs était singulière. Ils n'avaient même pas de place sur le spectre. Un livre d'enfant de 1936 disait :

> Le diable est le père du Juif
> Quand Dieu a créé le monde
> Il a inventé les races :
> Les Indiens, les nègres, les Chinois
> Et aussi la créature malfaisante appelée le Juif[82].

Walter Buch, juge suprême du parti nazi, écrivait en 1938 dans une publication réputée, *Deutsche Justiz*, que ce serait une erreur de croire que cette « créature malfaisante » avait une quelconque parenté même avec les « races inférieures » : « Les nationaux-socialistes ont compris que le Juif n'est pas un être humain[83]. » Les Juifs n'appartenaient pas à la hiérarchie des races humaines, ils étaient une race *sui generis*, une « antirace » *(Gegenrasse)*. Le terme de « sous-homme » *(Untermensch)*, utilisé par les Allemands d'une façon des plus lâches, s'appliquait aux races réputées inférieures, comme les Slaves, pour rendre compte de leurs capacités prétendument réduites. Mais si les Juifs étaient eux aussi considérés comme des « sous-hommes », ce n'était pas parce que les Allemands leur

Données tirées de « Estimated Jewish Losses in the Holocaust », Yehuda Bauer et Robert Rozett, dans *Encyclopedia of the Holocaust*, New York, Macmillan Publishing Compagny, 1990 (vol. 4, p. 1797-1802).

attribuaient des aptitudes inférieures aux leurs : en fait, ils considéraient que les Juifs avaient de grandes capacités, puisqu'ils étaient des ennemis très intelligents et très puissants. Hitler avait dit : « Les qualités mentales du

Juif se sont formées avec les siècles. Aujourd'hui, il passe pour "brillant", et, en un certain sens, il l'a toujours été[84]. » Le Juif doué, diaboliquement voué à nuire aux Allemands et à les tromper, qu'il soit un machiavélique magnat de la finance internationale ou le commerçant du coin, était une figure importante du paysage mental allemand ; sa capacité à vivre en parasite de l'honnête travail allemand était un effet de sa stratégie d'ennemi dangereux. S'il était un « sous-homme », c'était donc dans un sens différent : le Juif était moralement dépravé, et sa dépravation était telle que Himmler, en 1938, parlant devant un parterre de généraux SS, disait que les Juifs « étaient la matière première de tout ce qui est négatif *[Urstoff alles Negativen]*[85] ». L'idée que les Juifs associaient intelligence et ruse à une malveillance implacable en faisait aux yeux des Allemands des ennemis mortels, à traiter d'une manière différente de tous les autres peuples : un peuple que les Allemands devaient, au bout du compte, anéantir.

Les traits distinctifs du modèle cognitif allemand, et d'abord de son antisémitisme, n'ont pas seulement été à l'origine des différences de traitement entre les Juifs et les autres peuples méprisés : ils ont donné à l'Holocauste les traits qui le distinguent des autres génocides.

Bien qu'il y ait eu des exceptions (en partie chez les Khmers rouges du Cambodge), presque tous les autres massacres à grande échelle ont eu lieu dans un contexte de conflits objectifs antérieurs (conflits territoriaux, de classes, d'ethnies ou de religion)[86]. Les Juifs allemands, inutile de le souligner, voulaient simplement être de bons Allemands ; les Juifs d'Europe de l'Est n'avaient pas d'hostilité de principe envers les Allemands, et c'était même le contraire : de nombreux Juifs d'Europe de l'Est étaient germanophiles[87]. L'idée que les Allemands se faisaient des Juifs relevait de la simple fantasmagorie, leurs croyances étaient du type de celles que, d'habitude, seuls les fous nourrissent à l'endroit d'autres gens. Dès qu'il s'agissait des Juifs, aussi bien les dirigeants nazis que les agents directs de l'Holocauste recouraient spontanément à une « pensée magique », et leur incapacité à soumettre leurs idées à « l'épreuve de la réalité » les distingue globalement d'autres agents de grands massacres collectifs.

L'étendue de la visée exterminationniste des Allemands n'a pas d'équivalent, et en tout cas pas au XXe siècle. Les Allemands cherchaient à débusquer les Juifs et à les tuer partout où ils le pouvaient, en dehors même de leur pays et des territoires qu'ils contrôlaient, dans le monde entier si possible. L'extermination devait être non seulement universelle mais radicale, les Juifs devaient mourir jusqu'au dernier, jusqu'au dernier enfant juif. Hitler avait exprimé la logique de cette politique dès le début des années 20 : « Voici mon argument : même s'il n'y avait pas eu une seule synagogue, pas une seule école juive, même s'il n'y avait pas eu l'Ancien Testament et la Bible, l'esprit juif serait quand même là, avec ses effets. Depuis le début il a été là, et il n'y a pas un Juif, pas un seul, qui n'en soit pas l'incarnation[88]. » Ceux qui étaient nés de parents juifs mais s'étaient convertis au christianisme, et même ceux qui n'avaient jamais été juifs (étant nés chrétiens), des gens donc qui ne se considéraient pas comme juifs, étaient, aux yeux des Allemands, juifs par le sang et donc par l'esprit, et traités en conséquence. En revanche, les Allemands avaient beau considérer les Polonais comme des sous-hommes, ils n'en volaient pas moins des enfants polonais à leurs parents, pourvu qu'ils aient une apparence « aryenne », et ils les élevaient comme de petits Allemands pour les incorporer à la race des maîtres [89]. Les Turcs, eux, pour ne citer qu'un exemple de génocide, ont laissé en vie de nombreux enfants arméniens dont ils pensaient qu'ils étaient assez jeunes pour oublier leur héritage et devenir sans danger de bons Turcs et de bons musulmans. Parfois même, les Turcs ont épargné des Arméniennes pourvu qu'elles se convertissent à l'islam [90].

Autre trait distinctif enfin, la brutalité de leur comportement à l'égard des Juifs, en quantité et en qualité : on l'a déjà souligné en comparant le traitement réservé aux Juifs et celui des autres prisonniers, mais on pourrait aussi le démontrer en comparant avec d'autres génocides ou d'autres systèmes concentrationnaires [91].

Ces traits distinctifs de l'Holocauste sont nés organiquement de l'antisémitisme raciste allemand, avec sa démonologie : c'est lui qui donnait aux Allemands la *volonté* de tuer tous les Juifs *dans tous les pays* malgré l'absence de tout *conflit objectif antérieur* avec les Juifs. Parce que cet antisémitisme était *fantasmagorique*, il exigeait, à la différence de ce qui s'est passé dans d'autres génocides, l'extermination *totale* des Juifs, pour qu'aucun « germe » ne subsistât d'où cet ennemi éternel pourrait renaître ; c'est cet antisémitisme-là qui a donné aux Allemands l'énergie nécessaire à cette campagne d'anéantissement, c'est lui qui leur a permis de coordonner, de mener jusqu'au bout ce projet gigantesque, *à l'échelle d'un continent* ; c'est lui qui a insufflé aux agents de l'Holocauste cette rage, ce désir de vengeance, c'est lui qui a déchaîné *cette cruauté sans précédent*.

Pour que des gens en tuent d'autres massivement, il faut que soient levées les contraintes éthiques et affectives qui, normalement, empêchent de prendre des mesures aussi radicales. Avant que des gens ne deviennent des agents volontaires d'un massacre de masse, il faut que quelque chose de profond leur soit arrivé. Plus on découvre l'étendue et le caractère des actes commis par les Allemands, et moins on peut soutenir qu'ils n'étaient pas en accord avec la vision du monde de Hitler.

Cette brève étude comparative montre que l'explication culturelle de la perpétration de l'Holocauste satisfait à tous les critères de l'explication efficace. Elle rend compte de ce qu'il y a d'insondable dans les actes commis, des aspects comparatifs internes du génocide des Juifs, des différences entre les actes des Allemands et ceux d'autres groupes nationaux comme les Italiens et les Danois. En outre, elle explique à la fois pourquoi les Allemands ont traité différemment d'autres peuples soumis et ce qui différencie l'Holocauste des autres génocides : l'explication culturelle démontre ainsi qu'elle est compatible avec des explications apparentées d'autres phénomènes comparables.

16

L'antisémitisme éliminationniste, motivation du génocide

Que les agents de l'Holocauste aient approuvé le génocide, qu'ils aient participé aux massacres de bon gré est certain. Que leur approbation vînt avant tout de leur conception des Juifs est tout aussi certain, car aucune autre motivation ne saurait rendre compte de ce qu'ils ont fait. Cela veut dire que s'ils n'avaient pas été des antisémites, et des antisémites d'un type particulier, ils n'auraient pas pris part à l'extermination, et que la campagne de Hitler contre les Juifs aurait suivi un cours très différent. L'antisémitisme des agents de l'Holocauste, et donc ce qui les poussait à tuer, ne pouvait venir d'une quelconque autre source non idéologique. Il n'était pas une variable adventice, mais une variable indépendante, irréductible à tout autre facteur.

Cette explication de l'Holocauste, il faut le souligner, ne prétend pas que ce soit là sa cause unique. Bien d'autres facteurs ont dû jouer pour que Hitler et d'autres conçoivent le génocide, pour qu'ils en arrivent à une situation où ils pouvaient envisager de mettre leurs idées en pratique, pour que l'entreprise de génocide devienne possible dans les faits, et pour qu'elle soit menée à bien. La plupart de ces facteurs sont bien connus. Le présent livre ne s'est attaché qu'à une des causes de l'Holocauste, celle qui est la moins bien comprise, c'est-à-dire la motivation décisive qui a conduit des Allemands, hommes et femmes, sans qui rien n'aurait pu se passer, à consacrer à l'entreprise leurs capacités physiques et mentales, leur talent inventif. Quand on s'attache aux *motivations* de l'Holocauste, cette explication par une causalité unique suffit à rendre compte de ce qu'ont fait la majorité de ses agents.

Ce que l'on affirme ici, c'est que cette variété particulière et virulente d'antisémitisme raciste était, dans cette *conjoncture historique*, une cause suffisante non seulement de la décision des dirigeants nazis mais aussi de la participation volontaire de ceux qui allaient l'appliquer. Cela ne veut pas dire que d'autres facteurs (indépendants ou non de l'antisémitisme allemand dominant) n'auraient pas pu pousser des Allemands à tuer des Juifs, cela veut simplement dire que rien de tel ne s'est produit.

Sans aucun doute, certains des mécanismes identifiés par les explications traditionnelles ont joué, mais ils n'ont concerné que *quelques individus*. Sans aucun doute, quelques individus sont devenus des tueurs en dépit de leur opposition de principe à l'extermination. Après tout, tous les agents de l'Holocauste ne se sont pas vu offrir la possibilité de ne pas tuer, et tous ne servaient pas sous les ordres d'un commandant aussi plein de sollicitude que celui du 101e bataillon, « papa » Trapp. Il est également vraisemblable que des individus qui désapprouvaient l'entreprise, *dans un climat d'approbation générale*, ont, dociles aux pressions du groupe, commis des actes qu'ils considéraient comme des crimes, trouvant peut-être les rationalisations nécessaires à l'apaisement de leur conscience. On ne saurait écarter l'idée que certains individus, épargnés par l'antisémitisme virulent, ont pu être amenés à tuer par un calcul cynique qui faisait passer la perspective d'un avantage matériel ou autre avant la vie de ces victimes innocentes. Mais même si l'on peut supposer que la coercition, la pression psychologique du groupe, et un désir d'avancement personnel aient pu jouer parfois, il reste que ces facteurs ne sauraient expliquer, pour les raisons qu'on a dites, les actions des agents de l'Holocauste comme *classe*, dans *tout* ce qu'elles ont eu de divers, mais seulement certaines actions de certains individus qui pouvaient être amenés à tuer malgré leur désapprobation, ou d'autres qui avaient besoin d'une incitation supplémentaire, quelle que fût sa source, pour vaincre leurs hésitations. Ce qui est sûr, en tout cas, c'est qu'aucun de ces facteurs n'a pu influencer fondamentalement le cours général du génocide. Si ces facteurs non idéologiques particuliers (à supposer qu'ils aient joué) avaient été absents, l'Holocauste se serait malgré tout déroulé de la même façon. On soulignera que, du point de vue de l'analyse, ces facteurs n'ont guère d'importance : tous les Allemands ordinaires, représentatifs de la société allemande, qui n'étaient pas soumis à une coercition, qui n'avaient à attendre aucun avantage matériel ou avancement des tueries, qui formaient la majorité approbatrice capable d'exercer une pression sur certains individus récalcitrants, et qui ont néanmoins tué, tous ces Allemands ordinaires montrent que ces facteurs non idéologiques ne sont pas pertinents dans la perpétration de l'Holocauste [1]. L'antisémitisme raciste éliminationniste était la cause suffisante de la perpétration de l'Holocauste, il était une motivation d'une puissance suffisante pour amener des Allemands à tuer les Juifs de leur plein gré. En l'absence des autres facteurs, les agents de l'Holocauste auraient agi à peu près comme ils l'ont fait, dès lors que Hitler les avait mobilisés pour cette entreprise nationale.

Un autre point doit être affirmé avec la même force : l'antisémitisme allemand, en cette conjoncture historique, n'était pas seulement une cause suffisante, il était aussi une cause *nécessaire* pour que tant d'Allemands participent à la persécution et au massacre des Juifs, *et* qu'ils traitent les Juifs avec une telle cruauté et une telle absence de pitié. Si ces Allemands ordinaires n'avaient pas partagé les idéaux éliminationnistes de leurs dirigeants, alors ils auraient réagi, dès les années 30, face à cet assaut progressif contre leurs concitoyens et frères juifs en manifestant la même opposition, le même refus de coopérer que celui qu'ils ont montré quand leur gouvernement s'en est pris au christianisme ou a entrepris le programme baptisé Euthanasie. Comme on l'a déjà évoqué, notamment à propos de la politique religieuse, les nazis ont dû faire marche arrière quand ils se sont trouvés confrontés à une sérieuse opposition populaire un peu partout dans le pays. Si les nazis avaient eu en face d'eux une population allemande qui ne voyait dans les Juifs que des êtres humains comme les autres, qui considérait les Juifs allemands comme leurs frères et sœurs, difficile d'imaginer que les nazis auraient procédé ou auraient pu procéder à l'extermination des Juifs. Et s'ils avaient néanmoins trouvé un moyen d'aller de l'avant, il est extrêmement peu probable que l'assaut se serait déroulé de la même manière, et que les Allemands auraient tué tant de Juifs. La probabilité que les Allemands eussent pu, dans ces conditions, montrer tant de zèle et tant de cruauté est voisine de zéro. Une population allemande tout entière dressée contre l'élimination et l'extermination des Juifs aurait évidemment arrêté le bras de ses dirigeants.

D'une façon plus générale, on doit considérer que certaines formes de croyances déshumanisantes [2] à l'endroit d'autres hommes, ou le fait d'attribuer à d'autres hommes une très grande volonté de nuire, sont nécessaires et *peuvent* être suffisantes pour pousser des hommes à prendre part à l'extermination de ceux qu'ils ont ainsi déshumanisés, si on leur en donne la possibilité, si l'entreprise est coordonnée, et avant tout par l'État [3]. Pourtant, de telles croyances à elles seules ne sont pas suffisantes pour produire un génocide, car des facteurs inhibants peuvent jouer, code éthique ou sensibilité morale. Mais ces convictions sont les conditions qui permettent à un État de mobiliser de larges fractions de la population pour un génocide. Seule exception hypothétique à la nécessaire existence de telles croyances, le cas où un État peut exercer une coercition massive sur les citoyens appelés à devenir des tueurs. Mais même si cela peut indubitablement conduire des individus à tuer, il me semble peu vraisemblable que cela mène des dizaines de milliers de personnes à en tuer des centaines de milliers ou des millions d'autres sur plusieurs années. De plus, autant que je le sache, cela ne s'est jamais produit, ni au Cambodge, ni en Turquie, ni au Burundi, ni au Rwanda, ni en Union soviétique, pour ne citer que les pays où des génocides ont eu lieu au XXe siècle [4]. Les dirigeants nazis, comme d'autres instigateurs de génocides de par le monde, n'ont jamais exercé – et n'auraient vraisemblablement pas voulu exercer – une coercition aussi gigantesque que celle qui aurait été nécessaire pour amener des dizaines de milliers d'Allemands non antisémites à tuer des millions de Juifs. Les nazis savaient que les Allemands ordinaires partageaient leurs convictions et n'avaient nul besoin de coercition.

L'Holocauste aura été un événement *sui generis* qui relève d'une explication historique spécifique. Au cœur de cette explication spécifique, il y a les conditions créées par l'antisémitisme culturel, raciste et éliminationniste de l'Allemagne, longuement incubé, partout répandu, virulent, mobilisé par un régime criminel et son idéologie éliminationniste, systématisé et dynamisé par un dirigeant, Hitler, adoré de la grande majorité des Allemands et dont tout le monde savait avec quelle ardeur il s'était donné à ce programme éliminationniste. Dans l'Allemagne nazie, l'antisémitisme éliminationniste a été la motivation non seulement des dirigeants mais aussi des citoyens de base, motivation non seulement à tuer mais aussi à commettre d'autres violences qui font partie intégrante de l'Holocauste.

C'est précisément parce que l'antisémitisme, à lui seul, n'a pas produit l'Holocauste qu'il n'est pas important de cerner les différences entre l'antisémitisme des Allemands et celui des autres peuples [5]. Quelles que fussent les traditions antisémites dans d'autres pays d'Europe, l'Allemagne était le seul pays où un mouvement ouvertement et violemment antisémite était parvenu au pouvoir (mieux, avait été élu), et avait transformé son fantasme antisémite en génocide organisé par l'État. Le fait à lui seul assurait que l'antisémitisme allemand aurait des conséquences qualitativement différentes de celles de l'antisémitisme des autres pays, et il nourrit la thèse du *Sonderweg* (chemin séparé), qui veut que l'histoire allemande ait obéi à un cheminement distinct de celui des autres pays de l'Europe de l'Ouest. Aussi, quelles qu'aient pu être l'étendue et l'intensité de l'antisémitisme chez les Polonais ou les Français, pour ne prendre que ces deux exemples, leur antisémitisme n'est pas important pour *expliquer* le génocide allemand des Juifs : il peut contribuer à expliquer la façon dont les Polonais et les Français ont réagi devant l'assaut général mené par les Allemands contre les Juifs, mais ce n'est pas le problème qui nous occupe [6]. Pourtant, même si, à des fins explicatives, il n'est pas essentiel de placer l'antisémitisme allemand dans une perspective comparatiste, cela vaut quand même la peine de préciser que, nulle part en Europe, l'antisémitisme n'a su réunir en une combinaison unique *toutes* les composantes de l'antisémitisme allemand (et même qu'aucun pays n'a approché l'Allemagne sur *chaque* composante prise une à une). Nulle part ailleurs l'antisémitisme n'était répandu au point d'être devenu un axiome culturel, ni n'était aussi fermement raciste, nulle part il ne reposait sur une image aussi noire du Juif, considéré comme une menace mortelle pour le *Volk*, nulle part il n'était aussi meurtrier dans son contenu, nulle part il n'avait produit, même au XIXe siècle, des appels si fréquents et si publics à l'extermination des Juifs, expressions d'une logique éliminationniste dominante en Allemagne. La littérature antisémite allemande du XIXe et du XXe siècle n'a aucun équivalent ailleurs en quantité, en violence et en appels au meurtre : l'antisémitisme allemand était *sui generis*.

Il s'agit là une explication historiquement spécifique, ce qui ne l'empêche pas d'aider à la compréhension d'autres génocides, et de nous laisser deviner pourquoi il n'y en a pas eu davantage dans l'Histoire : sans doute, tout au long des siècles et jusqu'à nos jours, y a-t-il eu de violents conflits entre les groupes, mais pour qu'un groupe soit à la fois motivé à en exterminer un autre et en mesure de le faire, il faut que coexistent idéologie de génocide et possibilité de génocide. Dans la plupart des conflits en question, l'idéologie du génocide était absente, et quand elle était présente et poussait des groupes à en tuer d'autres, le *contenu* de cette idéologie, qui inclut toujours une certaine idée de la nature de l'ennemi, conduisait les bourreaux à traiter leurs victimes d'une manière qui différait notablement de cet assaut général, violent et meurtrier, mené par les Allemands contre les Juifs.

C'est parce que d'autres facteurs que l'antisémitisme exterminationniste gouvernaient les actes des Allemands que la nature de l'interaction entre les différentes influences, dont les contraintes stratégiques et matérielles, doit être expliquée. Comme je l'ai exposé ailleurs dans le détail, on peut mesurer cette interaction, au niveau politique, dans la façon dont les politiques éliminationnistes sont devenues des politiques exterminationnistes quand les circonstances et les contraintes ont permis d'envisager une « solution finale ».

Les *idéaux* éliminationnistes de Hitler et des autres dirigeants nazis avaient beau être constants, les *intentions* et les *politiques* antijuives ont connu trois phases [7], caractérisées chacune par la différence des conjonctures favorisant dans la pratique une « solution » de la « question juive ». Aussi bien pour les circonstances que pour les contraintes, cette différence tenait à la situation géostratégique de l'Allemagne, c'est-à-dire à sa situation au sein de l'Europe et à ses relations avec d'autres pays.

La première phase va de 1933 jusqu'au début de la guerre. Elle voit les Allemands mettre en œuvre une politique antijuive déjà radicale, destinée à transformer les Juifs allemands en êtres socialement morts, et à contraindre une grande partie d'entre eux à quitter leur foyer et à fuir leur pays. Pour ce faire, ils multipliaient les attaques verbales et procédaient sporadiquement à des violences physiques, ils privaient les Juifs de leurs droits de citoyen et des protections que garantit la loi, ils les excluaient progressivement de presque toutes les sphères de la vie sociale, économique et culturelle. En ces années 30, la majorité des Juifs d'Europe étaient en dehors de l'emprise allemande, ce qui rendait la « solution » du massacre général impraticable, et l'Allemagne, comparativement faible, était lancée dans une politique étrangère dangereuse, dans un réarmement préludant à la guerre : ces mesures étaient donc, à ce stade, les plus « finales » des solutions réalisables, les seules que la prudence commandait d'adopter.

La deuxième phase va de septembre 1939 au début de 1941. La conquête de la Pologne et de la France, la perspective d'une défaite de l'Angleterre (ou d'une paix avec elle) ouvraient sans doute de nouvelles possibilités aux Allemands, mais des contraintes fondamentales subsistaient. Ils étaient désormais les maîtres de plus de deux millions de Juifs européens, et non plus de quelques centaines de milliers, et pouvaient désormais caresser l'idée d'une « solution » plus efficace que celle qui avait été réalisable dans la seule Allemagne d'avant 1939. Néanmoins, tuer les Juifs n'était pas encore opportun, car un grand « vivier » juif était encore hors d'atteinte, celui de l'Union soviétique, et le pacte de non-agression avec l'URSS judéo-bolchevique, déjà difficile en soi, risquait de voler en éclats prématurément, au détriment des Allemands, s'ils avaient commencé l'extermination des Juifs sous l'œil des troupes soviétiques stationnées sur le sol de l'ancienne Pologne. Pourtant, pendant cette phase, les Allemands ont élaboré des plans plus apocalyptiques et commencé à les mettre en œuvre. Dès 1939, les Allemands avaient clairement annoncé que la vie des Juifs n'avait aucune valeur, que *tout*, au sens littéral, pouvait être fait contre eux. Ils avaient commencé à arracher les Juifs de Pologne à la vie économique de leur pays, à les enfermer dans des ghettos, où ils leur ménageaient des conditions de vie abominables, mortelles, et déjà de nombreux Juifs y mouraient de faim. La chasse aux Juifs était ouverte, ils étaient des *vogelfrei*, hors-la-loi. Déjà, des Allemands tuaient des Juifs au gré de leur caprice. Le terrain était ouvertement préparé pour l'extermination proprement dite, ou pour un destin voué à y aboutir.

La conjoncture devenant plus favorable, les nazis se mirent à envisager des « solutions » plus radicales, des équivalents non sanglants du génocide. Ils commencèrent à explorer la possibilité de déporter dans quelque territoire *ad hoc* ce fort contingent de Juifs européens désormais entre leurs mains, de les y enfermer et de les laisser s'éteindre. En novembre 1939, lors d'une réunion consacrée aux expulsions, les propos de Hans Frank, le gouverneur allemand de la Pologne, montraient que l'idée exterminationniste était déjà à l'œuvre dans ce plan de réinstallation : « Nous ne perdrons pas davantage de temps avec les Juifs. C'est une bonne chose que d'en finir enfin avec la race juive. Plus il en mourra, mieux ce sera[8]. » Au cours de cette deuxième phase, les Allemands s'attelèrent à celles des solutions radicales qui étaient à la fois réalisables et prudentes. La brutalité avec laquelle ils traitaient les Juifs tombés en leur pouvoir annonçait déjà le génocide. Mais cette solution éliminationniste de la déportation en masse se révélait chimérique (c'est d'ailleurs la seule des grandes initiatives prises par les Allemands contre les Juifs qui sera dans ce cas). Pour autant, les dirigeants nazis n'en étaient pas trop désappointés : si la conquête imminente de l'Union soviétique rendait l'opération irréalisable, elle leur ouvrait la possibilité d'une solution plus « finale », d'une solution sans appel.

La troisième phase commence avec la préparation de l'attaque contre l'URSS et l'invasion elle-même. C'est seulement à ce moment-là que la vision hallucinée des Allemands, tuer tous les Juifs possibles, est apparue comme une politique efficace et qui ne nuirait pas à l'Allemagne. C'est seulement alors qu'une « solution finale », le massacre systématique, est devenue faisable. C'est seulement à ce moment-là que les Allemands ont cessé d'être confrontés aux fortes contraintes politiques ou militaires qui les avaient jusque-là retenus. Il n'est donc pas surprenant que, immédiatement après le début de l'invasion, les Allemands aient commencé à mettre en œuvre la décision de Hitler, forgée depuis longtemps, d'exterminer tous les Juifs d'Europe. Tout au long de cette phase, si l'on excepte quelques tentatives tactiques d'utiliser les Juifs pour obtenir des concessions des Alliés, chaque mesure allemande à l'encontre des Juifs menait à leur mort, visait à hâter leur mort, ou, au mieux, à leur accorder un sursis [9]. En l'absence de toute contrainte logistique, sauf mineure, pour s'opposer à leur désir éliminationniste, la pulsion éliminationniste exigeant le massacre des Juifs avait désormais la priorité sur tout autre objectif. Et jusqu'au dernier jour de la guerre, au sens strict, à coup de fusillades et de marches forcées, l'entreprise suivrait son cours.

Le plus frappant dans la politique antijuive des Allemands est que, à chacune des trois phases, elle visait *l'option éliminationniste la plus réalisable* en fonction des circonstances favorables et des contraintes. Il est faux de penser qu'il y a eu une sorte de radicalisation *non programmée* de cette politique, née du fonctionnement de la bureaucratie ou de tout autre facteur [10]. La dimension et la virulence des agressions verbales commises contre les Juifs par leurs propres concitoyens sont sans parallèle dans l'histoire moderne, de même que la rapide mise en place d'une législation discriminatoire, tendant à les avilir et à les déshumaniser. La rapidité avec laquelle, dans l'Allemagne des années 30, ces citoyens prospères, relativement bien intégrés économiquement et culturellement, se virent privés de leurs droits et transformés en lépreux avec l'approbation d'une grande majorité de leurs concitoyens n'a pas non plus d'équivalent dans l'histoire moderne. Parce que nous savons, nous, qu'un génocide allait suivre, nous avons tendance à oublier à quel point le traitement infligé aux Juifs allemands dans les années 30 était déjà terrifiant. Toutes ces mesures, celles qui entendaient transformer en morts sociaux 500 000 personnes et les contraindre à émigrer, constituaient une politique d'un extrémisme sans équivalent en Europe depuis des siècles. Ceux qui soutiennent que la politique antijuive des Allemands ne s'est radicalisée que dans les années 40 minimisent ce qu'il y avait déjà de « radical » dans la politique antijuive des années 30 (et était considéré comme tel par les contemporains), ce qui les empêche de voir la continuité entre les trois phases.

La vérité, c'est que la politique antijuive des Allemands a suivi un développement logique, toujours issu de l'idéologie éliminationniste, au gré des différentes occasions favorables, que Hitler était trop heureux de pouvoir saisir, avec rapidité, avec avidité, pour en tirer tout le parti possible. Ce qui a retenu Hitler dans les deux premières phases, ce sont les limites pratiques de la capacité allemande à résoudre la « question juive », indépendamment de toute autre considération, et aussi des raisons de prudence, tenant à la situation militaire et géopolitique de l'Allemagne [11]. Le 25 octobre 1941, quelques mois après le début du génocide, Hitler se lançait, devant Himmler et Heydrich, dans un long rappel des faits, qui commençait par une référence à sa prophétie de janvier 1939 selon laquelle la guerre se terminerait sur l'élimination des Juifs, et dont ses deux interlocuteurs savaient déjà tout : face à de puissantes contraintes, il avait dû attendre le moment favorable à la poursuite de son idéal apocalyptique : « Je suis toujours obligé de garder pour moi énormément de choses ; mais ça ne veut pas dire que ce dont je prends note sans réagir immédiatement s'éteint en moi. En fait, c'est inscrit dans un registre, et, un jour, on l'ouvre. C'est la même chose à l'égard des Juifs : longtemps, j'ai dû rester inactif. Ce n'était vraiment pas la peine de se créer des problèmes supplémentaires : plus on est malin, mieux c'est[12]. » Hitler se présentait ici comme un homme politique prudent, qu'il avait d'ailleurs souvent été, prenant son temps, attendant le moment favorable pour frapper. Longtemps, il était resté « inactif » à l'égard des Juifs. Dans sa bouche, le mot « inactif » *(tatenlos)* voulait seulement dire : « Je m'abstiens de les exterminer », car, en huit ans, Hitler avait été très actif contre les Juifs : il les avait persécutés, il les avait dépouillés, il avait brûlé leurs synagogues, il les avait chassés d'Allemagne, il les avait enfermés dans des ghettos, il en avait même tué certains çà et là. Pour lui, toutes ces mesures équivalaient encore à de l'inaction, car elles étaient encore bien trop éloignées du seul acte qui était, à ses yeux, la réponse appropriée à la menace. L'acte final, patiemment attendu, la véritable « action », était l'anéantissement physique des Juifs[13].

La décision monumentale de Hitler, d'une portée historique universelle, d'exterminer les Juifs d'Europe, décision née de sa haine, n'était pas un accident historique, comme certains le prétendent, qui ne se serait produit que parce que d'autres solutions étaient fermées ou parce que son humeur était changeante. Hitler n'a jamais hésité devant le meurtre. Tuer, purger biologiquement, était sa méthode favorite pour résoudre les problèmes. Chez lui, c'était même un réflexe. Il avait fait massacrer ceux qui, au sein même de son mouvement, lui semblaient contester son autorité, il avait tué ses ennemis politiques, il avait tué les malades mentaux. Dès 1929, il avait publiquement caressé l'idée de tuer tous les enfants allemands présentant un défaut physique, et, dans un moment de mégalomanie meurtrière, il avait même donné le chiffre, extravagant, de 700 000 à 800 000 par an[14]. La peine de mort était évidemment ce qu'il fallait appliquer aux Juifs : une nation démoniaque ne mérite que la mort.

Il est même difficile d'imaginer comment, une fois lancée l'invasion de l'URSS, Hitler et les autres dirigeants nazis auraient pu s'arrêter à une autre « solution ». L'argument selon lequel seules les circonstances ont *donné* à Hitler et aux Allemands un *motif* pour préférer la solution du génocide a le grand tort d'ignorer que le Führer avait depuis longtemps l'intention d'exterminer les Juifs et qu'il l'avait exprimée. Cet argument implique également, à l'encontre des faits, que si ces prétendues circonstances ne s'étaient pas présentées (si les humeurs prétendument changeantes de Hitler n'avaient pas joué, si les Allemands avaient été en mesure de « réinstaller » des millions de Juifs), alors Hitler et les autres auraient préféré une autre « solution » et des millions de Juifs auraient survécu. Il n'y a absolument rien de plausible dans ce raisonnement[15]. Il aurait fallu que, pendant cette guerre de destruction totale *(Vernichtungskrieg)* proclamée comme telle, des circonstances obligent les Allemands à épargner leur « Antéchrist », le Juif, alors même que Hitler et Himmler se préparaient à déposséder de leur terre et à tuer des millions de Slaves (avant le lancement de l'invasion, Himmler avait une fois fixé le chiffre des morts slaves nécessaires à trente millions), pourtant bien moins menaçants à leurs yeux, pour créer l'« Eden germanique » en Europe de l'Est[16].

Le 25 janvier 1942, devant Himmler, Hans Lammers (le directeur de la chancellerie) et le général Kurt Zeitzler, Hitler affirmait que l'« extermination absolue » des Juifs était la bonne politique, et il ajoutait que ne pas le faire eût été manquer de bon sens : « Pourquoi devrais-je regarder un Juif avec d'autres yeux que s'il était un prisonnier de guerre russe ? Dans les camps de prisonniers, beaucoup [de Russes] meurent, parce que les Juifs nous ont amenés à cette situation. Qu'y puis-je ? Pourquoi les Juifs ont-ils fomenté cette guerre[17] ? » L'idée que Hitler et Himmler auraient préféré une solution autre que le génocide au moment même où ils déchaînaient leurs forces contre l'Union soviétique ne tient ni comme hypothèse ni devant les faits : une fois le programme d'extermination démarré, les Allemands chargés de le diriger et de le mettre en œuvre n'ont jamais évoqué une autre solution qui aurait été « préférable »[18], ils n'ont jamais dit, pour le regretter, que la « question juive » aurait pu être résolue par l'émigration ou la « réinstallation ». Tout montre, au contraire, qu'ils voyaient dans le génocide le moyen naturel et donc approprié de régler le problème dès lors que la solution était désormais envisageable dans la pratique.

L'idée que la mort, et la mort seule, était la juste punition des Juifs avait été publiquement exprimée par Hitler au début de sa carrière, le 13 août 1920, dans un discours entièrement consacré à l'antisémitisme, « Pourquoi nous sommes antisémites ». Au milieu de ce discours, l'obscur personnage qu'était alors Hitler se lança dans une digression sur la peine de mort et les raisons pour lesquelles on devait l'appliquer aux Juifs. Pour lui, les éléments sains de la nation savaient que « les criminels coupables de crimes contre la nation, c'est-à-dire les parasites de la communauté nationale », ne sauraient être tolérés, et que, dans certaines circonstances, la peine de mort est la seule punition qui convient, puisque l'incarcération n'est jamais définitive : « Le verrou le plus solide et la prison la plus sûre ne sont pas sûrs au point que *quelques millions* d'individus ne puissent finalement réussir à les ouvrir. Il n'y a qu'un seul verrou qui ne puisse pas être ouvert, et *c'est la mort* [c'est moi qui souligne][19]. » Sa langue n'avait pas fourché : cette idée et cette résolution étaient déjà bien ancrées dans son esprit.

A la fin de son discours, Hitler entama une discussion avec l'auditoire, occasion de préciser qu'il avait longuement réfléchi à la manière de résoudre la « question juive » : « Nous avons décidé que, le jour venu, nous n'arriverons pas avec des “si”, des “et”, ou des “mais” : quand la solution sera proche, il faudra aller jusqu'au bout[20]. » Dans son discours proprement dit, Hitler avait déclaré, avec une complète franchise, que, une fois parvenu au pouvoir, il ne redirait jamais en public, par prudence, ce qu'il entendait par « aller jusqu'au bout ». Il entendait par là la mise à mort de la totalité des Juifs, ou, comme il l'avait dit dans un autre discours, quelques mois plus tôt, « saisir le diable par la racine et l'exterminer complètement » : c'était la punition la plus juste et la plus efficace, la seule « solution » définitive. Un simple emprisonnement serait une peine trop douce pour des criminels d'une portée historique universelle, et serait du reste très dangereux, car les Juifs pourraient un jour sortir de leur prison et reprendre leurs maléfices. Sa conception démente des Juifs, sa haine dévorante et sa propension au meurtre l'empêchaient d'envisager durablement toute autre « solution » que l'extermination.

La route qui menait à Auschwitz ignorait les détours. Dans le rêve apocalyptique de Hitler, l'extermination était une urgence, même si elle était renvoyée à une date ultérieure, dans l'attente de conditions favorables. Dès qu'elles lui parurent réunies, il ordonna à ses ingénieurs en chef, Himmler et Heydrich, de reprendre ses plans encore vagues et de construire cette route. Et ceux-ci, à leur tour, n'eurent aucun mal à enrôler des dizaines de milliers d'Allemands ordinaires pour paver le chemin, avec un zèle immense, né de la haine pour ces Juifs qu'ils escortaient sur la route. Quand la route fut achevée, Hitler, ses ingénieurs et leurs assistants de bonne volonté virent le résultat avec satisfaction : jamais il ne leur vint à l'esprit que cette voie n'avait été choisie que parce que d'autres s'étaient révélées des culs-de-sac. Pour eux, c'était la meilleure route, la plus sûre, la plus rapide, la seule qui menait à une destination d'où les Juifs sataniques ne pourraient jamais revenir.

L'interaction entre toutes sortes d'influences, à tous les niveaux institutionnels, se retrouve, plus complexe encore que dans l'assaut général contre les Juifs, dans le cas du « travail » juif. Ici aussi, malgré de considérables obstacles matériels et contraintes (en l'occurrence, les besoins de la production), c'est la puissance de l'antisémitisme éliminationniste qui a poussé les Allemands à négliger toute autre considération, même si, à première vue, leur comportement est difficile à élucider.

Il n'y a aucun doute sur le fait que des besoins économiques objectifs sont à l'origine de la décision allemande d'utiliser les Juifs comme main-d'œuvre. Mais ce *besoin* rationnel n'a nullement débouché sur une *réponse* rationnelle des Allemands, et il ne faut jamais confondre les deux. La transcription de ce besoin dans les faits n'a pu s'effectuer que d'une façon détournée, incomplète, car elle entrait en conflit avec un impératif idéologique autrement plus puissant. La création d'une économie juive distincte, globalement séparée de l'économie générale, a eu pour conséquence une baisse énorme de la productivité juive, avec des résultats dommageables pour la santé économique d'une Allemagne en guerre. Les camps de Lublin sont particulièrement remarquables à cet égard, parce qu'ils ont été créés dans un contexte de mobilisation générale de la main-d'œuvre européenne, et après que Himmler avait donné l'ordre de mieux traiter les travailleurs étrangers. Les camps de Lublin montrent que les fondements idéologiques de l'Allemagne nazie la rendaient incapable de traiter convenablement la main-d'œuvre juive et de l'utiliser d'une façon rationnelle. Les fantasmes des Allemands à propos des Juifs *exigeaient* qu'ils fussent mis à part, retirés du système économique global auquel ils auraient dû être intégrés si l'Allemagne avait vraiment voulu utiliser leurs compétences, leur talent et leur force de travail d'une façon économiquement rationnelle. La politique qui consistait à faire venir en Allemagne des millions d'autres travailleurs, à la fois des Européens de l'Ouest et des « sous-hommes » de l'Est (avec pour conséquence que, en 1943, ils seront chaque mois plus de trente mille à échapper à leurs maîtres allemands[21]), ne pouvait pas être adoptée dans le cas des Juifs : laisser des groupes de Juifs vagabonder dans les campagnes allemandes était impensable pour les Allemands de l'époque. Les Juifs devaient être incarcérés en des lieux idoines, dans des colonies semblables à celles des lépreux, où la maladie et la mort régneraient. Les résultats économiques furent désastreux. De plus, cette économie juive était organisée et dirigée d'une façon absolument irrationnelle, et totalement improductive. Dans une Europe ravagée par la guerre, les Allemands avaient de grandes difficultés à doter ces étranges colonies de pestiférés, à la limite de l'humanité, des usines et des équipements nécessaires pour qu'elles produisent. Et cette politique partait en morceaux quand les Allemands décidaient, pour des raisons non économiques, de tuer certains de ces Juifs. En ce domaine, politique d'extermination et comportement « social » des Allemands dans les camps marchaient main dans la main vers le même but. Les impératifs politico-idéologiques qui demandaient de séparer les Juifs des Allemands, de punir les Juifs et de les tuer, associés aux nombreuses formes de violences et de meurtres que les « contremaîtres » allemands infligeaient à leurs « travailleurs » juifs dans le face-à-face du camp, interdisaient aux Allemands d'atteindre leurs objectifs économiques. Ces objectifs existaient bel et bien, mais les Allemands étaient idéologiquement et psychologiquement incapables de les poursuivre. S'ils avaient utilisé tous les Juifs en leur pouvoir comme des esclaves, ce qui aurait pu facilement être fait, ils en auraient retiré un grand profit économique. Mais ils ne l'ont pas fait. Ils étaient comme des propriétaires d'esclaves qui, possédés par de folles illusions, tueraient la plupart de leurs esclaves et traiteraient le faible pourcentage de ceux qu'ils mettraient au travail avec une telle cruauté qu'ils ruineraient leur capacité à travailler.

Irrationalité économique, cruauté, conditions de vie meurtrières étaient au cœur de l'organisation des institutions de « travail » juif, au cœur de leurs installations matérielles, au cœur de la psychologie de ceux qui les encadraient (dont les surveillants). Les historiens qui soutiennent que l'extermination avait une priorité politique sur l'économie n'ont que partiellement raison. Ils font comme si les dirigeants avaient volontairement choisi entre deux politiques [22] alors que la vérité est celle-ci : l'Allemagne nazie a avancé sur un chemin qui, selon la logique de ses croyances antisémites, l'a rendue généralement *incapable* (dès 1941, peut-être, et à coup sûr en 1943) d'utiliser rationnellement le travail des Juifs, sauf de temps en temps et localement. Les Allemands étaient à ce point prisonniers des implications barbares de leur idéologie que, même quand ils cherchaient à faire travailler les Juifs, au sens commun du terme dans la langue et l'économie, ils n'y réussissaient pas, n'aboutissant au mieux qu'à quelques approximations boiteuses. La capacité de l'antisémitisme allemand à faire dérailler la rationalité économique, là où elle est le plus constamment recherchée, c'est-à-dire dans la société industrielle (alors que, dans le cas des non-Juifs, tout était organisé d'une façon très rationnelle), démontre qu'à l'égard des Juifs l'idéologie des Allemands ne leur donnait pour s'orienter qu'une carte étrange, menant dans des directions qu'ils auraient eux-mêmes considérées comme fausses, périlleuses (contraires à la réalité et à la rationalité) dans le cas d'autres peuples que les Juifs [23].

L'antisémitisme opérait en liaison avec d'autres facteurs non seulement en ce qui concernait l'élaboration des politiques et les pratiques des institutions, mais aussi, parfois, au niveau des individus : si l'antisémitisme suffisait à motiver les agents de l'Holocauste, il ne produisait pas partout les mêmes pratiques uniformes ; tout naturellement, d'autres facteurs tenant aux croyances et à la personnalité jouaient, et l'action individuelle avait ses variantes. Le degré d'enthousiasme que les Allemands manifestaient dans leur manière de traiter les Juifs était variable, comme leur degré de cruauté, en raison des différences tenant à leur niveau d'inhibition, à leur caractère, et, dans le cas de la cruauté, à leur goût de la barbarie, au plaisir pris à faire souffrir les Juifs, au sadisme. Dans le 101ᵉ bataillon de police, les hommes ont le plus souvent accompli leur tâche éliminationniste volontairement et avec compétence, mais, comme le disait l'un des lieutenants, parfaitement conscient de la bonne qualité globale des performances de ses hommes, certains d'entre eux « s'étaient particulièrement distingués dans leurs missions ; et c'était également vrai pour les opérations juives [24] ». Ainsi, même en tenant compte de la haute qualité générale des prestations du 101ᵉ bataillon, on pouvait dire que certains s'étaient vraiment distingués. De la même façon, presque tous les Allemands des camps de concentration brutalisaient les Juifs, mais certains les brutalisaient plus fréquemment, plus vigoureusement ou plus inventivement que les autres. Dans un contexte de cruauté universelle, ces variations ne sont qu'une nuance, et elles ne doivent être expliquées qu'à ce titre. Il n'est pas non plus surprenant que si peu d'entre eux aient refusé de tuer des Juifs ou de les brutaliser. En Allemagne, certains n'étaient pas d'accord avec les idées dominantes à propos des Juifs, et d'autres, même s'ils partageaient ces conceptions antisémites, continuaient quand même à avoir des inhibitions morales, plus fortes que les nouvelles normes désinhibitrices du régime. Ce sont ces modèles cognitifs minoritaires qui ont donné à certains Allemands (un très faible pourcentage de la population totale) le courage de cacher des Juifs[25] en Allemagne, et, qui sur les champs de tuerie, les ont rendus réticents devant le génocide. Les possibilités de dispense offertes ont permis à ces gens-là d'agir selon leur conscience. D'où le *petit nombre* des objecteurs.

Ces Allemands que l'antisémitisme racial, dans sa virulence, poussait à faire avancer le programme éliminationniste à tous les niveaux (« macro », « méso » et « micro ») étaient néanmoins soumis à plusieurs contraintes, les unes externes, les autres nées de la concurrence de différents objectifs. On peut le dire aussi bien de Hitler que du simple gardien dans un camp de « travail ». Malgré tout, cet antisémitisme était assez puissant pour lancer Hitler et la nation allemande dans leur course à l'extermination ; il était assez puissant pour triompher de la rationalité économique, pour faire naître chez tant de gens un tel volontarisme individuel, un tel zèle, une telle cruauté. L'antisémitisme éliminationniste, avec sa force d'ouragan, était inscrit au cœur de la culture politique allemande, au cœur de la société allemande elle-même.

La « question juive » bénéficiait d'une forte priorité politique, et on en parlait sans cesse dans la sphère publique : il ne fait donc pas de doute que les Allemands comprenaient parfaitement l'objectif et le radicalisme des mesures antijuives prises sous leurs yeux dans les années 30. Comment le contraire aurait-il été possible ? « Les Juifs sont notre malheur[26] » se criait sur tous les toits en Allemagne. « Mort aux Juifs », qui n'était pas une hyperbole rhétorique, s'entendait partout, se lisait partout dans l'Allemagne des années 30. Les auteurs de l'Holocauste, de Hitler au plus petit fonctionnaire, étalaient ouvertement leur fierté devant leurs actes, leur réussite. Dans les années 30, ils le proclamaient aux yeux de tous, et tout le *Volk* approuvait.

S'il n'est pas vrai que les Allemands ordinaires pensaient, avec Melita Maschmann, que les Juifs étaient une « force démoniaque en action », dont la malfaisance « était dirigée contre la prospérité, l'unité et le prestige de la nation allemande », s'il n'est pas vrai qu'ils partageaient son horreur des Juifs et sa vision démonologique de leurs pouvoirs, alors que croyaient-ils ? Croyaient-ils que les Juifs étaient des êtres humains ordinaires, distincts par leur seule religion ? Croyaient-ils que, même si les Juifs avaient des défauts répréhensibles, il n'y avait rien chez eux qui ressemblât, même de loin, à cette malfaisance dont leur Hitler bien-aimé et les nazis ne cessaient de parler, sur le mode le plus sonore, comme s'il s'agissait d'un article de foi ? Voyaient-ils dans les Juifs les victimes innocentes d'un régime adonné au mensonge ? S'il est faux de dire que les Allemands étaient d'accord avec la conception que Hitler avait des Juifs, avec sa vision de leur puissance maléfique vouée à la destruction du *Volk* allemand, et s'ils avaient donc une conception plus bienveillante des Juifs, où en sont les preuves ? La Gestapo et ses informateurs poursuivaient tous ceux qui exprimaient un désaccord sur l'antisémitisme nazi avec un zèle qui a conduit les meilleurs experts de la Gestapo à conclure qu'aucun cas n'échappait à sa vigilance. Et pourtant, en Basse-Franconie (840 663 habitants en 1939), une région qui, plus que les autres, a largement manifesté son désaccord avec de nombreux aspects de la politique des nazis (et notamment sur le traitement des étrangers), il n'y a eu, en *douze ans* de régime nazi, que 52 cas, 4 par an, enregistrés par la Gestapo ! Dans la région de Munich, bien plus peuplée, de 1933 à 1944, il n'y a eu que 70 personnes inculpées pour remarques critiques à l'encontre du projet éliminationniste ; le nombre des remarques en question était « presque insignifiant »[27].

A aucun moment, sous le nazisme, on n'aura vu des fractions significatives du peuple allemand, voire des minorités identifiables, dire qu'elles récusaient les idées dominantes sur la nature des Juifs, ni faire savoir qu'elles rejetaient, au nom d'un principe, les objectifs et mesures éliminationnistes du gouvernement allemand et de tant d'Allemands avec lui. Après la guerre, bien des Allemands et bien des historiens ont prétendu le contraire, mais sans apporter de vraies preuves.

Combien d'ecclésiastiques allemands des années 30 étaient-ils convaincus que les Juifs n'étaient pas malfaisants ? Et quand on prétend qu'un nombre important d'entre eux rejetaient la vision éliminationniste, où sont les *preuves* ?

Combien y avait-il de généraux allemands, gardiens supposés de l'honneur allemand, de la rectitude morale allemande, à ne pas souhaiter une Allemagne vidée de ses Juifs ? Le 25 janvier 1944, Himmler parla de l'extermination des Juifs devant une bonne partie de la haute hiérarchie militaire (trois cents généraux et officiers d'état-major réunis à Posen), déjà au courant du génocide, puisqu'à cette date les Allemands avaient déjà tué des millions de Juifs et que les chefs militaires opérant en URSS avaient apporté leur pleine contribution à l'entreprise. Himmler, qui connaissait bien ces généraux (lesquels, comme l'attestent nombre de documents irréfutables, étaient « fondamentalement d'accord » avec l'extermination des Juifs[28]), en parla ouvertement, comme on le fait devant un auditoire que l'on sait convaincu. Et même, quand il annonça que l'Allemagne était en train de supprimer tous les Juifs de la surface de la terre, ces chefs militaires se mirent à applaudir d'un même mouvement. Un général, qui n'approuvait pas le génocide, compta les abstentions : il n'y en eut que cinq[29].

Où sont les preuves montrant que ces militaires, et leurs concitoyens, voyaient dans les Juifs des citoyens allemands dignes de bénéficier de tous les droits ? Même chez ceux qui haïssaient les nazis et complotaient de tuer Hitler, nombreux étaient les antisémites éliminationnistes.

Combien de juristes, combien de membres du corps médical, combien de membres des professions libérales considéraient-ils que l'antisémitisme général de la société allemande, publiquement exprimé, avec son contenu halluciné, n'était que folie ? Où sont les preuves ?

Combien de membres du parti nazi (plus de huit millions d'individus) et combien d'Allemands ordinaires pensaient que l'antisémitisme obsessionnel de Hitler n'était que délire d'un fou – que Hitler était donc fou –, que les mesures éliminationnistes et les agressions sociales contre les Juifs étaient criminelles, que toutes ces mesures auraient dû être annulées et que les Juifs devaient retrouver leur statut antérieur en Allemagne ? Où sont les preuves ?

Bien entendu, les ecclésiastiques, généraux, juristes et autres ne voulaient pas tous l'extermination des Juifs. Certains étaient partisans de les déporter au loin, quelques-uns de les stériliser et d'autres se seraient « contentés » de priver les Juifs de leurs droits fondamentaux. Mais derrière toutes ces idées, il y avait un idéal éliminationniste. Où sont les preuves du contraire ?

La déclaration d'un homme bien seul, le pasteur Walter Höchstädter, qui, en été 1944, était aumônier dans un hôpital militaire en France, jette une forte lumière sur la puissante emprise du modèle cognitif antisémite en Allemagne, et sur ceux qui ne s'opposaient qu'à certains aspects du programme éliminationniste. Cette déclaration, Höchstädter l'avait faite imprimer secrètement et en avait envoyé mille exemplaires à des soldats du front par la poste aux armées :

> Nous vivons à une époque aussi pleine d'idées folles et de démons que le Moyen Age. Ce n'est pas à une orgie de chasse aux sorcières que se laisse aller notre époque prétendument « éclairée », c'est à une orgie de haine maladive contre les Juifs. Aujourd'hui, la folie de la haine des Juifs, qui avait déjà fait d'effrayants ravages au Moyen Age, est entrée dans sa phase aiguë. Et cela, l'Église, la communauté de Jésus, doit le savoir. Si elle ne le comprend pas, alors elle aura failli à sa mission, comme à l'époque de la chasse aux sorcières. Aujourd'hui, le cri de millions de Juifs massacrés, hommes, femmes et enfants, se fait entendre jusqu'au ciel. L'Église n'a pas le droit de rester muette. Elle n'a pas le droit de dire que le règlement de la question juive relève de l'État, à qui le droit d'agir a été reconnu par la XIIIe épître aux Romains. L'Église n'a pas non plus le droit de dire que, de nos jours, les Juifs sont justement punis de leurs péchés [...] Un antisémitisme chrétien modéré n'est pas admissible, même quand il s'appuie sur des raisonnements apparemment convaincants (ceux qui parlent de la nation, par exemple) ou sur des arguments scientifiques (en fait, pseudo-scientifiques). La fureur déchaînée jadis contre les sorcières était elle aussi justifiée scientifiquement par les théologiens, les juristes et les médecins. La lutte contre les Juifs a la même source impure que jadis la chasse aux sorcières. L'humanité

contemporaine n'a toujours pas surmonté sa propension à chercher un « bouc émissaire », et elle est donc toujours à la recherche de coupables, Juifs, francs-maçons, pouvoirs supra-nationaux. Tel est l'arrière-plan des hymnes de haine de notre temps.
[...] Qui nous donne le droit de rejeter le blâme sur les seuls Juifs ? Un chrétien n'a pas le droit de le faire. Un chrétien n'a pas le droit d'être antisémite, il n'a pas le droit d'être un antisémite modéré. L'objection selon laquelle, sans la réaction [défensive] de l'antisémitisme « modéré », l'enjuivement de la vie du *Volk [Verjudung des Volkslebens]* serait une terrible menace a son origine dans une conception qui n'a rien à voir avec la foi, qui est purement profane, et des chrétiens doivent la combattre.
[...] L'Église doit vivre d'amour. Malheur à elle si elle ne le fait pas ! Malheur à elle si, par son silence et par toutes sortes d'excuses douteuses, elle partage la culpabilité de l'explosion de haine du monde ! Malheur à elle si elle fait siens des mots et des slogans qui sont nés dans la sphère de la haine... [30].

Dans les annales de l'Allemagne nazie, cette lettre de Höchstädter, qui rejette explicitement et complètement le modèle antisémite éliminationniste, tranche par sa rareté et sa lumière. Presque toutes les (rares) protestations ou pétitions allemandes déplorant ou condamnant la façon dont l'Allemagne traitait les Juifs étaient elles-mêmes teintées d'antisémitisme, d'un antisémitisme irrationnel dans ses croyances et violent dans ses propositions pratiques, même s'il peut sembler modéré comparé aux versions meurtrières des nazis et des Allemands ordinaires qui les épaulaient. Presque tous ceux qui trouvaient à redire à la violence physique contre les Juifs considéraient comme allant de soi l'existence d'une « question juive », l'idée que les Juifs étaient une tribu malfaisante qui avait fait du mal à l'Allemagne, et qu'une « solution » devait être trouvée pour réduire leur présence destructrice et éliminer leur influence. Ceux-là voulaient en finir avec la prétendue puissance des Juifs, les exclure de bien des sphères de la vie sociale, les empêcher de servir dans la fonction publique, et leur imposer d'autres restrictions qui les rendraient incapables de nuire aux Allemands. L'antisémitisme devait être « décent », « modéré », « spirituel », « éthique », « salutaire », comme il convient à un pays civilisé. L'évêque de Linz, Johannes Maria Gfoellner, dans une lettre pastorale de 1933, exhortait les nazis en ces termes : « Si le national-socialisme [...] veut incorporer à son programme les seules formes éthiques et spirituelles de l'antisémitisme, rien ne doit l'arrêter [31]. » « Soyez des antisémites décents, modérés, spirituels, éthiques, éliminez les Juifs, mais ne les massacrez pas » était la maxime, formulée ou non, qui gouvernait le plus souvent les rares objections faites en Allemagne au massacre systématique des Juifs.

L'obscur pasteur Höchstädter était épouvanté par cette forme de « modération ». Pour lui, la persécution des Juifs par les Allemands avait la même origine psychiquement trouble que les chasses aux sorcières d'antan. Les accusations que les Allemands portaient contre les Juifs, dans l'Église ou hors de l'Église, étaient des illusions d'esprits hallucinés. Höchstädter rejetait avec la plus grande vigueur l'idée d'un antisémitisme modéré et salutaire qui circulait dans l'Église et dans certains cercles antinazis. Ce qu'il disait, avec une simplicité et une clarté rares dans l'Allemagne nazie, c'est que toute forme d'antisémitisme était radicalement mauvaise, qu'elle n'était qu'un tissu de mensonges haineux. C'est ce qui fait l'extrême rareté de son appel. Je ne connais que très peu d'autres déclarations d'opposants au nazisme qui aient condamné les croyances antisémites, générales en Allemagne, comme dépourvues de toute vérité, comme autant d'obsessions folles, monstrueuses, de la manière dont Höchstädter l'a fait dans sa lettre si chargée d'angoisse. Il adjurait le clergé de reprendre ses esprits, de s'arracher à ses illusions, de rompre son silence face à ce massacre de millions de Juifs. Il avait intitulé son appel : « Donc, abstiens-toi de l'ivresse. »

Comme il est exempt d'ivresse, comme il est « anormal », comme il est désespéré ce cri du cœur de Höchstädter, quand on le compare aux déclarations antisémites de tant d'évêques et autres grandes figures des Églises, celle de Martin Niemöller, le célèbre pasteur antinazi, pour qui les Juifs empoisonnaient tout ce qu'ils touchaient ; celle de l'évêque Dibelius, qui espérait que le faible taux de fécondité de la communauté juive aurait pour effet de libérer l'Allemagne de sa nocive présence ; celle de l'évêque Wurm, affirmant qu'il ne dirait pas un « seul mot » pour contester à l'État le droit de combattre la juiverie, cet élément dangereux qui corrompt « les sphères de la religion, de la morale, de la littérature, de l'économie et de la politique » [32] ; celle de l'évêque Auguste Marahrens (faite en août 1945, quand il s'accusait de n'avoir jamais rien dit en faveur des Juifs) pour qui, même si de nombreux Juifs avaient été un « grand désastre » *(ein schweres Unheil)* pour le peuple allemand, ils n'auraient pas dû être traités « d'une manière aussi inhumaine » [33]. Cet évêque et bien d'autres étaient à ce point drogués d'antisémitisme « éthique » que, même après la guerre, ce bon pasteur semblait considérer qu'une forme plus humaine de châtiment aurait suffi. Particulièrement éclairant est le contraste entre la lettre de Höchstädter et les déclarations collectives des chefs des Églises évangéliques de Mecklembourg, Thuringe, Saxe, Hesse-Nassau, Schleswig-Holstein, Anhalt et Lubeck réclamant que tous les Juifs convertis soient chassés des églises, que les « mesures les plus sévères soient adoptées contre les Juifs » et qu'ils soient « bannis des terres allemandes » [34]. Étant donné que le massacre des Juifs soviétiques avait déjà commencé, cette déclaration est un document unique dans l'histoire du christianisme, un imprimatur donné au génocide. Même si ces grands serviteurs de Dieu n'avaient pas su que les déportés étaient voués à la mort (ce qui est peu vraisemblable puisque le massacre était déjà largement connu, y compris des Églises), leur proclamation serait un document rare et peut-être unique dans l'histoire des Églises chrétiennes modernes : un appel émanant de hauts ecclésiastiques, adressé à un État tyrannique, violent, lui enjoignant de traiter un peuple entier avec une violence encore plus grande, et ne pas s'arrêter à des demi-mesures. Car ces hommes d'Église ne se contentaient pas d'acquiescer à la persécution des Juifs : de leur propre initiative, ils adjuraient leur gouvernement de prendre non pas seulement des « mesures sévères » mais « les mesures les plus sévères », par quoi ils ne pouvaient entendre que des mesures encore plus sévères que celles auxquelles les Juifs avaient déjà été soumis, des mesures propres à accroître encore leur dégradation et leurs souffrances. Ces propos officiels d'une partie importante de la haute hiérarchie protestante allemande étaient à peine distincts de ceux des nazis. C'est cette attitude ecclésiastique que visait Höchstädter en lançant son avertissement : « Malheur à elle [l'Église] si elle fait siens des mots et des slogans qui sont nés dans la sphère de la haine[35]. »

Aux yeux de la postérité, confrontée aux ténèbres recouvrant l'Allemagne nazie, la lettre de Höchstädter, rappelant *Le Marchand de Venise*, est comme un trait de lumière : « Que ce petit flambeau lance loin ses rayons/Ainsi luit l'acte bon dans un monde méchant[36]. » Au milieu de cette immense obscurité qui s'était abattue sur l'Allemagne, enveloppant les Églises elles-mêmes, l'appel de Höchstädter était comme une fragile petite flamme de raison et d'humanité, allumée en secret dans un coin de la France occupée, tremblotante, invisible.

Le caractère isolé du désaccord de principe de Höchstädter montre à quel point il est important pour nous de nous pencher sur les Églises chrétiennes quand nous cherchons à comprendre la nature de l'antisémitisme dans l'Allemagne nazie. Les Églises et leur clergé nous en apprennent beaucoup sur ce sujet, parce qu'elles représentaient un vaste réseau d'institutions non nazies, et parce que nous disposons de nombreux documents sur leur attitude à l'égard des Juifs pendant la persécution et le génocide. De plus, les doctrines morales chrétiennes et leurs traditions complexes à l'endroit des Juifs rendent ces documents particulièrement révélateurs.

Les Églises chrétiennes étaient porteuses d'une très ancienne animosité contre les Juifs, considérés comme un peuple coupable, non seulement de rejeter la divinité du Christ mais de l'avoir crucifié. Ces mêmes Églises se considéraient par ailleurs comme investies par Dieu d'une mission : prêcher et pratiquer la compassion, encourager l'amour du prochain, atténuer la souffrance, condamner le crime, la cruauté et le massacre de masse. Pour toutes ces raisons, l'attitude des Églises peut être considérée comme une pierre de touche quand on cherche à évaluer la profondeur de l'antisémitisme allemand, son omniprésence dans la société. Que les ecclésiastiques – dont la mission était de prêcher l'amour du prochain et d'être les gardiens de la compassion, de la pitié, de la morale – aient accepté, approuvé ou appuyé l'élimination des Juifs de la société allemande est une nouvelle preuve, et particulièrement convaincante, de l'omniprésence de l'antisémitisme dans cette société, un antisémitisme assez puissant non seulement pour tarir le flot naturel de la pitié mais aussi pour triompher des impératifs moraux du credo chrétien qui commande de prendre la défense des victimes. Comme l'ont montré les historiens des Églises allemandes, il est incontestable que l'antisémitisme avait réussi à retourner la communauté chrétienne, ses chefs, son clergé, ses fidèles, contre ses enseignements les plus fondamentaux. L'éminent historien de l'Église protestante allemande de la période, Wolfgang Gerlach, a donné comme titre à son livre « Quand les témoins étaient muets ». De même, Guenther Lewy termine son étude sur l'Église catholique allemande et la « question juive » (l'attitude de la hiérarchie catholique devant l'entreprise éliminationniste était à peine plus critique que celle de la hiérarchie protestante), en citant la question posée par une petite fille à son curé dans la pièce de Max Frisch, *Andorra* : « Où étiez-vous, père Benoît, quand ils se sont emparés de notre frère comme d'une bête promise à l'abattoir, comme d'une bête promise à l'abattoir, où étiez-vous [37] ? »

Les Églises ont bien accueilli l'arrivée au pouvoir des nazis, car elles étaient profondément conservatrices : comme toutes les autres institutions conservatrices allemandes, elles attendaient des nazis qu'ils arrachent l'Allemagne à ce qu'elles considéraient comme un bourbier politique et spirituel, la république de Weimar, avec sa culture de la licence, son désordre « démocratique », ses puissants partis socialiste et communiste qui prêchaient l'athéisme et menaçaient le pouvoir et l'influence des Églises. Les Églises espéraient que les nazis institueraient un régime autoritaire qui saurait renouer avec les vertus oubliées de l'obéissance aveugle, de la soumission à l'autorité, restaurer les valeurs morales traditionnelles et contraindre à y adhérer. Pour autant, le parti nazi n'était pas entièrement sans péché aux yeux des Églises chrétiennes, et même, il avait de dangereux penchants : certains de ses idéologues étaient ouvertement antichrétiens, d'autres se faisaient les prophètes d'un paganisme germanique très nébuleux, et l'adhésion au christianisme ne figurait dans son programme qu'en termes vagues et bizarres. Ces aspects inquiétants du nazisme, les Églises avaient tendance à les interpréter avec le même optimisme que celui manifesté par bien d'autres secteurs de l'opinion allemande, qui accueillaient le nazisme avec joie tout en désapprouvant certains de ses traits. On préférait y voir des excroissances provisoires sur le corps du parti, que Hitler, dans sa sagesse et sa bienveillance envers la religion, saurait vite supprimer comme tant d'autres excroissances étrangères.

Le féroce antisémitisme des nazis n'était pas, aux yeux des Églises, un de ses aspects inquiétants. Bien au contraire : elles l'approuvaient, car elles étaient elles-mêmes antisémites. Elles aussi croyaient qu'il était nécessaire de réduire, voire d'éliminer, le prétendu pouvoir des Juifs. Pendant des décennies, presque toutes les opinions, déclarations et jugements sur les Juifs proférés par des ecclésiastiques allemands de tout rang avaient été gouvernés par une profonde hostilité envers eux. Pour l'essentiel, cette hostilité était dictée par des raisons non religieuses : elle était un écho de la haine temporelle du Juif qui régnait dans la société allemande. Elle n'avait pas seulement sa source dans la théologie, elle n'était pas une nouvelle expression de la très ancienne condamnation des Juifs comme peuple coupable d'avoir crucifié Jésus, et d'avoir méprisé avec arrogance la révélation chrétienne : ces anciennes accusations étaient éclipsées par l'accusation moderne qui voyait dans les Juifs la principale force à l'ouvrage dans l'incessant assaut de la modernité contre les valeurs traditionnelles. On tenait les Juifs pour les promoteurs d'un nouveau culte de Mammon, du « capitalisme sans âme », du matérialisme, du libéralisme, et, surtout, de ce scepticisme iconoclaste qui était considéré comme la plaie des Temps modernes. Influencés par l'antisémitisme profane du siècle, ces chrétiens « modernes » ne disaient plus que la malfaisance des Juifs tenait à leur religion : elle venait de leur instinct de race, d'une énergie destructive innée et immuable qui les poussait à agir comme de mauvaises herbes dans un jardin florissant. Ainsi, même dans les Églises chrétiennes, l'antisémitisme raciste était-il venu recouvrir l'hostilité religieuse traditionnelle. La dénonciation des Juifs par les gens d'Église se confondait presque avec celle des antisémites laïcs. Cela était tout particulièrement vrai dans les milieux protestants, où cet antisémitisme sévissait particulièrement. Une publication de l'Église protestante intitulée, avec une ironie involontaire, « Vie et Lumière », était ainsi décrite par un observateur contemporain : « On ne cesse d'y représenter le Juif comme un corps étranger dont le peuple allemand doit se débarrasser, un adversaire dangereux contre lequel on doit lutter jusqu'à la dernière extrémité [38]. » Même un pasteur qui prêchait la modération dans la manière de parler des Juifs et de les traiter n'en partageait pas moins l'opinion commune sur leur mortelle malfaisance : « Ceci est indiscutable : les Juifs sont devenus pour nous un fléau national dont nous devons nous protéger [39]. »

C'était « indiscutable », et d'ailleurs rarement discuté. Ces sentiments antisémites n'étaient pas le fait d'une seule minorité au sein des Églises protestantes, ils étaient presque universels. Rares étaient les dissonances. Mettre en question ces idées demandait un courage intellectuel certain. Qui se risquerait à incarner le rôle ingrat de défenseur de cette race détestable dont la nature maléfique était une vérité allant de soi ? Un ecclésiastique dira dans ses Mémoires que l'antisémitisme était si répandu dans le clergé que « personne ne pouvait risquer une objection explicite [40] ».

Tout au long de la période nazie, alors que le gouvernement et le peuple allemands soumettaient les Juifs allemands et ceux des territoires conquis à des persécutions de plus en plus sévères, culminant dans leur extermination physique, les Églises protestantes et catholique, leurs instances dirigeantes, leurs évêques et la plupart de leurs théologiens restèrent silencieux devant les souffrances infligées aux Juifs. Aucune expression publique de compassion, aucune condamnation publique ou protestation n'est jamais venue du haut clergé. Seuls, au bas de l'échelle, quelques pasteurs et prêtres ont exprimé, ou plutôt crié dans le désert, leur compassion pour les Juifs et leur amertume devant le silence des autorités ecclésiastiques. De tous les évêques protestants d'Allemagne, un seul, l'évêque Wurm, écrivit à Hitler une lettre confidentielle pour protester contre le massacre des Juifs. Les autres évêques restèrent aussi passifs en privé qu'en public, et l'un d'eux, Martin Sasse, évêque de Thuringe, publia même une brochure violemment antisémite qui justifiait explicitement les incendies de synagogues et les brutalités à grande échelle contre les Juifs.

En résumé, face à la persécution et à l'extermination des Juifs, les Églises en tant qu'institutions, catholique et protestantes, ont fait preuve d'une passivité patente, stupéfiante ; de plus, dans leur clergé, à tous les niveaux, nombreux étaient ceux qui vilipendaient les Juifs en termes nazis, hurlant leurs imprécations et applaudissant à la persécution lancée par le gouvernement de leur pays. Aucun historien sérieux ne peut contester le verdict prononcé par le théologien antinazi Karl Barth en 1935 dans la lettre annonçant qu'il quittait l'Allemagne : « A l'égard des millions de gens qui souffrent injustement, l'Église confessante n'a pas encore montré de cœur [41]. » A quoi l'on peut ajouter qu'elle n'en montrera pas pendant toute la période nazie.

La passivité et le silence officiel des Églises protestantes et catholique n'en font que mieux ressortir les quelques protestations dispersées, ardentes, mais à peine audibles et sans résultat, émanant de quelques figures isolées. De toutes ces protestations contre le silence des Églises, la plus vibrante, la plus nette, la plus précise et la plus dure est due à une obscure employée du service d'aide sociale évangélique du district de Berlin-Zehlendorf, Marga Meusel. Il s'agissait d'une longue note préparée pour le synode de l'Église confessante qui devait se réunir à Steglitz du 26 au 29 septembre 1935. Marga Meusel compléta ensuite cette note, après la promulgation des lois de Nuremberg, et lui donna sa forme définitive le 8 mai 1936. Le texte évoquait en termes très clairs la manière dont les Juifs étaient persécutés, donnait des exemples des outrages, des tourments, des brutalités que leur infligeaient les Allemands. Marga Meusel soulignait que même les enfants allemands, élevés dans l'antisémitisme, se comportaient mal avec les Juifs : « Ce sont des enfants chrétiens qui agissent ainsi, et ceux qui laissent faire sont des parents, des enseignants et des ecclésiastiques chrétiens. » Selon elle, « il n'était pas exagéré de soutenir qu'il y avait là une tentative d'anéantir les Juifs ». Et devant ces débordements de haine et ces immenses souffrances, l'Église confessante restait passive et muette : « Que faut-il répondre à ces questions amères et désespérées qui accusent. Pourquoi l'Église ne fait-elle rien ? Pourquoi laisse-t-elle cette injustice inqualifiable se produire ? » Et de dénoncer la chaleur de l'accueil fait par l'Église au régime nazi, sa promesse de fidélité à Hitler. Elle citait le verdict d'un rapport suédois : « Les Allemands ont un nouveau dieu, et c'est la Race, un dieu auquel ils font des sacrifices humains. » « Comment est-il possible de professer sans cesse une loyauté allègre envers l'État nazi ? » demandait Marga Meusel. Passant ensuite à la doctrine nazie qui voulait que les sentiments d'humanité ne méritent que le mépris, elle demandait : « Cela veut-il dire que tout ce qui est incompatible avec l'humanité, si dédaignée aujourd'hui, est compatible avec le christianisme ? » Pour finir, avec des mots très durs, elle lançait à son Église un avertissement : « Que répondrons-nous un jour à la question : "Où est ton frère Abel ?" ? La seule réponse qui nous restera, à nous et à l'Église confessante, sera la réponse de Caïn. »

Si l'attitude des Églises allemandes est une bonne pierre de touche pour qui veut étudier l'étendue, le caractère et la puissance de l'antisémitisme allemand moderne, c'est parce qu'on aurait pu s'attendre à ce que leurs dirigeants et leurs fidèles fussent, en Allemagne, au nombre de ceux qui y résisteraient le mieux, et cela pour toutes sortes de raisons : les Églises conservaient une grande part de leur indépendance ; bon nombre de leurs fidèles, sur d'autres questions, n'avaient aucune sympathie pour le nazisme et les doctrines qui le gouvernaient ; leur tradition humaniste était en contradiction avec les préceptes centraux de l'antisémitisme éliminationniste. Les très nombreuses preuves dont on dispose sur l'attitude des dirigeants et des fidèles à l'égard des Juifs et de la persécution éliminationniste confirment donc encore, car il s'agit d'une pierre de touche, la conclusion selon laquelle la conception nazie des Juifs et le soutien au projet éliminationniste étaient extrêmement répandus en Allemagne et constituaient presque un axiome.

Au-delà même des Églises et de leurs dirigeants, c'est la presque totalité des élites allemandes qui, comme on l'a vu au chapitre 3, a embrassé l'antisémitisme éliminationniste avec ardeur : intellectuels, membres des professions libérales, clergé, militaires. Les élites allemandes, aussi bien que les Allemands ordinaires, n'ont manifesté aucun désaccord avec les nazis sur la question juive ni en 1933, ni en 1938, ni en 1941, ni en 1944, alors même que la nature et le statut des Juifs étaient sans cesse évoqués dans le discours public. Aucune preuve documentaire ne vient appuyer l'idée que, hormis quelques cas individuels insignifiants, les Allemands aient été opposés au programme éliminationniste, si l'on excepte les réticences face à ses aspects les plus gratuitement violents. Même ceux qui dénonçaient vigoureusement le nazisme n'évoquaient pas l'antisémitisme éliminationniste parmi les raisons de le haïr [42]. Non seulement les Allemands n'ont jamais fait savoir qu'ils considéraient le traitement criminel des Juifs comme injuste (selon des critères non nazis), non seulement ils n'ont rien fait pour porter secours à leurs concitoyens opprimés (sans même parler des Juifs étrangers), mais, pire encore pour les Juifs, un très grand nombre d'entre eux ont donné la main volontairement à l'entreprise éliminationniste : ils l'ont fait en prenant des initiatives pour la promouvoir, attaquant verbalement et physiquement les Juifs, activant le processus qui les excluait de la société allemande et les transformaient en êtres socialement morts, en communauté de lépreux.

On a souvent dit que le peuple allemand était « indifférent » au destin des Juifs [43]. Ceux qui le prétendent passent sous silence le nombre immense d'Allemands ordinaires qui ont contribué au programme éliminationniste, même dans ses aspects exterminationnistes, et ceux, encore plus nombreux, qui, à un moment ou à un autre, ont démontré qu'ils adhéraient au modèle cognitif dominant à l'endroit des Juifs, et manifesté leur enthousiasme devant les mesures prises contre les Juifs : dans la seule ville de Nuremberg, au lendemain de la Nuit de cristal, près de 100 000 Allemands ont participé à un grand rassemblement pour exprimer leur satisfaction et célébrer l'événement. Ceux qui postulent une « indifférence » font comme si les Allemands qui ont publiquement manifesté leur approbation ou ont été complices du programme éliminationniste étaient peu nombreux, et comme si ce qu'ils ont fait ne nous apprenait rien sur le caractère du peuple allemand en général. C'est vraiment ignorer les dimensions empiriques fondamentales du problème que de dire que les Allemands étaient « indifférents » à leur projet national. C'est aussi commettre une faute conceptuelle grave.

Avant de recourir au concept d'« indifférence », il faudrait au moins aborder deux problèmes. Le premier est celui du sens du mot. Comment les Allemands auraient-il pu être « indifférents » (c'est-à-dire n'avoir ni idées, ni préférences sur la question, ni sentiments ni émotions, être parfaitement neutres, moralement et autrement) devant le massacre de millions de personnes, enfants compris, que leurs concitoyens perpétraient en leur nom ? De même, comment les Allemands auraient-ils pu être indifférents à toutes les mesures éliminationnistes prises dans les années 30, tendant à chasser d'Allemagne des gens qui y vivaient depuis des générations et étaient leurs voisins ? La violence contre les Juifs était si générale dans l'Allemagne nazie qu'il était tout aussi impossible aux Allemands de ne pas avoir leur idée sur les Juifs et leur élimination de la société allemande qu'aux Blancs du Sud des États-Unis, au plus fort du mouvement pour les droits civiques, de ne pas avoir leur idée sur les Noirs et sur la ségrégation. L'« indifférence » est une impossibilité psychologique [44].

Cette « indifférence » psychologiquement non plausible, il est impossible de la projeter sur les Allemands qui ont assisté au processus de mise à mort sociale des Juifs (pour ne rien dire de ceux qui y ont participé), sur ceux qui, partout en Allemagne, assistaient avec curiosité aux incendies de synagogues (pour ne rien dire de ceux qui applaudirent à la Nuit de cristal), sur les Allemands qui voyaient leurs concitoyens déporter leurs voisins juifs (pour ne rien dire de ceux qui les insultaient), ou qui entendaient parler du massacre, ou qui en étaient les témoins. Ces vers de W. H. Auden semblent avoir été écrits pour les millions d'Allemands qui assistèrent à ces événements :

> Le déshonneur intellectuel
> brille sur chaque visage humain
> et les mers de la pitié
> sont des banquises dans chaque œil [45].

Ce que démontrent tous les documents, ce n'est pas « l'indifférence » des Allemands, c'est leur absence de pitié[46]. Laisser entendre que tous ceux qui sont venus en badauds assister aux scènes infernales de la Nuit de cristal, comme l'ont fait à Francfort des milliers de gens, des dizaines de milliers peut-être[47], étaient « indifférents » à ces destructions, c'est vraiment forcer le langage. Quand les gens sont confrontés à des scènes ou à des événements qu'ils considèrent comme épouvantables, horribles ou dangereux, leur réaction est de fuir. Mais les Allemands se précipitaient en masse pour assister aux attaques contre les magasins juifs et les synagogues, tels des hommes du Moyen Age se ruant au spectacle des exécutions ou des enfants au cirque. Pour prouver cette prétendue « indifférence » des Allemands, il n'y a rien d'autre que l'absence de réactions (enregistrées et conservées) à l'égard de certaines mesures antijuives. Mais en l'absence de preuves contraires, un tel silence doit être interprété comme une approbation tacite de mesures dont nous jugeons qu'elles étaient criminelles, mais que les Allemands « indifférents » ne voyaient évidemment pas comme telles.

Après tout, ceux qui souffrent de grands maux sont d'ordinaire l'objet d'une sympathie naturelle. Si l'on en croit ce que disait Thomas Hobbes de la pitié, les Allemands auraient dû éprouver une grande compassion à l'égard des Juifs : « La pitié, c'est imaginer la fiction d'un malheur futur pour soi-même, en voyant le malheur d'un autre. Mais quand ce malheur arrive à quelqu'un dont nous pensons qu'il ne le mérite pas, la compassion est encore plus forte, car il apparaît encore plus probable que la même chose puisse nous arriver : le mal qui a frappé un innocent peut frapper n'importe qui[48]. » Qu'est-ce qui a empêché la compassion allemande de se manifester ? Il faut bien qu'il y ait eu quelque chose. Les Allemands n'auraient-ils pas été submergés de pitié, auraient-ils été indifférents, seraient-ils restés aussi silencieux s'ils avaient assisté à la déportation de milliers d'Allemands non juifs ? Apparemment, ils n'ont pas imaginé cette « fiction d'un malheur futur » s'abattant sur eux quand ils ont vu celui des Juifs. Apparemment, ils ne considéraient pas qu'ils étaient en face de l'innocent de Hobbes.

Au moment même où les Allemands observaient tranquillement, ou d'un œil ouvertement favorable, la persécution des Juifs et les tueries opérées par leurs concitoyens, nombre d'entre eux faisaient connaître leurs désaccords sur bien d'autres aspects de la politique du gouvernement. Sur ces questions-là – celle de l'« euthanasie » ou du traitement des autres étrangers de « race inférieure » –, bien des Allemands n'étaient guère indifférents. Sur ces questions, ils avaient une tout autre carte cognitive, une volonté de s'opposer à ces politiques, une volonté qui les faisait s'activer pour les arrêter ou les saboter, même quand ils risquaient une punition aussi sévère que celle qu'ils auraient encourue en portant assistance aux Juifs. Des volumes entiers ont été écrits sur le mécontentement à l'égard du nazisme, sur la résistance au nazisme en Allemagne, qui accumulent les exemples, mais presque rien n'a pu être exhumé qui puisse donner une sorte de crédibilité (ne parlons pas de preuve) à l'idée que les Allemands ne partageaient pas la conception nazie des Juifs, qu'ils voyaient la persécution comme immorale et jugeaient le régime criminel[49].

Rien de surprenant à cela : les Allemands ne pouvaient s'appuyer sur aucune image contraire du Juif (le Juif vu comme un être humain), véhiculée par une quelconque institution. Toutes les institutions allemandes propageaient cette image maléfique du Juif, toutes contribuaient au programme éliminationniste, et nombre d'entre elles ont contribué au programme exterminationniste. Encore une fois, c'est à ceux qui soutiennent que de très nombreux Allemands n'étaient pas gouvernés par l'antisémitisme éliminationniste qu'il appartient d'*expliquer* et de *montrer* quelles étaient les institutions, quels étaient les sermons, quels étaient les manuels scolaires où les Allemands auraient puisé leur image positive des Juifs. En revanche, pour infirmer leur thèse, il y a la totalité de la conversation publique dans l'Allemagne nazie et une grande partie de la conversation publique des époques antérieures. Il y a aussi cette confession d'un ancien membre d'un *Einsatzkommando* qui expliquait : « La propagande ne cessait de nous répéter, année après année, que le Juif était la ruine de tout *Volk* où il apparaissait, et que la paix ne régnerait en Europe que quand la race juive serait exterminée. Personne ne pouvait échapper complètement à cette propagande[50]... » C'était la partie la plus sonore de la conversation globale de la société à propos des Juifs. Avant même que le régime nazi ne soumît le pays à cette propagande intensive, l'antisémitisme des Allemands était déjà si vénéneux qu'un réfugié juif – qui avait quitté l'Allemagne quelques mois après l'accession de Hitler au pouvoir, et donc bien avant que les pires mesures d'isolement social et d'élimination aient été prises – expliquait ainsi, avec une grande perspicacité théorique, les raisons de son départ : « J'ai quitté l'Allemagne de Hitler pour pouvoir redevenir un être humain[51]. » Un autre Juif, qui était resté, résumait ainsi l'attitude de la population allemande à l'égard des Juifs, ces morts sociaux : « On nous fuyait comme des lépreux[52]. »

Face à cet antisémitisme raciste et démonologique omniprésent dans la sphère publique, et chez tous les Allemands, face à la longue histoire d'antipathie culturelle et de haine à l'encontre des Juifs, face à la longue adhésion, *antérieure au nazisme*, de bien des institutions allemandes à la conception éliminationniste, il est vraiment difficile de justifier, théoriquement ou empiriquement, toute autre conclusion que celle qui affirme que l'image nazie des Juifs était presque entièrement acceptée par le peuple allemand. L'antisémitisme éliminationniste était si répandu et si profondément ancré que même dans les premières années de l'après-guerre, quand les Allemands pouvaient voir de leurs yeux les horreurs que leur racisme et leur antisémitisme avaient engendrées (et constater leurs conséquences pour l'Allemagne, à savoir la perte de son indépendance et sa condamnation par le reste du monde), les enquêtes, et les témoignages des Juifs allemands, montrent qu'un nombre considérable d'Allemands restaient profondément antisémites [53].

S'il est évident que l'antisémitisme éliminationniste était omniprésent dans l'Allemagne nazie, il est tout aussi évident qu'il n'a pas surgi de nulle part pour se matérialiser soudain le 30 janvier 1933, tout armé. La grande réussite du programme éliminationniste allemand dans les années 30 et 40 s'explique par la présence antérieure en Allemagne d'un antisémitisme éliminationniste démonologique, raciste, que Hitler n'a fait que déchaîner, même s'il a su constamment jeter de l'huile sur le feu. Dès le 13 août 1920, dans un discours prononcé devant un auditoire enthousiaste, Hitler montrait qu'il avait parfaitement identifié le caractère et les potentialités de cet antisémitisme allemand : il déclarait que, chez les Allemands, il y avait un antisémitisme « instinctif de masse » *(instinktmässig)*, et que sa tâche consistait à « réveiller, stimuler et enflammer » cet antisémitisme « intuitif de masse » *(gefühlsmässig)* du peuple, jusqu'à ce qu'il « décide d'adhérer au mouvement qui est tout prêt à en tirer les conséquences » [54]. Par ces paroles prophétiques, Hitler signifiait qu'il avait compris en profondeur la nature du peuple allemand et la façon dont son antisémitisme instinctif pouvait être activé par lui jusqu'à ses ultimes conséquences, lesquelles, comme le disait clairement un autre passage du discours, seraient la peine de mort, si les circonstances s'y prêtaient.

Le fait que Hitler et les nazis n'aient eu qu'à libérer, et par là à activer, un antisémitisme allemand préexistant est prouvé par bien des épisodes, et en particulier par cette lettre du bureau de l'Église évangélique de Cassel à ses dirigeants nationaux à propos des Juifs baptisés, lettre qui accuse à la fois l'Église évangélique et les Allemands ordinaires :

> A l'Église évangélique, il faut adresser le grave reproche de ne pas avoir cherché à arrêter la persécution des enfants de sa foi [les Juifs baptisés], et, pire encore, d'avoir du haut de ses chaires imploré la bénédiction divine pour l'œuvre de ceux qui s'en prenaient aux enfants de sa foi. A la majorité des fidèles de l'Église évangélique, il faut adresser le reproche d'avoir consciemment soutenu cette lutte contre leurs frères en religion, et d'avoir, avec leur Église, chassé de leurs communautés, de leurs lieux de culte, des gens avec qui ils étaient unis dans une même foi, comme on chasse de chez soi des chiens galeux [55].

L'assaut mené partout par des Allemands ordinaires et par leurs guides spirituels contre les *convertis* est révélateur : il montre qu'ils étaient gouvernés par une vision raciste des Juifs, assez puissante pour leur faire ignorer ou nier la doctrine fondamentale du christianisme, le salut par le baptême. Encore plus révélatrice peut-être est la date de cette lettre, le 13 mai 1933 : à ce moment-là, les nazis n'avaient pas encore eu beaucoup de possibilités d'« endoctriner ». C'étaient des croyances culturelles bien antérieures que ces Allemands transformaient en actes, et de leur plein gré, maintenant que le nouveau régime le permettait et même l'encourageait.

Le modèle culturel des Juifs qui gouvernait l'Allemagne nazie était profondément enraciné dans son histoire, dans celle de la république de Weimar et bien antérieurement, et il n'était qu'une version particulièrement virulente de celui qui avait pris sa forme moderne au XIXe siècle. Bien que son contenu manifeste ait continuellement évolué au cours des Temps modernes, son assise n'avait pas changé : les Juifs étaient considérés comme immuablement différents des Allemands, malfaisants, extrêmement puissants, comme une menace permanente pour la société allemande. Cette conception des Juifs était depuis longtemps inscrite dans le tissu moral et social de la société allemande, où elle avait une place culturellement et politiquement centrale, que rien ne venait entamer. On peut même dire que cette vision des Juifs avait joué dans la culture allemande un rôle presque aussi important que la croyance générale, jamais remise en question, dans les immenses qualités du *Volk* révéré. Naturellement, sous le régime nazi, comme un chef bien-aimé ne cessait de réactiver, et avec talent, cette vision hallucinée des Juifs, cet antisémitisme s'était encore intensifié [56].

Il faut le souligner : l'idéologie antisémite éliminationniste portait en elle de multiples potentialités pratiques. Ce qui restait encore en suspens, c'était de savoir laquelle des « solutions » globalement interchangeables à la « question juive » serait choisie par les dirigeants nazis, et laquelle serait considérée comme acceptable, et par quelles fractions du peuple allemand. Il est évident que différentes sortes de « solutions », plus ou moins radicales, étaient compatibles avec le modèle cognitif dominant, puisqu'on verra Hitler et ses fidèles opter pour différentes politiques éliminationnistes à différents moments, sans que leur conception des Juifs change. La compatibilité logique des diverses « solutions » avec l'existence affirmée d'une « question juive » est parfaitement énoncée dans la conférence prononcée en 1933 par le théologien Gerhard Kittel, déjà évoquée, sur l'opportunité et la faisabilité de quatre options éliminationnistes : extermination, attribution aux Juifs d'un État propre qui les sépare des autres peuples, assimilation totale les faisant *ipso facto* disparaître, enfermement généralisé dans des ghettos [57]. Dans sa conférence, Kittel démontrait la logique commune et la parenté de ces différentes solutions, et il exprimait d'une façon transparente le parcours mental des éliminationnistes quand ils formulaient leurs solutions (même si tous les antisémites, gouvernés par des considérations différentes, et notamment éthiques, ne s'arrêtaient pas tous à la même option). Ces « solutions » n'étaient que des variations (diversement acceptables, diversement radicales, diversement définitives) sur un même principe éliminationniste.

Bien que l'idéologie antisémite éliminationniste fût riche de possibilités pratiques, elle eut une forte tendance, au XXe siècle, à adopter sa variante la plus radicale, la variante exterminationniste, qui promettait une « solution » politique justement proportionnée à la prétendue « question ». Les affinités électives entre une personne souscrivant à un violent antisémitisme éliminationniste raciste et une personne concluant qu'une extermination est la meilleure « solution » s'observaient déjà dans la dernière moitié du XIXe siècle, celui d'avant le génocide. Comme l'a montré un historien, les deux tiers des polémistes antisémites de premier plan qui proposaient à l'époque des « solutions » à la « question juive » en Allemagne se prononçaient explicitement en faveur d'un génocide des Juifs[58]. Les croyances qui soutenaient les politiques successives des nazis tendant à éliminer toute influence juive sur la société allemande, puis à éliminer les Juifs eux-mêmes de cette société (sauf là où les intérêts matériels de l'Allemagne auraient été par trop atteints), sont aussi celles qui engendraient le soutien enthousiaste apporté par la population à ces mesures éliminationnistes. On peut même dire que chaque grande étape du programme éliminationniste – agressions verbales, enfermement dans des ghettos, massacres – a rencontré l'adhésion spontanée d'un nombre considérable d'Allemands ordinaires et ne suscitait dans la population allemande aucun désaccord (de principe) important. Le sombre pronostic de ce qui arriverait à l'Allemagne si elle ne réussissait pas à éradiquer le mal juif du corps social allemand engendrait à la fois les mesures d'exclusion, considérées finalement comme provisoires car insuffisantes, et la pulsion exterminationniste. Ces croyances justifiaient l'extermination comme seul traitement définitif de la pathologie juive. Comme le disait un médecin qui avait un temps travaillé à Auschwitz, le lien entre croyance et action, entre l'antisémitisme des Allemands et leur bonne volonté à tuer les Juifs, était très étroit : entre les monstrueuses accusations portées contre les Juifs « et leur anéantissement, il n'y a qu'un millimètre ».

Si nous revenons maintenant à l'analyse dimensionnelle de l'antisémitisme adoptée ici, il ne fait pas de doute que les Allemands considéraient que l'origine de la malfaisance des Juifs était raciale, et que cette malfaisance était extrême. Chez les agents de l'Holocauste, l'antisémitisme était à l'évidence totalement manifeste, et, au moment où ils procédaient au massacre, c'est lui qui occupait la place centrale dans leurs pensées et leurs affects. Pour les Allemands ordinaires des années 30, cet antisémitisme était beaucoup moins manifeste : ils n'ont pas fait de leur propre chef le saut qui mène à l'extermination, ils ne l'ont pas non plus spontanément réclamée, même s'ils étaient porteurs de ces violentes croyances antisémites qui dictaient à nombre d'entre eux leurs conduites encore non meurtrières. Quelle que fût la potentialité exterminationniste de leurs idées, cette retenue n'est pas surprenante : selon toute probabilité, plusieurs facteurs les empêchaient de faire ce saut, et d'abord la certitude de pouvoir, en toute confiance, laisser la « solution » de la « question juive » à Hitler et au gouvernement nazi, qui s'y employaient avec zèle et avançaient à grands pas vers leur but. Les antisémites qui guidaient le char de l'État n'étaient-ils pas les plus virulents, les plus acharnés que l'Histoire ait connus ? La relative latence de l'antisémitisme allemand dans les années 30 avait plusieurs causes : l'absence de contacts réguliers avec les Juifs, la prééminence d'un objectif national de reconstruction de la puissance allemande à l'intérieur et à l'extérieur, l'absence de conditions favorables (pas de précédent, insuffisance de la force militaire de l'Allemagne, et le simple fait que la majorité des Juifs d'Europe étaient hors de portée). Tout cela explique que la plupart des gens n'aient tout simplement pas pu accomplir, de leur propre chef, le saut moral et imaginaire qui aurait fait d'eux les partisans d'un massacre à grande échelle, même si, par la suite, quand on leur montrera le chemin, ils s'y engageront avec ardeur. Ce que les Allemands pouvaient espérer de mieux dans les années 30, c'était d'écarter les Juifs de la vie publique, de les tenir à distance et de les éliminer par l'émigration forcée. Hitler s'était déjà attelé à cet objectif de toute son âme, et de nombreux Allemands se satisfaisaient de l'idée que leur gouvernement faisait ce qu'on pouvait faire de mieux étant donné les circonstances. Mais bien d'autres applaudissaient ouvertement et réclamaient qu'on allât plus loin.

Ainsi, c'est le même antisémitisme éliminationniste qui, à la fois, ne permettait pas aux masses allemandes de réclamer tout haut l'extermination des Juifs et qui, *quand les circonstances deviendraient favorables*, les pousserait à tuer les Juifs de bon gré, et souvent avec ardeur. Le fait n'est pas aussi étrange qu'il y paraît. Ce qui explique ce paradoxe de la société allemande pendant la période nazie, c'est que l'antisémitisme latent peut être *activé*. Prenons un autre exemple, celui de la volonté des Américains de se battre contre les Japonais pendant la guerre, éventualité plus « normale » et probable qu'un génocide : la question n'était pas un sujet de conversation brûlant dans l'Amérique des années 30. Si l'on cherchait aujourd'hui des preuves documentaires d'une volonté préexistante des Américains de prendre les armes contre les Japonais, on découvrirait bien peu de chose pour convaincre les sceptiques. Mais quand les circonstances se sont présentées, les Américains ont combattu de leur plein gré, pleinement convaincus de la justice de leur cause. Les agents de l'Holocauste sont passés par le même processus, même si la substance et la moralité de leurs croyances étaient très différentes, même si la vision américaine du conflit avec le Japon reposait sur des faits objectifs alors que la vision qu'avaient les Allemands de leur ennemi juif était une hallucination. Le jugement que les soldats américains portaient sur *leurs* opérations contre le Japon n'était pas fondamentalement différent de celui des civils américains, ni de ce que ces soldats eux-mêmes, avant que la possibilité même d'une guerre ne surgît à l'horizon, auraient considéré comme la réponse appropriée à une tentative de conquête japonaise. De la même façon, l'antisémitisme des agents de l'Holocauste et celui de la grande majorité du peuple allemand avaient le même contenu, ils portaient le même jugement sur la nature et la gravité de la menace juive. Les Allemands ordinaires sont devenus des agents de l'Holocauste en raison de leur antisémitisme antérieur, qui était monnaie courante en Allemagne (un catholique libéral l'attestait en 1927 : « L'Allemand moyen est un antisémite latent[59] ») et qui s'est trouvé *activé* en deux sens : d'abord en devenant plus manifeste, plus central chez eux, et en réalisant ses potentialités meurtrières, devenues actions. Pour en arriver là, il fallait un changement décisif de conjoncture, et l'intervention décisive de l'État.

C'est Hitler qui, le premier, a fait le saut par-dessus l'abîme moral que les Allemands ne pouvaient franchir seuls. C'est également lui qui a créé les conditions permettant à la variante exterminationniste de l'idéologie éliminationniste d'être désormais le guide pratique de l'action. En réunissant dans des institutions de mise à mort des gens qui avaient en eux l'état d'esprit éliminationniste, avec ses potentialités exterminatrices, en légitimant leurs actes par des ordres, par la bénédiction d'un chef charismatique et adoré, l'État allemand a été en mesure d'enrôler les Allemands ordinaires dans le programme exterminationniste alors même que la plupart n'avaient jamais imaginé devenir un jour les agents d'un génocide. Après les années de tourmente, de désordres, de privations, que les Juifs, croyaient-ils, avaient infligées à leur pays, les Allemands se voyaient offrir par Hitler une vraie « solution » définitive. Alors ils se sont arrimés au char exterminationniste de Hitler, ont travaillé avec lui à la réalisation de sa vision et de sa promesse, lesquelles étaient compatibles avec leur vision du monde, avec leurs impératifs moraux les plus profonds [60].

Entre l'objectif passionnel de Hitler d'éliminer le pouvoir juif par n'importe quel moyen et les visions racistes éliminationnistes des Allemands, il y avait une symbiose. Et c'est cette symbiose qui a rendu possibles les politiques éliminationnistes des années 30 et 40, c'est elle qui leur a donné leur dynamique [61]. Sur cette question, Hitler et les dirigeants nazis savaient que le peuple allemand pensait comme eux. Le 12 novembre 1938, lors de la réunion au plus haut niveau convoquée par Göring après la Nuit de cristal, Heydrich expliquait pourquoi il serait plus facile de contrôler les Juifs allemands si on ne les mettait pas dans des ghettos : un ghetto où les Juifs ne vivent qu'entre eux « demeure l'éternel repaire du crime et, surtout, des épidémies et autres choses de ce genre ». Lui, Heydrich, avait une meilleure solution, qui reposait sur l'antisémitisme du peuple allemand : « Aujourd'hui, cet antisémitisme est tel que la population allemande [...] oblige les Juifs à se concentrer dans certains immeubles ou pâtés de maisons. Le contrôle des Juifs par toute une population vigilante est bien plus efficace que si vous aviez des milliers de Juifs dans un quartier d'une ville où moi, avec mes agents en uniforme, je ne peux pas contrôler leur vie quotidienne [62]. » Heydrich savait que lorsqu'il s'agissait des Juifs, le peuple allemand pouvait lui servir de police, et qu'elle était plus efficace, au bout du compte, que la Gestapo.

Heydrich et les dirigeants nazis ne se berçaient jamais d'illusions quand il s'agissait du peuple allemand. Ils savaient que, sur bien des questions, ils n'avaient pas le soutien de l'opinion. Par exemple, ils étaient profondément antichrétiens, et ils auraient certainement cherché à détruire le christianisme s'ils avaient gagné la guerre. Mais ils savaient que, jusque-là, les Allemands ne les laisseraient pas faire. Si l'on en croit Goebbels – un de ceux qui attendaient la victoire pour s'attaquer aux Églises – les mesures antichrétiennes dictées par Martin Bormann, le secrétaire du parti nazi, bien qu'assez modérées, étaient si impopulaires qu'elles causaient « plus de mal que de bien ». Dans son journal, Goebbels notait le contraste entre la façon dont l'opinion réagissait à ces mesures et son attitude face aux mesures antijuives. En persécutant et en exterminant les Juifs, le régime ne courait aucun risque de voir naître contre lui un front intérieur, alors que cette menace existait s'il s'en prenait trop violemment aux Églises. Le journal de Goebbels confirme deux points importants, déjà évoqués : d'abord, que si la population allemande et les autorités religieuses s'étaient opposées à l'élimination et à l'extermination des Juifs, le régime aurait été empêché d'agir, et, ensuite, que Hitler et les nazis, face à des obstacles, savaient repousser l'application de certains points de leur programme jusqu'au moment où des conditions favorables apparaîtraient. Dans l'intimité de son journal, dépositaire de ses pensées les plus sincères, Goebbels nous apporte la réponse à la question de savoir pourquoi le régime avait les mains libres contre les Juifs mais pas contre les Églises : « Tous les Allemands sont aujourd'hui contre les Juifs [63] », écrivait-il.

Cette symbiose entre Hitler et la vision éliminationniste des Allemands est aussi la cause de la concordance, déjà amplement démontrée ici, entre les différents niveaux de l'action (« macro », « méso », « micro »), c'est-à-dire entre la politique globale, la structure des institutions et l'action des individus. L'initiative de la persécution et de l'élimination, avant tout celle de Hitler, de l'État et du parti, venait aussi d'individus et de groupes, dans toutes les sphères de la société allemande, si bien que, malgré les à-coups, l'exclusion toujours plus forte des Juifs de la société, le niveau toujours croissant des violences à leur endroit indiquaient clairement à tous la direction prise [64]. A l'évidence, Hitler et les nazis ont été la force motrice de la persécution et du massacre final, mais l'antisémitisme antérieur des Allemands créait *les conditions nécessaires* au déroulement du programme éliminationniste, et tous, sauf quelques voix tristement solitaires, l'approuvaient dans son principe, quand ils n'y applaudissaient pas [65].

Le modèle culturel à l'égard des Juifs qui sous-tendait cette approbation et la participation au programme éliminationniste était celui qui sous-tendait aussi l'extermination. Avant même le début du génocide, il était le bien commun de tous les Allemands ordinaires, qu'ils soient ensuite devenus ou non agents de l'Holocauste, ces derniers n'étant que des Allemands ordinaires qui ont abordé leur tâche avec cette idéologie commune [66]. En mai 1942, dans son journal, un Juif allemand évoquait les raisons pour lesquelles tous les Allemands le traitaient en pestiféré : « Après tout, ce n'était pas une surprise. Depuis près de dix ans, l'infériorité et la nocivité des Juifs étaient proclamées dans tous les journaux, matin et soir, dans tous les programmes de radio, dans d'innombrables affiches, etc., sans qu'il fût possible à personne de prendre la défense des Juifs[67]. » Le génocide était inhérent aux propos de la société allemande, inhérent au langage et aux affects, inhérent à la structure même des valeurs[68]. Il était inhérent aux pratiques sociales des années 30, avant même le génocide. Quand les circonstances s'y sont prêtées, l'antisémitisme éliminationniste s'est transmué en sa forme métastatique la plus violente, l'exterminationnisme, et les Allemands ordinaires sont devenus de leur plein gré les agents du génocide.

L'antisémitisme éliminationniste, une fois qu'il a eu les mains libres, gouvernait les actes des Allemands avec une telle puissance autonome, les poussant à agir d'une façon barbare contre les Juifs de leur propre initiative, que ceux des Allemands qui n'étaient pas directement impliqués dans l'extermination ne cessaient d'agresser les Juifs physiquement, et, bien entendu, verbalement. Dans ses Mémoires, un survivant a donné un exemple particulièrement frappant de ce comportement des Allemands. Un jour, à Losice, une ville de 8 000 habitants des environs de Lublin, arrivèrent de jeunes soldats qui avaient combattu sur le front occidental. Au début, ils se montrèrent courtois. Mais quand ils apprirent que la grande majorité des habitants de la ville étaient des Juifs, « aussitôt, ils se transformèrent. Le "vous" devient "tu"; ils nous obligèrent à cirer leurs bottes et ils nous donnèrent des coups si nous ne retirions pas notre chapeau assez vite[69] ». Rien n'avait changé : ces Allemands se trouvaient face à des gens dont l'apparence ne s'était pas modifiée et dont le comportement était le même qu'à leur arrivée. Pourtant, tout avait changé : ces Allemands avaient appris qui étaient ces gens, et, comme tous leurs concitoyens servant en Europe de l'Est, ils s'étaient aussitôt « transformés », ils utilisaient le « tu » qui abaisse au lieu du « vous » normal, ils exigeaient l'obéissance, ils battaient des innocents.

Si profond, si universel était l'antisémitisme de l'Allemagne que, aux yeux des victimes juives, son emprise sur les Allemands ne pouvait être décrite qu'en termes physiologiques : « Un poison de haine maladive avait envahi le sang des nazis[70]. » Une fois activée, la haine profonde des Allemands pour les Juifs, restée relativement latente dans les années 30 en raison des circonstances, semblait jaillir de tous leurs pores. Kaplan, le chroniqueur avisé de la vie dans le ghetto de Varsovie, avait pu observer de nombreux Allemands entre mars 1939 et mars 1940, date à laquelle il écrivait dans son journal :

> La gigantesque catastrophe qui s'est abattue sur les Juifs de Pologne n'a pas d'équivalent, même aux heures les plus sombres de l'histoire juive. D'abord, dans la profondeur de la haine. Ce n'est pas seulement la haine qui vient du programme d'un parti, inventée dans un but politique. C'est une haine émotive, dont l'origine est dans une maladie psychique. Dans ses manifestations extérieures, elle fonctionne comme une haine physiologique, qui imagine dans l'objet haï un corps sale, un lépreux qui n'a pas sa place dans le camp. Les masses [allemandes] ont absorbé cette sorte de haine qualitative [...]

> Elles ont absorbé les enseignements de leurs maîtres d'une manière concrète, physique. Le Juif est sale ; le Juif est un escroc, un délinquant ; le Juif est l'ennemi de l'Allemagne, il en veut à son existence même ; le Juif est le premier responsable du traité de Versailles, qui a réduit l'Allemagne à rien ; le Juif est Satan, qui sème la discorde entre les nations, les excite au massacre pour profiter de leur destruction. Ce sont là des idées faciles à faire siennes et dont les effets au jour le jour se ressentent imédiatement [71].

On soulignera que ce texte, comme celui qui décrit le comportement des jeunes soldats allemands à Losice, sont tous deux basés sur ce que disaient et faisaient des Allemands (SS, policiers, soldats, administrateurs ou employés d'entreprises) *avant* le début du programme de massacres systématiques. Ceux que Kaplan décrit sont les Allemands ordinaires, pas les idéologues ni les théoriciens nazis. Le lien causal entre les croyances et les actes des Allemands est ici palpable : les Juifs en ressentaient les effets « au jour le jour ». Pendant les deux années et demie où Kaplan aura encore l'occasion d'observer les Allemands, son jugement n'aura pas lieu de changer.

Les croyances à l'égard des Juifs qui sous-tendaient l'approbation et la participation des Allemands aux politiques éliminationnistes des années 30, et qui conduisaient des Allemands ordinaires à Losice et à Varsovie, avant même le démarrage officiel du génocide, à se conduire avec une telle barbarie, étaient celles qui préparaient les Allemands ordinaires, tels ceux du 3ᵉ bataillon de police, à approuver les paroles d'un de leurs officiers, à Minsk, à la veille du plus énorme massacre qu'ils auraient à perpétrer : « Il n'est pas question que le noble sang allemand éprouve de la souffrance à détruire ces sous-hommes. » La vision du monde de ces Allemands ordinaires était telle que le massacre de milliers de Juifs était considéré comme une obligation allant de soi, qui ne posait pas d'autre problème que le bien-être du « noble sang allemand ». Leurs croyances à l'endroit des Juifs préparaient ces Allemands représentatifs, qui entendraient pourtant leur officier leur proposer de se faire dispenser s'ils ne se sentaient pas chauds pour cette tâche, à choisir de leur plein gré de massacrer des Juifs, hommes, femmes et enfants [72].

C'étaient ces croyances qui engendraient chez les Allemands ordinaires ces fantasmes racistes meurtriers, qui les incitaient à écrire à leurs amis et à leur bien-aimée pour leur raconter les exploits exterminateurs de la nation et de ses représentants. Un homme du 105ᵉ bataillon de police, servant en URSS, écrivit à sa femme, le 7 août 1941, une lettre où il évoquait les massacres de Juifs en termes explicitement approbateurs, et qui se terminait ainsi : « Chère H., n'en perds pas le sommeil, cela doit être fait. » Témoin de massacres continuels, dont il parlait explicitement dans ses lettres à sa femme, attendant d'elle une approbation globale (quelques hésitations qu'elle pût avoir), il lui écrivit le mois suivant qu'il était

« fier » d'être un soldat allemand parce qu'« [il] pren[ait] part à l'action et [que] les aventures ne manqu[ai]ent pas ». C'étaient ces croyances qui le poussaient, dans sa fierté de participer à un exploit national (l'invasion de la Russie et son cortège de massacres), à prendre des photographies (il ne dit pas lesquelles), comme le faisaient d'innombrables autres soldats, pour avoir une trace de sa vie de soldat « qui sera[it] extrêmement intéressante pour [leurs] enfants »[73]. Ces mêmes croyances poussaient un sergent de l'armée de l'air, Herbert Habermalz, à évoquer dans une lettre de juin 1943, avec candeur et fierté, ce qu'il considérait comme un exploit national allemand, la destruction finale du plus grand ghetto d'Europe, celui de Varsovie, où il y avait eu un moment jusqu'à 450 000 Juifs : « Nous avons fait plusieurs cercles au-dessus de la ville. A notre grande satisfaction, nous avons constaté la complète destruction du ghetto de Varsovie. Nos gars ont vraiment fait un travail fantastique. Il n'y a pas une maison qui n'ait été détruite de fond en comble[74]. » Habermalz, comme beaucoup de soldats allemands, envoyait cette lettre et d'autres à son ancien employeur, une entreprise d'équipement agricole. Comme d'autres, il savait que les patrons faisaient souvent circuler les lettres parmi leur personnel, pour affermir la solidarité avec les combattants du front. Habermalz, gouverné par ses croyances exterminationnistes, et qui pensait, sans doute avec raison, que ses camarades de travail restés au pays les partageaient, voulait leur faire connaître le frisson que lui avait procuré la vue aérienne de ce « fantastique travail » de génocide.

C'étaient ces croyances qui poussaient les officiers du 25e régiment de police, comme tant d'autres, à se vanter « d'avoir accompli des actes d'héroïsme dans ces tueries ». C'étaient ces croyances qui poussaient tant d'Allemands ordinaires à tuer pour le plaisir et à ne pas dissimuler leurs actes : au contraire, ils souhaitaient être vus par tous, même par leur femme et leur petite amie, dont certaines, comme à Stanislawow, éclataient de rire en voyant leur homme tirer sur les Juifs du haut d'un balcon, comme au tir au pigeon[75]. Ces mêmes croyances poussaient les hommes de la 1re compagnie du 65e bataillon de police, chargés, en 1941-1942, de garder le ghetto de Varsovie et de tirer sur tout Juif qui tenterait de fuir, à imaginer la bonne plaisanterie que voici : ces réservistes avaient transformé une pièce de leur caserne en bar, décoré de caricatures et de slogans antisémites, avec une immense étoile de David au-dessus du comptoir, illuminée de l'intérieur ; et, pour qu'aucun de leurs exploits ne passât inaperçu, il y avait à côté de la porte du bar un tableau, tenu à jour, comptabilisant le nombre de Juifs tués par les hommes de la compagnie. Chaque exploit était suivi d'une « célébration de la victoire » *(Siegesfeiern)*[76].

Les croyances au sujet des Juifs qui gouvernaient l'approbation et la participation des Allemands au programme éliminationniste des années 30 étaient celles qui préparaient les hommes du 101e bataillon de police et tant d'autres Allemands à devenir des tueurs ardents, toujours volontaires pour les « chasses aux Juifs », et à baptiser la ville de Miedzyrzec (lieu de rafles, tueries et déportations répétées) du nom de *Menschenschreck*, « horreur humaine » (référence évidente à ses milliers de Juifs [77]). C'étaient encore elles qui poussaient les Allemands, selon les mots du chef du bureau du district de Varsovie, Herbert Hummel, à « accueillir avec reconnaissance », en 1941, l'ordre qui les autorisait à tuer tous les Juifs trouvés en dehors des ghettos [78]. Ces mêmes croyances poussaient les hommes d'une autre unité de police, des Allemands ordinaires, à tuer les Juifs qu'ils trouvaient « même sans ordre exprès de le faire, de leur pleine initiative ». L'un d'eux s'est expliqué là-dessus : « Je dois admettre que nous éprouvions une certaine joie à mettre la main sur un Juif que l'on pouvait tuer. Je ne me rappelle pas un seul cas où il a fallu donner à un policier l'ordre de procéder à l'exécution. Autant que je sache, les fusillades étaient toujours volontaires. On avait l'impression que plusieurs policiers y trouvaient un sacré plaisir. » Pourquoi cette joie ? Pourquoi cette ardeur à se porter volontaire ? A l'évidence, à cause des croyances des Allemands ordinaires à l'endroit des Juifs, résumées ainsi par le même homme : « Nous ne considérions pas que les Juifs étaient des êtres humains [79]. » Cette simple observation de l'ancien tueur nous découvre, sous les voiles qui l'obscurcissent, le mobile essentiel de l'Holocauste.

C'étaient ces croyances qui poussaient tant d'Allemands ordinaires, dans les camps et ailleurs, à *choisir* d'humilier, brutaliser et torturer les Juifs. A la différence de la toute petite minorité dont la retenue atteste qu'il était possible de s'abstenir, ils n'ont pas choisi de ne pas frapper, ni, si on les observait, de frapper de la manière la moins douloureuse possible : au contraire, ils ont constamment choisi de terroriser, d'infliger douleurs et blessures. C'étaient ces croyances qui préparaient les Allemands ordinaires du 309e bataillon de police à considérer avec estime, et non avec haine, le capitaine qui, à Bialystok, avait dirigé l'orgie de meurtres et l'incendie de la synagogue bondée de Juifs, tout comme les hommes du 101e bataillon accordaient leur estime à leur « papa » Trapp, et tant d'autres, partout, à leurs commandants. Le capitaine en question, dira par la suite un de ses hommes, « était tout à fait humain *[sic]*, c'était un supérieur au-delà de tout reproche [80] ». Dans cette Allemagne nazie où toutes les valeurs étaient renversées, les Allemands ordinaires voyaient dans le massacre des Juifs un acte bénéfique pour l'humanité. C'étaient ces croyances qui conduisaient souvent les Allemands à organiser des tueries à l'occasion des grandes fêtes juives, tel Yom Kippour [81], et l'un des membres du 9e bataillon de police, rattaché à l'*Einsatzkommando 11 a*, à composer deux poèmes, l'un pour Noël 1941, l'autre pour une seconde soirée dix jours plus tard, célébrant leurs hauts faits en Union soviétique. A la grande joie de son auditoire, il réussit à introduire dans un vers un jeu de mots sur « casse-noisettes *[Nüssnacken]* » évoquant les balles qu'ils avaient tirées avec délices dans la nuque de tant de victimes juives et qui avaient brisé leur crâne [82].

C'étaient ces croyances qui donnaient aux Allemands l'envie de célébrer le génocide dans l'allégresse, comme lors de cette fête pour la fermeture du camp d'extermination de Chelmno, en avril 1943, destinée à récompenser le personnel pour la qualité du travail accompli. Au total, les Allemands avaient tué plus de 145 000 Juifs à Chelmno [83]. Une autre de ces joyeuses célébrations du massacre eut lieu à Stanislawow au soir du « dimanche sanglant » du 12 octobre 1941, alors que les Allemands avaient tué 12 000 Juifs dans la journée [84]. Une autre encore fut organisée en août 1941, au plus fort de la campagne d'extermination des Juifs de Lituanie. A l'occasion du massacre des Juifs de Cesis, les Allemands membres de la police de sécurité locale et de l'armée se réunirent pour manger et boire, pour ce qu'ils appelaient moqueusement un « banquet de mort *[Totenmahl]* en l'honneur des Juifs ». Ce soir-là, plusieurs toasts furent portés à l'extermination des Juifs [85].

Les constantes humiliations symboliques des Juifs, la célébration des tueries, les photographies prises par les tueurs pour garder un souvenir de leurs exploits et le léguer à la postérité, tout cela démontre à quel point les valeurs étaient perverties dans l'Allemagne nazie. Mais rien peut-être ne le démontre d'une manière aussi forte que l'ultime adieu à Hitler d'un homme qui aurait dû être un guide moral de l'Allemagne, le cardinal-archevêque de Breslau, Adolf Bertram. Tout comme ces évêques luthériens qui, dans une proclamation, disaient des Juifs qu'ils étaient « les ennemis-nés du monde et du Reich », incapables d'être sauvés par le baptême, responsables de la guerre, et qui, fidèles à la logique exterminationniste de leur antisémitisme raciste, donnaient leur aval religieux aux « mesures les plus sévères » contre les Juifs alors que le génocide avait déjà trouvé son rythme, le cardinal Bertram avait lui aussi, une fois, explicitement donné son approbation à l'extermination des Juifs, sauf quand elle frappait les convertis. Les croyances qui poussaient le peuple allemand à soutenir le programme éliminationniste, et les agents de l'Holocauste à le mener à bien, étaient aussi celles qui pousseraient le cardinal Bertram (parfaitement au courant, comme toutes les autorités religieuses, de l'extermination des Juifs et de l'antisémitisme de ses paroissiens) à rendre un dernier hommage à l'homme qui était le maître d'ouvrage du génocide, et qui, pendant douze ans, avait été le phare de la nation allemande. Quand il apprit la mort de Hitler, le cardinal Bertram ordonna que fût célébrée dans toutes les églises de son diocèse « une messe solennelle de requiem à la mémoire du Führer [86] », afin que ses fidèles et ceux du défunt puissent prier le Tout-Puissant, selon la liturgie du requiem, d'admettre au paradis son enfant, Hitler [87].

Les croyances qui étaient déjà le bien commun du peuple allemand au moment de l'arrivée de Hitler au pouvoir, et qui ont conduit le peuple allemand à donner son approbation et à participer aux mesures éliminationnistes des années 30 étaient les croyances qui préparaient les Allemands (non pas simplement ceux que les circonstances, le hasard ou un libre choix transformeraient en agents de l'Holocauste, mais aussi l'immense majorité de la population) à comprendre, approuver et, quand ce serait possible, épauler l'extermination totale du peuple juif. La vérité à laquelle on ne saurait échapper est celle-ci : à l'égard des Juifs, la culture politique allemande en était arrivée à un point où un nombre immense d'Allemands ordinaires, représentatifs de toute la société, étaient aptes à devenir, comme l'auraient été presque tous les autres, des bourreaux volontaires au service de Hitler.

ÉPILOGUE

La révolution de l'Allemagne nazie

La présente étude de l'Holocauste et de ses agents accorde la première place à leurs croyances. Au rebours de la théorie marxiste, elle donne à la conscience le rôle déterminant. Elle aboutit à la conclusion que l'antisémitisme éliminationniste de la culture politique allemande, dont la genèse doit être explicable et l'est effectivement, aura été, historiquement, le moteur principal de la persécution et de l'extermination des Juifs, aussi bien chez les dirigeants nazis que chez les Allemands ordinaires, ce qui en fait la cause principale de l'Holocauste : conclusion que certains auront du mal à accepter mais qui, à d'autres, semblera aller de soi. Que tant d'Allemands ordinaires aient eu si longtemps au centre de leur vision du monde des croyances aussi objectivement absurdes à l'égard des Juifs que celles que Hitler avait exposées dans *Mein Kampf* est surabondamment prouvé. Mais parce que ces croyances nous semblent ridicules, proches des divagations d'un fou, l'idée (profondément juste) qu'elles étaient le bien commun du peuple allemand a longtemps été et sera toujours difficile à accepter par beaucoup, soit qu'ils s'en tiennent à ce que notre sens commun leur dit du monde, soit qu'ils trouvent à cette vérité des implications par trop inquiétantes.

L'Allemagne nazie était peuplée de gens animés par des croyances à l'endroit des Juifs qui les ont poussés à accepter de leur plein gré de se transformer en tueurs. L'étude des agents de l'Holocauste, notamment des hommes des bataillons de police, échantillon représentatif de la population allemande, et donc de l'attitude des Allemands ordinaires à l'égard des Juifs, nous oblige à adopter cette conclusion pour l'ensemble du peuple allemand, en raison de la représentativité même de ces agents. Être ordinaire dans l'Allemagne qui s'était donnée au nazisme, c'était adhérer à une culture politique extraordinaire, porteuse de mort. Que la culture politique allemande ait pu produire des tueurs aussi volontaires oblige à penser que cette société avait peut-être connu d'autres changements fondamentaux, notamment dans le domaine cognitif et moral. L'étude des agents de l'Holocauste ouvre donc une fenêtre à travers laquelle la société allemande peut être étudiée sous un nouveau jour. Elle demande que soient analysés avec de nouveaux concepts de nombreux aspects de cette société. De plus, elle invite à penser que les nazis étaient les révolutionnaires les plus radicaux des Temps modernes, et que la révolution à laquelle ils ont œuvré pendant leur brève domination de l'Allemagne était la plus extrême et la plus complète de toute l'histoire de la civilisation occidentale. Il s'agissait avant tout d'une révolution cognitive et morale, contre tout ce qui avait fait l'Europe depuis des siècles. Au bout du compte, ce livre ne porte pas seulement sur les agents de l'Holocauste : puisqu'ils étaient représentatifs de l'ensemble des citoyens allemands, ce livre porte sur l'Allemagne de la période nazie et sur l'Allemagne antérieure, sur son peuple et sa culture[1].

La révolution de l'Allemagne nazie, comme toutes les révolutions, avait deux ambitions fondamentales, solidaires : elle était volonté de destruction, c'est-à-dire révolte complète contre la civilisation, et volonté de construction, tentative singulière de construire un homme nouveau, un nouveau corps social, un nouvel ordre européen, un nouvel ordre du monde. C'était pourtant une révolution différente des autres, car, si l'on excepte la répression contre les forces de gauche dans les premières années, elle n'a pas demandé, en Allemagne même, un recours massif à la violence. Cette révolution était d'abord transformation des consciences, elle visait à inculquer aux Allemands un nouveau système de pensée et de valeurs. Dans l'ensemble, c'était une révolution pacifique, à laquelle le peuple allemand acquiesçait de bon gré : c'était une révolution consensuelle.

Mais alors qu'elle était consensuelle à l'intérieur de l'Allemagne, la révolution nazie était la plus brutale et la plus barbare révolution de l'histoire occidentale moderne pour ceux qui seraient exclus de la nouvelle Allemagne et de la nouvelle Europe, pour les dizaines de millions d'êtres humains que les Allemands vouaient à l'esclavage ou à l'extermination. L'essence de cette révolution, la façon dont elle transformait la substance psychique et morale du peuple allemand et dont elle détruisait, pour reprendre les termes mêmes de Himmler, la « substance humaine » des non-Allemands, se lit dans l'institution emblématique de l'Allemagne nazie, le camp.

Le camp n'était pas seulement l'institution paradigmatique où les Allemands dominaient, exploitaient et massacraient ceux qu'ils désignaient comme leurs ennemis, celle où ils pouvaient exprimer sans aucune inhibition leur maîtrise de l'autre, et modeler leurs victimes selon l'image de « sous-hommes » qu'ils avaient d'elles : l'essence du camp n'était réductible à aucun de ces aspects particuliers (exposés au chapitre 5) car le camp était avant tout une institution révolutionnaire, au service d'un objectif de transformation radicale, perçue comme telle par les Allemands.

Cette révolution visait *la sensibilité et le comportement.* Lieu des pulsions et des cruautés déchaînées, le système du camp permettait à la nouvelle morale nazie de s'exprimer, et cette morale entendait être, dans ses traits essentiels, l'antithèse de la morale chrétienne et de l'humanisme des Lumières, ces « idées stupides, fausses et malsaines d'humanité » comme les qualifiait Göring [2]. Le système des camps niait dans la pratique la croyance chrétienne et humaniste en une égalité morale de tous les êtres humains. Dans la vision du monde de l'Allemagne nazie, certains êtres humains, pour des raisons biologiques, devaient être tués, d'autres étaient destinés à devenir des esclaves, et ceux-là aussi pourraient être tués si les Allemands jugeaient leur nombre excessif. Le système des camps reposait sur l'existence de supérieurs et d'inférieurs, de maîtres et d'esclaves. Dans sa théorie comme dans sa pratique, il tournait en dérision l'enseignement chrétien : aimer son prochain, avoir pitié des opprimés, se guider sur la charité. Au contraire, la nouvelle éthique du camp prêchait la haine de l'autre, bannissait la pitié de son discours et de sa pratique et, face aux souffrances d'autrui, refusait toute réaction affective autre que le mépris, voire la jouissance.

Aussi, dans les camps allemands, faire souffrir et torturer n'étaient pas des pratiques accidentelles, épisodiques, ni des violations du règlement, mais des pratiques essentielles, incessantes et normatives. La vue d'un Juif torturé ou qu'on venait d'abattre, ou encore d'un Russe, d'un Polonais subissant les pires sévices, ne suscitait aucune compassion, et ne devait en susciter aucune selon les règles morales du camp ; au contraire, selon la nouvelle morale de l'Allemagne nazie, il fallait y trouver une nouvelle occasion de s'endurcir, et de se réjouir d'avoir fait avancer la destruction de l'ancien ordre, la reconstruction de la nouvelle Allemagne et de la nouvelle Europe allemande.

Un idéal guidait les Allemands dans le traitement des prisonniers les plus haïs, les Juifs : le camp devait être pour eux un monde de souffrances incessantes, qui n'auraient d'autre terme que la mort. La vie du Juif devait être un enfer sur terre, une suite ininterrompue de tortures et de douleurs physiques, sans rien, jamais, pour l'en soulager. C'était là introduire un profond changement, un bouleversement révolutionnaire dans la sensibilité, en pleine Europe du XXe siècle. Si violente était cette pratique révolutionnaire des Allemands que Chaim Kaplan en avait été frappé dès 1939, avant même que le programme officiel d'extermination ne fût lancé :

> Les horribles persécutions du Moyen Age ne sont rien face aux pièges terrifiants dans lesquels nous prennent les nazis. En ces époques primitives, les méthodes de torture étaient elles aussi primitives. Les oppresseurs du Moyen Age ne connaissaient que deux possibilités : la vie ou la mort. Aussi longtemps qu'un homme vivait, fût-il juif, ils le laissaient vivre. Il lui était également possible de s'en sortir en choisissant la conversion ou l'exil. L'Inquisition nazie, elle, procède différemment. Elle s'attaque à la vie du Juif en l'étranglant dans ses moyens d'existence, en lui imposant une discrimination « juridique », en édictant des mesures cruelles, en lui infligeant des tor-

> tures sadiques que même un tyran médiéval aurait eu honte de divulguer. En ces temps anciens, on concevait d'infliger le bûcher à une âme pécheresse, mais ce n'était pas l'habitude de torturer un homme parce qu'il était « né dans le péché » aux yeux du bourreau [3].

La régression vers la barbarie, la logique de l'antisémitisme moderne et la tâche que les dirigeants nazis lui assignaient étaient telles que Kaplan, et probablement bien d'autres Juifs avec lui, aurait préféré à l'Allemagne du XXe siècle, et à son institution exemplaire du camp, la domination de quelque tyran médiéval peu éclairé.

Le second objectif du camp, pour les Allemands, était une *transformation révolutionnaire de la société* qui nierait les fondements mêmes de la civilisation européenne. La révolution de l'Allemagne nazie cherchait à recomposer le paysage social de l'Europe en fonction des principes de son racisme biologique, ce qui demandait de tuer des millions de gens que la fantasmagorie raciste décrétait dangereux ou excédentaires, et donc d'accroître la part proportionnelle des « races supérieures », de renforcer la souche saine de l'humanité et, complémentairement, de diminuer le danger que les « races inférieures », avec la force du nombre, faisaient courir aux races « supérieures ». L'esprit de cette immense entreprise régressive de reconstruction d'une Europe sous domination allemande avait été à plusieurs reprises proclamé par Himmler, le fer de lance de cette révolution : « Que les nations soient prospères ou meurent de faim ne m'intéresse que dans la mesure où nous avons besoin d'elles comme esclaves de notre *Kultur*, sinon, ça ne m'intéresse pas [4]. » L'Europe de l'Est était appelée à devenir une colonie allemande peuplée de colons allemands et de Slaves asservis [5].

Le camp était révolutionnaire parce qu'il était l'instrument principal d'une recomposition fondamentale du paysage social et humain de l'Europe. Aux yeux de ses créateurs, le monde des camps, et le *système* de société allemande qu'il constituait, reposait sur des principes qui étaient exactement l'inverse de ceux qui gouvernaient jusque-là la morale publique et (malgré de nombreuses exceptions) le comportement des hommes dans les sociétés allemande et européenne. La création de ce nouveau monde aurait signifié la fin de la civilisation occidentale telle qu'on la connaissait, avec, au premier rang, symboliquement, la destruction du christianisme [6]. Le système des camps était également révolutionnaire en ce qu'il était déjà une figure réduite de ce monde futur, le modèle social qui serait imposé à une grande partie de l'Europe et le modèle moral appelé à devenir le fondement de la société européenne que les Allemands édifiaient. On peut même dire que ce système des camps, en expansion continuelle, était l'embryon de la nouvelle Europe allemande, laquelle n'aurait été qu'un immense camp de concentration, avec les Allemands comme gardiens et les autres peuples (à l'exception de ceux qui auraient été « racialement » privilégiés) réduits à l'état de prisonniers, d'esclaves, de cadavres.

Dès l'automne 1940, le gouverneur allemand de la Pologne, Hans Frank, exprimait clairement cette vision de l'Europe, bien qu'il ne parlât que de la partie de la Pologne qui était sous sa juridiction : « Ici, nous pensons en termes d'empire, dans le style le plus grandiose que l'Histoire ait jamais connu. Notre impérialisme ne saurait être comparé à ces misérables tentatives faites en Afrique par les faibles gouvernements allemands qui nous ont précédés. » Frank assurait ensuite son auditoire que « le Führer lui-même avait explicitement dit » que la Pologne était « destinée » à être un « gigantesque camp de travail, où tout ce qui touche au pouvoir et à l'indépendance serait aux mains des Allemands ». Aucun Polonais ne serait admis à bénéficier d'une éducation supérieure, « aucun ne pourrait dépasser le rang de contremaître ». Pour Frank et Hitler, il n'y aurait jamais plus d'État polonais. Les Polonais seraient « soumis » de façon définitive à la race des maîtres. Ces propos de Frank sur l'avenir concentrationnaire de la Pologne n'étaient pas tenus à huis clos, mais formulés dans deux discours devant ses chefs des services administratifs : Frank enseignait à ceux qui gouvernaient la Pologne le nouveau code de conduite allemand [7].

Le système des camps était une des définitions de la société allemande de l'époque nazie. Il était l'institution emblématique de cette société, celle qui distinguait le plus l'Allemagne des autres pays européens, celle qui contribuait le plus à en faire une nation meurtrière. Il était aussi la plus importante innovation institutionnelle du nazisme, et il formait un sous-système social entièrement nouveau. Les premiers camps, créés en 1933, très peu de temps après l'accession de Hitler au pouvoir, posaient les fondations du nouveau système, qui s'étendrait géographiquement avec le nombre sans cesse croissant de camps (plus de 10 000 en tout) et celui de leurs prisonniers. De toutes les institutions nazies, le système des camps était celle qui avait le plus fort taux de croissance, et il se serait encore agrandi si l'Allemagne n'avait pas été vaincue. Enfin, s'il était la définition et l'emblème de la nouvelle Allemagne, c'est parce que plusieurs de ses traits symbolisaient des aspects essentiels et distinctifs de l'Allemagne nazie. C'était dans les camps que le monde nazi était en cours de création, sans la moindre inhibition, envers et contre tous. L'idéologie nazie, dont on ne peut douter qu'elle ait été la source et le moteur des politiques révolutionnaires et meurtrières de l'Allemagne nazie, trouvait dans le camp son expression la plus complète. Le type de société et de valeurs que prônait l'idéologie nazie, que le système éducatif allemand inculquait à la jeunesse allemande, et que Hitler et Himmler avaient publiquement décidé d'instaurer, trouvait dans le système des camps sa première mise en forme, sa référence empirique. C'était dans les camps que l'on pouvait le mieux saisir les aspects essentiels de la révolution nazie et de la création du nouvel homme allemand, le caractère du nouveau corps social et la nature du futur ordre européen.

Le monde des camps enseignait à ses victimes des leçons de première main, et il nous enseigne à nous des leçons de seconde main sur la nature de l'Allemagne nazie. Le système des camps révèle non seulement le vrai visage du nazisme mais aussi celui de l'Allemagne d'alors. L'idée que l'Allemagne nazie était une société « ordinaire », « normale », qui avait la malchance d'être gouvernée par des dirigeants démoniaques et sans entrailles, lesquels, en s'appuyant sur les institutions d'une société moderne, poussaient la population à commettre des actes qu'elle abhorrait, cette idée est profondément fausse. L'Allemagne nazie était une société fondamentalement différente des sociétés d'aujourd'hui, qui fonctionnait selon une ontologie et une vision du monde différentes, et dont les membres avaient, sur plusieurs aspects de la vie sociale, des conceptions qui n'obéissent pas à notre définition de ce qui est « ordinaire ». Ainsi, l'idée que les caractéristiques de l'individu viennent de sa race et que le monde est divisé en races distinctes (dont les capacités et la valeur morale, très différentes, relèvent de la biologie) était sinon un axiome de cette société, du moins une croyance largement répandue. L'idée que le monde devait être réorganisé selon cette conception d'une immuable hiérarchie des races était acceptée par tous comme une norme. L'idée qu'une coexistence pacifique entre les races était possible n'entrait pas dans le paysage cognitif de cette société : elle croyait au contraire que les races étaient vouées à se combattre inexorablement jusqu'à ce que l'une ou l'autre triomphe. La vie dans les camps démontrait avec quel radicalisme les Allemands ordinaires étaient prêts à appliquer les croyances racistes et meurtrières qui, formalisées ou non, constituaient l'idéologie de la nation. Le camp, cette institution distinctive de l'Allemagne d'alors, et peut-être son institution centrale, était le terrain d'entraînement où le nouveau « surhomme » allemand apprenait à se conduire en maître. Le camp révèle que la *Kultur* de Himmler était, dans une large mesure, déjà devenue la *Kultur* de l'Allemagne.

Cet univers des camps, en expansion continue, était le lieu principal de la révolution nazie dans ses composantes essentielles. Le massacre collectif, la réintroduction de l'esclavage sur le continent européen, la liberté officielle de traiter les « sous-hommes » comme on le voulait et sans aucune contrainte, tout cela montre que le camp était l'institution emblématique de l'Allemagne nazie et le paradigme du « Reich de mille ans » promis par Hitler. Le monde des camps révèle l'essence de l'Allemagne qui s'est donnée au nazisme, de même que les agents de l'Holocauste révèlent la barbarie meurtrière par laquelle, de leur plein gré, les Allemands, entendaient protéger l'Allemagne et son peuple de leur plus grand ennemi, *DER JUDE*.

Annexes

Note de méthodologie

De même qu'il était important d'exposer les considérations théoriques qui ont guidé cette enquête, il est nécessaire aussi de préciser ici d'autres considérations de méthode qui ont gouverné mon étude des agents de l'Holocauste.

Nous ignorons encore tant de choses sur l'Holocauste et ses agents qu'une telle étude ne pouvait être que sélective : le présent livre ne traite que de certaines institutions de mise à mort, sans prétendre faire une histoire complète de l'Holocauste. Les cas étudiés ne l'ont pas été pour des raisons de continuité narrative ou de richesse du contenu, mais parce qu'ils permettaient de répondre à certaines questions, de mettre à l'épreuve certaines hypothèses. L'intention première de ce livre est d'expliquer et de théoriser. Narrations et descriptions, si importantes qu'elles soient pour préciser les actes des agents de l'Holocauste et les différents cadres de leur action, sont ici subordonnées à l'objectif d'explication.

Quand je me suis lancé dans les recherches documentaires nécessaires à cette étude, l'hypothèse qui me paraissait la plus vraisemblable était la suivante : les motivations des bourreaux étaient dans leurs croyances à l'endroit des victimes, et les différentes institutions avaient donc été facilement en mesure de canaliser l'antisémitisme préexistant des tueurs une fois l'ordre donné par Hitler de procéder à l'extermination. J'ai donc choisi de faire porter mon enquête sur les institutions et les cas particuliers qui permettraient d'isoler de plusieurs manières l'influence de cet antisémitisme et d'évaluer son rôle causal. Si mes hypothèses étaient erronées, les cas choisis l'auraient alors clairement démontré. Les trois institutions analysées en profondeur sont les bataillons de police, les camps dit de « travail » et les marches de la mort, qui, toutes les trois, se trouvent avoir été les plus négligées jusqu'ici.

Le choix des cas et des échantillons obéissait aussi à une autre considération. Deux populations distinctes sont l'objet de cette étude : celle des agents de l'Holocauste, et le peuple allemand lui-même. Il s'agit simultanément d'une étude des agents de l'Holocauste et de l'Allemagne nazie, de son peuple, de sa culture politique. Les institutions choisies répondaient donc à un double objectif analytique : elles devaient permettre de découvrir les motivations des bourreaux étudiés, et de généraliser les résultats obtenus à tous les bourreaux en tant que groupe ainsi qu'à l'ensemble du peuple allemand.

Une grande partie de ce qui va donc être dit ici sur la méthode vaut à la fois pour les agents de l'Holocauste et l'ensemble de la population allemande.

La présente étude soumet les hypothèses concurrentes déjà exposées à un examen empirique, appuyé sur un grand nombre de cas différents, et même, à l'occasion, sur ceux de bourreaux non allemands et sur d'autres génocides. Elle repose sur les recherches que j'ai pu mener sur plusieurs types d'unités et d'institutions ayant pris part à l'Holocauste : plus de 35 bataillons de police ayant procédé à des fusillades massives ; les 18 *Einsatzkommandos*, équipes mobiles de tueurs chargées d'exterminer la communauté juive d'URSS ; un certain nombre de ghettos et camps de concentration ; des camps de « travail » ; Auschwitz et d'autres camps de la mort ; et enfin une douzaine de marches de la mort, dans les derniers jours de la guerre[1]. Si les études de cas développées dans ce livre ne parlent que de quelques bataillons de police, camps de « travail » ou marches de la mort, mes conclusions s'appuient sur la connaissance de cas bien plus nombreux. Les chapitres de la 6e partie, qui résument les enseignement tirés de ces études de cas, sont aussi l'occasion d'en évoquer d'autres. Néanmoins, je me suis efforcé de résister à la tentation d'aller piocher çà et là, dans de très nombreux cas, des éléments favorables à ma démonstration, afin de ne pas biaiser mes conclusions. Ce qui a guidé mon travail, c'est la conviction que l'étude d'hommes et de femmes différents, au sein de différentes institutions ayant des tâches différentes apporterait une vision comparative des agents de l'Holocauste riche d'aperçus que ne saurait donner l'étude d'une seule institution[2].

Parmi toutes les unités sur lesquelles ont porté mes recherches, j'ai décidé d'étudier en profondeur celles qui partageaient un certain nombre de caractéristiques communes (mais sans que cela soit vrai d'absolument toutes). En tête venaient les unités pour lesquelles on pouvait prouver à coup sûr que les hommes qui les composaient savaient qu'ils n'étaient pas obligés de participer aux tueries. Car si la menace de coercition avait existé, il aurait été difficile de décider si, oui ou non, d'autres motivations avaient joué. Je me suis aussi concentré sur les unités qui avaient participé à plusieurs reprises à des tueries en face à face, où les bourreaux étaient confrontés directement à leurs victimes et exposés à des scènes d'une horreur indicible, éclaboussés de sang, d'éclats d'os et de cervelle, et cela pendant un temps assez long : pour toutes sortes de raisons, les actes de ceux qui étaient des tueurs *de métier* dans *un tel contexte*, et non pas des tueurs épisodiques, demandent davantage encore à être expliqués. Parmi toutes les unités répondant à ces critères de choix, je me suis attaché surtout à celles qui étaient composées d'hommes que leurs antécédents semblaient le moins préparer à devenir des agents volontaires d'un génocide. C'est une des raisons pour lesquelles j'insiste sur les bataillons de police, dont beaucoup étaient composés d'Allemands « ordinaires ». Ce sont leurs actes, et non ceux des partisans fanatiques de Hitler, qui sont les plus difficiles à expliquer, et qui défient donc le plus mon hypothèse de travail. Toute explication de l'Holocauste doit rendre compte des actes de ces gens-là, et, si elle y réussit, elle a toute chance de pouvoir expliquer les actes des zélotes de Hitler, dont on peut présumer qu'ils auraient exécuté encore plus volontiers que des fidèles moins fanatisés une politique ordonnée d'en haut, quelle qu'elle fût.

Plusieurs bataillons de police répondent à tous ces critères. Ce qui est surprenant, c'est que, jusqu'à la parution récente de deux ouvrages[3], ces unités étaient à peine mentionnées dans la littérature sur le génocide nazi, et moi-même, avant d'entreprendre mes recherches (alors que les deux ouvrages en question n'étaient pas encore parus), j'ignorais l'étendue de ce qu'elles avaient commis et ne soupçonnais donc pas l'importance de ce que l'étude de ces bataillons pouvait apporter à la compréhension de cette période de la société et de la politique allemandes. Bien des bataillons de police étaient des unités composées d'hommes recrutés au hasard, sans formation idéologique spécifique, sans antécédents militaires, souvent des hommes mûrs, proches de la quarantaine, chargés de famille, et non pas ces jeunes recrues de 18 ans que les armées préfèrent parce qu'elles sont faciles à modeler. Qui plus est, si ces unités se sont retrouvées engagées dans des tueries, c'est bien plus par hasard que par une intention délibérée des autorités. En envoyant ces hommes massacrer des Juifs, le régime agissait comme si tout citoyen allemand était capable de faire un agent du génocide. Tout cela est traité longuement dans la 3e partie.

Avec l'étude des camps de « travail », il s'agissait de soumettre mon hypothèse de départ à la plus délicate des épreuves. Des institutions vouées à la production, c'est-à-dire à la rationalité, devaient être les moins ouvertes à l'influence d'une idéologie préexistante, ici l'antisémitisme. S'il s'avérait que le fonctionnement de ces camps de « travail » ne pouvait s'expliquer que par l'antisémitisme des responsables allemands, ce serait là une preuve de première grandeur de l'importance primordiale de l'antisémitisme pour expliquer les actes des Allemands. Naturellement, si cette hypothèse s'était révélée ne pas être la bonne, il aurait fallu soit la rejeter, soit la nuancer, soit la compléter par d'autres. J'ai surtout étudié les camps de la région de Lublin dans cette phase de l'Holocauste où les Allemands toléraient encore la survie de certains Juifs polonais parce qu'ils voulaient, officiellement, les utiliser pour la production. Dans cette conjoncture, les camps de « travail » auraient dû être vraiment ce que leur nom indique, et il devait donc être assez facile d'observer la capacité de l'antisémitisme allemand à contredire, si c'était le cas, les objectifs rationnels de la production.

Les marches de la mort de 1945 – ces longues colonnes de Juifs encadrés d'Allemands lancées sur les routes d'Allemagne et d'Europe, les armées alliées sur leurs talons – permettent d'étudier les actes des agents de l'Holocauste dans une autre conjoncture : ils n'étaient presque plus contrôlés par l'autorité supérieure, ils pouvaient donc choisir plus librement leur manière d'agir, et face à l'imminente défaite de l'Allemagne, qui allait devenir un pays occupé et peut-être puni, continuer à brutaliser et tuer les Juifs pouvait mettre en danger ces Allemands. Les marches de la mort sont l'occasion d'observer les actes et les motivations de ces Allemands dans des conditions de quasi-autonomie et donc de mesurer leur degré de zèle dans le massacre. Dans une telle conjoncture, des gens qui n'auraient pas été dévoués corps et âme à la destruction des Juifs auraient dû s'abstenir de leur nuire. Les marches de la mort constituent donc un autre type, difficile, de mise à l'épreuve de mon hypothèse selon laquelle les agents de l'Holocauste étaient mus par leur propre antisémitisme, par leur conviction que l'extermination des Juifs était juste.

Les cas choisis sont donc autant de « cas cruciaux », c'est-à-dire des cas choisis en fonction de variables explicatives qui ont le plus de chances de démentir mon hypothèse de départ. Ce sont donc aussi les cas qui, s'ils la confirment, devraient donner le plus de crédit à mon explication [4]. Ces cas ont un autre avantage : ils permettent d'isoler les différents facteurs qui pourraient plausiblement expliquer les actes des Allemands, et donc d'introduire la clarté analytique nécessaire.

Plutôt que de prendre des échantillons scientifiquement constitués d'agents de l'Holocauste dans un grand nombre d'institutions différentes, j'ai donc décidé d'étudier des institutions choisies (mais en prenant quand même des échantillons dans d'autres institutions lorsqu'il s'agissait de rendre compte des antécédents des agents de l'Holocauste). Mon raisonnement était le suivant : les agents de l'Holocauste ne pouvaient être étudiés et leurs actes ne pouvaient être expliqués en dehors de leur contexte institutionnel. Voir en eux des individus coupés de toute relation sociale immédiate n'avait guère de sens. Si l'on n'étudiait pas les unités où ils opéraient, on en apprendrait trop peu sur leur vie, et ce manque rejaillirait sur l'explication de leurs motivations. Les institutions de mise à mort (bataillons de police, *Einsatzkommandos*, camps de différents types, marches de la mort) étaient différentes les unes des autres, tout comme étaient différentes, à de multiples égards, les unités que chacune abritait. Étudier des échantillons scientifiques pris dans différentes unités aurait eu pour conséquence d'oblitérer les circonstances institutionnelles, matérielles et socio-psychologiques de l'Holocauste.

Si j'ai décidé d'étudier certaines institutions entières avec leur personnel, c'est aussi parce qu'on en sait encore trop peu sur les actes de la plupart des individus pour fonder une étude sur la méthodologie inverse. Alors qu'on peut découvrir beaucoup de choses sur la *typologie de l'action* dans des institutions données, on ne peut en faire autant sur la grande majorité des individus qui seraient pris dans de tels échantillons. Les agents de l'Holocauste pour lesquels on dispose de beaucoup d'informations sont un groupe d'hommes peu représentatifs qui ont fait l'objet d'enquêtes judiciaires poussées en Allemagne fédérale, soit parce qu'ils exerçaient des fonctions d'autorité pendant la guerre, soit parce qu'ils s'étaient livrés à des actes particulièrement abominables. Nul doute que cette population ne soit très intéressante, et ce que nous savons d'eux a d'ailleurs été utilisé dans ce livre, mais leur défaut de représentativité fait qu'ils ne sauraient répondre aux questions *générales*, empiriques et théoriques, que pose le présent ouvrage.

Le choix des cas particuliers étudiés dans les institutions sélectionnées était tributaire non seulement des critères mentionnés ci-dessus mais aussi de la disponibilité d'une documentation suffisante. Un des problèmes que pose l'étude des agents de l'Holocauste tient aux documents subsistants et à leur valeur très inégale. Il existe très peu de documents d'époque qui donnent suffisamment de détails sur leurs actes, ou disent quoi que ce soit de leurs motivations. Pour certaines institutions de mise à mort, dont certains des cas étudiés ici, il ne subsiste presque aucun document d'époque. Mes principales sources ont donc été les enquêtes judiciaires d'après-guerre sur les crimes nazis qui se trouvent dans les archives de la justice allemande. Ces enquêtes – qui sont la source indispensable, presque la seule pour étudier les actes des bourreaux – sont restées jusqu'ici trop peu exploitées. Elles contiennent les documents d'époque pertinents qui ont pu être retrouvés et, surtout, les procès-verbaux des longs interrogatoires des inculpés, des témoins et des victimes[5], ce qui permet de se faire une idée assez précise de la vie de telle institution et l'histoire des actes commis. Et comme, plus d'une fois, des individus différents, n'occupant pas toujours la même place dans le processus du massacre, ont évoqué les mêmes événements, l'historien peut soumettre leurs comptes rendus à un examen comparatif, y trouver des confirmations éclairantes, mais aussi des contradictions, impossibles à résoudre autrement que par la logique et selon le jugement de l'interprète[6]. Heureusement, quand se présentent des discordances insolubles, et notamment sur le nombre de Juifs déportés ou tués dans telle opération, elles n'ont en général pas d'incidence sur l'analyse.

Ces riches sources judiciaires d'après-guerre posent néanmoins problème. Tout d'abord, les déficiences de la mémoire quand il s'agit de raconter des événements souvent vieux de vingt ans[7]. Ensuite, les individus interrogés avaient de puissants motifs pour dissimuler, esquiver, nier et mentir. Leurs dépositions sont pleines d'omissions, de demi-vérités, de mensonges purs et simples. Il ne faut pas oublier qu'ils déposaient devant des policiers ou des magistrats à propos de crimes qui étaient considérés par leur propre société, la République fédérale d'Allemagne, et par le monde entier comme parmi les plus grands de toute l'histoire humaine. Ces agents de l'Holocauste avaient passé les deux décennies précédentes à nier, dans le silence ou le mensonge, avoir donné au génocide leur consentement, leur volonté la plus intime, leur âme même. Ne pas agir ainsi eût été déclarer à sa famille, à ses amis, à ses enfants en train de grandir, à leur société maintenant réprobatrice : « J'étais un massacreur de Juifs et j'en suis (ou j'en étais) fier. » Après toutes ces années de silence ou de mensonge, ils se trouvaient confrontés à des autorités judiciaires et obligés de faire face à des faits qu'ils avaient depuis longtemps chassés de leurs propos quotidiens. Est-il surprenant qu'ils ne fussent guère désireux de déclarer à leurs interrogateurs qu'ils avaient été des tueurs et qu'ils avaient approuvé leurs actes, peut-être même qu'ils les avaient savourés ? Ils ne savaient pas s'ils seraient ou non inculpés pour ces crimes. D'où la puissance des motivations à mentir, à refuser de se compter au rang des plus grands criminels de l'Histoire. Il est facile de démontrer combien ils ont menti, ouvertement et par omission, pour minimiser leur engagement physique et moral dans le génocide. Tout cela fait que la seule méthodologie possible est d'écarter *toutes* les dépositions disculpant leur auteur qui ne sont pas corroborées par d'autres[8].

Essayer d'expliquer les actes des Allemands, voire simplement d'écrire l'histoire de la période, en se fondant sur des dépositions aussi biaisées équivaudrait à écrire une histoire de la criminalité en Amérique à partir des déclarations faites par les criminels à la police, à l'instruction ou au tribunal. La plupart des criminels disent qu'ils sont accusés à tort. Ils s'abstiennent le plus souvent de donner des informations sur d'autres actes criminels qu'ils ont pu commettre et que les autorités ignorent. Quand ils sont incapables de nier matériellement leur culpabilité, ils font tout ce qu'ils peuvent pour en rejeter la responsabilité sur d'autres. Interrogés au tribunal ou par la presse, ils déclarent le plus souvent, et même avec beaucoup de conviction et de passion, qu'ils haïssent les crimes qu'ils ont néanmoins commis. Face aux autorités, et à la société en général, les criminels mentent presque toujours sur leurs actes et leurs motivations. Même quand les jurés, devant les preuves rassemblées, ont décidé qu'ils étaient coupables sans qu'un doute raisonnable ne subsiste, ils continuent de clamer leur innocence. Quelle raison y a-t-il de penser que des hommes qui ont été complices d'un des plus grands crimes de l'histoire humaine aient pu se montrer plus honnêtes, plus prompts à s'accuser eux-mêmes ?

Accepter les disculpations intéressées des agents de l'Holocauste sans chercher des preuves qui les corroborent, c'est s'avancer à coup sûr sur la mauvaise route, où l'on ne trouvera jamais la vérité. Si ces déclarations les disculpant étaient effectivement vraies, on devrait pouvoir en trouver des preuves ailleurs. C'est rarement le cas. Comme le montrent les chapitres consacrés aux agents de l'Holocauste, s'ils avaient vraiment désapprouvé ces massacres de masse, s'ils avaient vraiment voulu ne pas y participer, ils avaient à leur disposition bien des moyens de le faire sans courir de grands risques, voire sans en courir aucun, que ce soit par le refus déclaré de tuer, par l'expression symbolique de leur désapprobation ou par le simple échange de vue avec leurs camarades [9].

Tableau des croyances dominantes en Allemagne nazie à propos des Juifs, des malades mentaux et des Slaves

Source du caractère particulier

1. Juifs : race/biologie.
2. Malades mentaux : biologie.
3. Slaves : race/biologie.

Trait essentiel

1. Juifs : malfaisance/menace.
2. Malades mentaux : maladie.
3. Slaves : infériorité.

Degré de nocivité et de péril

1. Juifs : extrême, incalculable.
2. Malades mentaux : chronique, larvé et source d'affaiblissement.
3. Slaves : potentiellement important, mais contrôlable.

Motivations et responsabilité attribuées

1. Juifs : veulent détruire l'Allemagne, et sont responsables de leur propre malignité.
2. Malades mentaux : victimes infortunées, sans malignité, ne sont pas responsables de leur état ni de la menace qu'ils représentent pour l'Allemagne.
3. Slaves : pas d'intention de nuire, et ne sont pas responsables de leur condition inférieure.

Métaphore et implication logique

1. Juifs : « à éliminer », de façon définitive par la mort seule.
2. Malades mentaux : à supprimer ou à isoler.
3. Slaves : à transformer en hilotes (c'est-à-dire les asservir, et les décimer si le besoin s'en fait sentir).

Institutions diffusant ces images

1. Juifs : l'État (propagande continuelle) ; les Églises (appuyant ces croyances, sans proposer de contre-image) ; l'enseignement (de la même façon que l'État) ; l'armée (de même).
2. Malades mentaux : l'État (mais dissémination moins directe, moins continue et moins intense des idées biologiques, et n'interdisant pas un discours contraire) ; les Églises (opposition déclarée aux idées nazies) ; l'enseignement (tendant à appuyer le discours de l'État) ; l'armée : silencieuse là-dessus.
3. Slaves : l'État (discours constant sur leur « sous-humanité » mais sans l'intensité, les insultes et la violence du discours contre les Juifs) ; les Églises (silence relatif ; elles continuaient à prêcher l'universalité de la morale – seuls les Juifs en étaient exceptés – et considéraient les Slaves comme des chrétiens ; l'enseignement (comme l'État) ; l'armée (plutôt d'accord avec l'État, mais voix dissonantes à tous les niveaux).

Pénétration des croyances (étendue et profondeur)

1. Juifs : quasi universelle/profondément.
2. Malades mentaux : limitée à certains groupes/profondément dans ces groupes.
3. Slaves : répandue/variable, mais moins profondément enracinée que dans le cas des Juifs.

Réactions morales

1. Juifs : offensent le sens de l'ordre et du bien.
2. Malades mentaux : offensent le sens de l'ordre mais pas celui du bien.
3. Slaves : aucune offense si on les maintient à leur place, celle de bêtes de somme ; ne sont pas un fléau moral.

Attitude éthique

1. Juifs : ne sont pas des êtres humains, ne sont pas justiciables de la loi morale.

2. Malades mentaux : attitude mélangée (dans leur cas, il faut suspendre l'exercice de la loi morale traditionnelle qui déclare sacro-sainte la vie humaine, mais il faut les traiter sans cruauté, sans souffrance inutile).

3. Slaves : application incohérente (et souvent violée) de la moralité traditionnelle sous une forme atténuée.

Interaction des croyances, de la morale traditionnelle et du degré de pénétration dans la société

1. Juifs : aucune place pour la morale traditionnelle ; la nature des Juifs invalide son application ; croyances presque universelles.

2. Malades mentaux : métaphore biologique assez peu répandue, ce qui laissait jouer la moralité traditionnelle ; à la différence des Juifs, ils n'étaient pas considérés comme mentalement coupables.

3. Slaves : croyances en leur infériorité largement répandue, mais la morale traditionnelle pouvait encore influencer bien des gens, encore que faiblement ; les croyances à l'endroit des Slaves n'étaient pas aussi centrales que l'antisémitisme, si bien que la « question » qu'ils posaient n'avait pas la même urgence.

Résultats

1. Juifs : génocide ; une très faible minorité d'opposants, le plus souvent pour des raisons éthiques (contestant que la morale traditionnelle fût « démodée ou n'ait pas lieu de s'appliquer ») ; aucune difficulté à recruter des tueurs volontaires et zélés.

2. Malades mentaux : le programme Euthanasie fut officiellement interrompu devant la vigueur de l'opposition ; mais la première exécution du programme a su trouver un personnel médical zélé, idéologiquement convaincu.

3. Slaves : politique incohérente, de nombreuses exceptions ; absence de génocide, mais massacre violent de tous les opposants ; les tueurs étaient en général moins enthousiastes ; des considérations politiques (alliances) pouvaient modifier l'image de certains groupes slaves, à la fois parce que les croyances à leur endroit étaient moins profondes et parce qu'on ne considérait pas les Slaves comme fondamentalement dangereux (s'ils étaient bien tenus en main) ni mus par le désir de nuire ; ils devaient devenir un immense réservoir de main-d'œuvre ; des millions d'entre eux étaient déjà asservis.

Pseudonymes

Les lois sur le respect de la vie privée de la République fédérale allemande obligent les chercheurs à ne pas révéler les noms de ceux qui sont mentionnés dans les enquêtes judiciaires à moins qu'ils ne soient morts ou que leurs noms aient déjà été rendus publics. C'est ce qui explique que des pseudonymes soient parfois utilisés pour des personnes mentionnées dans le texte, et des initiales pour ceux qui ne sont mentionnés que dans les notes.

Bekemeier, Heinrich
Bentheim, Anton
Brand, Lucia
Brand, Paul
Buchmann, Heinz
Dietrich, Max
Dressler, Alfred
Eisenstein, Oscar
Fischer, Albert
Grafmann, Erwin
Hahn, Irena
Hauer, Gerhard
Hergert, Ernst
Jensen, Walter
Kammer, Arthur
Kemnitz, Simon
Koch, Wilhelm
Mehler, Conrad
Metzger, Paul
Moerig, Hermann
Nehring, Erwin
Papen, Georg
Peters, Oscar
Raeder, Karl
Reich, Hartmuth
Reitsch, Viktoria
Riedl, Siegfried
Ritter, Michael
Rust, Willi
Schäfer, Rita
Schmidt, Irena
Schneider, Emma
Schoenfelder, Dr.
Steinmetz, Heinrich
Vogel, Eberhard
Wagner, Karl
Weber, Alois
Wirth, Martin

Abréviations

BAK	Bundesarchiv Koblenz
Buchs	ZStL 205 AR-Z 20/60
Dörr	Instruction et procès Alois Dörr, StA Hof 2 Js 1325/62
Grünberg	ZStL 410 AR 1750/61
HG	Instruction H. G. *et al.*, StA Hamburg 141 JS 128/65
HGS	*Holocaust and Genocide Studies*
Hoffmann	Instruction et procès Wolfgang Hoffmann *et al.*, StA Hamburg 141 JS 1957/62
HSSPF	Chef suprême de la SS et de la police
IMT	*Trials of the Major War Criminals Before the International Military Tribunal, volumes 1 à 42*
JK	ZStl 206 AR-Z 6/62
KdO	Commandant de la police d'Ordre
KR	ZStL 208 AR 967/69
Nazism	J. Noakes et G. Pridham, éd., *Nazism : A History in Documents and Eyewitnesses Accounts, 1919-1945*, New York, Schocken Books, 1988.
SSPF	Chef de la SS et de la police
SSPF Lublin	Instruction contre le SSPF de Lublin, ZStL 208 AR-Z 74/60
StA	Bureau du procureur général
StAH	Archives d'État de Hambourg
Streckenbach	Accusation contre Streckenbach, ZStL 201 AR-Z 76/59
TWC	*Trials of War Criminals before the Nürnberg Military tribunals under Control Council Law n° 10. Nürnberg, October 1946-April 1949*, vol. 1-15.

VfZ	*Vierteljahrshefte für Zeitgeschichte*
YVS	*Yad Vashem Studies*
ZStL	Zentrale Stelle der Landesjustizverwaltungen zur Aufklärung nationalsozialistische Verbrechen in Ludwigsburg

Notes

Introduction

1. Voir lettre du 30 janvier 1943, StA Hamburg 147 Js 1957/62, p. 523-524.

2. Il faut reconnaître que l'expression « peuples civilisés » est des plus vagues : on la prend ici à la fois au sens qu'elle a dans le langage ordinaire et dans le sens théorique que donne Norbert Elias à la civilisation : la capacité d'imposer un contrôle interne et externe à ses émotions, et notamment aux accès de violence destructrice. Voir *La Civilisation des mœurs*, Paris, Calmann-Lévy, 1973.

3. Les problèmes de définition de la catégorie « agents de l'Holocauste » sont traités au chapitre 5.

4. Le silence des historiens sur les agents de l'Holocauste peut prendre des formes subtiles. Chez certains auteurs, que ce soit conscient, demi-conscient ou inconscient, le langage utilisé escamote les coupables : le recours au passif éloigne les tueurs de la scène du carnage, comme s'il ne s'agissait pas de leurs actes. Cela trahit la vision de l'auteur et forme celle du public : le facteur humain est absent de l'événement. Voir Martin Broszat et Saul Friedländer, « A Controversy about the Historicization of National Socialism » (dans Peter Baldwin, éd., *Reworking the Past : Hitler, the Holocaust, and the Historians' Debate*, Boston, Beacon Press, 1990, p. 102-134), pour une analyse de cette tendance chez Martin Broszat, l'un des historiens de l'Holocauste et de l'Allemagne nazie qui a eu le plus d'influence.

5. Quand nous parlons des citoyens des États-Unis qui ont combattu au Vietnam pour atteindre les objectifs fixés par leur gouvernement, nous n'hésitons pas à parler d'« Américains », et nous avons toutes les raisons de faire de même pour les Allemands et l'Holocauste. Les massacreurs des Juifs étaient allemands autant que les soldats du Vietnam étaient américains, même si, dans les deux cas, leurs actes n'avaient pas le soutien absolument général de leurs concitoyens. L'usage en pareil cas, comme le souci d'exactitude et de rectitude, non seulement permet d'utiliser le mot « Allemands » mais nous y oblige. De plus, les victimes juives utilisaient elles aussi, dans l'immense majorité des cas, le mot « Allemands » et non pas le mot « nazis ». Cet usage du terme ne signifie pas que tous les Allemands sont inclus (de même que le mot « Américains » n'implique pas tous les Américains), puisque certains Allemands se sont opposés au nazisme et à la persécution des Juifs. Mais cela ne change rien à l'identité des coupables. Un vrai problème de l'usage du terme « Allemand », quand on l'oppose à « Juif », est qu'on a l'air de sous-entendre que les Juifs d'Allemagne n'étaient pas allemands. J'ai préféré parler d'Allemands et non d'« Allemands non juifs », locution par trop encombrante. Mais chaque fois que les Juifs allemands sont appelés « Juifs » tout court, la référence à leur qualité d'Allemands est implicite.

6. De nombreux non-Allemands ont participé au génocide, en particulier différentes unités d'auxiliaires d'Europe orientale, qui opéraient en liaison avec des Allemands et sous leur contrôle. Les plus importants étaient les « Trawnikis », auxiliaires ukrainiens

pour la plupart, qui ont grandement collaboré à l'extermination des Juifs polonais du Gouvernement général, en participant aux déportations, aux fusillades de masse, et en servant comme gardiens dans les camps d'extermination de Treblinka, Belzec et Sobibor. Les Allemands ont également trouvé des auxiliaires volontaires en Lituanie, en Lettonie, dans les différents territoires soviétiques occupés et en Europe de l'Ouest. D'une manière générale, ces agents de l'Holocauste ont été négligés par les historiens. Il faudrait entreprendre une étude comparative des différents groupes (on en parle brièvement au chapitre 15), mais le présent ouvrage n'a pas pu traiter le sujet en profondeur, pour deux raisons : la première, déjà mentionnée, est que l'initiative du génocide revient aux Allemands et non pas à des non-Allemands. La seconde est d'ordre pratique : l'objet de ce livre est déjà ambitieux, et son champ d'observation doit rester gouvernable. L'étude des différents agents de l'Holocauste non allemands relève d'un livre à part. Sur l'attitude des Allemands ethniques pendant la guerre, voir Valdis O. Lumans, *Himmler's Auxiliaries : The Volksdeutsche Mittelstelle and the German National Minorities of Europe, 1933-1945*, Chapel Hill, University of North Carolina Press, 1993 ; pour la contribution des Trawnikis, voir Jugement, Karl Richard Streibel *et al.*, Hamburg 147 Ks 1/72 ; sur l'URSS, voir Richard Breitman, « Himmler's Police Auxiliaries in the Occupied Soviet Territories », *Simon Wiesenthal Annual* 7 (1994), p. 23-39.

7. Voir Clifford Geertz, « Thick Description : Toward an Interpretive Theory of Culture », dans *The Interpretation of Cultures : Selected Essays*, New York, Basic Books, 1973, p. 3-30.

8. Cela est analysé au chapitre 3.

9. Voir Hans-Heinrich Wilhelm, « The Holocaust in National-Socialist Rhetoric and Writings : Some Evidence against the Thesis that Before 1945 Nothing Was Known about the "Final Solution" », *YVS* 16 (1984), p. 95-127 ; et Wolfgang Benz, « The Persecution and Extermination of the Jews in the German Consciousness », dans John Milfull, éd., *Why Germany ? National Socialist Anti-Semitism and the European Context*, Providence, Berg Publishers, 1993, p. 91-104, notamment p. 97-98.

10. Voir, par exemple, Max Domarus, *Hitler : Speeches and Proclamations, 1932-1945*, Londres, I. B. Tauris, 1990, vol. 1, p. 41 ; et C. C. Aronsfeld, *The Text of the Holocaust : A Study of the Nazis' Extermination Propaganda, from 1919-1945*, Marblehead, Mass., Micah Publications, 1985, p. 34-36.

11. C'est l'objet du débat « intentionnaliste-fonctionnaliste » évoqué ci-dessous. Sur les motivations de la décision d'exterminer les Juifs d'Europe, voir Erich Goldhagen, « Obsession and *Realpolitik* in the "Final Solution" », *Patterns of Prejudice* 12, n° 1 (1978), p. 1-16 ; et Eberhard Jäckel, *Hitler's World View : A Blueprint for Power*, Cambridge, Harvard University Press, 1981.

12. C'était une conséquence de l'expansion militaire allemande.

13. C'est le grand sujet de Raul Hilberg, *The Destruction of European Jews*, New York, New Viewpoints, 1973 [*La Destruction des Juifs d'Europe*, Paris, Fayard, 1985].

14. Naturellement, ce sont les biographes de Hitler qui traitent le plus de la question. Voir, par exemple, Allan Bullock, *Hitler : A Study in Tyranny*, Harmondsworth, Penguin, 1974 ; Robert G. L. Waite, *The Psychopathic God : Adolf Hitler*, New York, Signet Books, 1977 ; Joachim C. Fest, *Hitler*, New York, Vintage, 1975 ; voir aussi ce que Hitler a dit lui-même dans *Mein Kampf*. Pour deux analyses de l'accès au pouvoir des nazis, voir Karl Dietrich Bracher, *Die Auflösung der Weimarer Republik*, Villingen, Schwarzwald Ring Verlag, 1964 ; et William Sheridan Allen, *The Nazi Seizure of Power : The Experience of a Single German Town, 1922-1945*, éd. rév., New York, Franklin Watts, 1984.

15. Cela est analysé au chapitre 5.

16. L'attention exclusive portée aux chambres à gaz, sans considération d'aucun autre aspect de l'Holocauste (si l'on l'excepte une certaine attention accordée aux *Einsatzgruppen*), justifie le titre de l'article de Wolfgang Scheffler : « The Forgotten Part of the "Final Solution" : The Liquidation of the Ghettos », *Simon Wiesenthal Center Annual* 2 (1985), p. 31-51.

17. Cette idée, devenue commune, est avant tout celle de Hilberg, *La Destruction des Juifs d'Europe*.

18. Voir Uwe Dietrich Adam's, « The Gas Chambers », dans François Furet, éd., *Unanswered Questions : Nazi Germany and the Genocide of the Jews*, New York, Schocken Books, 1989, p. 134-154. Son essai s'ouvre sur un constat particulièrement clair : « Aujourd'hui encore, des idées fausses et des généralisations abusives sur l'existence, l'emplace-

ment, le fonctionnement et l'"efficacité" des chambres à gaz continuent à circuler même chez des historiens réputés et sont une source de confusions et d'erreurs » (p. 134).

19. On le voit bien au fait que les travaux historiques, dans l'immense majorité des cas, ne disent pas clairement que, très souvent, les agents de l'Holocauste n'étaient pas des SS. Si on l'avait bien compris, on y aurait vu un des aspects centraux de l'Holocauste.

20. Il est stupéfiant de voir que sur ce sujet, quantités de sources disponibles ont été négligées : on ne les mentionne même pas dans les travaux courants sur l'Holocauste, y compris les plus récents. La question sera traitée en détail dans l'analyse des bataillons de police (3e partie et chapitre 15).

21. Sur les positions des principaux intervenants, voir Tim Mason, « Intention and Explanation : A Current Controversy about the Interpretation of National Socialism », dans Gerhard Hirschfeld et Lothar Kettenacker, éd., *Der « Führerstaat » : Mythos und Realität*, Stuttgart, Klett-Cotta, 1981, p. 23-40 ; Ian Kershaw, *The Nazi Dictatorship : Problems and Perspectives of Interpretation*, 3e éd., Londres, Edward Arnold, 1993, p. 80-107 ; et Michael R. Marrus, *The Holocaust in History*, Hanover, University Press of New England, 1987, p. 31-51 [*L'Holocauste dans l'Histoire*, Paris, Eshel, 1990].

22. Hans Mommsen, « The Realization of the Unthinkable : The "Final Solution of the Jewish Question" in the Third Reich », dans Gerhard Hirschfeld, éd., *The Policies of Genocide : Jews and Soviet Prisoners of War in Nazi Germany*, Londres, Allen & Unwin, 1986, p. 98-99.

23. L'*Encyclopedia of the Holocaust* (4 vol., Israel Gutman, éd., New York, Macmillan, 1990), par exemple, qui tente de résumer et de classer l'état du savoir sur l'Holocauste et donne des chiffres sur un nombre de questions considérable, ne traite jamais de celle-là, pas plus qu'elle n'essaie de donner une estimation.

24. Il est évident que, pour l'opinion, les agents de l'Holocauste n'avaient pas d'autre choix que de tuer ou d'être tués. Quelques historiens récents l'affirment aussi crûment, voir en particulier, Sarah Gordon, *Hitler, Germans and the « Jewish Question »* (Princeton, Princeton University Press, 1984), p. 283, qui en dit autant de la part prise par la Wehrmacht dans le génocide.

25. Voir Saul Friedländer, *Histoire et Psychanalyse*, Paris, Le Seuil, 1975.

26. Voir Stanley Milgram, *Soumission à l'autorité : un point de vue expérimental*, Paris, Calmann-Lévy, 1974. Voir aussi Herbert C. Kelman et V. Lee Hamilton, *Crimes of Obedience : Toward A Social Psychology of Authority and Responsability*, New Haven, Yale University Press, 1989.

27. Cette inclination particulière est parfois conçue comme ayant une origine historique. Voir Erich Fromm, *Escape from Freedom*, New York, Avon Books, 1965 ; et G. P. Gooch *et al.*, *The German Mind and Outlook*, Londres, Chapman & Hall, 1945.

28. Voir Hannah Arendt, *Les Origines du totalitarisme*, Paris, Le Seuil : vol. 1, *Sur l'antisémitisme* (1984) ; vol. 2, *L'Impérialisme* (1984) ; vol. 3, *Le Système totalitaire* (1972) – édition originale, 1951. Hans Mommsen, dans « The Realization of the Unthinkable » (p. 98-99 et p. 128-129), suit un raisonnement voisin, ainsi que Rainer C. Baum, *The Holocaust and the German Elite : Genocide and National Suicide in Germany, 1871-1945* (Totawa, N. J., Rowman & Littlefield, 1981).

29. L'explication de ce type la plus récente, et la plus considérée, est celle de Christopher R. Browning : *Ordinary Men : Reserve Police Battalion 101 and the Final Solution in Poland* (New York, Harper & Collins, 1992 [*Des hommes ordinaires : Le 101e bataillon de réserve de la police allemande et la solution finale en Pologne*, Paris, Les Belles Lettres, 1994]). C'est aussi pour l'essentiel la position de Hilberg dans *La Destruction des Juifs d'Europe*. Robert Jay Lifton, dans *The Nazi Doctors : Medical Killing and the Psychology of Genocide* (New York, Basic Books, 1986), apporte une explication psychanalytique de la façon dont des médecins peuvent devenir des tueurs, et il explique comment des hommes par ailleurs convenables peuvent en venir à commettre de tels actes. Cette explication repose elle aussi sur les facteurs de situation et les mécanismes psychologiques, et, malgré son approche psychanalytique, rentre dans cette catégorie.

30. Mommsen, « The Realization of the Unthinkable » ; Götz Aly et Susanne Heim, *Vordenker der Vernichtung : Auschwitz und die deutschen Pläne für eine neue europäische Ordnung*, Hambourg, Hoffmann und Campe, 1991 ; voir aussi Gordon, *Hitler, Germans and the « Jewish Question »*, p. 312.

31. Cette explication est à ce point insoutenable, quand on sait ce que les tueurs ont réellement fait, comme de tirer à bout portant sur des gens sans défense, qu'on ne la mentionne ici que parce que certains ont cru bon de la reprendre. Marrus, qui est de ceux-là, écrit avec une certitude que rien n'autorise : « Comme les historiens de l'Holocauste l'ont compris depuis longtemps, la forte division du travail introduite dans le processus des tueries aidait les coupables à nier leur propre responsabilité » (*The Holocaust in History*, p. 47). Dans la (faible) mesure où cela est vrai, ce n'est qu'un aspect du génocide, et cela ne vaut pas, comme le dit Marrus, pour la totalité de l'Holocauste.

32. Exception partielle, celle de Herbert Jäger qui, dans *Verbrechen unter totalitärer Herrschaft : Studien zur nationalsozialistischen Gewaltkriminalität* (Olton, Walter-Verlag, 1967, p. 62-64), reconnaît qu'un certain pourcentage des agents de l'Holocauste agissaient par conviction idéologique. Mais Jäger ne croit pas pour autant que la conviction idéologique était générale (voir p. 76-78). Globalement, comme le laisse entendre le titre du livre, « Le Crime dans les régimes totalitaires », Jäger accepte le modèle totalitaire de l'Allemagne nazie élaboré dans les années 50 (p. 186-208) et emploie des formules comme « mentalité totalitaire » *(totalitäre Geisteshaltung)* (p. 186). Ce modèle, qui est fondamentalement faux et continue de dissimuler à beaucoup le substantiel degré de liberté et de pluralisme subsistant dans l'Allemagne nazie, égare constamment les analyses de Jäger, qui sont par ailleurs remarquables et pleines de perspicacité. Sur la critique du modèle totalitaire appliqué à l'Allemagne nazie et sur les problèmes généraux de catégorisation du nazisme, voir Kershaw, *The Nazi Dictatorship*, p. 17-39. Hans Safrian, dans l'introduction de sa récente étude sur ceux qui travaillaient sous les ordres d'Adolf Eichmann, met lui aussi en cause le consensus régnant sur l'idée que les agents de l'Holocauste n'étaient pas mus par l'antisémitisme, mais il ne développe guère son analyse ; voir *Die Eichmann-Männer*, Vienne, Europaverlag, 1993, p. 17-22.

33. Bien entendu, d'autres historiens ont reconnu et souligné l'importance de l'idéologie et de l'antisémitisme dans la décision prise par les *dirigeants* nazis d'exterminer tous les Juifs d'Europe. Pour une analyse d'ensemble de cette question, voir Eberhard Jäckel et Jürgen Rohwer, éd., *Der Mord an den Juden im Zweiten Weltkrieg : Entschlussbildung und Verwirklichung*, Stuttgart, Deutsche Verlags-Anstalt, 1985 ; Lucy Dawidowicz, *The War Against the Jews, 1933-1945*, New York, Bantam Books, 1975 ; Gerald Fleming, *Hitler and the Final Solution*, Berkeley, University of California Press, 1984, et l'introduction de Saul Friedländer ; et Klaus Hildebrand, *The Third Reich*, Londres, Allen & Unwin, 1984.

Mais ces historiens n'ont pas étudié les agents de l'Holocauste ou nient que, en tant que groupe, ils aient pu être mus par cette même idéologie. Marrus, citant Hans Mommsen et l'approuvant, exprime le consensus régnant à ce sujet dans son panorama historiographique, *The Holocaust in History* : « L'endoctrinement antisémite n'est guère une réponse suffisante, car nous savons *[sic]* que bien des fonctionnaires impliqués dans le massacre collectif n'abordaient pas leur tâche avec un antisémitisme ardent. Dans certains cas, même, il semble qu'il n'y ait pas eu chez eux de haine antérieure des Juifs et qu'ils fussent froidement indifférents à leurs victimes » (p. 47). Erich Goldhagen fait exception à ce consensus, et, bien qu'il n'ait rien publié sur la question, il a mis l'accent là-dessus dans ses cours et dans nos nombreuses conversations. On voit que ma position, même si elle n'apparaîtra pas très neuve à certains, s'oppose à celle de mes prédécesseurs.

34. Pour une vue d'ensemble d'un certain nombre de cas récents et éloignés, voir Frank Chalk et Kurt Jonassohn, *The History and Sociology of Genocide : Analyses and Case Studies*, New Haven, Yale University Press, 1990.

35. Voir Cecil Roth, *The Spanish Inquisition*, New York, W. W. Norton, 1964 ; et Malise Ruthven, *Torture : The Grand Conspiracy*, Londres, Weidenfeld & Nicolson, 1978. Dans le Nouveau Monde, les Espagnols ont commis des génocides contre les indigènes, généralement au nom de Jésus ; voir Bartolome de Las Casas, *The Devastation of the Indies : A Brief Account*, New York, Seabury Press, 1974 [*Très Brève Relation de la destruction des Indes*, Paris, La Découverte, 1996].

36. Voir Clifford Geertz, « Common Sense as a Cultural System », dans *Local Knowledge : Further Essays in Interpretive Anthropology*, New York, Basic Books, 1983.

37. La question centrale de savoir comment différentes hypothèses de départ biaisent les conclusions en demandant différentes sortes de preuves falsifiantes est analysée au

chapitre 1. D'une façon générale, moins il existe de sources sur un sujet donné, et plus les hypothèses sont préjudiciables. Et comme l'interprétation des questions posées dépend de l'analyse des modèles cognitifs des acteurs, pour lesquels les sources sont peu nombreuses, une attention particulière doit être apportée à la justification des hypothèses de travail : des hypothèses incompatibles sur, par exemple, les attitudes des Allemands doivent être *chacune* « infalsifiables » ; les documents qui permettent de généraliser avec confiance à propos de vastes groupes d'Allemands sont souvent difficiles à réunir, si bien que la plupart peuvent être considérés comme anecdotiques en fonction d'une hypothèse donnée et donc insuffisants pour *falsifier* l'hypothèse initiale.

38. Cela est évidemment hypothétique, mais le fait d'y penser (surtout si l'on en tire la conclusion qu'il y avait effectivement des limites à ce que les agents de l'Holocauste pouvaient accepter de commettre) devrait conduire à considérer la nature des limites de leur volonté d'agir.

39. Primo Levi, dans *The Drowned and the Saved*, (New York, Summit Books, 1986, p. 105-126 [*Les Naufragés et les Rescapés : quarante ans après Auschwitz*, Paris, Gallimard, 1989]), fait partie de ceux qui ont essayé de comprendre, sans y réussir complètement, la cruauté des Allemands.

40. Analyser et délimiter la « cruauté » du phénomène qu'est collectivement l'Holocauste, ou, plus largement, de la persécution des Juifs d'Europe, est toujours difficile. Les actes des Allemands étaient tellement « hors de ce monde » que nos références restent impuissantes. Tuer des innocents peut être considéré à juste titre comme un acte de cruauté, tout comme le fait de forcer des gens morts de faim à travailler. Pourtant, c'étaient des aspects ordinaires (« normaux » dans le contexte allemand de l'époque) et utilitaires de ce que les Allemands avaient à faire, et il est donc raisonnable de les distinguer des actes de cruauté gratuite, tels les coups, les insultes, les tortures infligées aux Juifs, ou le fait de leur imposer des travaux privés de sens pour les faire souffrir encore davantage.

41. Jäger (*Verbrechen unter totalitärer Herrschaft*, p. 76-160) est conscient de ces problèmes, qu'il est un des premiers à avoir abordés. Voir aussi Hans Buchheim, « Command and Compliance », dans Helmut Krausnick *et al.*, *Anatomy of the SS State*, Londres, Collins, 1968, p. 303-396.

42. La cruauté des Allemands à l'égard des Juifs n'était pas limitée aux seules tueries. C'est une autre des raisons pour lesquelles la cruauté, et les autres actes, doivent être conceptualisés comme des variables analytiquement distinctes des tueries elles-mêmes.

43. Si l'horreur est significative, c'est aussi pour une autre raison. Depuis Hannah Arendt, l'interprétation dominante considère explicitement que les agents de l'Holocauste étaient « affectivement neutres » à l'égard des Juifs. Toute interprétation qui nie l'importance de l'identité des victimes implique, au moins potentiellement, que les conceptions des bourreaux à l'égard des victimes n'ont pas d'importance causale. Mais même si l'extermination complète d'un peuple ne suffisait pas à contraindre les bourreaux à examiner leurs actes, le fait d'avoir à affronter l'horreur de ce qu'ils faisaient les obligeait à s'interroger sur la justification de ce massacre. L'idée que les bourreaux étaient totalement neutres est une impossibilité psychologique. Et s'ils n'étaient pas neutres, quelles étaient les idées, quelles étaient les émotions qui les amenaient à tuer ? Quels qu'aient été ces affects et ces idées, comment ont-ils influencé les actes des bourreaux ? Je n'ai recours à ce raisonnement que pour montrer à quel point il est nécessaire d'étudier aussi complètement que possible les idées des agents de l'Holocauste, leurs idées partagées ; car, une fois admis qu'ils ne pouvaient pas être neutres envers leurs actes et leurs victimes, alors il faut considérer que leurs pensées et leurs sentiments sont la source de leurs actes.

44. Voir Max Weber, *Economy and Society*, Guenther Roth et Claus Wittich, éd., Berkeley, University of California Press, 1978, p. 8-9 [*Économie et Société*, Paris, Plon, 1971].

45. Catégoriser tueries et tueurs est difficile. Une des questions à avoir en tête est celle-ci : « Qu'est-ce qu'un ordre du type "Faites ce que vous pourrez pour tuer les Juifs", sans sanction ni récompense, aurait poussé chaque Allemand à faire, et pourquoi ? Serait-il resté immobile ? Aurait-il œuvré à leur mort d'une manière superficielle ? Ou tué avec efficacité ? Ou aurait-il accompli, de toute son âme, l'extermination du plus grand nombre de Juifs possible ?

46. Il est évident que, pour répondre aux questions qui guident mon enquête, il ne suffit

pas d'analyser les motivations des dirigeants ou des cadres supérieurs de l'Holocauste. Les actes et les motivations des élites sont bien sûr importants, et il est bon que nous en sachions déjà assez long sur eux. Voir notamment Waite, *The Psychopathic God*; Richard Breitman, *The Architect of Genocide : Himmler and the Final Solution*, New York, Alfred A. Knopf, 1991 ; Matthias Schmidt, *Albert Speer : The End of a Myth*, New York, St. Martin's Press, 1984 ; et Ruth Bettina Birn, *Die Höheren SS- und Polizeiführer : Himmlers Vertreter im Reich und in den besetzten Gebieten*, Dusseldorf, Droste Verlag, 1986.

47. Anthony Giddens, dans *The Constitution of Society : Outline of the Theory of Structuration* (Berkeley, University of California Press, 1984 [*La Construction de la société*, Paris, PUF, 1987]), écrit : « Les contraintes structurelles ne s'expriment pas dans ces termes de causalités implacables que les sociologues structurels ont en tête quand ils soulignent si fortement l'alliance entre "structure" et "contrainte". Les contraintes structurelles n'opèrent pas indépendamment des motifs et des raisons des agents. On ne saurait les comparer à un tremblement de terre qui détruit une ville avec ses habitants sans qu'ils y puissent rien. Dans les relations sociales humaines, les seuls objets agissants sont les agents individuels qui utilisent leurs ressources pour que les choses se passent, intentionnellement ou autrement. Les propriétés structurelles des systèmes sociaux n'agissent pas ni n'"agissent sur" quelqu'un comme des forces de la nature, pour "l'obliger" à agir d'une façon particulière » (p. 180-181 de l'édition anglaise).

48. Un exemple de cette manière de raisonner : Theda Skocpol, *States and Social Revolutions : A Comparative Analysis of France, Russia, and China*, Cambridge, Cambridge University Press, 1979.

49. Cette recommandation s'inscrit dans ce que Weber demande pour parvenir à *« Verstehen »*. Voir Weber, *Economy and Society*, p. 4-24.

50. Voir Marrus, *The Holocaust in History*, p. 51.

51. Une des raisons pour lesquelles tant d'historiens n'ont pas compris les tueurs et les forces à l'œuvre dans l'Holocauste est probablement qu'ils ont évité systématiquement d'affronter l'horreur phénoménologique que les tueurs, eux, affrontaient. La plupart des livres « explicatifs » racontent peu de scènes d'horreur, et quand ils les évoquent, c'est en général sans les analyser, laissant l'horreur inexplorée, muette, pour se tourner aussitôt vers une autre question (souvent de logistique). Quand les rafles de ghettos, les déportations, les tueries, les gazages sont mentionnés, c'est seulement comme événements. L'horreur des tueries n'est pas convenablement présentée au lecteur, ce qui fait que celui-ci ne peut comprendre ce qu'elle représentait pour les bourreaux eux-mêmes, la fréquence avec laquelle ils y étaient confrontés, et l'effet d'accumulation. Les seuls à tenir compte de cette horreur sont les survivants et les historiens qui les prennent comme objets d'étude, mais sans se donner pour tâche d'expliquer les actes des bourreaux, sauf en passant, d'une façon impressionniste. C'est un aspect intéressant des travaux savants sur l'Holocauste que le peu de recoupements entre ceux qui écrivent sur les bourreaux et ceux qui écrivent sur les victimes. Mon propre travail n'y fait guère exception.

52. Jäger, dans *Verbrechen unter totalitärer Herrschaft*, fait à l'évidence exception, ainsi que, mais dans une moindre mesure, Browning *(Ordinary Men)*; Hermann Langbein, avec *Menschen in Auschwitz* (Francfort, Ullstein, 1980), prend en compte la variété des actes commis.

53. Ceux qui, comme Browning dans *Ordinary Men*, n'ont pas inscrit leurs recherches comme il le fallait dans les deux niveaux d'analyse supérieurs.

PREMIÈRE PARTIE

Chapitre 1

1. Gregor Athalwin Ziemer, *Education for Death : the Making of the Nazi*, Londres, Oxford University Press, 1941, p. 193-194.

2. Voir Émile Durkheim, *Les Formes élémentaires de la vie religieuse : le système totémique en Australie*, Paris, Alcan, 1912 ; Jacques Soustelle, *Daily Life of the Aztecs*, Londres, Weidenfeld & Nicolson, 1961, notamment. p. 96-97 [*La Vie quotidienne des Aztèques à la veille de la conquête espagnole*, Paris, Le Livre de Paris, 1978] ; et Joshua Trachtenberg, *The Devil and the Jews : The Medieval Conception of the Jew and Its Relation to Modern Anti-Semitism*, Philadelphie, Jewish Publication Society of America, 1983.

3. Voir Orlando Patterson, *Freedom in the Making of Western Culture*, vol. 1 de *Freedom*, New York, Basic Books, 1991.

4. Bien que les différents États allemands n'eussent pas encore été unifiés, il est possible de parler d'« Allemagne » quand on évoque la plupart des questions sociales, culturelles et politiques (mais pas toutes), tout comme il est légitime de parler de « la France », malgré ses disparités régionales et locales.

5. Ian Kershaw, *Popular Opinion and Political Dissent in the Third Reich : Bavaria, 1933-1945*, Oxford, Oxford University Press, 1983, p. 370.

6. Dorothy Holland et Naomi Quinn traitent cette question dans « Culture and Cognition », dans le volume dont elles sont les éditeurs, *Cultural Models in Language and Thought* (Cambridge, Cambridge University Press, 1987, p. 3-40) : « Notre compréhension culturelle du monde repose sur de nombreuses hypothèses tacites. Ce savoir culturel sous-jacent est, pour reprendre la formule de Hutchins, "souvent transparent pour ceux qui l'utilisent. Une fois appris, il devient *ce avec quoi on voit*, mais rarement *ce qu'on voit*". Cette "transparence référentielle", comme nous l'avons déjà signalé, fait que le savoir culturel n'est jamais mis en cause par son détenteur. Cette transparence pose un problème méthodologique complexe : comment, et à partir de quel type de preuve, reconstruire les modèles culturels que les gens utilisent sans les exprimer explicitement ? Le problème reste central à l'anthropologie cognitive, mais son approche a changé » (p. 14). Cela est également vrai pour les hypothèses culturelles partagées, bien moins souvent exprimées que leur importance ne le demanderait, précisément parce que leurs utilisateurs ne voient pas la nécessité de justifier des vérités culturelles, ni les modèles cognitifs qui les sous-tendent, dont ils ne sont en général pas conscients.

7. Michael Kater, *The Nazi Party : A Social Profile of Members and Leaders, 1919-1945*, Cambridge, Harvard University Press, 1983, p. 263.

8. Un autre exemple serait l'opinion de l'Anglais moyen du XIXe siècle sur l'infériorité des Noirs et des Asiatiques, si l'on veut bien ne pas oublier que les cas où cette opinion était exprimée étaient infiniment moins nombreux que ceux où elle ne l'était pas. Et quelle petite fraction des cas où elle était exprimée est parvenue jusqu'à nous ?

9. Rom Harré, *Personal Being : A Theory for Individual Psychology*, Cambridge, Harvard University Press, 1984, p. 20. « Conversation » englobe toutes les productions linguistiques, orales ou écrites, ainsi que les symboles (qui sont toujours exprimés et interprétés linguistiquement, et dépendent donc de la conversation tout en en faisant partie).

10. Roy d'Andrade, « A Folk Model of the Mind », dans Holland et Quinn, éd., *Cultural Models in Language and Thought*, p. 112.

11. Voir George Lakoff et Zoltán Kövecses, « The Cognitive Model of Anger Inherent in American English », dans Holland et Quinn, éd., *Cultural Models in Language and Thought*, p. 195-221.

12. D'Andrade écrit : « Le modèle culturel d'un achat comprend l'acheteur, le vendeur, la marchandise, le prix, la vente et l'argent. Il y a plusieurs relations entre ces éléments ; il y a une interaction entre l'acheteur et le vendeur, qui implique la communication du prix à l'acheteur, peut-être son marchandage, l'offre d'acheter, l'acceptation de la vente, le transfert de propriété sur la marchandise et sur l'argent, et ainsi de suite. Ce modèle est néces-

saire pour comprendre non seulement l'acte d'achat mais aussi d'autres activités culturelles comme le prêt, la location, la fraude, l'art de vendre, le profit, la boutique, la publicité, etc. » Voir « A Folk Model of the Mind », dans Holland et Quinn, éd., *Cultural Models in Language and Thought*, p. 112.

13. Une grande partie du travail d'Erving Goffman consiste à découvrir les modèles cognitifs qui, à notre insu, structurent et lubrifient nos interactions en face à face. Voir *The Presentation of Self in Everyday Life*, Garden City, Anchor Books, 1959, et *Relations in Public*, New York, Harper Colophon, 1971 (*La Présentation de soi* et *Les Relations en public*, Paris, Minuit, 1973).

14. Voir Naomi Quinn, « Convergent Evidence for a Model of American Marriage », dans Holland et Quinn, éd., *Cultural Models in Language and Thought*, p. 173-192.

15. Ce que dit Alexander George du « code opérationnel » est une tentative en partie réussie de conceptualiser les fondements de la perception, du jugement, de la croyance et de l'action en politique. Voir « The "Operational Code" : A Neglected Approach to the Study of Political Leaders and Decision Making », *International Studies Quarterly* 13 (1969), p. 190-222. Le travail exemplaire de Benedict Anderson sur le nationalisme, *Imagined Communities : Reflections on the Origin and Spread of Nationalism* (Londres, Verso, 1983), montre comment un nouveau modèle cognitif, celui de « nation », a été créé, et comment, une fois devenu lieu commun culturel, il a façonné la compréhension du monde politique et social.

16. John Boswell, dans *The Kindness of Strangers : The Abandonment of Children in Western Europe from Late Antiquity to the Renaissance* (New York, Pantheon, 1988), le démontre à propos des importantes variations historiques dans le traitement des enfants et dans la catégorisation même de l'enfance. Voir notamment p. 26-27.

17. C'est l'argument de Harré dans *Personal Being*. Voir aussi Takeo Doi, *The Anatomy of Dependence* (Tokyo, Kodansha International, 1973), sur tout ce qu'il y a de radicalement différent dans la psychologie et l'individualité japonaises.

18. C'est ce qui a conduit de nombreux chercheurs à ne pas vouloir le considérer, et à rendre compte de l'existence humaine sans accorder d'importance à ce domaine. Mais si cette conception peut paraître à certains confortable, et apaiser ceux dont la parcimonie méthodologique souhaite écarter la plus indocile des variables, le résultat est une vision du monde artificielle et égarante. Malgré toutes les difficultés et les frustrations que cela implique, enquêter sur ce qu'il y a dans la tête des gens demeure nécessaire, quelle que soit l'actuelle virtuosité méthodologique.

19. Kershaw, par exemple, dans *Popular Opinion and Political Dissent in the Third Reich*, fait cette distinction à propos des Allemands après la Nuit de cristal : « Les esprits étaient de plus en plus montés contre les Juifs au moins d'une manière abstraite, et la conviction qu'il existait bien une "question juive" se répandait » (p. 272).

20. Si cela signifie que les croyances ne venaient pas de la réalité du contact avec les Juifs mais de préjugés culturels, rien ne change, car c'étaient les croyances qui étaient utilisées comme guides dans les relations avec les Juifs.

21. Sur la nature et les effets des stéréotypes, voir Gordon W. Allport, *The Nature of Prejudice* (New York, Anchor Books, 1958). L'idée qu'il existe un antisémitisme « abstrait » et un antisémitisme « concret » ne rend nullement compte des variétés existantes d'antisémitisme. Elle ne fait que refléter le fait que des antisémites peuvent avoir des Juifs parmi leurs connaissances et leur « amis », de même que des gens très hostiles aux Noirs peuvent exempter de leur racisme tel Noir en particulier. Ceux qui utilisent une catégorie comme antisémitisme « abstrait » font une confusion entre les dimensions analytiques, ou plutôt ne reconnaissent pas que les gens sont capables de faire des exceptions aux règles qu'ils posent, et que ces exceptions sont en fait rares, et d'importance secondaire, parce que leur antisémitisme « abstrait » concerne des *millions* de Juifs.

22. Kershaw, *Popular Opinion and Political Dissent in the Third Reich*, p. 274 ; dans une certaine mesure, il suit ici Michael Müller-Claudius, *Der Antisemitismus und das deutsche Verhängnis* (Francfort, Verlag Josef Knecht, 1948, p. 76-78). Tout modèle d'analyse doit distinguer entre la dimension cognitive et celle de l'action, ce que ne fait pas Müller-Claudius.

23. Pour un exposé intéressant et une nouvelle analyse dimensionnelle de l'antisémitisme, voir Helen Fein, « Dimensions of Antisemitism : Attitudes, Collective Accusations, and Actions », dans Helen Fein, éd., *The Persisting Question : Sociological Perspectives*

and Social Contexts of Modern Antisemitism, Berlin, Walter de Gruyter, 1987, p. 68-85.

24. Sur l'histoire d'une semblable image, celle du « parasite juif », voir Alexander Bein, « Der Jüdische Parasit »,*VfZ* 13, n° 2 [1965], p. 121-149. Sur la logique des métaphores, voir George Lakoff et Mark Johnson, *Metaphors We Live By*, Chicago, University of Chicago Press, 1980.

25. Cela a été bien entendu tenté dans les études sur l'antisémitisme, surtout dans T. W. Adorno *et al.*, *The Authoritarian Personality*, New York, Harper & Brothers, 1950.

26. Voir Trachtenberg, *The Devil and the Jews* ; Malcolm Hay, *Europe and the Jews : The Pressure of Christendom over 1900 Years*, Chicago, Academy Chicago Publishers, 1992

27. C'est là une distinction cruciale, contrairement à ce que dit Langmuir, pour qui elle n'intervient qu'avec l'antisémitisme fantasmatique. Voir Gavan I. Langmuir, « Toward a Definition of Antisemitism », dans Fein, éd., *The Persisting Question*, p. 86-127. De nombreux antisémitismes sont enracinés dans le fantasme, mais débouchent sur des actes différents.

28. Voir l'ouvrage classique d'Allport, *The Nature of Prejudice* ; pour les théories sur la nature et les sources de l'antisémitisme, voir Fein, éd., *The Persisting Question* ; et Werner Bergmann, éd., *Error Without Trial : Psychological Research on Antisemitism*, Berlin, Walter de Gruyter, 1988.

29. Une autre explication voudrait que les gens deviennent antisémites par jalousie économique et qu'ils inventent ensuite toutes les accusations fantasmatiques contre les Juifs. Voir, par exemple, l'étude de Hillel Levine sur l'antisémitisme polonais, *Economic Origins of Antisemitism : Poland and Its Jews in the Early Modern Period* (New Haven, Yale University Press, 1991). Pourquoi cela se passerait-il ainsi, et par quel mécanisme des jalousies économiques « objectives » se métamorphoseraient-elles en accusations contre les Juifs qui n'ont pas de rapport ? Il faudrait pouvoir l'expliquer. Pourquoi d'autres antipathies entre groupes, même là où la concurrence économique est une composante importante, ne produisent-elles pas elles aussi toute cette gamme d'accusations qui est partout présente dans l'antisémitisme ? Je ne connais aucune explication de l'antisémitisme à partir de conflits objectifs qui possède un appareil conceptuel capable de répondre à ces questions.

30. Pour une vision d'ensemble de ces questions, voir Walter P. Zenner, « Middleman Minority Theories : a Critical Review », dans Fein, éd., *The Persisting Question*, p. 255-276.

31. Bernard Glassman, *Anti-Semitic Stereotypes Without Jews : Images of the Jews in England, 1290-1700*, Detroit, Wayne State University Press, 1975, p. 14.

32. Glassman, *Anti-Semitic Stereotypes Without Jews*, souligne l'extrême importance des sermons chrétiens pour la diffusion et le maintien de l'antisémitisme en Angleterre.

33. Sur la longue liste des expulsions de Juifs, voir Paul E. Grosser et Edwin G. Halperin, *Anti-Semitism : The Causes and Effects of a Prejudice*, Secaucus, Citadel, 1979, p. 33-38.

34. Sur le profil social de la communauté juive en Allemagne en 1933, voir Avraham Barkai, *From Boycott to Annihilation : The Economic Struggle of German Jews, 1933-1943*, Hanover, University Press of New England, 1989, p. 1-2.

35. A propos de l'expulsion des Juifs d'Angleterre, Glassmann écrit : « Il y avait si peu de Juifs dans l'Angleterre de l'époque que l'Anglais moyen ne pouvait s'appuyer que sur ce qu'il avait entendu dire en chaire, vu sur la scène, ou appris de ménestrels ou autres conteurs itinérants. Cette tradition orale, complétée par des tracts et des brochures, était une importante source d'information sur les Juifs, et il n'y avait rien dans la société qui pût contrebalancer la force de l'enseignement chrétien séculaire qui l'étayait » (p. 11). On verra dans le chapitre suivant que ce qui était vrai de l'Angleterre de l'époque est bien plus applicable qu'on ne le croit à l'Allemagne nazie.

36. Trachtenberg a des arguments convaincants là-dessus dans *The Devil and the Jews*.

37. Voir ce que dit Allport des boucs émissaires dans *The Nature of Prejudice*, p. 235-249.

38. Par « expressions de l'antisémitisme », j'entends les expressions verbales et physiques. « Antisémitisme » est utilisé pour rendre compte de la simple existence de croyances antisémites. Bien des gens ont des croyances antisémites et restent longtemps sans les

exprimer. Ceux qui étudient l'antisémitisme confondent souvent les deux choses et prennent une explosion d'expressions de l'antisémitisme pour une explosion d'antisémitisme.

39. Cela ne veut pas dire que lorsque l'antisémitisme devient institutionnel, notamment en politique, les croyances et les affects des antisémites ne peuvent pas acquérir une nouvelle intensité et prendre des formes nouvelles : c'est même ce qui arrive souvent. Mais pour que ces transformations apparaissent, il faut que le credo antisémite soit déjà installé. Autrement, le message ne rencontrerait que des sourds.

40. En Europe de l'Est, et surtout dans l'ancienne Union soviétique, où le communisme avait en général interdit l'expression de l'antisémitisme traditionnel, une déferlante d'antisémitisme exprimé a surgi des profondeurs de la société dès que cette interdiction fut levée, à la chute du régime communiste. Le phénomène est frappant à plusieurs titres : 1) Il n'y a aucune relation entre le nombre de Juifs dans le pays et l'intensité ou le caractère de cette expression de l'antisémitisme ; 2) les images fantasmatiques des Juifs et les accusations hallucinées dirigées contre eux sont très semblables à celles qui régnaient en Russie avant que le communisme ne les interdise ; 3) ainsi l'antisémitisme, son contenu manifeste et son modèle culturel sous-jacent ont-ils été maintenus, nourris et transmis aux nouvelles générations par les familles et autres micro-institutions de la société ; 4) si l'on s'en tient aux expressions de l'antisémitisme sous le régime communiste, rien ne viendrait prouver qu'un antisémitisme aussi fort subsistait dans le pays. Voir, par exemple, *Newsbreak*, bulletin d'information de la National Conference on Soviet Jewry.

41. Nombreux sont ceux qui ont cherché à démontrer combien nos hypothèses interprètent et créent la réalité. Autant que je sache, personne n'a cherché à démontrer comment ces mêmes hypothèses peuvent, à l'improviste, être « mises en perce » et produire une modification radicale de la sensibilité et des actions qui en découlent. C'est ce qui s'est passé dans bien des explosions de violence, de persécution, de génocide. C'est ce qui est arrivé aux Allemands. Edward O. Wilson, dans *On Human Nature* (Cambridge, Harvard University Press, 1978, p. 99-120 [*L'Humaine Nature*, Paris, Stock, 1979]), donne une explication évolutionniste des soudaines explosions d'agressivité. Mais même si cela est vrai pour l'agressivité, cela n'éclaire pas la rapide activation des systèmes de croyances.

42. L'exemple le plus remarquable est celui du moment où éclata la Première Guerre mondiale et où de nombreux socialistes s'aperçurent que, malgré leur internationalisme, ils éprouvaient d'intenses émotions nationalistes.

43. Sur la relation entre nationalisme et antisémitisme, voir Shmuel Almog, *Nationalism and Antisemitism in Modern Europe, 1815-1945*, Londres, Pergamon Press, 1990.

44. L'étude de D'Andrade, « A Folk Model of the Mind » (dans Holland et Quinn, éd., *Cultural Models in Language and Thought*), conclut que le modèle cognitif culturel de l'esprit peut se reproduire de siècle en siècle (p. 138).

Chapitre 2

1. Voir Robert Chazan, « Medieval Anti-Semitism », dans David Berger, éd., *History and Hate : The Dimensions of Anti-Semitism*, Philadelphie, Jewish Publication Society, 1986, p. 53-54.

2. Bernard Glassman, *Anti-Semitic Stereotypes Without Jews : Images of the Jews in England, 1290-1700*, Detroit, Wayne State University Press, 1975, p. 152. L'antisémitisme était beaucoup moins virulent en Angleterre que dans le monde germanique.

3. Sur la démonologie chrétienne des Juifs, et la liste sans fin des maux qu'on leur attribuait, voir Joshua Trachtenberg, *The Devil and the Jews : The Medieval Conception of the Jew and Its Relation to Modern Anti-Semitism*, Philadelphie, Jewish Publication Society, 1986 ; sur l'Angleterre, voir Glassman, *Anti-Semitic Stereotypes Without Jews*, notamment p. 153-154.

4. Voir Chazan, « Medieval Anti-Semitism », p. 61-62.

5. Cité dans Jeremy Cohen, « Robert Chazan's "Medieval Anti-Semitism" : A Note on the Impact of Theology », dans Berger, éd., *History and Hate*, p. 69.

6. Dans « Robert Chazan's "Medieval Anti-Semitism" », Cohen écrit : « Dès les premières générations de l'Église, le clergé considérait comme un devoir religieux de polémiquer contre les Juifs. Là où ces derniers n'étaient guère une menace, voire quand ils

étaient complètement absents, la tradition de l'*Adversus Judeos* n'en florissait pas moins; car la logique des premiers temps de l'histoire chrétienne voyait avant tout dans le christianisme la négation du judaïsme » (p. 68-69).

7. Trachtenberg, *The Devil and the Jews*, p. 79; et Chazan, « Medieval Anti-Semitism », p. 50.

8. James Parkes, *Antisemitism*, Chicago, Quadrangle Books, 1969, p. 60; voir aussi Jeremy Cohen, *The Friars and the Jews : The Evolution of Medieval Anti-Judaism*, Ithaca, Cornell University Press, 1982, p. 155; et Glassman, *Anti-Semitic Stereotypes Without Jews*, p. 153.

9. Trachtenberg, dans *The Devil and the Jews*, retrouve à travers les siècles les images centrales du christianisme à l'endroit des Juifs, dont chacune dépendait de ce modèle sous-jacent; voir notamment p. 32-43, 124-139, 191-192.

10. Trachtenberg, *The Devil and the Jews*.

11. *Ibid.*, p. 18.

12. *Ibid.*, p. 186. Sur l'antisémitisme de Luther, voir Martin Luther, *Von den Jueden und Iren Luegen*, in *Luthers Kampfschriften gegen das Judentum*, Walther Linden, éd., Berlin, Klinkhardt & Biermann, 1936.

13. Cohen, *The Friars and the Jews*, p. 245. Trachtenberg écrit : « Rien d'étonnant non plus si les Juifs étaient accusés des pires crimes puisque Satan était derrière eux. Chaucer, dans ses *Récits de l'abbesse*, évoque un prétendu meurtre d'enfant chrétien par un Juif pour en rejeter la faute sur Satan, "notre premier ennemi". Tout le monde savait que les Juifs et le diable travaillaient la main dans la main, et c'est ce qui explique pourquoi il était si facile d'imputer aux Juifs, *a priori*, n'importe quel crime même si cela n'avait pas de sens » (*The Devil and the Jews*, p. 42-43).

14. Cohen, *The Friars and the Jews*, p. 245; pour avoir une vision d'ensemble des mesures prises en Europe contre les Juifs, voir Paul E. Grosser et Edwin G. Halperin, *Anti-Semitism : The Causes and Effects of a Prejudice*, Secaucus, Citadel Press, 1979.

15. Trachtenberg, *The Devil and the Jews*, p. 12.

16. Malcolm Hay, *Europe and the Jews : The Pressure of Christendom over 1900 Years*, Chicago, Academy Chicago Publishers, 1992, p. 68-87.

17. Mon analyse de l'antisémitisme se concentre sur ses *tendances centrales* et l'on n'y trouvera pas toutes les nuances et cas d'espèces qu'apporterait un exposé plus développé. Pour des raisons d'espace, je ne rentre pas non plus dans le débat sur la nature de l'antisémitisme allemand du XIXe siècle. Même, dans les ouvrages cités ici, les désaccords sont nombreux. Ma propre conception de l'antisémitisme allemand du XIXe siècle, qui est conditionnée par ma théorie et ma méthodologie, souligne la continuité de cet antisémitisme et affirme qu'il régnait partout, avec plus de netteté que ne l'a fait aucun autre historien, sauf peut-être Klemens Felden, « Die Übernahme des antisemitischen Stereotyps als soziale Norm durch die bürgerliche Gesellschaft Deutschlands (1875-1900) » (thèse de doctorat, Ruprecht-Karl-Universität, Heidelberg, 1963), à qui j'emprunte beaucoup; Rainer Erb et Werner Bergmann, *Die Nachtseite der Judenemanzipation : Der Widerstand gegen die Integration der Juden in Deutschland, 1780-1860* (Berlin, Metropol, 1989, notamment p. 11); et Paul Lawrence Rose, *Revolutionary Antisemitism in Germany from Kant to Wagner* (Princeton, Princeton University Press, 1990), qui, probablement parce que son analyse se limite à un petit nombre d'intellectuels, a une vision différente de la continuité de l'antisémitisme.

18. Felden, « Die Übernahme des antisemitischen Stereotyps », p. 18-19.

19. Voir Eleonore Sterling, *Judenhass : Die Anfänge des politischen Antisemitismus in Deutschland (1815-1850)*, Francfort, Europäische Verlagsanstalt, 1969, p. 117 et 126, et sur l'usage du terme par les libéraux, p. 86-87; Erb et Bergmann, *Die Nachtseite Der Judenemanzipation*, p. 48-52. Sur l'histoire du concept de race, voir Werner Conze, « Rasse », dans *Geschichtliche Grundbegriffe : Historisches Lexikon zur politisch-sozialen Sprache Deutschland*, Otto Brunner, Werner Conze et Reinhart Koselleck, éd., Stuttgart, Klett-Cotta, 1984, vol. 5, p. 135-178.

20. Voir Jacob Katz, *From Prejudice to Destruction : Anti-Semitism, 1700-1933*, Cambridge, Harvard University Press, 1980, p. 148-149; et David Sorkin, *The Transformation of German Jewry, 1780-1840*, New York, Oxford University Press, 1987, p. 22-23.

21. Katz, *From Prejudice to Destruction*, p. 149-151.

22. *Ibid.*, p. 150.

23. Katz conclut : « Dans les polémiques antijuives, le caractère étranger du Juif est un thème récurrent », voir *From Prejudice to Destruction*, p. 87.

24. Felden, « Die Übernahme des antisemitischen Stereotyps », p. 19-20. Rose pense de même, bien qu'il considère que les Allemands voyaient les Juifs à la fois comme le « symbole de tout ce qui empêche la rédemption » et le « véritable obstacle pratique à cette rédemption », voir *Revolutionary Antisemitism in Germany from Kant to Wagner*, p. 57.

25. Felden, « Die Übernahme des antisemitischen Stereotyps » ; Sterling, *Judenhass* ; et Nicoline Hortzitz, *« Früh-Antisemitismus » in Deutschland (1789-1871/72) : Strukturelle Untersuchungen zu Wortschatz, Text und Argumentation*, Tubingen, Max Niemeyer Verlag, 1988.

26. Il s'agissait du Wurtemberg ; Bade suivit en 1809, Francfort en 1811, la Prusse en 1812, et le Mecklembourg, d'une façon plus limitée, en 1813. Voir Sorkin, *The Transformation of German Jewry, 1780-1840*, p. 29. Pour une étude globale de l'histoire de l'émancipation des Juifs et de la façon dont bien des mesures émancipatrices furent vidées de leur sens par la suite, voir Werner E. Mosse, « From "Schutzjuden" to "Deutsche Staatsbürger Jüdischen Glaubens" : The Long and Bumpy Road of Jewish Emancipation in Germany », dans Pierre Birnbaum et Ira Katznelson, éd., *Paths of Emancipation : Jews, States, and Citizenship*, Princeton, Princeton University Press, 1995, p. 59-93 ; et Reinhard Rürup, « The Tortuous and Thorny Path to Legal Equality : "Jew Laws" and Emancipatory Legislation in Germany from the Late Eighteenth Century », *Leo Baeck Institute Yearbook* 31 (1986), p. 3-33.

27. Sur la Bavière, voir James F. Harris, *The People Speak ! Anti-Semitism and Emancipation in Nineteenth-Century Bavaria*, Ann Arbor, University of Michigan Press, 1994 ; sur le Bade, voir Dagmar Herzog, *Intimacy and Exclusion : Religious Politics in Pre-Revolutionary Baden*, Princeton, Princeton University Press, 1996. Sur les émeutes antijuives de Wurtzbourg, Francfort et Hambourg, entre autres lieux, voir Katz, *From Prejudice to Destruction*, p. 92-104.

28. Voir Shmuel Almog, *Nationalism and Antisemitism in Modern Europe, 1815-1945*, Londres, Pergamon Press, 1990, p. 13-16 ; et Peter G. J. Pulzer, *The Rise of Political Anti-Semitism in Germany and Austria*, New York, John Wiley & Sons, 1964, p. 226-233.

29. Voir Sterling, *Judenhass*, p. 105-129 ; Katz, *From Prejudice to Destruction*, p. 51-104 ; et Hortzitz, *« Früh-Antisemitismus » in Deutschland.*

30. Christian Wilhelm Dohm, *Über die bürgerliche Verbesserung der Juden*, Berlin, Friedrich Nicolai, 1781.

31. Cité dans Sorkin, *The Transformation of German Jewry, 1780-1840*, p. 25.

32. *Ibid.*, p. 25. Dans une veine similaire, un hymne à l'Édit de tolérance de Joseph II – qui, tout en maintenant une stricte séparation juridique entre Juifs et non-Juifs, leur accordait bien des capacités légales – louait en ces termes l'empereur : « Tu as fait du Juif un être humain », voir Rose, *Revolutionary Antisemitism in Germany from Kant to Wagner*, p. 77-79.

33. Cité dans Sorkin, *The Transformation of German Jewry, 1780-1840*, p. 30-31.

34. Dans la pratique, l'émancipation gagnait peu à peu tous les États allemands, certains accordant aux Juifs plus de droits que d'autres, et certains revenant sur des droits octroyés antérieurement par Napoléon. Ainsi, même après que les Juifs eurent été « émancipés » juridiquement, politiquement et socialement, ils continuaient à être considérés comme différents des Allemands et inférieurs. La loi et la pratique ne faisaient que confirmer le préjugé culturel. Voir Sorkin, *The Transformation of German Jewry, 1780-1840*, p. 36.

35. Sorkin, *The Transformation of German Jewry, 1780-1840*, p. 23 ; voir aussi Erb et Bergmann, *Die Nachtseite der Judenemanzipation*, sur la « face obscure » de l'émancipation et les arguments sur lesquels elle reposait (p. 27-28 et les trois chapitres suivants). Sur les raisons d'État, venues des Lumières et de leur conception de l'État, de la modernité et de la citoyenneté, qui conduisirent certains États allemands à émanciper les Juifs (bien que leurs dirigeants fussent d'acord avec le modèle culturel dominant et ne vissent dans les Juifs que des « étrangers » peu désirables), voir Mosse, « From "Schutzjuden" to "Deutsche Staatsbürger Jüdischen Glaubens" », p. 68-71 et 84-87.

36. Voir Uriel Tal, *Christians and Jews in Germany : Religion, Politics, and Ideology in the Second Reich, 1870-1914*, Ithaca, Cornell University Press, 1975, p. 295-298.

37. Rose écrit : « Le danger particulier de nombreux textes allemands "projuifs" tient au fait que leurs vertus ne sont souvent que l'aspect manifeste d'un système général d'argumentation dont les vices cachés font partie intégrante. Quand Dohm expose louablement ses arguments en faveur de l'émancipation, il le fait dans des termes qui acceptent implicitement la conception profondément ancrée du Juif comme "étranger" », *Revolutionary Antisemitism in Germany from Kant to Wagner*, p. 77.

38. Ici, je suis de très près un paragraphe de Sterling, *Judenhass*, p. 85. Au début des années 1840, un journal allemand résumait ainsi les promesses de l'émancipation, la vision « libérale » de la modernité juive : avec l'émancipation, la « collectivité juive périrait » et son « essence même serait détruite, le terrain sur lequel sa religion s'enracine disparaîtrait. Les synagogues deviendraient des lieux de culte chrétien ».

39. Sterling, *Judenhass*, p. 85-86 ; voir aussi Alfred D. Low, *Jews in the Eyes of Germans : From the Enlightenment to Imperial Germany*, Philadelphie, Institute for the Study of Human Issues, 1979, p. 246-247.

40. Felden, « Die Übernahme des antisemitischen Stereotyps », p. 109-112 ; et Katz, *From Prejudice to Destruction*, p. 257-259 et 267-268.

41. Tal, *Christians and Jews in Germany*, p. 296.

42. Felden, « Die Übernahme des antisemitischen Stereotyps », p. 39 ; et Sterling, *Judenhass*, p. 68-87, 117 et 126.

43. Les sources des deux derniers paragraphes viennent de Sterling, *Judenhass*, p. 143-144, 148-156 et 161.

44. Voir Mosse, « From "Schutzjuden" to "Deutsche Staatsbürger Jüdischen Glaubens" », p. 68-71.

45. Sur la conception chrétienne des Juifs, voir Sterling, *Judenhass*, p. 48-66.

46. Sur les artisans, voir Shulamit Volkov, *The Rise of Popular Antimodernism in Germany : The Urban Master Artisans, 1873-1896*, Princeton, Princeton University Press, 1978, notamment p. 215-229.

47. Sterling, *Judenhass*, p. 146.

48. Low conclut son étude de l'antisémitisme allemand, centrée sur les conceptions des élites politiques et intellectuelles, en affirmant qu'il régnait absolument partout dans la société allemande : rares étaient les Allemands qui « ne connaissaient pas une phase antisémite de quelque durée... et beaucoup n'échappaient jamais à son emprise... De nombreux Allemands restèrent toute leur vie prisonniers de leurs préjugés ; certains réussirent à les vaincre dans une certaine mesure, mais très peu s'en libérèrent complètement », *Jews in the Eyes of the Germans*, p. 413-414.

49. Katz, *From Prejudice to Destruction*, p. 176.

50. Felden, « Die Übernahme des antisemitischen Stereotyps », p. 34-35 ; et Katz, *From Prejudice to Destruction*, p. 2-3.

51. Sur la campagne de pétitions, voir Harris, *The People Speak !*, p. 123-149, notamment p. 123-126. Sterling fait observer que, à l'époque même, la représentativité des pétitions fut contestée par les défenseurs des Juifs qui affirmaient que les pétitions projuives avaient été confisquées par les autorités locales. Le gouvernement fit une enquête qui concluait que tout le monde en Bavière n'était pas hostile aux Juifs, que beaucoup de Bavarois, en réalité indifférents, ne faisaient que céder aux appels enflammés des prêtres et des agitateurs politiques (*Judenhass*, p. 160-162). Le seul fait que les agitateurs antisémites aient pu si facilement mobiliser l'opinion, même si celle-ci n'était pas uniformément, vénéneusement hostile aux Juifs, montre que la Bavière était profondément antisémite.

52. Harris, *The People Speak !*, p. 166.

53. *Ibid.*, p. 169.

54. *Ibid.*, p. 128, 132-137, 142.

55. *Ibid.*, p. 142.

56. *Ibid.*, p. 137.

57. Katz, *From Prejudice to Destruction*, p. 268. Outre ces campagnes antijuives générales, il y eut en Allemagne différentes campagnes demandant l'interdiction de certaines pratiques juives, en particulier le type d'abattage des bêtes nécessaires pour que la viande soit casher. Ces attaques contre des pratiques considérées comme fondamentales par les Juifs religieux étaient des attaques symboliques contre les Juifs eux-mêmes ; on prétendait

que ces pratiques fondatrices du judaïsme et de la vie juive violaient la morale en soumettant les animaux à des souffrances gratuites. Voir Isaac Lewin, Michael Munk et Jeremiah Berman, *Religious Freedom : The Right to Practice Shchitah*, New York, Research Institute for Post-War Problems of Religious Jewry, 1946.

58. En 1871, il y avait 512 000 Juifs dans l'Empire allemand, soit 1,25 % de la population. En 1910, le nombre de Juifs était de 615 000, mais le pourcentage était tombé à moins de 1 %. Voir Pulzer, *The Rise of Political Anti-Semitism*, p. 9.

59. Cité dans Hortzitz, *« Früh-Antisemitismus » in Deutschland*, p. 61.

60. Sterling, *Judenhass*, p. 51. La menace que les Juifs étaient censés représenter pour l'ordre moral de la société prenait des proportions cosmologiques parce que, aux yeux des chrétiens, cet ordre moral était inscrit dans l'ordre naturel du monde.

61. Felden, « Die Übernahme des antisemitischen Stereotyps », p. 20.

62. Pulzer, *The Rise of Political Anti-Semitism*, p. 71. L'idée, ancrée dans la culture, que les Juifs utilisaient du sang chrétien pour leurs pratiques remontait au Moyen Age. Voir R. Po-chia Hsia, *The Myth of Ritual Murder : Jews and Magic in Reformation Germany*, New Haven, Yale University Press, 1988.

63. Pour des exemples, voir Sterling, *Judenhass*, p. 144-145 ; et Felden, « Die Übernahme des antisemitischen Stereotyps », p. 44.

64. Sterling, *Judenhass*, p. 146.

65. Felden, « Die Übernahme des antisemitischen Stereotyps », p. 38.

66. *Ibid.*, p. 35-36, 47-71.

67. Cité dans Katz, *From Prejudice to Destruction*, p. 150.

68. Pour une analyse des changements, voir Felden, « Die Übernahme des antisemitischen Stereotyps » ; Hortzitz, *« Früh-Antisemitismus » in Deutschland* ; et Katz, *From Prejudice to Destruction.*

69. Entre autres sources, cela repose sur une lecture des documents réunis par Hortzitz (dans *« Früh-Antisemitismus » in Deutschland*) ; une expression particulièrement instructive des sentiments d'hostilité à l'émancipation se trouve chez un prêtre badois des années 1830, qui déclarait préférer le choléra à l'émancipation des Juifs (Erb et Bergmann, *Die Nachtseite der Judenemanzipation*, p. 193).

70. L'idée allemande que les Juifs constituaient une « nation », avec un caractère national bien particulier et malfaisant, est au cœur de l'argumentation de Rose, dans *Revolutionary Antisemitism in Germany from Kant to Wagner*, sur la continuité et la nature de l'antisémitisme allemand moderne (voir notamment p. 3-22). Rose, cependant, considère que cette conception est devenue prédominante avant même l'émancipation, sans qu'il y ait de substantiel changement au cours du siècle, à l'exception de la greffe du racisme pseudo-scientifique.

71. Felden, « Die Übernahme des antisemitischen Stereotyps », p. 41.

72. *Ibid.*, p. 71.

73. Katz, *From Prejudice to Destruction*, p. 8.

74. Sorkin, *The Transformation of German Jewry, 1780-1840*, p. 28 ; et Rose, *Revolutionary Antisemitism in Germany from Kant to Wagner*, p. 12-14.

75. Sterling, *Judenhass*, p. 126. Voir aussi Erb et Bergmann, *Die Nachtseite der Judenemanzipation*, p. 48-52. Ils écrivent que, à l'époque, « dans la presse populaire, on constatait un "racisme d'avant le racisme" » (p. 50).

76. Cité dans Sterling, *Judenhass*, p. 120.

77. Voir Felden, « Die Übernahme des antisemitischen Stereotyps », p. 34,.

78. Steven Aschheim écrit : « ... l'image historique du Juif n'avait jamais disparu d'Allemagne, et était toujours disponible en cas de crise. Sur la peur traditionnelle et la méfiance à l'égard du Talmud et du ghetto venait se greffer l'idée du Juif moderne, aux intentions destructrices », voir *Brothers and Strangers : The East European Jew in German and German Jewish Consciousness, 1800-1923*, Madison, University of Wisconsin Press, 1982, p. 78.

79. Voir Pulzer, *The Rise of Political Anti-Semitism*, p. 50.

80. D'une manière succincte, Pulzer saisit bien la relation entre ce qu'il appelle l'antisémitisme « pré-libéral, tourné vers le passé » et l'antisémitisme « post-libéral des masses » : « Les images vagues et irrationnelles que les auditoires avaient du Juif comme ennemi ne changeaient probablement pas beaucoup quand les orateurs cessaient de parler

des Juifs "assassins du Christ" et commençaient à parler des lois du sang. La différence était dans l'effet obtenu : l'antisémitisme en devenait plus élémentaire, plus intransigeant. La conclusion logique fut le remplacement du pogrom par la chambre à gaz », voir *The Rise of Political Anti-Semitism*, p. 70.

81. Sur ces accusations, voir Felden, « Die Übernahme des antisemitischen Stereotyps », p. 47-70.

82. *Ibid.*, p. 51. L'accent mis sur les bases raciales et physiologiques de la judéité devint encore plus prononcé à la fin du XIXe siècle. Les représentations picturales du Juif en faisaient toujours un être sinistre et démoniaque. Voir, par exemple, Eduard Fuchs, *Die Juden in der Karikatur*, Munich, Albert Langen, 1921.

83. Felden, « Die Übernahme des antisemitischen Stereotyps », p. 66.

84. *Ibid.*, p. 51.

85. Voir Sterling, *Judenhass*, p. 113-114 et 128-129.

86. Tal écrit que « l'antisémitisme racial et le christianisme traditionnel, tout en ayant des points de départ opposés et des principes inconciliables, étaient mus par un désir commun, la conversion ou l'extermination des Juifs », voir *Christians and Jews in Germany*, p. 304. Sur les différentes propositions faites pour vider l'Allemagne de ses Juifs, voir Rose, *Revolutionary Antisemitism in Germany from Kant to Wagner*, p. 35-39.

87. Cité dans Sterling, *Judenhass*, p. 121.

88. Felden, « Die Übernahme des antisemitischen Stereotyps », p. 68.

89. Cité dans Pulzer, *The Rise of Political Anti-Semitism*, p. 50.

90. Felden, « Die Übernahme des antisemitischen Stereotyps », p. 69. Il paraphrase ici différents auteurs.

91. Voir le tableau dans la dernière page (non numérotée) de Felden, « Die Übernahme des antisemitischen Stereotyps ». L'analyse de ces chiffres m'est due.

92. A coup sûr, la pensée éliminationniste était capable d'envisager différentes solutions, et elle l'a fait. Les croyances éliminationnistes, comme la plupart des autres, sont *multipotentielles*, et le cours qu'elles choisissent de prendre dépend de beaucoup d'autres facteurs, cognitifs ou non. Ce que je souhaite simplement établir ici, c'est que ces croyances, avant même l'arrivée des nazis, visaient fortement la « solution » du génocide. Pour d'autres exemples, voir Felden, « Die Übernahme des antisemitischen Stereotyps », p. 150-151 ; Hortzitz, *« Früh-Antisemitismus » in Deutschland*, p. 283 ; et Sterling, *Judenhass*, p. 113-114.

93. Erb et Bergmann, *Die Nachtseite Der Judenemanzipation*, p. 26-27.

94. *Deutsche Parteiprogramme*, Wilhelm Mommsen, éd., Munich, Isar Verlag, 1960, vol. 1, p. 84.

95. Mosse, dans « From "Schutzjuden" to "Deutsche Staatsbürger Jüdischen Glaubens" », écrit que, dans les années 1880 et 1890, « il ne fait pas de doute que sans la neutralité [de l'État] et son souci de maintenir l'ordre, par la force si nécessaire, une vague de pogroms aurait déferlé sur l'Allemagne, avec des conséquences incalculables » (p. 90). Dans « The Mad Count : A Forgotten Portent of the Holocaust » (*Midstream 22*, n° 2 [fév. 1976]), Erich Goldhagen évoque le cas d'un aristocrate allemand, le comte Pückler, qui brûlait de s'en prendre aux Juifs physiquement mais qui fut retenu par les autorités : « De simples paroles ne suffisaient pas au comte, il brûlait de passer à l'acte. Mais le plaisir de frapper les Juifs lui fut refusé par le gouvernement impérial qui, s'il tolérait qu'on hurlât contre eux, ne pouvait accepter qu'on les frappât. Le comte Pückler dut donc se rabattre sur des simulacres. A la tête d'une troupe de paysans montés sur des chevaux, spécialement équipés pour cette occasion, et au son des trompettes, il menait des charges de cavalerie contre des Juifs imaginaires, qu'il frappait et piétinait sous sa monture. C'était un équivalent psychique du meurtre, et une remarquable préfiguration de la Solution finale » (p. 61-62).

96. Werner Jochmann, « Structure and Functions of German Anti-Semitism, 1878-1914 », dans Herbert A. Strauss, éd., *Hostages of Modernization : Studies on Modern Antisemitism, 1870-1933/39*, Berlin, Walter de Gruyter, 1993, p. 52-53.

97. Voir Hans Rosenberg, « Anti-Semitism and the "Great Depression", 1873-1896 », dans Strauss, éd., *Hostages of Modernization*, p. 24.

98. Jochmann, « Structure and Functions of German Anti-Semitism », p. 54-55 et 58.

99. Hans-Ulrich Wehler, « Anti-Semitism and Minority Policy », dans Strauss, éd., *Hostages of Modernization*, p. 30.

100. Voir Peter Pulzer, *Jews and the German State : The Political History of a Minority, 1848-1933*, Oxford, Basil Blackwell, 1992, p. 44-66.
101. Jochmann, « Structure and Functions of German Anti-Semitism », p. 48.
102. Voir George L. Mosse, *The Crisis of German Ideology : Intellectual Origins of the Third Reich*, New York, Grosset & Dunlap, 1964, p. 88-107.
103. Jochmann, « Structure and Functions of German Anti-Semitism », p. 58.
104. Wehler, « Anti-Semitism and Minority Policy », p. 30.
105. Felden, « Die Übernahme des antisemitischen Stereotyps », p. 85.
106. Voir Pulzer, *Jews and the German State*, p. 148-167.
107. En 1890, le parti libéral-national et le parti du centre inclurent des thèmes antisémites dans leurs campagnes. Felden, « Die Übernahme des antisemitischen Stereotyps », p. 46.
108. Le programme d'Erfurt du Parti antisémite du peuple de Böckel débutait par une déclaration sans équivoque sur son identité et sur son objectif central : « Le Parti antisémite [...] entend œuvrer, par des moyens légaux, à l'abolition de l'émancipation des Juifs, qui devront faire l'objet d'une législation sur les étrangers, et à la création d'une législation sociale saine » (sur le programme en dix-huit points du parti, voir Pulzer, *The Rise of Political Anti-Semitism*, p. 339-340).
109. Pulzer, *The Rise of Political Anti-Semitism*, p. 119.
110. *Ibid.*, p. 120.
111. *Ibid.*, p. 121, 123. Bien entendu, le parti conservateur avait d'autres articles à son programme, mais l'antisémitisme allemand était conceptuellement et symboliquement lié à bien d'autres aspects de sa politique, dont le nationalisme.
112. Sur ces questions, voir Pulzer, *The Rise of Political Anti-Semitism*, p. 194-197. Il souligne que même les partis libéraux, qui n'étaient pas ouvertement racistes, en étaient venus à accepter tranquillement l'antisémitisme quand ils avaient compris que beaucoup de leurs partisans étaient antisémites (p. 194-195).
113. Pulzer écrit : « En instillant à de larges fractions de la population des idées antisémites, les partis antisémites avaient si bien atteint leur but qu'ils se retrouvaient sans rien à faire », *The Rise of Political Anti-Semitism*, p. 290.
114. La question est traitée au chapitre 16. Voir Katz, *From Prejudice to Destruction*, pour une analyse comparative de la montée de l'antisémitisme dans différentes régions d'Europe.
115. Erb et Bergmann, dans *Die Nachtseite Der Judenemanzipation*, considèrent que, pendant la période qu'ils ont étudiée (1780-1860), presque tous les Allemands partageaient la conviction, plus ou moins affirmée, « que les Juifs étaient nuisibles » ; pour eux, l'appel à l'extermination est né de ce modèle culturel commun (p. 196).
116. Rosenberg, « Anti-Semitism and the "Great Depression" », p. 19-20.
117. Voir Low, *Jews in the Eyes of the Germans*, pour une documentation abondante sur l'expression orale et écrite de l'antisémitisme ; sur la représentation picturale des Juifs, voir Fuchs, *Die Juden in der Karikatur.*
118. Werner Mosse, dans « From "Schutzjuden" to "Deutsche Staatsbürger Jüdischen Glaubens" », écrit : « En fait, dans les décennies qui suivent [l'émancipation], il devint axiomatique, et non sans raison, que le gros de la population, surtout dans les zones rurales où résidaient la plupart des Juifs, ne les aimait pas et était hostile à toute émancipation supplémentaire » (p. 72).

Chapitre 3

1. Klemens Felden, « Die Übernahme des antisemitischen Stereotyps als soziale Norm durch die bürgerliche Gesellschaft Deutschlands (1875-1900) », thèse de doctorat, Ruprecht-Karl-Universität, Heidelberg, 1963, p. 47.
2. Voir Werner Jochmann, « Die Ausbreitung des Antisemitismus in Deutschland, 1914-1923 », dans *Gesellschaftskrise und Judenfeindschaft in Deutschland, 1870-1945*, Hambourg, Hans Christians Verlag, 1988, p. 99. Alex Bein, dans *The Jewish Question : Biography of a World Problem* (New York, Herzl Press, 1990), considère que c'est aux alentours de 1880 que l'idée d'une « question juive » surgit : « Dans de très nombreux

écrits publiés à ce moment-là, l'idée d'une "question juive" se trouvait surtout sous la plume des ennemis des Juifs, pour qui l'existence des Juifs et leur comportement étaient au moins problématiques et peut-être même sources d'un danger » (p. 20).

3. Les Juifs eux-mêmes furent contraints par les modèles linguistiques et cognitifs de l'époque à inclure *Judenfrage* dans leur vocabulaire social et dans leurs dictionnaires. Le « Lexique juif » de 1920 définit la *Judenfrage* comme « l'ensemble des problèmes naissant de la coexistence des Juifs avec d'autres peuples ». Cette définition neutre et idiosyncratique nie que les Juifs soient responsables de la « question » que le modèle culturel leur attribue. Mais même si les éditeurs de ce lexique ne donnaient pas le sens véritable de l'expression, les Juifs qui la lisaient ou l'entendaient étaient à même, en tant que membres de la société, d'en saisir toutes les implications. Voir Leonore Siegele-Wenschkewitz, « Aus ein ander setzungen mit einem Stereotyp : Die Judenfrage im Leben Martin Niemöllers », dans Ursula Büttner, éd., *Die Deutschen und die Judenverfolgung im Dritten Reich*, Hambourg, Hans Christians Verlag, 1992, p. 293. Sur l'utilisation de la formule « question juive » par les Allemands et les Juifs, voir Bein, *The Jewish Question*, p. 18-21.

4. A la fin du XIXe siècle, les Allemands en vinrent à considérer que les Juifs d'Europe orientale qui vivaient en Allemagne constituaient l'essence de la judéité. Dans *Brothers and Strangers : The East European Jew in German and German Jewish Consciousness, 1800-1923* (Madison, University of Wisconsin Press, 1982, p. 76), Steven Aschheim écrit : « Alors que le Juif en caftan incarnait un passé mystérieux, le Juif en cravate symbolisait un présent menaçant. » Aux yeux des antisémites, c'était la « race » qui liait les Juifs de l'Est aux Juifs d'Allemagne, et les Juifs de l'Est « étaient un constant rappel de la présence mystérieuse et pesante du ghetto [...] l'incarnation vivante d'une culture fondamentalement étrangère et même hostile » (p. 58-59), ce qui ne pouvait que renforcer le modèle culturel allemand à l'endroit des Juifs.

5. Peter G. J. Pulzer, *The Rise of Political Anti-Semitism in Germany and Austria*, New York, John Wiley & Sons, 1964, p. 288.

6. Voir ce que dit Jochmann des attaques contre les Juifs pendant la guerre dans « Die Ausbreitung des Antisemitismus in Deutschland, 1914-1923 », p. 101-117 ; et Saul Friedländer, « Political Transformations During the War and Their Effect on the Jewish Question », dans Herbert A. Strauss, éd., *Hostages of Modernization : Studies on Modern Antisemitism 1870-1933/39*, Berlin/New York, Walter de Gruyter, 1993, p. 150-164. Ces attaques étaient si haineuses, devenant des lieux communs culturels sous Weimar, que la communauté juive se sentit obligée d'y répondre à coups de statistiques démentant les accusations des antisémites. Voir Jacob Segall, *Die deutschen Juden als Soldaten im Kriege, 1914-1918 : Eine statistische Studie*, Berlin, Philo-Verlag, 1921.

7. Cité dans Jochmann, « Die Ausbreitung des Antisemitismus in Deutschland, 1914-1923 », p. 101.

8. Cité dans Uwe Lohalm, « Völkisch Origins of Early Nazism : Anti-Semitism in Culture and Politics », dans Strauss, éd., *Hostages of Modernization*, p. 178 et 192.

9. *Ibid.*, p. 185-186.

10. La matière de ce paragraphe est tirée de Lohalm, « Völkisch Origins of Early Nazism », p. 186-189.

11. Heinrich August Winkler, « Anti-Semitism in Weimar Society », dans Strauss, éd., *Hostages of Modernization*, p. 201-202.

12. Cité dans Robert Craft, « Jews and Geniuses », *New York Review of Books* 36, n° 2 (16 février1989), p. 36. En 1929, Einstein déclarait : « Quand je suis arrivé en Allemagne [venant de Zurich] il y a quinze ans, j'ai découvert que j'étais juif. Je dois cette découverte aux Gentils plus qu'aux Juifs. »

13. Cité dans Lohalm, « Völkisch Origins of Early Nazism », p. 192.

14. Jochmann, « Die Ausbreitung des Antisemitismus in Deutschland, 1914-1923 », p. 167. Cet essai montre d'une façon extrêmement claire à quel point l'antisémitisme était partout présent dans la société allemande de Weimar.

15. Michael Kater, « Everyday Anti-Semitism in Prewar Nazi Germany : The Popular Bases », *YVS* 16 (1984), p. 129-159, 133-134.

16. Voir Winkler, « Anti-Semitism in Weimar Society », p. 196-198. La seule exception était le Parti libéral du peuple allemand, politiquement insignifiant. Les sociaux-démocrates eux-mêmes s'en prenaient très peu à l'antisémitisme des nazis. Voir Donna

Harsch, *German Social Democracy and the Rise of Nazism*, Chapel Hill, University of North Carolina Press, 1993, p. 70.

17. Franz Böhm, « Antisemitismus » (conférence du 12 mars 1958), cité dans Werner Jochmann, « Antisemitismus und Untergang der Weimarer Republik », dans *Gesellschaftskrise und Judenfeindschaft in Deutschland, 1870-1945*, p. 193.

18. Max Warburg, lettre à Heinrich von Gleichen du 28 mai 1931, cité dans Jochmann, « Antisemitismus und Untergang der Weimarer Republik », p. 192.

19. Le programme du parti nazi se trouve dans *Nazism*, p. 14-16.

20. Adolf Hitler, *Mein Kampf*, Boston, Houghton Mifflin, 1971, p. 651.

21. *Ibid.*, p. 679.

22. Tant de facteurs solidaires ont gagné les Allemands au nazisme qu'il est difficile de mesurer la part de l'antisémitisme dans leurs succès électoraux. Pour une analyse de l'électorat nazi, voir Jürgen W. Falter, *Hitlers Wähler*, Munich, Verlag C. H. Beck, 1991 ; Thomas Childers, *The Nazi Voter : The Social Foundations of Fascism in Germany, 1919-1933*, Chapel Hill, University of North Carolina Press, 1983 ; et Richard F. Hamilton, *Who Voted for Hitler ?*, Princeton, Princeton University Press, 1982. Les causes immédiates les plus puissantes du succès des nazis furent incontestablement les dramatiques problèmes du moment (la crise économique, le chaos politique, l'effondrement institutionnel de Weimar), mais l'antisémitisme virulent, mortifère, de Hitler n'a pas empêché, c'est le moins que l'on puisse dire, des millions d'Allemands de voter pour lui.

23. Sur les élections, voir Falter, *Hitlers Wähler*, p. 31, 36.

24. Il existe plusieurs analyses globales de l'antisémitisme allemand et des attitudes face à la persécution des Juifs. Naturellement, elles ne sont pas toutes d'accord entre elles, ni avec mes propres conclusions. La plus importante analyse secondaire est celle de David Bankier, *The Germans and the Final Solution : Public Opinion under Nazism* (Oxford, Blackwell, 1992). Cet ouvrage contient de très nombreuses preuves documentaires qui vont dans mon sens, bien plus que je ne puisse moi-même en présenter pour des raisons de place, mais même si son argumentation rejoint souvent la mienne, il subsiste d'importantes différences entre nos deux positions. Ainsi, on ne trouve pas dans son livre d'analyse théorique de l'antisémitisme, ni aucun exposé général sur la nature des croyances et idéologies, et leur relation avec l'action. Certaines interprétations de Bankier sont en outre contestables. Pour un échantillon de la littérature existante, voir les nombreuses publications de Ian Kershaw, dont « Antisemitismus und Volksmeinung : Reaktionen auf die Judenverfolgung », dans Martin Broszat et Elke Fröhlich, éd., *Bayern in der NS-Zeit*, Munich, R. Oldenbourg Verlag, 1989, vol. 2, p. 281-348 ; *Popular Opinion and Political Dissent in the Third Reich : Bavaria, 1933-1945*, Oxford, Oxford University Press, 1983, chapitres 6 et 9 ; « German popular opinion and the "Jewish Question", 1939-1943 : Some Further Reflections », dans Arnold Paucker, éd., *Die Juden im nationalsozialistischen Deutschland : The Jews in Nazi Germany, 1933-1943*, New York, Leo Baeck Institute, 1986, p. 365-386 ; voir aussi Otto Dov Kulka et Aron Rodrigue, « The German Population and the Jews in the Third Reich : Recent Publications and Trends in Research on German Society and the "Jewish Question" », *YVS* 16 (1984), p. 421-435 ; Kater, « Everyday Anti-Semitism in Prewar Nazi Germany » ; et Robert Gellately, *The Gestapo and German Society : Enforcing Racial Policy, 1933-1945*, Oxford, Clarendon Press, 1990. Beaucoup de ces études s'appuient sur deux sources documentaires publiées : *Deutschland-Berichte der Sozialdemokratischen Partei Deutschlands (Sopade), 1934-1940*, vol. 1 à 7, Salzhausen, Verlag Petra Nettelbeck et Francfort, Zweitausendeins, 1983 (abrégé ci-dessous en *Sopade*), et *Meldungen aus dem Reich, 1938-1945 : Die geheimen Lageberichte des Sicherheitsdienstes der SS*, Heinz Boberach, éd., vol. 1 à 17, Herrsching, Pawlak Verlag, 1984.

25. Melita Maschmann, *Account Rendered : A Dossier of My Former Self*, Londres, Abelard-Schuman, 1964, p. 40-41.

26. L'étude des innombrables exemples de l'obsession raciste et antisémite des nazis peut commencer par *Mein Kampf* de Hitler ; voir aussi le grand théoricien du nazisme, Alfred Rosenberg, *Der Mythus des zwanzigsten Jahrhunderts*, Munich, Hohelichen Verlag, 1944 ; sur les couches populaires, voir Hans Günther, *Die Rassenkunde des deutschen Volkes*, Munich, Lehmann Verlag, 1935. Voir aussi l'antisémitisme raciste, haineux et sinistre, du journal de Julius Streicher, *Der Stürmer*, qui tirera jusqu'à 800 000 exem-

plaires, et dont le lectorat était encore bien plus important ; le journal du parti nazi, *Völkischer Beobachter*, faisait lui aussi la part belle à l'antisémitisme raciste. Pour des analyses secondaires, voir Eberhard Jäckel, *Hitler's World View : A Blueprint for Power*, Cambridge, Harvard University Press, 1981 ; et Erich Goldhagen, « Obsession and *Realpolitik* in the "Final Solution" », *Patterns of Prejudice* 12, n° 1 (1978), p. 1-16. William L. Combs, dans *The Voice of the SS : A History of the SS Journal « Das Schwarze Korps »* (New York, Peter Lang, 1986), étudie le violent et incessant antisémitisme de l'organe officiel de la garde prétorienne.

27. Sur la « mort sociale », voir Orlando Patterson, *Slavery and Social Death : A Comparative Study*, Cambridge, Harvard University Press, 1982, notamment p. 1-14. La « mort sociale » des Juifs dans l'Allemagne nazie est analysée au chapitre 5.

28. Sur les agressions de ces premiers mois, voir Rudolf Diels, *Lucifer Ante Portas : Zwischen Severing und Heydrich*, Zurich, Interverlag, n.d.

29. Cette journée nationale de boycott avait été précédée au début de mars par des journées locales de boycott dans au moins une douzaine de villes allemandes. Voir Gellately, *The Gestapo and German Society*, p. 102.

30. *Why I Left Germany*, par un savant juif allemand, Londres, M. M. Dent & Sons, 1934, p. 132-133. L'auteur, qui avait pu voir les inscriptions sur les murs, s'était enfui en 1933. Cette atmosphère de haine quasi universelle à l'endroit des Juifs ne laissait aucun espoir d'amélioration ni de stabilisation de leur condition. Après coup, il se demandait à quel point était partagée la responsabilité morale et pratique de cette atmosphère et de cette politique antijuives : « Le peuple tout entier est-il responsable de chaque crime commis en son nom ? me demandais-je. Et une voix en moi répondait : "Dans ce cas, la nation tout entière est responsable du gouvernement qu'elle a amené au pouvoir et que, en pleine connaissance de cause, le peuple a applaudi bruyamment à chacune des violences ou injustices qu'il commettait" » (p. 182).

31. Avraham Barkai, *From Boycott to Annihilation : The Economic Struggle of German Jews, 1933-1943*, Hanover, University Press of New England, 1989, p. 17.

32. Sur toutes ces mesures, voir Raul Hilberg, *The Destruction of the European Jews*, New York, New Viewpoints, 1973, p. 43-105 [*La Destruction des Juifs d'Europe*, Paris, Fayard, 1985] ; et Reinhard Rürup, « Das Ende der Emanzipation : die antijüdische Politik in Deutschland von der "Machtergreifung'bis zum Zweiten Weltkrieg" », dans Paucker, éd., *Die Juden im nationalsozialistischen Deutschland*, p. 97-114 ; sur l'étranglement économique des Juifs, voir Barkai, *From Boycott to Annihilation* ; sur le corps médical, voir Michael Kater, *Doctors under Hitler*, Chapel Hill, University of North Carolina Press, 1989, p. 177-221.

33. Bankier, *The Germans and the Final Solution*, p. 68 ; Hilberg, *Destruction of the European Jews*, p. 56-57.

34. Bankier écrit : « Bien que l'opinion reconnût en général qu'il fallait une solution à la question juive, beaucoup trouvaient horrible celle de la persécution », dans *The Germans and the Final Solution*, p. 68.

35. *Ibid.*, p. 69-70.

36. Kershaw, *Popular Opinion and Political Dissent in the Third Reich*, p. 142-143.

37. Cité dans Fritz Stern, *Dreams and Delusions : National Socialism in the Drama of the German Past*, New York, Vintage Books, 1987, p. 180.

38. Pour la liste des nombreuses interdictions et restrictions imposées aux Juifs par les Allemands, voir Joseph Walk, éd., *Das Sonderrecht für die Juden im NS-Staat : Eine Sammlung der gesetzlichen Massnahmen und Richtlinien-Inhalt und Bedeutung*, Heidelberg, C. F. Müller Juristischer Verlag, 1981.

39. Gellately, *The Gestapo and German Society*, p. 105.

40. Kater, « Everyday Anti-Semitism in Prewar Nazi Germany », p. 145.

41. Marvin Lowenthal, *The Jews of Germany : A Story of Sixteen Centuries*, Philadelphie, The Jewish Publication Society of America, 1938, p. 411.

42. L'expression se trouve dans la plainte écrite d'un Juif de Wurzbourg. Cité dans Gellately, *The Gestapo and German Society*, p. 105.

43. *Why I Left Germany*, p. 82.

44. Sur les nombreux événements évoqués dans ce paragraphe, voir Kater, « Everyday Anti-Semitism in Prewar Nazi Germany », p. 142-150.

45. Cité dans Kater, *op. cit.*, p. 144-145.

46. Konrad Kwiet et Helmut Eschwege, *Selbstbehauptung und Widerstand : Deutsche Juden im Kampf um Existenz und Menschenwuerde, 1933-1945*, Hambourg, Hans Christians Verlag, 1984, p. 44.

47. Gellately évoque les mêmes effets de cette même violence en Franconie et conclut que, si les Juifs d'Allemagne « quittèrent le pays, surtout dans les zones rurales, ce fut avant tout par peur pour leur personne et leurs biens. Les nouvelles d'une bastonnade, d'une arrestation, d'une atteinte à une propriété circulaient rapidement dans les campagnes et les petites villes », dans *The Gestapo and German Society*, p. 103.

48. Ici, je suis de très près Herbert Schultheis, *Die Reichskristallnacht in Deutschland : Nach Augenzeugenberichten*, Bad Neustadt a.d. Saale, Rötter Druck und Verlag, 1986, p. 158-159. Pour une histoire semblable dans une autre ville, Ober-Seemen, voir p. 159-160.

49. Wolf-Arno Kropat, *Kristallnacht in Hessen : Der Judenpogrom vom November 1938*, Wiesbaden, Kommission für die Geschichte der Juden in Hessen, 1988, p. 245.

50. Sur ce point, voir Kater, « Everyday Anti-Semitism in Prewar Nazi Germany », p. 148.

51. Ces violences avaient néanmoins des cibles spécifiques. Une chanson SA, très souvent chantée, exprimait bien les souhaits meurtriers des SA :

« Quand le sang juif jaillit du couteau
C'est rudement chouette.
Le sang doit être épais comme la grêle. »

Y a-t-il un SA ou n'importe quelle autre personne entendant cette chanson ou d'autres chants nazis également assoiffés de sang qui ait pu douter de la nature de ces gens, des intentions meurtrières du mouvement ? Comment supporter l'existence de ce mouvement si l'on ne partageait pas la vison nazie des Juifs ?

52. Kater, « Everyday Anti-Semitism in Prewar Nazi Germany », p. 142.

53. Gellately, *The Gestapo and German Society*, p. 109.

54. Sur les interdictions imposées aux Juifs en matière de baignades publiques, voir Kater, *op. cit.*, p. 156-158 ; voir aussi *Nazism*, p. 531, pour un rapport de la police bavaroise sur une manifestation spontanée de baigneurs allemands exigeant que les Juifs fussent exclus de leur piscine.

55. Telle est la conclusion de Kater, *op. cit.*, p. 154.

56. *Ibid.*, p. 150-154, et *Doctors under Hitler*, p. 177-221.

57. Voir, par exemple, Arye Carmon, « The Impact of Nazi Racial Decrees on the University of Heidelberg », *YVS* 11 (1976), p. 131-163.

58. Cité dans *The Jews in Nazi Germany : A Handbook of Facts Regarding Their Present Situation*, New York, American Jewish Committee, 1935, p. 52-53.

59. Voir Ingo Müller, *Hitler's Justice : The Courts of the Third Reich*, Cambridge, Harvard University Press, 1991, p. 92.

60. Le livre de Müller, *Hitler's Justice*, le prouve abondamment. Il est également clair que de nombreux juges partageaient le racisme biologique si répandu en Allemagne, ce qui les amena à soutenir le programme d'eugénisme nazi (p. 120-125).

61. Otto Dov Kulka, « Die Nürnberger Rassengesetze und die deutsche Bevölkerung im Lichte geheimer NS-Lage- und Stimmungsberichte », *VfZ* 32 (1984), p. 623.

62. Pour le texte de ces lois, voir *Nazism*, p. 535-537. Sur les lois de Nuremberg et les tentatives allemandes de donner une définition plus générale du Juif, voir Hilberg, *Destruction of the European Jews*, p. 43-53 ; et Lothar Gruchmann, « "Blutschutzgesetz" und Justiz : Zur Entstehung und Auswirkung des Nürnberger Gesetzes vom 15. September 1935 », *VfZ* 31 (1983), p. 418-442.

63. Cité dans Gellately, *The Gestapo and German Society*, p. 109-110 ; voir aussi p. 108-111. Gellately remarque que même si certains, dans la classe moyenne, trouvèrent cette législation par trop radicale, elle fut dans l'ensemble accueillie très favorablement. Pour un exposé plus complet des réactions en Allemagne, voir Kulka, « Die Nürnberger Rassengesetze und die deutsche Bevölkerung im Lichte geheimer NS-Lage- und Stimmungsberichte », p. 582-624.

64. Klaus Mlynek, éd., *Gestapo Hannover meldet... : Polizei- und Regierungsberichte für das mittlere und südliche Niedersachsen zwischen 1933 und 1937*, Hildesheim, Verlag

August Lax, 1986, p. 524. Ce rapport fait suite à une explosion de rage populaire après le meurtre d'un nazi suisse par un Juif.

65. *Sopade*, juillet 1938, A76.

66. *Ibid.*, A78.

67. Bankier, *The Germans and the Final Solution*, p. 83-85.

68. Voir Walter H. Pehle, éd., *November 1938 : From « Reichskristallnacht » to Genocide*, New York, Berg Publishers, 1991 : notamment les essais de Wolfgang Benz, Trude Maurer et Uwe Dietrich Adam ; pour une étude régionale, voir Kropat, *Kristallnacht in Hessen*.

69. Avraham Barkai, « The Fateful Year 1938 : The Continuation and Acceleration of Plunder », dans Pehle, éd., *November 1938*, p. 116-117.

70. Kropat, *Kristallnacht in Hessen*, p. 187.

71. *Ibid.*, p. 66-74 et 243-244.

72. Bankier, *The Germans and the Final Solution*, p. 86. Une brochure clandestine communiste expliquait : « Les catholiques étaient horrifiés de voir que les incendies de synagogues ressemblaient d'une manière effrayante aux attaques de gangs hitlériens contre les résidences épiscopales de Rothenburg, Vienne et Munich. »

73. Kropat, *Kristallnacht in Hessen*, p. 243.

74. Bernt Engelmann, *In Hitler's Germany : Everyday Life in the Third Reich*, New York, Schocken Books, 1986, p. 138.

75. Kershaw, *Popular Opinion and Political Dissent in the Third Reich*, p. 267-271 ; Bankier, *The Germans and the Final Solution*, p. 85-88 ; et Gellately, *The Gestapo and German Society*, p. 122.

76. Kershaw écrit : « Hostilité très répandue envers les Juifs, approbation sans réserve des décrets antisémites du gouvernement, mais vive condamnation de ces pogroms en raison des destructions matérielles et du fait que "l'opération" avait été perpétrée par de la "racaille", telles étaient les réactions d'une très grande partie de l'opinion. De nombreux antisémites, même, y compris des membres du parti nazi, trouvaient ces pogroms de mauvais goût, tout en approuvant ce qui les avait motivés, et leurs conséquences », dans *Popular Opinion and Political Dissent in the Third Reich*, p. 269.

77. Voir Barkai, *From Boycott to Annihilation*, p. 136.

78. Bankier, *The Germans and the Final Solution*, p. 87.

79. Hermann Glaser, « Die Mehrheit hätte ohne Gefahr von Repressionen fernbleiben können », dans Jörg Wollenberg, éd., *« Niemand war dabei und keiner hat's gewusst » : Die deutsche Öffentlichkeit und die Judenverfolgung 1933-1945*, Munich, Piper, 1989, p. 26-27.

80. Alfons Heck, *The Burden of Hitler's Legacy*, Frederick, Colorado, Renaissance House, 1988, p. 62.

81. Kershaw, *Popular Opinion and Political Dissent in the Third Reich*, p. 147.

82. Maschmann, *Account Rendered*, p. 56.

83. L'expression est d'Erich Goldhagen.

84. Voir Bankier, *The Germans and the Final Solution*, p. 77-78. Sur les sanctions juridiques pour « profanation de la race » dans une région d'Allemagne, voir Hans Robinsohn, *Justiz als politische Verfolgung : Die Rechtsprechung in « Rassenschandefällen » beim Landgericht Hamburg, 1936-1943*, Stuttgart, Deutsche Verlags-Anstalt, 1977.

85. Dans ce paragraphe, je suis de très près Bankier, *The Germans and the Final Solution*, p. 122-123.

86. Même si certains avaient formellement abjuré le « racisme » comme étant contraire à l'enseignement universaliste de l'Église, ils acceptaient pourtant l'article central du « racisme » qui possédait en lui-même des applications éliminationnistes, à savoir qu'il n'y avait pas de rachat possible pour les Juifs.

87. Bankier, *The Germans and the Final Solution*, p. 122. Voir aussi Guenter Lewy, *The Catholic Church and Nazi Germany*, New York, McGraw-Hill, 1964, p. 285-286 ; et Richard Gutteridge, *The German Evangelical Church and the Jews, 1879-1950*, New York, Harper & Row, 1976, p. 233.

88. Bankier, *The Germans and the Final Solution*, p. 122.

89. Exception faite des Juifs privilégiés en raison d'un mariage mixte ou parce qu'ils étaient issus d'un mariage mixte, de ceux qui étaient dans des camps en Allemagne même,

et des dizaines de milliers de Juifs qui reviendront en Allemagne en 1945 lors des marches de la mort et qui ont survécu à ces marches.

90. Anna Haag, *Das Glück zu Leben*, Stuttgart, Bonz, 1967, à la date du 5 octobre 1942. On ne comprend pas pourquoi Bankier, qui raconte aussi cet épisode, conclut que « des incidents comme celui-là confirment que l'exposition quotidienne à une atmosphère violemment antisémite rendait les gens progressivement insensibles au malheur de leurs voisins juifs » (*The Germans and the Final Solution*, p. 130). Ce que prouve cet incident, comme bien d'autres, ce n'est pas l'endurcissement de la sensibilité mais la nature des croyances profondes des Allemands et leur promptitude à les exprimer. Que les Allemands, à l'exception d'un très petit nombre d'entre eux, aient jamais été « sensibles au malheur de leurs voisins juifs » sous le nazisme est une hypothèse qui ne peut être prouvée et qui est au demeurant démentie par toutes les preuves empiriques réunies par Bankier dans son livre.

91. Gerhard Schoenberner, éd., *Wir Haben es Gesehen : Augenzeugenberichte über Terror und Judenverfolgung im Dritten Reich*, Hambourg, Rütten & Loening Verlag, 1962, p. 300.

92. Bankier, *The Germans and the Final Solution*, p. 135.

93. Karl Ley, *Wir Glauben Ihnen : Tagebuchaufzeichnungen und Erinnerungen eines Lehrers aus dunkler Zeit*, Siegen-Volnsberg, Rebenhain-Verlag, 1973, p. 115.

94. Ruth Andreas-Friedrich, *Berlin Underground, 1938-1945*, New York, Paragon House, 1989, p. 83. Kershaw écrit : « Les preuves surabondent que l'information sur le sort des Juifs était largement disponible », dans « German Popular Opinion and the "Jewish Question", 1939-1943 », p. 380. Peter Longerich, éd., dans *Die Ermordung der Europäischen Juden : Eine umfassende Dokumenation des Holocaust, 1941-1945* (Munich, Piper, 1989, p. 433-434) cite un rapport interne au parti nazi de novembre 1942 évoquant la large divulgation en Allemagne du massacre des Juifs. L'idée selon laquelle peu de gens étaient au courant du massacre systématique des Juifs est contredite par de nombreuses preuves documentaires, ce qui rend encore plus surprenant que ce mythe continue à être propagé et accepté. Sur cette question, voir Hans-Heinrich Wilhelm, « The Holocaust in National-Socialist Rhetoric and Writings : Some Evidence against the Thesis that before 1945 Nothing Was Known about the "Final Solution" », *YVS* 16 (1984), p. 95-127 ; et Wolfgang Benz, « The Persecution and Extermination of the Jews in the German Consciousness », dans John Milfull, éd., *Why Germany ? National Socialist Anti-Semitism and the European Context*, Providence, Berg Publishers, 1993, p. 91-104, notamment p. 97-98 ; pour une opinion contraire, voir Hans Mommsen, « What did the Germans Know about the Genocide of the Jews ? », dans Pehle, éd., *November 1938*, p. 187-221.

95. Marlis Steinert, *Hitlers Krieg und die Deutschen : Stimmung und Haltung der deutschen Bevölkerung im Zweiten Weltkrieg*, Düsseldorf, Econ Verlag, 1970, p. 238-239. Bankier, dans *The Germans and the Final Solution* (p. 133-137), évoque aussi les cas où des Allemands manifestèrent de la sympathie envers les Juifs. Pour Bankier, beaucoup d'Allemands étaient indifférents, « délibérément indifférents », précise-t-il, « à un acte criminel » (p. 137). Comme je l'expose longuement au chapitre 16, le concept d'indifférence souffre d'insuffisance théorique dans le cas des Allemands de l'époque, qui ne pouvaient pas ne pas avoir d'idées ni de réactions à l'égard de la persécution des Juifs, y compris de leur déportation.

96. Alors que la plupart des catholiques abandonnèrent les Juifs convertis, la haute hiérarchie catholique resta fidèle à la doctrine du baptême. Voir Lewy, *The Catholic Church and Nazi Germany*, p. 284-287.

97. Cité dans Lewy, *The Catholic Church and Nazi Germany*, p. 163 ; voir p. 162-166 d'autres preuves attestant que l'Église catholique prêchait le langage de la race (même si elle continuait à défendre la primauté de la loi divine sur les lois raciales de l'humanité).

98. *Sopade*, janvier 1936, A18.

99. *Ibid.*, A17.

100. Kershaw écrit : « L'idée qu'il y avait une "question juive", que les Juifs constituaient une autre race, qu'ils méritaient toutes les mesures prises pour contrer leur influence néfaste, et qu'ils devaient être chassés d'Allemagne était déjà funestement très répandue [en 1938-39] », dans « German Popular Opinion and the "Jewish Question", 1939-1943 », p. 370. Voir ce que dit Bankier de l'antisémitisme des ouvriers, dans *The*

Germans and the Final Solution, p. 89-95. Son analyse est plus nuancée que ce que je rapporte moi-même brièvement, mais sa conclusion rejoint la mienne : « Rien d'étonnant à ce que les ouvriers aient réagi aux mesures antisémites de la même manière que le reste de la population. Plus surprenant est ce que laisse apparaître l'étude *Sopade* : que le régime nazi avait réussi à instiller la haine des Juifs dans des fractions importantes de la classe ouvrière et même à lui faire approuver sa politique antisémite » (p. 94).

101. Gutteridge, *The German Evangelical Church and the Jews, 1879-1950*, p. 35, 39. Même dans les discours d'excuse prononcés après la guerre, l'antisémitisme n'était pas complètement refoulé. Dans un prêche, l'évêque August Marahrens disait : « En matière de croyances, nous sommes très éloignés des Juifs, toute une série de Juifs peuvent avoir causé du tort à notre peuple, mais ils n'auraient pas dû être victimes de cette attaque inhumaine » (p. 300). (La construction grammaticale mérite d'être relevée : les *Juifs* ont causé du tort aux Allemands, mais la persécution est évoquée au passif, sans complément d'agent.) Le modèle culturel hostile aux Juifs a mis du temps à disparaître : voir les « Quelques mots sur la question juive » du Conseil des frères de l'Église évangélique en 1948 (« En crucifiant le Messie, Israël a rejeté son élection et sa vocation [de peuple élu] ») ; voir Julius H. Schoeps, *Leiden an Deutschland : Vom antisemitischen Wahn und der Last der Erinnerung*, Munich, Piper, 1990, p. 62.

102. Wolfgang Gerlach, *Als die Zeugen schwiegen : Bekennende Kirche und die Juden*, 2e éd., Berlin, Institut Kirche und Judentum, 1993, p. 30ff.

103. Klaus Gotto et Konrad Repgen, éd., *Die Katholiken und das Dritte Reich*, Mayence, Matthias-Grünewald-Verlag, 1990, p. 199.

104. Cité dans Gerlach, *Als die Zeugen schwiegen*, p. 32-33.

105. Werner Jochmann, « Antijüdische Tradition im deutschen Protestantismus und nationalsozialistische Judenverfolgung », dans *Gesellschaftskrise und Judenfeindschaft in Deutschland, 1870-1945*, p. 272. Jochmann écrit que, dans les années qui précédèrent l'accession de Hitler au pouvoir, l'antisémitisme protestant était si fort que « tous les appels des Juifs à la conscience chrétienne restaient sans effets ». Ainsi, en mai 1932, quand un rabbin de Kiel s'adressa à l'Église évangélique locale pour lui demander son aide contre l'intensification de l'antisémitisme, on ne répondit même pas à sa lettre (p. 272-273).

106. Cité dans Gerlach, *Als die Zeugen schwiegen*, p. 42.

107. Wolfgang Gerlach, « Zwischen Kreuz und Davidstern : Bekennende Kirche in ihrer Stellung zum Judentum im Dritten Reich », thèse de doctorat, Evang-Theologischen Fackultät der Universität Hambourg, 1970, notes en fin d'ouvrage, p. 11.

108. Gerlach, *Als die Zeugen schwiegen*, p. 43.

109. Cité dans Schoeps, *Leiden an Deutschland*, p. 58.

110. Friedrich Heer, *God's First Love*, Worcester, Trinity Press, 1967, p. 324.

111. Bernd Nellessen, « Die schweigende Kirche : Katholiken und Judenverfolgung », dans Büttner, éd., *Die Deutschen und die Judenverfolgung im Dritten Reich*, p. 265.

112. Cité dans Lewy, *The Catholic Church and Nazi Germany*, p. 294.

113. Nellessen, « Die schweigende Kirche », p. 261.

114. Lewy, *The Catholic Church and Nazi Germany*, p. 291-292 ; Gutteridge, *The German Evangelical Church and the Jews*, notamment p. 153 et 267-313 ; et J. S. Conway, *The Nazi Persecution of the Churches, 1933-1945*, New York, Basic Books, 1968, p. 261-267.

115. Saul Friedländer, *Pius XII and the Third Reich : A Documentation*, New York, Alfred A. Knopf, 1966, p. 115.

116. Lewy, *The Catholic Church and Nazi Germany*, p. 282. L'Église se contentait de déplorer que ce fût là un travail supplémentaire non rémunéré pour les curés.

117. Heer, *God's First Love*, p. 323.

118. Sur les protestants, voir Johan M. Snoek, *The Grey Book : A Collection of Protests Against Anti-Semitism and the Persecution of Jews Issued by Non-Roman Catholic Churches and Church Leaders During Hitler['']s Rule*, Assen, Van Gorcum, 1969 ; sur les catholiques, voir Lewy, *The Catholic Church and Nazi Germany*, p. 293 ; sur la France, voir Michael R. Marrus et Robert O. Paxton, *Vichy France and the Jews*, New York, Schocken Books, 1983, p. 262, 270-275 [*Vichy et les Juifs*, Paris, Calmann-Lévy, 1981].

119. Aucun catholique allemand ne fut excommunié ni pendant ni après ce qui fut le plus grand crime de l'histoire humaine. Voir Heer, *God's First Love*, p. 323.

120. Voir Schoeps, *Leiden an Deutschland*, p. 60.

121. Stewart W. Herman, *It's Your Souls We Want*, New York, Harper & Brothers, 1943, p. 234. Herman mentionne aussi le massacre des communautés juives de Lituanie et de Lettonie.

122. Gerhard Schäfer, éd., *Landesbischof D. Wurm und der Nationalsozialistische Staat, 1940-1945 : Eine Dokumentation*, Stuttgart, Calwer Verlag, 1968, p. 158.

123. *Kirchliches Jahrbuch für die Evangelische Kirche in Deutschland, 1933-1944*, Gütersloh, C. Bertelsmann Verlag, 1948, p. 481. Leur racisme était explicite : « De la crucifixion du Christ jusqu'à nos jours, les Juifs ont lutté contre le christianisme ou lui ont fait violence au nom de leurs objectifs égoïstes. Le baptême chrétien ne change pas le caractère racial du Juif, ni son affiliation à ce peuple, ni son être biologique. » Cela ne veut pas dire que toute la hiérarchie ecclésiastique avait une vison raciste des Juifs : là-dessus, il y avait des différences entre les Églises, et incontestablement beaucoup de confusion, signe que le vieil antisémitisme était érodé par le nouveau modèle culturel. Voir Gutteridge, *The German Evangelical Church and the Jews*, p. 35-90. Alors qu'il y avait concordance sur des points essentiels entre les deux visions du monde (d'où le grand attrait du nazisme pour la hiérarchie ecclésiastique chrétienne et les laïcs), il y avait aussi entre elles des désaccords fondamentaux, que l'on cherchait à refouler, à nier, à contourner, à harmoniser de toutes sortes de manières.

124. Certains diront sans doute que ces hommes ne savaient rien de l'extermination et verront dans leur déclaration en faveur du bannissement des Juifs la preuve qu'il n'y avait pas approbation du génocide. L'idée qu'ils ignoraient tout du massacre en cours est difficile à admettre, étant donné que la population allemande savait déjà beaucoup de choses et que les Églises disposaient de leurs propres canaux d'information, qui faisaient de leurs dirigeants les personnes les mieux informées du pays. Au moment où cette proclamation a été rédigée, on parlait déjà ouvertement en Allemagne du massacre systématique des Juifs. Les Allemands avaient déjà tué des centaines de milliers de Juifs en Union soviétique (là où ces chefs religieux, recourant à l'euphémisme nazi de l'époque, entendaient « bannir » les Juifs). Des millions de soldats allemands servant sur le front Est étaient au courant du génocide, puisque beaucoup de tueries avaient été perpétrées au grand jour, au milieu des troupes, et que la Wehrmacht elle-même y avait prêté main forte. L'extermination était également connue des très nombreux aumôniers et pasteurs de l'armée, qui, sans aucun doute, en avaient référé à leurs supérieurs. La lettre de l'évêque Wurm, qui était en contact constant avec d'autres évêques, prouve que la connaissance des tueries était venue jusqu'aux chefs des Églises. De plus, quand on pense aux constantes et très claires déclarations de Hitler sur son intention exterminatrice, il est tout à fait improbable que des dignitaires religieux de cette stature, dont les proclamations étaient soigneusement mises au point, aient utilisé la formule « les mesures les plus sévères » s'ils n'avaient pas pensé à l'extermination. Dans un tel contexte, la formule « qu'ils soient bannis des pays allemands » n'était qu'un euphémisme, et compris ainsi par tous les Allemands impliqués dans le génocide. Les règles de camouflage linguistique imposées par le régime interdisaient de parler du génocide en tant que tel dans les déclarations publiques et la correspondance officielle. Ainsi des formules comme « réinstallation », « envoyés à l'Est », devinrent-elles le code ordinaire pour désigner l'extermination. L'Allemagne étant en guerre, on ne pouvait bannir les Juifs n'importe où, et ces hommes d'Église savaient que la seule manière de bannir les Juifs était de les tuer.

125. Martin Niemöller, *Here Stand I !*, Chicago, Willett, Clarke & Co., 1937, p. 195. Dans ce sermon, Niemöller attaque aussi les nazis (sans les nommer) en les associant aux Juifs ! Jusqu'où allait la malfaisance des Juifs ? Selon Niemöller, ils étaient responsables non seulement « du sang de Jésus et du sang de tous ses messagers », mais, pire encore, « du sang de tous les hommes de bien qui ont été assassinés parce qu'ils proclamaient la volonté sacrée de Dieu face à la volonté tyrannique des hommes » (p. 197). Niemöller est un exemple notable d'un engagement antinazi chez un antisémite engagé.

126. A la différence de la plupart des antisémites allemands, Niemöller avait une position éthique qui lui interdisait de réclamer contre les Juifs une vengeance qui ne relevait que de Dieu. Mais il n'en continuait pas moins à vitupérer contre les Juifs, maudits pour l'éternité pour avoir, entre autres, crucifié Jésus. Sur l'antisémitisme de Niemöller, voir Gutteridge, *The German Evangelical Church and the Jews*, p. 100-104.

127. Cité dans Harmut Ludwig, « Die Opfer unter dem Rad Verbinden : Vor- und Entstehungsgeschichte, Arbeit und Mitarbeiter des “Büro Pfarrer Grüber” », Berlin, Habil., 1988, p. 73-74.

128. Cité dans Schoeps, *Leiden an Deutschland*, p. 58. Dans une lettre de 1967, Karl Barth confessait : « Dans mes contacts avec des Juifs (même des Juifs chrétiens !), aussi loin que je me souvienne, j'ai toujours dû lutter contre une aversion irrationnelle », *Letters, 1961-1968*, Grand Rapids, William B. Eerdmans, 1981, p. 262.

129. Snoek, *The Grey Book*, p. 113.

130. Jochmann, « Antijüdische Tradition im deutschen Protestantismus und nationalsozialistische Judenverfolgung », p. 273-274.

131. Schoeps, *Leiden an Deutschland*, p. 61.

132. Cité dans Gutteridge, *The German Evangelical Church and the Jews*, p. 304. Dans un sermon de 1945, Niemöller condamnait lui aussi l'antisémitisme profond de l'Église évangélique. Si les 14 000 pasteurs luthériens d'Allemagne, disait-il, avaient compris « au début de la persécution des Juifs [...] que c'était le Seigneur Jésus qui était persécuté [...] alors le nombre des victimes aurait peut-être été limité à une dizaine de mille » (p. 303-304). Selon lui, le refus des autorités religieuses de prendre la défense des Juifs n'était pas avant tout dicté par la peur du régime, mais par une raison plus fondamentale : ces hommes d'Église ne condamnaient pas les mesures éliminationnistes prises en leur nom.

133. Rapport du 7 août 1944, cité dans Christof Dipper, « The German Resistance and the Jews », *YVS* 16 (1984), p. 79.

134. *Ibid.*, p. 78.

135. *Ibid.*, p. 79.

136. *In der Stunde Null : Die Denkschrift des Freiburger « Bonhoeffer-Kreises »*, Helmut Thielicke, éd., Tubingen, Mohr, 1979, p. 147-151. Sur cette déclaration, voir Dipper, « The German Resistance and the Jews », p. 77.

137. Ce que je dis ici de la résistance est développé dans Dipper, « The German Resistance and the Jews », voir notamment p. 60, 71-72, 75-76, 81, 83-84, 91-92.

138. Kwiet et Eschwege, *Selbstbehauptung und Widerstand*, p. 48. Sur la force de l'antisémitisme dans la classe ouvrière et le soutien au programme éliminationniste, voir Bankier, *The Germans and the Final Solution*, p. 89-95.

139. Bankier, dans *The Germans and the Final Solution*, signale ce phénomène dans la classe ouvrière et écrit que beaucoup de ceux qui se considéraient comme non nazis « n'en étaient pas moins d'accord avec les mesures drastiques prises contre les droits des Juifs et avec leur exclusion de la nation allemande ». Bon nombre de socialistes qui étaient hostiles aux méthodes brutales du Troisième Reich n'en pensaient pas moins que « ce n'était pas si terrible de traiter les Juifs de cette manière » (p. 94).

140. Voir le chapitre 11 pour un exposé plus développé de cette question.

141. Gellately, *The Gestapo and German Society*, p. 251.

142. *Ibid.*, p. 216-252.

143. *Ibid.*, p. 226-227.

144. *Ibid.*, p. 252.

145. *Ibid.*, p. 248-249.

146. *Ibid.*, p. 242-243. Selon lui cette critique était surtout le fait d'Allemands particulièrement religieux.

147. *Ibid.*, p. 226.

148. Kershaw, *Popular Opinion and Political Dissent in the Third Reich*, p. 205-208. Voir aussi Jeremy Noakes, « The Oldenburg Crucifix Struggle of November 1936 : A Case Study of Opposition in the Third Reich », dans Peter D. Stachura, éd., *The Shaping of the Nazi State*, Londres, Croom Helm, 1978, p. 210-233. Sur cette question du retrait des crucifix, il y eut une réaction encore plus vigoureuse en Bavière, entre septembre et avril 1941, qui coïncida avec le début du génocide. La lutte se termina sur l'éclatante défaite du régime. Voir Kershaw, *Popular Opinion and Political Dissent in the Third Reich*, p. 340-357. Les protestataires, tout en s'opposant violemment à la politique antireligieuse du régime, ne dissimulaient pas pour autant leur *appui idéologique* aux objectifs globaux du nazisme : ils exprimaient souvent leur anticommunisme et, moins fréquemment, leur racisme. Une carte postale anonyme adressée au ministre-président de Bavière reprenait l'accusation axiomatique selon laquelle les Juifs étaient responsables du bolchevisme :

« La campagne contre le bolchevisme juif est à nos yeux une croisade », et la carte était signée « Les catholiques de Bavière » (Kershaw, p. 356).

149. Bankier, *The Germans and the Final Solution*, p. 17.

150. Voir Kershaw, *Popular Opinion and Political Dissent in the Third Reich*, p. 66-110.

151. *Ibid.*, p. 90.

152. Voir Bankier, *The Germans and the Final Solution*, p. 20-26.

153. Le livre de Kershaw, *Popular Opinion and Political Dissent in the Third Reich*, repose en grande partie sur ces rapports. Ils sont reproduits dans les dix-sept volumes de *Meldungen aus dem Reich, 1938-1945*, et ils recensent d'innombrables expressions de désaccords à l'égard du gouvernement sur toutes sortes de sujets.

154. Kershaw, *Popular Opinion and Political Dissent in the Third Reich*, p. 8. Cela, et bien d'autres preuves, montre qu'on a beaucoup exagéré l'intimidation à laquelle auraient été soumis les Allemands ordinaires sous le nazisme.

155. Voir Henry Friedlander, *The Origins of Nazi Genocide : From Euthanasia to the Final Solution*, Chapel Hill, University of North Carolina Press, 1995, p. 111 *sq.* ; Michael Burleigh, *Death and Deliverance : Euthanasia in Germany c. 1900-1945*, Cambridge, Cambridge University Press, 1994, p. 162-180 ; Kershaw, *Popular Opinion and Political Dissent in the Third Reich*, p. 334-340 ; Lewy, *The Catholic Church and Nazi Germany*, p. 263-267 ; et Ernst Klee, *« Euthanasie » im NS-Staat : Die « Vernichtung lebensunwerten Lebens »*, Francfort, Fischer Verlag, 1983, p. 294-345. L'assassinat par le régime de ceux dont « la vie ne méritait pas d'être vécue », bien qu'officiellement interrompu, fut poursuivi secrètement dans un programme appelé Aktion 14f13. Néanmoins, l'opposition morale et la protestation politique des Allemands eurent pour effet d'épargner de nombreuses vies.

156. L'opposition des Allemands à la suppression des malades mentaux et des infirmes était bien entendu une conséquence de leur refus d'adhérer à d'importants aspects du racisme biologique des nazis. Pour eux, les victimes étaient des Allemands, et elles devaient avoir le droit de vivre et de recevoir les soins que ce statut impliquait. C'est un exemple frappant de l'incapacité où était le régime de *transformer* les croyances solidement ancrées des Allemands et de les faire adhérer à une politique simplement parce que l'État la jugeait nécessaire et appropriée. A lui seul, cet exemple détruit la thèse du « lavage de cerveaux » à propos de l'antisémitisme, si commune chez les historiens de la période.

157. Voir Nathan Stoltzfus, « Dissent in Nazi Germany », *The Atlantic Monthly* 270, n° 3 (septembre 1992), p. 86-94.

158. Sur le poids important de l'opinion publique dans la politique du régime, voir Bankier, *The Germans and the Final Solution*, p. 10-13.

159. Bankier dit la même chose dans *The Germans and the Final Solution*, p. 27.

160. Voir Ian Kershaw, *The « Hitler Myth »*, Oxford, Clarendon Press, 1987, notamment p. 147.

161. Kershaw, *Popular Opinion and Political Dissent in the Third Reich*, p. 176-177. Il conclut de même que, chez les protestants, l'horreur pour les visées antichrétiennes du nazisme allait de pair avec un soutien enthousiaste à bien des objectifs nationaux des nazis (p. 184). Kershaw conclut aussi que le mécontentement exprimé des classes moyennes devant certains aspects de la politique du régime était parfaitement compatible avec un soutien au nazisme, qui était effectif (p. 131, 139).

162. La principale source sur ce mécontentement exprimé, celle des rapports du parti social-démocrate *(Sopade)*, doit être lue avec circonspection, pour deux raisons solidaires. Les agents du parti étaient idéologiquement désireux de trouver des preuves d'un désaccord avec le nazisme, et surtout dans la classe ouvrière. Plus vraisemblablement encore, les rédacteurs des rapports étaient prompts à commettre les mêmes erreurs d'interprétation que les historiens qui voient dans les critiques adressées à certains aspects de la politique antijuive un rejet de l'antisémitisme et de l'objectif éliminationniste en général. Si les historiens, formés à l'analyse, font ces erreurs, il n'est pas surprenant que les rédacteurs sociaux-démocrates des rapports aient fait les mêmes, en péchant par optimisme. Les évaluations globales qui figurent dans ces rapports doivent donc être considérées comme moins dignes de foi que les épisodes racontés, et sur lesquels on peut penser que leurs

jugements se fondaient. Les jugements positifs sont le résultat d'une vision filtrée et déformée, celle qui supposait que la majorité du peuple allemand était victime de la terreur nazie. Les épisodes individuels que les agents racontent – qui forment une « matière brute » moins interprétée – ressemblent à celui évoqué dans le texte, et ils ne confirment pas l'interprétation par trop positive de ces rapports, mettant en doute l'antisémitisme allemand. On doit noter aussi que, très souvent, ces rapports indiquent explicitement le contraire, à savoir que l'antisémitisme était très répandu, et certains exemples en sont donnés dans ce chapitre.

163. Pour des exemples, voir Hans Mommsen et Dieter Obst, « Die Reaktion der deutschen Bevölkerung auf die Verfolgung der Juden, 1933-1945 », dans Hans Mommsen et Susanne Willems, éd., *Herrschaftsalltag im Dritten Reich : Studien und Texte*, Düsseldorf, Schwann, 1988, p. 378-381.

164. Mlynek, éd., *Gestapo Hannover meldet...*, p. 411.

165. Des critiques du même ordre étaient exprimées à l'encontre du type d'antisémitisme présent dans chaque livraison de *Der Stürmer*. Le caractère quasi pornographique et accrocheur de ses textes et caricatures antisémites lui valait des protestations venant d'antisémites invétérés de tous les rangs du parti nazi, choqués par une obscénité qui mettait en danger la santé morale des Allemands et notamment des jeunes. *Das Schwarze Korps*, l'organe officiel de la SS, le plus extrémiste de tous les journaux nazis, et donc violemment antisémite, attaqua en 1935 *Der Stürmer* dans un article intitulé « L'antisémitisme qui nous nuit ». Même le commandant d'Auschwitz, Rudolf Höss, était écœuré par *Der Stürmer*. Cela prouve clairement que le simple fait de s'en prendre à certains aspects de l'expression antisémite n'impliquait pas un rejet de l'entreprise éliminationniste. Voir *Kommandant in Auschwitz : Autobiographische Aufzeichnungen des Rudolf Höss*, Martin Broszat, éd., Munich, Deutscher Taschenbuch Verlag, 1963, p. 112.

166. Heinz Boberach, « Quellen für die Einstellung der deutschen Bevölkerung und die Judenverfolgung, 1933-1945 », dans Büttner, éd., *Die Deutschen und die Judenverfolgung im Dritten Reich*, p. 38.

167. Souvent, après des bombardements, des Allemands s'en prenaient à des Juifs dans la rue. Voir Ursula Büttner, « Die deutsche Bevölkerung und die Juden Verfolgung, 1933-1945 », dans Büttner, éd., *Die Deutschen und die Judenverfolgung im Dritten Reich*, p. 78.

168. *Sopade*, février 1938, A67.

169. Sur certaines déclarations générales de caractère éthique des autorités catholiques, voir Burkhard van Schewick, « Katholische Kirche und nationalsozialistische Rassenpolitik », dans Gotto et Repgen, éd., *Die Katholiken und das Dritte Reich*, p. 168 ; et Lewy, *The Catholic Church and Nazi Germany*, p. 291-292.

170. Schäfer, éd., *Landesbischof d. Wurm und der Nationalsozialistische Staat, 1940-1945*, p. 162.

171. *Ibid.*, p. 312. La confession de Wurm, il faut le souligner, n'était pas simplement un texte habilement élaboré pour tenir compte de la sensibilité de son auditoire, c'était vraiment l'expression de ce qu'il croyait. Voir Gutteridge, *The German Evangelical Church and the Jews 1879-1950*, p. 186-187 et 246.

172. Nur. Doc. 1816-PS, *IMT*, vol. 28, p. 518 ; voir aussi p. 499-500.

173. Pour un récapitulatif et des exemples des sources et données existantes sur l'attitude des Allemands à l'égard des Juifs et de la persécution, voir Boberach, « Quellen für die Einstellung der deutschen Bevölkerung und die Judenverfolgung, 1933-1945 », p. 31-49. Je n'ai pas la place dans ce livre d'analyser en détail les déclarations faites par des Allemands qui ont amené certains à conclure que la population allemande n'était pas antisémite et n'approuvait pas le programme éliminationniste. Il serait facile de montrer que beaucoup de ces déclarations critiques relevaient de la catégorie des critiques non fondées sur un principe que je viens d'évoquer dans ce chapitre (par exemple à propos de la Nuit de cristal, des Églises, de la résistance à Hitler). Comme je l'ai montré, les rares réserves exprimées par des Allemands montraient au contraire qu'ils étaient en fait des antisémites éliminationnistes.

174. Sur ces cas isolés, voir Wolfgang Benz, « Überleben im Untergrund, 1943-1945 », dans Wolfgang Benz, éd., *Die Juden in Deutschland, 1933-1945 : Leben unter nationalsozialistischer Herrschaft*, Munich, Verlag C. H. Beck, 1988, p. 660-700. Karl Ley, un instituteur qui confiait à son journal intime son opposition à la persécution élimination-

niste, se savait à ce point isolé que, le 15 décembre 1941 (date tardive), il nota avoir enfin rencontré une femme qui la condamnait comme lui. Voir *Wir Glauben Ihnen*, p. 116.

175. Quand Boberach, à partir des mêmes preuves documentaires, juge l'antisémitisme moins répandu en Allemagne que je ne le dis pour ma part, il ne tient pas compte de cette différence frappante entre l'attitude des Allemands à l'égard des travailleurs non juifs et juifs, qu'il note pourtant dans le paragraphe concluant son essai. Voir « Quellen für die Einstellung der deutschen Bevölkerung und die Judenverfolgung, 1933-1945 », p. 44. Sur des exemples de sympathie exprimée par des Allemands, voir Konrad Kwiet, « Nach dem Pogrom : Stufen der Ausgrenzung », dans Benz, éd., *Die Juden in Deutschland, 1933-1945*, p. 619-625.

176. Pour un recensement de ces agressions, voir C. C. Aronsfeld, *The Text of the Holocaust : A Study of the Nazis' Extermination Propaganda, from 1919-1945*, Marblehead, Mass., Micah Publications, 1985.

177. Sur les violences dirigées contre la dignité des personnes, voir Scott, *Domination and the Arts of Resistance*, p. 112-115.

178. Depuis J. L. Austin et son étude des « actes de paroles » dans *How to Do Things with Words* (Cambridge, Harvard University Press, 1962), la distinction autrefois forte entre « parler » et « agir » ne tient plus. La parole, surtout lorsqu'elle entend convaincre ou nuire, est une action, tout autant que lever la main sur quelqu'un. Ainsi la violence verbale, dont on connaît la capacité à faire du mal, doit-elle être comprise comme étant dans la continuité de la violence physique. En fait, certaines violences annoncées (comme quand un meurtrier connu comme tel fait savoir qu'il va tuer quelqu'un) peuvent même être plus fortes que certains actes de violence physique.

179. « Die Unlösbarkeit der Judenfrage », cité dans Ludger Heid, « Die Juden sind unser Unglück ! : Der moderne Antisemitismus in Kaiserreich und Weimarer Republik », dans Christina von Braun et Ludger Heid, éd., *Der ewige Judenhass : Christlicher Antijudaismus, Deutschnationale Judenfeindlichkeit, Rassistischer Antisemitismus*, Stuttgart, Burg Verlag, 1990, p. 128.

180. Ludwig Lewisohn, « The Assault on Civilization », dans Pierre Van Paassen et James Waterman Wise, éd., *Nazism : An Assault on Civilization*, New York, Harrison Smith et Robert Haas, 1934, p. 156-157.

181. Dorothy Thompson, « The Record of Persecution », dans Van Paassen et Wise, éd., *Nazism*, p. 12. *The Times* de Londres faisait une observation identique en novembre 1935 : « A moins que dans les hautes sphères on ne fasse un effort pour contrôler la férocité des fanatiques antisémites, [les Juifs] seront condamnés à tourner en rond jusqu'à la mort. Ce processus peut à bon droit être qualifié de "pogrom froid" », cité dans Gellately, *The Gestapo and German Society*, p. 108-109. Voir dans Heer (*God's First Love*, p. 323) une autre prédiction de l'extermination.

182. Cité dans Gerd Korman, éd., *Hunter and Hunted : Human History of the Holocaust*, New York, Viking, 1973, p. 89.

183. Sur la conférence de Kittel, voir Robert P. Ericksen, *Theologians under Hitler : Gerhard Kittel, Paul Althaus and Emanuel Hirsch*, New Haven, Yale University Press, 1985, p. 55-58 ; et Ino Arndt, « Machtübernahme und Judenboykott in der Sicht evangelischer Sonntagsblätter », *Miscellanea : Festschrift für Helmut Krausnick zum 75. Geburtstag*, Stuttgart, Deutsche Verlags-Anstalt, 1980, p. 27-29.

184. Cité dans Gerlach, *Als die Zeugen schwiegen*, p. 112.

185. Même Bankier, *The Germans and the Final Solution*, qui reconnaît à quel point l'antisémitisme était répandu en Allemagne et le fait que sa logique était éliminationniste, écrit : « Ainsi les efforts des nazis pour faire approuver leur solution de la question juive échouèrent-ils » (p. 156).

186. Voir Kershaw, *Popular Opinion and Political Dissent in the Third Reich*, p. 370.

187. Heck, *The Burden of Hitler's Legacy*, p. 87.

DEUXIÈME PARTIE

Chapitre 4

1. Le présent chapitre étant consacré à une nouvelle interprétation d'événements connus, je ne me sens pas obligé de citer dans le détail les sources primaires, ni les interprétations que je conteste ni même les arguments ou données qui pourraient m'être opposés. Les notes du présent chapitre font donc peu de références aux études qui contiennent des informations sur les événements analysés, même quand leurs conclusions s'opposent aux miennes.

2. Sur l'immense popularité de Hitler et la légitimité qu'elle contribuait à donner au régime, voir Ian Kershaw, *The « Hitler Myth »*, Oxford, Clarendon Press, 1987, notamment p. 258.

3. Pour un résumé des différentes positions sur ce sujet, ainsi qu'une appréciation judicieuse, voir Ian Kershaw, *The Nazi Dictatorship : Problems and Perspectives of Interpretation*, 3e éd., Londres, Edward Arnold, 1993, p. 59-79.

4. Sur cette question, voir Edward N. Peterson, *The Limits of Hitler's Power*, Princeton, Princeton University Press, 1969. et Dieter Rebentisch, *Führerstaat und Verwaltung im Zweiten Weltkrieg*, Wiesbaden, F. Steiner Verlag, 1989.

5. Pour une analyse soutenant de façon convaincante cette conclusion, voir David Bankier, « Hitler and the Policy-Making Process in the Jewish Question » (*HGS* 3, n° 1 (1988), p. 1-20) ; voir aussi Avraham Barkai, *From Boycott to Annihilation : The Economic Struggle of German Jews, 1933-1943* (Hanover, University Press of New England, 1989), sur les développements de la politique antijuive dans les années 30 ; et Christopher R. Browning, « Beyond "Intentionalism" and "Functionalism" : The Decision for the Final Solution Reconsidered », *The Path to Genocide : Essays on Launching the Final Solution* (Cambridge, Cambridge University Press, 1992, notamment p. 120-121, pour les années 1939-1942).

6. Reginald H. Phelps, « Hitlers "Gundlegende" Rede über den Antisemitismus », *VfZ* 16, n° 4 (1968), p. 417. Le terme utilisé par Hitler est *Entfernung* (« enlèvement ») qui signifie aussi « liquider » au sens de « tuer ». Hitler disait sarcastiquement qu'on « accorderait » aux Juifs le droit de vivre (comme si cela devait être précisé) et qu'on serait content de les voir vivre ailleurs.

7. Voir Eberhard Jäckel, éd., *Hitler : Sämtliche Aufzeichnungen* 1905-1924, Stuttgart, Deutsche Verlags-Anstalt, 1980, p. 119-120. Les paroles de Hitler nous sont parvenues par le rapport d'un agent de renseignements de la police.

8. Le concept de « mort sociale » est emprunté à Orlando Patterson, *Slavery and Social Death : A Comparative Study*, Cambridge, Harvard University Press, 1982, notamment p. 1-14. La mort sociale des Juifs sera analysée dans le chapitre suivant.

9. Barkai, *From Boycott to Annihilation*, p. 25.

10. Barkai montre d'une façon convaincante que l'argument selon lequel les mesures antijuives ont été prises dans l'improvisation, et venaient souvent des pressions exercées au niveau local, ne tient pas. La vérité, c'est que les principaux articles des mesures juridiques, sociales, économiques et culturelles furent décidés à Berlin, et qu'elles ont été progressivement mises en place dans les années 30 d'une façon continue, même si cela ne s'est pas fait très régulièrement. Voir *From Boycott to Annihilation*, notamment p. 56-58, 125-133. Sur le rôle de Hitler, voir Bankier, « Hitler and the Policy-Making Process on the Jewish Question ».

11. Barkai, *From Boycott to Annihilation*, p. 25-26.

12. *Ibid.*, p. 54-108, 116-133.

13. Pour un recensement de ces textes, voir Joseph Walk, éd., *Das Sonderrecht für die Juden im NS-Staat : Eine Sammlung der gesetzlichen Massnahmen und Richtlinien-Inhalt und Bedeutung*, Heidelberg, C. F. Müller Juristischer Verlag, 1981.

14. Voir Raul Hilberg, *The Destruction of the European Jews*, New York, New Viewpoints, 1973, p. 43-53 [*La Destruction des Juifs d'Europe*, Paris, Fayard, 1985] ; et Lothar

Gruchmann, « “Blutschutzgesetz” und Justiz : Zur Entstehung und Auswirkung des Nürnberger Gesetzes vom 15. September 1935 », *VfZ* 31 (1983), p. 418-442.

15. *Nazism*, p. 1109.

16. Voir Philip Friedman, « The Jewish Badge and the Yellow Star in the Nazi Era », dans *Roads to Extinction : Essays on the Holocaust*, Philadelphie, Jewish Publication Society, 1980, p. 11-33.

17. Barkai, *From Boycott to Annihilation*, p. 142-143.

18. Cité dans Richard Breitman, *The Architect of Genocide : Himmler and the Final Solution*, New York, Alfred A. Knopf, 1991, p. 154.

19. Voir Adolf Hitler, *Mein Kampf* (Boston, Houghton Mifflin, 1971, p. 621-625), sur la façon dont, selon lui, les Juifs mobilisaient les grandes puissances contre l'Allemagne.

20. Pour des interprétations contraires, voir Karl A. Schleunes, *The Twisted Road to Auschwitz : Nazi Policy Toward German Jews, 1933-1939*, Urbana, University of Illinois Press, 1990 ; Uwe Dietrich Adam, *Judenpolitik im Dritten Reich*, Düsseldorf, Droste Verlag, 1972 ; et Hans Mommsen, « The Realization of the Unthinkable : the “Final Solution of the Jewish Question” in the Third Reich », dans Gerhard Hirschfeld, éd., *The Policies of Genocide : Jews and Soviet Prisoners of War in Nazi Germany*, Londres, Allen & Unwin, 1986.

21. Sur la Nuit de cristal, voir Walter H. Pehle, éd., *November 1938 : From « Reichskristallnacht » to Genocide*, New York, Berg Publishers, 1991 ; et Herbert Schultheis, *Die Reichskristallnacht in Deutschland : Nach Augenzeugenberichten*, Bad Neustadt a.d. Saale, Rötter Druck und Verlag, 1986.

22. Étant donné l'annonce immédiate de ces intentions et le discours de Hitler du 30 janvier 1939 (analysé *infra*), il était bien possible que la Nuit de cristal ait été comprise comme marquant le début de la nouvelle phase éliminationniste, plus mortelle.

23. *Das Schwarze Korps*, nov. 24, 1938, cité dans Breitman, *The Architect of Genocide*, p. 58.

24. Nur. Doc. 1816-PS, *IMT*, vol. 28, p. 538-539.

25. L'idée du génocide était à l'évidence dans l'air, surtout dans celui que les SS respiraient. Breitman a montré que, dans la SS, on avait commencé dès avant la guerre à se tourner vers la variante explicitement exterminationniste de la « solution ». Voir *The Architect of Genocide*, p. 55-65.

26. Mr. Ogilvie-Forbes à Lord Halifax, secrétaire aux Affaires étrangères, le 17 novembre 1938, cité dans C. C. Aronsfeld, *The Text of the Holocaust : A Study of the Nazis' Extermination Propaganda, from 1919-1945*, Marblehead, Mass., Micah Publications, 1985, p. 78, n. 280.

27. Le 21 janvier 1939, Hitler disait la même chose au ministre tchèque des Affaires étrangères. Voir Werner Jochmann, « Zum Gedenken an die Deportation der deutschen Juden », dans *Gesellschaftskrise und Judenfeindschaft in Deutschland, 1870-1945*, Hambourg, Hans Christians Verlag, 1988, p. 256.

28. *Nazism*, p. 1049.

29. Jochmann, « Zum Gedenken an die Deportation der deutschen Juden », dans *Gesellschaftskrise und Judenfeindschaft in Deutschland, 1870-1945*, p. 256.

30. Sur le programme baptisé « Euthanasie », voir Ernst Klee, *« Euthanasie » im NS-Staat : Die « Vernichtung lebensunwerten Lebens »*, Francfort-sur-le-Main, Fischer Verlag, 1983.

31. Robert N. Proctor, *Racial Hygiene : Medicine under the Nazis*, Cambridge, Harvard University Press, 1988, p. 177-185 ; voir p. 95-117 pour la stérilisation d'environ 400 000 Allemands considérés comme inaptes à la procréation.

32. Werner Jochmann, éd., *Adolf Hitler : Monologe im Führer-Hauptquartier, 1941-1944*, Hambourg, Albrecht Knaus Verlag, 1980, p. 293.

33. Aussi peu plausible que cela paraisse, c'est ce que croient, semble-t-il, ceux qui soutiennent que Hitler n'a commencé à vouloir la « solution finale » qu'en 1941.

34. Sur ces années, voir Browning, « Nazi Resettlement Policy and the Search for a Solution to the Jewish Question, 1939-1941 », dans *The Path to Genocide*, p. 3-27 ; Breitman, *The Architect of Genocide*, p. 116-144 ; et Philippe Burrin, *Hitler and the Jews : The Genesis of the Holocaust*, Londres, Edward Arnold, 1994, p. 65-92 [*Hitler et les Juifs*, Paris, Le Seuil, 1989].

35. Voir Ian Kershaw, « Improvised Genocide ? The Emergence of the "Final Solution" in the "Warthegau" », *Transactions of the Royal Historical Society*, 6e sér., n° 2 (1992), p. 56 *sq.* ; et Browning, « Nazi Resettlement Policy ».

36. Voir Helmut Heiber, éd., « Der Generalplan Ost », *VfZ* 6 (1958), p. 281-325 ; et Browning, « Nazi Resettlement Policy ».

37. *Nazism*, p. 1050 ; et Christopher R. Browning, *The Final Solution and the German Foreign Office : A Study of Referat D III of Abteilung Deutschland, 1940-1943*, New York, Holmes & Meier, 1978, p. 38.

38. Jochmann, éd., *Adolf Hitler*, p. 41.

39. Sur les considérations géostratégiques de Hitler en ces années-là, voir Klaus Hildebrand, *The Foreign Policy of the Third Reich*, Berkeley, University of California Press, 1973, p. 91-104 ; Norman Rich, *Hitler's War Aims : Ideology, the Nazi State, and the Course of Expansion*, New York, Norton, 1973, vol. 1, p. 157-164. Sur une analyse contraire, voir Gerhard L. Weinberg, « Hitler and England, 1933-1945 : Pretense and Reality », *German Studies Review* 8 (1985), p. 299-309.

40. Nur. Doc. 3363-PS, cité dans *Nazism*, p. 1051.

41. Voir Hilberg, *The Destruction of the European Jews*, p. 144-156 ; Helge Grabitz et Wolfgang Scheffler, *Letzte Spuren : Ghetto Warschau, SS-Arbeitslager Trawniki, Aktion Erntefest*, Berlin, Hentrich, 1988, p. 283-284 ; et « Ghetto », *Encyclopedia of the Holocaust*, Israel Gutman, éd., New York, Macmillan, 1990, p. 579-582. Pour une vision différente, voir Browning, « Nazi Ghettoization Policy in Poland, 1939-1941 », dans *The Path to Genocide*, p. 28-56.

42. Voir Hilberg, *The Destruction of the European Jews*, p. 125-174 ; Czeslaw Madajczyk, *Die Okkupationspolitik Nazideutschlands in Polen, 1939-1945*, Berlin, Akademie-Verlag Berlin, 1987, p. 365-371 ; Browning, « Nazi Resettlement Policy », p. 8 *sq.* ; et « Denkschrift Himmlers über die Dehandlung der Fremdvölkischen im Osten (Mai 1940) », *VfZ* 5, n° 2 (1957), p. 197.

43. Hilberg, *The Destruction of the European Jews*, p. 149.

44. Rapport de Seyss-Inquart, 20 novembre 1939, Nur. Doc. 2278-PS, dans *IMT*, vol. 30, p. 95. La citation extraite du rapport est une paraphrase des paroles du gouverneur du district. Sur ces questions, voir Philip Friedman, « The Lublin Reservation and the Madagascar Plan : Two Aspects of Nazi Jewish Policy During the Second World War », dans *Roads to Extinction*, p. 34-58 ; Jonny Moser, « Nisko : The First Experiment in Deportation », *Simon Wiesenthal Center Annual* 2 (1985), p. 1-30 ; Leni Yahil, « Madagascar – Phantom of a Solution for the Jewish Question », dans Bela Vago et George L. Mosse, éd., *Jews and Non-Jews in Eastern Europe, 1918-1945*, New York, John Wiley & Sons, 1974, p. 315-334.

45. Browning a raison de dire que cette période ne doit pas être comprise comme un intermède (« Nazi Resettlement Policy », p. 26-27), mais l'interprétation qu'il en donne est douteuse.

46. Isaiah Trunk, dans *Judenrat : The Jewish Councils in Eastern Europe under Nazi Occupation* (New York, Stein & Day, 1977, p. 104), écrit : « Nulle part dans les ghettos on ne pouvait vivre avec les rations allouées. Non seulement elles étaient dérisoires, mais de nombreux ghettos restaient sans aucun approvisionnement pendant de longues périodes, ou bien on leur livrait de grandes quantités de produits non consommables par des humains. » Pour une vue d'ensemble des conditions de vie dans les ghettos, qui étaient déjà meurtrières, voir 149-155.

47. Ce n'est probablement pas une coïncidence si mars et avril 1941 voient l'enfermement dans des ghettos des Juifs du Gouvernement général, phase préparatoire de l'opération Barbarossa et du massacre systématique qui allait commencer à la même date. Sur les ghettos, voir Grabitz et Scheffler, *Letzte Spuren*, p. 283-284.

48. La date à laquelle Hitler aurait pris la décision de tuer les Juifs soviétiques et tous les Juifs d'Europe est l'objet d'une grande controverse. Richard Breitman pense lui aussi que la décision a dû intervenir dans cette période. Voir *The Architect of Genocide*, p. 153-166 et 247-248, ainsi que l'article consécutif, « Plans for the Final Solution in Early 1941 » (*German Studies Review* 17, n° 3 (oct. 1994), p. 483-493), qui apporte de nouvelles preuves que la décision a dû être prise au début de 1941. Sur le débat, maintenant important, autour de cette date, et pour des vues divergentes, voir Browning, *The Path to Geno-*

cide, not. « Beyond "Intentionalism" and "Functionalism" » et « The Decision Concerning the Final Solution », dans *Fateful Months : Essays on the Emergence of the Final Solution* (New York, Holmes & Meier, 1985, p. 8-38), et « The Euphoria of Victory and the Final Solution : Summer-Fall 1941 » (*German Studies Review* 17, n° 3 [oct. 1994], p. 473-481) ; et Burrin, *Hitler and the Jews*, notamment p. 115-131.

49. Breitman, « Plans for the Final Solution in Early 1941 », p. 11-12. Breitman a raison de dire que ce « projet de solution finale » ne pouvait être autre chose que le programme d'extermination qui démarra cet été-là (p. 11-17).

50. Max Domarus, *Hitler : Reden und Proklamationen, 1932-1945*, Munich, Süddeutscher Verlag, 1965, vol. 4, p. 1663.

51. Le jour anniversaire du putsch de Munich, Hitler avait rappelé à son auditoire : « Je n'ai cessé de répéter que le jour viendrait où nous écarterions ce peuple des rangs de notre nation. » Cité dans Eberhard Jäckel, *Hitler's World View : A Blueprint for Power*, Cambridge, Harvard University Press, 1981, p. 62.

52. Autant que je sache, personne n'a remarqué les changements opérés par Hitler lorsqu'il reprit sa « prophétie » du 30 janvier 1939. Plus tard encore, il fera de nouveau référence à ce discours et répétera qu'il serait celui qui rirait le dernier, comme s'il craignait de ne pas avoir été compris quand il avait annoncé son intention d'anéantir les Juifs au cours de la guerre. Sur son discours du 8 novembre1942, voir Aronsfeld, *The Text of the Holocaust*, p. 36.

53. Sur cet accord, voir la directive de Brauchitsch, 28 avril 1941, Nur. Doc. NOKW-2080 ; Walter Schellenberg, 11/26/45, 3710-PS ; et Otto Ohlendorf, 4/24/47, NO-2890 ; sur la complète complicité de l'armée dans le massacre des Juifs soviétiques, voir Helmut Krausnick et Hans-Heinrich Wilhelm, *Die Truppe des Weltanschauungskrieges : Die Einsatzgruppen der Sicherheitspolizei und des SD, 1938-1942* (Stuttgart, Deutsche Verlags-Anstalt, 1981, p. 205-278) ; et les nombreuses publications de Jürgen Förster, dont « The Wehrmacht and the War of Extermination Against the Soviet Union », *YVS* 14 (1981), p. 7-34.

54. Les témoignages ne concordent pas sur qui était présent et sur ce qui en a transpiré. Pour un résumé des document existants, voir Accusation contre Streckenbach (abrégé ci-dessous en Streckenbach), ZStL 201 AR-Z 76/59, p. 178-191 ; sur la position des deux principaux protagonistes du débat, voir Krausnick et Wilhelm, *Die Truppe des Weltanschauungskrieges* (p. 150-172), et « Hitler und die Befehle an die Einsatzgruppen im Sommer 1941 » (dans Eberhard Jäckel et Jürgen Rohwer, éd., *Der Mord an den Juden im Zweiten Weltkrieg : Entschlussbildung und Verwirklichung*, Stuttgart, Deutsche Verlags-Anstalt, 1985, p. 88-106) ; et Alfred Streim, *Die Behandlung sowejtischer Kriegsgefangener im Fall Barbarossa*, (Heidelberg, C. F. Müller Juristischer Verlag, 1981, p. 74-93) ; « Zur Eröffnung des allgemeinen Judenvernichtungsbefehls gegenüber den Einsatzgruppen » (dans Jäckel et Rohwer, éd., *Der Mord an den Juden im Zweiten Weltkrieg*, p. 107-119) ; et « The Tasks of the SS Einsatzgruppen » (*Simon Wiesenthal Center Annual* 4 [1987], p. 309-328). Sur l'échange entre Krausnick et Streim, voir *Simon Wiesenthal Center Annual* 6 (1989), p. 311-347. Sur une tentative différente de résoudre la contradiction entre les témoignages, voir Browning, « Beyond "Intentionalism" and "Functionalism" », p. 99-111. Sur l'interprétation de Burrin, voir *Hitler and the Jews*, p. 90-113.

55. Ce fut codifié dans un ordre écrit de Heydrich du 2 juillet 1941, adressé aux HSSPF. Voir *Nazism*, p. 1091-1092. Conformément à la pratique qui voulait qu'on n'écrivît jamais des ordres explicites de massacre, cet ordre ne mentionne que les exécutions qui pouvaient avoir l'air d'être requises pour des raisons militaires.

56. La question de savoir quels étaient les ordres donnés aux *Einsatzgruppen*, par qui et à quelle date, est très controversée. Il est impossible d'évoquer ici tous les arguments et les faits nécessaires à un exposé complet des thèses en présence. Voir la note 54 ci-dessus pour les références du débat et la note 74 ci-dessous pour les références des nouvelles preuves documentaires.

57. Streckenbach, p. 261.

58. Voir Walter Blume, ZStL 207 AR-Z 15/58, vol. 4, p. 981. Il déclara qu'on ne leur avait pas donné le détail des opérations, si bien qu'ils ne savaient pas comment ils allaient exécuter ces ordres. Ils pensaient recevoir des ordres plus tard.

59. « Official Transcript of the American Military Tribunal n° 2-A in the Matter of the

United States of America Against Otto Ohlendorf *et al.*, Defendants Sitting at Nuernberg Germany on 15 September 1947 », p. 633, 526.

60. *Einsatzbefehl* n° 1, 29 juin, 1941, et *Einsatzbefehl* n° 2, 1er juillet 1941 ; Heydrich l'avait aussi laissé entendre dans son ordre du 2 juillet 1941 aux HSSPF servant en URSS.

61. Membre de l'*Einsatzgruppe A*, cité dans Ernst Klee, Willi Dressen et Volker Riess, éd., *« The Good Old Days » : The Holocaust as Seen by Its Perpetrators and Bystanders*, New York, Free Press, 1988, p. 81.

62. Alfred Filbert, Streckenbach, vol. 11, p. 7571-7572 ; voir aussi sa déclaration dans Streckenbach, vol. 6, p. 1580-1585.

63. Dans les premières semaines, les *Einsatzgruppen* tuaient de façon très irrégulière. Certains *Einsatzkommandos* se livraient à des massacres bien plus importants que d'autres. Un même *Einsatzkommando* pouvait traiter les Juifs différemment selon les localités. Tantôt ils employaient des auxiliaires locaux, tantôt ils tuaient eux-mêmes. Logistique et technique différaient d'un commando à l'autre. Dernière irrégularité, celle du temps mis pour en arriver aux grands massacres, et l'inclusion ou non des femmes et des enfants parmi les victimes. Je ne vois pas d'autre explication à ces variations que de considérer que les chefs des *Einsatzgruppen* et les HSSPF, sous les ordres de qui ils opéraient, avaient toute latitude d'exécuter comme ils le voulaient un ordre général d'extermination déjà donné. Au début, ils apprenaient à leurs hommes à tuer, avant de passer progressivement à la vitesse supérieure. On a des exemples certains d'un tel apprentissage en Galicie, en novembre 1941, date à laquelle on sait avec certitude que l'ordre général d'extermination avait été donné, ce qui prouve que si les *Einsatzkommandos*, au début, ne tuaient pas tous les Juifs, cela ne saurait être la preuve que Hitler n'avait pas encore donné l'ordre d'extermination. De la même manière, plus tard, quand l'extermination sera bien engagée, les Allemands ne tueront jamais immédiatement tous les Juifs de tel pays, de telle région, de telle communauté. Penser qu'ils auraient pu faire autrement en URSS est peu réaliste. Sur l'apprentissage des tueurs en Galicie, voir Jugement Hans Krüger *et al.*, Schwurgericht Münster 5 Ks 4/65, p. 137-194, notamment p. 143. Pour une vue d'ensemble des opérations des *Einsatzgruppen*, voir Krausnick et Wilhelm, *Die Truppe des Weltanschauungskrieges*, p. 173-205, 533-539 ; et *The Einsatzgruppen Reports : Selections from the Dispatches of the Nazi Death Squads' Campaign Against the Jews in Occupied Territories of the Soviet Union, July 1941-January 1943*, Yitzhak Arad, Shmuel Krakowski, et Shmuel Spector, éd., New York, Holocaust Library, 1989.

64. Sur la question du nombre d'hommes mobilisés pour les tueries, voir Browning, « Beyond "Intentionalism" and "Functionalism" », p. 101-106 ; et Yehoshua Büchler, « *Kommandostab Reichsführer-SS* : Himmler's Personal Murder Brigades in 1941 », *HGS* 1, n° 1 (1986), p. 11-25.

65. Accusation, A. H., StA Frankfurt/M 4 Js 1928/60, p. 15.

66. Ils s'aperçurent, entre autres, que la fusillade n'était pas un bon procédé, parce qu'elle donnait lieu à des scènes horribles, qui pesaient psychologiquement aux tueurs. D'où le recours au gaz comme moyen principal. Voir Jugement, Friedrich Pradel et Harry Wentritt, Hanovre, 2 Ks 2/65, p. 33 ; et Mathias Beer, « Die Entwicklung der Gaswagen Beim Mord an den Juden », *VfZ* 35, n° 3 (1987), p. 403-417.

67. On trouvera le récit d'un « pogrom » de ce type organisé à Grzymalow, en Ukraine – où les SS armèrent des Ukrainiens et les laissèrent se déchaîner par toute la ville –, dans Jugement contre Daniel Nerling, Stuttgart 2 Ks 1/67, p. 17 ; sur les grands « pogroms » organisés par les Allemands en Lettonie, voir Jugement, Viktor Arajs, Hambourg (37) 5/76, p. 16-26, 72-107, 145 ; et Accusation, Viktor Arajs, Hambourg 141 Js 534/60, p. 22-25, 73-89.

68. Pour une vue globale des tueries perpétrées par les *Einsatzgruppen*, voir Krausnick et Wilhelm, *Die Truppe der Weltanschauungskrieges* (p. 173-205, 533-539). Sur Kovno, voir p. 205-209 ; sur Lemberg, voir p. 186-187.

69. Le massacre de Bialystok est longuement traité au chapitre 6. Pour Lutsk, voir Alfred Streim, « Das Sonderkommando 4a der Einsatzgruppe C und die mit diesem Kommando eingesetzten Einheiten während des Russland-Feldzuges in der Zeit vom 22. 6. 1941 bis zum Sommer 1943 », ZStL 11 (4) AR-Z 269/60, « Abschlussbericht », p. 153-158. Le Rapport d'opération n° 24 des *Einsatzgruppen* d'URSS du 16 juillet 1941 mentionne que les Ukrainiens effectuèrent la fusillade, ce qui est faux (*Einsatzgruppen*

Reports, p. 32). Les informations données dans ces rapports sont souvent trompeuses ou incomplètes. Ils ont beau constituer une source précieuse, Burrin a tort de soutenir que « ces rapports sont généralement complets et précis » (p. 105). En les rédigeant, les Allemands avaient d'autres objectifs que la vérité. Paul Zapp, le commandant de l'*Einsatzkommando 11a*, a déclaré lors de son procès que les commandants des *Einsatzkommandos* avaient reçu pour instruction de déguiser les opérations de génocide dans leurs rapports, au cas où ils tomberaient dans des mains ennemies (d'après les notes prises par Erich Goldhagen lors de la déposition de Zapp le 17 février 1970). Dans le cas de Lutsk, les Allemands souhaitaient présenter le massacre comme une vengeance des Ukrainiens contre les prétendus crimes des Juifs à leur endroit, ce qui explique le maquillage du rapport. Ceux qui s'appuient sur ces rapports comme Burrin et Browning (« Beyond "Intentionalism" and "Functionalism" »), sans se plonger dans les sources plus complètes des enquêtes judiciaires d'après-guerre interprètent les événements à partir du compte rendu volontairement biaisé qu'en ont fait les Allemands.

70. Breitman, *The Architect of Genocide*, p. 190-196.

71. Sur la logistique, voir Browning, « Beyond "Intentionalism" and "Functionalism" », p. 106-111.

72. Ma conclusion repose sur d'importantes lectures (bien que non exhaustives) des dossiers d'instruction et des jugements se trouvant au ZStL sur *tous* les *Einsatzgruppen*, dont la volumineuse instruction contre Kuno Callsen et d'autres membres du *Sonderkommando 4a* (ZStL 204 AR-Z 269/60), soit cinquante volumes totalisant 10 000 pages. Si je n'avais pas eu de problèmes de place, j'aurais consacré un chapitre entier aux *Einsatzgruppen*. Il y a une exception à la conclusion générale que je donne ici, celle de l'*Einsatzkommando 8*. Après la guerre, des hommes de ce commando diront qu'ils avaient été furieux d'apprendre à la mi-juillet qu'il fallait aussi tuer les femmes et les enfants. C'est la nouveauté de la tâche qui les perturbait. Mais dans ce cas aussi, il est clair que dès le début, même quand ils ne tuaient que les hommes, ils exécutaient un ordre explicite de génocide. Voir Jugement Karl Strohhammer, Landgericht Frankfurt 4 Ks 1/65, p. 10.

73. W. G., Streckenbach, vol. 11, p. 7578. Son récit et celui de Filbert, évoqué ci-dessus, concordent.

74. Il est surprenant que personne jusqu'ici n'ait fait état de cette preuve évidente, qui est bien plus significative que les déclarations des chefs des *Einsatzgruppen*, sur lesquelles s'appuient exclusivement les autres historiens. Pour avoir un petit *échantillon* des autres preuves concurrentes sur ce point, voir : pour l'*Einsatzgruppe A*, W. M., Streckenbach, vol. 7, p. 7088 ; pour l'*Einsatzkommando 8*, C. R., Streckenbach, vol. 7, p. 7064, et Jugement, Strohhammer, Landgericht Frankfurt 4 Ks 1/65, p. 9 ; sur l'*Einsatzgruppe C*, K. H., Streckenbach, vol. 8, p. 7135 ; pour le *Sonderkommando 4b*, H. S., Streckenbach, vol. 18, p. 8659-8660 ; pour le *Sonderkommando 11a*, K. N., Streckenbach, vol. 12, p. 7775. Il est particulièrement significatif que le commandant du 309e bataillon de police (voir chapitre 6) ait annoncé à ses commandants de compagnie *avant l'invasion de l'URSS* que Hitler avait donné l'ordre *(Führerbefehl)* d'exterminer tous les Juifs soviétiques, hommes, femmes et enfants. Il y eut au moins un de ces commandants de compagnie pour répercuter ensuite cet ordre à ses hommes. Voir Jugement Buchs *et al.*, Wuppertal, 12 Ks 1/67, p. 29-30 ; H. G., ZStL 205 AR-Z 20/60 (ci-dessous abrégé en Buchs), p. 363-364 ; A. A., Buchs, p. 1339R ; et E. M., Buchs, p. 1813R. Ainsi, avant l'invasion, la nouvelle de la décision de génocide avait déjà dépassé le cercle étroit des *Einsatzgruppen*. Quelles que soient les motivations, plausibles ou non (à mon sens non plausibles), qui expliqueraient que les chefs des *Einsatzgruppen*, après la guerre, aient forgé la fiction d'un ordre d'extermination générale, de tels motifs ne peuvent avoir été ceux de leurs subordonnés, qui ont toujours nié avoir compris qu'ils étaient engagés dans un génocide. De nombreux hommes des *Einsatzkommandos*, y compris des commandants, ont nié, contre toute évidence, avoir été au courant d'un projet de génocide ou avoir tué des Juifs.

75. « Abschlussbericht », ZStL 202 AR-Z 82/61, vol. 5, p. 795-843. Les arguments voisins (encore que différemment formulés) de Browning (« Beyond "Intentionalism" and "Functionalism" », p. 102), et Burrin (*Hitler and the Jews*, p. 105-106 et 113), pour qui, les premières semaines, selon Browning, « l'immense majorité » des victimes des *Einsatzkommandos* étaient les « Juifs de sexe masculin appartenant au parti ou à l'intelligentsia » (ce qui, d'après lui, était conforme aux ordres de Heydrich du 2 juillet) sont

insoutenables. Cette idée est totalement démentie par les actes des *Einsatzkommandos* (et des bataillons de police), et par les récits détaillés qu'en ont faits leurs membres, racontant qui ils avaient tués et comment, et la vision qu'ils avaient de leur tâche.

Souvent les Allemands raflaient et tuaient tous les Juifs de sexe masculin, et pas seulement ceux appartenant à l'intelligentsia ou au parti (catégorisation au demeurant élastique et presque privée de sens, qui ne peut être prise au sérieux, pas plus que tant d'autres locutions trompeuses utilisées par les Allemands à propos de l'extermination). Le fait que, parfois, dans les débuts, les Allemands n'aient massacré que les élites n'est pas ce qui importe ici (puisque les massacres n'étaient encore exhaustifs nulle part). Ce qui est crucial, c'est justement qu'ils tuaient régulièrement des Juifs qui n'appartenaient pas à l'élite, car cela révèle l'ordre de génocide. Browning et Burrin se sont égarés pour avoir pris à la lettre le vocabulaire intentionnellement trompeur des rapports des *Einsatzgruppen*. Voir par exemple, pour l'*Einsatzkommando 8*, la déposition de K. K., qui raconte en détail la rafle des Juifs de Bialystok au début de juillet (ZStL 202 AR-Z 81/59, vol. 6, p. 1228-1229). Pour un exemple du *Sonderkommando 4a*, voir Jugement Kuno Callsen *et al.*, ZStL 204 AR-Z 269/60, p. 161-162. Même lors du premier de tous les massacres des *Einsatzkommando*, le 24 juin à Garsden, *tous* les Juifs de sexe masculin sur lesquels ils purent mettre la main furent tués (voir F. M., ZStL 207 AR-Z 15/58, vol. 2, p. 457). De tels massacres *non discriminatoires*, massacres de génocide, dès les premières semaines, furent le fait non seulement des *Einsatzkommandos*, mais aussi des bataillons de police. A Bialystok, le 13 juillet, quelques jours après le massacre par l'*Einsatzkommando 8*, les 316e et 322e bataillons de police exécutaient l'ordre, donné par le chef du régiment deux jours plus tôt, de rafler et fusiller tous les Juifs de sexe masculin de la région âgés de 17 à 45 ans. Ils en tuèrent au moins 3 000 autres à Bialystok. Burrin, sans tenir compte de cela ni de l'énorme dimension de ces tueries, s'en remet au langage camouflé des Allemands, c'est-à-dire à l'ordre qui leur enjoignait de tuer tous les Juifs de cet âge *qui se livraient au pillage*, comme si c'était là le sens véritable de cet ordre (*Hitler and the Jews*, p. 111). Le tribunal allemand qui a jugé cette affaire a écarté l'argument selon lequel l'ordre visait les pillards, comme étant « une justification à l'évidence truquée, un camouflage transparent du véritable objectif de l'ordre, qui était de tuer » (voir Jugement, Hermann Kraiker *et al.*, Schwurgericht Bochum 15 Ks 1/66, p. 144-178, not. 153-155 ; et Accusation, Hermann Kraiker *et al.*, Dortmund 45 Js 2/61, p. 106-108). Ce que prouve cet ordre, c'est précisément le contraire de ce que Burrin y voit : il y avait bel et bien un ordre d'extermination. Le massacre de 6 000 à 10 000 Juifs de Brest-Litovsk par le 307e bataillon de police dans la première moitié de juillet est un autre exemple de génocide achevé. L'argumentaire de Browning et de Burrin ne tient pas compte non plus des massacres (incluant femmes et enfants) perpétrés par les Allemands (avec des auxiliaires locaux) dans les pays Baltes et en Ukraine. Nombre d'entre eux – même les grands massacres, comme celui de Krottingen – ne sont pas mentionnés dans les rapports d'opération des *Einsatzgruppen*. Browning et Burrin y voient des « pogroms » et ne s'y attardent pas, bien que les Allemands aient organisé, aidé et supervisé les opérations, et même prêté la main aux tueries. Un Lituanien, P. L., par exemple, a raconté que les Allemands avaient annoncé que tous les Juifs, dont les femmes et les enfants, devaient être tués, avant d'en confier la tâche à des Lituaniens de Krottingen, sous contrôle allemand (ZStL 207 AR-Z 15/58, p. 2744-2745). L'étendue des crimes commis par les Allemands dans les pays Baltes, le fait que les femmes et les enfants en furent victimes, prouvent que, dès les premières semaines de l'invasion de l'URSS, les Allemands exécutaient bel et bien la politique de génocide que Hitler avait décidée. On en trouvera d'autres preuves dans ZStL 207 AR-Z 15/58.

76. L'idée que Hitler aurait commencé par ordonner des massacres à grande échelle puis serait revenu en arrière va à l'encontre de tout ce que nous savons de sa psychologie, de sa manière de conduire la guerre (ce qu'était pour lui la lutte contre les Juifs), sans même parler de ses idées sur la manière de neutraliser la menace juive. Il s'ensuit que sa décision de massacrer les Juifs d'URSS est historiquement décisive.

77. Breitman (« Plans for the Final Solution in Early 1941 ») montre que, dès le début de 1941, un plan d'extermination de tous les Juifs d'Europe, et non seulement des Juifs d'URSS, était en préparation. Browning considère lui aussi que les deux décisions ont été prises en même temps, mais il ne les date que de la mi-juillet (« Beyond "Intentionalism"... », p. 113).

78. Sur l'ordre des événements, voir Browning, « Beyond "Intentionalism"... », p. 111-120. Il considère que le changement a été d'ordre stratégique et non pas opérationnel.

79. Ohlendorf redoutait surtout que les hommes devinssent des brutes, incapables de revenir ensuite à une vie normale. Bien que ce n'ait pas été le cas pour la très grande majorité d'entre eux, certains souffrirent psychologiquemnt d'avoir tant de sang sur les mains. Voir par exemple Daniel Goldhagen, « The "Cowardly" Executioner : On Disobedience in the SS », *Patterns of Prejudice* 12, n° 1 (1978), p. 1-16.

80. Sur l'utilisation par les Allemands des camions à gaz, voir Eugen Kogon, Hermann Langbein et Adalbert Rückerl, éd., *Nazi Mass Murder : A Documentary History of the Use of Poison Gas*, New Haven, Yale University Press, 1993, p. 52-72.

81. En fait, tout au long de la guerre, les Allemands n'ont pas cessé de fusiller des Juifs en masse. Il n'est pas du tout évident que le gazage ait été plus « efficace ». Dans bien des cas, la fusillade l'était à l'évidence. Si les Allemands ont préféré les chambres à gaz, ce n'est pas pour des raisons « économiques », si l'on peut parler d'une « économie du génocide ». Ce qui veut dire que, contrairement à ce que disent les historiens et à ce que croit l'opinion, le gazage est plutôt un épiphénomène dans l'extermination des Juifs. C'était un moyen plus commode, mais il n'apportait rien d'essentiel au processus. Si les Allemands n'avaient pas inventé la chambre à gaz, ils auraient pu tuer presque autant de Juifs. L'intention vient en premier, les moyens en second.

82. Voir Browning, « Beyond "Intentionalism" and "Functionalism" », p. 111-120.

83. Sur cette question, voir Czeslaw Madajczyk, « Concentration Camps as a Tool of Oppression in Nazi-Occupied Europe », dans *The Nazi Concentration Camps : Structure and Aims, The Image of the Prisoner, The Jews in the Camps*, Jerusalem, Yad Vashem, 1984, p. 55-57.

84. Pour les minutes de la réunion, voir *Nazism*, p. 1127-1135. Qui peut douter que, si les Allemands avaient gagné la guerre et réussi à tuer tous les Juifs d'Europe, Hitler aurait demandé à Himmler de préparer un plan pour l'extermination de tous les Juifs restant, avant tout ceux d'Amérique du Nord ? Si l'on suit la logique de ceux qui considèrent que l'intention n'existe pas tant qu'on n'a pas les preuves concrètes des plans et préparatifs, il faudrait *supposer* que Hitler n'avait certainement aucune intention d'exterminer les Juifs du Nouveau Monde même après la conférence de Wannsee qui codifiait l'extermination des Juifs européens.

85. Le sujet de ce paragraphe est traité longuement dans la 4e partie.

86. Randolf L. Braham, *The Politics of Genocide : The Holocaust in Hungary*, New York, Columbia University Press, 1981, vol. 2, p. 792-793.

87. Voir 5e partie.

88. Cité dans Jäckel, *Hitler's World View*, p. 65-66.

89. Pour des interprétations différentes, qui mettent l'accent sur « les fluctuations d'humeur de Hitler », voir Browning, « Beyond "Intentionalism" and "Functionalism" », p. 120-121 ; et Burrin, *Hitler and the Jews*, p. 133-147.

90. Lettre à Adolf Gremlich du 16 septembre1919, citée dans Ernst Deurlein, « Hitlers Eintritt in die NSDAP und die Reichswehr », *VfZ* 7 (1959), p. 203-205.

91. Il est remarquable que Hitler ait eu recours au mot « prophétie ». Une prophétie n'est pas seulement un vœu, c'est une divination d'un avenir probable. Goebbels et d'autres y ont bien vu une prophétie et non une vaine bravade. Au sortir d'un entretien avec Hitler le 19 août 1941, Goebbels écrivait dans son journal à propos de la « prophétie » que, « ces derniers mois et ces dernières semaines, elle s'accomplit avec une précision presque incroyable. A l'Est, les Juifs doivent payer le prix, en Allemagne ils l'ont déjà payé en partie et auront à payer encore plus à l'avenir » (dans Martin Broszat, « Hitler und die Genesis der "Endlösung" : Aus Anlass der Thesen von David Irving », *VfZ* 25, n° 4 [1977], p. 749-750).

92. Je ne connais aucun autre exemple dans l'Histoire d'un chef d'État qui ait proclamé ses intentions sur un sujet de cette importance avec tant de conviction et qui, fidèle à ses paroles, ait mis en œuvre ses intentions, et dont *alors* les *historiens* disent qu'il ne faut pas prendre ses paroles à la lettre, qu'il n'avait pas l'intention de faire ce qu'il annonçait au monde entier (à plusieurs reprises, et sur le ton le plus emphatique). Cette attitude des historiens à l'égard de Hitler est vraiment curieuse. Elle pourrait avoir une ombre de justification si l'acte en question n'était pas dans la nature de cet homme. Mais Hitler était

fondamentalement un meurtrier, en pensée, en paroles, en action. Il rêvait de tuer ses ennemis et tentait de transformer son rêve en réalité.

93. Lothar Gruchmann, « Euthanasie und Justiz im Dritten Reich », *VfZ* 20, n° 3 (1972), p. 238. Dès 1931, Hitler avait très clairement déclaré qu'il voyait dans la guerre l'occasion du règlement de comptes définitif, disant que si les Juifs déclenchaient une nouvelle guerre le résultat ne serait pas celui qu'ils attendaient : il « briserait » la « juiverie internationale ». Voir Edouard Calic, *Ohne Maske : Hitler-Breiting Geheimgespräche 1931*, Francfort, Societäts-Verlag, 1968, p. 94-95.

Chapitre 5

1. Ma définition de l'« agent de l'Holocauste » correspond à peu près à celle utilisée par les tribunaux d'Allemagne fédérale pour déterminer si telle personne pouvait être accusée de « complicité » dans l'extermination des Juifs. Pour une brève analyse de cette question, voir Jugement, Wolfgang Hoffmann *et al.*, Landgericht Hamburg (50) 20/66, p. 243. L'objet de ce livre est la persécution, les tortures et les massacres commis par les Allemands contre les Juifs et non pas les mauvais traitements ou les meurtres infligés à d'autres peuples. Il y a plusieurs raisons à cela. Quelles qu'aient été les brutalités, les violences et les meurtres subis par d'autres peuples, les Juifs occupaient une place centrale dans la vision du monde des Allemands, dans la politique allemande, dans la construction des usines de mort d'Auschwitz, Belzec, Treblinka, Sobibor et Chelmno. En fait, aucun autre peuple n'occupait une place aussi centrale dans l'imaginaire des Allemands, privé ou public, ni dans leurs entreprises meurtrières à l'échelle d'un continent. La seconde raison de traiter les Juifs séparément est, comme le montre la suite de mon analyse, que les Allemands les ont toujours traités différemment des autres peuples vaincus. Aux yeux des Allemands, les Juifs étaient *sui generis*, si bien qu'il est nécessaire, analytiquement, de les traiter comme tels ici, tout en présentant régulièrement des comparaisons éclairantes avec d'autres groupes de victimes.

2. Dans les camps, il y eut quelques exceptions à la brutalité générale : certains gardiens traitèrent les Juifs convenablement, ou encore certains cuisiniers, qui n'avaient au demeurant que peu de rapports avec eux. Voir Ernst Klee, Willi Dressen et Volker Riess, éd., *« The Good Old Days » : The Holocaust as Seen by Its Perpetrators and Bystanders*, New York, Free Press, 1988, p. xxi, pour une conception différente des « agents de l'Holocauste ».

3. On a déjà indiqué les principales raisons de ce choix d'une définition large. Un autre de ses avantages est qu'elle permet de comprendre un trait essentiel de l'Holocauste : le fait que tant de gens aient été impliqués dans le génocide, associés à son déroulement ou au courant de ce qui se passait. Une définition moins large établirait une distinction trop forte entre, par exemple, ceux qui étaient dans les équipes de tueurs des *Einsatzkommandos* et ceux qui gardaient les ghettos ou surveillaient les trains de déportés. Après tout, les Allemands pouvaient passer facilement d'un rôle à l'autre. Pour la majorité d'entre eux, c'était le hasard, et non pas une démarche volontaire, qui déterminait, au sein d'un groupe d'Allemands socialement identiques, qui se retrouverait ou non dans une institution de mise à mort. Toute définition est inévitablement « convaincante », si bien qu'il faut contrôler de près tout ce qu'il y a de désirable et de convaincant en elle.

4. A ma connaissance, tous les travaux sérieux sur l'Holocauste concentrent leur attention sur les chambres à gaz et ne traitent que d'une manière superficielle, ou pas du tout, les massacres au fusil et d'autres aspects importants du génocide (à l'exception des massacres de masse des *Einsatzgruppen* en URSS). Raul Hilberg lui-même (*The Destruction of the European Jews*, New York, New Viewpoints, 1973 [*La Destruction des Juifs d'Europe*, Paris, Fayard, 1985]), glisse sur ces tueries (voir, par exemple, les pages consacrées aux déportations de Juifs polonais, p. 308-345). Les Allemands ont tué de 40 à 50 % de leurs victimes autrement que par la chambre à gaz, et il y avait bien plus d'Allemands impliqués dans ces fusillades aux contextes très variés que dans les camps d'extermination par le gaz. Pour des estimations, voir *Encyclopedia of the Holocaust* (Israel Gutman, éd., New York, Macmillan, 1990, p. 461-463 et 1799) et Wolfgang Benz, *Dimension des Völkermords : Die Zahl der jüdischen Opfer des Nationalsozialismus* (Munich, R. Oldenbourg Verlag,

1991, p. 17). L'excès d'attention accordé aux chambres à gaz doit être contrebalancé.

5. Comme ouvrage représentatif de la vaste littérature sur les camps, voir les 700 pages d'articles réunis sous le titre *The Nazi Concentration Camps : Structure and Aims, The Image of the Prisoner, The Jews in the Camps* (Jérusalem, Yad Vashem, 1984), qui en apprend très peu sur les agents de l'Holocauste (à l'exception de la communication de Robert Jay Lifton sur les médecins d'Auschwitz). Le récent ouvrage de Israel Gutman et Michael Berenbaum, *Anatomy of the Auschwitz Death Camp* (Bloomington, Indiana University Press, 1994), consacre bien une section aux agents de l'Holocauste, mais elle se limite à des articles sur le profil sociologique des gardiens de camps, sur les médecins, sur le commandant d'Auschwitz, Rudolf Höss, et sur le docteur Mengele. A part les données démographiques et individuelles, le volume ne contient que peu d'informations sur les agents du génocide, et aucune analyse de leurs actes et de leurs motivations. Il existe quelques exceptions à ce manque d'intérêt pour les coupables des camps, et c'est le cas de l'important ouvrage d'Adalbert Rückerl, *Nationalsozialistische Vernichtungslager im Spiegel deutscher Strafprozesse : Belzec, Sobibor, Treblinka, Chelmno* (Munich, Deutscher Taschenbuch Verlag, 1977) ; ou encore de celui de Hermann Langbein, *Menschen in Auschwitz* (Francfort, Ullstein, 1980, p. 311-522).

6. Sur les institutions de mise à mort, voir Heinz Artzt, *Mörder in Uniform : Nazi-Verbrecher-Organisationen*, Rastatt, Verlag Arthur Moewig, 1987 ; et aussi Richard Henkys, *Die Nationalsozialistischen Gewaltverbrechen : Geschichte und Gericht*, Stuttgart, Kreuz Verlag, 1964 ; sur les bureaucrates travaillant avec Eichmann, voir Hans Safrian, *Die Eichmann-Männer*, Vienne, Europaverlag, 1993 ; sur ceux des Affaires étrangères, Christopher R. Browning, *The Final Solution and the German Foreign Office : A Study of Referat D III of Abteilung Deutschland, 1940-43*, New York, Holmes & Meier, 1978.

7. Helmut Krausnick et Hans-Heinrich Wilhelm, *Die Truppe des Weltanschauungskrieges : Die Einsatzgruppen der Sicherheitspolizei und des SD, 1938-1942*, Stuttgart, Deutsche Verlags-Anstalt, 1981. Pour une étude antérieure et plus brève, voir Alfred Streim, « Zum Beispiel : Die Verbrechen der *Einsatzgruppen* in der Sowjetunion », dans Adalbert Rückerl, éd., *NS-Prozesse : Nach 25 Jahren Strafverfolgung*, Karlsruhe, Verlag C. F. Müller, 1971, p. 65-106.

8. Voir, par exemple, Israel Gutman, *The Jews of Warsaw, 1939-1943 : Ghetto, Underground, Revolt*, Bloomington, Indiana University Press, 1989. C'est une excellente étude sur le ghetto de Varsovie, mais elle n'apprend presque rien sur les gardes allemands.

9. La récente *Encyclopedia of the Holocaust* ne comprend pas de texte sur les bataillons de police et seulement un court article peu éclairant sur la police d'Ordre. Ils sont à peine mentionnés dans des ouvrages aussi classiques que ceux de Hilberg, *The Destruction of the European Jews* ; Lucy S. Dawidowicz, *The War Against the Jews, 1933-1945* (New York, Bantam Books, 1975) ou le récent et énorme livre de Leni Yahil, *The Holocaust : The Fate of European Jewry, 1932-1945* (New York, Oxford University Press, 1990). Yitzhak Arad, dans *Belzec, Sobibor, Treblinka : The Operation Reinhard Death Camps* (Bloomington, Indiana University Press, 1987), ne parle des bataillons de police qu'en passant, alors même que l'*Aktion Reinhard* leur devait tant. Christopher R. Browning, avec *Ordinary Men : Reserve Police Battalion 101 and the Final Solution in Poland* (New York, Harper Collins, 1992 [*Des hommes ordinaires* : *Le 101e bataillon de réserve de la police allemande et la solution finale en Pologne*, Paris, Les Belles Lettres, 1994]), a apporté une importante contribution à notre connaissance du rôle de ces bataillons de police dans le génocide, mais il s'attache avant tout à un unique bataillon et ne nous donne pas une vision d'ensemble. On trouverait aussi dans d'autres publications récentes des contributions dispersées et moins importantes.

10. Ces dernières années, quelques excellents livres ont paru, dont ceux de Ulrich Herbert, *Fremdarbeiter : Politik und Praxis des « Ausländer-Einsatzes » in der Kriegswirtschaft des Dritten Reiches* (Berlin, Verlag J. H. W. Dietz Nachf., 1985) et *Europa und der « Reichseinsatz » : Ausländische Zivilarbeiter, Kriegsgefangene und KZ-Häftlinge in Deutschland, 1938-1945* (Essen, Klartext Verlag, 1991) ; *Das Daimler-Benz Buch : Ein Rüstungskonzern im « Tausendjährigen Reich » und Danach*, sous la direction de Der Hamburger Stiftung für Sozialgeschichte des 20. Jahrhunderts (Nordlingen, ECHO, 1988) ; et celui de Klaus-Jörg Siegfried, *Das Leben der Zwangsarbeiter im Volkswagenwerk, 1939-1945* (Francfort, Campus Verlag, 1988).

11. Voir Krausnick et Wilhelm, *Die Truppe des Weltanschauungskrieges* ; Omer Bartov, *The Eastern Front, 1941-1945 : German Troops and the Barbarization of Warfare* (Londres, Macmillan, 1985) ; Ernst Klee et Willi Dressen, éd., *« Gott mit uns » : Der deutsche Vernichtungskrieg im Osten, 1939-1945* (Francfort, S. Fischer Verlag, 1989) ; Theo J. Schulte, *The German Army and Nazi Policies in Occupied Russia* (Oxford, Berg Publishers, 1989) ; Jürgen Förster, « Das Untermehmen "Barbarossa" als Eroberungs- und Vernichtungskrieg » (dans Militärgeschichtlichen Forschungsamt, *Das Deutsche Reich und der Zweite Weltkrieg*, vol. 4, Stuttgart, Deutsche Verlags-Anstalt, 1983, p. 413-447) ; Alfred Streim, *Sowjetische Gefangene in Hitlers Vernichtungskrieg : Berichte und Dokumente, 1941-1945* (Heidelberg, C. F. Müller Juristischer Verlag) ; et Christian Streit, *Keine Kameraden : Die Wehrmacht und die sowjetischen Kriegsgefangenen, 1941-1945* (Stuttgart, Deutsche Verlags-Anstalt, 1978).

12. Nous avons besoin d'en savoir davantage sur ceux qui se sont enrôlés dans la SS, sur ce qu'était leur vie dans les différentes branches de l'organisation, sur leur vision du monde, etc. Il nous faut connaître ces gens-là dans toute leur épaisseur. Deux ouvrages majeurs existent sur le sujet : Bernd Wegner, *The Waffen-SS : Organization, Ideology and Function*, Oxford, Basil Blackwell, 1990 ; et Herbert F. Ziegler, *Nazi Germany's New Aristocracy : The SS Leadership, 1925-1939*, Princeton, Princeton University Press, 1989.

13. Dès le début de mes recherches, j'ai considéré que la tâche d'évaluer correctement le nombre d'individus qui ont été des agents de l'Holocauste demanderait plus de temps que je ne pouvais lui consacrer, étant donné mes autres objectifs de recherche. Je continue à penser que j'ai raison de dire que ce chiffre était énorme. De loin, la meilleure source pour calculer une telle estimation est la Zentrale Stelle der Landesjustizverwaltungen zur Aufklärung nationalsozialistischer Verbrechen de Ludwigsburg (ZStL), qui a coordonné et trié les enquêtes judiciaires sur les crimes nazis depuis sa création à la fin de 1958. Son catalogue des noms *(Namenskartei)* au sein du catalogue central *(Zentralkartei)* recensait (à la date du 20 décembre 1994) 640 903 fiches d'individus ayant été mentionnés dans une déposition ou ayant fait une déposition au cours des enquêtes judiciaires. Le catalogue des unités *(Einheitskartei)*, qui contient les noms de ceux qui étaient membres ou ont été soupçonnés d'avoir fait partie d'une institution criminelle, recense 333 082 fiches couvrant les 4 105 unités et services faisant l'objet de poursuites judiciaires. Comptabiliser ceux qui étaient effectivement impliqués dans les opérations de toutes ces institutions serait un long travail, car le nombre des fiches figurant dans le « catalogue des unités » n'est pas un guide sûr pour établir le nombre des personnes ayant servi dans chaque institution ni le total du personnel des institutions criminelles. Souvent les listes sont lamentablement incomplètes, et elles incluent aussi des noms en double, des noms d'agents non allemands et des noms de personnes qui n'étaient pas membres de ces institutions (le simple fait d'être mentionné dans une déposition entraînant la création d'une fiche). De plus, certaines institutions et ceux qui y œuvraient ont été suspectés d'avoir été impliqués dans d'autres crimes (comme le programme Euthanasie). Outre qu'il est, par définition, très problématique de classer des individus ou des groupes d'individus (en raison des nombreuses indéterminations), le simple fait de pouvoir établir avec certitude combien de personnes appartenaient à chacune des institutions serait une tâche laborieuse et très longue. Et il est clair qu'il y a de très nombreuses institutions qui n'ont fait l'objet d'aucune enquête.

14. Herbert, *Fremdarbeiter*, p. 271.

15. Gudrun Schwarz, *Die nationalsozialistischen Lager*, Francfort, Campus Verlag, 1990, p. 221. On ignore, par exemple, combien il y avait de ghettos en Biélorussie ou en Ukraine (p. 132). On notera aussi que les camps étaient de taille très variable : cela allait de l'immense Auschwitz à de tout petits camps où n'étaient enfermés que quelques dizaines de personnes.

16. Voir Schwarz (*Die nationalsozialistischen Lager*, p. 221-222), pour le total du nombre de camps par catégorie.

17. Aleksander Lasik, « Historical-Sociological Profile of the Auschwitz SS », dans Gutman et Berenbaum, éd., *Anatomy of the Auschwitz Death Camp*, p. 274. Lazik montre qu'une importante minorité d'entre eux était des Allemands ethniques (p. 279-281) qui avaient rejoint le nazisme.

18. Wolfgang Sofsky, *Die Ordnung des Terrors : Das Konzentrationslager*, Francfort, Fischer Verlag, 1993, p. 341-342, n. 20 et 18.

19. *Ibid.*, p. 121.

20. Voir Krausnick et Wilhelm, pour une analyse de leurs effectifs initiaux (*Die Truppe des Weltanschauungskrieges*, p. 147).

21. C'est l'hypothèse basse, parce qu'il est hautement probable qu'un nombre plus important de bataillons de police ont participé au génocide et que la moyenne de 500 hommes par bataillon utilisée pour ce calcul est vraisemblablement inférieure à la réalité (de nombreux bataillons avaient des effectifs supérieurs et il y avait rotation du personnel). Cette question et celle des sources de cette estimation sont traitées au chapitre 9.

22. Yehoshua Büchler, « *Kommandostab Reichsführer-SS* : Himmler's Personal Murder Brigades in 1941 », *HGS* 1, n° 1 (1986), p. 20. Büchler estime qu'ils ont tué au moins 100 000 Juifs. Il fait là preuve de prudence.

23. Voir Orlando Patterson, *Slavery and Social Death : A Comparative Study*, Cambridge, Harvard University Press, 1982, notamment p. 1-14. La « mort sociale » est à distinguer de la « mort civile », qui prive de certains droits, comme le droit de vote. La mort sociale est un phénomène qualitativement différent.

24. Pour deux typologies des camps, voir Schwarz, *Die nationalsozialistischen Lager*, p. 70-73 ; et Aharon Weiss, « Categories of Camps – Their Character and Role in the Execution of the "Final Solution of the Jewish Question" », dans *The Nazi Concentration Camps*, p. 121-127.

25. Voir Falk Pingel, *Häftlinge unter SS-Herrschaft : Widerstand, Seblstbehauptung und Vernichtung im Konzentrationslager*, Hambourg, Hoffmann und Campe, 1978, p. 30-35, sur les débuts des camps.

26. Schwarz, *Die nationalsozialistischen Lager*, p. 72.

27. *Ibid.*, p. 222. Bien entendu, certains étaient très petits et peu visibles.

28. Sur ce point, voir Daniel Bell, *The Cultural Contradictions of Capitalism*, New York, Basic Books, 1978.

29. Pour des exemples, voir Konnilyn G. Feig, *Hitler's Death Camps : The Sanity of Madness* (New York, Holmes & Meier, 1981), et les contributions réunies dans *The Nazi Concentration Camps*. Sofsky, dans *Die Ordnung des Terrors*, est le seul à voir les camps d'une manière aussi instrumentale, mais son analyse souffre de graves défauts : entre autres, il étudie les camps en dehors de la société allemande comme s'ils étaient des îles coupées de tout.

30. Sur l'ensemble de la question, voir Eugen Kogon, Hermann Langbein et Adalbert Rückerl, éd., *Nazi Mass Murder : A Documentary History of the Use of Poison Gas* (New Haven, Yale University Press, 1993, p. 73-204) ; sur le récit d'un Juif survivant qui travaillait à la chambre à gaz à Auschwitz, voir Filip Müller, *Eyewitness Auschwitz : Three Years in the Gas Chambers* (New York, Stein & Day, 1979).

31. Pingel, *Häftlinge unter SS-Herrschaft*, p. 186.

32. C'est ce qui rend trompeuse l'expression « camp de concentration » utilisée comme terme générique, à moins qu'on ne précise clairement qu'elle recouvrait des types de camps différents. Sur ces questions, voir les chapitres 10 et 11.

33. Voir dans Sofsky (*Die Ordnung des Terrors*, p. 135), un tableau de cette hiérarchie, qui pose problème, non seulement dans la place affectée aux Juifs (comme je le montre au chapitre 15, ils n'étaient pas seulement des « sous-hommes ») mais dans ce qu'il laisse entendre d'une continuité « vie-mort », alors qu'il n'y avait pas continuité mais tout un ensemble de valeurs changeantes et largement discontinues.

34. Voir Pingel, *Häftlinge unter SS-Herrschaft*, p. 91-96 et 133-134.

35. Pour des analyses d'ensemble, voir Joel E. Dimsdale, éd., *Survivors, Victims, and Perpetrators : Essays on the Nazi Holocaust* (Washington, Hemisphere, 1980, chapitres 4-10) ; pour une analyse des conditions de vie et de la vie sociale des prisonniers d'Auschwitz, voir Langbein, *Menschen in Auschwitz*, p. 83-128.

TROISIÈME PARTIE

Chapitre 6

1. Il n'existe à ce jour aucune étude sur la police d'Ordre à l'époque nazie, ni même sur l'institution, en dehors de celles sur sa participation au génocide. Karl-Heinz Heller, dans « The Reshaping and Political Conditioning of the German Order Police, 1935-1945 : A Study of Techniques Used in the Nazi State to Conform » (thèse de doctorat, Université de Cincinnati, 1970), s'attache surtout à l'endoctrinement de la police d'Ordre. L'ouvrage *Zur Geschichte der Ordnungspolizei, 1936-1945* – où figurent les articles de Georg Tessin, « Die Stäbe und Truppeneinheiten der Ordnungspolizei », et de Hans-Joachim Neufeldt, « Entstehung und Organisation des Hauptamtes Ordnungspolizei » – ne peut être considéré comme une étude historique.

2. BAK R19/395 (8/20/40), p. 171.

3. ZStL 206 AR-Z 6/62 (ci-dessous abrégé en JK), p. 1949.

4. Les noms des bataillons de police dépendaient de la nature de leurs effectifs. Ceux qui étaient surtout composés de policiers de carrière étaient appelés « bataillons de police » ; ceux qui étaient composés surtout de réservistes étaient les « bataillons de police de réserve » ; les formations nouvellement créées étaient appelées « bataillons de police d'entraînement » pendant la période de formation. Une autre distinction tenait à l'âge des membres des bataillons : ceux qui comptaient des hommes les plus âgés à leur création étaient numérotés de 301 à 325 et on les appelait *Wachtmeisterbataillonen* (les numéros inférieurs à 200 étaient généralement dévolus aux bataillons de réserve, mais certains de la tranche 300 l'étaient aussi). Il faut noter que, dès le début, la composition des bataillons n'était pas toujours conforme à leur désignation ; plus la guerre avança, plus ces distinctions perdirent de leur sens, à cause des changements de personnel. J'ai préféré ici les appeler tous « bataillons de police ».

5. BAK R19/395 (8/20/40), p. 175.

6. Un rapport d'inspection de mai 1940 sur trois bataillons (BAK R19/265, p. 168-169) montre que la police d'Ordre était consciente de ce manque de soin. Voir aussi BAK R19/265 (5/9/40), p. 153.

7. BAK R19/395 (11/20/41), p. 180-183.

8. Voir, par exemple, Tessin, « Die Stäbe und Truppeneinheiten der Ordnungspolizei », p. 14-15.

9. BAK R19/311 (6/26/40), p. 165.

10. BAK R19/265 (5/23/40), p. 168. De la même manière, en mai 1940, cinq bataillons (dont le 65e, de Recklinghausen, et le 67e d'Essen) n'avaient qu'entre deux tiers et quatre cinquièmes des réservistes nécessaires, et le rapport d'inspection disait que « d'une façon générale, le recrutement des réservistes était difficile ». Voir BAK R19/265, p. 157.

11. Voir BAK R19/265 (12/22/37), p. 91 *sq.*

12. BAK R19/265 (5/9/40), p. 150-151.

13. Voir, à titre d'exemple, une instruction concernant le cours d'idéologie pour les hommes du *Einzeldienst*, BAK R19/308 (3/6/40), p. 36-43. La formation des réservistes n'était que peu différente. Une instruction du 14 janvier 1941 comportait des indications plus précises pour la formation idéologique, avec les numéros de page des brochures à utiliser sur chaque question. Cette instruction montre à quel point la formation était négligée, et comme il était peu vraisemblable qu'elle eût des résultats. Pour l'ensemble de la formation idéologique, il n'y avait de références qu'à 65 pages des manuels (avec quelques pages supplémentaires de deux brochures sur la paysannerie). Plusieurs sujets étaient traités en 4 pages seulement. Pour la rubrique « La question juive en Allemagne », il n'y avait de références qu'à 2 pages (de deux brochures différentes), ce qui n'était guère suffisant pour changer la vision des Juifs que les hommes auraient pu avoir. Voir BAK R19/308 (12/20/40), p. 100.

14. Sur la formation idéologique, voir Christopher R. Browning, *Ordinary Men : Reserve police Battalion 101 and the Final Solution in Poland*, New York, HarperCollins,

1992, p. 176-184 [*Des hommes ordinaires : Le 101e bataillon de réserve de la police allemande et la solution finale en Pologne*, Paris, Les Belles Lettres, 1994]. Il étudie surtout sur ce que l'on disait aux hommes des Juifs. Bien qu'il considère que cette formation était plus importante et plus efficace que je ne le pense pour ma part, lui aussi conclut que ce n'est pas cela qui pouvait pousser les hommes à participer au génocide (p. 184).

15. Voir BAK R19/308 (2/8/41), p. 267-268. En raison de la fréquente dispersion des hommes du bataillon en plusieurs endroits et de toutes les exigences de l'action sur le terrain, il est probable que ces séances de formation ne pouvaient guère fonctionner comme les instructions le voulaient. Voir aussi BAK R19/308 (6/2/40), p. 250-254 ; sur les instructions pour la formation idéologique des hommes dans l'*Einzeldienst*, voir p. 252-253.

16. Sur le rôle de l'appartenance au parti dans les promotions, voir BAK R19/311 (6/18/40), p. 145-147, 149.

17. La documentation existante sur les bataillons de police est dispersée dans tout le système judiciaire allemand. Il n'y a pratiquement rien d'intéressant sur leur participation au génocide dans les archives fédérales de Coblence. Je me suis efforcé de repérer tous les documents les concernant à la ZStL, qui, s'ils sont très nombreux, sont loin de tout couvrir. Le simple établissement de la liste de toutes les enquêtes judiciaires les mettant en cause a été une lourde tâche. Je ne saurais prétendre avoir la maîtrise de toutes les sources sur les bataillons de police, parce que j'ai dû partir de rien et affronter d'énormes masses de documents. Je suis presque sûr d'avoir laissé passer des choses qui sont à la ZStL. J'ai lu les enquêtes judiciaires concernant 35 bataillons. Pour certains, comme le 101e, j'ai lu des milliers de pages, pour d'autres, quelques centaines seulement. De plus, la qualité de ces pages est elle aussi irrégulière. Sur certains bataillons, il n'y a que peu d'informations disponibles (même sur les grandes lignes de leurs activités) ; dans d'autres cas, les sources sont riches, mais elles ne donnent presque toujours que peu de détails sur les actes commis, même dans les bataillons pour lesquels les documents sont les plus abondants. Mes analyses ne sont donc pas exhaustives, malgré l'importance de la documentaion étudiée. Le rôle des bataillons de police dans l'Holocauste mériterait un gros livre à lui seul.

18. Voir Ruth Bettina Birn, *Die Höheren SS- und Polizeiführer : Himmlers Vertreter im Reich und in den besetzten Gebieten*, Düsseldorf, Droste Verlage, 1986 ; et ZStL 204 AR-Z 13/60, vol. 4, p. 397-399.

19. Voir Helmut Krausnick et Hans-Heinrich Wilhelm, *Die Truppe des Weltanschauungskrieges : Die Einsatzgruppen der Sicherheitspolizei und des SD, 1938-1942*, Stuttgart, Deutsche Verlags-Anstalt, 1981, p. 46 ; Alfred Streim, « Das Sonderkommando 4a der Einsatzgruppe C und die mit diesem Kommando eingesetzten Einheiten während des Russland-Feldzuges in der Zeit vom 22. 6. 1941 bis zum Sommer 1943 », ZStL 11 (4) AR-Z 269/60, « Abschlussbericht », p. 36 ; et Tessin, « Die Stäbe und Truppeneinheinten der Ordnungspolizei », p. 96.

20. ZStL 204 AR-Z 13/60, vol. 4, p. 402-403.

21. ZStL 202 AR 2484/67, p. 2397-2506. Ces onze bataillons n'étaient pas les seuls à opérer en URSS. Ainsi, les 11e, 65e (voir ci-dessous) et 91e bataillons y servirent aussi.

22. Le chef du bataillon, le commandant Weiss, réunit ses officiers avant l'attaque et les informa des ordres de Hitler : tuer tous les commissaires communistes et anéantir les Juifs d'URSS. Le commandant de la 1re compagnie, le capitaine H. B. répercuta l'ordre à ses hommes avant le massacre. D'autres commandants de compagnie ont probablement fait de même, mais les dépositions ne le mentionnent pas. Voir ZStL 205 AR-Z 20/60 (ci-dessous abrégé en Buchs), A. A., Buchs, p. 1339r ; J. B., Buchs, p. 1416, et J. B., ZStL 202 AR 2701/65, vol. 1, p. 101 ; K. H., Buchs, p. 1565r ; H. G., Buchs, p. 363-364 ; et H. G., ZStL 202 AR 2701/65, vol. 1, p. 96 ; R. H., Buchs, p. 681 ; et la déposition pleine de contradictions de E. M., Buchs, p. 1813r, 2794-2795, 764 ; voir aussi Jugement Buchs *et al.*, Wuppertal, 12 Ks 1/67 (abrégé ci-dessous en Jugement Buchs), p. 29-30, 62. On notera que Browning ne mentionne pas ce fait fondamental dans ce qu'il dit du bataillon (*Ordinary Men*, p. 11-12). Ce fait contredit complètement son affirmation (note 70 du chapitre 4) selon laquelle aucun ordre explicite de génocide n'avait encore été donné.

23. E. Z., Buchs, p. 1748.

24. Voir les déclarations de deux survivants, S. J., Buchs, p. 1823 ; et J. S., Buchs, p. 1830.

25. Jugement, Buchs, p. 43.
26. Jugement, Buchs, p. 42; et J. J., Buchs, p. 1828r.
27. Jugement, Buchs, p. 44.
28. Voir A. B., Buchs, p. 2875, et T. C., Buchs, p. 2877-2878.
29. Jugement, Buchs, p. 51-52. Quand Browning écrit que ce massacre « fut l'initiative d'un commandant qui avait deviné et correctement anticipé les souhaits du Führer », il est difficile de le suivre. Voir *Ordinary Men*, p. 12. Veut-il dire que le commandant Weiss avait décidé de lui-même de massacrer des centaines de Juifs ? Browning fait comme s'il n'avait pas reçu l'ordre de massacrer tous les Juifs soviétiques, alors que tous les hommes du rang étaient au courant de cet ordre et l'ont dit dans leurs dépositions (voir note 22 ci-dessus). Ils durent même, pour mener l'opération à bien, s'exposer à de fortes objections de l'armée, qui avait le pas sur eux dans cette région. De plus, les Allemands ont commis bien d'autres massacres débridés comme celui-là dans de nombreuses villes d'URSS. L'« intuition » n'y était pour rien. Quant à la manière dont Browning raconte l'opération, utilisant le mot « pogrom » (qui « devient vite massacre collectif »), elle est de nature à laisser entendre, à tort, que tout n'était pas planifié dès le début.
30. Jugement, Buchs, p. 52-54.
31. Sur la spontanéité des Allemands dans l'incendie de la synagogue, voir E. M., Buchs, p. 1814r-1815.
32. H. S., Buchs, p. 1764.
33. Le tribunal estimait qu'il y avait eu au moins 700 victimes (Jugement Buchs, p. 57). L'Accusation elle, penchait pour au moins 800 (Buchs, p. 113). Selon des sources juives, le chiffre aurait été voisin de 2 000. Un survivant a estimé que 90 % des victimes étaient des hommes, et 10 % des femmes et des enfants. Voir J. S., Buchs, p. 1830 ; et aussi I. A., Buchs, p. 1835.
34. Jugement, Buchs, p. 56-58. Les Allemands contraignirent au moins deux Juifs, un homme et une femme, à entrer dans la synagogue alors qu'elle était déjà en feu (voir L. L., Buchs, p. 1775).
35. Jugement, Buchs, p. 59. Son souhait fut en grande partie exaucé. L'incendie gagna les bâtiments proches de la synagogue, et les Allemands laissèrent brûler une grande partie du quartier juif (en empêchant les pompiers d'agir), ce qui causa de nouvelles morts juives, hommes, femmes et enfants, dans les flammes (Jugement Buchs, p. 59 ; et E. Z., Buchs, p. 1748r-1749).
36. Voir par exemple J. B., Buchs, p. 1415. Quand Browning parle de « volontaires » (*Ordinary Men*, p. 10) dans le cas des hommes des bataillons de la tranche 300, il ne faut pas se méprendre sur le terme. En règle générale, il s'agissait d'hommes qui, au moment de leur mobilisation ou sachant qu'ils allaient être mobilisés, avaient choisi de servir dans la police plutôt que dans d'autres types d'unités. Sur ce bataillon de police, voir par exemple H. H., JK, p. 1091 ; et A. A., JK, p. 1339r. A la lumière de ce que dit Browning du 101e bataillon de police, dont on parlera dans les deux chapitres suivants, il vaut la peine de noter que ces commentaires des Allemands, leur joie devant l'incendie meurtrier, sont curieusement absents de son exposé des faits (voir *Ordinary Men*, p. 11-12).
37. Jugement, Buchs, p. 60.
38. A ma connaissance, le 65e bataillon de police n'est jamais mentionné dans les travaux sur l'Holocauste. La source le concernant est JK.
39. Sur la sauvagerie de ces tueries, nous avons de nombreux témoignages et des documents photographiques qui montrent que tout cela se faisait au grand jour. Pour quelques exemples, voir Ernst Klee, Willi Dressen et Volker Riess, éd., *« The Good Old Days » : The Holocaust as Seen by Its Perpetrators and Bystanders*, New York, Free Press, 1991, p. 28-37.
40. P. K., JK, p. 945-956.
41. Verfügung, JK, p. 2120-2124.
42. Pour un résumé de cette déposition et de ce que l'on sait sur les massacres de Chiaoulaï, voir « Sachverhaltsdarstellung », JK, p. 1212-1214. G. T. raconte une tuerie où il conduisit des Juifs près de la fosse (JK, p. 1487-1488).
43. Ce sont probablement les Lituaniens qui ont identifié les Juifs, car cela se passait le plus souvent de cette manière (les Allemands ne savaient pas qui était juif). Le sergent-major de la compagnie déclara à un réserviste qu'il leur faudrait procéder eux-mêmes

à l'exécution car les Lituaniens s'étaient montrés trop brutaux *(grausam)* (H. H., JK, p. 1152).

44. J. F., JK, p. 849.

45. H. K., JK, p. 733. K. a dit que, lors du massacre de Chiaoulaï, il y avait des policiers parmi eux, comme ce fut le cas pour la plupart des tueries de l'automne (p. 732-733) et que cet homme, W., mourut peu après, au cours des combats des environs de Cholm. On ne sait pas s'il a tué de nouveau par la suite.

46. J. F., JK, p. 849. Ce que disaient ces affiches était faux, car il y eut encore quelque temps des Juifs à Chiaoulaï. Néanmoins, elles annonçaient bien l'objectif ultime : une ville entièrement vidée de ses Juifs.

47. Bien entendu, certains hommes de ce bataillon diront par la suite qu'ils avaient été contraints de tuer ou qu'ils avaient refusé de le faire. L'un d'eux affirmera que, après avoir refusé de participer au massacre de Chiaoulaï, son sergent lui aurait dit qu'il avait jusqu'au soir pour y réfléchir. A la tombée de la nuit, le sergent l'aurait convoqué, et, comme il persistait dans son refus, il lui aurait demandé d'aider au moins à conduire les Juifs jusqu'au lieu d'exécution. L'homme avait jugé qu'il ne pouvait refuser cet ordre-là. Ce récit, à la différence de tant d'autres, sonne juste, car l'homme a déclaré à son interrogateur qu'il n'avait qu'à en demander confirmation au sergent. Il déclara qu'après le massacre de Chiaoulaï il n'avait participé à aucun autre. Si cette histoire est vraie, il faut remarquer que cet homme n'a jamais dit que d'autres hommes du bataillon avaient eu la même attitude que lui. Pour des documents sur le problème de la coercition, voir G. T., JK, p. 1487-1488 ; H. M., JK, p. 773 ; et Verfügung, JK, p. 2196, 2209-2210, 2212-2214, 2138-2139.

48. Pour un résumé de ce que l'on sait de ces tueries, voir Verfügung, JK, p. 2120-2171.

49. H. K., JK, p. 733.

50. Verfügung, JK, p. 2168-2170. H. H. raconte qu'il a vu un panneau : « Louga vide de Juifs ! » *(Luga Judenfrei !)* (JK, p. 1152).

51. Verfügung, JK, p. 2157.

52. Verfügung, JK, p. 2159-2162.

53. Verfügung, JK, p. 2166-2168.

54. En raison de leur vision démonologique des Juifs, ces Allemands semblent avoir été tout disposés à croire que les Juifs étaient partout, si bien qu'il ne leur fallait pas beaucoup de preuves pour décider que telle personne était un Juif. Parfois, il suffisait d'un simple soupçon, comme en témoigne ce récit d'un réserviste, qui fait partie du stock de souvenirs du bataillon : « Sur ce qui s'est passé à Ivanowskaia, je peux raconter, car j'en ai été le témoin, que S., un réserviste, a battu à mort un prisonnier de guerre ou un déserteur parce que sur ses papiers, il y avait le nom d'Abraham. A la fin, un officier de l'armée s'est montré, mais c'était trop tard » (E. L., JK, p. 783). Bien entendu, il n'y a pas eu de sanction contre ce tueur, que ses exploits renouvelés rendirent fameux pour son sadisme. Cet homme était le père de neuf enfants nés entre 1924 et 1940.

55. Dans cette Allemagne nazie où toutes les valeurs étaient sens dessus dessous, donner à un massacre le nom de quelqu'un, ici celui de Heydrich, était une manière de l'honorer.

56. Sur l'*Aktion Reinhard*, voir Yitzhak Arad, *Belzec, Sobibor, Treblinka : The Operation Reinhard Death Camps*, Bloomington, Indiana University Press, 1987 ; sur le district de Lublin, voir Dieter Pohl, *Von der « Judenpolitik » zum Judenmord : Der Distrikt Lublin des Generalgouvernements, 1939-1944*, Francfort, Peter Lang, 1993.

57. Accusation, K. R., ZStL 208 AR 967/69 (ci-dessous abrégé en KR), p. 53-55.

58. Sur les deux différentes chaînes de commandement, voir Accusation, KR, p. 19-22.

59. R. E., KR, p. 36-37.

60. R. E., KR, p. 37.

61. Accusation, KR, p. 85-86.

62. Accusation, KR, p. 89.

63. Accusation, KR, p. 103 ; R. E., KR, p. 39.

64. Accusation, KR, p. 104-105 ; et Browning, *Ordinary Men*, p. 132.

65. L'histoire, la composition des effectifs et les traits essentiels du troisième bataillon du 25e régiment de police, le 67e bataillon, ne présentent aucune différence qui pourrait contredire la portée de cette analyse. Voir ZStL 202 AR-Z 5/63.

66. JK, p. 2075-2076.

67. H. K., JK, p. 732.
68. Verfügung, JK, p. 2202.
69. Voir, par exemple, Verfügung, JK, p. 2240.
70. A. W., JK, p. 1089.
71. Les coupables auront beau dire, par la suite, qu'ils ne savaient pas du tout que « réinstallation » signifiait la mort, et que quand ils déportaient les Juifs (même ceux qui les escortaient jusqu'aux camps de la mort) ils ignoraient qu'ils seraient massacrés, les preuves du contraire (indépendamment de celle du bon sens) sont volumineuses. Pour une vérité définitive sur cette question, voir par exemple, Accusation, KR, p. 90 ; l'ancien employé de bureau du KdO-Lublin a déclaré : « Par "évacuation", on entendait l'évacuation des Juifs vers des camps ou des ghettos. Par des rumeurs, j'ai su que les Juifs qui arrivaient dans les camps y étaient tués d'une manière ou d'une autre, mais je n'en connaissais pas les détails. Je n'ai entendu parler des chambres à gaz que plus tard (R. E , KR, p. 35).
72. J. F., JK, p. 1086.
73. Verfügung, JK, p. 2199-2202. L'un des participants a déclaré que, avant et pendant les tueries, les tueurs recevaient du schnaps. Ce recours à l'alcool est difficile à vérifier ou à nier. Bien des tueurs ont déclaré cela par la suite. On ne saurait douter qu'il y a eu des moments où les Allemands prenaient de l'alcool avant ou pendant, sans parler de celui qu'ils ingurgitaient après. Les hommes parlaient souvent entre eux des tueries mais nous ignorons ce qu'ils se disaient. L'un des tueurs, un réserviste de 33 ans, originaire de Dortmund, enrôlé en août 1939, a fait le récit suivant à propos des tueries des environs de Cracovie : « Entre nous, on disait que la 3e compagnie, pour les opérations contre les Juifs, se divisait de la manière suivante :
– Première section : Creuser des trous *[Löcher schaufeln]* ;
– Deuxième section : les pousser dedans *[Legt um]* ;
– Troisième section : recouvrir et planter des arbres *[Schaufelt zu und pflanzt Bäume]*. »
Bien entendu, c'est là une description fantaisiste de ce qui se passait réellement. Les Allemands ne creusaient jamais les trous eux-mêmes (ils le faisaient faire par leurs assistants locaux ou par les Juifs) et ne plantaient pas d'arbres sur les fosses. Néanmoins, cette histoire fait apparaître trois choses : les Allemands parlaient suffisamment souvent des tueries pour qu'une sorte de folklore finît par naître ; ils essayaient de formaliser leurs activités de tueurs pour les intégrer un peu mieux dans la routine des jours où ils ne tuaient pas ; quand ils évoquaient ainsi les massacres, ils les ornaient d'une sorte de grâce imaginaire (planter des arbres) ce qui montre bien qu'ils ne désapprouvaient pas leurs activités de tueurs et leur conception commune (leur dicton concernait la 3e compagnie) des tueries comme œuvre de régénération, de rachat, d'embellissement. Voir H. K., JK, p. 734.
74. Verfügung, JK, p. 2207-2209. On notera que ce tueur a soutenu que ses camarades et lui-même désapprouvaient les massacres et que leur chef de bataillon les avait menacés de punition s'ils ne faisaient pas leur devoir. Voir dans l'annexe 1 les raisons pour lesquelles ce type de justification doit être écarté.
75. Voir Verfügung, JK, p. 2207. Dans les dépositions, on mentionne l'inscription des tueries au tableau d'affichage comme une chose aussi parfaitement ordinaire que l'inscription des tours de garde.
76. Verfügung, JK, p. 2260, 2269-2275.
77. Voir Shmuel Krakowski, *The War of the Doomed : Jewish Armed Resistance in Poland, 1942-1944*, New York, Holmes & Meier, 1984. Les Allemands étaient souvent aidés par les Polonais du coin, qui leur indiquaient les cachettes des Juifs ou les y conduisaient.
78. Verfügung, JK, p. 2277-2287.
79. Verfügung, JK, p. 2078-2079, 2288-2299.
80. Les hommes des bataillons de police ont contribué au massacre d'une importante fraction des Juifs tués par les *Einsatzgruppen*, plus d'un million au total. Ils ont aussi contribué au massacre d'une bonne partie des Juifs du Gouvernement général, un total de 2 millions, et d'autres Juifs européens. Voir au chapitre 9 la liste des principaux massacres commis par ces bataillons.

Chapitre 7

1. Sur le 101e bataillon de police, les principales sources sont deux enquêtes judiciaires : Instruction Wolfgang Hofmann *et al.*, StA Hamburg 141 Js 1957/62 (abrégé ci-dessous en Hoffmann), et Instruction H. G. *et al.*, StA Hamburg 141 Js 128/65 (abrégé ci-dessous en HG). D'autres documents dispersés se trouvent également dans les archives d'État de Hambourg (abrégé ci-dessous en StAH). Christopher R. Browning, *Ordinary Men : Reserve Police Battalion 101 and the Final Solution in Poland*, New York, Harper Collins, 1992 [*Des hommes ordinaires* : *Le 101e bataillon de réserve de la police allemande et la solution finale en Pologne*, Paris, Les Belles Lettres, 1994], qui raconte plus complètement et, à plusieurs égards, en une construction admirable, les actes du bataillon, me dispense d'exposer ici bien des faits qui ne sont pas directement liés à mon propos. Il me dispense aussi de l'obligation d'exposer ici toutes les données dont une interprétation pourrait, même à tort, jeter un doute sur le bien-fondé de mes analyses, car elles peuvent être facilement trouvées dans le livre de Browning. Je ne suis pas d'accord avec Browning sur les traits essentiels du portrait qu'il dresse du bataillon, ni avec nombre de ses explications et interprétations, ni même avec ce qu'il affirme concernant certains faits, surtout sur les actes commis par les hommes du bataillon. Certains des problèmes que pose à mes yeux son livre ont été exposés dans Daniel Jonah Goldhagen, compte rendu de *Ordinary Men*, par Christopher R. Browning, *New Republic* 207, nos 3 et 4 (1992), p. 49-52. Mon reproche le plus important est celui-ci : tout ce qu'ont pu dire les hommes de ce bataillon, sans preuve, pour se disculper, sur leur opposition, leurs hésitations, leurs refus, que je rejette pour des raisons méthodologiques (voir annexe 1), se retrouve d'une façon diffuse dans le livre de Browning, et comme il les accepte le plus souvent sans les critiquer, elles gouvernent sa compréhension des choses et la faussent. Autres reproches importants : cet ouvrage considère constamment que ce que ces hommes ont dit dans leurs dépositions, leurs souvenirs, constituent la réalité même des faits (je pense ici à la crédulité avec laquelle l'auteur accueille leurs propos sur leur opposition aux tueries) ; l'absence trop fréquente de référence à des documents qui montrent à quel point tous étaient d'accord, ou la mauvaise interprétation de ces documents ; l'insistance sur le manque de faculté critique de ces hommes, et l'insuffisance des comparaisons avec d'autres bataillons ou d'autres institutions criminelles.

2. Pour un résumé de son histoire, voir Jugement Hoffmann *et al.*, Hoffmann, p. 8-10.

3. Voir B. P., Hoffmann, p. 1912-1914. Il n'y a guère de détails sur cette période. Voir ce que dit Browning des premiers temps du bataillon dans *Ordinary Men*, p. 38-44.

4. Jugement, Hoffmann, p. 24-26 ; B. P., Hoffmann, p. 1930-1931 ; H. K., Hoffmann, p. 2246 ; également Browning, *Ordinary Men*, p. 42-43. Il y a un épisode obscur où le lieutenant Gnade aurait refusé de laisser ses hommes participer au massacre des Juifs de l'un des convois et se serait dépêché de les ramener à Hambourg. Ce refus déclaré, si l'histoire est vraie, est intéressant, car cet acte d'insubordination aurait été accompli sous les yeux d'une fraction notable du 101e bataillon. Gnade se montrera par la suite un tueur plein de zèle, et particulièrement brutal, tout au long des massacres commis par le bataillon en Pologne.

5. Voir Accusation, Hoffmann *et al.*, Hoffmann, p. 209-213 sur les différentes garnisons de chaque compagnie et de leurs sections en Pologne ; pour un compte rendu plus détaillé, voir Vermerk, Hoffmann, p. 2817-2843.

6. Jugement, Hoffmann, p. 24-25.

7. Ces données biographiques ont été collectées de la façon suivante. A partir de différentes sources, une liste a été établie de tous ceux qui ont servi dans le 101e bataillon durant son séjour en Pologne. La principale est le tableau des effectifs du bataillon en date du 20 juin 1942, juste avant le départ en Pologne. Sont venus le compléter d'autres noms et données trouvés dans les minutes des deux enquêtes (Hoffmann et HG) sur les crimes du bataillon, et les informations contenues dans les fiches de la ZStL. Cette liste de noms, avec les dates et lieux de naissance, a été transmise au centre de documentation de Berlin pour savoir lesquels de ces hommes avaient été membres d'institutions nazies. On a aussi enregistré les données complémentaires figurant sur leurs cartes du parti ou dans leur dossier à la SS.

8. A cause des rotations de personnel, ils furent plus de 500 hommes à servir dans le bataillon pendant sa période de participation au génocide – fait important que Browning ne mentionne pas. Impossible de savoir, au-delà des 500 ou 550 dont j'ai retrouvé la trace, combien ils étaient au total.

9. On sait très peu de chose sur leur niveau d'éducation. Dans l'Allemagne de l'époque, il y avait une étroite corrélation entre niveau d'éducation et métiers, car ces derniers requéraient des qualifications précises. Compte tenu de ce que l'on sait de la population allemande dans son ensemble, il est vraisemblable qu'une très petite fraction des hommes de ce bataillon étaient passés par l'université, et que peu avaient atteint le niveau de l'*Abitur* (baccalauréat). La grande majorité d'entre eux devait avoir accompli un cursus scolaire de huit ans, avant d'entrer directement sur le marché du travail comme ouvrier non qualifié ou en tant qu'apprenti.

10. Les catégories employées ici sont celles qu'utilise Michael Kater dans *The Nazi Party : A Social Profile of Members and Leaders, 1919-1945* (Cambridge, Harvard University Press, 1983), ouvrage dont sont tirés (p. 241) la nomenclature des métiers et les chiffres (pour l'Allemagne de l'été 1933). La seule différence est que j'ai réuni en une seule catégorie les deux catégories d'« ouvriers qualifiés » qui figurent dans le livre de Kater. Les données dont on dispose sur les hommes du 101e bataillon de police étant sommaires, il est probable que certaines de mes attributions sont contestables. Mais même si elles étaient modifiées, les différences ne seraient pas très marquées, et cela d'autant plus que le but de cette ventilation par métier est d'établir un profil global du bataillon.

11. L'échantillon utilisé par Browning n'est que de 210 hommes – ceux qui ont été interrogés dans le cadre des enquêtes judiciaires –, ce qui introduit un biais dans ses conclusions. De plus, comme il ne compare pas la structure socio-professionnelle du bataillon à celle de l'Allemagne tout entière, ce qu'il dit de la composition sociale du bataillon est erroné : il est faux de dire que les hommes du 101e bataillon venaient « des basses couches de la société allemande ». Bien que la composition socio-professionnelle du bataillon ne recouvre pas exactement celle de l'ensemble de la population allemande, ses membres n'en sont pas moins représentatifs. Browning n'évoque pas non plus leur appartenance à la SS, sauf dans le cas des officiers et sous-officiers. Voir *Ordinary Men*, p. 45-48 et p. 199, n. 26.

12. C'étaient des jeunes policiers d'active (22 ans d'âge moyen) qui ne semblent avoir joué qu'un rôle marginal dans la vie du bataillon. On sait peu de chose sur eux.

13. O. I., par exemple, avait été auparavant rejeté par la Wehrmacht parce qu'il était trop vieux, étant né en 1896. Aussitôt, la police d'Ordre l'avait incorporé dans la réserve (Hoffmann, p. 2055-2060, 3053-3054). Voir aussi la déposition de H. Ri., qui avait servi dans l'*Afrikakorps* mais avait été déclaré inapte au service (HG, p. 476-478) ; et H. Re., HG, p. 620-629.

14. Voir Accusation, Hoffmann, p. 246-248 ; et H. F., HG, p. 441-450. G. H. avait été incorporé en mai 1942, et soumis à quinze jours de formation avant de rejoindre le 101e bataillon (HG, p. 536-542).

15. L'un d'eux, B. D. avait été un moment inquiété en 1933, probablement parce qu'il était membre d'un syndicat et du parti social-démocrate. Il était affilié à un syndicat depuis 1923 et en fera de nouveau partie après la guerre (Jugement, Hoffmann, p. 19-20). Quant à E. S., la Gestapo l'avait identifié comme suspect (Centre de documentation de Berlin).

16. Jugement, Hoffmann, p. 27-28 ; et Hoffmann, p. 489-507.

17. Julius Wohlauf, Hoffmann, p. 2880 ; H. B., Hoffmann, p. 3355 ; et A. K., Hoffmann, p. 3356.

18. F. B., Hoffmann, p. 2091.

19. Il ajoute : « Ce soir-là, on nous a donné du schnaps ; il y avait une bouteille par chambrée. Nous étions huit par chambrée, ce qui nous a fait deux à trois verres chacun, pas de quoi devenir ivre » (F. B., Hoffmann, p. 3692). Browning mentionne cette déclaration à propos du fouet mais met aussitôt en doute sa véracité : « Personne d'autre ne se souvenait des fouets. » (Il ne dit pas non plus que cet homme qui parlait des fouets avait commencé par dire : « Je me le rappelle très clairement. ») Voir *Ordinary Men*, p. 56. Cette question des fouets soulève d'importants problèmes d'interprétation qui différencient systématiquement la mienne de celle de Browning. Le port et l'usage de fouets sont précisément le genre de détail que les hommes du bataillon devaient chercher à ne pas

évoquer : l'image de soldats procédant à une rafle de femmes et d'enfants avec des fouets ne va pas très bien avec ce que ces hommes disaient de leur mauvaise volonté à agir, et que Browning prend pour argent comptant. Présenter le silence de ces hommes sur leur propre brutalité comme une tentative de retrouver leurs souvenirs laisse entendre que leur récit coïncide avec la réalité des faits, alors qu'il ne révèle que ce qu'ils choisissent de dire à celui qui les interroge. Ce type d'interprétation est fréquent dans le livre de Browning quand il évoque le problème de la brutalité des hommes, de leur bonne volonté à tuer. Mais comme nous savons que les Allemands du 101e bataillon avaient des fouets lors de la déportation des Juifs de Miedzyrzec (ce que Browning lui-même mentionne p. 108), il y a tout lieu de croire qu'ils en avaient aussi à Jozefow et probablement ailleurs, c'est-à-dire dès le début de leur participation au génocide.

20. F. K., Hoffmann, p. 2482.

21. Voir par exemple, O. S., Hoffmann, p. 4577. Selon A. Z., le lieutenant Gnade avait donné la même justification à la 2e compagnie (HG, p. 275). Mais l'argument était peu crédible car, à l'époque, il n'y avait aucune activité notable de partisans. Voir B. P., Hoffmann, p. 1919 ; A. S., Hoffmann, p. 745-750 ; et A. K., Hoffmann, p. 2430. A. K. a déclaré que, quand leurs opérations contre les partisans ont commencé, ils avaient déjà accompli la majorité de leurs massacres de Juifs.

22. F. E., HG, p. 874 ; voir aussi sa déposition dans Hoffmann, p. 1356. Beaucoup ont évoqué l'évident malaise de Trapp devant ses ordres de génocide. Un des hommes se souvenait de l'avoir entendu « pleurer comme un enfant » à son poste de commandement au cours du massacre (E. G., HG, p. 383). Un autre racontera que, sous le coup de l'émotion, il avait épargné une petite fille de 10 ans couverte de sang (O. S., Hoffmann, p. 1954-1955).

23. Les agents de l'Holocauste n'ont cessé de mettre en avant cette justification après la guerre, bien que les tueries aient commencé quand l'Allemagne était encore au sommet de sa puissance et n'avait pas été bombardée.

24. Selon A. W., Trapp aurait également parlé du boycott des produits allemands que les Juifs avaient tenté d'organiser aux États-Unis dans les années 30, avec peu de succès : « La mission à venir est une mesure de représailles *[Vergeltungsmassnahme]* contre ces machinations » (Hoffmann, p. 2039-2040). C'était absurde : à cette date, les États-Unis, comme une bonne partie du monde, étaient en guerre avec l'Allemagne (il est vrai qu'on en tenait les Juifs pour responsables).

25. Voir, par exemple, O. S., Hoffmann, p. 4577.

26. O. S., Hoffmann, p. 1953 ; voir aussi sa déposition, Hoffmann, p. 4577. Quelques-uns ont dit que Trapp commença par demander des volontaires pour les pelotons d'exécution. Selon A. B., il y eut dix volontaires de trop (Hoffmann, p. 440).

27. Sur le respect et l'affection que les hommes portaient à Trapp, voir Jugement, Hoffmann, p. 28 ; W. N., Hoffmann, p. 3927 ; et H. H., Hoffmann, p. 318. Ce dernier était un membre du KdS-Radzyn, mais, bien que ne faisant pas partie du bataillon, il était au courant des sentiments que ses hommes portaient à Trap.

28. O. S., Hoffmann, p. 1953 ; voir aussi sa déposition, Hoffmann, p. 4577.

29. A. W., Hoffmann, p. 4592 ; voir aussi ses déclarations (Hoffmann, p. 2041-2042, 3298) selon lesquelles l'offre de Trapp ne concernait pas les seuls pelotons d'exécution mais aussi d'autres tâches, comme de rafler les Juifs pour les conduire sur la place du marché.

30. Voir ce que dit Browning de cette déposition dans *Ordinary Men*, p. 194, n. 3 (du chap. 1), et notamment p. 200, n. 9. Je ne comprends pas pourquoi il écrit (p. 200, n. 9) que Weber avait lui aussi « compris » que l'offre n'était faite qu'aux réservistes âgés puisque Weber dit exactement le contraire (A. W., Hoffmann, p. 4592).

31. Pour avoir un échantillon des nombreuses dépositions là-dessus, voir W. G., Hoffmann, p. 4362 ; E. G., Hoffmann, p. 2502 ; et B. G., Hoffmann, p. 2019.

32. Jugement, Hoffmann, p. 35 ; et W. G., Hoffmann, p. 2147.

33. E. H., Hoffmann, p. 2716. Voir aussi W. G., Hoffmann, p. 2147 ; et E. G., Hoffmann, p. 1639.

34. E. G., Hoffmann, p. 1639 ; voir aussi sa déposition p. 2502.

35. E. H., Hoffmann, p. 2716.

36. B. G., Hoffmann, p. 2019 ; voir aussi F. B., Hoffmann, p. 2091 ; A. W., Hoffmann, p. 2041, 2044-2045 ; F. V., Hoffmann, p. 1539 ; et H. J., HG, p. 415.

37. Voir ce que dit Browning des dépositions contradictoires sur le massacre des bébés dans *Ordinary Men*, p. 59. Je ne vois aucune raison de mettre en doute les dépositions de ceux qui affirment que les hommes du bataillon tuaient bel et bien les bébés. L'homme dont Browning dit qu'il « assurait » que les bébés étaient massacrés insiste particulièrement sur ce point : « Je me souviens d'être entré dans des maisons qui avaient déjà été fouillées à plusieurs reprises et d'y avoir trouvé des malades et des bébés qui avaient été tués » (F. B., Hoffmann, p. 1579). Même l'un de ceux que cite Browning pour dire qu'ils ne tuaient pas les bébés au cours des rafles se contentait de noter que « presque tous les hommes » s'interdisaient de tuer les bébés à ce stade. Sans doute certains s'interdirent-ils de tuer des bébés, mais pas tous.

38. E. H., Hoffmann, p. 2717.

39. De même, H. K. soutient qu'il avait dit à ses hommes, avant le début de la rafle, de faire tout leur possible pour ne pas tuer les Juifs immédiatement : il fallait les conduire jusqu'à la place du marché, les bien-portants aidant les malades. Il prétend que ce massacre sélectif de certaines catégories de Juifs n'avait pas son approbation et ajoute que, « par une sorte d'accord tacite, tout le monde renonça à tuer les bébés et les petits enfants », et que, dans la zone du ghetto dont ils s'occupaient, il n'y avait aucun cadavre d'enfant dans les rues (Hoffmann, p. 2716-2717). Difficile d'apprécier la vérité de ces affirmations. Si elles sont vraies, ils couraient le risque d'être accusés de désobéissance, ce qu'il ne mentionne pas. S'il dit vrai, c'était seulement une inhibition viscérale à l'idée de tuer des enfants qui retenait la main des Allemands, et non une aversion pour le meurtre des Juifs en général. Ils tueront ensuite ces enfants. Un autre homme a prétendu qu'il avait laissé en vie une femme et son enfant dans leur maison, mais qu'ils furent ensuite tués par un sergent qui les avait découverts. Ce sergent lui aurait fait ensuite de violents reproches (H. K., Hoffmann, p. 2270). Impossible d'apprécier la vérité de cette affirmation disculpante.

40. E. H., Hoffmann, p. 2717.

41. Déclaration du lieutenant H. B. (Hoffmann, p. 821-822) ; Instruction, Hoffmann, p. 216, 225 ; voir aussi ce que dit Browning dans *Ordinary Men*, p. 201, n. 31. Leur escorte était dirigée par le lieutenant Buchmann, celui qui avait refusé de participer à la tuerie (voir ci-dessous). W. a relaté un incident qui montre la marge de manœuvre dont Trapp disposait. Avant que la fusillade ne commençât, le patron d'une scierie lui présenta une liste de vingt-cinq Juifs qui travaillaient pour lui et Trapp accepta de lui rendre ses ouvriers (Hoffmann, p. 2042).

42. E. H., HG, p. 956. Voir aussi sa déclaration, HG, p. 507.

43. Comme Trapp, le docteur Schoenfelder semble avoir été quelque peu troublé par cette mission meurtrière. Voir F. E., HG, p. 874. On ne s'étonnera pas que les médecins, quels qu'aient pu être leurs dégoûts, aient participé au génocide puisque, dans l'Allemagne nazie, presque toutes les professions étaient corrompues par l'antisémitisme. Sur la complicité des médecins, voir Robert Jay Lifton, *The Nazi Doctors : Medical Killing and the Psychology of Genocide*, New York, Basic Books, 1986 ; et Ernst Klee, *« Euthanasie » im NS-Staat : Die « Vernichtung lebensunwerten Lebens »*, Francfort, Fischer Verlag, 1983.

44. Lt K. D., Hoffmann, p. 4337.

45. E. G., Hoffmann, p. 2504.

46. Instruction, Hoffmann, p. 281-282.

47. Voir Lt K. D. (Hoffmann, p. 4337), qui servait dans la 1re compagnie, pour une description de la manière de procéder de sa section ; aussi W. G., Hoffmann, p. 2148-2149. Ce que je dis de la logistique de l'opération est considérablement abrégé. Voir la façon dont Browning la reconstitue dans *Ordinary Men*, p. 60-69.

48. Voir A. Z., HG, p. 276-277.

49. Lt K. D., Hoffmann, p. 4337.

50. E. H., Hoffmann, p. 2719. Certains hommes au moins furent instruits de la manière d'éviter ces éclaboussures de chair humaine : « Si on tenait le fusil trop haut, tout le haut du crâne volait en éclats, et des morceaux de cervelle et d'os se répandaient partout. On nous a donc donné l'ordre de poser la pointe de la baïonnette sur le cou, et ça ne s'est plus produit » (M. D., Hoffmann, p. 2538). Malgré tout, ces horreurs se sont reproduites car elles étaient inévitables.

51. A. B., Hoffmann, p. 4348.
52. « On ne fusillait pas tous les Juifs au même endroit, on changeait de place à chaque fois » (W. G., Hoffmann, p. 2149). Voir aussi E. H., Hoffmann, p. 2718.
53. Jugement, Hoffmann, p. 54-55 ; et E. H., Hoffmann, p. 2720.
54. E. G., Hoffmann, p. 4344.
55. Lt K. D., Hoffmann, p. 4338. Lors des massacres suivants, les Allemands confiaient généralement aux maires polonais le soin de procéder à l'enterrement des cadavres (voir A. B., Hoffmann, p. 442). On signalera aussi qu'à Jozefow les Polonais eurent toute liberté de piller le ghetto après la rafle (voir E. H., Hoffmann, p. 2717). En détruisant cette communauté juive, les Allemands oublièrent de s'emparer du butin au nom du *Volk*, même s'il semble que de nombreux policiers aient, à titre individuel, dépouillé leurs victimes (A. B., Hoffmann, p. 441). L'appât du gain n'étant pas une motivation, mais souvent un sous-produit apprécié de la motivation réelle à tuer les Juifs, les Allemands oublièrent de ramasser le butin ou décidèrent simplement de ne pas s'y attarder car d'autres tâches les attendaient. De même, ce jour-là, les Allemands n'obligèrent pas les Juifs à se déshabiller avant la fusillade et ne récupérèrent donc pas leurs vêtements (W. G., Hoffmann, p. 2148).
56. R. B., Hoffmann, p. 2534 ; et F. B., Hoffmann, p. 2951, 4357 ; voir aussi F. V., Hoffmann, p. 1540.
57. A. B., Hoffmann, p. 2518-2520 ; voir aussi sa déposition, p. 4354.
58. E. H., Hoffmann, p. 2720 ; il semble que Hegert ait pris sur lui de dispenser certains de ses hommes très affectés par la tuerie. L'un d'eux racontait : « J'ai participé à dix pelotons d'exécution, et j'ai tué des hommes et des femmes. Je n'en pouvais plus, et mon chef de groupe, Hegert, s'est aperçu que je tirais à côté à plusieurs reprises. C'est pour ça qu'il m'a remplacé. Des camarades ont été aussi remplacés parce qu'ils ne pouvaient plus le supporter » (W. G., Hoffmann, p. 2149). Dans une autre déposition, il dira qu'il avait tué de six à huit Juifs (Hoffmann, p. 4362).
59. F. B., Hoffmann, p. 2092-2093 ; W. I., Hoffmann, p. 2237 ; A. B., Hoffmann, p. 2691-2692, 4348 ; et B. D., Hoffmann, p. 1876. Il s'agissait d'hommes âgés. F. B. a dit que deux de ses camarades demandèrent à être exemptés, requête transmise au commandant de la compagnie, Wolhauf, qui les aurait menacés d'une balle. Ces deux hommes furent ensuite au nombre de ceux qui furent dispensés par le sergent Kramer. Dans la mesure où F. B. reconnaissait avoir lui-même tué, et ne prétendait pas que la menace de Wolhauf était dirigée contre lui, il y a de bonnes raisons de le croire. Néanmoins, l'affaire est étrange : le commandant de la compagnie aurait menacé de mort des hommes cherchant à se faire dispenser (contredisant ainsi les ordres de Trapp) et pourtant un simple sergent allait les exempter par la suite de son propre chef, eux et d'autres.
60. E. G., Hoffmann, p. 1640 ; voir aussi sa déposition, p. 2505.
61. M. D., Hoffmann, p. 2539 ; et E. G., Hoffmann, p. 2505. August Zorn a raconté les circonstances dans lesquelles il avait demandé à être exempté. Le Juif qu'il avait choisi était très âgé, si bien que tous deux furent distancés par le reste de la colonne. Quand ils arrivèrent au lieu d'exécution, ses camarades avaient déjà tué les autres Juifs. En voyant les cadavres, le vieux Juif s'effondra sur le sol, où Zorn lui tira une balle dans la tête. Mais Zorn était énervé et avait tiré trop haut, frappant le crâne, si bien que « des fragments d'os volèrent jusqu'au visage du chef de section, le sergent Steinmetz ». Zorn aurait alors demandé au sergent d'être exempté, et on l'affecta à la surveillance des Juifs pour toute la durée des opérations (HG, p. 277 ; voir aussi sa déposition, Hoffmann, p. 3367).
62. Voir Lt H. B., Hoffmann, p. 2437-2440. Son refus et ses conséquences vont être exposés maintenant.
63. Pour une analyse plus complète des dépositions de ceux qui déclarèrent s'être fait exemptés, voir Browning, *Ordinary Men*, p. 64-69.
64. Le fait que le capitaine Hoffmann était moins accommodant fait peu de différence, car il allait rarement sur les lieux d'exécution, laissant à ses subordonnés toute latitude d'agir comme bon leur semblerait ; de plus, dans les autres compagnies, les hommes tirèrent rarement parti de la relative facilité existant à se faire exempter.
65. H. E., Hoffmann, p. 2167.
66. W. G., Hoffmann, p. 4362 ; voir aussi J. R., Hoffmann, p. 1809.
67. A. S., Hoffmann, p. 747.
68. Browning en parle longuement. Voir *Ordinary Men* (p. 69 et 71-77), pour son

analyse de leur réaction, que je conteste sur des points importants comme sur des détails, ainsi qu'on le verra ci-dessous. Ainsi, il parle de leur « honte » (p. 69), ce qui, dans un cas comme celui-là, serait le sentiment d'avoir commis une transgression morale, alors qu'on n'en trouve pas trace dans les documents disponibles. « Dégoût viscéral », oui, « honte » non. Quant à l'explication qu'il donne à l'absence de toute référence à une opposition de principe (qu'on aurait tant aimé trouver dans leur bouche), elle est difficile à croire : « Étant donné le niveau culturel de ces policiers de réserve, on ne saurait attendre d'eux un exposé sophistiqué de principes abstraits » (p. 74). Nul besoin d'être un philosophe kantien pour condamner l'abomination morale d'un massacre collectif de civils sans armes, hommes, femmes et enfants. Browning reconnaît qu'il est difficile de savoir combien d'hommes affectés aux pelotons d'exécution ont demandé à s'en faire dispenser, mais l'estimation qu'il donne, de 10 à 20 %, semble forcée. Il dit, par exemple, que le sergent Hegert « avait reconnu avoir dispensé cinq hommes sur quarante ou cinquante » (p. 74), alors qu'en réalité le sergent en question a parlé de « deux à cinq hommes » (E. H., Hoffmann, p. 2720). 2 sur 40 ou 50 ne font pas 10 %, encore moins 20 %. Et il y a d'autres raisons de ne pas être d'accord avec la façon dont il présente et interprète les documents existants.

69. L'un des tueurs, qui demanda à être exempté après avoir participé au début des exécutions, expliquait : « Comme il y avait des femmes et des enfants parmi les victimes, au bout d'un certain temps, je n'ai pas pu continuer » (W. I., Hoffmann, p. 2237). Le sergent Hegert a confirmé que la raison donnée par ceux qui voulaient se faire exempter était la difficulté de tuer des femmes et des enfants (E. H., Hoffmann, p. 2720). Tuer les Juifs en général n'était pas un problème, ni les vieillards. En cette première tuerie, ils avaient quelques difficultés à transgresser la règle qui veut que les femmes et les enfants aient droit à certaines protections, mais seul un petit pourcentage d'entre eux trouvaient le pas trop difficile à franchir.

70. Voir E. G., Hoffmann, p. 2505 ; F. K. Hoffmann, p. 2483 ; G. K., Hoffmann, p. 2634 ; A. Z., HG, p. 277 ; M. D., Hoffmann, p. 2539 ; et G. M., HG, p. 168-169.

71. H. K., HG, p. 363. Il déclara que pendant toute la tuerie il n'avait rien eu à faire. Citons à ce propos un incident dont il n'a peut-être pas eu connaissance : au milieu de la nuit, l'un des hommes, apparemment bouleversé par ce qu'il avait vécu, avait tiré des coups de feu dans le plafond de sa chambrée (K. M., Hoffmann, p. 2546).

72. W. G., Hoffmann, p. 2149.

73. Les documents disponibles ne disent pas s'ils ont participé à d'autres tueries par la suite. Le fait que nombre d'entre eux aient tué des Juifs avant de demander à être dispensés révèle que leur désir d'être exempté ne reposait pas sur une opposition éthique mais sur une incapacité viscérale à continuer ; car s'ils avaient pensé que ce massacre était un crime, il leur aurait été facile (certains se l'étaient entendu proposer à plusieurs reprises) d'éviter d'y participer, et l'on ne comprend pas qu'ils ne l'eussent pas fait plus tôt.

74. F. B., Hoffmann, p. 1581 ; et H. B., Hoffmann, p. 889-890. Deux des hommes ont rapporté, sans beaucoup de détails, un incident survenu à Aleksandrow, un village proche de Jozefow : après avoir regroupé les Juifs, Trapp leur rendit leur liberté et repartit avec ses hommes pour Bilgoraj. Voir F. B., Hoffmann, p. 2093-2094 ; et K. G., Hoffmann, p. 2194. Browning en parle dans *Ordinary Men*, p. 69-70.

75. Sur la présence de Juifs de Hambourg, voir F. V., Hoffmann, p. 973 ; et E. H., Hoffmann, p. 2722.

76. Jugement, Hoffmann, p. 72 ; voir aussi A. B., Hoffmann, p. 2698-2699 ; E. H., Hoffmann, p. 2722.

77. Pour une vision d'ensemble du massacre, voir Jugement Hoffmann, p. 72ff. ; Instruction, Hoffmann, p. 338-379 ; et E. H., Hoffmann, p. 2722-2728.

78. « Hiwi » est une abréviation pour *Hilfswilliger*, qui signifie « assistant volontaire ». Le terme désigne toutes sortes de subordonnés employés dans des tâches en général peu plaisantes. Pendant la guerre, « Hiwi » devint un terme générique pour désigner tous les auxiliaires recrutés par les Allemands en Europe de l'Est. Voir « Hilfswillige », *Encyclopedia of the Holocaust*, Israel Gutman, éd., New York, Macmillan, 1990, p. 659-660.

79. Browning cite le témoignage d'un homme qui a déclaré que la plupart des petits enfants et des bébés ne furent pas tués au cours de la rafle (*Ordinary Men*, p. 80). Mais cela n'est guère convaincant : on soulignera que les autres témoins n'ont pas dit qu'ils

avaient transgressé l'ordre, donné par Gnade, de tuer tous les Juifs qui ne seraient pas en état d'aller jusqu'au point de regroupement ; s'ils s'étaient réellement abstenus de tuer ces Juifs peu capables de se déplacer (il semble qu'il y en ait eu beaucoup), ils l'auraient certainement dit au cours de l'enquête. Ainsi E. H., dans sa déposition très détaillée (il raconte notamment qu'il avait parlé à des Juifs de langue allemande dans le quartier juif), dit que « Gnade avait donné l'ordre de tuer sur-le-champ les vieillards, les impotents et les bébés ». Il ne dit rien d'autre sur cet ordre, ce qui implique qu'il a été exécuté (Hoffmann, p. 2722). La déposition de W. H., cité par le tribunal dans son jugement (p. 72), est parfaitement claire : « Tous les malades, les impotents et les bébés avaient déjà été tués par le premier commando chargé du nettoyage... dans ces vingt maisons, j'ai vu de vingt-cinq à trente morts. Les cadavres gisaient à l'intérieur ou à l'extérieur » (Hoffmann, p. 2211, cité dans Instruction, Hoffmann, p. 359).

80. Il est peu vraisemblable, à tout le moins, que le photographe ait pris cette photo pour transmettre un document accusant ses camarades et lui-même. Il n'a jamais rien prétendu de tel. Il est sans doute plus juste de penser qu'il était tout content de garder une trace de leurs exploits meurtriers.

81. E. H., Hoffmann, p. 2723 ; et J. P., Hoffmann, p. 2750.

82. F. P., HG, p. 241.

83. J. P., Hoffmann, p. 2749-2750 ; et E. H., Hoffmann, p. 2723.

84. Difficile de croire que ce n'était là qu'une réponse purement pragmatique aux difficultés rencontrées avec la première fournée de Juifs (voir Browning, *Ordinary Men*, p. 80-81). Je ne connais aucun autre cas de recours à ce système (ridicule) et qui, on ne s'en étonnera pas, se révéla impraticable.

85. A. B., Hoffmann, p. 2700. Browning (*Ordinary Men*, p. 81) en fait longuement le récit. Pour d'autres récits de cette marche, voir E. H., Hoffmann, p. 2723 ; et W. Z., Hoffmann, p. 2624.

86. Voir Instruction, Hoffmann, p. 346-347 ; J. P., Hoffmann, p. 2750 ; H. B., HG, p. 98 ; et A. Z., HG, p. 282.

87. A. Z., HG, p. 282.

88. Cela est tiré de Instruction, Hoffmann, p. 347. Une déposition que j'ai pu lire indique que certains des hommes ont forcé les Juifs à courir à la fin du parcours vers le lieu du massacre. Bien qu'il soit clair que les Allemands avaient besoin de recourir à la violence verbale et physique pour faire courir les Juifs à leur mort, aucune autre déposition n'en parle. Voir W. Z., Hoffmann, p. 2625 ; et G. K., Hoffmann, p. 2638. J'ai inclus le compte rendu donné dans l'Instruction parce que sur tous les autres sujets il semble digne de foi.

89. F. P., HG, p. 241-242. Voir ausi sa déposition, Hoffmann, p. 4571.

90. F. P., HG, p. 240 ; et J. P., Hoffmann, p. 2749-2750.

91. Instruction, Hoffmann, p. 347-348 ; et E. H., Hoffmann, p. 2724-2726.

92. F. P., Hoffmann, p. 4571 ; E. H., Hoffmann, p. 2725.

93. L'officier SS responsable des Hiwis aurait crié à Gnade : « Tes policiers de merde, ils ne vont même pas tirer ! », ce qui aurait poussé Gnade à ordonner à ses hommes de prendre part au massacre (E. H., Hoffmann, p. 2725-2726).

94. E. H., Hoffmann, p. 2726-2727.

95. F. P., HG, p. 242.

96. E. H., Hoffmann, p. 2722 ; voir aussi Instruction, Hoffmann, p. 341.

97. Sur l'analyse très différente que fait Browning de ce massacre, voir *Ordinary Men*, p. 84-87.

98. A l'exception de quelques hommes dont on nous dit qu'ils avaient réussi à s'éclipser du lieu des tueries, tous les hommes de la compagnie participèrent au massacre. Voir E. H., Hoffmann, p. 2727. Ceux qui s'abstinrent avaient probablement l'aval de leurs supérieurs. Browning donne les noms de deux de ces hommes qui évitèrent le massacre, mais nous n'avons pas d'autres preuves que leurs propres déclarations. L'un a dit qu'il avait de lui-même refusé de tirer sur un Juif qui s'enfuyait, et qu'il n'avait échappé à la colère de Gnade que parce que personne ne l'avait dénoncé et que Gnade était trop ivre pour voir les choses clairement. Voir *Ordinary Men*, p. 86. Mais il est facile de démontrer que ce que dit cet homme n'est guère digne de foi, comme l'interrogateur lui en fait la remarque à deux reprises au cours de sa déposition (P. M., HG, p. 209). Browning crédite aussi cet

homme de s'être éclipsé du lieu de massacre à Jozefow (p. 65). L'usage que fait Browning de cette déposition est étudié plus longuement dans le chapitre 8, note 64.

Browning risque l'hypothèse suivante : le fait que les chefs de cette opération n'aient pas explicitement proposé à leurs hommes de se faire éventuellement dispenser leur a *facilité* les choses, et c'est ce qui expliquerait que presque tous aient tué. Selon lui, les hommes n'avaient pas « le fardeau du choix », ils pouvaient se contenter de suivre les ordres, à la différence de ce qui s'était passé à Jozefow, où il y avait eu « fardeau du choix » (voir *Ordinary Men*, p. 84-85). Cette interprétation, qui ne repose sur rien, fait bon marché d'une autre explication, plus évidente, plus simple, plus vraisemblable, appuyée par le caractère de toutes les tueries qui ont suivi, ainsi que par l'histoire des autres bataillons de police et des *Einsatzkommandos* : à Lomazy, le choc de la première tuerie était dissipé, et avec lui la source de leur malaise. Désormais accoutumés à ce qu'il y avait de déplaisant dans les massacres, ils pouvaient accomplir leur tâche, non pas parce qu'ils n'avaient pas le choix (au moins officiellement) mais parce qu'ils ne voyaient aucune raison de faire autrement. Dans le cas de Jozefow, rien ne permet de penser que ceux qui étaient opposés au massacre, et notamment ceux qui le trouvaient horrible, fussent obligés d'y aller. L'offre d'exemption, explicite à Jozefow, et non explicite à Lomazy (rien n'indique non plus que l'offre faite à Jozefow ne fût pas permanente), n'est pas ce qui explique la répulsion manifestée par certains des hommes lors de leur premier massacre, en face à face, de gens désarmés, hommes, femmes et enfants. Elle n'explique pas davantage, au moment du massacre de Lomazy, leur accoutumance à cette tâche (à laquelle ils n'avaient aucune objection de principe, comme le prouve l'absence de toute référence à un principe éthique dans leurs dépositions). Faut-il vraiment croire que si Gnade avait offert à ses hommes la possibilité de se tenir à l'écart, 1) nombre d'entre eux se seraient abstenus de participer au massacre de Lomazy, et, 2) que ceux qui y seraient quand même allés n'auraient pas réagi de la même manière qu'à Jozefow, c'est-à-dire avec répulsion ? Il ne faut pas oublier, malgré les chiffres que donne Browning, que très peu d'hommes profitèrent de l'offre initiale faite par Trapp à Jozefow.

99. A. B., Hoffmann, p. 4448.

100. Toutes les photos du 101e bataillon de police dont on parle ici ne peuvent être publiées en raison de l'interprétation donnée par un fonctionnaire des lois de la République fédérale protégeant la vie privée. Ces photographies, et bien d'autres, très révélatrices, figurent dans le volume consacré à l'instruction contre Hoffmann.

101. La rafle elle-même fit près d'un millier de victimes.

102. Dans le cas de nombreux massacres, on ne sait pas avec précision combien de Juifs ont été déportés et tués. En élaborant ces tableaux, j'ai décidé de reprendre les hypothèses basses que donne Browning dans ses tableaux 1 et 2 (*Ordinary Men*, annexe). Seule exception, le nombre de Juifs tués dans les « chasses aux Juifs » : Browning donne l'estimation d'un millier de Juifs tués, mais, selon moi, le chiffre, impossible à connaître, doit être bien supérieur.

103. A. B., Hoffmann, p. 442-443.

104. A. B., Hoffmann, p. 443.

105. Les hommes du 101e bataillon de police furent informés par leurs commandants de compagnie du *Schiessbefehl*. Voir Instruction, Hoffmann, p. 272-273 ; F. B., Hoffmann, p. 2103 ; et A. Z., HG, p. 274-275.

106. A. K., Hoffmann, p. 1183.

107. E. N., Hoffmann, p. 1693 ; et B. P., Hoffmann, p. 1917. Tout cela ressort avec évidence de la seule lecture de leurs dépositions. La liste de ceux qui ont évoqué dans leurs dépositions ces « chasses aux Juifs » se trouve dans *Ordinary Men* (p. 211, n. 20).

8. A. B., Hoffmann, p. 2708.

109. M. D., Hoffmann, p. 3321.

110. B. P., Hoffmann, p. 1917.

111. F. B., Hoffmann, p. 404 ; et B. D., Hoffmann, p. 2535.

112. H. B., Hoffmann, p. 3066.

113. H. B., Hoffmann, p. 3215. A en croire cet homme, B. était très cruel, ausi bien à l'endroit des Polonais que des Juifs et se plaisait à parader avec son insigne SS. « Dès qu'il pouvait les coincer, il le faisait » (Hoffmann, p. 3066).

114. E. N., Hoffmann, p. 1695. Il se souvenait également que la tâche de raser les

cachettes souterraines et d'enterrer les cadavres avait été laissée aux Polonais. Il estimait que dans cette localité, ils avaient détruit de dix à douze cachettes et tué de cinquante à cent Juifs.

115. E. N., Hoffmann, p. 1693.

116. Nombreuses sont les dépositions sur ce point, voir Hoffmann, p. 2532-2547. La question sera reprise d'une façon plus détaillée au chapitre 8.

117. Jugement Hoffmann, p. 143-144.

118. P. H., de la 1re compagnie, a raconté : « Je me souviens d'avoir à plusieurs reprises participé à des ratissages de bois *[Walddurchkämmungen]* opérés par la compagnie, avec chasse aux Juifs *[Juden Jagd]*. Nous aussi, nous employions l'expression "chasse aux Juifs" » (Hoffmann, p. 1653). Voir ausi la déposition de C. A. qui parle des « dites chasses aux Juifs *[Judenjagdeinsätze]* » (Hoffmann, p. 3544). Il appartenait à la 2e compagnie. F. S. (HG, p. 306) et G. M. (HG, p. 169) de la 2e compagnie connaissaient aussi le terme. On soulignera la différence entre une chasse et une opération militaire : « chasse » pouvait signifier deux choses, ou les deux en même temps : poursuite d'animaux ou de hors-la-loi ; très souvent, les Allemands parlaient des Juifs comme de « hors-la-loi ».

119. A. B., Hoffmann, p. 442. Il emploie cette formule quand il raconte les tueries répétées perpétrées par sa section dans les petites villes, dans les villages ou propriétés de la région de Parczew, au cours desquelles, chaque fois, on tuait de dix à quarante Juifs, soit dans leur maison, soit aux alentours.

120. W. H., Hoffmann, p. 3566.

Chapitre 8

1. Sur la façon dont ils furent sélectionnés, voir H. B., Hoffmann, p. 825-826. Christopher R. Browning a peut-être raison de penser qu'en choisissant les villageois les plus marginaux Trapp cherchait à ménager les Polonais (*Ordinary Men : Reserve Police Battalion 101 and the Final Solution in Poland*, New York, Harper Collins, 1992, p. 101 [*Des hommes ordinaires* : *Le 101e bataillon de réserve de la police allemande et la solution finale en Pologne*, Paris, Les Belles Lettres, 1994]). Néanmoins, c'est là une orientation cognitive non conforme à celle qui dictait le traitement des Juifs. Browning dit que la décision de Trapp de fusiller ensuite des Juifs innocents d'un autre village était « un moyen ingénieux de remplir son quota sans aggraver davantage les relations avec la population locale », mais il faut repenser cela. De même que ces criminels n'étaient pas des « hommes ordinaires » mais des « Allemands ordinaires » de l'époque, de même, ce n'était pas là une ingéniosité « ordinaire », mais une ingéniosité « nazie » ou « allemande ».

2. A. H., Hoffmann, p. 285.

3. Rapport de Trapp au 25e régiment de police, 26 sept. 1942, Hoffmann, p. 2550.

4. Sur ces événements, voir Rapport de Trapp au 25e régiment de police, 26 sept. 1942, Hoffmann, p. 2548-2550 ; A. H., Hoffmann, p. 284-285 ; F. B., Hoffmann, p. 1589-1590 ; H. B., Hoffmann, p. 825-826 ; G. W., Hoffmann, p. 1733 ; F. B., Hoffmann, p. 2097-2098 ; H. K., Hoffmann, p. 2255-2256 ; H. S., HG, p. 648-649 ; et H. B., HG, p. 464-465 ; voir aussi les détails que donne Browning dans *Ordinary Men*, p. 100-102.

5. H. E., Hoffmann, p. 2174.

6. G. W., Hoffmann, p. 1733.

7. H. E., Hoffmann, p. 2179.

8. F. B., Hoffmann, p. 2105. Un homme de la 2e compagnie a raconté qu'ils avaient aussi fusillé des Polonais lors de ces patrouilles, mais sans en donner les raisons ni les circonstances (F. P., Hoffmann, p. 4572). B. P. a raconté que les hommes du 101e bataillon tuaient souvent des Polonais qui se cachaient ou étaient supposés cacher des Juifs (Hoffmann, p. 1919, 1925). C'était là la politique impitoyable de l'occupant allemand, mais il est instructif que deux hommes seulement aient évoqué ces meurtres, bien que tous fussent au courant. Browning souligne aussi ce point (*Ordinary Men*, p. 157), mais il n'en tire pas la conclusion, évidente, que ces hommes cachaient aussi bien des choses sur les violences infligées aux Juifs.

9. Julius Wohlauf, Hoffmann, p. 750-751 ; et E. R., HG, p. 609-610. Sur l'épouse du lieutenant Brand, voir Lt H. B., Hoffmann, p. 2440.

10. F. B., Hoffmann, p. 1583.

11. J. F., Hoffmann, p. 2232 ; sur l'implication de la *Gendarmerie*, voir G. G., Hoffmann, p. 2183.

12. Sur les infirmières, voir F. M., Hoffmann, p. 2560-2561 ; sur les épouses, voir la déclaration de l'une d'entre elles, I. L., Hoffmann, p. 1293. On sait que des infirmières de la Croix-Rouge allemande assistèrent à la scène de la place du marché parce qu'elles déplorèrent le meurtre des enfants qui n'avaient fait que se lever. Apparemment, personne ne voyait d'objection à ce que ces femmes, dont la vocation était de soigner, assistent au massacre.

13. H. E., Hoffmann, p. 2172.

14. E. R., HG, p. 610. H. E. était en permission au moment de ce massacre, mais les hommes de sa compagnie lui parlèrent des brutalités de l'opération et de la présence de Frau Wohlauf : « Mes camarades étaient furieux que la femme du capitaine Wohlauf ait été présente à Miedzyrzec et ait pu observer l'"opération" de très près » (Hoffmann, p. 2171).

15. F. B., Hoffmann, p. 2099 ; pour d'autres témoignages dans le même sens, voir F. B., Hoffmann, p. 1582 ; H. B., Hoffmann, p. 2440, 3357 ; et A. K., Hoffmann, p. 3357.

16. Browning dit qu'ils éprouvaient de la « honte » (émotion puissante et douloureuse qui, dans un tel contexte, serait née de la conscience de leur culpabilité), mais on n'en a pas la moindre preuve. Voir le compte rendu de *Ordinary Men*, de Christopher R. Browning, par Daniel Jonah Goldhagen (*New Republic* 207, n°s 3 et 4 [1992], p. 51), pour une critique à ce sujet. Browning ne parle pas du témoignage de la femme du lieutenant Brand, qui montre clairement que les hommes n'étaient pas mus par la honte. L'un des tueurs a évoqué un sentiment de honte dans un autre contexte, celui de la tuerie dans l'hôpital du ghetto de Konskowola, particulièrement sauvage, où ses camarades firent irruption dans une salle et tirèrent « sans discrimination » sur une quarantaine de Juifs malades. Certains d'entre eux tombèrent des couchettes supérieures, la scène était particulièrement atroce : « Cette manière de procéder m'a tellement dégoûté, et j'avais tellement honte, que j'ai quitté la pièce » (F. V., Hoffmann, p. 1542). On notera que la honte en question venait de la « manière de procéder », de la sauvagerie de ses camarades, et non de la tuerie elle-même, à laquelle il comptait participer. Mais il voulait tuer d'une manière digne d'un Allemand.

17. L. B., HG, p. 596.

18. B. P., Hoffmann, p. 1917 ; et E. N., Hoffmann, p. 1693.

19. Pour un résumé des preuves innombrables attestant que le massacre des Juifs était connu de tous dans le Gouvernement général, voir Jugement Johannes von Dollen *et al.*, Hanovre 11 Ks 1/75, p. 42-45 (notamment p. 42-43) ; sur la façon dont le sauvage massacre des Juifs de Hrubieszow fut exécuté en public, voir Accusation, Max Stöbner *et al.*, StA Hildesheim 9 Js 204/67, p. 121-132.

20. Cité dans Accusation, KR, p. 90.

21. L. B., HG, p. 598. On notera qu'elle accusait cet homme non pas d'être « immoral » ou « criminel » mais « cynique ». Il est à noter que son mari n'était pas opposé à l'extermination (voir H. E., Hoffmann, p. 2172). Browning ne mentionne pas cet épisode étonnant quand il analyse la réaction des hommes à la présence de Frau Wohlauf. L'épisode montre à quel point le génocide était approuvé dans le bataillon : sinon, un simple policier n'aurait pas osé parler en ces termes à son capitaine.

22. Voir Orlando Patterson, *Slavery and Social Death : A Comparative Study* (Cambridge, Harvard University Press, 1982, notamment p. 10-12), pour une analyse des procédures tendant à priver les esclaves de leur dignité.

23. Cet homme dira qu'il n'avait pas coupé la barbe du Juif, que ce n'était qu'une mise en scène. Peu importe : l'important est qu'il ait voulu organiser cette scène symbolique pour en garder l'orgueilleux souvenir photographique. Quoi qu'il ait pu faire dans la réalité, la photo était là pour symboliser (à ses yeux et aussi à ceux de sa famille) sa maîtrise des Juifs. On notera aussi ce commentaire gratuit sur le travail des Juifs. L'idée, profondément enracinée dans la culture allemande, que les Juifs ne travaillaient pas (analysée dans les chapitres suivants) était si forte qu'elle inspirait ce commentaire sans rapport avec l'image.

24. Sur la signification du marquage des esclaves, voir le chapitre intitulé « Rituels et marques de l'asservissement » dans Patterson, *Slavery and Social Death*, p. 51-62.

25. H. F., Hoffmann, p. 2161. Il faisait partie de la 2e compagnie. Inexplicablement, Browning ne mentionne pas cette preuve cruciale, qui montre que les hommes du 101e bataillon étaient tout à fait à l'aise et approuvaient leurs actes de génocide.

26. Pour un compte rendu des activités de la section, voir Vermerk, Hoffmann, p. 2839-2840.

27. G. M., Hoffmann, p. 3275.

28. G. M., Hoffmann, p. 3279.

29. Voir H. E., Hoffmann, p. 2165-2179.

30. Voir, par exemple, H. E., Hoffmann, p. 2170-2171.

31. Comme je l'explique dans l'annexe 1, toutes les déclarations faites par les hommes sur leur opposition au génocide doivent être écartées pour des raisons méthodologiques. On notera qu'elles ne sont jamais formulées en termes de désapprobation fondée sur un principe. En vain cherchera-t-on dans leurs dépositions une phrase exprimant qu'ils voyaient dans les Juifs des êtres humains, ou qu'ils rejetaient le racisme et l'antisémitisme, doctrines officielles de l'époque. En vain cherchera-t-on dans leurs propos l'expression d'une quelconque compassion pour les victimes. Quand ils tentaient de se disculper, c'était toujours en disant qu'ils étaient « furieux » *(empört)* devant ces massacres. On ne voit que trop bien qu'ils étaient rendus plus furieux par la présence de Frau Wohlauf à Miedzyrzec que par les opérations de génocide elles-mêmes. De sa transgression à elle, ils parlaient avec une authentique passion.

Seule une poignée d'entre eux se sont exprimés d'une manière qui pouvait laisser entendre une désapprobation morale : « Je trouvais que c'était une belle cochonnerie *[Schweinerei]*. J'étais scandalisé qu'on ait fait de nous des porcs *[Schweinen]* et des assassins, alors qu'à la caserne on nous avait formés pour être des gens convenables » (A. B., Hoffmann, p. 4355). Même s'il n'y a aucun moyen de savoir si c'était vraiment ce qu'il pensait à l'époque (rien de plus facile que de faire ce genre de déclaration après la guerre), il est révélateur que les autres n'aient nullement formulé une désapprobation de principe du génocide. Une autre déclaration d'un homme qui affirmait avoir été opposé au massacre est encore plus instructive : « Comme j'étais un grand ami des Juifs, cette tâche m'était odieuse » (H. W., Hoffmann, p. 1947). Que ce fût vrai ou non, cette formulation ruine toutes les autres dépositions. Cet homme se croyait obligé d'expliquer son opposition aux massacres en évoquant sa grande amitié des Juifs alors qu'il aurait dû être évident à tous que de telles tueries de masse étaient condamnables en elles-mêmes : cela implique que son attitude était exceptionnelle, qu'elle n'était pas la norme. Et même si cette conclusion n'est pas absolument dans la logique de son discours, sa déclaration laisse entendre que ceux qui n'étaient pas de grands amis des Juifs approuvaient l'extermination. Ni lui ni aucun autre n'ont dit dans leurs dépositions que leurs camarades avaient une vision favorable, ou au moins neutre, des Juifs. Sur les rares déclarations de ce type, qui toutes laissent entendre que leurs auteurs avaient un statut à part, voir Browning, *Ordinary Men*, p. 75.

32. E. H., HG, p. 511. Browning voit dans l'épisode la preuve de la « sensibilité émoussée » d'hommes opposés au massacre, comme si un simple processus d'endurcissement était suffisant pour produire une telle joie chez des hommes qui seraient contraints d'accomplir un massacre collectif qu'ils désapprouvent (voir *Ordinary Men*, p. 128). On peut avancer une interprétation beaucoup plus plausible : ces hommes n'étaient pas devenus insensibles, ils plaisantaient à propos d'actes qu'à l'évidence ils approuvaient et qui leur avaient donné du plaisir.

33. A. B., Hoffmann, p. 799.

34. Voir dans l'annexe 1 le sens qu'il faut donner à certains silences.

35. H. B., Hoffmann, p. 2439-2440.

36. Il déclarait : « ... Néanmoins, je ne souhaite pas que ma déposition soit de nature à incriminer l'un de mes supérieurs ou de mes subordonnés » (H. B., Hoffmann, p. 2439).

37. H. E., Hoffmann, p. 2172. Du lieutenant Brand, par exemple, il disait · « Je me souviens que le lieutenant Brand non plus ne faisait pas d'objections aux opérations contre les Juifs. »

38. Sur cet épisode, voir Browning, *Ordinary Men*, p. 111-113.

39. M. D., Hoffmann, p. 2536.

40. H. B., Hoffmann, p. 3356-3357. J'ai omis de reproduire la formule « Je pense que

c'est possible » qui n'a aucun sens grammatical ni historique. Buchmann dit clairement que ceux qui refusaient se voyaient affectés à d'autres tâches. Et il savait que d'autres que lui s'étaient fait exempter.

41. E. G., Hoffmann, p. 2534; voir aussi Hoffmann, p. 2532-2547, où plusieurs membres du bataillon évoquent le problème. Dans les souvenirs de ces hommes, il y a confusion ou désaccord sur la question de savoir si des volontaires étaient demandés chaque fois ou s'il avait simplement été dit une fois pour toutes qu'on pouvait se faire dispenser. On le voit bien dans la déposition ambigüe de E. G. La confusion, qui n'est pas propre à lui seul, tient peut-être à l'absence de différence entre les deux possibilités. Déposant vingt ans après les faits, les hommes se souvenaient qu'il leur était possible de ne pas tuer. Que cela ait pris la forme d'un appel aux volontaires ou d'une possibilité de dispense ouverte a peu d'importance : dans les deux cas, ils savaient que leur participation était volontaire. Que les détails de la procédure de non-participation soient restés si peu présents dans leur mémoire s'explique par deux raisons conjointes. Comme ils n'étaient pas motivés par une quelconque solidarité avec les Juifs, l'offre d'exemption était pour eux sans signification morale. Ensuite, le climat d'approbation générale aurait rendu peu vraisemblable que d'autres membres du bataillon aillent soupçonner une opposition de principe chez ceux qui voulaient éviter la tuerie, si bien que la perspective des conséquences sociales d'une exemption ne méritait pas d'être mémorisée.

42. B. D., Hoffmann, p. 2535 ; voir aussi sergent A. B., Hoffmann, p. 2693.

43. A. Z., HG, p. 246.

44. Voir Browning, *Ordinary Men*, p. 185, pour une interprétation différente de la « lâcheté ». Le principal problème posé par son interprétation est l'idée, qui ne repose sur aucune preuve, que ceux qui plaidaient la « faiblesse » étaient en fait opposés aux tueries pour des raisons morales. De plus, la déposition citée plus haut *datant de l'après-guerre*, et n'étant pas faite sur le moment devant ses camarades, l'homme en question aurait dû être puissamment incité à ne pas dissimuler ses véritables sentiments. Il est évident que quand il dit « lâche » il ne veut pas dire « opposant ». Cela apparaît encore mieux dans ce qu'il dit immédiatement avant : lors de la tuerie de Jozefow, il avait fini par demander une exemption, parce qu'il ne se sentait plus la force de continuer en raison des « fragments d'os et de cervelle » qui se répandaient partout. Bien que cette déposition eût été faite après la guerre, il ne disait pas qu'il avait cherché à se faire dispenser parce que cette tuerie était un crime (B. D., Hoffmann, p. 2534). Cela vaut aussi la peine de se demander si la crainte d'être traité de « lâche » aurait constitué une motivation suffisante pour se lancer quand même dans ces horribles tueries pour quelqu'un qui les aurait vraiment considérées comme un crime monstrueux, surtout dans le cas où nombre de ses camarades partageaient cette opinion. Les ravages psychologiques n'auraient pu être qu'importants, et pourtant aucun document n'en mentionne.

45. E. G., Hoffmann, p. 2533 ; voir aussi sa déposition p. 4400.

46. A. B., Hoffmann, p. 2532. Le sergent Bentheim trouvait à redire à la formule de A. B. selon laquelle il y avait toujours suffisamment de volontaires et parfois plus qu'il n'en fallait. Mais il reconnaissait que l'on demandait chaque fois des volontaires et que « pour les exécutions, on n'employait que des volontaires et que personne n'y était contraint » (Hoffmann, p. 2537-2538). Cela laisse entendre qu'il y avait toujours assez de volontaires.

47. Sur les dégoûts de Grafmann, voir E. G., Hoffmann, p. 2505 ; pour d'autres, voir F. K. Hoffmann, p. 2483 ; G. K., Hoffmann, p. 2634 ; A. Z., HG, p. 277 ; et M. D., Hoffmann, p. 2539.

48. Voir J. S., ZStL AR-Z 24/63, p. 1370-1371, sur les volontaires dans le 3e escadron de police montée ; Abschlussbericht, ZStL 202 AR-Z 82/61, p. 55, sur le 307e bataillon de police ; Verfügung, ZStL 208 AR-Z 23/63, vol. 3, sur le 41e bataillon. Les mêmes preuves documentaires existent pour d'autres bataillons. La question sera abordée de nouveau au chapitre 9.

49. A. W., Hoffmann, p. 4592.

50. H. B., Hoffmann, p. 822.

51. Accusation, Hoffmann, p. 246b.

52. StAH, Polizeibehörde 1, Akte 1185.

53. Kommando der Schutzpolizei, « Abschrift », 12/31/42, StAH, Polizeibehörde 1, Akte 1185.

54. H. R., HG, p. 624. La question est évoquée ci-dessous.

55. Pour des exemples, voir F. S., HG, p. 300-309 ; F. B., HG, 961 ; et P. F., Hoffmann, p. 2242.

56. Lt K. D., Hoffmann, p. 4339.

57. H. R., HG, p. 624. Il avait d'autant plus de chances de voir sa demande de mutation acceptée qu'il existait une clause stipulant que les pères de familles nombreuses, les propriétaires héréditaires d'une exploitation agricole ou les derniers porteurs d'un nom *(letzte Namensträger)* ne pourraient être affectés aux combats que s'ils étaient volontaires. Voir A. W., Hoffmann, p. 3303. C'est là une preuve parmi d'autres de la sollicitude du régime pour ses hommes.

58. A. H., Hoffmann, p. 281.

59. *Mezrich Zamlbuch*, Yosef Horn, éd., Buenos Aires, 1952, p. 476, 561. Browning ne tient pas compte des témoignages des survivants. Pour lui, la brutalité des hommes du 101e bataillon de police était utilitaire, elle était nécessaire pour que des Allemands en si petit nombre pussent manœuvrer ainsi des milliers de Juifs (p. 95). Mais les témoignages des survivants récusent cette interprétation de la brutalité allemande, ainsi que les comptes rendus édulcorés que les coupables ont donnés après la guerre. La question de la cruauté des agents de l'Holocauste est traitée plus systématiquement au chapitre 15.

60. E. K., Hoffmann, p. 157. Lui aussi avait torturé (voir H. B., Hoffmann, p. 1048-1050), et sa prétendue sympathie pour les Juifs est entièrement feinte – ce qui n'invalide pas son récit des actes des hommes du bataillon.

61. A. B., Hoffmann, p. 441. Comme je l'ai exposé dans mon compte rendu d'*Ordinary Men*, Browning ne donne pas une juste idée de ces admonestations de Trapp (p. 87). Il laisse entendre (notamment en ne reproduisant pas la première partie de la phrase) que ces reproches de Trapp eurent un effet préventif sur la suite du massacre de Jozefow et expliquent le « ton » retenu de cette tuerie (« ton » tout différent de celui imposé par le cruel Gnade à Lomazy), alors qu'en fait il s'agissait d'une *réaction* à des actes de cruauté dont Trapp avait été témoin. Browning entend démontrer que la personnalité de l'officier responsable d'une opération influençait le comportement des hommes, mais je n'en vois aucune preuve dans la documentation existante. A l'encontre de ce que dit Browning, la déclaration de Trapp contredit cette idée. De plus, c'est sous le commandement de Trapp, à Miedzyrzec, que les hommes se laisseront aller à une cruauté particulièrement sauvage.

62. William Shakespeare, *Jules César*, 2. 1. 180.

63. A. B., Hoffmann, p. 799.

64. Voir le chapitre consacré à Hoffmann par Browning dans *Ordinary Men*, p. 114-120.

65. Browning écrit qu'une « minorité de peut-être 10 % des hommes, et certainement pas plus de 20 %, ne tuèrent pas », mais on n'en a aucune preuve (*Ordinary Men*, p. 159). On a déjà dit combien était douteuse l'estimation de 10 à 20 % d'exemptés qu'il donne pour le massacre de Jozefow. Même si ses extrapolations étaient justes (et si ces hommes s'étaient fait dispenser pour des raisons morales et non pas, comme tout l'indique, parce qu'ils avaient la nausée), rien ne prouve que ces hommes (ou d'autres) aient refusé par la suite d'exécuter les Juifs (et il faudrait aussi se préoccuper de leur participation au génocide autrement que lors des fusillades). La déposition, déjà évoquée, d'Erving Grafmann (qui s'était fait exempter à Jozefow, après avoir tué au moins dix Juifs parce qu'il était écœuré par les éclaboussures de chair humaine, et qui reconnut que, par la suite, il s'est porté volontaire pour des chasses aux Juifs [Hoffmann, p. 2505, 2533, 4400]) est ici révélatrice, bien que Browning ne la mentionne pas. Il n'y a aucune raison de croire que d'autres exemptés de Jozefow n'aient pas fait comme lui. Si 10 à 20 % des hommes avaient réellement évité de participer à toutes les tueries, nous en aurions incontestablement de nombreux témoignages, car cela eût produit une division sensible au sein du bataillon. De même, quand Browning tente d'imaginer la façon dont les hommes cherchaient à éviter les chasses aux Juifs ou les pelotons d'exécution (*Ordinary Men*, p. 129), ce qu'il dit pose problème : ici, il ne se contente pas d'analyser, il laisse entendre que de telles stratégies étaient effectivement celles des opposants au massacre (estimés par lui à 10-20 %). Browning cherche constamment à exploiter au mieux ce qu'il peut lire dans les dépositions, et, ici comme ailleurs, il prend pour argent comptant tout ce que ces hommes ont pu dire de leurs tentatives d'échapper aux tueries et avec quel succès. Et comme si

tout cela n'était pas assez problématique, il interprète de travers la déposition d'un homme dont il nous dit que « son opposition initiale et ouverte aux opérations contre les Juifs lui épargna d'y être impliqué par la suite ». Browning raconte alors l'histoire de cet homme (vraie ou fausse) et conclut qu'après qu'il eut manifesté clairement son opposition, il ne fut plus jamais affecté à un peloton d'exécution (p. 129). Or la déposition de l'homme en question contient des indications que Browning ne mentionne pas. Il nous laisse entendre que cet homme « évita par la suite d'être impliqué » (et cela d'autant plus que c'est le moment où il expose les stratégies disponibles pour se faire exempter des « chasses aux Juifs » ou des exécutions), alors que, même si cet homme niait avoir fusillé des Juifs, il évoquait dix « chasses aux Juifs » auxquelles il est clair qu'il avait participé (même s'il ne le disait pas explicitement), difficile donc de dire « qu'il n'avait pas été impliqué par la suite ». Au mieux, il aura réussi à ne pas avoir à tirer lors de ces « chasses aux Juifs », non pas parce qu'il était connu comme opposant, mais parce qu'il répugnait à se présenter comme tireur et que d'autres manifestaient leur ardeur à le faire. Le même homme a raconté ensuite, avec des détails éprouvants, un épisode d'une de ces « chasses aux Juifs ». Ils étaient une trentaine à parcourir la campagne à bicyclette quand ils tombèrent sur une cachette souterraine que leur avait indiquée un Polonais : « Aujourd'hui encore, je me souviens que nous venions d'arriver devant la cachette quand un enfant de 5 ans en est sorti en rampant. Il a été immédiatement empoigné par un policier, qui l'a conduit à l'écart et lui a tiré une balle dans la nuque. C'était un policier d'active qui servait dans notre unité comme infirmier. C'était le seul infirmier de la section. » Entre les grenades et les balles dans la tête, la patrouille tua environ une centaine de Juifs, laissés sur place (voir A. B., Hoffmann, p. 442-443). Cette partie de la déposition contredit l'affirmation de Browning selon laquelle son opposition « initiale et ouverte » lui avait épargné d'être impliqué par la suite. Malgré tout ce qu'affirme Browning, il existe vraiment très peu de cas réels de refus ou d'esquive dans les preuves documentaires dont on dispose. Un de ceux auxquels Browning attache une grande importance (pour avoir réussi à ne pas participer aux tueries tant à Josefow qu'à Lomazy, *Ordinary Men*, p. 65 et p. 86) a donné dans sa déposition un compte rendu de la tuerie de Lomazy (prétendant s'être éloigné de la scène du crime) si contraire aux faits que celui qui l'interrogeait lui a fait remarquer par deux fois qu'on ne pouvait le croire « Monsieur Metzger, votre déclaration n'est pas crédible. Elle contredit aussi celle de vos camarades. Surtout, il n'est pas concevable que vous soyez resté de garde dans la cour jusqu'à l'après-midi puisque les Juifs l'avaient quittée vers midi. Ensuite, ce que vous dites avoir vu n'est pas vrai. Les enquêtes et dépositions antérieures ont établi que tous les membres de la 2e compagnie étaient déployés aux abords de la fosse dès le début du massacre » (P. M., HG, p. 208-209). Cette contestation par l'enquêteur de la déposition disculpante de cet homme vient immédiatement après l'épisode que cite Browning (p. 86).

66. E. B., HG, p. 960 ; voir aussi, dans la note précédente, l'épisode raconté par A. B. où un infirmier tue un enfant de 5 ans lors d'une « chasse aux Juifs » (Hoffmann, p. 443).

67. A. B., Hoffmann, p. 4355.

68. Une copie de cette citation, en date du 14 janvier 1943, se trouve dans Hoffmann, p. 2671.

69. KdO-Lublin, 25e régiment de SS et de police, Bulletin du 24 sept. 1943, ZStL Ord. 365A4, p. 243.

70. Parmi eux, seul C. M. mentionne explicitement les Juifs (Accusation, Hoffmann, p. 330).

Chapitre 9

1. KdO-Lublin, 25e régiment de police, Bulletin du régiment n° 40, 24 sept. 1942, ZStL Ord. 365w, p. 155.

2. ZStL Ord. 365w, p. 171-172. Exemplaire du 3e escadron de police montée.

3. Ainsi un « match de football » était-il annoncé pour le dimanche 7 juin 1942, 10 heures : « Sur le terrain de jeu derrière la caserne, un match de football opposera le Club sportif de la SS et de la police aux Blancs-Bleus de la Wehrmacht », voir KdO-Lublin, Bulletin n° 60, 5 juin 1942, ZStL Ord. 365w, p. 19. Sur une autre de ces

manifestations sportives, voir 25e régiment de police, Bulletin du régiment n° 26, 18 juin 1942, ZStL Ord. 365w, p. 30. Un homme du régiment arriva second au 100 mètres avec un temps de 12,5 secondes.

4. Les hommes de la police d'Ordre devaient être de grands amateurs de cinéma, au moins en 1944, car on les informait qu'il n'y avait plus de place au cinéma de la Wehrmacht les samedi et dimanche soir et qu'ils devaient faire leur possible pour aller aux séances du lundi et du mercredi. KdO-Lublin, Bulletin du régiment n° 5, 4 février 1944, ZStL Ord. 365A4, p. 248.

5. 25e régiment de police, Bulletin du régiment n° 27, 25 juin 1942, ZStL Ord. 365w, p. 38-39.

6. Bulletin du régiment n° 43, 15 octobre 1942, ZStL Ord. 365w, p. 166.

7. Bulletin du régiment n° 37, 4 septembre 1943, ZStL Ord. 365w, p. 162.

8. KdO-Lublin, Dept. 1a, Bulletin du régiment n° 2, 14 janvier 1944, ZStL Ord. 365A4, p. 214.

9. KdO-Lublin, Dept. 1a, Bulletin du régiment n° 2, 14 janv. 1944, ZStL Ord. 365A4, p. 214. Voir aussi Bulletin du régiment n° 39, 17 sept. 1942, qui enjoignait aux hommes de veiller à la propreté de leurs quartiers et de mettre fin « à la destruction insouciante de biens appartenant à l'État (toilettes, vitres, etc.) » (ZStL Ord. 365 W, p. 145).

10. Voir, par exemple, Raul Hilberg, *The Destruction of the European Jews*, New York, Viewpoints, 1973 [*La Destruction des Juifs d'Europe*, Paris, Fayard, 1985] ; Helmut Krausnick et Hans-Heinrich Wilhelm, *Die Truppe des Weltanschauungskrieges : Die Einsatzgruppen der Sicherheitspolizei und des SD, 1938-1942*, Stuttgart, Deutsche Verlags-Anstalt, 1981 ; et Lucy S. Dawidowicz, *The War Against the Jews, 1933-1945*, New York, Bantam Books, 1975. Ces livres ne parlent guère de leurs occupations quotidiennes autres que les tueries et opérations diverses. C'est également le cas de Christopher R. Browning, *Ordinary Men : Reserve Police Battalion 101 and the Final Solution in Poland* (New York, HarperCollins, 1992 [*Des hommes ordinaires* : *Le 101e bataillon de réserve de la police allemande et la solution finale en Pologne*, Paris, Les Belles Lettres, 1994]), qui néglige les aspects vraiment « ordinaires » de leur vie de tueurs. La seule exception est le livre de Robert Jay Lifton, *The Nazi Doctors : Medical Killing and the Psychology of Genocide* (New York, Basic Books, 1986), qui étudie un petit groupe atypique de criminels : les médecins d'Auschwitz ; voir aussi Tom Segev, *Soldiers of Evil : The Commanders of the Nazi Concentration Camps*, New York, McGraw-Hill, 1987 ; et Ernst Klee, *« Euthanasie » im NS-Staat : Die « Vernichtung lebensunwerten Lebens »*, Francfort, Fischer Verlag, 1983.

11. R. E., KR, p. 34.

12. E. H., HG, p. 507.

13. H. F., Hoffmann, p. 1389. Le menuisier qui a construit la piste de bowling à Miedzyrzec fabriquait aussi des tables, des chaises et des couchettes pour leurs quartiers. Jusqu'en avril 1943, il fut autorisé à employer des artisans juifs.

14. Les horaires des offices religieux étaient régulièrement communiqués. Ainsi le Bulletin n° 60 du KdO-Lublin du 5 juin 1942 faisait-il savoir que le dimanche 7 juin, une messe de la Wehrmacht aurait lieu dans une église à 9 heures et une autre ailleurs à 7 h 15 du soir, signalant qu'à ces deux offices « il serait possible de recevoir la communion » (ZStL Ord. 365w, p. 19).

15. Pour des exemples, voir Jugement Hermann Kraiker *et al.*, Schwurgericht Bochum 15 Ks 1/66, p. 154 ; et BAK R19/324 (8/11/41).

16. KdO-Lublin, Polizei-Regiment-25, Bulletin du régiment n° 34, 14 août 1942, ZStL Ord. 365w, p. 122.

17. Cité dans Lifton, *The Nazi Doctors*, p. 16.

18. Bulletin du régiment n° 43, 15 octobre 1942, ZStL Ord. 365w, p. 166.

19. KdO-Lublin, 25e régiment de la SS et de la police, Bulletin du régiment n° 24, 11 juin 1943, ZStL, Ord. 365A4, p. 174. Voir aussi KdO-Lublin, Polizei-Regiment-25, Bulletin du régiment n° 34, 14 août 1942, ZStL, Ord. 365w, p. 122 ; et *Befehlshaber der Ordnungspolizei*, Lublin, Bulletin du régiment n° 1, 7 janvier 1944, ZStL, Ord. 365A4, p. 242.

20. F. P., HG, p. 244.

21. Un homme du 101e bataillon avait avec lui un chien prénommé Ajax (H. K., Hoffmann, p. 2259).

22. On n'a presque jamais étudié la bizarre attitude des nazis à l'égard des animaux. Ce que je sais sur ce sujet doit beaucoup à Erich Goldhagen, qui a consacré un chapitre à cette question dans un livre à paraître. Pour des photographies d'animaux dans le zoo de Treblinka, voir Ernst Klee, Willi Dressen et Volker Riess, éd., *« The Good Old Days » : The Holocaust as Seen by Its Perpetrators and Bystanders*, New York, Free Press, 1988, p. 226-227.

23. KdO-Lublin, Bulletin n° 69 », 26 juin 1942, ZStL, Ord. 365w, p. 40.

24. Ou du moins, rien de tel n'est apparu au cours de mes recherches intensives. Le recours fréquent à d'autres unités, comme la *Gendarmerie*, souvent employée à l'extermination des Juifs dans les villes où elle était en garnison, montre que le régime considérait que tout Allemand était apte à participer au génocide.

25. Autant que je sache, aucune liste des tueries dues aux bataillons de police n'a jamais été publiée. Celle-ci, qui a pour source les documents de la ZStL, avec quelques compléments pris dans *Encyclopedia of the Holocaust* (4 vol., Israel Gutman, éd., New York, Macmillan, 1990), n'est pas exhaustive, mais elle est très éclairante. On notera que, souvent, plusieurs bataillons de police étaient associés pour une grande opération de fusillade ou de déportation. L'objectif de cette liste n'est pas de donner le total des victimes juives mais de présenter les grands massacres et le nombre de morts dont les bataillons se sont rendus coupables lors de ces opérations (bien des bataillons ont procédé à d'autres opérations, grandes ou petites). Ces chiffres incluent ceux de deux unités de la police d'Ordre qui n'étaient pas des bataillons de police au sens strict : le bataillon de gendarmerie motorisée et le 3e escadron de police montée, mais leur composition et leurs activités étaient identiques à celles des bataillons proprement dits. Ces deux unités opéraient dans la zone de Lublin et dans d'autres régions du Gouvernement général. Comme les 65e et 101e bataillons de police, elles faisaient partie du 25e régiment de police. On a aussi inclus les chiffres de la compagnie de réserve de la police de Cologne.

26. Voir, par exemple, Abschlussbericht, ZStL 202 AR-Z 82/61, p. 13-16, pour le 307e bataillon.

27. Omer Bartov, dans *The Eastern Front, 1941-1945 : German Troops and the Barbarization of Warfare* (Londres, Macmillan, 1985), a recours à cet argument à propos de la Wehrmacht en URSS.

28. La seule exception est, bien entendu, celle des raids meurtriers effectués par les Ukrainiens, les Lituaniens et les Lettons, une fois que les Allemands les eurent déchaînés contre les Juifs, dans les premiers jours de l'invasion de l'URSS. Bien que les Allemands aient pris l'initiative de ces tueries, et les aient organisées (en participant parfois aux fusillades), ils choisirent la plupart du temps d'être simplement spectateurs de la sauvagerie qu'ils avaient déclenchée.

29. Ces chiffres représentent l'hypothèse basse. Il est probable que le nombre des bataillons composés de nombreux réservistes était supérieur, mais je n'ai rien trouvé sur la composition de ces unités.

30. Il est absolument sûr que certains des hommes d'un autre bataillon, le 9e, répartis dans les *Einsatzkommandos*, savaient eux aussi qu'ils n'étaient pas obligés de tuer, puisque c'était la règle dans certains *Einsatzkommandos*, sinon dans tous. Le sujet sera traité au chapitre 15. Pour ne pas risquer une surestimation, je n'ai pas inclus ce bataillon dans mes calculs.

31. Voir, par exemple, P. K., ZStL 208 AR-Z 5/63, p. 503 ; sur les *Einsatzgruppen*, voir Klee, Dressen et Riess, *« The Good Old Days »*, p. 82.

32. O. P., Hoffmann, p. 3191-3192.

33. Plusieurs hommes du 309e bataillon de police, responsable de la boucherie et de l'incendie de Bialystok, ont parlé de leur chef, le capitaine B. en termes chaleureux. « Il était comme un père », disait l'un (E. B., Buchs, p. 1148). « C'était un père pour nous », disait un autre (A. E., Buchs, p. 1158). Voir aussi W. G., Buchs, p. 1384.

34. Bien que l'on ne sache pas combien refusèrent de tuer, tous ceux qui ont étudié cette question pensent qu'ils furent peu nombreux. Les preuves documentaires sont si dispersées qu'il faudrait plusieurs mois de travail simplement pour recenser les déclarations des hommes en ce sens. Mais celles que l'on connaît sentent souvent la fabrication. Sur cette question, voir Herbert Jäger, *Verbrechen unter totalitärer Herrschaft : Studien zur nationalsozialistischen Gewaltkriminalität*, Olton, Walter-Verlag, 1967, p. 79-160 ; Kurt

Hinrichsen, « Befehlsnotstand », dans Adalbert Rückerl, éd., *NS-Prozesse : Nach 25 Jahren Strafverfolgung*, Karlsruhe, Verlag C. F. Müller, 1971, p. 131-161 ; Daniel Goldhagen, « The "Cowardly" Executioner : On Disobedience in the SS », *Patterns of Prejudice* 19, n° 2 (1985), p. 19-32 ; et David H. Kitterman, « Those Who Said "No !" : Germans Who Refused to Execute Civilians During World War II », *German Studies Review* 11, n° 2 (mai 1988), p. 241-254. La question de savoir dans quelle mesure les hommes pouvaient refuser de tuer est étudiée plus longuement au chapitre 15.

35. On trouvera une évaluation identique dans Accusation, Hoffmann, p. 327.

36. E. G., Hoffmann, p. 2505.

37. E. G., Hoffmann, p. 4344.

38. E. G., Hoffmann, p. 2505.

39. E. G., Hoffmann, p. 4344.

40. A. B., Hoffmann, p. 6222r.

41. J. S., ZStL 208 AR-Z 24/63, p. 1371. Il appartenait au 3e escadron de police montée. Browning, dans *Ordinary Men*, après avoir remarqué que certains des hommes du 101e bataillon, dans leurs dépositions, usaient d'un langage qui « reflétait les stéréotypes nazis », affirme que les « paroles d'autres policiers reflétaient une sensibilité différente, une vision des Juifs comme êtres humains : ils étaient vêtus de haillons et presque morts de faim » (p. 152). Une telle déclaration ne prouve nullement que les Allemands reconnaissaient aux Juifs un caractère d'être humain, encore moins qu'ils voyaient en eux des « êtres humains victimisés ». L'antisémite le plus vicieux peut émettre la même observation factuelle sur l'état des Juifs, comme le faisait l'une des gardiennes les plus brutales de Helmbrechts (voir chapitre 13). De plus, pour appuyer son affirmation, Browning ne cite que cette déclaration. Les dépositions des hommes du 101e bataillon, qui représentent des milliers de pages, sont remarquablement vides de toute trace de reconnaissance par les Allemands de l'humanité des Juifs. Si ces sources étaient lues avec l'idée raisonnable que ces hommes partageaient la vision des Juifs martelée dans toute l'Allemagne nazie, alors il serait impossible de se forger une telle opinion. Browning ne s'appuie sur presque rien pour affirmer que ces hommes voyaient dans les Juifs des « êtres humains victimisés ». Quelle meilleure preuve que ce n'était pas le cas ?

QUATRIÈME PARTIE

Chapitre 10

1. Götz Aly et Susanne Heim, « The Economics of the Final Solution : A Case Study from the General Government », dans *Simon Wiesenthal Center Annual* 5 (1988), p. 3.

2. Aly et Heim, « The Economics of the Final Solution » et Susanne Heim et Götz Aly, « Die Oekonomie der "Endlösung" : Menschenvernichtung und wirtschaftliche Neuordnung », dans *Sozialpolitik und Judenvernichtung : Gibt es eine Oekonomie der Endlösung ?*, Berlin, Rotbuch Verlag, 1987, p. 11-90. Parmi ceux qui défendent la même thèse, citons Hans Mommsen, « The Realization of the Unthinkable : the "Final Solution of the Jewish Question" in the Third Reich » (dans Gerhard Hirschfeld, éd., *The Policies of Genocide : Jews and Soviet Prisoners of War in Nazi Germany*, Londres, Allen & Unwin, 1986, p. 119-127), ainsi que la plupart des historiens marxistes de la période. D'autres se sont vigoureusement opposés à cette vision erronée (voir les références dans la note 19 ci-dessous), mais n'ont pas su distinguer les principaux aspects du pseudo-« travail juif » sous le nazisme.

3. Comme il en va souvent des motifs, ceux-là n'étaient que partiellement identifiés par les différents acteurs. Voir Anthony Giddens, *The Constitution of Society : Outline of the Theory of Structuration*, Berkeley, University of California Press, 1984 (sur ce point, p. 6) [*La Constitution de la société*, Paris, PUF, 1987].

4. Pour des exemples, voir Max Weber, *L'Éthique protestante et l'esprit du capitalisme*, Paris, Plon, 1981 ; et Karl Marx, « The German Ideology », dans Robert C. Tucker, éd., *The Marx-Engels Reader*, 2e éd., New York, W. W. Norton, 1978, p. 146-200.

5. Pour la France, voir Stephen Wilson, *Ideology and Experience : Antisemitism in France at the Time of the Dreyfus Affair*, Rutherford, Fairleigh Dickinson University Press, 1982, p. 265 *sq.*, 626.

6. Martin Luther, *Von den Jueden und Iren Luegen*, cité dans Raul Hilberg, *The Destruction of the European Jews*, New York, New Viewpoints, 1973, p. 9 [*La Destruction des Juifs d'Europe*, Paris, Fayard, 1985].

7. Voir James F. Harris, *The People Speak! Anti-Semitism and Emancipation in Nineteenth-Century Bavaria*, Ann Arbor, University of Michigan Press, 1994, p. 134.

8. Klemens Felden, « Die Übernahme des antisemitischen Stereotyps als soziale Norm », thèse de doctorat, Ruprecht-Karl-Universität, Heidelberg, 1963, p. 20. Voir aussi p. 34-36.

9. Cité dans Nicoline Hortzitz, *« Früh-Antisemitismus » in Deutschland (1789-1871/72) : Strukturelle Untersuchungen zu Wortschatz, Text und Argumentation*, Tubingen, Max Niemeyer Verlag, 1988, p. 248 ; voir p. 182-184, 245-255, 312, pour d'autres exemples.

10. Voir, par exemple, Maria Zelzer, *Weg und Schicksal der Stuttgarter Juden : Ein Gedenkbuch*, Stuttgart, Ernst Klett Verlag, 1964, p. 178.

11. Adolf Hitler, *Mein Kampf*, Boston, Houghton Mifflin, 1971, p. 304, 314. Le cadre cognitif qui sous-tend la désignation culturelle d'une activité comme « travail » inclut sans aucun doute une idée de sanction sociale, de bénéfice global pour la société. Puisque la société existe et se reproduit largement grâce au travail, les antisémites virulents ont du mal à imaginer que les Juifs, êtres asociaux par définition, puissent accomplir un travail honnête. De même, ces antisémites ont du mal à concevoir les Juifs autrement que comme des menteurs congénitaux, et cela depuis Luther (« Des Juifs et de leurs mensonges ») jusqu'à Hitler – lequel, après avoir cité Schopenhauer, écrivait : « L'existence contraint le Juif à mentir et à mentir perpétuellement » (*Mein Kampf*, p. 305).

12. Hitler, *Mein Kampf*, p. 496-497. Le thème du parasitisme juif n'est abordé que brièvement dans *Mein Kampf*. En comparaison, voir son discours du 13 août 1920, entièrement consacré à la nature des Juifs et à leur péril. Voir Reginald H. Phelps, « Hitlers "Grundlegende" Rede über den Antisemitismus », *VfZ* 16, n° 4 (1968), p. 390-420.

13. Frank disait ensuite : « Depuis que les Juifs ont quitté Jérusalem, ils n'ont eu qu'une existence de parasites : cela est maintenant terminé » (extrait du *Journal de travail* de Frank, cité dans *Documents on the Holocaust : Selected Sources on the Destruction of the Jews of Germany and Austria, Poland, and the Soviet Union*, Jérusalem, Yad Vashem et Pergamon Press, 1987, p. 246-247. De même, le 12 septembre 1941, l'*Einsatzgruppe C* écrivait dans son rapport, sur le ton de l'étonnement, qu'on avait trouvé en Ukraine une « bizarrerie » : des communautés paysannes où les Juifs « n'étaient pas seulement cadres mais ouvriers agricoles ». Quelle idée se faisaient-ils de ce phénomène si peu attendu, des Juifs accomplissant un travail physique honnête ? « Autant que nous puissions en juger, il s'agit de Juifs peu intelligents qui n'ont pas été jugés aptes aux tâches importantes et ont été "exilés" à la campagne par les dirigeants politiques » (*The Einsatzgruppen Reports : Selections from the Dispatches of the Nazi Death Squads' Campaign Against the Jews in Occupied Territories of the Soviet Union, July 1941-January 1943*, Yitzhak Arad, Shmuel Krakowski et Shmuel Spector, éd., New York, Holocaust Library, 1989, p. 131-132.

14. Pour une analyse de ce thème, voir Alexander Bein, « Der Jüdische Parasit », *VfZ* 13, n° 2 (1965), p. 121-149.

15. Max Weber, *Economy and Society*, éd. Guenther Roth et Claus Wittich, Berkeley, University of California Press, 1978, vol. 1, p. 24-26.

16. Nur. Doc. 032-M, *IMT*, vol. 38, p. 130. Traduction anglaise citée dans « Propaganda in Education », *Shoah 3*, n°s 2-3 (automne/hiver 1982-1983), p. 31.

17. Eugen Kogon, *The Theory and Practice of Hell*, New York, Berkeley Medallion Books, 1968, p. 90. Kogon ajoute : « Souvent une grande partie du travail était sans nécessité ou mal organisé, et devait être recommencé deux ou trois fois. Des bâtiments entiers devaient être reconstruits, car leurs fondations s'étaient effondrées, faute de planification convenable. » Il souligne que les gardiens traitaient différemment Juifs et non-Juifs.

18. George E. Berkley, *Vienna and Its Jews : The Tragedy of Success, 1880-1980s*, Cambridge, Abt Books, 1988, p. 259. Voir aussi Herbert Rosenkranz, *Verfolgung und Selbstbehauptung : Die Juden in Oesterreich, 1938-1945*, Vienne, Herold, 1978, p. 22-23.

19. Pour les grands traits de la politique allemande du recours à la main-d'œuvre étrangère, je m'appuie beaucoup sur les ouvrages de Ulrich Herbert, notamment *Fremdarbeiter : Politik und Praxis des « Ausländer-Einsatzes » in der Kriegswirtschaft des Dritten Reiches*, Berlin, Verlag J. H. W. Dietz Nachf., 1985 ; « Arbeit und Vernichtung : Ökonomisches Interesse und Primat der 'Weltanschauung" im Nationalsozialismus », dans Dan Diner, éd., *Ist der Nationalsozialismus Geschichte ? Zu Historisierung und Historikerstreit*, Francfort, Fischer Verlag, 1987, p. 198-236 ; et « Der "Ausländereinsatz" : Fremdarbeiter und Kriegsgefangene in Deutschland, 1939-1945 – ein Überblick », dans *Herrenmensch und Arbeitsvölker : Ausländische Arbeiter und Deutsche, 1939-1945*, Berlin, Rotbuch Verlag, 1986, p. 13-54 ; et Falk Pingel, *Häftlinge unter SS-Herrschaft : Widerstand, Selbstbehauptung und Vernichtung im Konzentrationslager*, Hambourg, Hoffmann und Campe, 1978.

20. Sur le processus, voir Avraham Barkai, *From Boycott to Annihilation : The Economic Struggle of German Jews, 1933-1943*, Hanover, University Press of New England, 1989, p. 57, 110-124.

21. Voir Albert Speer, *The Slave State : Heinrich Himmler's Masterplan for SS Supremacy*, Londres, Weidenfeld & Nicolson, 1981, p. 5-6 [*L'Empire SS*, Paris, Robert Laffont, 1982].

22. Ulrich Herbert, *A History of Foreign Labor in Germany, 1880-1980 : Seasonal Workers/Forced Laborers/Guest Workers*, Ann Arbor, University of Michigan Press, 1990, p. 131-139 ; Herbert, *Fremdarbeiter*, p. 96 ; et Herbert, « Der "Ausländereinsatz" », p. 23.

23. Voir *Nazism*, p. 1059.

24. Israel Gutman, *The Jews of Warsaw, 1939-1943 : Ghetto, Underground, Revolt*, Bloomington, Indiana University Press, 1989, p. 73. En décembre 1940, par rapport à l'avant-guerre, le travail juif ne représentait plus qu'une fraction de ce qu'il avait été avant la guerre : 12 % dans l'industrie et 16 % dans le commerce. Le ghetto n'avait pratiquement pas de capitaux, et les Allemands répugnaient à payer les artisans, qui ne demandaient pourtant que la couverture des dépenses de nourriture. « Les "ateliers" du ghetto ne connurent une certaine expansion (limitée) qu'à la fin de 1941 et au printemps de 1942, notamment parce que le bruit courait que la déportation était imminente, comme dans d'autres villes et ghettos. Mais même à ce stade, le nombre des "ateliers" n'était que de quatre mille » (p. 74-75). En décembre 1941, sur quelque 400 000 habitants du ghetto, 65 000 seulement avaient un travail (p. 77). La situation pouvait être différente dans certains autres grands ghettos, comme celui de Lodz, dont on parle ci-dessous. Certains commandants allemands reconnaissaient qu'il serait intéressant de rendre les ghettos productifs, car cela aurait pour effet de prolonger la vie du ghetto et donc leur propre position, si confortable.

25. *Faschismus – Getto – Massenmord : Dokumentation über Ausrottung und Widerstand der Juden in Polen während des zweiten Weltkrieges*, Francfort, Röderberg-Verlag, s.d., p. 112 ; *Nazism*, p. 1066 ; Gutman, *The Jews of Warsaw*, p. 60 ; et Lucy S. Dawidowicz, *The War Against the Jews, 1933-1945*, New York, Bantam Books, 1975, p. 280-291.

26. *Nazism*, p. 1067. Bien entendu, les Polonais avaient des moyens de compléter ces rations ; mais pour les Juifs enfermés dans le ghetto, s'aventurer au-dehors pour chercher de la nourriture signifiait risquer sa vie.

27. Voir la ration journalière sur une carte de ravitaillement pour Juif de janvier à août 1941 dans *Faschismus – Getto – Massenmord*, p. 136. La moyenne quotidienne était de 200 calories.

28. Gutman, *The Jews of Warsaw*, p. 62-65 ; *Nazism*, p. 1070 ; et *Faschismus – Getto – Massenmord*, p. 138. En août 1939, sur une population de 360 000, il y eut 360 morts, soit un taux de 0,1 % (*ibid.*, p. 140).

29. Voir Gutman, *The Jews of Warsaw*, p. 62-65 ; et Herbert, *A History of Foreign Labor in Germany*, p. 177.

30. En 1940 et 1941, les Allemands firent quelques efforts pour rendre productifs les Juifs de Pologne, mais sans cesser leur politique de famine organisée, génératrice de maladies. Ce qui illustre bien le paradoxe de l'attitude des Allemands à l'égard du « travail » juif. Voir Gutman, *The Jews of Warsaw*, p. 73-74.

31. Herbert, « Arbeit und Vernichtung », p. 213.

32. Voir Speer, *The Slave State*, p. 281-282.

33. Nur. Doc. 1201-PS ; pour une étude globale du traitement des prisonniers de guerre, voir Alfred Streim, *Die Behandlung sowjetischer Kriegsgefangener im « Fall Barbarossa » : Eine Dokumentation*, Heidelberg, C. F. Müller Juristischer Verlag, 1981.

34. Herbert, « Der "Ausländereinsatz" », p. 17.

35. Sur les prisonniers de guerre soviétiques, voir Christian Streit, *Keine Kameraden : Die Wehrmacht und die sowjetischen Kriegsgefangenen, 1941-1945*, Stuttgart, Deutsche Verlags-Anstalt, 1978, p. 191-216, 238-288 ; sur l'emploi des Soviétiques en général, voir Herbert, *A History of Foreign Labor in Germany*, p. 143-146 ; sur les conséquences économiques du massacre des Juifs, voir Hilberg, *The Destruction of the European Jews*, p. 332-345.

36. Voir Konnilyn G. Feig, *Hitler's Death Camps*, New York, Holmes & Meier, 1981.

37. Voir Czeslaw Madajczyk, « Concentration Camps as a Tool of Oppression in Nazi-Occupied Europe », dans *The Nazi Concentration Camps : Structure and Aims, The Image of the Prisoner, The Jews in the Camps*, Jérusalem, Yad Vashem, 1984, p. 54-55. Pour une étude plus approfondie de la mortalité dans les camps, voir le chapitre suivant.

38. « Lodz », *Encyclopedia of the Holocaust*, éd. Israel Gutman, New York, Macmillan, 1990, p. 904-908 ; et Dawidowicz, *The War Against the Jews*, p. 188, 196-197, 393-398.

39. Hilberg, *The Destruction of the European Jews*, p. 327.

40. Sur l'opération Fête de la moisson, voir Yitzhak Arad, *Belzec, Sobibor, Treblinka : The Operation Reinhard Death Camps*, Bloomington, Indiana University Press, 1987, p. 365-369.

41. Herbert, « Arbeit und Vernichtung », p. 222-223. Sur ce qu'en dit Speer, voir *The Slave State*, p. 22-25.

42. La ventilation entre les Juifs tués et les Juifs mobilisés pour un « travail » vient de Herbert (« Arbeit und Vernichtung », p. 232). Randolf L. Braham, dans *The Politics of Genocide : The Holocaust in Hungary* (New York, Columbia University Press, 1994, vol. 2, p. 792), accepte l'estimation de Rudolf Höss dans *Kommandant in Auschwitz : Autobiographische Aufzeichnungen* (Martin Broszat, éd., Munich, Deutscher Taschenbuch Verlag, 1987), pour qui les Allemands en ont gazé près de 400 000 sur 435 000 à Auschwitz (p. 167).

43. Yisrael Gutman a raconté ce qui était arrivé à plusieurs convois en provenance de Hongrie, où les Allemands ne prélevèrent qu'une poignée de travailleurs (sept dans un cas, dix-neuf dans un autre, cinq dans un troisième) et gazèrent tous les autres Juifs sur-le-champ. Voir « Social Stratification in the Concentration Camps », dans *The Nazi Concentration Camps*, p. 143-176, p. 148.

44. Herbert, *A History of Foreign Labor in Germany*, p. 154-156.

45. Nur. Docs. 3663-PS et 3666-PS, *Nazi Conspiracy and Aggression*, Washington, United States Government Printing Office, 1946, vol. 6, p. 401-403. Voir Hilberg (*The Destruction of the European Jews*, p. 232-234), sur cet échange de lettres.

46. Voir, par exemple, Nur. Doc. L-61, *Nazi Conspiracy and Aggression*, vol. 7, p. 816-817. La politique des Allemands à l'égard des autres races « inférieures » était aussi influencée par leur idéologie raciste et allait donc à l'encontre de la rationalité économique, mais d'une façon beaucoup moins marquée. Voir Herbert, *A History of Foreign Labor in Germany*, p. 190.

Chapitre 11

1. La complexe et confuse nomenclature nazie des camps (exposée au chapitre 5) ne sera pas reprise ici, car dans le cas des Juifs elle ne signifiait pas grand-chose. Nous emploierons le terme de camp de « travail » quand, officiellement, la fonction première de ce camp aura été le travail, quelle que soit la façon dont les Allemands ont nommé ce camp. Pour une description des camps de « travail » du district de Lublin, voir Accusation, Hoffmann *et al.*, ZStL 208 AR-Z 268/59, p. 316-329.

2. « Majdanek », *Encyclopedia of the Holocaust*, Israel Gutman, éd., New York, Macmillan, 1990, p. 939.

3. Konnilyn G. Feig, *Hitler's Death Camps*, New York, Holmes & Meier, 1981, p. 322.

4. Il utilise ironiquement le terme « travail », conformément à l'usage allemand de l'époque.

5. Joseph Schupack, *Tote Jahre : Eine jüdische Leidensgeschichte*, Tubingen, Katzmann, 1984, p. 138.
6. Cité dans Edward Gryn et Zofia Murawska, *Majdanek Concentration Camp*, Lublin, Wydawnictwo Lubelskie, 1966, p. 34-35.
7. Un autre survivant a raconté que, après quelques jours passés dans le camp : « On nous a fait transporter des pierres. Ce travail était souvent sans aucune utilité, et, selon moi, l'objectif était d'abord d'occuper les prisonniers et de les humilier. Tout cela était extrêmement inhumain », H. A., in ZStL 407 AR-Z 297/60, p. 1418.
8. Sur Majdanek, voir Jugement, Hermann Hackmann *et al.*, Landgericht Düsseldorf 8 Ks 1/75, 2 vol. ; Accusation, Hermann Hackmann *et al.*, ZSt Köln 130 (24) Js 200/62(Z) ; « Majdanek », *Encyclopedia of the Holocaust*, p. 937-940 ; Eugen Kogon, Hermann Langbein et Adalbert Rückerl, éd., *Nazi Mass Murder : A Documentary History of the Use of Poison Gas*, New Haven, Yale University Press, 1993, p. 174-177 ; et Heiner Lichtenstein, *Majdanek : Reportage eines Prozesses*, Francfort, Europäische Verlagsanstalt, 1979.
9. Ces deux camps n'ont pas été étudiés par les historiens du nazisme et de l'Holocauste, même si certains y font parfois brièvement référence. Seule exception connue de moi, les pages consacrées par Shmuel Krakowski à la vie des Juifs polonais prisonniers de guerre à Lipowa dans *The War of the Doomed : Jewish Armed Resistance in Poland, 1942-1944* (New York, Holmes & Meier, 1984, p. 260-271) il n'y parle que des prisonniers de guerre (et sans évoquer la cérémonie de dégradation, ce qui est surprenant) et ne nous apprend pas grand-chose sur la vie quotidienne dans le camp. Les sources utilisées ici viennent de l'enquête judiciaire contre le SSPF Lublin, ZStL 208 AR-Z 74/60 (désormais référencé ici SSPF Lublin).
10. Sur le camp, voir Aktenvermerk, SSPF Lublin, p. 8364-8377 et Accusation, M., SSPF Lublin, p. 11266-11279 ; sur les premiers temps du camp, voir p. 8372.
11. Accusation M., SSPF Lublin, p. 11267-11268 ; et Aktenvermerk, SSPF Lublin, p. 8372. Krakowski donne des chiffres légèrement différents (*The War of the Doomed*, p. 261).
12. Accusation, SSPF Lublin, p. 11279.
13. Il est difficile de savoir combien il y a eu de Juifs dans ce camp. Voir Aktenvermerk, SSPF Lublin, p. 8375-8377, pour une évaluation ; et Accusation, M., SSPF Lublin, p. 11277-11278, pour les chiffres combinés de Lipowa et de deux autres camps (Flughafenlager et la scierie Pulawy) placés sous sa juridiction économique.
14. Aktenvermerk, SSPF Lublin, p. 8380-8381.
15. Aktenvermerk, SSPF Lublin, p. 8382.
16. Accusation, M., SSPF Lublin, p. 11275.
17. Nur. Docs. NO-555 et NO-063, dans « U. S. v. Pohl *et al.* », *TWC*, vol. 5, p. 536-545.
18. Enno Georg, *Die Wirtschaftlichen Unternehmungen der SS*, Stuttgart, Deutsche Verlags-Anstalt, 1963, p. 61, 96.
19. Accusation, M., SSPF Lublin, p. 11280-11281.
20. Aktenvermerk, SSPF Lublin, p. 8442-8443.
21. Pour un exposé d'ensemble sur les pratiques meurtrières des Allemands, voir Aktenvermerk, SSPF Lublin, p. 8425-8428, 8442-8471.
22. Voir Aktenvermerk, SSPF Lublin, p. 8425-8429 ; et J. E., SSPF Lublin, p. 4030. Un ancien prisonnier a raconté que les gardiens ukrainiens avaient également construit une sorte de « couloir à coups » que les Juifs devaient traverser en courant (Aktenvermerk, SSPF Lublin, p. 8418).
23. Il faut le redire : bien d'autres événements « remarquables » ont dû se produire, sans qu'aucun survivant soit là pour les raconter.
24. Voir Shmuel Krakowski, « The Fate of Jewish Prisoners of War in the September 1939 Campaign », *YVS* 12 (1977), p. 297-333.
25. M. K., SSPF Lublin, p. 7194. Pour une étude d'ensemble du traitement des prisonniers dans les camps, voir Wolfgang Sofsky, *Die Ordnung des Terrors : Das Konzentrationslager*, Francfort, Fischer Verlag, 1993, p. 98-103.
26. Deux exemples dans J. Z., SSPF Lublin, p. 7188 ; et P. O., SSPF Lublin, p. 7191.
27. Voir Orlando Patterson, *Slavery and Social Death : A Comparative Study*, Cambridge, Harvard University Press, 1982, p. 51-62. Ce chapitre étudie les « rituels et marques de l'asservissement ».

28. Néanmoins, les prisonniers de guerre juifs finirent par être mieux traités que les Juifs de Lublin. Selon l'un des survivants, c'était parce que « [ils étaient] organisés militairement et [portaient] l'uniforme » (J. E., SSPF Lublin, p. 4029). Sur la situation des prisonniers de guerre juifs à Lipowa, voir Krakowski, *The War of the Doomed*, p. 260-271.

29. J. E., SSPF Lublin, p. 4031. E. a également évoqué Dressler traversant le ghetto à cheval tel un seigneur (scène caractéristique du comportement des Allemands). Un jour, il repéra une femme dans la rue Warschawska et lui tira une balle dans la tête du haut de son cheval.

30. Aktenvermerk, SSPF Lublin, p. 8412-8418.

31. Pour un résumé de ce que l'enquête judiciaire sur Lipowa a pu découvrir sur chaque gardien, voir Aktenvermerk, SSPF Lublin, p. 8400-8412.

32. Aktenvermerk, SSPF Lublin, p. 8404-8405.

33. Voir Aktenvermerk, SSPF Lublin, p. 8404-8406. L'un d'eux refusa d'obéir à un ordre du commandant lui enjoignant de pendre un Juif (sans être lourdement sanctionné).

34. Voir Vorbemerkung, SSPF Lublin, p. 10394, sur ses différents noms. Bien qu'il fût baptisé Flughafen, il n'y avait pas d'aérodrome.

35. Sur l'histoire de ces installations, voir Vorbemerkung, SSPF Lublin, p. 10397-10402.

36. Vorbemerkung, SSPF Lublin, p. 10403.

37. Vorbemerkung, SSPF Lublin, p. 10413.

38. Vorbemerkung, SSPF Lublin, p. 10396. Les survivants avaient tous été détenus à l'usine d'habillement.

39. A. F., SSPF Lublin, p. 6681 ; et Vorbemerkung, SSPF Lublin, p. 10410-10411.

40. Sauf mention contraire, les informations qui suivent viennent toutes de A. F., SSPF Lublin, p. 6680-6688.

41. Là-dessus, ce que j'ai pu découvrir est maigre. De tous les Juifs qui étaient dans ce camp, un seul nom est connu et encore phonétiquement. Voir Vorbemerkung, SSPF Lublin, p. 10400, 10410-10411, 10418-10428. Aussi, malheureusement, chaque victime ne peut être évoquée qu'anonymement, comme « le Juif », privée de l'individualité que l'on devrait avoir présente à l'esprit en évoquant les actes criminels dont elle fut l'objet.

42. Sur sa vie et son caractère, voir SSPF Lublin, p. 10502-10508.

43. Il pensait que l'homme était mort, mais il n'en était pas certain car Dietrich l'avait envoyé ailleurs avant qu'il ne puisse le vérifier.

44. SSPF Lublin, p. 10517.

45. Voir SSPF Lublin, p. 10507, pour un autre témoignage sur ce point.

46. Faute de survivant, on sait peu de chose sur la vie dans ce camp. Mais tout laisse penser que les conditions y étaient les mêmes que dans le camp des femmes.

47. Vorbemerkung, SSPF Lublin, p. 10412-10413. Les chiffres donnés ici viennent avant tout des estimations des gardiens et des anciens prisonniers.

48. Vorbemerkung, SSPF Lublin, p. 10430.

49. Vorbemerkung, SSPF Lublin, p. 10402-10403.

50. Sur la dimension économique de l'*Aktion Reinhard*, voir « U. S. v. Pohl *et al.* », *TWC*, vol. 5, p. 692-763 ; et Vorbemerkung, SSPF Lublin, p. 10402-10403.

51. Vorbemerkung, SSPF Lublin, p. 10439-10440.

52. Vorbemerkung, SSPF Lublin, p. 10439-10440.

53. S. R., cité dans Vorbemerkung, SSPF Lublin, p. 10446.

54. Vorbemerkung, SSPF Lublin, p. 10447-10448.

55. Vorbemerkung, SSPF Lublin, p. 10447.

56. A. F., SSPF Lublin, p. 6683.

57. Vorbemerkung, SSPF Lublin, p. 10431-10433.

58. Nur. Docs. NO-059 et NO-062, dans « U. S. v. Pohl *et al.* », *TWC*, vol. 5, p. 725-731.

59. Vorbemerkung, SSPF Lublin, p. 10447.

60. Vorbemerkung, SSPF Lublin, p. 10440.

61. C'est précisément parce que les Juifs étaient devenus si faibles et avaient été arrachés à leurs ateliers et à leurs machines (les entreprises Osti n'avaient pas le capital suffisant pour remplacer ces équipements), que les entreprises Osti firent faillite à l'automne 1943, malgré le faible coût de leur main-d'œuvre. Voir Raul Hilberg, *The Destruction of*

the European Jews, New York, New Viewpoints, 1973, p. 340 [*La Destruction des Juifs d'Europe*, Paris, Fayard, 1985] ; Nur. Doc. NO-1271, dans « U. S. v. Pohl *et al.* », *TWC*, vol. 5, p. 512-528, pour l'audit interne à l'Osti du 21 juin 1944 ; voir notamment p. 519-520 ce qui est dit de l'histoire de la fonderie du Flughafenlager, exemple colossal d'irrationalité économique. La fabrique de brosses semble avoir été à peu près viable.

62. Dans les deux périodes de la vie du camp, l'infirmerie aura été un lieu de mort. G., l'Allemand le plus redouté du camp, y procédait régulièrement à un « nettoyage » des malades, abattus sur place ou envoyés à Majdanek pour y être gazés. S. R., qui y était infirmière dans la première période (et la femme du médecin juif qui dirigeait l'infirmerie), a raconté que, devant ces « sélections », son mari et elle avaient décidé que, à l'exception des plus malades, tous les autres seraient rapidement déclarés bons pour le « travail » et renvoyés dans leurs quartiers, malgré l'affection dont ils souffraient (SSPF Lublin, p. 10525-10526).

63. Vorbemerkung, SSPF Lublin, p. 10441.

64. Pour une analyse éclairante de l'objectif et de la fonction des exécutions publiques, voir Michel Foucault, *Surveiller et punir : Naissance de la prison*, Paris, Gallimard, 1975.

65. E. T., SSPF Lublin, p. 10973.

66. Vorbemerkung, SSPF Lublin, p. 10444-10445.

67. A Majdanek, un jeune Juif orthodoxe qui s'était déclaré prêt à travailler deux fois plus si on lui laissait observer le sabbat s'était caché un samedi sous le plancher des latrines : « Mais on l'a trouvé, et, à l'appel du matin, il a été pendu devant tout le monde. Si je me souviens bien, l'Oberkapo était chargé de l'exécution. C'était un Allemand ethnique particulièrement vicieux. Après avoir pendu le jeune Juif, il est monté sur l'échelle et lui a pissé dessus » (H. A., ZStL 407 AR-Z 297/60, p. 1418).

68. Vorbemerkung, SSPF Lublin, p. 10445-10446.

69. E. T., SSPF Lublin, p. 10970.

70. E. T., SSPF Lublin, p. 3414-3415.

71. Un survivant se rappelait un de ces cas. Sans motif apparent, il avait obligé à se déshabiller une jeune Juive, qui pouvait avoir de 18 à 22 ans, puis il l'avait fouettée jusqu'à ce qu'elle meure, sous les yeux d'autres femmes de l'atelier de cordonnerie (SSPF Lublin, p. 10545).

72. Vorbemerkung, SSPF Lublin, p. 10443. Il semble que certains Allemands aient violé des prisonnières juives de ce camp, ce qui était inhabituel.

73. Sur la biographie de Wirth, voir Robert Wistrich, *Wer war wer im Dritten Reich ? Ein biographisches Lexikon*, Francfort, Fischer Taschenbuch Verlag, 1987, p. 379-380. Le passage de Wirth à l'usine d'habillement n'est pas mentionné dans sa notice.

74. Vorbemerkung, SSPF Lublin, p. 10443.

75. On trouvera une analyse éclairante de la symbolique des portes dans Peter Armour, *The Door of Purgatory : A Study of Multiple Symbolism in Dante's Purgatorio*, Oxford, Clarendon Press, 1983, notamment p. 100-118.

76. J. E., SSPF Lublin, p. 5237-5238.

77. Un survivant a dit qu'on lui avait raconté que l'enfant avait tiré sur son père et sa mère (C. P., SSPF Lublin, p. 9410).

78. Il y a eu un autre enfant. On dit que Wirth aurait laissé en vie quelque temps un nouveau-né, au lieu de l'envoyer directement à Majdanek, comme c'était l'habitude (Vorbemerkung, SSPF Lublin, p. 10441).

79. Vorbemerkung, SSPF Lublin, p. 10440-10442. Il y eut aussi un mariage organisé par les prisonniers à Treblinka, auquel assistèrent certains SS, mais rien qui ressemblât à la grande fête racontée ici. Voir Yitzhak Arad, *Belzec, Sobibor, Treblinka : The Operation Reinhard Death Camps*, Bloomington, Indiana University Press, 1987, p. 236.

80. Vorbemerkung, SSPF Lublin, p. 10441-10442. Voir aussi *IMT*, vol. 20, p. 492-495. Cette fête eut aussi sa part d'atrocité, comme si les Allemands ne pouvaient pas s'empêcher de priver les Juifs de tout répit : le lendemain, il y eut une autre cérémonie, la pendaison publique de deux Juifs. Comme le montre l'histoire des camps (et Wirth connaissait bien leur fonctionnement), ce genre de ruse n'était pas nécessaire pour obtenir l'obéissance des prisonniers : ils étaient prêts à travailler pour rester en vie, même s'ils savaient

qu'il ne s'agissait que d'un sursis. Néanmoins, dans certains camps, les Allemands cherchèrent à endormir les craintes des Juifs. Voir Arad, *Belzec, Sobibor, Treblinka*, p. 226-236.

81. E. T., SSPF Lublin, p. 3414.

82. Pour un exposé général sur la vie et le travail dans les camps, voir Feig, *Hitler's Death Camps*; sur Auschwitz, voir Hermann Langbein, *Menschen in Auschwitz*, Francfort, Ullstein, 1980; sur Buchenwald, voir Eugen Kogon, *The Theory and Practice of Hell*, New York, Berkeley Medallion Books, 1968; sur Mauthausen, voir Benjamin Eckstein, « Jews in the Mauthausen Concentration Camp », dans *The Nazi Concentration Camps : Structure and Aims, The Image of the Prisoner, The Jews in the Camps*, Jérusalem, Yad Vashem, 1984, p. 257-271; sur Plaszow, voir Jugement, Franz Josef Müller, Mosback Ks 2/61, Jugement, Kurt Heinrich, Hannover 11 Ks 2/76, et Malvina Graf, *The Kraków Ghetto and the Plaszów Camp Remembered*, Tallahassee, Florida State University Press, 1989, p. 86-140; sur Budzyn et Krasnik, voir SSPF Lublin, notamment vol. 46; et sur Poniatowa et Trawniki, voir ZStL 208 AR-Z 268/59.

83. « Estimated Jewish Losses in the Holocaust », *Encyclopedia of the Holocaust*, p. 1797-1802. Dans certains pays, les Allemands traitèrent les Tsiganes comme les Juifs et en exterminèrent systématiquement plus de 200 000. Néanmoins, malgré des ressemblances globales, il y avait des différences importantes dans la manière de traiter les deux peuples. Voir « Gypsies », *Encyclopedia of the Holocaust*, p. 634-638 ; et Donald Kenrick et Grattan Puxon, *Destins gitans : des origines à la Solution finale*, Paris, Calmann-Lévy, 1974.

84. Danuta Czech, éd., *Kalendarium der Ereignisse im Konzentrationslager Auschwitz-Birkenau, 1939-1945*, Reinbek, Rowohlt Verlag, 1989, à la date du 5 octobre 1942; et Falk Pingel, *Häftlinge unter SS-Herrschaft : Widerstand, Selbstbehauptung und Vernichtung im Konzentrationslager*, Hambourg, Hoffmann und Campe, 1978, p. 140.

85. Voir « Forced Labor », *Encyclopedia of the Holocaust*, p. 501 ; et Albert Speer, *The Slave State : Heinrich Himmler's Masterplan for SS Supremacy*, Londres, Weidenfeld & Nicolson, 1981, p. 281-282.

86. Que la situation des Juifs dans le monde du travail concentrationnaire ait été radicalement différente de celle des autres prisonniers se voit bien dans les tentatives faites pour distinguer des périodes dans l'histoire des camps. Ainsi Pingel divise-t-il l'histoire des camps en trois périodes : 1933-1936, période des « camps spéciaux pour ennemis politiques »; 1936-1941, « premiers sacrifices pour l'armement et la guerre »; 1942-1944, « production d'armement et extermination de masse ». Dans le cas des Juifs, cette dernière période était celle d'Auschwitz, Chelmno, Treblinka, Belzec et Sobibor, le moment de la plus grande extermination possible. Pour les non-Juifs, c'étaient des années de mobilisation pour la production. Ainsi, dans cette dernière période, le système des camps comprenait-il deux systèmes fonctionnellement distincts, l'un pour l'extermination des Juifs, l'autre pour l'exploitation économique d'une population essentiellement non juive. Cette troisième période, distinguée par Pingel sous le nom de « production d'armement et extermination de masse », recouvre en réalité deux systèmes différents, fonctionnellement distincts, même s'ils se recoupaient spatialement. Voir Pingel, *Häftlinge unter SS-Herrschaft*, Inhalt (contenus).

87. Pingel, *Häftlinge unter SS-Herrschaft*, p. 186. Sofsky, généralisant à l'excès, dit que les camps de travail n'étaient pas une forme d'asservissement mais un moyen de tuer les prisonniers, ce qui n'est pas vrai pour la majorité des prisonniers non juifs, comme le montrent les statistiques de mortalité selon les groupes et la mobilisation de millions de travailleurs non juifs dans les camps et dans le reste de l'économie allemande. Sofsky fonde sa généralisation sur les conditions de vie dans un nombre relativement restreint de camps, et non sur l'ensemble du recours à la main-d'œuvre étrangère dans les camps et ailleurs. Ce qu'il dit est faux même pour les « camps de concentration », et encore plus pour le traitement général des travailleurs étrangers. Guidé par un cadre interprétatif déficient, qui lui fait sous-estimer systématiquement les grandes différences de destin entre différents groupes de prisonniers, il commet l'erreur d'étendre à tous les autres groupes la spécificité du « travail » juif, la mort. Voir *Die Ordnung des Terrors*, p. 193-225, notamment p. 215-219. On peut dire la même chose de ses considérations sur le travail sans objet (p. 199, 219). Hermann Langbein, qui avait une connaissance personnelle d'Auschwitz et d'autres

camps, concluait : « Les Juifs étaient toujours au dernier rang de cette hiérarchie. On les affectait toujours au travail le plus pénible, et même, c'était une sorte de principe de ne jamais affecter à une bonne unité quelqu'un qui portait l'étoile de David sur son uniforme rayé » (« Work in the Concentration Camp System », *Dachau Review* 1, p. 107).

88. Sur Mauthausen, voir Feig, *Hitler's Death Camps*, p. 116-128. Beaucoup ont prétendu (les nazis eux-mêmes, leurs défenseurs d'après-guerre, des historiens contemporains) que la mort des Juifs dans les camps de travail était due aux privations du temps de guerre, et notamment à la pénurie de vivres. L'exemple de Mauthausen est un de ceux qui montrent que cette idée n'est pas soutenable. Les Allemands étaient parfaitement en mesure de modifier rapidement et fortement le taux de mortalité de leurs prisonniers. Ils étaient en mesure de le faire en distinguant précisément entre les groupes. Parallèlement au changement observé à Mauthausen, les Allemands ont réduit le taux de mortalité dans l'ensemble des camps de 10 % en décembre 1942 à 2,8 % en mai 1943 (Nur. Doc. 1469-PS, dans « U. S. v. Pohl *et al.* », *TWC*, vol. 5, p. 381), quand la décision fut prise de réorienter les camps vers la production. Et cela fut réalisé malgré une considérable augmentation du nombre des prisonniers, à un moment où le ravitaillement était moins abondant qu'il ne l'avait été quand les Juifs de Varsovie et du reste de l'Europe mouraient de famine (quand certains voudraient nous faire croire que c'était en raison de la pénurie). Pingel analyse les différentes mesures prises par Himmler, Oswald Pohl et l'administration des camps en 1943 et 1944 pour améliorer les espérances de vie des prisonniers non juifs des camps. Voir *Häftlinge unter SS-Herrschaft*, p. 133-134, 181-187.

89. Pingel, *Häftlinge unter SS-Herrschaft*, p. 140.

90. Voir Israel Gutman, « Social Stratification in the Concentration Camps », dans *The Nazi Concentration Camps*, p. 169-173.

91. Pour une synthèse sur les différents types de traitement, voir Pingel, *Häftlinge unter SS-Herrschaft*, p. 92-93. Cela ne veut pas dire que certains non-Juifs, en particulier des Russes, n'aient pas eu la même fin que les Juifs, notamment sur ces grands chantiers. Mais dans leur cas, c'était l'exception, non la règle.

92. Herbert, *A History of Foreign Labor in Germany*, p. 164-165 ; et aussi « Der "Ausländereinsatz" », p. 37-38. Étant donné qu'il y avait plus de sept millions de travailleurs étrangers en Allemagne, il est naturel qu'il y ait eu des variations. Que les gens les plus bas dans la hiérarchie fussent en mesure d'influencer les conditions de vie des prisonniers s'observe dans le cas des camps, notamment en ces rares occasions où des gardiens brutaux furent remplacés par des gardiens plus humains, avec pour conséquence une amélioration radicale de la vie des Juifs. Voir, par exemple, Aharon Weiss, « Categories of Camps – Their Character and Role in the Execution of the "Final Solution of the Jewish Question" », dans *The Nazi Concentration Camps*, p. 129. Ce qui était vrai pour le paysan allemand, loin de tout contrôle, seigneur de sa ferme, était également vrai pour l'institution totalitaire du camp : le rôle des petits y était important, quel que fût le régime.

93. Voir Nur. Doc. 205-PS, in *Nazi Conspiracy and Aggression*, Washington, United States Government Printing Office, 1946, p. 218-222 ; et Herbert, « Der "Ausländereinsatz" », p. 34-35. Le principal thème de cette campagne d'éducation était que tous les peuples européens, Russes compris, étaient unis contre le bolchevisme : « Les travailleurs étrangers employés dans le Reich doivent être traités de manière à ce qu'on puisse compter sur eux... Même l'homme le plus primitif sait reconnaître la justice ! Aussi, tout traitement injuste a-t-il sur lui de très mauvais effets. Injustices, moqueries, mauvais traitements, etc., ne peuvent plus durer. Les châtiments corporels sont interdits » (voir Nur. Doc. 205-PS, dans *Nazi Conspiracy and Aggression*, vol. 3, p. 219). Impossible d'imaginer que les nazis aient pu entreprendre une pareille campagne dans le cas des Juifs, avec des slogans comme « Les Juifs sont des Européens comme nous » ou « Nous ne combattons pas les Juifs mais l'idée du judaïsme ».

94. Voir la documentation réunie dans « Dokumentation : Ausgrenzung – Deutsche, Behörden und Ausländer » (dans *Herrenmensch und Arbeitsvölker : Ausländische Arbeiter und Deutsche, 1939-1945*, Berlin, Rotbuch Verlag, 1986, p. 131-141, notamment p. 136-138) ; voir aussi Herbert, « Der "Ausländereinsatz" » (p. 36-37), et *Fremdarbeiter* (p. 201-205). Pour Herbert, le traitement réservé aux différents peuples par les Allemands « correspondait pour l'essentiel aux préjugés de la population ». Voir « Der "Ausländereinsatz" », p. 36.

95. Dans les premiers temps, les Russes étaient traités d'une manière monstrueuse (voir Herbert, « Der "Ausländereinsatz" », p. 31-34), sur les conditions de vie meurtrières que les Allemands imposèrent aux 600 000 prisonniers de guerre italiens qui refusèrent de se battre avec eux après la chute de Mussolini (*ibid.*, p. 35-36).

96. *Meldungen aus dem Reich, 1938-1945 : Die geheimen Lageberichte des Sicherheitsdienstes der SS*, Heinz Boberach, éd., Herrsching, Pawlak Verlag, 1984, vol. 13, p. 5131.

97. *Ibid.*, p. 5134.

98. *Ibid.*, vol. 11, p. 4235-4237.

99. Robert Gellately, *The Gestapo and German Society : Enforcing Racial Policy, 1933-1945*, Oxford, Clarendon Press, 1990, p. 226-227.

100. Voir *Meldungen aus dem Reich*, vol. 10, p. 3978-3979 ; et Herbert, « Der "Ausländereinsatz" », p. 31, 37-39.

101. Gellately, *The Gestapo and German Society*, p. 234.

102. Voir, par exemple, Joachim Lehmann, « Zwangsarbeiter in der deutschen Landwirtschaft, 1939 bis 1945 », dans Ulrich Herbert, éd., *Europa und der « Reichseinsatz » : Ausländische Zivilarbeiter, Kriegsgefangene und KZ-Häftlinge in Deutschland, 1938-1945*, Essen, Klartext Verlag, 1991, p. 127-139, 132-136. Cette flexibilité au niveau individuel est parallèle à celle que l'on retrouve au niveau politique quand les Allemands acceptèrent de faire venir des prisonniers de guerre en Allemagne après l'avoir préalablement interdit.

103. Voir Herbert, *A History of Foreign Labor in Germany*, p. 190.

104. *Nazism*, p. 1065.

105. A l'appui des affirmations de ce paragraphe, voir, dans le cas des Polonais, Jochen August, « Erinnern an Deutschland : Berichte polnischer Zwangsarbeiter », dans *Herrenmensch und Arbeitsvölker*, p. 109-129. Les documents cités dans cet article montrent que, même si les Allemands traitaient les Polonais très mal et souvent avec violence, par racisme, le sort qu'ils leur réservèrent était de très loin supérieur à tout ce que les Juifs auraient pu rêver. La vie des Polonais était souvent très dure, mais ils étaient traités en êtres humains, et non en prétendus porteurs de bacilles. Sur les Russes, voir *Meldungen aus dem Reich*, vol. 11, p. 4235-4237, et vol. 13, p. 5128-5136.

106. Herbert, « Arbeit und Vernichtung », p. 225.

107. Herbert, « Der "Ausländereinsatz" », p. 35.

108. La rationalité dont firent preuve les Allemands dans leur traitement des Polonais et autres peuples de l'Europe de l'Est était aussi, dans une certaine mesure, limitée par leur racisme et leur propension à la violence. Néanmoins, globalement, leur attitude à l'égard de ces peuples restait conditionnée par un raisonnement d'utilité.

Chapitre 12

1. Karl Jäger, le commandant de l'*Einsatzkommando 3*, l'a fait remarquer lui-même dans son fameux rapport (reproduit dans Ernst Klee, Willi Dressen et Volker Riess, éd., *« The Good Old Days » : The Holocaust as Seen by Its Perpetrators and Bystanders*, New York, Free Press, 1988, p. 56).

2. Sur les efforts que firent certains fonctionnaires allemands pour poursuivre ce genre d'objectif, localement rationnel, dans les ghettos de Lodz et Varsovie, voir Christopher R. Browning, « Nazi Ghettoization Policy in Poland, 1939-1941 », dans *The Path to Genocide : Essays on the Final Solution*, Cambridge, Cambridge University Press, 1992, p. 28-56.

3. Cité dans Albert Speer, *The Slave State : Heinrich Himmler's Masterplan for SS Supremacy*, Londres, Weidenfeld & Nicolson, 1981, p. 20 [*L'Empire SS*, Paris, Robert Laffont, 1982].

4. Seules exceptions, la Wehrmacht, qui avait un urgent besoin de fournitures militaires, et certaines entreprises. Voir Raul Hilberg, *The Destruction of the European Jews*, New York, New Viewpoints, 1973, p. 332-345 [*La Destruction des Juifs d'Europe*, Paris, Fayard, 1985].

5. Nur. Doc. 3257-PS, dans *Nazi Conspiracy and Aggression*, Washington, United States Government Printing Office, 1946, vol. 5, p. 994-997.

6. *Nazism*, p. 1131. Voir aussi *Eichmann Interrogated : Transcripts from the Archives of the Israeli Police*, Jochen von Lang, éd., Toronto, Lester & Orpen Dennys, 1983, p. 91.
7. Nur. Doc. NO-1611, in « U. S. v. Pohl *et al.* », *TWC*, vol. 5, p. 616-617.

CINQUIÈME PARTIE

Chapitre 13

1. Voir « Death Marches », *Encyclopedia of the Holocaust*, Israel Gutman, éd., New York, Macmillan, 1990, p. 350. Sur les marches de la mort, on dispose de trois articles et de deux livres. Shmuel Krakowski, « The Death Marches in the Period of the Evacuation of the Camps », dans *The Nazi Concentration Camps : Structure and Aims, The Image of the Prisoner, The Jews in the Camps*, Jérusalem, Yad Vashem, 1984, p. 475-489. Yehuda Bauer, « The Death-Marches, January-May, 1945 », dans Michael R. Marrus, éd., *The Nazi Holocaust : Historical Articles on the Destruction of European Jews*, Westport, Meckler, 1989, vol. 9, p. 491-511. Livia Rothkirchen, « The Final Solution in Its Last Stages », *YVS* 8 (1970), p. 7-29. Irena Mala et Ludmila Kubatova, *Pochody Smrti*, Prague, Nakladatelství politické literatury, 1965. Zygmunt Zonik, *Anus Belli : Ewakuacja I Wyzwolenie Hitlerowskich Obozów Koncentracyjnych*, Varsovie, Panstwowe Wydawnictwo Navkave, 1988. Le livre de Mala et Kubatova est constitué d'une série de brefs résumés sur les différentes marches de la mort. Celui de Zonik est plus utile, mais il ne spécifie pas toujours l'identité des victimes et donne trop peu de détails sur chaque marche.

Toute analyse des marches devrait commencer par une série de mises en garde. Comme les recherches sur le sujet sont peu nombreuses, nous n'avons qu'une connaissance approximative de la dimension globale des marches, de la façon dont elles se sont déroulées. Cela tient en partie au manque de sources sur bien des points. Nous savons peu de chose sur les ordres donnés, sur la façon dont elles furent organisées. Il est souvent difficile de dire avec certitude combien de personnes étaient concernées (sans même parler de leur nationalité), combien ont survécu, combien sont mortes en chemin et de quelle manière. Les antécédents des gardes, leurs affiliations aux institutions nazies, sont le plus souvent inconnus. Et surtout, on ne sait presque rien de la façon dont ils traitaient leurs victimes.

2. Cette périodisation ne se trouve ni chez Krakowski (« The Death Marches in the Period of the Evacuation of the Camps »), ni chez Bauer (« The Death-Marches, January-May, 1945 »).
3. Pour un bref exposé sur les marches de la mort antérieures, voir Krakowski, « The Death Marches in the Period of the Evacuation of the Camps », p. 476-477. Sur la marche de la mort du 1er décembre 1939 qui conduisit plusieurs milliers de Juifs polonais de Chelm jusqu'à la frontière soviétique sur le Bug et qui vit, sur une seule des colonnes, la mort de 500 à 600 victimes juives, voir Ermittlungsbericht, ZStL 208 AR-Z 91/61, p. 2076-2082.
4. Martin Broszat (« The Concentration Camps, 1933-1945 », dans Helmut Krausnick *et al.*, *Anatomy of the SS State*, Londres, Collins, 1968, p. 248) et l'article « Death Marches » (*Encyclopedia of the Holocaust*, p. 354) donnent le chiffre de 250 000 morts. Bauer dans, « The Death-Marches, January-May, 1945 », qui traite non seulement des victimes des marches de la mort mais aussi de ceux qui sont morts dans la dernière phase de la vie des camps, considère que le chiffre doit être beaucoup plus élevé, « de 50 % au moins, sinon beaucoup plus » (p. 492). Voir ce qu'il dit (p. 492-494) sur la difficulté de savoir combien de prisonniers restèrent dans les camps et combien ont été emmenés sur les routes.
5. La majorité d'entre eux étaient néanmoins des Juifs. Voir Mala et Kubatova, *Pochody Smrti*, p. 311.
6. A. C., StA Hof 2 Js 1325/62, Beiakte J. Quand ils découvrirent ces femmes, les Américains entreprirent une enquête pour savoir ce qui leur était arrivé. Ils interrogèrent des survivantes et certains gardiens qu'ils avaient faits prisonniers. Ce que ces derniers ont

dit, sous le choc de la défaite, est empreint d'une grande franchise (généralement absente des dépositions faites quinze ou vingt-cinq ans plus tard) et concorde avec les témoignages des survivantes.

7. Si j'ai choisi la marche des prisonnières de Helmbrechts (deuxième des cas traités ici), c'est parce que, comme on le verra, elle permet d'aborder plusieurs points cruciaux pour l'analyse. De plus, les sources dont nous disposons à son sujet sont d'une richesse inhabituelle. Bien qu'elle ait ses caractères propres, on ne peut douter qu'elle ne soit représentative du traitement infligé par les Allemands à leurs prisonniers, comme l'exposé le montrera. D'une façon générale, la qualité des documents existants à la ZStL sur les marches de la mort est très inférieure, comparée à ce qui existe sur d'autres institutions de mise à mort. Cela tient peut-être au fait que les marches de la mort n'intéressaient pas beaucoup les autorités judiciaires, parce qu'elles n'étaient pas fixes dans l'espace et ne relevaient pas d'une structure de commandement identifiable. Le chaos de ces derniers temps de la guerre a jeté son ombre sur ces marches. Les documents utilisés ici viennent surtout de l'instruction et du procès contre le commandant de Helmbrechts, Alois Dörr, dans StA Hof 2 Js 1325/62 (désormais abrégé ici en Dörr). Certaines des sources sont citées dans le récapitulatif de la ZStL sur les enquêtes concernant Helmbrechts (ZStL 410 AR 1750/61).

8. Schlussvermerk, ZStL 410 AR 1750/61 (désormais abrégé ici en Grünberg), p. 630-633. On sait peu de chose sur ce camp. Il a fallu attendre 1969 pour que le Centre d'enquête internationale d'Arolsen établisse que ce camp avait existé. Il n'était pas situé à Schlesiersee, mais dans la ville voisine de Przybyszow (p. 630-631). On ne sait presque rien sur ses gardiens (une vingtaine environ) qui semblent avoir été surtout d'anciens soldats de la Wehrmacht jugés incapables de servir au front. En plus, il y avait quelques gardiennes et l'administration du camp (on dispose des noms de huit personnes), qui venait de la police (p. 634-635).

9. B. B., ZStL 410 AR 1750/61, p. 63. Elle ajoutait que le nombre des malades était très important, mais qu'elle n'avait pas connaissance de cas de femmes fusillées dans ce camp. Sur ce point, voir Schlussvermerk, Grünberg, p. 637. Néanmoins, plusieurs femmes moururent, soit de malnutrition, d'épuisement et de maladie, soit sous les coups des Allemands.

10. Z. H., ZStL 410 AR 1750/61, p. 90.

11. Schlussvermerk, Grünberg, p. 637-638.

12. B. B., ZStL 410 AR 1750/61, p. 63.

13. F. D., Grünberg, p. 544-545. Les Allemands buvaient et, tandis qu'il les guidait vers leur destination, ils lui offrirent du schnaps. Ces Allemands relativement âgés, qui étaient si cruels envers ces prisonnières juives sans défense, étaient sur un pied de camaraderie avec ce Polonais.

14. Schlussvermerk, Grünberg, p. 648-649.

15. Sur le nombre des prisonniers dans chacune de ces marches, voir Grünberg, p. 647-648. On ne sait presque rien sur les Allemands qui les encadraient (p. 649).

16. H. W., Grünberg, p. 467.

17. On ne sait pas si cette estimation se réfère à l'ensemble des prisonnières de la marche ou seulement à la partie de la colonne où elle se trouvait. Quoi qu'il en soit, le taux de mortalité était énorme. Voir H. W., Grünberg, p. 467. Sur les rares détails connus de cette marche, voir Schlussvermerk, Grünberg, p. 661-665.

18. S. K., Dörr, vol. 4, p. 605.

19. Grünberg, p. 650.

20. Voir Schlussvermerk, Grünberg, p. 654, 660-661, sur le destin des prisonnières. Sur un groupe de 160 malades, 34 moururent le mois suivant.

21. C. L., Grünberg, p. 401.

22. S. K., Dörr, p. 605 ; C. L., Grünberg, p. 401 ; B. B., ZStL 410 AR 1750/61, p. 63-64 ; et M. S., ZStL 410 AR 1750/61, p. 84 ; voir aussi Schlussvermerk, Grünberg, p. 657. B. B. se souvenait que les gardiens avaient sélectionné soixante-dix prisonnières pour les fusiller, dont vingt réussirent à s'enfuir.

23. Jugement, Dörr, p. 23.

24. Jugement, Dörr, p. 6-8.

25. Un autre avait essayé à plusieurs reprises d'entrer au parti mais ses demandes

avaient été rejetées. Il est possible que deux autres aient été membres du parti, mais la documentation existante ne le dit pas clairement.

26. H. R., Dörr, Zeugen, p. 1109-1119 ; on notera que E. V. n'apparaît pas sur la liste (incomplète) des gardiens.

27. M. W., Dörr, Zeugen, p. 1142-1149.

28. G. H., Dörr, vol. 4, p. 628. P. L. était avec lui, et avait aussi été à Lublin. Il avait été incorporé en avril 1944 dans une unité de gendarmerie *(Landesschützeneinheit)* (Dörr, vol. 3, p. 610-631).

29. Bien entendu, il est difficile d'apprécier ce que ces femmes disaient de leurs motivations à devenir volontairement gardiennes de camp. Voir, par exemple, O. K., Dörr, Zeugen ; et R. S., Dörr, vol. 3, p. 556.

30. Des 12 gardiennes sur lesquelles nous avons des informations, 8 n'avaient reçu aucune formation, 3 un bref entraînement (deux semaines) et 1 n'en a pas parlé. Celles qui avaient été en fonction à Ravensbrück (presque toutes), en général pour quelques semaines (mais l'une pour six mois) avant de rejoindre Helmbrechts, y avaient été incontestablement formées à la brutalité des camps par leurs aînées. Voir H. P., Dörr, Zeugen ; et O. K., Dörr, Zeugen.

31. W. J., Dörr, Zeugen, p. 1068 ; voir aussi Jugement, Dörr, p. 12-13.

32. Voir par exemple W. J., Dörr, Zeugen, p. 1068 ; et P. K., ZStL 410 AR 1750/61, p. 690.

33. P. K., ZStL 410 AR 1750/61, p. 690 ; et E. v. W, Zeugen, p. 1320-1322.

34. Voir Hermann Langbein, *Menschen in Auschwitz* (Francfort, Ullstein, 1980, p. 59-64), sur l'amélioration des conditions à Auschwitz quand Arthur Liebehenschel succéda à Rudolf Höss à la tête du camp.

35. E. V., Dörr, Zeugen, p. 1137. Pour une opinion contraire, voir W. J., Dörr, Zeugen, p. 1068.

36. Déclaration de E. M., 10/20/64, Dörr, p. 506-512.

37. Jugement, Dörr, p. 6-8.

38. Jugement, Dörr, p. 10-11.

39. M. R., Dörr, Zeugen, p. 1237 ; voir aussi M. S., Dörr, Zeugen, p. 1251.

40. Sur les tortures infligées à la doctoresse russe et à deux de ses compatriotes quand elles furent reprises après une tentative d'évasion et leur mort, voir Jugement, Dörr, p. 14-22.

41. Jugement, Dörr, p. 10-12 ; et A. G., Dörr, Zeugen, p. 1194.

42. Jugement, Dörr, p. 24-25.

43. S. K., Dörr, vol. 4, p. 606 ; voir aussi E. M., Dörr, vol. 3, p. 515.

44. M. F., Dörr, vol. 4, p. 623 ; et S. K., Dörr, vol. 4, p. 605-606. Une prisonnière non juive, qui souffrit beaucoup dans ce camp, disait, en exagérant à peine : « Les Juives n'avaient ni lit ni couverture » (voir L. D., Dörr, vol. 1, p. 195).

45. Sur les baraques, voir Jugement, Dörr, p. 25 ; et A. G., Dörr, Zeugen, p. 1195.

46. S. K., Dörr, vol. 4, p. 607. Ces appels de punition, où les Allemands forçaient les prisonnières, juives et non juives, à rester debout pendant des heures, souvent nues, sans chaussures, dans la neige, ont été évoqués par les survivantes. Une Russe dira : « J'ai vu les Juives être obligées de rester toute la journée sous la neige, sans nourriture, sans vêtements ni chaussures. J'ai vu les gardiennes SS les battre à mains nues ou avec des matraques quand elles s'agitaient » (voir L. D., Dörr, vol. 1, p. 195 ; et M. H., Dörr, vol. 1, p. 194).

47. Jugement, Dörr, p. 26 ; et A. G., Dörr, Zeugen, p. 1194. L'ancienne gardienne en chef de Helmbrechts assurait que les Juives étaient moins nourries que les non-Juives (H. H., Dörr, vol. 3, p. 600).

48. H. H., Dörr, Beiakte J.

49. R. K., Dörr, Zeugen, p. 1224. Elle signalait que les anciennes prisonnières d'Auschwitz étaient les plus affamées. Voir aussi A. K., Dörr, vol. 1, p. 103.

50. Jugement, Dörr, p. 25-26.

51. Voir par exemple la déclaration d'une Russe, S. K., Dörr, vol. 1, p. 205 ; et N. K., Dörr, vol. 1, p. 203. Pour un tableau d'ensemble des actes de cruauté, voir Jugement, Dörr, p. 11-12.

52. M. H., Dörr, vol. 1, p. 194.

53. V. D., Dörr, vol. 4, p. 701.
54. Plusieurs prisonnières ont raconté qu'une Juive, dont le crime était d'avoir été trouvée en possession d'une photographie, avait été condamnée à rester debout dans la neige, la tête tondue. Voir S. K., Dörr, vol. 4, p. 607 ; et R. K., Dörr, Zeugen, p. 1224.
55. L. D., Dörr, vol. 1, p. 195 ; et S. K., Dörr, vol. 4, p. 606.
56. M. H., Dörr, vol. 1, p. 194.
57. Jugement, Dörr, p. 26.
58. Jugement, Dörr, p. 27-29.
59. Jugement, Dörr, p. 29.
60. Jugement, Dörr, p. 28, 30.
61. Un résumé de chaque journée de la marche se trouve dans Jugement, Dörr, p. 30-89.
62. M. R., Dörr, Zeugen, p. 1240.
63. A. K., Dörr, vol. 1, p. 101 ; et Jugement, Dörr, p. 210. Sur les charrettes des malades, voir ci-dessous.
64. Ces chiffres viennent de Jugement, Dörr, p. 30-89.
65. E. M., Dörr, vol. 3, p. 516 ; B. B., ZStL 410 AR 1750/61, p. 64 ; et Jugement Dörr, p. 50, 60-61, 208-209.
66. M. S., ZStL 410 AR 1750/61, p. 82. Pour d'autres témoignages sur la nourriture donnée aux prisonnières juives pendant la marche, voir H. H., Dörr, Beiakte J ; et Jugement, Dörr, p. 208-209.
67. H. H., Dörr, Beiakte J.
68. Jugement, Dörr, p. 57.
69. Jugement, Dörr, p. 70-71, 194-195.
70. M. S., ZStL 410 AR 1750/61, vol. 1, p. 82 ; voir aussi B. B., ZStL 410 AR 1750/61, vol. 1, p. 64.
71. H. H., Dörr, Beiakte J ; et C. S., ZStL 410 AR 1750/61, p. 72.
72. Voir Jugement, Dörr, p. 30-89, sur les conditions générales de la marche.
73. Jugement, Dörr, p. 55-56, 149-150.
74. Jugement, Dörr, p. 148-152.
75. N. K., Dörr, vol. 1, p. 203.
76. On a déjà évoqué ce genre de pratiques à propos du camp de Lipowa. Sur cette question, voir Orlando Patterson, *Slavery and Social Death : A Comparative Study*, Cambridge, Harvard University Press, 1982, p. 51-62.
77. Un gardien battit des femmes qui « étaient si faibles qu'elles ne pouvaient se tenir debout et marchaient à quatre pattes » (Jugement, Dörr, p. 38-39).
78. M. R., Dörr, Beiakte J.
79. M. S., ZStL 410 AR 1750/61, p. 82.
80. H. H., Dörr, Beiakte J. Noter son ironie sur les « SS ».
81. C. S., ZStL 410 AR 1750/61, p. 72 ; un autre exemple se trouve dans M. S., ZStL 410 AR 1750/61, p. 82.
82. La gardienne en chef se souvenait qu'elles étaient cinq à battre des femmes, dont W., R., K., S. et Z. Mais elle ne mentionnait pas J. et ajoutait : « Duerr *[sic]* et moi avons tout vu, sans rien faire pour les arrêter » (H. H., Dörr, Beiakte J).
83. C. S., ZStL 410 AR 1750/61, p. 72.
84. H. H., Dörr, Beiakte J.
85. Jugement, Dörr, p. 73-75.
86. Jugement, Dörr, p. 73-74, 77.
87. Jugement, Dörr, p. 73-74.
88. Jugement, Dörr, p. 73, 197.
89. Jugement, Dörr, p. 77-79.
90. Les survivantes considéraient qu'elles étaient peu nombreuses. Certaines parlaient de moins de 300, ce qui voudrait dire que 275 femmes étaient mortes en route. Ce chiffre correspond à l'estimation des morts journalières faite par les gardiens et les prisonnières, et fondées sur les appels du matin, qui montraient combien de prisonnières étaient décédées pendant la nuit. Sur ce point, voir M. R., Dörr, vol. 2, p. 404.
91. A. C., Dörr, Beiakte J.

Chapitre 14

1. Sur ce point, les sources ne concordent pas. Voir G. H., Dörr, vol. 4, p. 637 ; H. H., Dörr, Beiakte J ; et Jugement, Dörr, p. 29.

2. Jugement Dörr, p. 54.

3. G. H., Dörr, vol. 4, p. 639. Voir aussi C. S., Grünberg, qui a déclaré que, vers la fin de la marche, elle n'avait aucune idée de l'endroit où elles étaient supposées conduire ces prisonnières (p. 71).

4. Dörr avait brûlé tous les documents. Voir Jugement, Dörr, p. 49 ; et V. D., Dörr, vol. 4, p. 702.

5. M. R., Dörr, vol. 2, p. 403-404. Cet ordre de traiter les prisonniers humainement est à lui seul révélateur des normes antérieures allemandes.

6. La confusion vient peut-être de ce que tous deux prirent la parole. Voir M. R., Dörr, vol. 2, p. 403-404 ; et Jugement, Dörr, p. 48-49. Il semble que Dörr ait décidé de ne pas faire connaître à son personnel tous les détails des instructions de Himmler, et en particulier l'ordre de libérer les prisonnières quand les Américains seraient tout près.

7. M. R., Dörr, vol. 2, p. 403.

8. Les poids ont été notés par le capitaine W. W. des Services de santé de l'armée américaine le 11 mai 1945. Un exemplaire figure dans Dörr.

9. C. S., Grünberg, p. 72.

10. S. S., Dörr, vol. 1, p. 117.

11. G. v. E., Dörr, Zeugen, p. 1183.

12. Ce fut le cas lors du massacre de Lomazy. Voir Accusation, Hoffmann, p. 347-348 ; et E. H., Hoffmann, p. 2724-2726.

13. Jugement, Dörr, p. 212-213.

14. M. S., Dörr, Zeugen, p. 1256. Elle ne fait pas la moindre allusion à ce qu'il pourrait y avoir de faux dans ce jugement porté par les prisonnières sur la « société » des gardiens.

15. S. K., Dörr, vol. 4, p. 610.

16. Le fait qu'ils ne se glorifiaient pas de leur cruauté ne veut pas dire qu'ils désapprouvaient globalement le traitement infligé aux prisonnières. Même si l'étalage de la cruauté exprime l'approbation de celui qui la commet, il ne s'ensuit pas que l'absence de cruauté soit signe de désapprobation. Au reste, nous avons bien des exemples de bourreaux zélés qui considéraient que les tueurs ne devaient pas agir avec brutalité.

17. Jugement, Dörr, p. 82.

18. G. v. E., Dörr, vol. 2, p. 350.

19. En plus des ouvrages et articles recensés dans la note 1 du chapitre 13, et des récits de marches de la mort qui figurent dans de très nombreux mémoires, j'ai lu les enquêtes judiciaires de la République fédérale consacrées à douze de ces marches.

20. Cela est également vrai du traitement des prisonniers dans les camps lors des derniers jours de la guerre. Yehuda Bauer, dans « The Death-Marches, January-May, 1945 » (dans Michael R. Marrus, éd., *The Nazi Holocaust : Historical Articles on the Destruction of European Jews*, Westport, Meckler, 1989, vol. 9, p. 495), affirme qu'il faut y voir deux phénomènes différents, mais la justification qu'il donne de cette distinction n'est pas claire à mes yeux.

21. Plusieurs moururent par la suite, en raison de leur santé, du manque de soins médicaux et même de nourriture. Sur Auschwitz, voir Hermann Langbein, *Menschen in Auschwitz*, Francfort, Ullstein, 1980, p. 525-529.

22. C'est ce qui se produisit, par exemple, lors de la marche de la mort partie du camp de Sonnenberg, en avril ou mai 1945. Voir Jugement, Ottomar Böhme et Josef Brüsseler, Marburg 6 Ks 1/68, p. 11.

23. A l'évidence, il est difficile de connaître les pensées et les affects des innombrables spectateurs qui voyaient ces squelettes ambulants, traités de cette façon au nom de l'Allemagne, défiler devant eux en ces jours d'incertitude et de menace. Combien d'Allemands ont essayé d'atténuer leurs souffrances en leur offrant de l'eau et de la nourriture ? Combien ont cherché à accroître encore leurs souffrances, soit en leur crachant des insultes, soit en leur jetant des pierres, soit en patrouillant dans les bois à la recherche des fuyards, qu'ils tuaient parfois de leurs propres mains ? Shmuel Krakowski, dans « The Death

Marches in the Period of the Evacuation of the Camps » (dans *The Nazi Concentration Camps : Structure and Aims, The Image of the Prisoner, The Jews in the Camps*, Jérusalem, Yad Vashem, 1984, p. 484 – où il utilise les témoignages de survivants réunis par Yad Vashem à propos de soixante-dix marches de mars-avril 1945), considère que la population, loin de toute incitation ou contrôle des autorités, se conforma pour l'essentiel à ce qui aurait été prescrit par des pédagogues nazis. Pour Zygmunt Zonik, dans *Anus Belli : Ewákuacja I Wyzwolenie Hitlerowskich Obozów Koncentracyjnych* (Varsovie, Panstwowe Wydawnictwo Navkave, 1988, p. 198-199), si certains Allemands tentèrent de porter secours aux prisonniers, la grande majorité ne le fit pas, préférant les maudire au passage, et, assez souvent, exhortant les gardes à les tuer. Ce que j'ai lu me conduit à la même conclusion.

24. Henry Orenstein et un de ses amis arrachèrent leur étoile jaune et se firent passer pour polonais dans une marche de la mort qui ne comptait que des Polonais et qui connut un taux de mortalité astronomique. Il a raconté dans ses souvenirs (*I Shall Live : Surviving Against All Odds, 1939-1945*, New York, Touchstone, 1989, p. 243) le sentiment de protection que lui donnait sa nouvelle identité polonaise, malgré les épouvantables conditions de la marche : « Assez étrangement, alors que tout indiquait que cette marche serait meurtrière, je me sentais davantage en sécurité que dans le camp. Ici, ils ne savaient pas que j'étais juif, et s'ils devaient me tuer, ce serait parce que je ne pourrais pas marcher et non pas simplement parce que j'étais un Juif… Après tant d'années passées sous la menace d'un fusil, chaque gardien ayant le droit bien établi de me tuer à tout moment, selon son caprice, même pour s'amuser, même si je n'avais rien fait pour le provoquer, pour la seule raison que j'étais né juif, je désirais passionnément avoir un droit à la vie qui reposerait sur d'autres critères, n'importe lesquels, même celui de savoir si j'étais capable ou non d'avancer… Les chances semblaient bonnes, car les SS n'allaient pas tuer tant de gens, et cela d'autant plus qu'ils savaient qu'il n'y avait pas de Juifs parmi nous. » Orenstein sous-estimait les capacités meurtrières des Allemands, mais ce qu'il dit de son sentiment, nouveau, de sécurité ontologique est très parlant.

25. On ne soulignera jamais trop combien les gardiens avaient la capacité d'opérer, à volonté, des discriminations entre prisonniers. Une version encore plus extrême de ce statut préférentiel accordé ici aux détenues allemandes se rencontre dans la marche partie de Janinagrube, où les gardes enrôlèrent les prisonniers allemands comme bourreaux, leur donnant des armes et les incitant à participer au massacre de centaines de Juifs. Voir Jugement, Heinrich Niemeier, Hannover 11 Ks 1/77, p. 20-22, 92-97. Voir aussi la marche de la mort des détenus de Lieberose, au cours de laquelle les Allemands abattirent de nombreux Juifs mais pas un seul prisonnier allemand. Qui plus est, ces gardiens n'étaient soumis à aucun contrôle : leur commandant avait refusé de se joindre à la marche. Voir Accusation, E. R. et W. K., StA Fulda 3 Js 800/63, p. 48-56.

26. C'était le cas à Buchenwald. Voir Krakowski, « The Death Marches in the Period of the Evacuation of the Camps », p. 484-485. On soulignera que ceux qui furent laissés dans le camp ne furent pas traités avec sollicitude par les Allemands, loin de là.

27. Krakowski, « The Death Marches in the Period of the Evacuation of the Camps », p. 489. La marche de la mort partie de Janinagrube vit également les Allemands interdire aux populations rencontrées de donner de la nourriture aux Juifs. Cette marche, où les prisonniers étaient tous juifs, avait fusionné avec une autre colonne de plusieurs milliers de détenus arrivant d'Auschwitz et de ses camps satellites. Avant de quitter Auschwitz, ils avaient reçu un morceau de pain avec confiture pour deux. C'était l'hiver (janvier), et comme d'habitude, les traînards étaient fusillés. Au bout de quelques jours, le commandant disparut avec la charrette des provisions. Un groupe de SS, accompagné de quelques prisonniers privilégiés *(Funktionshäftlinge)*, partit chercher de la nourriture chez les paysans, car, désormais, les Allemands eux-mêmes n'avaient plus rien à manger. D'autres SS empêchèrent les Juifs de recevoir la moindre nourriture. Un survivant se rappelait la faim qui les tenaillait : « Pendant la marche d'évacuation, on ne nous donnait rien à manger. En Silésie, la population polonaise, de sa propre initiative, nous donnait parfois du pain et du lait, mais à plusieurs reprises, les gardes SS renversèrent d'un coup de pied les jarres de lait. » Par chance pour certains Juifs, les Polonais réussirent parfois à leur faire passer de la nourriture, malgré les efforts des Allemands pour les en empêcher. Voir Accusation, Heinrich Niemeier, StA Hannover 11 Js 5/73, p. 23 ; et Jugement, Hannover 11 Ks 1/77, p. 16-

20. Sur d'autres cas de refus de nourriture et d'eau aux prisonniers, voir Bauer, « The Death-Marches, January-May, 1945 », p. 500, 503 ; et Krakowski, « The Death Marches in the Period of the Evacuation of the Camps », p. 478-479, 484.

28. On trouvera d'autres cartes d'itinéraires tout aussi erratiques dans Irena Mala et Ludmila Kubatova, *Pochody Smrti*, Prague, Nakladatelství politické literatury, 1965.

29. Bauer, « The Death-Marches, January-May, 1945 », p. 499.

30. Bauer le fait remarquer (*ibid.*, p. 497).

31. Cité dans Krakowski, « The Death Marches in the Period of the Evacuation of the Camps », p. 485.

32. *Ibid.*, p. 485.

33. *Ibid.*, p. 486.

34. *Ibid.*, p. 489.

35. Bien que Bauer écrive, à tort que, d'une façon générale, les bourreaux allemands étaient « froids comme la glace » *(Eiskalt)*, il reconnaît que, au cours de ces marches, les Allemands étaient tout sauf des tueurs froids, distants (mais ce n'était pas, contrairement à ce qu'il pense, un retour au style des SA dans les années 30), *ibid.*, p. 502. Pour ne donner qu'un autre exemple, lors de la marche partie de Janinagrube, un Allemand qui venait de tuer un Juif se lança dans une « danse indienne » pour célébrer dans l'allégresse ce qu'il venait de faire. Un des survivants dira que ce gardien et un autre donnaient l'impression d'être en compétition – à qui tuerait le plus. Voir Jugement Heinrich Niemeier, Hannover 11 Ks 1/77, p. 26-27, 63.

36. Cité dans Dieter Vaupel, *Spuren die nicht vergehen : Eine Studie über Zwangsarbeit und Entschädigung*, Kassel Verlag Gesamthochschulbibliothek Kassel, 1990, p. 112-113. Ces scènes eurent lieu dans la dernière année de la guerre, au plus fort de la mobilisation de la main-d'œuvre.

37. S. R., Dörr, vol. 3, p. 570. On remarquera qu'il a choisi de parler des prisonnières juives dans ce contexte, et de ne pas mentionner les prisonnières non juives.

38. Bauer le fait également remarquer dans « The Death-Marches, January-May, 1945 », p. 499. Les gardiens ne furent pas les seuls à tuer les Juifs jusqu'au bout. Il était tout naturel pour ceux qui n'étaient nullement chargés de tuer les Juifs de le faire chaque fois qu'ils en rencontraient. Sur la route qui les ramenait de Hongrie, une « compagnie de réparations » *(Werkstattkompanie)* de la division SS Das Reich rencontra en deux occasions des petits groupes de Juifs sans armes et donc nullement menaçants. Après en avoir torturé quelques-uns, les Allemands les tuèrent tous, y compris un ancien combattant de la Grande Guerre décoré de la croix de fer et une ravissante jeune fille de 20 ans, qui leur demanda de l'abattre visage tourné vers le soleil. Voir Jugement, Reiter *et al.*, München I, 116 Ks 1/67, p. 10-14, 28-29.

SIXIÈME PARTIE

Chapitre 15

1. Rachel Luchfeld, entretien avec l'auteur, 8 septembre 1995. Notons qu'elle ne pouvait dire si les hommes du 101e bataillon de police avaient des fouets à Jozefow, parce qu'elle n'avait échappé au massacre qu'en se cachant et n'avait donc pas vu les Allemands. Ses parents, qui étaient dans une autre cachette, furent découverts et abattus sur-le-champ. Elle avait entendu les hurlements et le bruit des balles.

2. Ce qui suit reproduit en partie le texte publié dans Daniel Goldhagen, « The "Cowardly" Executioner : On Disobedience in the SS », *Patterns of Prejudice* 19, n° 2 (1985), p. 20-21.

3. Herbert Jäger, *Verbrechen unter totalitärer Herrschaft : Studien zur nationalsozialistischen Gewaltkriminalität*, Olton, Walter-Verlag, 1967, p. 79-160 ; et Kurt Hinrichsen, « Befehlsnotstand », dans Adalbert Rückerl, éd., *NS-Prozesse : Nach 25 Jahren Strafverfolgung*, Karlsruhe, Verlag C. F. Müller, 1971, p. 131-161. L'article de Hinrichsen repose sur une étude plus complète, non publiée, *Zum Problem des sog. Befehlsnotstandes in*

NSG-Verfahrens (1964), réalisée sous les auspices de la ZStL, en tant qu'expert, en vue des procès auprès des tribunaux allemands. Voir aussi David H. Kitterman, « Those Who Said "No !" : Germans Who Refused to Execute Civilians During World War II », *German Studies Review* 11, n° 2 (mai 1988), p. 241-254. La façon dont il traite le sujet et la validité de ses tableaux statistiques sont gâchées par sa bonne volonté à prendre pour argent comptant tout ce que les coupables ont dit pour se disculper.

4. Jäger, *Verbrechen unter totalitärer Herrschaft*, p. 120.

5. Pour plus de détails là-dessus, voir Hinrichsen, « Befehlsnotstand », p. 143-146, 149-153, 156-157. Sur les 77 condamnations pour désobéissance prononcées par des tribunaux de la SS et de la police, pas une ne concernait le refus d'exécuter un ordre de tuer des Juifs. De plus, aucun juge SS n'a jamais eu à juger un seul individu accusé d'avoir refusé d'exécuter des Juifs.

6. Cet argument de défense est connu sous la formule « coercition putative émanant des supérieurs » *(putativer Befehlsnotstand).*

7. Sur les *Einsatzkommandos* en général, voir, par exemple, Accusation, Alfred Filbert *et al.*, ZStL 202 AR 72/60, p. 83-84, 162-163 ; sur l'*Einsatzgruppe C*, voir Albert Hartl, ZStL 207 AR-Z 15/58, p. 1840-1845 ; sur l'*Einsatzgruppe D*, voir H. S., ZStL 213 AR 1902/66, p. 95-96. Sur Sachsenhausen, voir ZStL Sammelband 363, p. 15-17 ; sur la police de Sécurité à Tarnopol, voir Accusation, Paul Raebel *et al.*, StA Stuttgart 12 Js 1403/61, p. 117-118.

8. Ernst Klee, Willi Dressen et Volker Riess, éd., *« The Good Old Days » : The Holocaust as Seen by Its Perpetrators and Bystanders*, New York, Free Press, 1988, p. 82.

9. P. K., ZStL 208 AR-Z 5/63, p. 503 ; voir aussi Vermerk, ZStL 208/2 AR-Z 1176/62, p. 732.

10. Voir Goldhagen, « The "Cowardly" Executioner », p. 31, n. 11.

11. « Official Transcript of the American Military Tribunal n° 2-A in the Matter of the United States of America Against Otto Ohlendorf *et al.*, defendants sitting at Nurenberg Germany on 15 September 1947 », p. 593.

12. Jäger, *Verbrechen unter totalitärer Herrschaft*, p. 147.

13. Cela se trouve dans la déposition d'Albert Hartl, chef du personnel de l'*Einsatzgruppe C*, ZStL 207 AR-Z 15/58, p. 1840 ; voir aussi Robert M. W. Kempner, *SS im Kreuzverhör*, Munich, Rütten & Loening Verlag, 1964, p. 82. Pourquoi la SS et d'autres institutions de la sécurité étaient-elles aussi clémentes alors que leurs chefs considéraient les Juifs comme les plus grands ennemis de l'Allemagne et de l'humanité, comme une race maléfique décidée à détruire toutes les autres ? L'explication la plus probable est à trouver dans la déclaration de Himmler lui-même, pour qui l'extermination des Juifs « ne pouvait être exécutée que par [...] les éléments les plus solides... par des nationaux-socialistes fanatiques, profondément engagés ». En une autre occasion, le même Himmler dira : « Si un homme pense qu'on ne peut lui demander d'obéir à un ordre... vous vous dites : ses nerfs ont lâché, c'est un faible. Alors vous pouvez dire : Bien, prends ta retraite. » Comme on l'a déjà montré et comme le confirment ces propos de Himmler, un Allemand avait le droit d'invoquer la faiblesse pour ne pas obéir. Il n'était plus qualifié pour faire un surhomme nazi, mais ce n'était pas un crime. Voir Hans Buchheim, « Command and Compliance », dans Helmut Krausnick *et al.*, *Anatomy of the SS State*, Londres, Collins, 1968, p. 366 ; Nur. Doc. 1919-PS, dans *Nazi Conspiracy and Aggression*, Washington, United States Government Printing Office, 1946, vol. 4, p. 567 ; et Hinrichsen, « Befehlsnotstand », p. 161.

14. Voir Robert G. L. Waite, *Vanguard of Nazism : The Free Corps Movement in Postwar Germany, 1918-1923* (New York, W. W. Norton, 1969), sur ce mouvement dont bien des membres rejoindront par la suite les troupes de choc de Hitler. Pour une étude locale sur la méfiance affichée, et même la violence, à l'égard de la république de Weimar, voir William Sheridan Allen, *The Nazi Seizure of Power : The Experience of a Single German Town, 1922-1945*, éd. rev., New York, Franklin Watts, 1984, p. 23-147.

15. On retrouve ce comportement paradoxal au plus haut niveau, avec le cas du chef d'état-major de la Wehrmacht, le général Franz Halder ; c'était sous ses auspices que la Wehrmacht était devenue un partenaire à part entière de l'extermination des Juifs soviétiques. Halder, adversaire déterminé de Hitler, avait même envisagé de l'assassiner. Voir Helmuth Groscurth, *Tagebücher eines Abwehroffiziers, 1938-1940*, Stuttgart, Deutsche Verlags-Anstalt, 1970, journal intime, à la date du 1er novembre 1939.

16. Pour des exemples, voir Nur. Doc. 3257-PS, *IMT*, vol. 32, p. 73-74. Et aussi Helmut Krausnick et Hans-Heinrich Wilhelm, *Die Truppe des Weltanschauungskrieges : Die Einsatzgruppen der Sicherheitspolizei und des SD, 1938-1942*, Stuttgart, Deutsche Verlags-Anstalt, 1981, p. 229. La Wehrmacht avait essayé de faire rapporter l'ordre de tuer tous les commissaires politiques soviétiques (les vrais agents du bolchevisme) mais pas celui de tuer les Juifs soviétiques (source fictive du bolchevisme) : elle craignait que le meurtre des commissaires n'accrût l'esprit de résistance des troupes soviétiques. Voir Jürgen Förster, « Hitler's War Aims Against the Soviet Union and the German Military Leaders », *Militärhistorisk Tidskrift* 183 (1979), p. 88-89 ; et Hans-Adolf Jacobsen, « The *Kommissarbefehl* and Mass Executions of Soviet Russian Prisoners of War », dans Krausnick *et al.*, *Anatomy of the SS State*, p. 505-535, 521-523.

17. Lettre du 30 janvier 1943, Hoffmann, p. 523-524. Sur le contenu de la lettre, voir le début de l'introduction. Browning consacre un petit chapitre à Hoffmann et mentionne la lettre, mais, inexplicablement, il ne cherche pas à interpréter dans les détails un document qui montre l'état d'esprit du tueur (lequel, qui plus est, jouait un rôle essentiel dans la vie du bataillon), un document qui révèle son jugement *de l'époque* sur l'état d'esprit et les motifs de ses hommes. Un tel document mérite à coup sûr l'analyse autant que les dépositions de l'après-guerre dont les auteurs cherchaient à se disculper. Voir Christopher R. Browning, *Ordinary Men : Reserve Police Battalion 101 and the Final Solution in Poland*, New York, HarperCollins, 1992, p. 119-120 [*Des hommes ordinaires : Le 101e bataillon de réserve de la police allemande et la solution finale en Pologne*, Paris, Les Belles Lettres, 1994].

18. Voir, par exemple, Richard Evans, « In Pursuit of the *Untertanengeist* : Crime, Law and Social Order in Germany History », in *Rethinking German History : Nineteenth-Century Germany and the Origins of the Third Reich*, Londres, Allen & Unwin, 1987, p. 156-187. Il est stupéfiant que l'on continue à affirmer que les Allemands obéissent aveuglément à l'autorité alors qu'on dispose de tant d'exemples de railleries et de désobéissance et envers les autorités du temps de Weimar, sans parler des révolutions et insurrections de l'histoire allemande moderne.

19. Stanley Milgram, *Obedience to Authority : An Experimental View*, New York, Harper Colophon, 1969 [*Soumission à l'autorité. Un point de vue expérimental*, Paris, Calmann-Lévy, 1974]. L'expérience de Milgram elle-même ruine l'idée que ses résultats pourraient s'appliquer aux agents de l'Holocauste (conclusion que Milgram ne donne pas lui-même). En changeant les conditions de l'expérience, il s'est aperçu que plus ceux qui administraient les chocs étaient confrontés à la douleur apparente de ceux qui les subissaient, plus ils étaient disposés à défier l'autorité de l'expérimentateur de Yale, si bien que 70 % d'entre eux refusaient d'administrer le choc quand ils devaient eux-mêmes placer la main de la victime sur le plateau des chocs (p. 33-36 de l'édition américaine). Don Mixon, qui a refait l'expérience de Milgram, a montré qu'elle ne portait pas sur l'obéissance à l'autorité mais sur la confiance. Voir « Instead of Deception », *Journal for the Theory of Social Behaviour* 2, n° 2 (1972), p. 145-177.

20. Voir Herbert C. Kelman et V. Lee Hamilton, *Crimes of Obedience : Toward a Social Psychology of Authority and Responsibility*, New Haven, Yale University Press, 1989. Les auteurs traitent de problèmes pertinents, mais leur analyse a des défauts, notamment pour qui cherche à l'appliquer aux agents de l'Holocauste, parce qu'elle suppose que les actants reconnaissent le caractère criminel de leurs actes.

21. C'est l'explication récente et vigoureuse de Browning dans *Ordinary Men*, notamment p. 159-189.

22. Browning (*Ordinary Men*, p. 184-185) soutient que la plupart des hommes du 101e bataillon de police ne voulaient pas vraiment tuer les Juifs mais que, puisqu'il fallait que la tâche soit exécutée, chacun se sentait contraint de ne pas la laisser aux autres. Cette explication est psychologiquement impossible, dès lors qu'il s'agissait de tuer des hommes, des femmes et des enfants que les tueurs auraient considérés comme des victimes innocentes. Il y a des limites à ce qu'on peut faire pour un compatriote. Autre difficulté de cette argumentation : il n'y a pratiquement rien qui le confirme dans les sources disponibles (ni dans les propos des hommes ni dans leurs actes). Il suffit de parcourir les dépositions des Allemands dans d'autres bataillons de police et d'autres institutions de mise à mort pour se convaincre que cette argumentation est insoutenable. J'ai procédé à

une lecture approfondie des dépositions et je n'en ai pas trouvé une seule où il était dit que les hommes servant dans telle institution étaient opposés aux massacres mais qu'ils s'étaient sentis obligés de ne pas laisser le sale boulot aux autres. Si cela avait été le cas dans le 101e bataillon de police ou ailleurs, on en trouverait des preuves abondantes dans les dépositions.

23. L'explication ne vaudrait pour un groupe entier que si chacun était persuadé, à tort, que les autres avaient des vues contraires aux siennes. Cela demanderait un degré d'atomisation du genre de celui que Hannah Arendt, dans *The Origins of Totalitarianism* (New York, Meridian Books, 1971 [*Les Origines du totalitarisme*, Paris, Le Seuil, 1984]), imagine avoir existé dans l'Allemagne nazie. Selon elle, la domination totalitaire ne détruit pas seulement la sphère du public, « elle détruit aussi la vie privée. Celle-ci repose sur la solitude, sur le sentiment de ne pas appartenir au monde, ce qui est une des expériences les plus extrêmes et les plus désespérées que puisse faire un homme » (p. 475 de l'édition anglaise). Contrairement à ce qu'affirme Hannah Arendt, les agents de l'Holocauste n'étaient pas des êtres atomisés et solitaires de ce type. Ils appartenaient bel et bien à leur monde et avaient de nombreuses possibilités, qu'on les voit utiliser, de parler de leurs exploits et d'y réfléchir.

24. Sur les quelques cas existants, dont celui de Karl Koch, exécuté par les nazis pour vol, voir Tom Segev, *Soldiers of Evil : The Commanders of Nazi Concentration Camps*, New York, McGraw-Hill, 1987, p. 142 *sq.*, 210.

25. Dans une certaine mesure, la plausibilité de cette explication dépend de l'idée que chacun se fait du cynisme des autres. Les historiens qui considèrent que ces Allemands étaient prêts à tuer des Juifs par milliers pour une promotion ou quelques marks devraient également être convaincus que, pour obtenir une chaire ou une petite augmentation, la quasi-totalité de leurs collègues, et eux-mêmes, seraient prêts à tuer des milliers d'innocents. De même, les médecins devraient accepter l'idée que pratiquement tous leurs collègues seraient trop contents d'injecter des solutions mortelles à des milliers de gens pour améliorer leur propre situation professionnelle.

26. Raul Hilberg, *The Destruction of the European Jews*, New York, New Viewpoints, 1973, p. 649.

27. Voir Hilberg, *The Destruction of the European Jews*, p. 643-649, sur l'absence d'à-coups dans les massacres, alors que, dans l'ensemble, ils ont mobilisé peu d'hommes. Je conteste de nombreuses interprétations de Hilberg, mais ce qu'il dit en conclusion sur le déroulement du génocide ne peut être mis en doute : « Aucun problème moral ne s'est révélé insurmontable. Quand tous les personnels mobilisés furent mis en face de l'épreuve, très peu traînèrent les pieds et presque aucun ne déserta. L'ancien ordre moral ne réussit nulle part une percée. C'est là un phénomène d'une très grande magnitude » (p. 649).

28. Cité dans Robert J. Lifton, *The Nazi Doctors : Medical Killing and the Psychology of Genocide*, New York, Basic Books, 1986, p. 147.

29. William Blake, « A Divine Image », *Songs of Experience*.

30. Orlando Patterson, *Slavery and Social Death : A Comparative Study*, Cambridge, Harvard University Press, 1982, p. 198.

31. Cité dans Hermann Langbein, *Menschen in Auschwitz*, Francfort, Ullstein, 1980, p. 389.

32. Oskar Pinkus, *The House of Ashes*, Cleveland, World Publishing Co., 1964, p. 24-25.

33. Chaim A. Kaplan, *The Warsaw Diary of Chaim A. Kaplan*, Abraham I. Katsh, ed., New York, Collier Books, 1973, p. 155-156. Comme bien d'autres survivants, Henry Orenstein, dans *I Shall Live : Surviving Against All Odds, 1939-1945* (New York, Touchstone, 1989, p. 131), évoquait un Allemand exceptionnellement décent : « Un nouveau de la Gestapo, un jeune homme, arriva de Hrubieszow. C'était un nigaud, avec un rire de cheval, mais au moins, il ne faisait jamais de mal à personne ; c'était le seul membre de la Gestapo dont personne n'avait peur. » L'heureux naturel du « nigaud » était l'exception dans ce monde de cruauté généralisée.

34. Erich Goldhagen, « The Mind and Spirit of East European Jewry During the Holocaust », *The Beiner-Citrin Memorial Lecture*, Cambridge, Harvard College Library, 1979, p. 8-9.

35. La position de Browning, pour qui la brutalité des Allemands était une réponse utilitaire à des difficultés objectives, comme le peu d'hommes disponibles pour vider un ghetto (*Ordinary Men*, p. 95), et celle de Hilberg, voisine, qui y voit « le plus souvent » une « expression d'impatience » (*Perpetrators Victims Bystanders : The Jewish Catastrophe, 1933-1945*, New York, Asher Books, 1992, p. 54 [*Exécuteurs, victimes, témoins : la catastrophe juive, 1933-1945*, Paris, Gallimard, 1994]), ne sont pas tenables. Il ne fait pas de doute que ces deux attitudes ont joué, mais expliquer la cruauté sans limites des Allemands (très souvent manifestée non pas au cours des tueries mais dans les contacts quotidiens avec les Juifs, dans le camp et en dehors du camp) en recourant au pragmatisme ou à l'impatience, c'est ignorer ou méconnaître un trait fondamental de l'Holocauste, à savoir sa nature non pragmatique, même pendant les tueries, qui est attestée par les journaux intimes des victimes et par les très nombreux récits des survivants.

36. Aharon Weiss, « Categories of Camps – Their Character and Role in the Execution of the "Final Solution of the Jewish Question" », dans *The Nazi Concentration Camps : Structure and Aims, The Image of the Prisoner, The Jews in the Camps*, Jérusalem. Yad Vashem, 1984, p. 129.

37. Voir Susan Zuccotti, *The Italians and the Holocaust : Persecution, Rescue, Survival*, New York, Basic Books, 1987 ; et Daniel Carpi, « The Rescue of Jews in the Italian Zone of Occupied Croatia », *Rescue Attempts During the Holocaust : Proceedings of the Second Yad Vashem International Conference*, Israel Gutman et Efraim Zuroff, éd., Jérusalem, « Ahva » Cooperative Press, 1977, p. 465-506.

38. Il ne faudrait surtout pas en conclure que je crois à l'existence d'un caractère allemand éternel. La structure du caractère allemand, les modèles cognitifs des Allemands sont des produits de l'évolution historique, et ils ont enregistré des changements spectaculaires depuis la défaite de 1945.

39. De même, les attributs que les Allemands imputaient aux différents peuples, et en fonction desquels ils les traitaient, doivent être spécifiés. La question est abordée dans le chapitre suivant.

40. Sur ce problème général des sciences sociales, voir Jeffrey C. Alexander *et al.*, éd., *The Micro-Macro Link*, Berkeley, University of California Press, 1987.

41. Seule exception, peut-être (cela dépend de sa formulation), l'hypothèse selon laquelle les Allemands sont enclins à obéir à l'autorité.

42. De plus, si l'on peut identifier un unique fait explicatif (et notamment s'il renvoie à une motivation commune) qui rende compte de la majorité des phénomènes étudiés, alors cette approche est préférable aux explications en patchwork.

43. Docteur Reinhard Maurach, « Expert Legal Opinion Presented on Behalf of the Defense », « U. S. v. Ohlendorf *et al.* », *TWC*, vol. 4., p. 339-355, ici p. 351, 350, 353, 354. Maurach navigue constamment entre deux arguments, l'un qui dit que les croyances à l'endroit des Juifs étaient fausses, et l'autre qui veut qu'elles aient eu des fondements dans la réalité. Mais il ne fait pas de doute, à le lire, que les agents de l'Holocauste avaient réellement ces convictions.

44. Otto Ohlendorf, lettre du 7 août 1947, copie en ma possession. Ce que disait Maurach, avec raison, des croyances des *Einsatzkommandos* – pour qui les Juifs étaient les ennemis de l'Allemagne – est confirmé par les témoignages des coupables, non seulement lors du procès des *Einsatzgruppen* à Nuremberg, mais aussi dans les enquêtes judiciaires postérieures. Voir par exemple W. K., ZStL 207 AR-Z 15/58, p. 2453-2454.

45. Pour une analyse de cette figure complexe, voir Daniel Jonah Goldhagen, « The "Humanist" as a Mass Murderer : The Mind and Deeds of SS General Otto Ohlendorf », thèse de Bachelor of Arts, Harvard College, 1982.

46. Cette explication doit être acceptée non seulement parce qu'elle rend compte des actes des coupables mieux qu'aucune autre, mais aussi parce qu'elle permet, ce qui est plus difficile, de rendre compte extraordinairement bien de toute une gamme de phénomènes (malgré quelques exceptions inévitables). Elle repose aussi sur des bases théoriques et historiques solides qui ajoutent à sa crédibilité.

47. *Deutscher Wochendienst*, Apr. 2, 1943, Nur. Doc. NG-4713, cité dans Hilberg, *The Destruction of the European Jews*, p. 656.

48. Ernst Hiemer, *Der Giftpilz*, Nuremberg, Verlag Der Stürmer, 1938, p. 62.

49. H. G., HG, p. 456.

50. Pinkus, *The House of Ashes*, p. 119. Il vivait à Losice, une ville proche (au nord) de la région où le 101e bataillon de police participa à l'extermination des Juifs.

51. Orenstein, *I Shall Live*, p. 86-87.

52. Cité dans Klee, Dressen et Riess, éd., *« The Good Old Days »*, p. 76. L'homme a également mentionné les multiples occasions de pillage, mais il est clair que c'était pour eux un « bonus » et non pas la source de leur haine pour les Juifs ni de leur joie de les tuer.

53. Kaplan, *Warsaw Diary*, p. 87. Kaplan utilise constamment le terme « nazis » et non pas « Allemands » pour parler des Allemands qu'il connaissait ou dont il avait entendu parler, et qui, pour beaucoup d'entre eux, n'étaient pas affiliés à une institution nazie. Il est significatif qu'il ait considéré que tous les Allemands étaient nazis.

54. C'est ainsi que Michael Marrus les décrit dans *The Holocaust in History* (Hanover, University Press of New England, 1987, p. 47 [*L'Holocauste dans l'histoire*, Paris, Eshel, 1990]).

55. Ces vers furent cités lors du procès des *Einsatzgruppen* à Nuremberg, pour rejeter les arguments apologétiques des accusés. Voir « U. S. v. Ohlendorf *et al.* », p. 483-488.

56. William Shakespeare, *Jules César*, 2. 1. 172.

57. Voir John Wheeler-Bennett, *The Nemesis of Power : The German Army in Politics, 1918-1945*, New York, St. Martin's Press, 1953, p. 683-684 ; et Allen Dulles, *Germany's Underground*, New York, The Macmillan Co., 1947, p. 83.

58. Sur la recherche d'une méthode « humaine » pour tuer les malades mentaux et les infirmes, voir Henry Friedlander, *The Origins of Nazi Genocide : From Euthanasia to the Final Solution*, Chapel Hill, University of North Carolina Press, 1995, p. 86.

59. Alfred Rosenberg, *Die Protokolle der Weisen von Zion und die jüdische Weltpolitik*, Munich, Deutsche Volksverlag, 1933, p. 132.

60. Bruno Malitz, *Die Leibesuebungen in der nationalsozialistischen Idee*, Munich, Verlag Frz. Eher Nacht, 1934, p. 45.

61. Herman Melville, *Moby Dick*, trad. par Lucien Jacquet, Joan Smith et Jean Giono, Paris, Gallimard, Folio, vol. I, p. 262.

62. L'antisémitisme des Allemands a beau être la base de leur haine profonde des Juifs et de leur pulsion à les faire souffrir, il est clair qu'il n'explique pas leur capacité de cruauté, ni la satisfaction que beaucoup pouvaient en retirer. La cruauté des Allemands à l'égard des Juifs était si immense qu'elle reste difficile à comprendre.

63. La force de l'adhésion au modèle culturel se lit dans une lettre d'un soldat allemand « ordinaire », écrite en juin 1943, date où la guerre avait pris depuis quelque temps un tour inquiétant pour l'Allemagne. Il écrivait que plus personne ne se souciait du régime nazi. Comment le savait-il ? « Entre camarades, on peut dire ce qu'on veut. Le temps du fanatisme et de l'intolérance à l'égard des opinions d'autrui est terminé… Peu à peu, on se met à penser avec plus de clarté et de sobriété. Si nous voulons gagner la guerre, il faut devenir plus raisonnable et ne pas rejeter le reste du monde avec grandiloquence et vantardise. Tu t'es aperçu toi-même que pendant les appels, on ne dit pas les mêmes choses qu'il y a trois ans. » Ce que décrit cet homme, c'est une nouvelle attitude, générale, de critique envers le régime, le sentiment, également nouveau, qu'il fallait trouver un moyen de vivre en harmonie avec les autres, et une totale liberté d'expression de ces opinions entre camarades. Mais en ce qui concernait les Juifs, ils restaient nazis : « Il est vrai que nous devons gagner la guerre pour ne pas subir la vengeance des Juifs, mais les rêves de domination du monde se sont envolés. » Cité dans *Das andere Gesicht des Krieges : deutsche Feldpostbriefe, 1939-1945*, Ortwin Buchbender et Reinhold Sterz, éd., Munich, C. H. Beck, 1982, p. 117-118. L'antisémitisme obsessionnel des lettres de soldats ordinaires réunies dans ce volume démontre à quel point ils avaient une vision fantasmagorique et démonologique des Juifs.

64. Il n'est donc pas surprenant que croyances culturelles et soutien au nazisme puissent rester distincts, et que ceux qui s'opposaient au nazisme sur d'autres questions étaient d'accord avec lui dès qu'il s'agissait des Juifs. Le phénomène se retrouve dans l'Allemagne ou les États-Unis d'aujourd'hui, où des gens qui sont très hostiles au parti au pouvoir peuvent néanmoins approuver, et parfois avec enthousiasme, certains aspects de sa politique.

65. Ces vantardises et ces célébrations chez les agents de l'Holocauste ne sont pas surprenantes : rien de plus fréquent que la célébration des grandes victoires chez les soldats, les vantardises à propos de leurs exploits. Les victoires remportées sur les Juifs n'étaient-

elles pas des victoires historiques aux yeux d'un antisémite prisonnier d'une vision démonologique ? Mis à part leur immense cruauté, tous les actes des Allemands étaient prévisibles si l'on avait bien voulu prendre au sérieux l'antisémitisme allemand et considérer ses conséquences dès lors qu'il était arrimé à une politique officielle d'extermination. Sans doute est-il facile de dire, rétrospectivement, que certaines actions et certains résultats étaient prévisibles. Néanmoins, dans le cas des célébrations, l'exemple des soldats victorieux aurait dû servir de guide.

66. Cité dans Klee, Dressen et Riess, éd., *« The Good Old Days »*, p. 197.

67. Dans les exposés consacrés à chaque institution de mise à mort, un ou deux cas ont été étudiés en profondeur de façon à donner au lecteur les détails nécessaires à la compréhension du caractère de l'institution et des actes de ses membres. On y a ajouté un exposé plus développé sur chacune des institutions, qui montre que les aspects principaux des cas étudiés sont aussi les traits généraux de chaque institution. Ces institutions de mise à mort ont été choisies parce que, chacune à sa manière, elles étaient celles qui soumettaient à l'épreuve la plus sévère l'idée que l'antisémitisme raciste était ce qui motivait leurs membres à tuer les Juifs, et que cet antisémitisme était assez puissant pour balayer toute considération qui aurait dû venir tempérer la pulsion exterminationniste.

68. Orenstein, *I Shall Live*, p. 112.

69. Lettre de Karl Kretschmer, 27 septembre 1942, ZStL 204 AR-Z 269/60, Sonderband KA, p. 13.

70. Quand les commandants allemands évoquaient la prétendue responsabilité des Juifs dans le bombardement de l'Allemagne, dans la guerre des partisans, dans les difficultés de l'économie allemande, etc., ce n'était pas pour donner une explication du génocide (comme si la malfaisance des Juifs était la cause de tous ces malheurs), lequel incluait le massacre des enfants juifs : s'ils évoquaient tout cela, même en passant, c'était pour illustrer les capacités de malfaisance des Juifs, rappeler aux hommes quelle menace mortelle ils faisaient peser sur l'Allemagne.

71. Voir la note 13 ci-dessus.

72. Cité dans Krausnick et Wilhelm, *Die Truppe des Weltanschauugskrieges*, p. 557.

73. Sur le cas de ce SS, tueur de Juifs tout spécialement brutal, qui fut condamné par le tribunal de la SS pour, entre autres, avoir pris des photographies des tueries destinées à sa femme et à ses amis, voir Klee, Dressen et Riess, éd., *« The Good Old Days »*, p. 196-207, not. 202. Le tribunal le félicita néanmoins pour la « haine réelle des Juifs qui était ce qui l'avait fait agir » (p. 201).

74. La responsable de la propagation de cette image est, bien entendu, Hannah Arendt. Voir *Eichmann in Jerusalem : A Report on the Banality of Evil* (New York, Viking Press, 1963 [*Eichmann à Jérusalem. Rapport sur la banalité du mal*, Paris, Gallimard, 1966]), et *Les Origines du totalitarisme* (Paris, Le Seuil, 1984). Même Browning, pourtant plus nuancé, tombe parfois dans ce travers : voir par exemple *Ordinary Men*, p. 74, 185.

75. Quand il cherche à évaluer les différents facteurs qui ont contribué à faire de l'Italie le pays occupé par les Allemands où le taux de survie des Juifs a été le plus fort (après l'héroïque Danemark), Zuccotti (dans *The Italians and the Holocaust*, p. 278) écrit : « Il est clair que les facteurs favorables au salut des Juifs au cours de l'Holocauste tiennent au contexte des coutumes et traditions des différents pays. La tradition la plus pertinente est évidemment l'absence d'antisémitisme. Pour de nombreuses raisons, l'Italie moderne n'avait pas de tradition antisémite » ; voir aussi Carpi, « The Rescue of Jews in the Italian Zone of Occupied Croatia », p. 465-506. Sur la façon dont les Danois ont porté secours aux Juifs danois, voir Leni Yahil, *The Rescue of Danish Jewry : Test of a Democracy* (Philadelphie, Jewish Publication Society of America, 1969). Pour une analyse globale du rôle crucial de l'antisémitisme de chaque pays dans la survie des Juifs, voir Helen Fein, *Accounting for Genocide : National Responses and Jewish Victimization During the Holocaust*, New York, Free Press, 1979, notamment p. 82.

76. Une Lituanienne écrivait dans son journal intime : « Tous les Lituaniens, et surtout l'intelligentsia, à quelques rares exceptions près, sont unis par la haine des Juifs... Je n'en crois pas mes yeux et mes oreilles ; la violence de cette haine aveugle me fait frissonner », cité dans Mendl Sudarski, Uriyah Katzenelbogen et Y. Gisin, éd., *Lite*, New York, Futuro Press, 1951, p. 1666. Voir aussi L. Garfunkel, *Kovna Hay'hudit B'khurbanah*, Jérusalem, Yad Vashem, 1959 ; Peter J. Potichny et Howard Aster, éd., *Ukrainian-Jewish Relations in*

Historical Perspective, 2e éd., Edmonton, CIUS, 1990 ; B. F. Sabrin, éd., *Alliance for Murder : The Nazi-Ukrainian Nationalist Partnership in Genocide*, New York, Sarpedon, 1991 ; et Shmuel Spector, *The Holocaust and Volhynian Jews, 1941-1944*, Jérusalem, Yad Vashem, 1990.

77. Voir, par exemple, Jugement, Viktor Arajs, Hambourg (37) 5/76 ; Accusation, Viktor Arajs, Hambourg 141 Js 534/60 ; et Jugement, Karl Richard Streibel *et al.*, Hambourg 147 Ks 1/72.

78. Il est remarquable qu'on en sache si peu sur les agents des autres génocides. La littérature existante ne dit pas grand-chose sur leur identité, leur vie de tueurs ou leurs motivations. Pour un exemple, voir Frank Chalk et Kurt Jonassohn, *The History and Sociology of Genocide : Analyses and Case Studies*, New Haven, Yale University Press, 1990.

79. Cette comparaison est instructive : entre autres, elle nous permet d'examiner les différences dans le traitement, par les Allemands, de populations de « races » et nationalités différentes placées dans des conditions structurelles identiques, notamment dans les camps. Un tel examen renforce la conclusion que les variables de structure et de situation ne peuvent rendre compte des variations dans les actes des Allemands, car s'il n'y a pas variation de la variable indépendante (la structure reste la même), c'est que cette variable ne rend pas compte de la variation de la variable dépendante (le traitement différent des différents groupes de victimes). La comparaison renforce la conclusion que les causes structurelles et situationnelles n'avaient pas le premier rôle dans la volonté des Allemands de brutaliser et tuer les Juifs. Même Wolfgang Sofsky (*Die Ordnung des Terrors : Das Konzentrationslager*, Francfort, Fischer Verlag, 1993, p. 137-151), partisan convaincu d'une interprétation structurelle des actes des gardiens de camp, doit reconnaître que le sort des prisonniers était très différent d'un groupe à l'autre. Bien que cela mette en cause sa thèse, il n'en tire pas la conclusion qui s'impose. Pour une vue globale des violences des nazis contre les non-Juifs, voir Michael Berenbaum, éd., *A Mosaic of Victims : Non-Jews Persecuted and Murdered by the Nazis*, New York, New York University Press, 1990.

80. Il est significatif que les élites scientifiques et médicales aient été plus sensibles au problème que les paysans. Voir Robert Proctor, *Racial Hygiene : Medicine under the Nazis*, Cambridge, Harvard University Press, 1988. Ceux qui soutiennent que les tueurs étaient ces gens de faibles capacités intellectuelles, qui, dans toutes les sociétés, peuvent être facilement amenés à la brutalité, sont obligés de voir dans cette élite intellectuelle (et dans les titulaires d'un doctorat servant dans le *Sicherheitsdienst* [SD]) des « super-nazis » pour expliquer comment des gens intelligents ont pu commettre de tels crimes. Pourquoi des « super-nazis » ? Ils étaient une élite intellectuelle qui, usant d'un raisonnement pseudo-scientifique, portait à leur conclusion logique les lieux communs culturels propres à tous les Allemands. Ils donnaient aux idées du caniveau (qui ne coulaient pas seulement dans les caniveaux mais aussi dans les foyers bourgeois allemands et les universités allemandes) une forme scientifique, et ils en déduisaient des implications pratiques. Ceux qui nient que les agents de l'Holocauste partageaient le credo nazi sont contraints de recourir à un type d'explication pour les prétendus simples d'esprit, à un autre pour les « super-nazis », et ils déclarent, sur le mode du décret, que tous les Allemands situés entre les deux avaient une attitude encore différente envers le massacre systématique des différents groupes désignés. On comprendra beaucoup mieux les choses en considérant les fils communs reliant tous les Allemands, à quelque niveau qu'ils se situent, pour en faire des agents consentants du meurtre.

81. Sur les aspects principaux de la théorie raciale des nazis, voir Hans Günther, *Rassenkunde des deutschen Volkes*, Munich, Lehmanns Verlag, 1935 ; et aussi Hans Jürgen Lutzhöft, *Der Nordische Gedanke in Deutschland, 1920-1940*, Stuttgart, Ernst Klett Verlag, 1971.

82. Christa Kamenetsky, *Children's Literature in Hitler's Germany : The Cultural Policy of National Socialism*, Athens, Ohio, Ohio University Press, 1984, p. 166.

83. Max Weinreich, *Hitler's Professors : The Part of Scholarship in Germany's Crimes Against the Jewish People*, New York, YIVO, 1946, p. 89, n. 204.

84. Adolf Hitler, *Mein Kampf*, Boston, Houghton Mifflin, 1971, p. 300.

85. Josef Ackermann, *Heinrich Himmler Als Ideologe*, Göttingen, Musterschmidt, 1970, p. 160.

86. Cela est vrai du massacre des Arméniens par les Turcs, du massacre des communistes indonésiens, du massacre des Tutsis par les Hutus au Burundi, du massacre des koulaks par Staline et de sa politique de génocide en Ukraine, du massacre des Bengalis au Bangladesh par les Pakistanais, pour n'en citer que quelques-uns. Sur ces génocides et d'autres, voir Frank Chalk et Kurt Jonassohn, *The History and Sociology of Genocide : Analyses and Case Studies*, New Haven, Yale University Press, 1990 ; Leo Kuper, *Genocide : Its Political Use in the Twentieth Century*, New Haven, Yale University Press, 1981 ; et Robert Conquest, *Harvest of Sorrow : Soviet Collectivization and the Terror-Famine*, New York, Oxford University Press, 1986. La présence de conflits objectifs dans ces génocides ne les justifie évidemment pas, pas plus qu'elle ne donne aux victimes une quelconque responsabilité dans ce qui est arrivé.

87. Les Juifs soviétiques, avant de se rendre compte que ces Allemands n'étaient pas ce qu'ils attendaient, avaient d'abord accueilli la Wehrmacht sans hostilité et avec prévenance. Un inspecteur de l'armement allemand le faisait remarquer dans son rapport au général Georg Thomas, mais il ajoutait qu'il était « évident que les Juifs, intérieurement, haïssaient l'administration et l'armée allemande, ce qui n'était pas surprenant » (Nur. Doc. 3257-PS, *IMT*, vol. 32, p. 73). Tels étaient les verres déformants de l'antisémitisme allemand.

88. Cité dans Steven E. Aschheim, « "The Jew Within" : The Myth of "Judaization" in Germany », dans Jehuda Reinharz et Walter Schatzberg, *The Jewish Response to German Culture : From the Enlightenment to the Second World War*, Hanover, University Press of New England, 1985, p. 240.

89. Voir Georg Lilienthal, *Der « Lebensborn e. V. » : Ein Instrument nationalsozialistischer Rassenpolitik*, Stuttgart, Gustav Fischer Verlag, 1985, p. 218-234.

90. Voir Kuper, *Genocide*, p. 110.

91. Bien sûr, les conditions de vie au goulag étaient souvent terribles, et les gardiens y traitaient les prisonniers d'une façon brutale et meurtrière. Pourtant, leur cruauté n'approchait pas celle des Allemands envers les Juifs. Voir Robert Conquest, *The Great Terror : A Reassessment*, New York, Oxford University Press, 1990, p. 308-340, et aussi ce que dit Alexandre Soljenitsyne dans *L'Archipel du Goulag* (Paris, Le Seuil, 1974).

Chapitre 16

1. C'est un problème analytique simple : si un individu manifeste initialement une volonté d'agir, la supposition que l'inaction puisse être punie n'explique pas son acte. Pour cet individu, l'idée d'une possible punition, à supposer qu'il s'y attarde, n'a rien à voir avec son acte volontaire. Il en va de même des avantages matériels : si quelqu'un est prêt à faire quelque chose pour rien, l'offre d'une rémunération peut être considérée comme un complément bienvenu mais n'explique pas sa décision d'agir.

2. Il ne suffit pas de déshumaniser l'autre, car les esclaves qui, dans bien des cultures, sont déshumanisés à l'extrême ne sont pas tués. Pour que l'on tue, il faut des croyances particulières, dont la conviction que le groupe déshumanisé est source de graves dangers.

3. Sans l'appui d'une institution et sa capacité à les orienter, ces croyances ne débouchent que sur des émeutes ou des pogroms. De même, l'État cherche souvent à réprimer les violentes impulsions que ces croyances engendrent, comme ce fut le cas dans l'Allemagne du XIXe siècle. Otto Stobbe, historien des communautés juives allemandes du Moyen Age, se faisait la réflexion, en 1866, que la haine des Allemands à l'endroit des Juifs avait bien peu changé depuis les temps médiévaux : « Bien que les récentes législations aient accordé aux Juifs une émancipation complète, il s'en faut de beaucoup qu'elle soit réalisée. Et si l'État ne protégeait pas les Juifs contre la violence, ils seraient toujours exposés à subir la persécution et les mauvais traitements de la plèbe. » Cité dans Guido Kisch, *The Jews in Medieval Germany : A Study of Their Legal and Social Status*, Chicago, University of Chicago Press, 1949, p. x.

4. Sur les grands génocides, voir Frank Chalk et Kurt Jonassohn, *The History and Sociology of Genocide : Analyses and Case Studies*, New Haven, Yale University Press, 1990.

5. Voir Jacob Katz, *From Prejudice to Destruction : Anti-Semitism, 1700-1933* (Cam-

bridge, Harvard University Press, 1980), pour une étude comparative de l'histoire de l'antisémitisme dans différentes régions d'Europe.

6. Helen Fein, dans *Accounting for Genocide : National Responses and Jewish Victimization During the Holocaust* (New York, Free Press, 1979, p. 64-92), montre que par toute l'Europe le degré d'antisémitisme de chaque pays avant la guerre explique pour beaucoup les différents degrés de réussite de l'entreprise allemande d'extermination des Juifs. On ajoutera que la capacité qu'avaient les Allemands à résister aux pressions du régime était bien plus forte que celle des habitants des pays occupés.

7. Que l'on considère les *intentions* ou les *politiques* suivies, la périodisation change très peu. Celle qui est considérée ici se concentre sur les politiques. Si l'on choisissait une périodisation des intentions, alors la Nuit de cristal marquerait le début de la deuxième phase, et la *décision* de Hitler d'anéantir les Juifs marquerait le début de la troisième. Eberhard Jäckel (*Hitler's World View : A Blueprint for Power*, Cambridge, Harvard University Press, 1981, p. 61) distingue les mêmes trois phases, bien qu'il ait une idée fondamentalement différente de leur genèse et de leur nature.

8. *Nazism*, p. 1055.

9. Sur la façon dont les nazis ont pu utiliser les Juifs comme monnaie d'échange financière ou politique, voir Yehuda Bauer, *Jews for Sale ? Nazi-Jewish Negotiations, 1933-1945*, New Haven, Yale University Press, 1994. Bauer remarque qu'il ne s'agissait là que d'initiatives exceptionnelles, temporaires et tactiques, sans incidence sur l'intention des nazis d'exterminer tous les Juifs d'Europe.

10. Voir David Bankier, « Hitler and the Policy-Making Process on the Jewish Question », *HGS* 3, n° 1 (1988), p. 1-20, not. p. 16-17.

11. Le rôle central des considérations géostratégiques dans l'élaboration de la politique éliminationniste se lit dans la note du 3 juin 1940, rédigée par le chef du bureau des affaires juives du ministère des Affaires étrangères, Rademacher, à l'intention de son supérieur, Martin Luther. Le texte repose sur la croyance axiomatique en la capacité des Juifs à manipuler les puissances étrangères (dans le cas de cette note, les États-Unis) et donc dans la valeur statrégique des otages juifs, deux idées qui ont influencé la stratégie hitlérienne. Rademacher expose que la guerre a deux objectifs solidaires : expansion impérialiste de l'Allemagne et « libérer le monde des chaînes de la juiverie et de la franc-maçonnerie ». On trouvera un long extrait de cette note dans Christopher R. Browning, *The Final Solution and the German Foreign Office : A Study of Referat D III of Abteilung Deutschland 1940-1943*, New York, Holmes & Meier, 1978, p. 36-37.

12. Werner Jochmann, éd., *Adolf Hitler : Monologe im Führer-Hauptquartier, 1941-1944*, Hambourg, Albrecht Knaus Verlag, 1980, p. 108.

13. Goebbels, dans un discours de juin 1944, se vantait de ce que les nazis n'avaient pas fait connaître publiquement leur décision ultime, ce qui confirmait implicitement qu'ils avaient dû attendre le moment opportun pour mettre leurs intentions en pratique : « Il aurait été peu avisé de dire aux Juifs, avant la prise du pouvoir, ce que nous avions l'intention de leur faire [...] C'était une très bonne chose qu'ils ne prennent pas le national-socialisme avec le sérieux qu'il méritait. » Cité dans Hans-Heinrich Wilhelm, « The Holocaust in National-Socialist Rhetoric and Writings : Some Evidence against the Thesis that before 1945 Nothing Was Known about the "Final Solution" », *YVS* 16 (1984), p. 112, n. 23.

14. *Völkischer Beobachter*, 7 août 1929, cité dans Erich Goldhagen, « Obsession and Realpolitik in the "Final Solution" », *Patterns of Prejudice* 12, n° 1 (janv.-fév. 1978), p. 10. Peu de temps après son accession au pouvoir en 1933, Hitler disait dans un meeting qu'il faudrait tuer les malades mentaux. Voir Michael Burleigh, *Death and Deliverance : Euthanasia in Germany c. 1900-1945*, Cambridge, Cambridge University Press, 1994, p. 97.

15. Supposons que les Allemands, en 1940, aient déporté tous les Juifs vivant sous leur domination à Lublin, Madagascar, ou ailleurs, rien ne certifie qu'ils les auraient laissés en vie. La décision d'exterminer les Juifs soviétiques, décision organiquement nazie, aurait sans aucun doute été étendue aux Juifs enfermés dans une telle « réserve », de la même manière que, dans les faits, les Allemands ont étendu cette décision aux Juifs polonais enfermés dans des ghettos et aux Juifs vivant en France, et espéraient bien l'étendre un jour aux Juifs d'Angleterre et de Turquie. Même, si cela avait été l'idée de Hitler du printemps à l'automne 1941, au moment où s'ouvrait à lui la perspective d'être le maître de

l'Europe et de l'immense territoire russe jusqu'au Pacifique, il lui aurait été facile de remettre en chantier le plan de déportation des Juifs de Pologne et d'Europe dans quelque colonie isolée et soigneusement close, ce qui lui aurait permis de prendre son temps pour la suite et d'attendre le meilleur moment. Mais il ne l'a pas fait.

16. Sur les déclarations ouvertement meurtrières de Himmler dans un de ses discours, voir la déposition du général SS Erich von dem Bach-Zelewski (*IMT*, vol. 4, p. 482). Pour une analyse globale des plans meurtriers des nazis, voir Ihor Kamenetsky, *Secret Nazi Plans for Eastern Europe : A Study of Lebensraum Policies* (New York, Bookman Associates, 1961) ; et Robert Gibbons, « Allgemeine Richtlinien für die politische und wirtschaftliche Verwaltung der besetzten Ostgebiete », *VfZ* 24 (1977), p. 252-261.

17. Jochmann, éd., *Adolf Hitler*, p. 229.

18. Il y eut quelques rares exceptions, comme le général Franz von Rocques. Dans les premiers jours du massacre des Juifs d'URSS, il déclara au général Wilhelm von Loebe (qui l'écrira dans son journal sans exprimer de désaccord) que les fusillades de masse ne suffiraient pas. « Le moyen le plus sûr de résoudre la question serait de stériliser tous les Juifs de sexe masculin. » Le général n'était évidemment pas hostile au diagnostic hitlérien sur la « question juive », mais donnait sa préférence à un équivalent fonctionnel, supérieur en efficacité et en esthétique. Voir Helmut Krausnick et Hans-Heinrich Wilhelm, *Die Truppe des Weltanschauungskrieges : Die Einsatzgruppen der Sicherheitspolizei und des SD, 1938-1942*, Stuttgart, Deutsche Verlags-Anstalt, 1981, p. 207-208.

19. Reginald H. Phelps, « Hitlers "Grundlegende" Rede über den Antisemitismus », *VfZ* 16, n° 4 (1968), p. 412. Hitler ajoutait que les Juifs étaient contre la peine de mort parce qu'ils savaient qu'elle leur serait appliquée.

20. *Ibid.*, p. 418.

21. Le nombre moyen de travailleurs étrangers évadés fut d'environ 33 000 par mois, de février à août 1943, avec une augmentation régulière entre février (20 000) et décembre (46 000). La plupart d'entre eux furent rapidement repris. Voir Ulrich Herbert, « Der "Ausländereinsatz" : Fremdarbeiter und Kriegsgefangene in Deutschland, 1939-1945 – ein Überblick », dans *Herrenmensch und Arbeitsvölker : Ausländische Arbeiter und Deutsche, 1939-1945*, Berlin, Rotbuch Verlag, 1986, p. 41.

22. Voir Falk Pingel, *Häftlinge unter SS-Herrschaft : Widerstand, Selbstbehauptung und Vernichtung im Konzentrationslager*, Hambourg, Hoffmann und Campe, 1978, p. 118-179 ; et Ulrich Herbert, « Arbeit und Vernichtung : Ökonomisches Interesse und Primat der "Weltanschauung" im Nationalsozialismus », dans Dan Diner, éd., *Ist der Nationalsozialismus Geschichte ? Zu Historisierung und Historikerstreit*, Francfort, Fischer, 1987, p. 198-236.

23. Comment, au moins dans ce dernier exemple, faut-il apprécier les capacités de l'antisémitisme éliminationniste dans son interaction avec d'autres aspirations et contraintes des Allemands ? Devant l'ensemble des objectifs allemands, souvent contradictoires, où la production n'avait qu'un rôle secondaire, il est juste de dire que, globalement, au sens habituel de la rationalité (en termes de fins et de moyens), le comportement des Allemands était assez rationnel. Ils auront réussi à tuer des millions de Juifs, ils leur auront arraché une certaine production sans laisser cet objectif secondaire contrecarrer leur objectif premier d'extermination, et ils auront infligé aux Juifs pendant tout le processus des souffrances inimaginables. Sans doute ces politiques manquaient-elles de cohérence, et auraient-elles pu être élaborées plus intelligemment, même de leur point de vue. Mais globalement, si l'on considère leurs valeurs et leurs exigences incompatibles, les Allemands ne s'en sont pas si mal tirés que ça. Eux-mêmes estimaient que leurs efforts étaient couronnés de succès. Ils avaient réussi à atteler la mort au char du travail, ce qui était un exploit, un monument élevé à leur vision du monde, à l'antisémitisme, à son pouvoir de perversion.

24. K. D., Hoffmann, p. 2677.

25. Sur les Juifs cachés, voir Wolfgang Benz, « Überleben im Untergrund, 1943-1945 », in Wolfgang Benz, éd., *Die Juden in Deutschland, 1933-1945 : Leben unter nationalsozialistischer Herrschaft*, Munich, Verlag C. H. Beck, 1988, p. 660-700.

26. Cette fameuse formulation antisémite était due à Heinrich von Treitschke, la principale figure de ce groupe de libéraux mécontents qui se donnèrent à l'antisémitisme. Il écrivait en 1879, mais son appel antisémite se ferait entendre pendant trois quarts de siècle :

« Chez des gens qui rejetteraient avec dédain toute accusation d'intolérance cléricale ou d'arrogance nationale, on entend aujourd'hui ce cri unanime : "Les Juifs sont notre malheur !" » Cité dans Alfred D. Low, *Jews in the Eyes of Germans : From the Enlightenment to Imperial Germany*, Philadelphie, Institute for the Study of Human Issues, 1979, p. 372.

27. Robert Gellately, *The Gestapo and German Society : Enforcing Racial Policy, 1933-1945*, Oxford, Clarendon Press, 1990, p. 205-206, not. 58. Même dans ces rares critiques, certains ne contestaient pas la conception dominante à l'endroit des Juifs ni le bien-fondé du programme éliminationniste, se contentant de mettre en cause la sagesse de telles mesures qui appelaient inévitablement une vengeance des Juifs (voir p. 208-209). Près de la moitié des cas recensés à Munich ne donnèrent lieu à aucune poursuite, ce qui prouve que les critiques étaient peu consistantes (p. 206). Gellately conclut que cette rareté des critiques faites à la politique antijuive « montre à quel point les citoyens s'accommodaient de la ligne officielle ». Je ne vois aucune raison de conclure à un tel « accommodement », comme si les Allemands s'adaptaient à une situation contre laquelle ils étaient impuissants, étant donné qu'ils ne manifesteront aucun sens critique tout au long de la persécution éliminationniste, quels que soient la politique suivie et le changement de la conjoncture et de la fortune des armes. Comme je l'ai exposé tout au long de ce livre, les preuves documentaires montrent que ce n'est pas en termes d'accommodement mais d'adhésion idéologique qu'il faut caractériser le soutien apporté par les Allemands à l'entreprise éliminationniste. S'il ne s'était agi que d'« accommodement », alors pourquoi (question comparative trop peu fréquemment posée) les Allemands se sont-il accommodés du régime nazi dans ce domaine et pas dans d'autres ?

28. Manfred Messerschmidt, « Harte Sühne am Judentum : Befehlslage und Wissen in der deutschen Wehrmacht », dans Jörg Wollenberg, éd., *« Niemand war dabei und keiner hat's gewusst » : Die deutsche Öffentlichkeit und die Judenverfolgung 1933-1945*, Munich, Piper, 1989, p. 123.

29. Kunrat von Hammerstein, *Spähtrupp*, Stuttgart, Henry Goverts Verlag, 1963, p. 192.

30. Cité dans Wolfgang Gerlach, *Als die Zeugen schwiegen : Bekennende Kirche und die Juden*, 2e éd., Berlin, Institut Kirche und Judentum, 1993, p. 372-373.

31. Cité dans Friedrich Heer, *God's First Love*, Worcester, Trinity Press, 1967, p. 272.

32. Cité dans Gerlach, *Als die Zeugen schwiegen*, p. 244.

33. *Ibid.*, p. 376.

34. *Kirchliches Jahrbuch Für Die Evangelische Kirche in Deutschland, 1933-1944*, Gütersloh, C. Bertelsmann Verlag, 1948, p. 481.

35. Cité dans Gerlach, *Als die Zeugen schwiegen*, p. 372.

36. William Shakespeare, *Le Marchand de Venise*, 5. 1. 90-91.

37. Guenter Lewy, *The Catholic Church and Nazi Germany*, New York, McGraw-Hill, 1964, p. 308.

38. Cité dans Gerlach, *Als die Zeugen schwiegen*, p. 31.

39. *Ibid.*, p. 29.

40. *Ibid.*, p. 29. Ce jugement sur l'omniprésence de l'antisémitisme dans les Églises protestantes fait écho aux conclusions de Gerlach.

41. *Ibid.*, p. 153.

42. Voir, par exemple, Johannes Steiner, éd., *Prophetien wider das Dritte Reich*, Munich, Verlag Dr. Schell und Dr. Steiner, 1946.

43. Voir Otto Dov Kulka et Aron Rodrigue, « The German Population and the Jews in the Third Reich : Recent Publications and Trends in Research on German Society and the "Jewish Question" », dans *YVS* 16 (1984), p. 421-435 ; et Ian Kershaw, « German Popular Opinion and the "Jewish Question", 1939-1943 : Some Further Reflections », dans Arnold Paucker, éd., *Die Juden im nationalsozialistischen Deutschland : The Jews in Nazi Germany, 1933-1945*, New York, Leo Baeck Institute, 1986, p. 365-386 ; David Bankier, *The Germans and the Final Solution : Public Opinion under Nazism*, Oxford, Basil Blackwell, 1992, p. 137 ; et Hans Mommsen et Dieter Obst, « Die Reaktion der deutschen Bevölkerung auf die Verfolgung der Juden, 1933-1945 », dans Hans Mommsen et Susanne Willems, éd., *Herrschaftsalltag im Dritten Reich : Studien und Texte*, Düsseldorf, Schwann, 1988, p. 374-421, notamment p. 406, où ils vont jusqu'à parler d'« indifférence morale très répandue ».

44. Sur une vision différente de l'« indifférence », voir Michael Herzfeld, *The Social Production of Indifference : Exploring the Symbolic Roots of Western Bureaucracy*, New York, Berg Publishers, 1992.

45. W. H. Auden, « In Memory of W. B. Yeats », *Another Time : Poems*, Random House, 1940.

46. Le mot allemand utilisé par les contemporains pour décrire l'attitude de la population à l'égard de la persécution des Juifs était *teilnahmslos*, traduit en général par « indifférence » ou « apathie ». Ian Kershaw (« The Persecution of the Jews and German Popular Opinion in the Third Reich », *Leo Baeck Yearbook* 26 [1981], p. 330), par exemple, citant un rapport *Sopade*, écrit à propos du pays de Bade : « Même si certains "rejetaient vigoureusement" la persécution, la majorité de la population demeurait "complètement indifférente" *[absolut teilnahmslos].* » Mais la traduction n'est pas la bonne : la meilleure traduction anglaise de *« Teilnahmslos »* serait *« unsympathetic »* [en français : « sans compassion, avec froideur »). Les Allemands en question étaient donc « dénués de compassion » face à toutes ces souffrances. *« Teilnahmslos »* ne signifie pas « indifférent » au sens du mot allemand*« gleichgültig »*, qui renvoie à une absence d'intérêt. Quelqu'un peut être *« teilnahmslos »* c'est-à-dire sans compassion pour les souffrances d'autrui, mais ne peut pas être *« teilnahmslos »* devant la réussite d'autrui. *« Teilnahmslos »* indique toujours un manque de cœur, et ce manque de cœur doit bien avoir une origine puisque ce n'est pas la réaction normale devant de telles horreurs.

47. Wolfgang Wippermann, *Das Leben in Frankfurt zur NS-Zeit : Die nationalsozialistische Judenverfolgung*, Francfort, Kramer, 1986, vol. 1, p. 104.

48. Thomas Hobbes, « Of the Passions of the Mind », *The Elements of Law : Natural and Politic*, Londres, Frank Cass & Co., 1969, p. 40.

49. Je le répète, la charge de la preuve incombe à ceux qui soutiennent qu'une importante fraction de la population allemande ne souscrivait pas à un antisémitisme de type nazi, à ce qui a été analysé ici comme le modèle culturel à l'endroit des Juifs. Quand on lit les ouvrages qui défendent cette thèse, on ne peut qu'être surpris par la grande insuffisance, voire *l'absence de preuve* apportée à leurs dires que les croyances allemandes à l'égard des Juifs étaient différentes de ce que les nazis proclamaient tous les jours.

50. E. C., ZStL 204 AR-Z 269/60, vol. 2, p. 471. Cet homme était à ce point prisonnier de la vision du monde nazie que, dans son interrogatoire de 1962, il déclarait que la justesse de leur idée des Juifs était confirmée par « beaucoup de ce qu'on a vu en Russie » (et par le plan Morgenthau).

51. *Why I Left Germany*, par un savant juif allemand, Londres, M. M. Dent & Sons, 1934, p. 214.

52. Cité dans Harmut Ludwig, « Die Opfer unter dem Rad Verbinden : Vor- und Entstehungsgeschichte, Arbeit und Mitarbeiter des Büro Pfarrer Grüber », mémoire d'habilitation, Berlin, 1988, p. 76, n. 208.

53. Une étude conduite par les autorités américaines d'occupation à la fin de 1946 montrait que 61 % des Allemands n'hésitaient pas à exprimer des vues qui les classaient comme racistes ou antisémites. 19 % étaient classés comme nationalistes. Le rapport évoquait ainsi cette situation déprimante : « En résumé : quatre Allemands sur dix sont si fortement antisémites qu'il n'est pas douteux qu'ils ne s'opposeraient à aucune entreprise contre les Juifs, même si tous ne seraient pas prêts à y participer... On peut estimer que moins de deux sur dix s'opposeraient à de telles entreprises. » Et cela un an et demi après la défaite du nazisme ! Qui plus est, ces chiffres ne peuvent que gravement *sous-estimer* le degré d'antisémitisme de l'Allemagne de l'époque. On sait que ce genre d'enquête ne peut que donner une image biaisée des préjugés des gens interrogés, et surtout celle-ci, puisque un antisémitisme déclaré pouvait valoir des ennuis dans un pays gouverné par les Alliés. On signalera enfin que l'enquête était effectuée par des Américains du gouvernement militaire, ce qui réduisait d'autant la bonne volonté des enquêtés à révéler leur racisme et leur antisémitisme. Un test a montré que, quand c'étaient des Allemands qui posaient les questions, le pourcentage des interrogés prêts à exprimer une vue favorable du nazisme était de 10 % supérieur à ce qu'il était quand les questions étaient posées par des Américains. Voir Frank Stern, *The Whitewhashing of the Yellow Badge : Antisemitism and Philosemitism in Postwar Germany*, Oxford, Pergamon Press, 1992, p. 106-157, ici p. 124; Anna J. Merritt et Richard L. Merritt, *Public Opinion in Occupied Germany : The OMGUS Sur-*

veys, 1945-1949, Urbana, University of Illinois Press, 1970, p. 5-8, 146-148. Cela ne veut pas dire que l'antisémitisme ne se soit pas fortement dissipé en Allemagne ou n'ait changé de caractère sous le régime de la République fédérale (même s'il continue à infecter l'Allemagne d'aujourd'hui). Plusieurs raisons à cela. La plus importante, c'est que, après la guerre, les Allemands ont été rééduqués. La conversation publique en Allemagne a cessé d'être antisémite (l'expression de l'antisémitisme est punie par la loi). De plus, les Allemands ont été confrontés à des contre-images des Juifs, du temps de l'occupation alliée et ensuite, quand le pays a retrouvé sa souveraineté. Les jeunes Allemands ne sont plus élevés et éduqués dans une culture publiquement antisémite. La vision nazie des Juifs avait une fragilité qui tenait à son divorce d'avec la réalité. Ses composantes hallucinatoires pouvaient difficilement survivre sans appui institutionnel. En devenant démocrates, en réintégrant le monde occidental, les Allemands ont commencé à regarder la persécution des Juifs d'une manière proche du reste du monde, à voir dans l'Holocauste le plus grand crime de l'histoire européenne : il devenait difficile de conserver une image démonisée du Juif, même si de nombreux Allemands continuaient à ne pas les aimer. Que des croyances absurdes puissent rapidement disparaître est un phénomène connu. Aux États-Unis, les Blancs du Sud ont considérablement évolué dans leur vision des Noirs et de leur place dans la société entre 1960 et, disons, 1980. De même que le non-racisme des Blancs du Sud d'aujourd'hui ne peut être considéré comme une preuve du non-racisme de leurs homologues de 1950, il est impossible de se fonder sur le niveau de l'antisémitisme dans l'Allemagne des années 60 ou 80 pour dire que les Allemands de 1940 n'étaient pas des antisémites éliminationnistes.

54. Phelps, « Hitlers "Grundlegende" Rede über den Antisemitismus », p. 417.

55. Cité dans Gerlach, *Als die Zeugen schwiegen*, p. 46.

56. Il faut le souligner : les nazis n'ont nullement « lavé le cerveau » du peuple allemand. Malgré leurs énormes efforts, ils n'ont pas réussi à endoctriner les Allemands sur toutes sortes de questions, si bien que l'idée qu'ils auraient été capables, du jour au lendemain, d'obliger les Allemands à accepter une vision des Juifs hallucinée, démonisée, qui aurait été contraire à leurs croyances antérieures est absurde. Ce sont les croyances antérieures des Allemands qui ont déterminé ce qu'ils étaient prêts à accepter et à suivre dans l'eschatologie nazie.

57. Voir Robert P. Ericksen, *Theologians under Hitler : Gerhard Kittel, Paul Althaus and Emanuel Hirsch*, New Haven, Yale University Press, 1985, p. 55-56.

58. Voir le tableau en dernière page (non numérotée) du travail de Klemens Felden, « Die Übernahme des antisemitischen Stereotyps als soziale Norm durch die bürgerliche Gesellschaft Deutschlands (1875-1900) », thèse de doctorat, Ruprecht-Karl-Universität, Heidelberg, 1963.

59. Theodor Haecker, « Zur Europäischen Judenfrage », *Hochland* 24, n° 2 (avril-sept. 1927), p. 618. Il ajoutait : « Nous ne voulons pas nous le dissimuler. »

60. Le fait que Hitler ait pu procéder à l'extermination des Juifs mais ait dû interrompre le programme Euthanasie montre qu'ils n'étaient pas prêts à violer leurs plus profondes convictions morales ni leur idée de qui était juste et désirable pour le suivre. Sur la dévotion variable des Allemands selon les différentes causes hitlériennes, voir Ian Kershaw, *The « Hitler Myth »*, Oxford, Clarendon Press, 1987.

61. Werner Jochmann adopte lui aussi cette position dans « Die deutsche Bevölkerung und die nationalsozialistische Judenpolitik bis zur Verkündung der Nürnberger Gesetze » (dans *Gesellschaftskrise und Judenfeindschaft in Deutschland, 1870-1945*, Hambourg, Hans Christians Verlag, 1988, p. 237) : « Il y avait donc un accord fondamental *[Grundkonsens]* entre le peuple et ses dirigeants » qui était la condition nécessaire pour que Hitler se lançât rapidement dans la persécution des Juifs sans rencontrer d'opposition.

62. Nur. Doc. 1816-PS, *IMT*, vol. 28, p. 534. Ursula Büttner (« Die deutsche Bevölkerung und die Juden Verfolgung, 1933-1945 », dans Ursula Büttner, éd., *Die Deutschen und die Judenverfolgung im Dritten Reich*, Hambourg, Hans Christians Verlag, 1992, p. 77) partage cet avis.

63. Cité dans Georg Denzler et Volker Fabricius, *Die Kirchen im Dritten Reich . Christen und Nazis Hand in Hand ?*, Francfort, Fischer, 1985, vol. 1, p. 95.

64. Bankier écrit dans *The Germans and the Final Solution* (p. 156) : « Le gros de la population donnait son aval à la politique antisémite en sachant parfaitement qu'on ne

pourrait atteindre à la pureté raciale si l'on restait par trop attaché à la morale. » Malgré la litote (« par trop attaché à la morale »), il était clair que la morale en vigueur dans les relations entre Allemands était entièrement suspendue dès qu'il s'agissait des Juifs.

65. Konrad Kwiet et Helmut Eschwege (*Selbstbehauptung und Widerstand : Deutsche Juden im Kampf um Existenz und Menschenwuerde, 1933-1945*, Hambourg, Hans Christians Verlag, 1984, p. 34) le dit lui aussi.

66. A l'exception des SS, qui étaient membres d'une organisation obsessionnellement antisémite. Sur la centralité de l'antisémitisme dans la SS, voir Bernd Wegner, *The Waffen-SS : Organization, Ideology and Function*, Oxford, Basil Blackwell, 1990, not. p. 48-53.

67. Cité dans Konrad Kwiet, « Nach dem Pogrom : Stufen der Ausgrenzung », dans Benz, éd., *Die Juden in Deutschland, 1933-1945*, p. 627.

68. La pulsion exterminationniste inhérente à cet antisémitisme avait été identifiée par un journaliste américain, Lothrop Stoddard, en voyage en Allemagne en 1939, et qui l'avait souvent entendue exprimer : « Dans l'Allemagne nazie, la résolution d'éliminer les Juifs est encore accrue par les théories raciales. Dans les cercles nazis, les opinions sont tranchées. Bien qu'on ne le dise pas toujours à voix haute, la décision de principe est prise et elle implique que l'élimination des Juifs devrait avoir lieu dans peu de temps. C'est ce qui explique que, souvent, le sujet ne soit même pas abordé. Mais il ressurgit là où on l'attend le moins. Ainsi, lors d'un déjeuner avec des nazis où l'on n'en avait pas parlé, j'ai été stupéfait d'entendre quelqu'un porter soudain ce toast : "*Sterben Juden !* – Que les Juifs meurent !" » Comme en passant, ces Allemands prononçaient leurs paroles meurtrières devant un journaliste américain. Pour eux, le destin qu'ils préparaient aux Juifs était affaire de sens commun, accepté par tous, et pouvant être mentionné dans un toast sans qu'on en ait parlé avant. En 1939 (et avant), l'odeur du génocide était détectable dans l'atmosphère antisémite de l'Allemage. Voir Lothrop Stoddard, *Into the Darkness : Nazi Germany Today*, New York, Duell, Sloan & Pearce, 1940, p. 287-288.

69. Oskar Pinkus, *The House of Ashes*, Cleveland, World Publishing Co., 1964, p. 36.

70. Chaim A. Kaplan, *The Warsaw Diary of Chaim A. Kaplan*, Abraham I. Katsh, éd., New York, Collier Books, 1973, p. 120.

71. *Ibid.*, p. 129-130. Bien qu'il évoque ses propres pensées, les réflexions de Kaplan ne lui sont nullement personnelles. Son journal était considéré comme un document d'une valeur historique telle qu'Emmanual Ringelblum, le chroniqueur de la vie du ghetto, le « supplia » de le lui confier pour le sauvegarder. Voir l'introduction d'Abraham Katsh, p. 14-15.

72. Verfügung, ZStL 202 AR 165/61, p. 401-402.

73. Ludwig Eiber « "... ein bisschen die Wahrheit" : Briefe eines Bremer Kaufmanns von seinem Einsatz beim Reserve-Polizeibataillon 105 in der Sowjetunion 1941 », *1999* 1/91 (1991), p. 73, 75.

74. Cité dans Alf Lüdtke, « The Appeal of Exterminating "Others" : German Workers and the Limits of Resistance », dans Michael Geyer et John W. Boyer, éd., *Resistance Against the Third Reich, 1933-1990*, Chicago, University of Chicago Press, 1994, p. 73. Cette lettre et la phrase sans équivoque sur la « complète extermination » montrent que, à l'époque, l'extermination était connue de toute l'Allemagne. Halbermalz supposait que ses collègues restés au pays étaient déjà au courant, car il n'explique pas le contexte dans lequel le ghetto avait été rasé par les Allemands, alors qu'il est nécessaire de le connaître pour comprendre l'événement, et, dans le cas présent, pour comprendre (et partager) la satisfaction du rédacteur.

75. Accusation, Hans Krüger, ZStL, 208 AR-Z 498/59, p. 255-256.

76. Jugement, Br. *et al.*, Dortmund 10 Ks 1/53, dans *Justiz und NS-Verbrechen : Sammlung Deutscher Strafurteile Wegen Nationalsozialistischer Tötungsverbrechen, 1945-1966*, Amsterdam, University Press Amsterdam, 1974, vol. 12, p. 332 ; voir aussi Christopher R. Browning, *Ordinary Men : Reserve Police Battalion 101 and the Final Solution in Poland*, New York, Harper Collins, 1992, p. 41.

77. J. U., Hoffmann, p. 2665 ; W. H., Hoffmann, p. 2213 ; et K. S., HG, p. 659.

78. Sur la réunion du 16 décembre 1941, où les principaux hauts fonctionnaires allemands en Pologne applaudirent à cet « ordre de tuer sur-le-champ », voir Hans Frank, *Das Diensttagebuch des deutschen Generalgouverneurs in Polen 1939-1945*, Werner Prag et Wolfgang Jacobmeyer, éd., Stuttgart, Deutsche Verlags-Anstalt, 1975, p. 452-458.

79. J. S., ZStL, 208 AR-Z 24/63, p. 1371.
80. W. G., Buchs, p. 1384.
81. Pour des exemples, voir Accusation, Paul Raebel *et al.*, StA Stuttgart 12 Js 1403/61, où sont évoquées deux opérations ayant eu lieu pour Yom Kippour à Tarnopol (p. 129-130) ; et Jugement, Hans Krüger *et al.*, Münster 5 Ks 4/65, sur une tuerie à Nadvornaya le premier jour de Soukkot (p. 137-194).
82. ZStL 213 AR 1900/66, doc. vol. 4, p. 668-677. Le « poète » évoquait aussi les Krimchaks, un groupe de 2 000 Juifs de Crimée massacrés par les Allemands. Les hommes de l'*Einsatzkommando 11a* (ce qui inclut les *Einsatzkommandos* et les hommes du 9e bataillon de police) étaient si antisémites qu'ils s'en prenaient « absolument tous » à un homme du bataillon qui avait un nom à consonance juive et des cheveux noirs en l'appelant le « Juif Eisenstein ». Ils menaçaient même de le tuer (O. E., ZStL 213 AR 1900/66, p. 1822). Doit-on vraiment penser qu'ils désapprouvaient le massacre des Juifs entrepris par leur pays ?
83. Adalbert Rückerl, *Nationalsozialistische Vernichtungslager im Spiegel deutscher Strafprozesse : Belzec, Sobibor, Treblinka, Chelmno*, Munich, Deutscher Taschenbuch Verlag, 1977, p. 281, 292. Chelmno fut ouvert de nouveau en 1944 pour de nouveaux massacres.
84. Accusation, Hans Krüger *et al.*, ZSt Dortmund 45 Js 53/61, p. 189.
85. Accusation, A. B., StA Lübeck 2 Js 394/70, p. 148.
86. Voir Klaus Scholder, « Ein Requiem für Hitler, Kardinal Bertram und der deutsche Episkopat im Dritten Reich », *Frankfurter Allgemeine Zeitung*, 25 octobre 1980. Sur le sens particulier de cette « messe solennelle de requiem », Scholder écrit : « Selon la règle catholique, une messe solennelle de requiem ne peut être célébrée que pour un croyant et seulement en une occasion importante, et si c'est l'intérêt public de l'Église... » Dans une lettre de janvier 1944, le cardinal Bertram donnait implicitement son approbation, et celle du peuple allemand puisqu'il entendait parler en son nom, à l'extermination des Juifs, destin que lui-même (et les Allemands selon lui) n'acceptait pas dans le cas des Juifs baptisés. Il s'opposait à ce que « nos coreligionnaires chrétiens subissent un sort semblable à celui des Juifs », dont il disait explicitement qu'il était « l'extermination », mais il ne s'opposait pas à ce destin des Juifs, ni dans cette lettre, ni antérieurement. Voir Lewy, *The Catholic Church and Nazi Germany*, p. 291. Comme on l'a montré à propos de la haute hiérarchie ecclésiastique, l'antisémitisme de Bertram reflétait la norme.
87. Des milliers de prêtres catholiques et de pasteurs protestants veillaient aux besoins spirituels des millions d'Allemands servant sous les drapeaux, dans les unités de police et autres institutions de mise à mort. Ceux des agents de l'Holocauste qui étaient catholiques parlaient-ils des tueries en confession ? Les millions de gens qui étaient témoins des massacres ou étaient au courant (notamment en Union soviétique, où les tueries se faisaient au grand jour) ont-ils cherché conseil auprès de leurs guides spirituels ? Et que leur disaient les hommes de Dieu ? Et pourquoi, autant que nous le sachions, aucun d'entre eux n'a-t-il jamais élevé la voix contre le massacre des Juifs ?

Épilogue

1. Comme on pouvait s'y attendre, c'est la génération parvenue à l'âge adulte sous le nazisme qui était la plus furieusement antisémite. D'après tout ce qu'on sait, la jeunesse de l'Allemagne nazie était totalement raciste et antisémite et vivait dans un monde structuré par des hypothèses cognitives aussi différentes des nôtres que celles de l'Antiquité. Un ancien des Jeunesses hitlériennes, Alfons Heck (*The Burden of Hitler's Legacy*, Frederick, Col., Renaissance House, 1988), a parlé d'un antisémitisme « partagé par des millions d'Allemands », celui qu'on leur enseignait à l'école dans les cours hebdomadaires de « science raciale ». Avec les autres enfants, il « s'imprégnait des visions démentes [du professeur] comme si c'était de l'arithmétique » (p. 49-50). A la lumière de ce qu'il avait vécu, Heck accusait à juste titre ses compatriotes : « Tous les enfants étaient des réceptacles sans défense, attendant de se remplir de la sagesse ou du venin de leurs parents et de leurs enseignants. Nous qui étions nés sous le nazisme n'avions aucune chance d'y échapper à moins que nos parents ne fussent assez courageux pour résister à cette vague et nous

transmettre une vision opposée. Bien peu le faisaient. La majorité des Allemands se rangeaient en formation serrée derrière Hitler, dès lors qu'il avait prouvé qu'il pouvait vraiment apporter des changements fondamentaux » (p. 44). Ainsi, pour Heck, les Allemands ordinaires étaient au moins aussi coupables que les enseignants. Deux ouvrages révélateurs sur la jeunesse nazie, l'un datant de 1941 l'autre de l'après-guerre, arrivent à la même conclusion, exprimée dans leur titre : Gregor Athalwin Ziemer, *Education for Death, the Making of the Nazi* ([« Formation au meurtre, comment on fait un nazi »], Londres, Oxford University Press, 1941) ; et Geert Platner et Schüler der Gerhart-Hauptmann-Schule in Kassel, éd., *Schule im Dritten Reich : Erziehung zum Tod* ([« Écoles du Troisième Reich : la formation au meurtre »] Cologne, Pahl-Rugenstein, 1988). Sur l'antisémitisme dispensé dans les écoles, voir *The Nazi Primer : Official Handbook for Schooling the Hitler Youth* (New York, Harper & Brothers, 1938) : il s'agit du manuel destiné aux sept millions de membres de la Jeunesse hitlérienne (14-18 ans), et il traite de la « question juive » d'une manière ouvertement éliminationniste ; voir aussi Gilmer W. Blackburn, *Education in the Third Reich : Race and History in Nazi Textbooks*, Alban, State University of New York Press, 1985 ; et Kurt-Ingo Flessau, *Schule der Diktatur : Lehrpläne und Schulbücher des Nationalsozialismus*, Munich, Fischer Verlag, 1977.

2. Cité dans Erich Goldhagen, « Obsession and Realpolitik in the "Final Solution" », *Patterns of Prejudice* 12, n° 1 (1978), p. 9.

3. Chaim A. Kaplan, *The Warsaw Diary of Chaim A. Kaplan*, Abraham I. Katsh, éd., New York, Collier Books, 1973, p. 64.

4. Discours d'octobre 1943, Nur. Doc. NO-5001.

5. Les Allemands ordinaires pensaient-ils qu'ils allaient renoncer à l'Europe orientale et vivre en paix à l'avenir avec une Russie indépendante, une Pologne indépendante ressuscitée par leurs soins ? Tout prouve au contraire que leur seule vision de l'avenir était celle où ils seraient les seigneurs d'un empire. Dans le film *Europa Europa*, le héros, Jacob Perel, quand on lui demande ce qu'il fera après la victoire de l'Allemagne (à laquelle il croyait ardemment), répond qu'il se verrait hériter du domaine du SS qui l'avait adopté, et devenir « un petit *Führer* » des Slaves qui travailleraient pour lui.

6. Erich Goldhagen, « Obsession and Realpolitik in the "Final Solution" », p. 9.

7. Léon Poliakov et Joseph Wulf, éd., *Das Dritte Reich und seine Denker*, Francfort, Ullstein, 1983, p. 503-504. De même, le général SS Friedrich Jeckeln, HSSPF pour la Russie-Sud, discutant de l'extermination des Juifs avec un subordonné (R. R.) en été 1941, mentionnait une conversation avec Himmler où celui-ci lui aurait dit que « les Ukrainiens deviendraient un peuple d'hilotes qui ne travailleraient que pour nous » (Accusation, R. R., M. B. et E. K., StA Ratisbonne I 4 Js 1495/65, p. 36). Ce n'étaient pas des paroles en l'air : les Allemands avaient commencé à les mettre en pratique.

ANNEXES

Note de méthodologie

1. Mon étude de ces institutions repose, en plus de la littérature secondaire, sur les enquêtes judiciaires et les procès dont les comptes rendus sont archivés à la ZStL ; y figurent les textes des interrogatoires des coupables, les dépositions des survivants et des témoins et tous les documents pertinents qui ont pu être retrouvés. Bien entendu, la qualité et même la quantité de ces sources primaires est très variable, y compris pour des affaires de nature similaire. Pour certaines, on dispose de dizaines de volumes dactylographiés, représentant des milliers de pages, avec des centaines d'entretiens et interrogatoires. Pour le 101e bataillon de police, par exemple, il faut recourir à deux dossiers distincts, celui de Hoffmann et celui de HG. Le dossier Hoffmann représente 27 volumes (dont deux consacrés aux dépositions lors du procès) soit 4517 pages. Il y a en plus les douze volumes du procès en appel, en général peu éclairants, auxquels s'ajoutent l'acte d'accusation et la longue sentence du premier procès, deux textes copieux résumant les événements principaux et les actes incriminés. L'instruction contre HG fait 13 volumes et 2284 pages : il n'y

eut pas de suite, donc pas d'acte d'accusation. Un volume de photographies est joint au dossier d'instruction dans le cas de Hoffmann (quelques-unes qui ne s'y trouvent pas sont à la ZStL). L'enquête sur la marche de la mort partie de Helmbrechts, étudiée ici, représente 25 volumes, 10 Beiakten (A-J) complémentaires et une série de volumes Zeugen (qui reproduisent et classent de nombreuses dépositions figurant dans les autres volumes), ainsi que le jugement prononcé contre le commandant, Dörr, qui figure au volume 25. Et ces dossiers ne sont nullement les plus volumineux. D'autres, en revanche, tiennent en un volume. Une chose doit être claire : je n'ai pas étudié avec la même profondeur toutes les affaires évoquées ici. Pour certaines, je n'ai lu que ce je croyais nécessaire pour extraire les traits essentiels de l'affaire (ce qui fait que j'ai sans aucun doute laissé passer bien des épisodes et des propos révélateurs). Mais d'autres, comme celles qui sont citées ici, ont fait l'objet d'une lecture complète.

2. Sur les mérites analytiques de la méthode comparative, voir Ivan Vallier, éd., *Comparative Methods in Sociology : Essays on Trends and Applications*, Berkeley, University of California Press, 1973 ; voir aussi Arend Lijphart, « Comparative Politics and the Comparative Method », *American Political Science Review* 65 (1971), p. 682-683 ; et Gary King, Robert O. Keohane et Sidney Verba, *Designing Social Inquiry : Scientific Inference in Qualitative Research*, Princeton, Princeton University Press, 1994.

3. Christopher R. Browning, *Ordinary Men : Reserve Police Battalion 101 and the Final Solution in Poland*, New York, Harper Collins, 1992 ; et Heiner Lichtenstein, *Himmlers grüne Helfer : Die Schutz- und Ordnungspolizei im « Dritten Reich »*, Cologne, Bund Verlag, 1990.

4. Sur les cas cruciaux et la méthode pour les sélectionner, voir Harry Eckstein, « Case Study and Theory in Political Science », dans *Strategies of Inquiry*, Fred I. Greenstein et Nelson W. Polsby, éd., *Handbook of Political Science*, Reading, Mass., Addison-Wesley, 1975, vol. 7, p. 79-138. Pour une critique de la notion de « cas crucial », voir King, Keohane et Verba, *Designing Social Inquiry*, p. 209-212. Étant donné que mon travail s'appuie sur *plusieurs* cas dont chacun peut être considéré comme un « cas le moins vraisemblable » pour confirmer l'hypothèse de départ, les critiques que ces auteurs adressent à la méthode des cas cruciaux ne s'appliquent pas. On peut même dire que, à partir du moment où j'ai choisi plusieurs cas reposant sur des variables indépendantes, je me conforme à leurs prescriptions.

5. Quand l'enquête portait sur une tuerie, un site ou une institution, les enquêteurs dressaient, à partir des documents et des interrogatoires, une liste de ceux que l'on pouvaient suspecter d'avoir été impliqués dans le crime. Il fallait ensuite les retrouver et les interroger. Ils contactaient également les survivants, et parfois, les témoins extérieurs, dont ils enregistraient les dépositions. Dans certains cas, ils ont réussi à retrouver et à interroger des centaines d'agents de l'Holocauste. Beaucoup furent interrogés à plusieurs reprises, en fonction du déroulement de l'instruction. Les interrogatoires étaient surtout consacrés à la vie de l'institution (au départ, les enquêteurs ne savaient presque rien de ce qui avait été fait par les membres de ces institutions), à la logistique des massacres (notamment l'identité des présents, les actes commis et par qui, les ordres donnés et par qui), et aux actes de ceux qui seraient probablement inculpés ou qui l'étaient déjà. En bref, cette instruction avait pour but de savoir quels crimes avaient été commis et par qui. A l'exception des premières enquêtes (peu nombreuses et peu éclairantes), le seul crime sur lequel portait l'instruction était celui de meurtre, car tous les autres étaient prescrits. Aussi les enquêteurs ne s'intéressaient-ils aux actes de cruauté que s'ils avaient été commis par le petit pourcentage de coupables qui étaient déjà inculpés ou qui allaient l'être, car de tels actes pouvaient servir à établir les motifs de l'inculpé ; par conséquent, les enquêteurs ne s'intéressaient pas aux actes de cruauté perpétrés par la grande majorité des agents de l'Holocauste. Ils ne s'intéressaient pas non plus à la vie de ces hommes en dehors des massacres, ni à leurs relations sociales. Aussi, ces enquêtes judiciaires, et notamment les interrogatoires, ont-ils beau être la source la plus riche sur les agents de l'Holocauste, leur contenu souffre de certains biais, puisque quantité de sujets qui seraient très précieux pour l'historien n'ont pas été abordés.

6. Ces discordances sont particulièrement évidentes quand il s'agit d'estimer le nombre de tués ou de déportés lors de telle ou telle opération. Grande est l'importance historique de ces chiffres, mais faible leur incidence analytique. Que les Allemands aient tué à tel

endroit 1 200, 1 500 ou 2 000 Juifs n'a guère d'incidence sur la nature de l'opération, la phénoménologie de la tuerie, la psychologie des coupables. Les discordances sur les chiffres sont en général de cet ordre. Dans l'analyse, je ne mentionne les différents chiffrages et ne commente les contradictions que lorsque cela a une certaine importance analytique ou historique. Sur le nombre de Juifs que les Allemands ont tués ou déportés en une seule opération, je donne soit le chiffre qui me paraît le plus juste, soit la fourchette la plus plausible. Tous les chiffres donnés ne doivent être considérés que comme des estimations, mais leur imprécision est sans incidence sur le type d'analyse auquel je procède. J'ai décidé de ne pas citer, ni dans le texte, ni dans les notes, les dernières évaluations chiffrées : si ces scrupules d'érudit vous font bien voir, ils ne contribuent en rien à l'analyse.

7. Sur les défauts des reconstitutions d'après-guerre voir l'article de Saul Friedländer, éd., *Probing the Limits of Representation : Nazism and the « Final Solution »*, Cambridge, Harvard University Press, 1992.

8. Une déclaration du genre « Nous désapprouvions tous » émane d'un homme qui cherche à se disculper. Si quelqu'un avait dit : « J'approuvais les tueries et les autres non », cette déclaration aurait du poids.

9. Le livre de James C. Scott, *Domination and the Arts of Resistance : Hidden Transcripts* (New Haven, Yale University Press, 1985), m'a beaucoup influencé. Il étudie les innombrables moyens par lesquels des gens soumis à une domination violente expriment leur opposition à la condition qui leur est faite. Ces thèmes sont évoqués dans les chapitres consacrés aux études de cas.

Croire tout ce que les coupables ont dit pour se disculper serait une terrible erreur. Rejeter leurs déclarations de ce type n'a guère d'incidence, car si elles étaient vraies leur vérification irait de soi dans la plupart des cas. Nul doute que ce principe méthodologique n'oblige à écarter certaines déclarations qui étaient vraies, avec le biais que cela entraîne dans la vision des agents de l'Holocauste. Néanmoins, pour les raisons que j'ai énoncées (et qui sont abondamment argumentées dans le livre), je crois que ces déclarations vraies non corroborées par d'autres sont rares, et que le biais est négligeable. En résumé, il n'y a pas d'autre possibilité méthodologique que de les écarter toutes. A ceux qui ne sont pas d'accord d'élaborer une meilleure approche de ces sources si difficiles à manier.

Préface à l'édition allemande*

Étant donné l'intérêt tout particulier du public allemand pour le sujet de ce livre, quelques mots de préface sur son objet et sa thèse centrale, sur les questions de culpabilité collective, et sur l'Allemagne d'aujourd'hui, ne seront sans doute pas inutiles.

Cet ouvrage écarte résolument la perspective habituellement adoptée pour étudier l'Holocauste (sous l'angle des institutions, impersonnelles, et des structures, abstraites) pour revenir aux acteurs, aux êtres humains qui ont commis les crimes, à la population dont ces criminels, hommes et femmes, étaient issus. Il récuse toutes les explications socio-psychologiques antérieures de l'Holocauste, qui font bon marché de l'historicité et se veulent universelles, telle l'idée que les gens obéissent toujours aux ordres, ou qu'ils sont prêts à faire n'importe quoi sous la pression de leurs pairs. Ce livre entend au contraire étudier les auteurs du génocide en tant qu'individus jouissant de leurs facultés humaines, et prouver qu'ils avaient des idées et un jugement de valeur sur le bien-fondé de la politique qui gouvernait leurs choix collectifs et intimes : mes analyses reposent sur l'idée que chaque individu faisait ses propres choix face aux Juifs. Cet ouvrage prend également au sérieux le contexte historique dans lequel les agents allemands de l'Holocauste ont acquis leurs croyances et leur vision du monde, lesquelles ont joué un rôle critique dans leur idée de la « question juive » et de sa solution. Pour toutes ces raisons, il est indispensable d'étudier en profondeur ce que les Allemands qui ont participé au génocide pensaient de leurs victimes, et ce qui motivait leurs actes, ainsi que la façon dont l'ensemble de la population allemande considérait les Juifs.

Bien des questions centrales pour la compréhension de l'Holocauste sont posées ici qui n'ont jamais fait l'objet de l'analyse qu'elles méritent. Un premier ensemble de questions porte sur les agents du génocide : quelles étaient leurs croyances à l'endroit des Juifs ? Les considéraient-ils comme des ennemis dangereux, pervers, ou comme des êtres humains abandonnés de tous et injustement traités ? Considéraient-ils que ce qu'ils faisaient aux Juifs était juste et nécessaire ? Un deuxième groupe de questions concerne l'ensemble des Allemands de l'époque : combien étaient antisémites ? Quelle était la nature de leur antisémitisme ? Que pensaient-ils, dans les années 30, des mesures prises contre les Juifs d'Allemagne ? Que savaient-ils de l'extermination des Juifs à partir de 1940, et qu'en pensaient-ils ? A lire les essais sur l'Holocauste, il est frappant de constater que ces questions sur la mentalité

* Écrite par l'auteur en juillet 1996.

des acteurs ne sont jamais, sauf exception, ouvertement posées, et que, quand elles le sont, c'est d'une manière superficielle, sans que l'on cherche à analyser et peser soigneusement les documents disponibles comme on le fait pour d'autres sujets. Je considère que tout ouvrage qui ne répond pas à ces questions ne peut raisonnablement prétendre expliquer l'Holocauste. Pour répondre à ces questions, ce livre avance des preuves nouvelles et des arguments qui vont à l'encontre des idées reçues sur cette époque et sur les agents du génocide.

Les Bourreaux volontaires de Hitler portent avant tout sur la conception du monde, les choix et les actes des individus, sur leur responsabilité, et sur la culture politique dans laquelle ils puisaient leurs croyances. Il montre qu'il existait chez de très nombreux Allemands tout un ensemble de croyances à propos des Juifs, intégrées à la vie culturelle et politique allemande bien avant que les nazis n'accèdent au pouvoir – croyances qui gouvernaient ce que les Allemands ordinaires, individuellement et collectivement, étaient prêts à accepter et à faire sous le régime nazi. Les cultures politiques se forment dans l'histoire, elles évoluent, et la culture politique de l'Allemagne a changé depuis 1945. Il n'y a rien en elle d'immuable. Aussi cet ouvrage n'entend-il nullement affirmer l'existence d'un « caractère national » allemand qui serait éternel, d'une « psychologie allemande » transhistorique. Je rejette catégoriquement de telles idées, et ce livre ne leur doit rien.

Analyser la culture politique d'un pays n'est pas lui attribuer implicitement des caractéristiques immuables. Avancer des généralités sur la population d'un pays n'implique pas, *ipso facto*, un recours à l'idée de « race ». Généraliser est un besoin de l'esprit humain. Sans généralisations, nous ne saurions trouver le moindre sens au monde dans lequel nous vivons. Nous généralisons sans arrêt sur les groupes sociaux et sociétés, quand nous disons, par exemple, que la plupart des Allemands d'aujourd'hui sont d'authentiques démocrates ; que la plupart des Blancs du Sud des États-Unis avant la guerre de Sécession étaient convaincus que les Noirs étaient, de par leur nature, intellectuellement et moralement inférieurs, et donc destinés à servir de bêtes de somme, d'esclaves ; que la plupart des Blancs du Sud étaient racistes et que le racisme gouvernait leurs idées sur le statut à accorder aux Noirs et sur la manière de les traiter. Ces deux généralisations sont vraies. Le problème n'est donc pas celui de l'usage de la généralisation, mais celui de la véracité des preuves qui la fondent. Il n'y a rien de « raciste » ni de scandaleux à dire que la plupart des Allemands d'aujourd'hui sont de bons démocrates, que la grande majorité des Blancs du Sud avant la guerre de Sécession étaient racistes, que la plupart des Allemands des années 30 étaient antisémites. La vérité de chacune de ces généralisations dépend uniquement des preuves sur lesquelles nous les étayons, et de notre méthode d'analyse.

Ce livre apporte des preuves, et il les interprète pour montrer pourquoi et comment l'Holocauste a eu lieu, pourquoi il a pu avoir lieu. C'est un ouvrage d'histoire et non pas de morale. A son point de départ, l'évidence suivante : l'Holocauste a été le fait de l'Allemagne et relève donc avant tout de l'Allemagne. C'est un fait historique. Toute explication de l'Holocauste doit donc l'inscrire dans le déroulement de l'histoire allemande, tout en reconnaissant qu'il n'était pas inéluctable. Si Hitler et les nazis n'avaient pas accédé au pouvoir, l'Holocauste n'aurait pas eu lieu. Si l'Allemagne n'avait pas connu une grave crise économique, il est vraisemblable que les nazis n'auraient pas accédé au pouvoir. Pour que l'Holocauste eût lieu, il fallait bien d'autres événements, dont aucun n'était inévitable.

Aucune explication de l'Holocauste ne peut y voir l'effet d'une unique causalité. Il a fallu que jouent de nombreux facteurs pour que les conditions nécessaires à sa possibilité et à sa réalisation fussent remplies. La plupart de ces facteurs (l'arrivée des nazis au pouvoir, la répression de toute opposition intérieure, la conquête de l'Europe, la création d'institutions d'extermination, l'organisation des massacres) sont bien connus, et le livre ne s'y étend donc pas. En revanche, il accommode sur le rôle des motivations dans l'Holocauste et affirme que la *volonté* de tuer les Juifs, aussi bien chez Hitler que chez ceux qui ont exécuté son programme de mort, venait avant tout d'une unique source : un antisémitisme virulent. La façon dont cet antisémitisme pouvait être mobilisé et activé dépendait de quantité d'autres facteurs (matériels, conjoncturels, stratégiques, idéologiques) qui sont l'objet d'une analyse approfondie, notamment la succession des politiques antijuives du régime et le fonctionnement des camps dits de « travail » où étaient enfermés certains Juifs. Si le régime et ses bourreaux ont pu mener des politiques antijuives qui semblent parfois contradictoires, c'est parce que leur antisémitisme opérait à l'intérieur de contraintes politiques, sociales et économiques, et qu'en élaborant et en appliquant les mesures antijuives ils prenaient naturellement en compte les autres objectifs pratiques et idéologiques qu'ils poursuivaient simultanément. Expliquer l'Holocauste et tous ses aspects demande donc d'étudier d'autres facteurs que l'antisémitisme. Mais quelle que soit l'influence de ces autres facteurs sur l'élaboration et l'application du programme antijuif des nazis, la source de la *volonté* de persécuter et de tuer les Juifs – chez les dirigeants nazis comme chez les Allemands ordinaires qui ont mis en œuvre ces politiques – ne venait pas de ces facteurs, mais avant tout de leur antisémitisme commun.

Bien que l'antisémitisme particulièrement virulent qui régnait en Allemagne avant et pendant le nazisme ait été la motivation qui poussa les Allemands à persécuter les Juifs, puis, quand on le leur demandera, à les tuer, il est certain que, si les nazis n'avaient pas accédé au pouvoir, cet antisémitisme serait resté inactif. L'Holocauste ne s'est produit en Allemagne que parce que trois facteurs ont joué simultanément. Les antisémites les plus acharnés de l'Histoire ont eu accès au pouvoir d'État en Allemagne et ont décidé de transformer leurs fantasmes personnels en politique nationale. Ils l'ont fait dans un pays qui partageait largement leur vision des Juifs. Sans l'un de ces deux premiers facteurs, l'Holocauste n'aurait pas eu lieu, certainement pas comme il a eu lieu. Les haines les plus violentes, que ce soit celles de l'antisémitisme ou de toute autre forme de racisme ou de préjugé, ne peuvent déboucher sur un massacre systématique que si un gouvernement mobilise et organise les porteurs de cette haine afin de réaliser son programme meurtrier. Ainsi, pas de génocide des Juifs sans les nazis et sans Hitler. Mais sans une bonne volonté largement répandue chez les Allemands ordinaires à accepter, tolérer (et même pour certains épauler) la persécution déjà radicale des Juifs allemands dans les années 30, puis, au moins pour ceux à qui on l'a demandé, à participer à l'extermination des Juifs d'Europe, le régime n'aurait jamais réussi à en tuer six millions. L'accession des nazis au pouvoir et l'adhésion des Allemands à leur politique antisémite étaient les deux conditions nécessaires de l'Holocauste. Ni l'une ni l'autre n'était à elle seule suffisante. Et ce n'est qu'en Allemagne qu'elles ont joué ensemble.

Cela explique aussi les raisons pour lesquelles la dimension et la nature de l'antisémitisme dans d'autres pays ne sont pas pertinentes dès lors qu'il s'agit de comprendre pourquoi l'Allemagne et les Allemands ont perpétré ce génocide. Si antisémite qu'on ait pu être en Pologne, en France ou en Ukraine, aucun de ces pays n'a connu un régime dont le programme était d'exterminer les Juifs. A lui seul, l'antisémitisme d'une population, s'il n'est pas arrimé à une politique gouvernementale de persécution et de meurtre, ne débouche pas sur un génocide. C'est ce qui fait qu'il n'est pas nécessaire de se livrer à une analyse comparative de l'antisémitisme pour expliquer pourquoi c'est seulement en Allemagne que l'antisémitisme a pu déboucher sur une pareille catastrophe. Parce que deux conditions étaient nécessaires (une population antisémite et un régime décidé à procéder à l'extermination des Juifs), et que chacune à elle seule ne suffisait pas à produire l'Holocauste, l'absence patente de l'une des conditions nécessaires dans les autres pays (la détermination d'un régime) signifie qu'il n'est pas besoin, dans l'optique de ce livre, de mesurer le degré de l'antisémitisme dans les autres pays. On se contentera de dire que l'existence d'un fort antisémitisme ailleurs en Europe explique pourquoi les Allemands ont trouvé dans d'autres pays tant de gens prêts à les aider, voire ardents à le faire.

Un troisième facteur montre clairement que l'Holocauste, programme d'extermination à l'échelle d'un continent, ne pouvait être entrepris que par l'Allemagne. Seule l'Allemagne avait la capacité militaire de conquérir le continent européen, et seul son gouvernement pouvait entreprendre le massacre général des Juifs sans craindre de réaction étrangère. Pour cette raison, quand bien même d'autres pays européens auraient eux aussi connu un régime de type nazi désireux d'exterminer les Juifs, ils n'auraient pu mettre en œuvre une telle politique. Hitler lui-même, obsédé par le désir d'anéantir la « juiverie internationale », a procédé avec précaution dans les années 30 quand l'Allemagne était militairement et diplomatiquement vulnérable et qu'une « solution » complète de la « question juive » n'était pas envisageable. Cela ne veut pas dire que des massacres de Juifs n'auraient pu avoir lieu ailleurs, mais simplement que c'était peu vraisemblable, étant donné ces contraintes. C'est un fait historique qu'aucun gouvernement de type nazi décidé à exterminer les Juifs n'est arrivé au pouvoir ailleurs et n'a pris la décision de massacrer ses ressortissants juifs, si bien que l'antisémitisme virulent qui existait bel et bien ailleurs qu'en Allemagne n'a pas poussé ceux qu'il habitait à se lancer dans un massacre de masse jusqu'à ce que les Allemands vainqueurs n'aient commencé à persécuter et tuer les Juifs de ces pays.

Cet ouvrage n'entend pas dresser un panorama historique complet de l'Holocauste, de l'Allemagne nazie, de l'évolution politique de l'Allemagne moderne, de la culture politique allemande. Bien des aspects de ces problèmes ne sont pas évoqués ici. S'attachant à éclairer l'aspect central du problème étudié, ce livre ne s'attarde pas à analyser les exceptions et les variantes, sauf brièvement. Il n'entend pas nier pour autant leur existence, ni qu'il y ait eu des exceptions au cas général qu'il analyse, dont la plupart, y compris tous les types de résistance à Hitler, sont au demeurant fort bien connues. La tâche que s'assigne cet essai est d'expliquer pourquoi et comment l'Holocauste s'est déroulé de la façon dont il s'est déroulé, d'analyser ses aspects centraux, qui, à mon sens, ne l'ont jamais été convenablement.

L'objet de cette étude étant l'explication historique, et non pas le jugement moral, les questions de culpabilité et de responsabilité ne sont jamais abordées directement. Cet ouvrage explique pourquoi et comment les Allemands pensaient ce qu'ils pensaient, et ont fait ce qu'ils ont fait, mais il ne se penche pas sur la question de savoir comment nous devons les juger. Si je n'aborde pas cette question, quelle que puisse être la portée morale de mon livre, c'est parce qu'un tel jugement n'a pas sa place dans une entreprise d'explication. Aborder les questions morales, à mon sens, ne pourrait qu'introduire une confusion sur les intentions du livre et sur ses conclusions. Je n'ai pas non plus de compétence particulière pour traiter de ces questions, et je souhaite en laisser le soin d'une part à ceux qui y sont plus experts, les philosophes de la morale, et de l'autre à chaque lecteur, qui jugera en fonction de sa propre morale. Il est clair, néanmoins, qu'à l'égard du public allemand, pour qui ces problèmes de culpabilité et de responsabilité sont si lourds, je ne saurais éviter quelques mots sur le sujet.

Je rejette catégoriquement l'idée de culpabilité collective, qui affirme que chaque individu est coupable, indépendamment de ses actes, du seul fait de son appartenance à une collectivité criminelle, dans le cas qui nous occupe la nation allemande. Ce ne sont pas les groupes mais les individus qui peuvent être déclarés coupables, et ce en fonction de leurs actes individuels. Le concept de culpabilité ne doit être appliqué à un individu que lorsqu'il a commis un crime, quand le terme renvoie à coup sûr à la culpabilité juridiquement définie. Que ce soit en Allemagne fédérale ou aux États-Unis, personne ne peut être déclaré coupable au sens juridique pour avoir eu certaines pensées, nourri des haines contre d'autres groupes (sauf, selon la législation allemande, s'il a exprimé ces haines publiquement), approuvé des crimes commis par d'autres, ou avoir souhaité commettre un crime. Les mêmes critères doivent être appliqués aux Allemands des années 1933-1945, et ce sont eux que les tribunaux d'Allemagne fédérale ont utilisés pour juger les crimes de la période nazie. Dans mon livre, je montre que la complicité individuelle aura été bien plus répandue que beaucoup ne l'ont dit, et que, si l'on prend en compte tous les actes perpétrés contre des non-Juifs – ce qui s'impose –, le nombre d'Allemands qui ont commis des actes criminels est énorme. Et pourtant, les seuls que nous devions considérer comme « coupables » sont ceux qui ont agi de manière criminelle. Mon livre s'oppose ici à de nombreux ouvrages sur l'Holocauste quand il insiste sur le fait que nous ne devons pas considérer les Allemands pris individuellement comme de simples rouages d'une machine, comme des automates, mais au contraire comme des acteurs responsables, capables de faire des choix, comme des individus qui, en dernière analyse, ont bien été les auteurs de leurs actes. Mon livre souligne que chaque individu opérait des choix quant à la manière de traiter les Juifs ; il va tout entier à l'encontre de l'idée de culpabilité collective et apporte même de puissants arguments pour l'infirmer.

Dans le cas des Allemands (ou des Polonais, des Français, des Ukrainiens) qui étaient antisémites, qui ont approuvé les différentes étapes de la persécution des Juifs, ou qui auraient tué ou persécuté de leur plein gré des Juifs s'ils s'étaient trouvés dans des institutions chargées de le faire, mais qui ne l'ont pas fait, le jugement moral doit être laissé à chacun d'entre nous, de même qu'il appartient à chacun de juger ceux de ses contemporains qui ont des idées répréhensibles. *A fortiori*, tout Allemand né après la guerre, ou qui était encore enfant pendant la guerre, n'est nullement responsable des crimes commis. Aussi durable que soit le devoir de réparation de l'Allemagne et des Allemands envers les victimes juives et non juives des crimes de leurs concitoyens d'antan (et envers leurs parents encore en vie), cela ne signifie pas que les Allemands d'aujourd'hui aient une quelconque responsabilité dans ces crimes.

A l'évidence, la culture politique allemande a changé depuis la fin de la Seconde Guerre mondiale, et notamment sur deux points. En Allemagne fédérale, la culture politique est devenue authentiquement démocratique, et la plupart des Allemands la partagent. Son ancienne composante antisémite a énormément diminué et, globalement, elle a changé de caractère : la vision hallucinée qui attribuait aux Juifs des pouvoirs et des intentions démoniaques, centrale dans l'antisémitisme allemand avant même le nazisme, a disparu. Le déclin général et constant de l'antisémitisme en Allemagne fédérale, et la forme atténuée de l'antisémitisme rémanent, que l'on mesure sans la moindre équivoque dans les enquêtes d'opinion, sont explicables historiquement selon la même grille d'analyse que celle appliquée dans ce livre à l'antisémitisme virulent qui régnait en Allemagne avant et pendant le nazisme.

La défaite militaire et l'instauration d'un régime démocratique ont eu pour conséquence un remplacement des anciennes croyances antidémocratiques et antisémites par de nouvelles croyances démocratiques. Les institutions de la République fédérale ont encouragé une vision de la politique et de l'humanité qui rejetait l'antisémitisme antérieur et lui ôtait toute légitimité. La société allemande s'est progressivement transformée. Aux jeunes générations, l'école a enseigné le credo démocratique selon lequel tous les hommes sont égaux, et non plus celui qui prétendait que l'humanité est composée d'une hiérarchie de races aux capacités différentes, relevant d'obligations morales différentes, et prises dans un conflit inexorable. Étant donné que les idées des individus leur viennent majoritairement de la société et de la culture, la création d'une nouvelle culture politique en Allemagne, couplée avec le remplacement des générations, a eu le résultat attendu : un déclin de l'antisémitisme, une modification fondamentale de son contenu.

Depuis la publication de ce livre aux États-Unis, on m'a souvent demandé quel but je poursuivais. La réponse est double, et toute simple : améliorer notre connaissance du passé en donnant de l'Holocauste et du peuple qui l'a perpétré une analyse juste et la meilleure interprétation dont je sois capable ; permettre au lecteur qui le souhaite de tirer une leçon du passé en lui offrant la possibilité de se confronter à ce passé, sans faux-fuyant et honnêtement.

Index *

* Les pays d'appartenance des localités sont donnés ici selon la carte politique de l'Europe en 1939 (dans le cas de l'URSS, l'Ukraine étant distinguée, comme le fait le texte).

Remerciements

Pour l'essentiel, mes recherches sur les sources ont été effectuées à la Zentrale Stelle der Landesjustizverwaltung de Ludwigsburg, où, pendant plus d'un an, tout le monde, procureurs compris, a fait tout son possible pour faciliter mon travail et me faire sentir que j'étais le bienvenu. Je suis très reconnaissant à tous d'avoir créé un tel climat d'hospitalité autour d'un chercheur travaillant dans un pays étranger, penché quotidiennement sur des documents éprouvants. Je remercie en particulier Alfred Streim, qui, en tant que directeur de la Zentrale Stelle, a donné le ton de la coopération, et Willi Dressen, qui m'a si généreusement fait profiter de son assistance et de son savoir. Bien d'autres, dont Herta Doms, Herr Fritschle et Ute Böhler, ont eu la patience de m'aider à trouver les sources dont j'avais besoin. Bettina Birn et Volker Riess, tout en poursuivant leurs propres recherches, m'ont aidé de leur camaraderie et de leurs conseils pendant tout mon séjour.

Je remercie également Eberhard Jäckel de son soutien pendant mon séjour à Stuttgart. Helge Grabitz, du bureau du procureur de l'État de Hambourg, l'Oberstaatsanwalt Hofmann, du bureau du procureur général, Hermann Weiss, à l'Institut für Zeitsgeschichte de Munich, Genya Marko et Sharon Muller, au service des archives de l'Holocaust Memorial Museum de Washington, m'ont tous aidé très aimablement, ce dont je leur suis reconnaissant.

Mon travail de recherche a reçu le soutien d'une bourse Fulbright, de la fondation Krupp, et du centre Minda de Gunzburg pour les études européennes de l'université Harvard, et de son programme pour l'étude de l'Allemagne et de l'Europe. La fondation Whiting, la fondation Littauer et le centre Simon-Wiesenthal de Los Angeles m'ont également aidé financièrement. Que toutes ces institutions soient ici remerciées.

Je remercie tout particulièrement tous mes collègues du centre Minda de Gunzburg, foyer intellectuel des plus agréables. Nombre d'entre eux méritent d'être remerciés autant pour leur amitié que pour leur aide. Je remercie tout particulièrement Stanley Hoffmann, Guido Goldman et Abby Collins, grâce à qui je me suis senti le bienvenu dans ce centre.

Stanley Hoffmann, Peter Hall et Sidney Verba, les directeurs de la thèse qui est à la base de ce livre, ont su à la fois m'orienter et me laisser les coudées franches selon le dosage qui me convenait. Leur chaleur personnelle et leurs compétences d'historiens en font de grands exemples pour un jeune chercheur. Richard Breitman, Mustafa Emirbayer, Saul Friedländer et Paul Pierson doivent être aussi remerciés pour leurs précieux commentaires sur mon manuscrit, ainsi que ma mère, Norma Goldhagen. Chez mon éditeur, Alfred A. Knopf, tout le monde est à remercier, et en particulier Stephanie Koven, Barbara de Wilde, Max Franke, Amy Robbins, Mark Stein et Brooke Zimmer, qui ont œuvré à l'édition de ce livre et avec qui j'ai eu beaucoup de plaisir à travailler. Je remercie tout spécialement Carol Janeway, qui, avec imagination, ardeur et bonne humeur, a fait tout ce qu'un auteur attend de son éditeur, et Simon Schama, à qui je dois de l'avoir rencontrée.

Ma plus grande dette est celle que je dois à mon père, Erich Goldhagen, un homme humainement et intellectuellement remarquable. Sans sa conversation permanente, si enrichissante, ses vues profondes exprimées sur le ton de la remarque fortuite, ses critères et son exemple de sobriété et de probité intellectuelles, il ne m'aurait pas été possible de déployer les talents que je peux avoir. C'est à lui que je dois ma compréhension du nazisme et de l'Holocauste, et la substance de ce livre doit beaucoup à ses connaissances sans égales des hommes et des événements de cette période inimaginable. Tout au long de mon travail de recherche et de la phase de rédaction, il a été un constant partenaire intellectuel. Pour cette raison, et d'autres, je lui dédie cet ouvrage.

CRÉDITS PHOTOGRAPHIQUES

Photos nos 1, 2 (photo Arthur Grimm) *et 5 :* © Bildarchiv Preussischer Kulturbesitz, Berlin – avec l'aimable autorisation du United States Holocaust Memorial Museum (USHMM), Washington DC.
Photo no 3 : Rijks Instituut Voor Oorlogsdocumentatie, Amsterdam – avec l'aimable autorisation du USHMM.
Photo no 4 : Leo Baeck Institute, New York – avec l'aimable autorisation du USHMM.
Photos nos 6, 21, 22, 23, 24, 25 et 26 : National Archives, Washington DC – avec l'aimable autorisation du USHMM.
Photos nos 7, 7 bis, 18, 20, 20 bis et 27 : Avec l'aimable autorisation de Yad Vashem, Jérusalem.
Photos nos 8, 9 et 19 : Main Commission for the Investigation of Nazi Crimes, Varsovie – avec l'aimable autorisation du USHMM.
Photo no 10 : Babi Yar Society, Kiev – avec l'aimable autorisation du USHMM.
Photos nos 11, 12, 13, 14 et 17 : Avec l'aimable autorisation du ZStL, Ludwigsburg.
Photo no 15 : Avec l'aimable autorisation du Staatsanwaltschaft Hamburg, Hambourg.
Photos nos 16 et 16 bis : Avec l'aimable autorisation du Berlin Document Center, Berlin.
Photos nos 28 et 29 : Yad Vashem, Jérusalem – avec l'aimable autorisation du USHMM.

Table

PREMIÈRE PARTIE

Comprendre l'antisémitisme allemand : la pensée éliminationniste

DEUXIÈME PARTIE

Programme et institutions éliminationnistes

TROISIÈME PARTIE

Les bataillons de police : des Allemands ordinaires, des tueurs volontaires

QUATRIÈME PARTIE

Les camps de « travail » : pour les Juifs, des camps d'extermination

CINQUIÈME PARTIE

Les marches de la mort : jusqu'aux derniers jours

SIXIÈME PARTIE

Antisémitisme éliminationniste, Allemands ordinaires, bourreaux volontaires

ANNEXES

RÉALISATION : PAO ÉDITIONS DU SEUIL
IMPRESSION : **BUSSIÈRE CAMEDAN IMPRIMERIES** À SAINT-AMAND (2-97)
DÉPÔT LÉGAL : JANVIER 1997. N° 28982-5 (1/298)